CATECHISMUS CATHOLICAE ECCLESIAE

CATECHISMUS

CATHOLICAE ECCLESIAE

LIBRERIA EDITRICE VATICANA

Integumenti imago depicta est secundum lapidem sepulcralem christianam ex catacumbis Domitillae, quae fini saeculi tertii adscribitur. Haec bucolica imago originis paganae adhibetur a christianis ut requiem et beatitudinem symbolice significent quas anima defuncti in vita invenit aeterna.

Haec imago etiam quasdam suggerit rationes quae hunc insigniunt Catechismum: Christum Bonum Pastorem qui Suos fideles (oves) Sua ducit et protegit auctoritate (baculo), eos suavi symphonia veritatis (tibia) allicit atque efficit ut ipsi sub umbra requiescant «arboris vitae», redemptricis crucis Eius, quae paradisum aperit.

Libreria Editrice Vaticana - Città del Vaticano
tel. (06) 698.85003 - Fax (06) 698.84716
ISBN 88-209-2428-5

SIGLA

AAS	*Acta Apostolicae Sedis*
Act	Actio
Adh. ap.	Adhortatio apostolica
AHMA	*Analecta hymnica Medii Aevi*
BP	*Biblioteca patristica*
c	caput vel corpus
CA	*Corpus apologetarum Christianorum saeculi secundi*
cap	caput
CCEO	Codex Canonum Ecclesiarum Orientalium
CCG	*Corpus Christianorum (Series Graeca)*
CCL	*Corpus Christianorum (Series Latina)*
Cf	Conferatur
CIC	Codex Iuris Canonici
COD	*Conciliorum Oecumenicorum Decreta*
concl	conclusio
Const	Constitutio
Const. ap	Constitutio apostolica
Const. dogm	Constitutio dogmatica
Const. past	Constitutio pastoralis
CSEL	*Corpus Scriptorum Ecclesiasticorum Latinorum*
Decl	Declaratio
Decr	Decretum
DS	H. DENZINGER-A. SCHÖNMETZER, *Enchiridion Symbolorum definitionum et declarationum de rebus fidei et morum*
ed	editio
Ed. Leon.	SANCTI THOMAE AQUINATIS Doctoris Angelici *Opera omnia* iussu impensaque Leonis XIII P.M. edita
Ep. ap	Epistula apostolica
Funk	F.X. FUNK, *Patres apostolici*, 2ª ed.
GCS	*Die griechischen christlichen Schrifsteller*
Ibid	Ibidem
Id	Idem
Inscr	Inscriptio
Litt. enc	Litterae encyclicae
MGH	*Monumenta Germaniae historica*
MHSI	*Monumenta historica Societatis Iesu*
p	pagina (ae)
PG	*Patrologia graeca* (J.P. MIGNE)
PL	*Patrologia latina* (J.P. MIGNE)
PLS	*Patrologia latina. Supplementum*
PTS	*Patristische Texte und Studien*
q	quaestio
SC	*Sources chrétiennes*
Sess	Sessio
SPM	*Stromata patristica et medievalia*
TD	*Textes et documents*
TPL	*Textus patristici et liturgici*
v	volumen

Libri sacrae Scripturae illo abbreviato afferuntur modo qui in editione typica Neovulgatae adhibetur.

ABBREVIATIONES PRO SACRA SCRIPTURA

VETUS TESTAMENTUM

Gn	Liber Genesis		Eccle	Liber Ecclesiastes
Ex	Liber Exodus		Ct	Canticum Canticorum
Lv	Liber Leviticus		Sap	Liber Sapientiae
Nm	Liber Numeri		Eccli	Liber Ecclesiasticus
Dt	Liber Deutoronomii		Is	Liber Isaiae
Ios	Liber Iosue		Ier	Liber Ieremiae
Idc	Liber Iudicum		Lam	Lamentationes
Rt	Liber Ruth		Bar	Liber Baruch
1 Sam	Liber I Samuelis		Ez	Prophetia Ezechielis
2 Sam	Liber II Samuelis		Dn	Prophetia Danielis
1 Reg	Liber I Regum		Os	Prophetia Osee
2 Reg	Liber II Regum		Il	Prophetia Ioel
1 Par	Liber I Paralipomenon		Am	Prophetia Amos
2 Par	Liber II Paralipomenon		Abd	Prophetia Abdiae
Esd	Liber Esdrae		Ion	Prophetia Ionae
Ne	Liber Nahemiae		Mich	Prophetia Michaeae
Tb	Liber Thobis		Nah	Prophetia Nahum
Idt	Liher Iudith		Hab	Prophetia Habacuc
Est	Liber Esther		Soph	Prophetia Sophoniae
Iob	Liber Iob		Ag	Prophetia Aggaei
Ps	Liber Psalmorum		Zach	Prophetia Zachariae
Prv	Liber Proverbiorum		Mal	Prophetia Malachiae
			1 Mac	Liber I Maccabaeorum
			2 Mac	Liber II Maccabaeorum

NOVUM TESTAMENTUM

Mt	Evangelium secundum Matthaeum		1 Thess	Epistula I ad Thessalonicenses
Mc	Evangelium secundum Marcum		2 Thess	Epistula II ad Thessalonicenses
Lc	Evangelium secundum Lucam		1 Tim	Epistula I ad Timotheum
Io	Evangelium secundum Ioannem		2 Tim	Epistula II ad Timotheum
Act	Actus Apostolorum		Tit	Epistula ad Titum
Rom	Epistula ad Romanos		Philm	Epistula ad Philemonem
1 Cor	Epistula I ad Corinthios		Heb	Epistula ad Hebraeos
2 Cor	Epistula II ad Corinthios		Iac	Epistula Iacobi
Gal	Epistula ad Galatas		1 Pe	Epistula I Petri
Eph	Epistula ad Ephesios		2 Pe	Epistula II Petri
Philip	Epistula ad Philippenses		1 Io	Epistula I Ioannis
Col	Epistula ad Colossenses		2 Io	Epistula II Ioannis
			3 Io	Epistula II Ioannis
			Ids	Epistula Iudae
			Apc	Apocalypsis Ioannis

LITTERAE APOSTOLICAE
« LAETAMUR MAGNOPERE »

quibus approbatur atque promulgatur
Latina Catechismi Catholicae Ecclesiae typica editio

Venerabilibus Fratribus Cardinalibus, Patriarchis, Archiepiscopis, Episcopis, Presbyteris, Diaconis ceterisque populi Dei membris

IOANNES PAULUS EPISCOPUS
SERVUS SERVORUM DEI
AD PERPETUAM REI MEMORIAM

L AETAMUR MAGNOPERE in lucem prodire typicam Catechismi Catholicae Ecclesiae Latinam editionem, quae a Nobis hisce Apostolicis Litteris approbatur atque promulgatur, quaeque sic fit memorati Catechismi decretoria scriptio. Hoc accidit circiter annis quinque postquam Apostolica emissa est Constitutio *Fidei depositum* die XI mensis Octobris anni MCMXCII, quae, tricesima occurrente anniversaria memoria aperti Concilii Vaticani II, primum Catechismi textum Gallica lingua exaratum in orbem induxit.

Gaudentes omnes comprobare potuimus quanto favore his annis Catechismus plerumque sit receptus et quam late disseminatus particulares praesertim apud Ecclesias quae in proprias linguas eius conversionem procuraverunt, ut diversis per terras linguarum

communitatibus ille praesto esset. Quod confirmat quam opportune anno MCMLXXXV Synodi Episcoporum extraordinaria
consessio poposcerit a Nobis ut Catechismus, sive totius doctrinae catholicae compendium tam de fide quam de moribus, conte-
xeretur.

Enucleatus a Cardinalium Episcoporumque Consilio ad hoc
ipsum anno MCMLXXXVI constituto, Catechismus a Nobis est
comprobatus atque prolatus dicta superius Apostolica Constitutione, quae omnem suam etiamnum servat vim atque utilitatem
quaeque extremam hac typica Latina editione recipit exsecutionem.

Hanc quidem editionem perfecit Consilium variis ex Apostolicae Sedis ministeriis constans, a Nobis huius rei causa anno
MCMXCIII institutum. Consilium istud, cuius praesidem posui-
mus Venerabilem Fratrem Nostrum Iosephum S.R.E. Cardinalem
Ratzinger, sedulo elaboravit ut expleret officium sibi commenda-
tum, mentem intendens particulatim in complures propositas
emendationes quae circa ipsius Catechismi enuntiationes iisdem
annis undique gentium diversisque a communitatis ecclesialis partibus huc advenerant.

Hac in re intellegi plane licet tam conspicuam modorum missionem ad Catechismum perficiendum ostendere studium omnino
singulare quod idem in universo orbe, etiam in locis non christianorum, multifarie inflammavit, atque confirmare Catechismi propositum sese exhibendi veluti plenam et integram expositionem
catholicae doctrinae, unde quisquis cognoscere valeat quid Ecclesia profiteatur et celebret, quid vivat quidque in cotidiana sua
agendi ratione precetur. Manifesto pariter deprehenditur alacris
voluntas suas conferendi partes ut christiana fides, cuius princi-
palia et necessaria elementa in Catechismo perstringuntur, nostrorum dierum hominibus aptissima ratione exponatur. Porro
per hanc communem complurium Ecclesiae partium adiutricem
operam rursus illud efficitur quod in commemorata Apostolica
Constitutione *Fidei depositum* ediximus: « Tot votorum congruentia designat profecto fidei quandam symphoniam » (n. 2).

Eas etiam ob causas Consilium serio animo ponderavit perla-
tas opiniones, accurate illas interpositis quaestionibus exploravit
atque Nobis iudicia sua sancienda tradidit. Eadem iudicia, quatenus sinunt ut Catechismi argumenta ad fidei catholicae depositum
spectantia convenientius patescant vel concedunt ut quaedam
eiusdem fidei veritates in formam redigantur postulatis hodiernae

institutionis catecheticae congruentiorem, a Nobis recepta sunt ideoque hanc Latinam typicam editionem vicissim sunt ingressa. Haec profecto suis in doctrinis fideliter illud repetit scriptum quod Ecclesiae orbique hominum publica auctoritate Nos Decembri mense anno MCMXCII praebuimus. Typica Latina editione hodie foras data, totum perficitur Catechismi componendi opus anno MCMLXXXVI incohatum, feliciterque impletur optatum memoratae extraordinariae consessionis Synodi Episcoporum. In promptu nunc habet Ecclesia novam hanc magnae auctoritatis expositionem unius suae ac perennis fidei apostolicae, quae erit « validum legitimumque instrumentum pro ecclesiali communione » et « firmam regulam ad fidem docendam » necnon « comparationis textus tutus atque authenticus » (cf. Const. Ap. *Fidei depositum*, n. 4) ad Catechismos singularium locorum enodandos.

Hac in sincera compositeque ordinata fidei et doctrinae catholicae propositione reperiet catechetica institutio viam absolute securam ad nuntium christianum exhibendum renovato fervore in omnibus ac singulis ipsius partibus aetatis nostrae hominibus. De hoc volumine percipiet quisque catechesis magister solidum adiumentum quo intra localem Ecclesiam unicum possit ac perpetuum fidei communicare depositum dum, auxiliante Spiritu Sancto, mirandam quidem christiani mysterii unitatem consociare enititur cum multiplicibus ipsis necessitatibus atque vitae condicionibus eorum quibus idem destinatur nuntius. Novum et largum apud Dei populum universa navitas catechetica experiri poterit impetum, si usurpare et recte aestimare valuerit hunc postconciliarem Catechismum.

Hoc maioris adhuc momenti hodie esse videtur cum tertium iam adventet millennium. Flagitatur enim peculiare evangelizationis officium ut cuncti possint Evangelii nuntium cognoscere ac suscipere ideoque crescere « in mensuram aetatis plenitudinis Christi » (*Eph* 4, 13).

Vehementer ergo cohortamur Venerabiles Fratres Nostros in Episcopatu, quibus praecipue Ecclesiae Catholicae concreditur Catechismus, ut praestabilem hanc promulgatae editionis typicae occasionem complectentes, sese impensius voveant ad textum latius diffundendum nec non ad eius promptam receptionem obsecumdandam veluti praestans quoddam donum pro Communitatibus sibi commissis, quae inexhaustas sic fidei divitias iterum detegere poterunt.

Utinam concordi et invicem complenti officio omnium graduum, quibus Populus Dei consistit, cognoscatur Catechismus atque ab omnibus recipiatur, ut corroboretur atque ad orbis fines dilatetur illa in fide consensio, cuius fons et principium in Trinitaria Unitate reperiuntur.

Christi Matri Mariae, quam hodie in caelum concelebramus corpore et anima adsumptam, haec committimus optata, quae ad exitum perducantur in omnium hominum spiritale bonum.

Ex Arce Gandulfi, die XV mensis Augusti, anno MCMXCVII, Pontificatus Nostri undevicesimo.

Joannes Paulus II

CONSTITUTIO APOSTOLICA
« FIDEI DEPOSITUM »

**qua Catholicae Ecclesiae Catechismus
post Concilium Oecumenicum Vaticanum II instauratus
publici iuris fit**

Venerabilibus Fratribus Cardinalibus, Patriarchis, Archiepiscopis,
Episcopis, Presbyteris, Diaconis ceterisque populi Dei membris

IOANNES PAULUS EPISCOPUS
SERVUS SERVORUM DEI
AD PERPETUAM REI MEMORIAM

FIDEI DEPOSITUM custodiendum Dominus Ecclesiae suae dedit,
quod quidem munus Ipsa indesinenter explet. Concilii Oecumenici Vaticani II, triginta ante annos a Decessore Nostro
Ioanne Pp. XXIII fel. rec. sollemniter inchoati, mens atque optatum eo spectabant, ut Ecclesiae apostolica atque pastoralis missio
apta in luce poneretur, et ita veritatis evangelicae fulgor homines
alliceret cunctos ad inquirendam accipiendamque Christi caritatem supereminentem (cf. *Eph* 3, 19).
    His congressionibus Ioannes Pp. XXIII munus praecipuum
concredidit aptius tuendi explicandique catholicae doctrinae pretiosum depositum, ut idem magis perspicuum fieret Christifidelibus et universis bonae voluntatis hominibus. Ideo Concilii non

erat statim aetatis illius errata damnare, sed ante omnia aequo animo niti doctrinae fidei ostendere fortitudinem venustatemque. « Huius ergo Concilii lumine illustrata — ait ille — Ecclesia spiritualibus divitiis, ut confidimus, augebitur, atque, novarum virium robur ex illo hauriens, intrepide futura prospiciet tempora » nostrum est ut « alacres, sine timore, operi, quod nostra exigit aetas, nunc insistamus, iter pergentes, quod Ecclesia a viginti fere saeculis fecit ».[1]

Deo adiuvante, potuerunt Patres Concilii, quattuor per annos laborantes, doctrinarum normarumque pastoralium conficere haud spernendam summam universaeque Ecclesiae subicere. Pastores atque Christifideles ibi inveniunt consilia ad illam efficiendam « cogitationum, operositatis, morum moralisque virtutis, laetitiae atque spei restitutionem, quam sane Concilium ardenter exoptavit ».[2]

Suam post conclusionem non destitit Concilium a vita ecclesiali concitanda. Anno MCMLXXXV potuimus declarare: « Nobis quidem — Qui feliciter eidem interfuimus atque eiusdem progressui navam dedimus operam — Vaticanum Secundum semper exstitit, atque peculiari ratione manet his Nostri Pontificatus annis, constans comparationis punctum universae Nostrae pastoralis activitatis, scite quidem contendentes ad certam firmamque ipsius normarum accommodationem, respectu habito cuiusque particularis Ecclesiae totiusque catholicae Ecclesiae. Oportet sane indesinenter hunc repetere fontem ».[3]

Hoc mentis consilio extraordinarium convocavimus Synodi Episcoporum Coetum, die XXV mensis Ianuarii anno MCMLXXXV, vicesima incidente anniversaria memoria a conclusione Concilii. Huius Coetus propositum in eo erat ut gratias fructusque spirituales Concilii Vaticani II celebraret, utque ipsius doctrinam altius pervestigaret, quo melius christifideles universi ei assentirentur eiusque agnitio et accommodatio divulgarentur.

His in rebus adiunctis, Patres synodales affirmaverunt: « Valde communiter desideratur catechismus seu compendium totius

---

[1] IOANNIS PP. XXIII *allocutio* in sollemni ritu ineundi Concilii Oecumenici Vaticani Secundi, die XI mensis Octobris, anno MCMLXII: *AAS* 54 (1962), 788-791.
[2] PAULI PP. VI *allocutio* in sollemni ritu conclusionis Concilii Oecumenici Vaticani Secundi, die VIII mensis Decembris, anno MCMLXV: *AAS* 58 (1966), 7-8.
[3] *Allocutio* habita die xxv mensis Ianuarii, anno MCMLXXXV: *L'Osservatore Romano*, die XXVII mensis Ianuarii, anno MCMLXXXV.

doctrinae catholicae, tam de fide quam de moribus, conscribendum, quod quasi punctum referentiae sit pro catechismis seu compendiis quae in diversis regionibus componentur. Praesentatio doctrinae talis esse debet quae sit biblica et liturgica, sanam doctrinam praebens simul et vitae hodiernae christianorum accommodata ».[4] Inde a Synodi conclusione, Nostrum reddidimus hoc propositum, recte existimantes quod idem « omnino respondet verae necessitati Ecclesiae Universalis et Ecclesiarum particularium ».[5]

Qua de causa integro corde gratias agimus Domino hoc ipso die quo universae Ecclesiae offerre possumus, inscriptione adhibita « Catechismus Catholicae Ecclesiae », hunc « comparationis textum » pro catechesi renovata vivis fidei fontibus!

Post Liturgiam renovatam atque novam Iuris Canonici Ecclesiae Latinae codificationem catholicarumque Ecclesiarum Orientalium canonum, admodum adiuvabit hic catechismus totius vitae ecclesialis renovationem a Concilio Oecumenico Vaticano Secundo exoptatam atque ad praxim deductam.

Catholicae Ecclesiae Catechismus est fructus amplissimae cooperationis; ad maturitatem pervenit per enixam sex annorum operam intento apertionis animo atque ferventi ardore peractam.

Anno MCMLXXXVI credidimus duodecim Cardinalium Episcoporumque coetui, Cardinali Iosepho Ratzinger praeside, munus adparandi propositum pro catechismo a Patribus Synodalibus postulato. Redactionis consilium, septem constans episcopis dioecesanis doctrinae theologicae atque catecheseos peritis, coetui adlaboranti adfuit.

Coetus, cuius erat proponere normas atque invigilare ad laborum evolutionem, persecutus est diligenter cuncta itinera novem subsequentium editionum redactionis. Confectionis consilium, pro munere suo, facultatem recepit scribendi textum, immittendi mutationes a Coetu postulatas atque invigilandi notas multorum theologorum, explanatorum christianae doctrinae, institutorum atque praesertim Episcoporum totius mundi, ad textum meliorem

---

[4] Synodus Episcoporum (in coetum generalem extraordinarium congregata, 1985), *Relatio finalis,* die VII mensis Decembris, anno MCMLXXXV: *Enchiridion Vaticanum* 9, II, B, a, n. 4, p. 1758, n. 1797.

[5] *Allocutio* habita ad Patres congregatos exeunte Synodo Episcoporum (in coetum generalem extraordinarium congregata) die VII mensis Decembris, anno MCMLXXXV, n. 6: *AAS* 78 (1986), 435.

conficiendum. In Consilio magno cum emolumento variae sententiae comparatae sunt et ita textus ditior evasit eiusque unitas et congruentia omnino in tuto positae sunt.

Cogitatum propositum amplam obstrinxit catholicorum episcoporum consultationem, eorum episcopalium Conferentiarum vel Synodorum, theologiae atque catecheseos institutorum. In universum, propositum ab episcopis benigne admodum exceptum est. Affirmari potest eiusmodi Catechismum fructum consociatae operae totius Episcopatus Catholicae Ecclesiae, qui magno sane animo Nostram recepit invitationem ut particeps fieret responsalitatis hoc in incepto ad vitam ecclesialem proxime spectanti. Haec responsio altum gaudium Nostrum concitat, quia tot votorum congruentia designat profecto fidei quandam symphoniam. Huius Catechismi effectio ostendit insuper Episcopatus naturam collegialem: Ecclesiae catholicitatem testatur.

Catechismus fideliter quidem atque disposite exhibere debet doctrinam Bibliorum Sacrorum vivaeque in Ecclesia Traditionis, authentici Magisterii pariterque spiritualis hereditatis Patrum, Doctorum, sanctorum sanctarumque Ecclesiae, quo melius christiana mysteria cognoscantur atque fides populi Dei reficiatur. Aptam oportet instituat rationem declarationum doctrinae, quam Sanctus Spiritus per saeculorum decursum Ecclesiae suae suggessit. Oportet insuper auxilio sit in collustrandis rerum novis condicionibus lumine fidei quaestionibusque quae nondum proposíta sunt praeterita aetate.

Catechismus ergo exhibebit nova et vetera (cf. *Mt* 13, 52) cum semper eadem sit fides atque semper fons novorum luminum.

Ut eiusmodi duplici postulationi responsum det, Catholicae Ecclesiae Catechismus repetit una ex parte antiquam translaticiam dispositionem iam a Catechismo Sancti Pii V exhibitam, materiam partiendo in quattuor partes: *Credo; sacra Liturgia,* cuius primas partes agunt sacramenta; *christiana agendi ratio,* cuius expositio initium sumit a decalogo; et demum *christiana oratio.* Tamen, eodem tempore, materia saepe exhibetur « nova » ratione, ut aetatis nostrae postulationibus respondeatur.

Quattuor partes annectuntur aliae aliis: mysterium christianum est fidei obiectum (prima pars); idem celebratur atque communicatur per liturgicas actiones (secunda pars); praesto adest ad illuminandos sustentandosque Dei filios in eorum operibus (tertia pars); nostram conflat orationem, cuius praecipua significatio est

« Pater Noster », atque constituit obiectum petitionis nostrae, nostrae laudis, nostraeque intercessionis (quarta pars).

Liturgia ipsa est oratio; fidei confessio locum invenit sibi aptum in cultus celebratione. Gratia, sacramentorum fructus, est actuositatis christianae condicio quae substitui non potest, eadem ratione qua participatio liturgiae Ecclesiae poscit fidem. Si fides operibus nudatur: mortua est in semet ipsa (cf. *Iac* 2, 14-26) nec fructus ad vitam aeternam afferre potest.

Catholicae Ecclesiae Catechismum legendo, percipere possumus miram mysterii Dei unitatem ipsiusque consilii salutis, sicut et Christi Iesu locum centralem, Unigeniti Filii Dei, a Patre missi, in Beatissimae Virginis Mariae ventre hominis facti cooperante Sancto Spiritu, ut Salvator noster evaderet. Mortuus atque resuscitatus, semper Ecclesiae suae adest, praesertim in Sacramentis; Ipse est verus fidei fons, navitatis christianae exemplar, precum nostrarum Magister.

Ecclesiae Catholicae Catechismus, quem die quinto et vicesimo mensis Iunii p.p. probavimus cuiusque hodie Auctoritate Nostra Apostolica iubemus promulgationem, est Ecclesiae fidei doctrinaeque catholicae expositio, comprobatae vel illustratae a sacra Scriptura, apostolica Traditione atque Ecclesiae Magisterio. Eum declaramus firmam regulam ad fidem docendam, ideoque validum legitimumque instrumentum pro ecclesiali communione. Utinam inserviat renovationi ad quam indesinenter Sanctus Spiritus vocat Dei Ecclesiam, Christi Corpus, in itinere versus Regni lumen nulla umbra foedatum!

Catechismum Catholicae Ecclesiae comprobare illumque publici iuris facere pertinet ad ministerium quod Petri Successor praestare vult Sanctae Catholicae Ecclesiae, omnibus particularibus Ecclesiis pacem et communionem habentibus cum Romana Apostolica Sede: ministerium scilicet sustentandae atque confirmandae fidei omnium discipulorum Domini Iesu (cf. *Lc* 22, 32), pariterque solidandi unitatis vincula eadem in apostolica fide.

Rogamus ergo Ecclesiae Pastores atque Christifideles ut hunc recipiant Catechismum communionis animo eodemque assidue utantur in explendo munere nuntiandi fidem atque provocandi ad vitam evangelicam. Catechismus hic iis traditur ut comparationis textus habeatur tutus atque authenticus in docenda doctrina catholica, et potissimum omnino in locorum catechismis componendis. Praebetur insuper omnibus Christifidelibus cupientibus aptius cognoscere investigabiles salutis divitias (cf. *Eph* 3, 8).

Afferre vult subsidium oecumenicis laboribus sancto concitatis desiderio unitatis omnium christianorum comparandae, fidei catholicae denotando diligenter summam miramque cohaerentiam. Catechismus Catholicae Ecclesiae demum praebetur omni homini poscenti rationem de ea, quae est in nobis, spe (cf. *1 Pt* 3, 15) atque concitato desiderio cognoscendi quod Catholica Ecclesia credit.

Hic Catechismus non vult substituere catechismos variis in locis compositos, ab auctoritatibus ecclesiasticis, Episcopis dioecesanis et Episcoporum coetibus legitime comprobatos, praesertim si probati fuerunt a Sede Apostolica. Destinatur ad fovendam atque adiuvandam singulorum locorum compositionem novorum catechismorum, qui rationem habeant diversarum condicionum culturarumque, servent tamen diligenter fidei unitatem necnon erga doctrinam catholicam fidelitatem.

Sub fine huius documenti, quod Catholicae Ecclesiae Catechismum profert, Nos Sanctissimam Virginem Mariam, Verbi Incarnati et Ecclesiae Matrem, precamur, ut sua valida intercessione opus sustineat catecheticum totius Ecclesiae per omnes gradus, hoc tempore quo Ecclesia vocatur ad novum evangelizationis conatum. Utinam verae fidei lux liberet homines ab ignorantia peccatique servitute, ut eos conducat ad unicam libertatem hoc nomine dignam (cf. *Io* 8, 32), ad libertatem scilicet vitae in Christo Iesu sub Spiritus Sancti ductu hic in terra agendae, et in Regno caelorum ad plenitudinem felicis contemplationis Dei facie ad faciem (cf. *1 Cor* 13, 12; *2 Cor* 5, 6-8)!

Datum die XI mensis Octobris, anno MCMXCII, triginta exactis annis ab inito Concilio Oecumenico Vaticano II, Pontificatus Nostri quarto decimo.

Joannes Paulus PP. II

PROOEMIUM

« Pater, [...] haec est autem vita aeterna, ut cognoscant Te solum verum Deum et, quem misisti, Iesum Christum » (*Io* 17, 3). Salvator noster Deus « omnes homines vult salvos fieri et ad agnitionem veritatis venire » (*1 Tim* 2, 3-4). « Nec enim nomen aliud est sub caelo datum in hominibus, in quo oportet nos salvos fieri » (*Act* 4, 12), nisi Nomen Iesu.

I. Vita hominis – Deum cognoscere Illumque amare

1   Deus, in Se Ipso infinite perfectus atque beatus, secundum purae bonitatis propositum, hominem libere creavit, ut illum vitae Suae beatae efficeret participem. Quare Ipse omni tempore et in omni loco homini fit propinquus. Hominem Deus vocat et adiuvat ut Eum quaerat, cognoscat atque totis viribus diligat. Omnes homines, peccato dispersos, in unitatem convocat familiae Suae, quae est Ecclesia. Ad id efficiendum, Suum misit Filium tamquam Redemptorem et Salvatorem, cum tempora sunt impleta. In Ipso et per Ipsum homines Deus vocat ut in Spiritu Sancto filii Eius fiant adoptivi atque ideo heredes Eius vitae beatae.

2   Ut haec vocatio in toto resonaret orbe, Christus Apostolos misit, quos elegerat, illis Evangelii nuntiandi praebens mandatum: « Euntes ergo docete omnes gentes, baptizantes eos in nomine Patris et Filii et Spiritus Sancti, docentes eos servare omnia, quaecumque mandavi vobis. Et ecce ego vobiscum sum omnibus diebus usque ad consummationem saeculi » (*Mt* 28, 19-20). Apostoli, huius missionis virtute, « profecti praedicaverunt ubique, Domino cooperante et sermonem confirmante, sequentibus signis » (*Mc* 16, 20).

3   Illi qui, Deo iuvante, hanc vocationem Christi acceperunt eique libere responderunt, impulsi sunt et ipsi Christi amore ad Bonum Nuntium ubique terrarum proclamandum. Hunc thesaurum, quem ab Apostolis acceperant, eorum successores fideliter servaverunt. Christifideles vocantur omnes ut illum de generatione in generationem transmittant, fidem

annuntiantes, ex ea in communione fraterna viventes eamque in liturgia et precibus celebrantes.[6]

II. De fide transmittenda – De catechesi

4 Cito *catechesis* est appellata nisuum summa in Ecclesia susceptorum ut discipuli arcesserentur, ut homines iuvarentur ad credendum Iesum esse Filium Dei idque credentes vitam haberent in nomine Eius, ut iidem educarentur et in hac vita instituerentur et sic corpus Christi aedificaretur.[7]

5 « In universum affirmari potest catechesim esse *educationem in fide* impertiendam pueris, iuvenibus, adultis, potissimum per institutionem doctrinae christianae, quae plerumque cohaerenti fit via atque ratione, eo nempe consilio ut credentes christianae vitae plenitudini initientur ».[8]

6 Quin cum ipsis confundatur, catechesis cum pluribus aliis elementis missionis pastoralis Ecclesiae conectitur, quae rationem quamdam catecheticam prae se ferunt, catechesim ipsam praeparant aut ex illa manant. Ut sunt: prima Evangelii annuntiatio seu missionalis praedicatio ad fidem excitandam; argumentorum ad credendum inquisitio; vitae christianae experientia; sacramentorum celebratio; in ecclesialem communitatem insertio; apostolicum et missionale testimonium.[9]

7 « Patet autem catechesim cum omni vita Ecclesiae arcte coniungi atque conecti. Ex ipsa enim potissimum pendet non solum disseminatio Ecclesiae per loca eiusque auctus per numeros, verum multo magis interius Ecclesiae incrementum eiusque convenientia cum Dei consilio ».[10]

8 Tempora in quibus Ecclesia renovatur, sunt etiam tempora, quibus catechesis insigni traditur ratione. Sic, in magna Patrum Ecclesiae percipitur aetate, sanctos nempe Episcopos in suo ministerio catechesi magni momenti tribuisse partes. Tales enim sanctus Cyrillus Hierosolymitanus, sanctus Ioannes Chrysostomus, sanctus Ambrosius, sanctus Augustinus atque plures alii habentur Patres, quorum opera catechetica exemplo esse pergunt.

9 Ministerium catecheticum vires semper in Conciliis haurit renovatas. Ad hoc quod attinet, Concilium Tridentinum exemplum habetur efferendum: etenim

---

[6] Cf. Act 2, 42.
[7] Cf. IOANNES PAULUS II, Adh. ap. *Catechesi tradendae,* 1: AAS 71 (1979) 1277-1278.
[8] IOANNES PAULUS II, Adh. ap. *Catechesi tradendae*, 18: AAS 71 (1979) 1292.
[9] Cf. IOANNES PAULUS II, Adh. ap. *Catechesi tradendae*, 18: AAS 71 (1979) 1292.
[10] IOANNES PAULUS II, Adh. ap. *Catechesi tradendae*, 13: AAS 71 (1979) 1288.

catechesi in suis constitutionibus et decretis priores tribuit partes; in illo *Catechismus Romanus* suam invenit originem, qui etiam eius nomine insignitur et opus est praestantissimum tamquam doctrinae christianae compendium; illud in Ecclesia dispositionem pro catechesi tradenda suscitavit notatu dignam; atque etiam impulit ut plures catechismi, opera sanctorum Episcoporum ac theologorum, veluti sancti Petri Canisii, sancti Caroli Borromeo, sancti Turibii de Mogrovejo vel sancti Roberti Bellarmino, ederentur.

10   Inde mirum non est, in motu a Concilio Vaticano II inducto (quod quidem Concilium Paulus Papa VI tamquam magnum temporis hodierni habuit catechismum), Ecclesiae catechesim iterum mentes ad se convertisse. *Directorium generale catecheticum* anno 1971 editum, coetus Synodi Episcoporum evangelizationi (1974) et catechesi (1977) dicati, adhortationes apostolicae *Evangelii nuntiandi* (1975) et *Catechesi tradendae* (1979), quae illis coetibus respondent, id ipsum testantur. Coetus extraordinarius Synodi Episcoporum, anno 1985 celebratus, rogavit: « Valde communiter desideratur Catechismus seu compendium totius doctrinae catholicae, tam de fide quam de moribus conscribendum ».[11] Summus Pontifex Ioannes Paulus II huic Synodi Episcoporum voto sese sociavit, id nempe agnoscens: « Desiderium omnino respondet verae necessitati Ecclesiae universalis et Ecclesiarum particularium ».[12] Sedulo est adnisus ut hoc Patrum Synodi desiderium in rem duceretur.

III. De huius Catechismi fine atque de illis ad quos ipse dirigatur

11   Scopus huius Catechismi est organicam atque syntheticam offerre expositionem essentialium et fundamentalium doctrinae catholicae de fide et moribus argumentorum sub luce Concilii Vaticani II necnon totius Ecclesiae Traditionis. Sacra Scriptura, sancti Patres, liturgia et Ecclesiae Magisterium praecipui eius sunt fontes. Ad id vero destinatur ut « quasi punctum referentiae sit pro catechismis seu compendiis quae in diversis regionibus componentur ».[13]

12   Hic Catechismus ad eos praecipue dirigitur qui catechesis officii sponsores habentur: imprimis ad Episcopos quatenus fidei doctores et Ecclesiae sunt Pastores. Illis offertur tamquam instrumentum pro eorum officio adimplendo Dei populum edocendi. Per Episcopos ad illos ulte-

---

[11] SYNODUS EPISCOPORUM, Coetus extraordinarius, *Ecclesia sub Verbo Dei mysteria Christi celebrans pro salute mundi. Relatio finalis* II, B, a, 4 (E Civitate Vaticana 1985) p. 11.

[12] IOANNES PAULUS II, *Allocutio Synodo extraordinaria exeunte ad Patres congregatos habita* (7 decembris 1985), 6: AAS 78 (1986) 435.

[13] SYNODUS EPISCOPORUM, Coetus extraordinarius, *Ecclesia sub Verbo Dei mysteria Christi celebrans pro salute mundi. Relatio finalis* II, B, a, 4 (E Civitate Vaticana 1985) p. 11.

rius dirigitur qui catechismos redigunt, ad presbyteros et ad catechistas. Eius autem lectio omnibus aliis christifidelibus utilis etiam erit.

IV. De huius structura Catechismi

13   Huius Catechismi dispositio magnam catechismorum sequitur traditionem, secundum quam catechesis circa quattuor struitur « fundamentales columnas »: baptismalis scilicet Professionem fidei (*Symbolum*), fidei sacramenta, vitam secundum fidem (*Mandata*), credentis orationem (« *Pater noster* »).

Pars prima: Professio fidei

14   Illi qui per fidem et Baptismum sunt Christi, fidem coram hominibus confiteri debent baptismalem.[14] Propterea Catechismus imprimis exponit in quo consistant Revelatio, per quam Deus ad hominem Se vertit eique Se donat, et fides, qua homo Deo respondet (*sectio prima*). Fidei Symbolum dona colligit compendio, quae Deus, ut omnis boni Auctor, ut Redemptor, ut Sanctificator, homini largitur eaque circa nostri Baptismi « tria capita » disponit - est enim fides in unum Deum: Patrem omnipotentem, Creatorem; et Iesum Christum, Eius Filium, Dominum et Salvatorem nostrum; et Spiritum Sanctum, in sancta Ecclesia (*sectio secunda*).

Pars secunda: Fidei sacramenta

15   Secunda Catechismi pars exponit quomodo Dei salus, semel pro semper a Christo Iesu atque a Spiritu Sancto peracta, in actionibus sacris liturgiae Ecclesiae reddatur praesens (*sectio prima*), praesertim vero in septem sacramentis (*sectio secunda*).

Pars tertia: Vita ex fide

16   Catechismi tertia pars hominis ad Dei imaginem creati ultimum ostendit finem: beatitudinem viasque ad illam perveniendi: per rectum nempe et liberum agendi modum adiumento Legis et gratiae Dei (*sectio prima*); per modum agendi qui duplex in rem deducit caritatis mandatum quod in decem Dei mandatis explicatur (*sectio secunda*).

[14] Cf. *Mt* 10, 32; *Rom* 10, 9.

Pars quarta: *Oratio in vita ex fide*

17 Pars Catechismi postrema de sensu et momento agit orationis in credentium vita (*sectio prima*). Ipsa per brevem septem postulationum dominicae Orationis clauditur commentarium (*sectio secunda*). In illis enim summam invenimus bonorum, quae et nos sperare debemus et Pater noster caelestis nobis impertire vult.

V. Pro huius Catechismi usu practicae animadversiones

18 Hic Catechismus ut totius fidei catholicae concipitur *organica expositio*. Propterea tamquam unum quid legendus est. Eo quod lector in margine textus saepe ad alios remittitur locos (per numeros typis minoribus compositos qui se ad alias referunt paragraphos de eadem re agentes), et ope indicis analytici in extremo volumine positi, fit ut unumquodque argumentum in sua cum fidei summa conspici possit coniunctione.

19 Saepe sacrae Scripturae textus litteraliter non afferuntur, sed mera ad illos (per « cf. ») in nota fit allegatio. Pro talium locorum profundiore intellegentia ad textus ipsos accedere oportet. Hae biblicae allegationes pro catechesi sunt laboris instrumentum.

> 20 *Litterarum minorum* usus quibusdam in locis indicat de historicae vel apologeticae indolis agi notationibus, vel de expositionibus doctrinalibus complementariis.

> 21 *Allegationes* litteris minoribus expressae fontium patristicorum, liturgicorum, magisterialium et hagiographicorum ad expositionem doctrinalem ditandam ordinantur. Hi textus pro usu directe catechetico saepe sunt selecti.

> 22 *In fine cuiusque argumenti unitatem quamdam constituentis, textuum brevium series, per formulas concisas, doctrinae essentialia comprehendunt. Haec « compendia » intendunt locali catechesi praebere suggestiones pro formulis syntheticis et aptis quae memoriae mandentur.*

VI. Necessariae accommodationes

23 Hic Catechismus in expositione insistit doctrinali. Ipse enim auxilium afferre intendit ut fides profundius cognoscatur. Eo ipso ad id di-

rigitur ut haec ad maturitatem perducatur fides, ut in vita altiores agat radices atque ut in testimonio exhibito eluceat.[15]

24 Propter ipsum scopum ab eo intentum, hic Catechismus non quaerit expositionis et methodorum catecheticarum peragere accommodationes, quae a diversitate culturarum, aetatum, spiritualis maturitatis, socialium et ecclesialium habitudinum eorum postulantur, ad quos dirigitur catechesis. Hae prorsus necessariae accommodationes ad peculiares pertinent catechismos, et adhuc amplius ad eos qui christifideles instituunt.

> « Qui docendi munus exercet, omnia omnibus efficiatur, ut et omnes Christo lucrifaciat [...]. Neque vero unius tantum generis homines fidei suae commissos esse arbitretur, ut praescripta quadam et certa docendi formula erudire, atque ad veram pietatem instituere aeque omnes fideles possit: sed cum alii veluti modo geniti infantes sint, alii in Christo adolescere incipiant, nonnulli vero quodammodo confirmata sint aetate, necesse est diligenter considerare, quibus lacte, quibus solidiore cibo opus sit [...]. Id vero Apostolus [...] observandum indicavit [...] ut videlicet intelligerent qui ad hoc ministerium vocati sunt, ita in tradendis fidei mysteriis, ac vitae praeceptis doctrinam ad audientium sensum atque intelligentiam accommodari oportere ».[16]

SUPER OMNIA – CARITAS

25 Ad hanc praesentationem concludendam in memoriam expedit revocare hoc pastorale principium quod *Catechismus Romanus* profert:

> « Haec nimirum est via illa excellentior, quam [...] Apostolus demonstravit, cum omnem doctrinae et institutionis suae rationem ad charitatem, quae numquam excidit, dirigeret. Sive enim credendum, sive sperandum, sive agendum aliquid proponatur, ita in eo semper charitas Domini nostri commendari debet, ut quivis perspiciat omnia perfectae christianae virtutis opera non aliunde quam a dilectione ortum habere, neque ad alium finem, quam ad dilectionem referenda esse ».[17]

---

[15] Cf. IOANNES PAULUS II, Adh. ap. *Catechesi tradendae*, 20-22: AAS 71 (1979) 1293-1296; *Ibid.*, 25: AAS 71 (1979) 1297-1298.

[16] *Catechismus Romanus seu Catechismus ex decreto Concilii Tridentini ad parochos, Pii V Pontificis Maximi iussu editus*, Praefatio, 11: ed. P. RODRÍGUEZ (Città del Vaticano-Pamplona 1989) p. 11.

[17] *Catechismus Romanus*, Praefatio 10: ed. P. RODRÍGUEZ (Città del Vaticano-Pamplona 1989) p. 10.

PARS PRIMA

PROFESSIO FIDEI

Fragmentum picturae udo illitae in catacumbis Priscillae, Romae, initio saeculi tertii. Imago omnium antiquissima beatae Virginis.

Haec imago, inter artis christianae antiquissimas, id exprimit quod fidei christianae constituit cor: mysterium Incarnationis Filii Dei, nati e Virgine Maria.

Ad sinistram partem, figura habetur viri stellam indicantis super Virgine cum Infante positam: cuiusdam nempe Prophetae, probabiliter Balaam, qui annuntiat: « Oritur stella ex Iacob et consurgit virga de Israel » (*Nm* 24, 17). Hic tota indicatur Veteris Foederis exspectatio et imploratio Salvatoris et Redemptoris a lapso genere humano (cf. § 27, 528).

Haec praedictio in rem deducitur in Nativitate Iesu, Filii Dei hominis facti, a Spiritu Sancto concepti, e Virgine Maria nati (§ 27, 53, 422, 488). Maria Eum parit, ipsa Eum hominibus donat. Exinde ipsa est purissima Ecclesiae imago (§ 967).

26 Cum nostram profitemur fidem, verbo incipimus: « Credo » vel « Credimus ». Antequam Ecclesiae fidem exponamus, qualem in Symbolo confitemur, qualis in liturgia celebratur, qualis in vitam per mandatorum observantiam ducitur atque per orationem, quaestionem nobis proponamus: quid « credere » significet. Fides est responsio ab homine data Deo, qui Se illi revelat et donat, simul abundantissimam afferens lucem homini in sensum vitae suae inquirenti ultimum. Hanc igitur hominis inquisitionem imprimis consideramus (*caput primum*), deinde Revelationem divinam, per quam Deus homini occurrit (*caput secundum*), denique fidei responsum (*caput tertium*).

SECTIO PRIMA

« CREDO » – « CREDIMUS »

CAPUT PRIMUM

HOMO EST DEI « CAPAX »

I. De desiderio Dei

27   Dei desiderium in corde hominis est inscriptum, quia homo a Deo et ad Deum creatus est; Deus autem hominem ad Se allicere non desinit, et solummodo in Deo inveniet homo veritatem et beatitudinem quas indesinenter exquirit:

355, 1701

1718

> « Dignitatis humanae eximia ratio in vocatione hominis ad communionem cum Deo consistit. Ad colloquium cum Deo iam inde ab ortu suo invitatur homo: non enim exsistit, nisi quia, a Deo ex amore creatus, semper ex amore conservatur; nec plene secundum veritatem vivit, nisi amorem illum libere agnoscat et Creatori suo se committat ».[1]

28   Homines, in historia sua ad haec usque tempora, multiplici modo, suam Dei inquisitionem expresserunt suis religiosis et persuasionibus et se gerendi rationibus (precibus, sacrificiis, cultibus, meditationibus etc.). Hae expressionis formae, quamquam ambiguitates secum ferre possunt, ita sunt universales, ut homo *ens religiosum* appellari possit:

843, 2566
2095-2109

> Deus « fecit [...] ex uno omne genus hominum inhabitare super universam faciem terrae, definiens statuta tempora et terminos habitationis eorum, quaerere Deum si forte attrectent Eum et inveniant, quamvis non longe sit ab unoquoque nostrum. In Ipso enim vivimus et movemur et sumus » (*Act* 17, 26-28).

29   Attamen homo « hanc intimam ac vitalem cum Deo coniunctionem »[2] oblivisci, neglegere, immo explicite reiicere potest. Tales habitudines e fontibus valde diversis possunt oriri:[3] e rebellione contra malum quod est in mundo, e religiosis ignorantia vel indifferentia, e saeculi et divitiarum sollicitudine,[4] e pravo credentium exemplo, e cogitationum

2123-2128

---

[1] CONCILIUM VATICANUM II, Const. past. *Gaudium et spes*, 19: AAS 58 (1966) 1038-1039.
[2] CONCILIUM VATICANUM II, Const. past. *Gaudium et spes*, 19: AAS 58 (1966) 1039.
[3] Cf. CONCILIUM VATICANUM II, Const. past. *Gaudium et spes*, 19-21: AAS 58 (1966) 1038-1042.
[4] Cf. *Mt* 13, 22.

398   tendentiis religioni adversantibus, ex habitudine denique hominis peccatoris ob timorem se a Deo abscondentis[5] et ab Eius vocatione fugientis.[6]

30 « Laetetur cor quaerentium Dominum » (*Ps* 105, 3). Si homo potest
Dei oblivisci aut Illum respuere, Ipse tamen Deus omnem hominem ad
845, 2567   Ipsum quaerendum vocare non desinit, ut homo vivat et beatitudinem
inveniat. Haec autem inquisitio ab homine requirit totum eius intelli-
368   gentiae nisum, eius voluntatis rectitudinem, « cor rectum » atque etiam
testimonium aliorum qui eum doceant Deum quaerere.

> « Magnus es, Domine, et laudabilis valde: magna virtus Tua et sapien-
> tiae Tuae non est numerus. Et laudare Te vult homo, aliqua portio
> creaturae Tuae, et homo circumferens mortalitatem suam, circumferens
> testimonium peccati sui et testimonium quia superbis resistis: et tamen
> laudare Te vult homo, aliqua portio creaturae Tuae. Tu excitas, ut lau-
> dare Te delectet, quia fecisti nos ad Te, et inquietum est cor nostrum,
> donec requiescat in Te ».[7]

II. De viis, quibus ad Deum cognoscendum habetur accessus

31   Homo, ad Dei imaginem creatus et ad Deum cognoscendum et
amandum vocatus, cum Deum quaerit, quasdam detegit « vias » ut ad
Dei accedat cognitionem. Illae etiam « argumenta exsistentiae Dei »
appellantur, non tamen eodem sensu quo scientiae naturales quaerunt
argumenta, sed quatenus « argumenta convergentia et persuadentia »
sunt quae ad veras certitudines pertingere sinunt.

     Hae « viae » Deo appropinquandi initium a creatione sumunt: a
mundo materiali et a persona humana.

32 *Mundus*: Deus potest, ex motu et efficientia, ex contingentia, ex
54, 337   ordine et pulchritudine mundi, ut origo et finis universi cognosci.

> Sanctus Paulus de gentibus affirmat: « Quod noscibile est Dei, manife-
> stum est in illis; Deus enim illis manifestavit. Invisibilia enim Ipsius a
> creatura mundi per ea, quae facta sunt, intellecta conspiciuntur, sempi-
> terna Eius et virtus et divinitas » (*Rom* 1, 19-20).[8]
>   Atque sanctus Augustinus dicit: « Interroga pulchritudinem terrae,
> interroga pulchritudinem maris, interroga pulchritudinem dilatati et dif-
> fusi aeris, interroga pulchritudinem coeli, [...] interroga ista. Respondent

---

[5] Cf. *Gn* 3, 8-10.
[6] Cf. *Ion* 1, 3.
[7] SANCTUS AUGUSTINUS, *Confessiones,* 1, 1, 1: CCL 27, 1 (PL 32, 659-661).
[8] Cf. *Act* 14, 15-17; 17, 27-28; *Sap* 13, 1-9.

tibi omnia: Ecce vide, pulchra sumus. Pulchritudo eorum, *confessio* eorum. Ista pulchra mutabilia quis fecit, nisi incommutabilis *Pulcher*? ».[9]

33 *Homo*: allectus sua veritati et pulchritudini apertione, boni moralis sensu, libertate et suae conscientiae voce, infiniti et beatitudinis appetitu homo de exsistentia Dei se interrogat. In his omnibus, animae suae spiritualis percipit signa. « Semen aeternitatis, quod [homo] in se gerit, ad solam materiam cum irreductibile sit »,[10] eius anima originem ducere nequit nisi a solo Deo.

2500
1730, 1776

1703

336

34 Mundus et homo testantur se in semetipsis neque primum principium neque finem habere ultimum, sed participare illius « Esse » quod in se est sine origine et sine fine. Sic, per varias huiusmodi « vias », homo accedere potest ad cognitionem exsistentiae illius realitatis quae est causa prima finisque ultimus omnium et « quam omnes Deum nominant ».[11]

199

35 Hominis facultates illum capacem efficiunt Dei personalis exsistentiam cognoscendi. Sed ut homo in Eius intimitatem ingredi possit, voluit Deus Se homini revelare illique gratiam conferre qua hanc Revelationem per fidem accipere possit. Nihilominus argumenta exsistentiae Dei ad fidem disponere possunt atque adiutorio esse ut fides humanae rationi non opponi perspiciatur.

50

159

III. De Dei cognitione secundum Ecclesiam

36 « Sancta Mater Ecclesia tenet et docet, Deum, rerum omnium principium et finem, naturali humanae rationis lumine e rebus creatis certo cognosci posse ».[12] Sine hac capacitate, homo Revelationem Dei accipere nequiret. Hanc vero capacitatem habet homo quia « ad imaginem Dei » creatus est (*Gn* 1, 27).

355

37 Attamen homo in condicionibus historicis, in quibus versatur, plures experitur difficultates ad Deum solo rationis lumine cognoscendum.

1960

[9] Sanctus Augustinus, *Sermo* 241, 2: PL 38, 1134.
[10] Concilium Vaticanum II, Const. past. *Gaudium et spes*, 18: AAS 58 (1966) 1038; cf. *Ibid.*, 14: AAS 58 (1966) 1036.
[11] Sanctus Thomas Aquinas, *Summa theologiae* 1, q. 2, a. 3, c.: Ed. Leon. 4, 31.
[12] Concilium Vaticanum I, Const. dogm. *Dei Filius*, c. 2: DS 3004; cf. *Ibid.*, De Revelatione, canon 2: DS 3026; Concilium Vaticanum II, Const. dogm. *Dei Verbum*, 6: AAS 58 (1966) 819.

> « Licet humana ratio, simpliciter loquendo, veram et certam cognitionem unius Dei personalis, mundum providentia Sua tuentis ac gubernantis, necnon naturalis legis a Creatore nostris animis inditae, suis naturalibus viribus ac lumine assequi revera possit, nihilominus non pauca obstant, quominus eadem ratio hac sua nativa facultate efficaciter fructuoseque utatur. Quae enim ad Deum pertinent et ad rationes spectant, quae inter homines Deumque intercedunt, veritates sunt rerum sensibilium ordinem omnino transcendentes, quae, cum in vitae actionem inducuntur eamque informant, sui devotionem suique abnegationem postulant. Humanus autem intellectus in talibus veritatibus acquirendis difficultate laborat tum ob sensuum imaginationisque impulsum, tum ob pravas cupiditates ex peccato originali ortas. Quo fit ut homines in rebus huiusmodi libenter sibi suadeant esse falsa vel saltem dubia, quae ipsi nolint esse vera ».[13]

2036

38   Hac de causa, homo eget per Dei Revelationem illuminari non solum circa ea quae suum superant intellectum, sed etiam « ut ea, quae in rebus religionis et morum rationi per se impervia non sunt, in praesenti quoque humani generis condicione, ab omnibus expedite, firma certitudine et nullo admixto errore cognosci possint ».[14]

IV. Quomodo de Deo loquendum?

851

39   Ecclesia, cum rationis humanae capacitatem Deum cognoscendi defendit, suam exprimit fiduciam de sua omnibus hominibus et cum omnibus hominibus de Deo loquendi possibilitate. Ab hac persuasione, eius colloquium cum aliis religionibus, cum philosophia et scientia, atque etiam cum non credentibus et atheis initium sumit.

40   Cum nostra de Deo cognitio sit limitata, locutiones nostrae de Deo pariter limitatae sunt. Deum nominare nequimus nisi a creaturis procedentes atque secundum nostrum humanum limitatum cognoscendi et cogitandi modum.

213, 299

41   Omnes creaturae quandam cum Deo prae se ferunt similitudinem, singulariter autem homo ad Dei imaginem et similitudinem creatus. Multiplices creaturarum perfectiones (earum veritas, bonitas, pulchritudo) Dei perfectionem reverberant infinitam. Hac de causa, Deum valemus nominare ab Eius creaturarum procedentes perfectionibus, « a

---

[13] Pius XII, Litt. enc. *Humani generis*: DS 3875.
[14] *Ibid.*: DS 3876. Cf. Concilium Vaticanum I, Const. dogm. *Dei Filius*, c. 2: DS 3005; Concilium Vaticanum II, Const. dogm. *Dei Verbum*, 6: AAS 58 (1966) 819-820; Sanctus Thomas Aquinas, *Summa theologiae* 1, q. 1, a. 1, c.: Ed. Leon. 4, 6.

magnitudine enim et pulchritudine creaturarum cognoscibiliter potest Creator horum videri » (*Sap* 13, 5).

42   Deus omnem transcendit creaturam. Necessarium igitur est nostras   212, 300
indesinenter locutiones purificare ab eo quod limitatum, imaginarium et
imperfectum est, ne Deum, qui est « ineffabilis, incomprehensibilis, invisibilis, inexcogitabilis »,[15] cum nostris humanis confundamus repraesen-   370
tationibus. Nostra humana verba semper citra Dei manent mysterium.

43   Cum sic de Deo loquimur, nostrae locutiones humano utique modo
exprimuntur, sed revera Deum Ipsum attingunt, quin tamen Ipsum in
Eius infinita exprimere possint simplicitate. Illud etenim in memoriam
revocare oportet: « inter Creatorem et creaturam non potest similitudo
notari, quin inter eos maior sit dissimilitudo »;[16] atque etiam: « Non
enim de Deo capere possumus quid est, sed quid non est, et qualiter   206
alia se habeant ad Ipsum ».[17]

Compendium

44   *Homo natura et vocatione est ens religiosum. Cum vero homo a Deo
veniat et ad Deum vadat, vita plene humana non vivit, nisi libere
coniunctus vivat cum Deo.*

45   *Homo factus est ut in communione vivat cum Deo, in quo eius invenitur felicitas. « Cum inhaesero Tibi ex omni me, nusquam erit mihi
dolor et labor, et viva erit vita mea tota plena Te ».*[18]

46   *Cum creaturarum nuntium suaeque conscientiae auscultat vocem, homo ad certitudinem existentiae Dei, causae et finis omnium, pervenire
potest.*

47   *Ecclesia docet Deum unum et verum, nostrum Creatorem et Dominum, per Eius opera, naturali rationis humanae lumine certo cognosci
posse.*[19]

---

[15] *Liturgia Byzantina. Anaphora sancti Ioannis Chrysostomi: Liturgies Eastern and
Western*, ed. F.E. Brightman (Oxford 1896) p. 384 (PG 63, 915).
[16] Concilium Lateranense IV, *Cap. 2. De errore abbatis Ioachim*: DS 806.
[17] Sanctus Thomas Aquinas, *Summa contra gentiles* 1, 30: Ed. Leon. 13, 92.
[18] Sanctus Augustinus, *Confessiones* 10, 28, 39: CCL 27, 175 (PL 32, 795).
[19] Cf. Concilium Vaticanum I, Const. dogm. *Dei Filius*, De revelatione, canon 2: DS
3026.

48 *Deum revera nominare possumus procedentes a multiplicibus creatura-rum perfectionibus, quae Dei infinite perfecti sunt similitudines, licet nostrae finitae locutiones Eius non exhauriant mysterium.*

49 *« Creatura [...] sine Creatore evanescit ».*[20] *Propterea credentes sciunt se amore Christi urgeri ut Dei viventis lumen afferant ad illos, qui Eum ignorant vel respuunt.*

---

[20] CONCILIUM VATICANUM II, Const. past. *Gaudium et spes*, 36: AAS 58 (1966) 1054.

DEUS HOMINI OCCURRIT

50 Homo naturali ratione Deum, ab Eius procedens operibus, cum   36
certitudine cognoscere potest. Sed alius habetur cognitionis ordo quem
homo nequaquam suis viribus attingere valet, scilicet ille Revelationis
divinae.[1] Deus, decisione prorsus libera, Se revelat atque homini Se donat. Id Ipse facit Suum revelans mysterium, Suum benevolum consilium   1066
quod omnino ab aeterno in Christo pro omnibus hominibus cepit.
Suum plene revelavit consilium Filium Suum dilectum, Dominum nostrum Iesum Christum, necnon Spiritum Sanctum mittens.

Articulus 1

DE REVELATIONE DEI

I. Deus Suum revelat « benevolum consilium »

51 « Placuit Deo pro Sua bonitate et sapientia Seipsum revelare et notum facere sacramentum voluntatis Suae, quo homines per Christum,   2823
Verbum carnem factum, in Spiritu Sancto accessum habent ad Patrem
et divinae naturae consortes efficiuntur ».[2]   1996

52 Deus, « lucem habitans inaccessibilem » (*1 Tim* 6, 16), vitam Suam
divinam hominibus a Se libere creatis communicare vult, ut eos in unico Filio Suo filios efficiat adoptivos.[3] Deus Seipsum revelans homines
facere vult capaces Illi respondendi, Illum cognoscendi Illumque amandi
ultra totum id cuius capaces essent ex se ipsis.

---

[1] Cf. Concilium Vaticanum I, Const. dogm. *Dei Filius*, c. 4: DS 3015.
[2] Concilium Vaticanum II, Const. dogm. *Dei Verbum*, 2: AAS 58 (1966) 818.
[3] Cf. *Eph* 1, 4-5.

53 Consilium divinum Revelationis in rem perducitur simul « gestis verbisque intrinsece inter se connexis »⁴ seseque mutuo elucidantibus. Id
« paedagogiam divinam » implicat peculiarem: Deus Se homini gradatim
communicat, illum per temporis periodos ad supernaturalem Revelationem praeparat accipiendam quam Deus de Se Ipso facit quaeque in
Persona et missione Verbi incarnati, Iesu Christi culmen attinget.

> Sanctus Irenaeus Lugdunensis de hac paedagogia divina saepe loquitur
> sub imagine mutuae inter Deum et hominem assuetudinis. « Verbum
> Dei [...] habitavit in homine et Filius hominis factus est, ut assuesceret
> hominem percipere Deum et assuesceret Deum in homine secundum
> placitum Patris ».⁵

II. Revelationis periodi

Ab origine Deus Se praebet cognoscendum

54 « Deus, per Verbum omnia creans et conservans, in rebus creatis
perenne Sui testimonium hominibus praebet et, viam salutis supernae
aperire intendens, insuper protoparentibus inde ab initio Semetipsum
manifestavit ».⁶ Ipse eos ad intimam cum Semetipso invitavit communionem, splendentibus illos induens gratia atque iustitia.

55 Haec Revelatio peccato nostrorum protoparentum interrupta non
est. Deus enim « post eorum [...] lapsum eos, Redemptione promissa, in
spem salutis erexit et sine intermissione generis humani curam egit, ut
omnibus qui secundum patientiam boni operis salutem quaerunt, vitam
aeternam daret ».⁷

> « Et cum amicitiam Tuam, non oboediens amisisset, non eum dereliqui-
> sti in mortis imperio. [...] Sed et Foedera pluries hominibus obtulisti ».⁸

---

⁴ Concilium Vaticanum II, Const. dogm. *Dei Verbum*, 2: AAS 58 (1966) 818.
⁵ Sanctus Irenaeus Lugdunensis, *Adversus haereses* 3, 20, 2: SC 211, 392 (PG 7,
944); cf., exempli gratia, *Ibid.* 3, 17, 1: SC 211, 330 (PG 7, 929); *Ibid.* 4, 12, 4: SC
100, 518 (PG 7, 1006); *Ibid.* 4, 21, 3: SC 100, 684 (PG 7, 1046).
⁶ Concilium Vaticanum II, Const. dogm. *Dei Verbum*, 3: AAS 58 (1966) 818.
⁷ Concilium Vaticanum II, Const. dogm. *Dei Verbum*, 3: AAS 58 (1966) 818.
⁸ *Prex eucharistica IV*: *Missale Romanum*, editio typica (Typis Polyglottis Vaticanis
1970) p. 467.

Margin references: 1953, 1950, 32, 374, 397, 410, 761

Foedus cum Noe

56   Deus, unitate generis humani peccato comminuta, statim humanum   401
intendit salvare genus cum unaquaque ex eius partibus interveniens.
Foedus cum Noe initum post diluvium[9] principium Oeconomiae divi-   1219
nae exprimit erga « nationes », id est, erga homines « secundum linguam
suam et familias suas in nationibus suis » (*Gn* 10, 5) coniunctos.[10]

57   Hic ordo pluralitatis nationum, simul cosmicus, socialis et religiosus,[11] destinatur ad generis humani lapsi limitandam superbiam, quod in
sua perversitate unanime,[12] per se ipsum ad modum Babelis suam efficere vellet unitatem.[13] Sed, propter peccatum,[14] polytheismus, sicut etiam
nationis eiusque ducis idololatria huic provisoriae Oeconomiae indesinenter paganam minantur perversionem.

58   Foedus cum Noe initum viget donec perdurant tempora nationum,[15] usque ad universalem Evangelii proclamationem. Scriptura ma-   674
gnos quosdam « nationum » veneratur homines, sicut « iustum Abel »,
regem et sacerdotem Melchisedech,[16] qui Christi est figura,[17] vel iustos
« Noe, Danel et Job » (*Ez* 14, 14). Sic Scriptura exprimit quam sanctitatis altitudinem illi attingere possunt, qui secundum Foedus initum cum   2569
Noe vivunt, exspectantes Christum, qui « filios Dei, qui erant dispersi,
congregaret in unum » (*Io* 11, 52).

Deus Abraham eligit

59   Ut humanum genus dispersum congregaret in unum, Deus Abram   145, 2570
eligit, illum vocans: « Egredere de terra tua et de cognatione tua et de
domo patris tui » (*Gn* 12, 1); eo consilio ut illum faciat Abraham, id
est, « patrem multarum gentium » (*Gn* 17, 5). « Atque in te benedicentur
universae cognationes terrae! » (*Gn* 12, 3).[18]

[9] Cf. *Gn* 9, 9.
[10] Cf. *Gn* 10, 20-31.
[11] Cf. *Act* 17, 26-27.
[12] Cf. *Sap* 10, 5.
[13] Cf. *Gn* 11, 4-6.
[14] Cf. *Rom* 1, 18-25.
[15] Cf. *Lc* 21, 24.
[16] Cf. *Gn* 14, 18.
[17] Cf. *Heb* 7, 3.
[18] Cf. *Gal* 3, 8.

760   **60**   Populus ab Abraham descendens depositarius erit Promissionis Patriarchis factae, populus electionis,[19] vocatus ad parandam futuram con-
762, 781   gregationem omnium filiorum Dei in Ecclesiae unitatem; [20] ille radix erit
in quam pagani insererentur credentes effecti.[21]

61   Patriarchae et Prophetae et alii magni Veteris Testamenti homines
fuerunt eruntque semper tamquam sancti in omnibus Ecclesiae traditionibus liturgicis veneratione culti.

Deus populum Suum Israel efformat

    62   Post Patriarchas, Deus Israel tamquam populum efformavit Suum,
2060, 2574   illum ex Aegypti salvans servitute. Foedus Sinai cum illo inivit eique
per Moysen Legem donavit Suam, ad Se agnoscendum Sibique tam-
quam soli Deo vivo et vero necnon Patri provido iustoque iudici inser-
1961   viendum, et ad promissum Salvatorem exspectandum.[22]

204, 2801   **63**   Israel est populus sacerdotalis Dei,[23] super quem « Nomen Domini
invocatum sit » (*Dt* 28, 10). Est igitur eorum populus « ad quos prius
839   locutus est Dominus Deus noster »,[24] populus « fratrum maiorum » in fide Abraham.[25]

711   **64**   Per Prophetas, Deus populum Suum in salutis efformat spe, in
exspectatione Foederis Novi et aeterni omnibus hominibus destinati [26] et
1965   quod in cordibus erit inscriptum.[27] Prophetae radicalem populi Dei annuntiant Redemptionem, ab omnibus eius infidelitatibus purificationem,[28] salutem quae omnes complectetur nationes.[29] Pauperes praesertim
et humiles Domini [30] hanc tenebunt spem. Sanctae mulieres, sicut Sara,

---

[19] Cf. *Rom* 11, 28.
[20] Cf. *Io* 11, 52; 10, 16.
[21] Cf. *Rom* 11, 17-18. 24.
[22] Cf. Concilium Vaticanum II, Const. dogm. *Dei Verbum*, 3: AAS 58 (1966) 818.
[23] Cf. *Ex* 19, 6.
[24] *Feria VI in passione Domini, Oratio universalis VI: Missale Romanum*, editio typica (Typis Polyglottis Vaticanis 1970) p. 254.
[25] Cf. Ioannes Paulus II, *Alloc. nella sinagoga durante l'incontro con la comunità Ebraica della Città di Roma* (13 aprilis 1986), 4: *Insegnamenti di Giovanni Paolo II* IX/1, 1027.
[26] Cf. *Is* 2, 2-4.
[27] Cf. *Ier* 31, 31-34; *Heb* 10, 16.
[28] Cf. *Ez* 36.
[29] Cf. *Is* 49, 5-6; 53, 11.
[30] Cf. *Soph* 2, 3.

Rebecca, Rachel, Miryam, Debora, Anna, Iudith, Esther, spem salutis   489
Israel servaverunt vivam. Purissima huius spei imago est Maria.[31]

III. Christus Iesus « mediator simul et plenitudo totius Revelationis » [32]

Deus totum in Verbo Suo dixit

65 « Multifariam et multis modis olim Deus locutus patribus in Prophetis, in novissimis his diebus locutus est nobis in Filio » (*Heb* 1, 1-2).
Christus, Filius Dei homo factus, est Patris Verbum unicum, perfectum   102
et insuperabile. Totum in Eo dixit, et aliud quam hoc non habebitur
verbum. Sanctus Ioannes a Cruce, post tot alios, id modo dilucido
exprimit, Heb 1, 1-2 commentans:

> « Dando quippe nobis, sicut dedit, Filium Suum, qui est unicum solum-
> que Ipsius Verbum, omnia nobis simul unaque vice in hoc unico Verbo
> locutus est nihilque amplius habet loquendum. [...] Id enim quod antea
> per partes loquebatur Prophetis, iam nobis totum in Ipso dixit, Ipsum
> nobis totum dando, id est, Filium Suum. Quamobrem ille qui nunc vel-   516
> let aliquid a Deo sciscitari, vel visionem aliquam aut revelationem ab
> Eo postulare, non solum stultum quid faceret, sed videretur iniuriam
> Deo inferre, non defigendo omnino suos oculos in Christum vel aliam
> rem aut novitatem extra illum requirendo ».[33]   2717

Alia Revelatio ulterius non habebitur

66 « Oeconomia ergo christiana, utpote Foedus Novum et definitivum,
numquam praeteribit, et nulla iam nova Revelatio publica expectanda
est ante gloriosam manifestationem Domini nostri Iesu Christi ».[34] Attamen, quamquam Revelatio est completa, plene explanata non est; fidei
manet christianae, saeculorum decursu, omnem eius amplitudinem
gradatim intelligere.   94

67 Decursu saeculorum, revelationes sic dictae « privatae » habitae sunt, quarum quaedam Ecclesiae sunt agnitae auctoritate. Hae tamen ad depositum fidei
non pertinent. Earum munus definitivam Christi Revelationem « meliorare »   84
non est vel « complere », sed adiutorium praebere ut ipsa, in quadam historiae
periodo, plenius deducatur in vitam. Fidelium sensus, sub Ecclesiae Magisterii

---

[31] Cf. *Lc* 1, 38.
[32] Concilium Vaticanum II, Const. dogm. *Dei Verbum*, 2: AAS 58 (1966) 818.
[33] Sanctus Ioannes a Cruce, *Subida del monte Carmelo* 2, 22, 3-5: *Biblioteca Mística
    Carmelitana*, v. 11 (Burgos 1929) p. 184.
[34] Concilium Vaticanum II, Const. dogm. *Dei Verbum*, 4: AAS 58 (1966) 819.

93 ductu, id discernere et accipere valet quod pro Ecclesia in his revelationibus germanam Christi vel sanctorum continet hortationem.

Fides christiana nequit « revelationes » accipere, quae superare vel corrigere Revelationem contendunt, cuius Christus est completio. Sic quaedam se habent religiones non christianae atque aliquae recentes sectae quae in talibus nituntur « revelationibus ».

Compendium

68 *Deus amore Se homini revelavit atque donavit. Ita definitivum et super-effluens responsum affert quaestionibus quas homo sibi circa sensum et finem vitae ponit suae.*

69 *Deus Se homini revelavit, proprium Suum gestis et verbis gradatim illi communicans mysterium.*

70 *Praeter testimonium quod Deus de Se in rebus praebet creatis, Ipse nostris protoparentibus est manifestatus. Illis locutus est atque, post lapsum, salutem promisit [35] eisque Suum obtulit Foedus.*

71 *Deus cum Noe sempiternum inter Se et omnia entia viventia pepigit Foedus.[36] Hoc Foedus perdurabit donec mundus perduret.*

72 *Deus Abraham elegit et cum illo eiusque posteritate Foedus iniit. Ex eo populum efformavit Suum cui per Moysen Suam Legem revelavit. Illum per Prophetas praeparavit ad salutem accipiendam toti humano generi destinatam.*

73 *Deus Se plene revelavit Suum Filium mittens, in quo Foedus Suum instituit in aeternum. Hic est Verbum Patris definitivum, et sic nulla post Eum habebitur Revelatio.*

[35] Cf. *Gn* 3, 15.
[36] Cf. *Gn* 9, 16.

Articulus 2

DE TRANSMISSIONE REVELATIONIS DIVINAE

74   Deus « omnes homines vult salvos fieri et ad agnitionem veritatis   851
venire » (*1 Tim* 2, 4), id est, Christi Iesu.[37] Oportet igitur ut Christus
omnibus populis omnibusque annuntietur hominibus atque sic Revelatio
usque ad terrae perveniat extrema.

> « Quae Deus ad salutem cunctarum gentium revelaverat, eadem be-
> nignissime disposuit ut in aevum integra permanerent omnibusque gene-
> rationibus transmitterentur ».[38]

I. De Traditione apostolica

75   « Christus Dominus, in quo summi Dei tota Revelatio consummatur, mandatum dedit Apostolis ut Evangelium, quod promissum ante
per Prophetas Ipse adimplevit et proprio ore promulgavit, tamquam
fontem omnis et salutaris veritatis et morum disciplinae omnibus prae-   171
dicarent, eis dona divina communicantes ».[39]

PRAEDICATIO APOSTOLICA ...

76   Secundum Domini mandatum, Evangelii transmissio duobus est
effecta modis:

— *Ore tenus* « ab Apostolis, qui in praedicatione orali, exemplis et
   institutionibus ea tradiderunt quae sive ex ore, conversatione et
   operibus Christi acceperant, sive a Spiritu Sancto suggerente
   didicerant »;

— *Scripto* « ab illis Apostolis virisque apostolicis, qui, sub Inspira-
   tione Eiusdem Spiritus Sancti, nuntium salutis scriptis mandave-
   runt ».[40]

---

[37] Cf. *Io* 14, 6.
[38] CONCILIUM VATICANUM II, Const. dogm. *Dei Verbum*, 7: AAS 58 (1966) 820.
[39] CONCILIUM VATICANUM II, Const. dogm. *Dei Verbum*, 7: AAS 58 (1966) 820.
[40] CONCILIUM VATICANUM II, Const. dogm. *Dei Verbum*, 7: AAS 58 (1966) 820.

... CONTINUATA IN SUCCESSIONE APOSTOLICA

861

77 « Ut autem Evangelium integrum et vivum iugiter in Ecclesia serva-
retur, Apostoli successores reliquerunt Episcopos, ipsis "suum ipsorum
locum magisterii tradentes" ».[41] Re quidem vera, « praedicatio apostolica, quae in inspiratis libris speciali modo exprimitur, continua successione usque ad consummationem temporum conservari debebat ».[42]

174
1124, 2651

78 Haec viva transmissio, in Spiritu Sancto peracta, quatenus distincta
a sacra Scriptura, licet arcte cum ea coniuncta, Traditio appellatur. Per
eam « Ecclesia, in sua doctrina, vita et cultu, perpetuat cunctisque generationibus transmittit omne quod ipsa est, omne quod credit ».[43] « Sanctorum Patrum dicta huius Traditionis vivificam testificantur praesentiam, cuius divitiae in praxim vitamque credentis et orantis Ecclesiae
transfunduntur ».[44]

79 Sic communicatio Sui Ipsius, quam Pater per Suum Verbum in
Spiritu Sancto effecit, praesens atque activa permanet in Ecclesia:
« Deus, qui olim locutus est, sine intermissione cum dilecti Filii Sui
Sponsa colloquitur et Spiritus Sanctus, per quem viva vox Evangelii in
Ecclesia, et per ipsam in mundo resonat, credentes in omnem veritatem
inducit, verbumque Christi in eis abundanter inhabitare facit ».[45]

II. De relatione inter Traditionem et sacram Scripturam

UNUS COMMUNIS FONS ...

80 « Sacra Traditio ergo et sacra Scriptura arcte inter se connectuntur
atque communicant. Nam ambae, ex eadem divina scaturigine promanantes, in unum quodammodo coalescunt et in eundem finem tendunt ».[46] Utraque praesens efficit in Ecclesia et fecundum mysterium
Christi, qui Se cum Suis promisit permansurum « omnibus diebus usque
ad consummationem saeculi » (*Mt* 28, 20).

... DUO DIVERSI TRANSMISSIONIS MODI

81 « *Sacra Scriptura* est locutio Dei quatenus divino afflante Spiritu
scripto consignatur ».

[41] CONCILIUM VATICANUM II, Const. dogm. *Dei Verbum*, 7: AAS 58 (1966) 820.
[42] CONCILIUM VATICANUM II, Const. dogm. *Dei Verbum*, 8: AAS 58 (1966) 820.
[43] CONCILIUM VATICANUM II, Const. dogm. *Dei Verbum*, 8: AAS 58 (1966) 821.
[44] CONCILIUM VATICANUM II, Const. dogm. *Dei Verbum*, 8: AAS 58 (1966) 821.
[45] CONCILIUM VATICANUM II, Const. dogm. *Dei Verbum*, 8: AAS 58 (1966) 821.
[46] CONCILIUM VATICANUM II, Const. dogm. *Dei Verbum*, 9: AAS 58 (1966) 821.

« *Sacra* autem *Traditio* Verbum Dei, a Christo Domino et a Spiritu   113
Sancto Apostolis concreditum, successoribus eorum integre transmittit,
ut illud, praelucente Spiritu veritatis, praeconio suo fideliter servent,
exponant atque diffundant ».[47]

82   Inde sequitur ut Ecclesia, cui Revelationis transmissio et interpretatio sunt commissae, « certitudinem suam de omnibus revelatis non per
solam sacram Scripturam hauriat. Quapropter utraque pari pietatis
affectu ac reverentia suscipienda et veneranda est ».[48]

TRADITIO APOSTOLICA ET TRADITIONES ECCLESIALES

83   Traditio, de qua hic loquimur, ab Apostolis procedit et id transmittit quod
ipsi a Iesu doctrina receperunt et exemplo atque quod ipsos Spiritus Sanctus
edocuit. Re quidem vera, prima christianorum generatio nondum Novum Testamentum habebat scriptum, ipsumque Novum Testamentum viventis Traditionis
processum testatur.
      Ab illa « traditiones » theologicae, disciplinares, liturgicae aut ad devotio-   1202, 2041
nem pertinentes sunt distinguendae, quae temporis decursu in Ecclesiis localibus   2684
natae sunt. Hae sunt particulares formae sub quibus magna Traditio expressiones diversis locis et diversis aetatibus accommodatas recipit. Sub eius luce, Magisterio Ecclesiae duce, possunt hae servari, immutari vel etiam derelinqui.

III. De interpretatione depositi fidei

DEPOSITUM FIDEI TOTI ECCLESIAE COMMISSUM

84   *Depositum fidei*,[49] quod in sacra Traditione et in sacra continetur
Scriptura, per Apostolos toti commissum est Ecclesiae. « Cui inhaerens   857, 871
tota plebs sancta Pastoribus suis adunata in doctrina Apostolorum et
communione, fractione panis et orationibus iugiter perseverat, ita ut in   2033
tradita fide tenenda, exercenda profitendaque singularis fiat Antistitum
et fidelium conspiratio ».[50]

---

[47] CONCILIUM VATICANUM II, Const. dogm. *Dei Verbum*, 9: AAS 58 (1966) 821.
[48] CONCILIUM VATICANUM II, Const. dogm. *Dei Verbum*, 9: AAS 58 (1966) 821.
[49] Cf. *1 Tim* 6, 20; *2 Tim* 1, 12-14.
[50] CONCILIUM VATICANUM II, Const. dogm. *Dei Verbum*, 10: AAS 58 (1966) 822.

Ecclesiae Magisterium

888-892
2032, 2040
85 « Munus autem authentice interpretandi Verbum Dei scriptum vel traditum soli vivo Ecclesiae Magisterio concreditum est, cuius auctoritas in nomine Iesu Christi exercetur »,[51] nempe Episcopis in communione cum Petri Successore, Romano Episcopo.

86 « Quod quidem Magisterium non supra Verbum Dei est, sed eidem ministrat, docens nonnisi quod traditum est, quatenus illud, ex divino
688
mandato et Spiritu Sancto assistente, pie audit, sancte custodit et fideliter exponit, ac ea omnia ex hoc uno fidei deposito haurit quae tamquam divinitus revelata credenda proponit ».[52]

1548
87 Fideles, memores verbi Christi ad Apostolos: « Qui vos audit, me audit » (*Lc* 10, 16),[53] doctrinas et normas dociliter accipiunt, quas illis
2037
eorum Pastores diversis formis praebent.

Dogmata fidei

888-892
2032-2040
88 Ecclesiae Magisterium auctoritatem a Christo receptam plene adhibet, cum dogmata definit, id est, cum, modo populum christianum ad adhaesionem fidei irrevocabilem vinculante, veritates proponit in Revelatione divina contentas, vel etiam cum veritates cum his conexionem necessariam habentes modo proponit definitivo.

2625
89 Inter nostram vitam spiritualem et dogmata vinculum habetur organicum. Dogmata lumina sunt nostrae fidei viam illustrantia eamque securam efficientia. E converso, si vita nostra recta est, nostra intelligentia nostrumque cor ad lumen dogmatum fidei accipiendum erunt aperta.[54]

90 Dogmatum mutua vincula eorumque cohaerentia in complexu
114, 158
Revelationis mysterii Christi possunt inveniri.[55] Memorare oportet

---

[51] Concilium Vaticanum II, Const. dogm. *Dei Verbum*, 10: AAS 58 (1966) 822.
[52] Concilium Vaticanum II, Const. dogm. *Dei Verbum*, 10: AAS 58 (1966) 822.
[53] Cf. Concilium Vaticanum II, Const. dogm. *Lumen gentium*, 20: AAS 57 (1965) 24.
[54] Cf. *Io* 8, 31-32.
[55] Cf. Concilium Vaticanum I, Const. dogm. *Dei Filius*, c. 4: DS 3016 (mysteriorum nexus); Concilium Vaticanum II, Const. dogm. *Lumen gentium*, 25: AAS 57 (1965) 29.

« exsistere ordinem seu "hierarchiam" veritatum doctrinae catholicae, cum diversus sit earum nexus cum fundamento fidei christianae ».[56]

234

SENSUS SUPERNATURALIS FIDEI

91 Christifideles omnes in veritate revelata intelligenda et transmittenda participant. Ipsi unctionem receperunt a Spiritu Sancto, qui eos docet[57] eosque deducit « in omnem veritatem » (*Io* 16, 13).

737

92 « Universitas fidelium [...] in credendo falli nequit, atque hanc suam peculiarem proprietatem mediante supernaturali sensu fidei totius populi manifestat, cum "ab Episcopis usque ad extremos laicos fideles" universalem suum consensum de rebus fidei et morum exhibet ».[58]

785

93 « Illo enim sensu fidei, qui a Spiritu veritatis excitatur et sustentatur, populus Dei sub ductu sacri Magisterii [...] semel traditae sanctis fidei indefectibiliter adhaeret, recto iudicio in eam profundius penetrat eamque in vita plenius applicat ».[59]

889

AUGMENTUM IN INTELLIGENTIA FIDEI

94 Per Spiritus Sancti assistentiam, intelligentia tam rerum quam verborum depositi fidei in Ecclesiae potest crescere vita:

66
2651

    — « ex contemplatione et studio credentium, qui ea conferunt in corde suo »;[60] praesertim « theologica inquisitio [...] profundam veritatis revelatae cognitionem » prosequitur.[61]

    — « ex intima spiritualium rerum quam [credentes] experiuntur intelligentia »;[62] « divina eloquia cum legente crescunt ».[63]

2038, 2518

---

[56] CONCILIUM VATICANUM II, Decr. *Unitatis redintegratio*, 11: AAS 57 (1965) 99.
[57] Cf. *1 Io* 2, 20. 27.
[58] CONCILIUM VATICANUM II, Const. dogm. *Lumen gentium*, 12: AAS 57 (1965) 16.
[59] CONCILIUM VATICANUM II, Const. dogm. *Lumen gentium*, 12: AAS 57 (1965) 16.
[60] CONCILIUM VATICANUM II, Const. dogm. *Dei Verbum*, 8: AAS 58 (1966) 821.
[61] CONCILIUM VATICANUM II, Const. past. *Gaudium et spes*, 62: AAS 58 (1966) 1084; cf. *Ibid.*, 44: AAS 58 (1966) 1065; Const. dogm. *Dei Verbum*, 23: AAS 58 (1966) 828; *Ibid.*, 24: AAS 58 (1966) 828-829; Decr. *Unitatis redintegratio*, 4: AAS 57 (1965) 94.
[62] CONCILIUM VATICANUM II, Const. dogm. *Dei Verbum*, 8: AAS 58 (1966) 821.
[63] SANCTUS GREGORIUS MAGNUS, *Homilia in Ezechielem* 1, 7, 8: CCL 142, 87 (PL 76, 843).

— « ex praeconio eorum qui cum Episcopatus successione charisma veritatis certum acceperunt ».[64]

95 « Patet igitur sacram Traditionem, sacram Scripturam et Ecclesiae Magisterium, iuxta sapientissimum Dei consilium, ita inter se connecti et consociari, ut unum sine aliis non consistat, omniaque simul, singula suo modo sub actione unius Spiritus Sancti, ad animarum salutem efficaciter conferant ».[65]

Compendium

96 *Id quod Christus concredidit Apostolis, ipsi sua praedicatione et scripto, Spiritu Sancto inspirante, omnibus usque ad gloriosum Christi reditum generationibus transmiserunt.*

97 *« Sacra Traditio et sacra Scriptura unum Verbi Dei sacrum depositum constituunt »,*[66] *in quo, tamquam in speculo, Ecclesia peregrinans Deum, omnium suarum divitiarum contemplatur fontem.*

98 *« Ecclesia, in sua doctrina, vita et cultu, perpetuat cunctisque generationibus transmittit omne quod ipsa est, omne quod credit ».*[67]

99 *Populus Dei totus, per suum supernaturalem fidei sensum, donum Revelationis divinae accipere, in id profundius penetrare atque ex eo plenius vivere non desinit.*

100 *Munus Dei Verbum authentice interpretandi soli Magisterio Ecclesiae commissum est, Romano Pontifici et Episcopis in communione cum illo.*

---

[64] Concilium Vaticanum II, Const. dogm. *Dei Verbum*, 8: AAS 58 (1966) 821.
[65] Concilium Vaticanum II, Const. dogm. *Dei Verbum*, 10: AAS 58 (1966) 822.
[66] Concilium Vaticanum II, Const. dogm. *Dei Verbum*, 10: AAS 58 (1966) 822.
[67] Concilium Vaticanum II, Const. dogm. *Dei Verbum*, 8: AAS 58 (1966) 821.

Articulus 3

DE SACRA SCRIPTURA

I. Christus – Unicum sacrae Scripturae Verbum

101 Deus, Suae bonitatis condescensione, ut Se hominibus revelet, ad illos verbis loquitur humanis. « Dei enim verba, humanis linguis expressa, humano sermoni assimilia facta sunt, sicut olim aeterni Patris Verbum, humanae infirmitatis assumpta carne, hominibus simile factum est ».[68]

102 Omnibus sacrae Scripturae verbis, Deus unum solummodo Verbum dicit, Suum unicum Verbum in quo Ipse Se totum exprimit:[69]

65, 2763

> « Meminit caritas vestra, cum sit unus sermo Dei in Scripturis omnibus dilatatus, et per multa ora sanctorum unum Verbum sonet, quod cum sit in principio Deus apud Deum, ibi non habet syllabas, quia non habet tempora ».[70]

426-429

103 Hac de causa, Ecclesia divinas Scripturas semper est venerata, sicut etiam Domini veneratur corpus. Fidelibus Panem vitae porrigere non desinit sumptum ex mensa tam Verbi Dei quam corporis Christi.[71]

1100, 1184

1378

104 In sacra Scriptura indesinenter invenit Ecclesia suum nutrimentum suamque virtutem,[72] quia in illa accipit non verbum tantum humanum, sed id quod ipsa revera est: Verbum Dei.[73] « In Sacris enim Libris Pater qui in caelis est filiis Suis peramanter occurrit et cum eis sermonem confert ».[74]

II. De inspiratione et veritate sacrae Scripturae

105 *Deus est sacrae Scripturae auctor.* « Divinitus revelata, quae in sacra Scriptura litteris continentur et prostant, Spiritu Sancto afflante consignata sunt ».

« Libros enim integros tam Veteris quam Novi Testamenti, cum omnibus eorum partibus, sancta Mater Ecclesia ex apostolica fide pro

---

[68] Concilium Vaticanum II, Const. dogm. *Dei Verbum*, 13: AAS 58 (1966) 824.
[69] Cf. *Heb* 1, 1-3.
[70] Sanctus Augustinus, *Enarratio in Psalmum* 103, 4, 1: CCL 40, 1521 (PL 37, 1378).
[71] Cf. Concilium Vaticanum II, Const. dogm. *Dei Verbum*, 21: AAS 58 (1966) 827.
[72] Cf. Concilium Vaticanum II, Const. dogm. *Dei Verbum*, 24: AAS 58 (1966) 829.
[73] Cf. *1 Thess* 2, 13.
[74] Concilium Vaticanum II, Const. dogm. *Dei Verbum*, 21: AAS 58 (1966) 827-828.

sacris et canonicis habet propterea quod, Spiritu Sancto conscripti, Deus habent auctorem, atque ut tales ipsi Ecclesiae traditi sunt ».[75]

106   Deus humanos Sacrorum Librorum inspiravit auctores. « In Sacris vero Libris conficiendis Deus homines elegit, quos facultatibus ac viribus suis utentes adhibuit, ut Ipso in illis et per illos agente, ea omnia eaque sola, quae Ipse vellet, ut veri auctores scripto traderent ».[76]

107   Libri inspirati veritatem docent. « Cum ergo omne id, quod auctores inspirati seu hagiographi asserunt, retineri debeat assertum a Spiritu Sancto, inde Scripturae libri veritatem, quam Deus nostrae salutis causa Litteris sacris consignari voluit, firmiter, fideliter et sine errore docere profitendi sunt ».[77]

702

108   Fides tamen christiana quaedam « religio Libri » non est. Christianismus religio est « Verbi » Dei: Verbi quidem quod est « non verbum scriptum et mutum, sed Verbum incarnatum et vivum ».[78] Necessarium est Christum, aeternum Dei viventis Verbum, per Spiritum Sanctum nobis aperire sensum, ut intelligamus Scripturas,[79] ne illae quasi littera mortua permaneant.

III. Spiritus Sanctus Scripturae interpres

109   In sacra Scriptura, Deus homini hominum loquitur more. Ad recte igitur Scripturam interpretandam, attentos esse oportet ad id quod auctores humani vere intenderunt affirmare et ad id quod Deus Suis verbis reapse nobis manifestare voluit.[80]

110   Ad *auctorum sacrorum intentionem* eruendam, habenda est ratio eorum temporis et eorum culturae condicionum, « generum litterariorum » illa aetate adhibitorum, modorum sentiendi, loquendi et narrandi qui tunc temporis erant in usu. « Aliter enim atque aliter veritas in textibus vario modo historicis, vel propheticis, vel poeticis, vel in aliis dicendi generibus proponitur et exprimitur ».[81]

[75] Concilium Vaticanum II, Const. dogm. *Dei Verbum*, 11: AAS 58 (1966) 822-823.
[76] Concilium Vaticanum II, Const. dogm. *Dei Verbum*, 11: AAS 58 (1966) 823.
[77] Concilium Vaticanum II, Const. dogm. *Dei Verbum*, 11: AAS 58 (1966) 823.
[78] Sanctus Bernardus Claraevallensis, *Homilia super "Missus est"* 4, 11: *Opera*, ed. J. Leclercq-H. Rochais, v. 4 (Romae 1966) p. 57.
[79] Cf. *Lc* 24, 45.
[80] Cf. Concilium Vaticanum II, Const. dogm. *Dei Verbum*, 12: AAS 58 (1966) 823.
[81] Concilium Vaticanum II, Const. dogm. *Dei Verbum*, 12: AAS 58 (1966) 823.

111   Sed quia sacra Scriptura est inspirata, aliud rectae interpretationis habetur principium, non minoris momenti quam illud praecedens ac sine quo Scriptura « littera mortua » permaneret: « Sacra Scriptura Eodem Spiritu quo scripta est etiam legenda [est] et interpretanda ».[82]

Concilium Vaticanum II *criteria tria* indicat ad Scripturae interpretationem secundum Spiritum qui illam inspiravit: [83]

112   1. *Magnam praestare attentionem « ad contentum et unitatem totius Scripturae »*. Etenim licet libri qui illam componunt, valde sint diversi, una est Scriptura ratione unitatis propositi Dei, cuius Christus Iesus centrum est et post Suum Pascha apertum cor.[84]

128

368

> « Per cor[85] Christi intelligitur sacra Scriptura, quae manifestat cor Christi. Hoc autem erat clausum ante passionem, quia erat obscura: sed aperta est post passionem quia eam iam intelligentes considerant, et discernunt quomodo prophetiae sint exponendae ».[86]

113   2. *Scripturam deinde legere « ratione habita vivae totius Ecclesiae Traditionis »*. Secundum Patrum adagium, sacra Scriptura principalius est in corde Ecclesiae quam in materialibus instrumentis scripta.[87] Ecclesia etenim in Traditione sua memoriam Verbi Dei fert viventem, eique Spiritus Sanctus spiritualem Scripturae praebet interpretationem (« ...secundum spiritalem sensum, quem Spiritus donat Ecclesiae »).[88]

81

114   3. *Analogiae fidei[89] attente habere rationem*. Per « analogiam fidei » cohaerentiam intelligimus veritatum fidei inter ipsas et intra totum Revelationis propositum.

90

De Scripturae sensibus

115   Secundum veterem traditionem duo possunt distingui Scripturae *sensus*: sensus litteralis et sensus spiritualis; hic vero ultimus in sensum allegoricum, moralem et anagogicum subdividitur. Profunda quattuor sensuum conspiratio viventi lectioni Scripturae in Ecclesia omnes eius praestat divitias.

---

[82] Concilium Vaticanum II, Const. dogm. *Dei Verbum*, 12: AAS 58 (1966) 824.
[83] Cf. Concilium Vaticanum II, Const. dogm. *Dei Verbum*, 12: AAS 58 (1966) 824.
[84] Cf. *Lc* 24, 25-27. 44-46.
[85] Cf. *Ps* 22, 15.
[86] Sanctus Thomas Aquinas, *Expositio in Psalmos,* 21, 11: *Opera omnia*, v. 18 (Parisiis 1876) p. 350.
[87] Cf. Sanctus Hilarius Pictaviensis, *Liber ad Constantium Imperatorem* 9: CSEL 65, 204 (PL 10, 570); Sanctus Hieronymus, *Commentarius in epistulam ad Galatas* 1, 1, 11-12: PL 26, 347.
[88] Origenes, *Homiliae in Leviticum*, 5, 5: SC 286, 228 (PG 12, 454).
[89] Cf. *Rom* 12, 6.

110-114   116 *Sensus litteralis*. Est sensus qui verbis Scripturae significatur et ab illa invenitur exegesi, quae rectae interpretationis observat regulas. « Omnes [sacrae Scripturae] sensus fundentur super unum, scilicet litteralem ».[90]

1101   117 *Sensus spiritualis*. Propter consilii Dei unitatem, non solum Scripturae textus, sed etiam res et eventus de quibus textus loquitur, signa esse possunt.

1. Sensus *allegoricus*. Profundiorem eventuum acquirere possumus intelligentiam, eorum significationem in Christo agnoscentes; sic transitus per Mare Rubrum signum victoriae est Christi et proinde Baptismi; [91]

2. Sensus *moralis*. Eventus in Scriptura narrati nos ducere debent ad iuste agendum. Ipsi scripti sunt « ad correptionem nostram » (*1 Cor* 10, 11); [92]

3. Sensus *anagogicus*. Pariter possibile est res et eventus in eorum perspicere aeterna significatione, quatenus nos versus nostram ducunt (graece ἀναγωγή) Patriam. Sic Ecclesia est in terris signum caelestis Ierusalem.[93]

118   Distichon in Medio Aevo compositum quid quattuor significent sensus in synthesin colligit:

« Littera gesta docet, quid credas allegoria,
moralis quid agas, quo tendas anagogia ».[94]

94   119   « Exegetarum autem est secundum has regulas adlaborare ad sacrae Scripturae sensum penitius intelligendum et exponendum, ut quasi praeparato studio, iudicium Ecclesiae maturetur. Cuncta enim haec, de ratione interpretandi Scripturam, Ecclesiae iudicio ultime subsunt, quae Verbi Dei servandi et interpretandi divino fungitur mandato et ministerio ».[95]

113   « Ego vero Evangelio non crederem, nisi me catholicae Ecclesiae commoveret auctoritas ».[96]

IV. De Scripturarum canone

1117   120   Traditio apostolica Ecclesiam discernere fecit quaenam scripta in Sacrorum Librorum adnumeranda essent elencho.[97] Hic integer elenchus « canon » Scripturarum appellatur. Pro Vetere Testamento 46 implicat

---

[90] SANCTUS THOMAS AQUINAS, *Summa theologiae* 1, q. 1, a. 10, ad 1: Ed. Leon. 4, 25.
[91] Cf. *1 Cor* 10, 2.
[92] Cf. *Heb* 3-4, 11.
[93] Cf. *Apc* 21, 1-22, 5.
[94] AUGUSTINUS DE DACIA, *Rotulus pugillaris*, I: ed. A. WALZ: Angelicum 6 (1929) 256.
[95] CONCILIUM VATICANUM II, Const. dogm. *Dei Verbum*, 12: AAS 58 (1966) 824.
[96] SANCTUS AUGUSTINUS, *Contra epistulam Manichaei quam vocant fundamenti*, 5, 6: CSEL 25, 197 (PL 42, 176).
[97] Cf. CONCILIUM VATICANUM II, Const. dogm. *Dei Verbum*, 8: AAS 58 (1966) 821.

scripta (45, si Ieremias et Lamentationes simul adnumerantur) et 27 pro Novo.[98] Sunt vero:

Genesis, Exodus, Leviticus, Numeri, Deuteronomium, Iosue, Iudices, Ruth, duo libri Samuelis, duo libri Regum, duo libri Paralipomenon (seu Chronicorum), Esdras et Nehemias, Tobias, Iudith, Esther, duo libri Machabaeorum, Iob, Psalmi, Proverbia, Ecclesiastes, Canticum Canticorum, Sapientia, Ecclesiasticus, Isaias, Ieremias, Lamentationes, Baruch, Ezechiel, Daniel, Oseas, Ioel, Amos, Abdias, Ionas, Micheas, Nahum, Habacuc, Sophonias, Aggaeus, Zacharias, Malachias, pro Vetere Testamento.

Evangelia secundum Matthaeum, Marcum, Lucam et Ioannem, Actus Apostolorum, epistulae sancti Pauli ad Romanos, prima et secunda ad Corinthios, ad Galatas, ad Ephesios, ad Philippenses, ad Colossenses, prima et secunda ad Thessalonicenses, prima et secunda ad Timotheum, ad Titum, ad Philemonem, epistula ad Hebraeos, epistula Iacobi, epistula prima et secunda Petri, tres epistulae Ioannis, epistula Iudae, Apocalypsis, pro Novo Testamento.

Vetus Testamentum

121 Vetus Testamentum inamissibilis est pars sacrae Scripturae. Eius libri divinitus sunt inspirati et valorem servant permanentem,[99] quia Foedus Vetus nunquam est retractatum.   1093

122 Etenim « Veteris Testamenti Oeconomia ad hoc potissimum disposita erat, ut Christi universorum Redemptoris [...] Adventum praepararet ». Libri Veteris Testamenti, « quamvis etiam imperfecta et temporaria contineant », totam divinam amoris salvifici Dei testantur paedagogiam: in illis « sublimes de Deo doctrinae ac salutaris de vita hominis sapientia mirabilesque precum thesauri reconduntur », in illis « tandem latet mysterium salutis nostrae ».[100]   702 763 708 2568

123 Christiani Vetus Testamentum tamquam verum Dei Verbum venerantur. Ecclesia ideam Vetus reiiciendi Testamentum, praetextantem id a Novo effectum esse caducum (Marcionismus), semper firmiter respuit.

---

[98] Cf. *Decretum Damasi*: DS 179-180; Concilium Florentinum, *Decretum pro Iacobitis*: DS 1334-1336; Concilium Tridentinum, Sess. 4ª, *Decretum de Libris Sacris et de traditionibus recipiendis*: DS 1501-1504.
[99] Cf. Concilium Vaticanum II, Const. dogm. *Dei Verbum*, 14: AAS 58 (1966) 825.
[100] Concilium Vaticanum II, Const. dogm. *Dei Verbum*, 15: AAS 58 (1966) 825.

Novum Testamentum

124 « Verbum Dei, quod virtus Dei est in salutem omni credenti, in scriptis Novi Testamenti praecellenti modo praesentatur et vim suam exhibet ».[101] Haec scripta veritatem Revelationis divinae nobis tradunt definitivam. Eorum centrale obiectum est Iesus Christus, Filius Dei incarnatus, Eius gesta, doctrina, passio et glorificatio, sicut etiam Eius Ecclesiae initia sub actione Spiritus Sancti.[102]

515   125 *Evangelia* sunt omnium Scripturarum cor, « quippe quae praecipuum testimonium sint de Verbi Incarnati, Salvatoris nostri, vita atque doctrina ».[103]

126 In Evangeliorum compositione tres distingui possunt periodi:

1. *Iesu vita et doctrina.* Ecclesia firmiter tenet quattuor Evangelia, « quorum historicitatem incunctanter affirmat, fideliter tradere quae Iesus Dei Filius, vitam inter homines degens, ad aeternam eorum salutem reapse fecit et docuit, usque in diem qua assumptus est ».

76   2. *Traditio oralis.* « Apostoli quidem post Ascensionem Domini, illa quae Ipse dixerat et fecerat, auditoribus ea pleniore intelligentia tradiderunt, qua ipsi, eventibus gloriosis Christi instructi et lumine Spiritus veritatis edocti, fruebantur ».

76   3. *Evangelia scripta.* « Auctores autem sacri quattuor Evangelia conscripserunt, quaedam e multis aut ore aut iam scripto traditis seligentes. quaedam in synthesim redigentes, vel statui Ecclesiarum attendendo explanantes, formam denique praeconii retinentes, ita semper ut vera et sincera de Iesu nobiscum communicarent ».[104]

1154   127 Evangelium quadriforme in Ecclesia locum tenet singularem, sicut veneratio quam ei liturgia tribuit, et incomparabilis attractio quam ipsum in sanctos omni tempore exercuit, testantur.

« Non est maior nec melior nec pretiosior nec splendidior ulla doctrina quam Evangelii lectio. Hoc videte, hoc tenete, quod Dominus et Magister noster Christus et verbis docuit et exemplis implevit ».[105]

2705   « Super omnia *Evangelium* in meis orationibus me occupat; in illo invenio quidquid pauperi animae meae est necessarium. In eo semper nova lumina, sensus absconditos detego et arcanos ».[106]

---

[101] Concilium Vaticanum II, Const. dogm. *Dei Verbum*, 17: AAS 58 (1966) 826.
[102] Cf. Concilium Vaticanum II, Const. dogm. *Dei Verbum*, 20: AAS 58 (1966) 827.
[103] Concilium Vaticanum II, Const. dogm. *Dei Verbum*, 18: AAS 58 (1966) 826.
[104] Concilium Vaticanum II, Const. dogm. *Dei Verbum*, 19: AAS 58 (1966) 826-827.
[105] Sancta Caesaria Iunior, *Epistula ad Richildam et Radegundem*: SC 345, 480.
[106] Sancta Theresia a Iesu Infante, *Manuscrit A*, 83v: *Manuscrits autobiographiques* (Paris 1992) p. 268.

De Veteris et Novi Testamenti unitate

128 Ecclesia, inde a temporibus apostolicis [107] et deinde in Traditione constanter, consilii divini in duobus Testamentis unitatem illustravit per *typologiam*. Haec in Dei operibus sub Vetere Testamento peractis prae- 1094 figurationes discernit illius quod Deus in plenitudine temporum in Per- 489 sona Filii Sui incarnati adimplevit.

129 Christiani itaque Vetus legunt Testamentum sub luce Christi mor- tui et resuscitati. Haec typologica lectio inexhaustum Veteris Testamenti 651 ostendit contentum. Ipsa tamen non debet oblivioni dare illud valorem proprium Revelationis servare suum, ab Ipso Domino nostro confirma- 2055 tum.[108] Ceterum, Novum Testamentum postulat etiam ut sub Veteris le- gatur luce. Primaeva catechesis christiana constanter ad id recurrebat.[109] Secundum adagium antiquum, Novum Testamentum in Vetere est oc- cultum, dum Vetus est in Novo detectum: ita fit ut « in Vetere Novum lateat et in Novo Vetus pateat ».[110] 1968

130 Typologia dynamismum significat in consilii divini adimpletionem, cum « Deus omnia in omnibus » erit (*1 Cor* 15, 28). Sic, exempli gratia, vocatio Patriarcharum et Exodus ex Aegypto valorem proprium in Dei consilio non amittunt suum eo quod simul ipsius sint intermediae periodi.

V. De sacra Scriptura in Ecclesiae vita

131 « Tanta autem Verbo Dei vis ac virtus inest, ut Ecclesiae sustenta- culum ac vigor, et Ecclesiae filiis robur, animae cibus, vitae spiritualis fons purus et perennis exstet ».[111] « Christifidelibus aditus ad sacram Scripturam late pateat oportet » [112]

132 « Sacrae Paginae studium sit veluti anima sacrae theologiae. Eo- dem autem Scripturae verbo etiam ministerium verbi, pastoralis nempe 94 praedicatio, catechesis omnisque instructio christiana, in quo homilia

---

[107] Cf. *1 Cor* 10, 6. 11; *Heb* 10, 1; *1 Pe* 3, 21.
[108] Cf. *Mc* 12, 29-31.
[109] Cf. *1 Cor* 5, 6-8; 10, 1-11.
[110] Sanctus Augustinus, *Quaestiones in Heptateucum* 2, 73: CCL 33, 106 (PL 34, 623); cf. Concilium Vaticanum II, Const. dogm. *Dei Verbum*, 16: AAS 58 (1966) 825.
[111] Concilium Vaticanum II, Const. dogm. *Dei Verbum*, 21: AAS 58 (1966) 828.
[112] Concilium Vaticanum II, Const. dogm. *Dei Verbum*, 22: AAS 58 (1966) 828.

liturgica eximium locum habeat oportet, salubriter nutritur sancteque virescit ».[113]

2653   133   Ecclesia « christifideles omnes [...] vehementer peculiariterque exhortatur, ut frequenti divinarum Scripturarum lectione "eminentem scientiam Iesu Christi" (*Philp* 3, 8) ediscant. "Ignoratio enim Scriptura-
1792   rum ignoratio Christi est" ».[114]

Compendium

134   *Omnis Scriptura divina unus liber est, et hic unus liber est Christus,* « *quia omnis Scriptura divina de Christo loquitur, et omnis Scriptura divina in Christo impletur* ».[115]

135   « *Sacrae autem Scripturae Verbum Dei continent et, quia inspiratae, vere Verbum Dei sunt* ».[116]

136   *Deus sacrae Scripturae est auctor humanos eius auctores inspirans; Ipse in illis et per illos agit. Sic praestat eorum scripta sine errore veritatem docere salutarem.*[117]

137   *Scripturarum inspiratarum interpretatio debet imprimis ad id attendere quod Deus per sacros auctores, nostrae salutis causa, revelare voluit. Id quod a Spiritu venit, nonnisi per Spiritus actionem plene intelligitur.*[118]

138   *Ecclesia 46 libros Veteris et 27 libros Novi Testamenti, tamquam inspiratos, recipit et veneratur.*

139   *Quattuor Evangelia locum habent centralem quia Christus Iesus eorum est centrum.*

---

[113] Concilium Vaticanum II, Const. dogm. *Dei Verbum*, 24: AAS 58 (1966) 829.
[114] Concilium Vaticanum II, Const. dogm. *Dei Verbum*, 25: AAS 58 (1966) 829; cf. Sanctus Hieronymus, *Commentarii in Isaiam*, Prologus: CCL 73, 1 (PL 24, 17).
[115] Hugo de Sancto Victore, *De Arca Noe*, 2, 8: PL 176, 642; cf. *Ibid.* 2, 9: PL 176, 642-643.
[116] Concilium Vaticanum II, Const. dogm. *Dei Verbum*, 24: AAS 58 (1966) 829.
[117] Cf. Concilium Vaticanum II, Const. dogm. *Dei Verbum*, 11: AAS 58 (1966) 822-823.
[118] Cf. Origenes, *Homiliae in Exodum*, 4, 5: SC 321, 128 (PG 12, 320).

140   *Utriusque Testamenti unitas ex unitate consilii et Revelationis Dei promanat. Vetus Testamentum praeparat Novum, hoc autem Vetus adimplet; ambo se mutuo illuminant; utrumque est verum Verbum Dei.*

141   « *Divinas Scripturas sicut et ipsum corpus dominicum semper venerata est Ecclesia* »; [119] *utrumque totam vitam christianam nutrit et regit.* « *Lucerna pedibus meis verbum Tuum et lumen semitis meis* » (*Ps* 119, 105).[120]

---

[119] Concilium Vaticanum II, Const. dogm. *Dei Verbum*, 21: AAS 58 (1966) 827.
[120] Cf. *Is* 50, 4.

CAPUT TERTIUM

HOMO DEO RESPONDET

142 *Sua Revelatione*, « Deus invisibilis ex abundantia caritatis Suae homines tamquam amicos alloquitur et cum eis conversatur, ut eos ad societatem Secum invitet in eamque suscipiat ».[1] Huic invitationi idonea responsio est fides.

1102

143 *Per fidem* homo suum intellectum suamque voluntatem Deo plene submittit. Homo ex toto quod est, Deo revelanti suum praebet assensum.[2] Haec responsio hominis Deo revelanti « oboeditio fidei » a sacra appellatur Scriptura.[3]

2087

Articulus 1

1814-1816

CREDO

I. De fidei oboedientia

144 In fide oboedire (*ob-audire*) est se libere audito submittere verbo, quia eius veritas a Deo, qui ipsa veritas est, praestatur. Abraham huius oboedientiae est exemplar, nobis a sacra Scriptura propositum. Virgo autem Maria eius effectio est perfectissima.

ABRAHAM — « PATER OMNIUM CREDENTIUM »

59, 2570

145 Epistula ad Hebraeos, in magno illo fidei maiorum elogio, in fide Abraham peculiariter insistit: « Fide vocatus Abraham *oboedivit* in locum exire, quem accepturus erat in hereditatem, et exivit nesciens quo

---

[1] CONCILIUM VATICANUM II, Const. dogm. *Dei Verbum*, 2: AAS 58 (1966) 818.
[2] Cf. CONCILIUM VATICANUM II, Const. dogm. *Dei Verbum*, 5: AAS 58 (1966) 819.
[3] Cf. *Rom* 1, 5; 16, 26.

iret » (*Heb* 11, 8).⁴ Fide ut advena et peregrinus in Terra vixit promissa.⁵ Fide, Sara accepit filium Promissionis concipere. Fide denique Abraham suum filium unicum in sacrificio obtulit.⁶ 489

146. Sic Abraham definitionem fidei, ab epistula ad Hebraeos traditam, in rem ducit: « Est autem fides sperandorum substantia, rerum argumentum non apparentium » (*Heb* 11, 1). « Credidit autem Abraham Deo, et reputatum est illi ad iustitiam » (*Rom* 4, 3).⁷ Hac « confortatus fide » (*Rom* 4, 20), Abraham factus est « pater omnium credentium » (*Rom* 4, 11. 18).⁸ 1819

147. Vetus Testamentum testimoniis est huius fidei copiosum. Epistula ad Hebraeos exemplaris fidei proclamat elogium, in qua « testimonium consecuti sunt seniores » (*Heb* 11, 2. 39), « Deo pro nobis melius aliquid providente »: gratiam scilicet in Filium Suum credendi, « ducem fidei et consummatorem Iesum » (*Heb* 11, 40; 12, 2). 839

MARIA — « BEATA QUAE CREDIDIT »

148 Maria Virgo modo perfectissimo oboedientiam fidei in rem ducit. In fide, Maria nuntium et promissionem ab Angelo Gabriel allata recipit, credens quod « non erit impossibile apud Deum omne verbum » (*Lc* 1, 37)⁹ suumque praebens assensum: « Ecce ancilla Domini; fiat mihi secundum verbum tuum » (*Lc* 1, 38). Elisabeth illam his salutavit verbis: « Beata, quae credidit, quoniam perficientur ea, quae dicta sunt ei a Domino » (*Lc* 1, 45). Propter hanc fidem omnes generationes illam proclamabunt beatam.¹⁰ 494, 2617

506

149 Per totius eius vitae cursum, et usque ad eius extremam probationem,¹¹ cum Iesus, eius filius, est mortuus in cruce, eius fides non vacillavit. Maria verbum Dei « perficiendum esse » credere non desiit. Ecclesia igitur in Maria purissimam fidei veneratur effectionem. 969

507, 829

---

⁴ Cf. *Gn* 12, 1-4.
⁵ Cf. *Gn* 23, 4.
⁶ Cf. *Heb* 11, 17.
⁷ Cf. *Gn* 15, 6.
⁸ Cf. *Gn* 15, 5.
⁹ Cf. *Gn* 18, 14.
¹⁰ Cf. *Lc* 1, 48.
¹¹ Cf. *Lc* 2, 35.

II. « Scio enim cui credidi » (*2 Tim* 1, 12)

IN SOLUM DEUM CREDERE

150   Fides est imprimis *adhaesio personalis* hominis *ad Deum*; simul vero et inseparabiliter est *liber toti veritati a Deo revelatae assensus*. Fides christiana, quatenus adhaesio personalis ad Deum et veritati ab Ipso revelatae assensus, a fide in personam differt humanam. Bonum et iustum est se plene Deo fidere idque absolute credere, quod Ipse dixit. Vanum et falsum esset talem fidem in quamdam reponere creaturam.[12]

222

IN IESUM CHRISTUM, FILIUM DEI, CREDERE

151   Pro christiano credere in Deum est inseparabiliter in Eum credere quem Ille misit: Filium Suum dilectum, in quo complacuit;[13] Deus nobis dixit ut Eum audiremus.[14] Dominus Ipse Suis dixit discipulis: « Creditis in Deum et in me credite » (*Io* 14, 1). In Iesum Christum credere possumus, quia Ipse est Deus, Verbum caro factum: « Deum nemo vidit unquam; unigenitus Deus, qui est in sinum Patris, Ipse enarravit » (*Io* 1, 18). Quia Ille « vidit Patrem » (*Io* 6, 46), solus Eum novit et potestatem Eum habet revelandi.[15]

424

IN SPIRITUM SANCTUM CREDERE

243, 683   152   Impossibile est quempiam in Iesum Christum credere, quin ille Eius sit particeps Spiritus. Sanctus vero Spiritus hominibus revelat quis Iesus sit. Etenim « nemo potest dicere "Dominus Iesus", nisi in Spiritu Sancto » (*1 Cor* 12, 3). « Spiritus enim omnia scrutatur, etiam profunda Dei. [...] Quae Dei sunt, nemo cognovit nisi Spiritus Dei » (*1 Cor* 2, 10-11). Solus Deus Deum plene cognoscit. *In* Sanctum credimus Spiritum, quia Ille est Deus.

232   *Ecclesia suam fidem in unum Deum, Patrem, Filium et Spiritum Sanctum confiteri non desinit.*

---

[12] Cf. *Ier* 17, 5-6; *Ps* 40, 5; 146, 3-4.
[13] Cf. *Mc* 1, 11.
[14] Cf. *Mc* 9, 7.
[15] Cf. *Mt* 11, 27.

III. De proprietatibus fidei

FIDES EST GRATIA QUAEDAM

153 Cum sanctus Petrus Iesum esse Christum, Filium Dei vivi, confitetur, Iesus ei declarat hanc revelationem ex carne et sanguine ei non venisse, sed ex Patre Suo « qui in caelis est » (*Mt* 16, 17).[16] Fides est donum Dei, virtus supernaturalis ab Illo infusa. « Quae fides ut praebeatur, opus est praeveniente et adiuvante gratia Dei et internis Spiritus Sancti auxiliis, qui cor moveat et in Deum convertat, mentis oculos aperiat, et det "omnibus suavitatem in consentiendo et credendo veritati" ».[17]

552

1814
1996
2606

FIDES EST ACTUS HUMANUS

154 Credere possibile non est nisi per gratiam et interna Sancti Spiritus auxilia. Minus verum non est, credere actum esse vere humanum. Neque hominis libertati neque intellectui contrarium est Deo fidere veritatibusque ab Illo revelatis adhaerere. In ipso humano commercio, nostrae propriae dignitati contrarium non est, credere id quod alii homines de se ipsis et de suis dicunt intentionibus, et illorum promissionibus fidere (sicut cum vir et mulier matrimonium ineunt), ad sic ingrediendum in mutuam communionem. Consequenter adhuc minus contrarium est nostrae dignitati « plenum revelanti Deo intellectus et voluntatis obsequium fide praestare »[18] et sic in communionem cum Eo ingredi intimam.

1749

2126

155 In fide, humanus intellectus et voluntas cum gratia divina cooperantur: « Credere est actus intellectus assentientis veritati divinae ex imperio voluntatis a Deo motae per gratiam ».[19]

2008

FIDES ET INTELLECTUS

156 *Motivum* credendi id non est quod veritates revelatae lumini nostrae rationis naturalis tamquam verae et intelligibiles appareant. Credimus « propter auctoritatem Ipsius Dei revelantis, qui nec falli nec falle-

1063

[16] Cf. *Gal* 1, 15-16; *Mt* 11, 25.
[17] CONCILIUM VATICANUM II, Const. dogm. *Dei Verbum*, 5: AAS 58 (1966) 819.
[18] CONCILIUM VATICANUM I, Const. dogm. *Dei Filius*, c. 3: DS 3008.
[19] SANCTUS THOMAS AQUINAS, *Summa theologiae* 2-2, q. 2, a. 9, c: Ed. Leon. 8, 37; cf. CONCILIUM VATICANUM I, Const. dogm. *Dei Filius*, c. 3: DS 3010.

2465   re potest ».²⁰ « Ut nihilominus fidei nostrae "obsequium rationi consen-
taneum" esset, voluit Deus cum internis Spiritus Sancti auxiliis externa
548   iungi Revelationis Suae argumenta ».²¹ Sic Christi et sanctorum miracu-
812   la,²² prophetiae, Ecclesiae propagatio et sanctitas, eius fecunditas et stabilitas « divinae Revelationis signa sunt certissima et omnium intelligentiae accommodata »,²³ credibilitatis motiva quae ostendunt quod « fidei
assensus nequaquam sit motus animi caecus ».²⁴

157   Fides est *certa*, omni humana cognitione certior, quia in ipso Verbo Dei fundatur, qui mentiri nequit. Veritates revelatae possunt utique
rationi et experientiae humanis obscurae videri, sed « maior est certitudo quae est per divinum lumen, quam quae est per lumen rationis natu-
2088   ralis ».²⁵ « Decem milia difficultatum unum non efficiunt dubium ».²⁶

158   « Fides *quaerens intellectum* »: ²⁷ fidei est inhaerens ut credens me-
2705   lius Eum cognoscere exoptet in quem suam reposuit fidem idque melius
intelligere quod Ipse revelavit; profundior cognitio, e parte sua, maiorem fidem secum ducet, semper amplius succensam amore. Gratia fidei
1827   « oculos cordis » (*Eph* 1, 18) aperit ad vivam eorum intelligentiam quae
in Revelatione continentur, intelligentiam scilicet complexus consilii Dei
90   et mysteriorum fidei, eorum conexionis inter se et cum Christo mysterii
revelati centro. « Quo vero profundior usque evadat Revelationis intelligentia, [...] Spiritus Sanctus fidem iugiter per dona Sua perficit ».²⁸ Ita
2518   secundum sancti Augustini adagium: « Intellige ut credas: crede, ut in-
telligas ».²⁹

159   *Fides et scientia.* « Verum etsi fides sit supra rationem, nulla ta-
283   men umquam inter fidem et rationem vera dissensio esse potest: cum
Idem Deus, qui mysteria revelat et fidem infundit, animo humano rationis lumen indiderit, Deus autem negare Se Ipsum non possit, nec verum

²⁰ CONCILIUM VATICANUM I, Const. dogm. *Dei Filius*, c. 3: DS 3008.
²¹ CONCILIUM VATICANUM I, Const. dogm. *Dei Filius*, c. 3: DS 3009.
²² Cf. *Mc* 16, 20; *Heb* 2, 4.
²³ CONCILIUM VATICANUM I, Const. dogm. *Dei Filius*, c. 3: DS 3009.
²⁴ CONCILIUM VATICANUM I, Const. dogm. *Dei Filius*, c. 3: DS 3010.
²⁵ SANCTUS THOMAS AQUINAS, *Summa theologiae* 2-2, q. 171, a. 5, 3ᵘᵐ: Ed. Leon. 10, 373.
²⁶ IOANNES HENRICUS NEWMAN, *Apologia pro vita sua*, c. 5 , ed. M.J. SVAGLIC (Oxford 1967) p. 210.
²⁷ SANCTUS ANSELMUS CANTUARIENSIS, *Proslogion*, Prooemium: *Opera omnia*, ed. F.S. SCHMITT, v. 1 (Edinburghi 1946) p. 94.
²⁸ CONCILIUM VATICANUM II, Const. dogm. *Dei Verbum*, 5: AAS 58 (1966) 819.
²⁹ SANCTUS AUGUSTINUS, *Sermo* 43, 7, 9: CCL 41, 512 (PL 38, 258).

vero umquam contradicere ».[30] « Ideo inquisitio methodica in omnibus disciplinis, si modo vere scientifico et iuxta normas morales procedit, numquam fidei revera adversabitur, quia res profanae et res fidei ab Eodem Deo originem ducunt. Immo, qui humili et constanti animo abscondita rerum perscrutari conatur, etsi inscius quasi manu Dei ducitur qui, res omnes sustinens, facit ut sint id quod sunt ».[31]

2293

LIBERTAS FIDEI

160 Ut responsio fidei humana sit, « caput est [...] hominem debere Deo voluntarie respondere credendo; invitum proinde neminem esse cogendum ad amplectendam fidem. Etenim actus fidei ipsa sua natura voluntarius est ».[32] « Deus quidem homines ad inserviendum Sibi in spiritu et veritate vocat, unde ipsi in conscientia vinciuntur, non vero coercentur. [...] Hoc autem summe apparuit in Christo Iesu ».[33] Christus etenim ad fidem invitavit et conversionem, nullo tamen modo constrinxit. « Testimonium enim perhibuit veritati, eam tamen contradicentibus vi imponere noluit. Regnum enim Eius [...] crescit [...] amore, quo Christus exaltatus in cruce homines ad Seipsum trahit ».[34]

1738, 2106

616

NECESSITAS FIDEI

161 In Iesum Christum credere et in Illum qui Eum propter nostram misit salutem, necessarium est ad hanc obtinendam salutem.[35] « Quoniam vero "sine fide... impossibile est placere Deo" (*Heb* 11, 6) et ad filiorum Eius consortium pervenire, ideo nemini umquam sine illa contigit iustificatio, nec ullus, nisi in ea "perseveraverit usque in finem" (*Mt* 10, 22; 24, 13), vitam aeternam assequetur ».[36]

432
1257

846

IN FIDE PERSEVERANTIA

162 Fides gratuitum est donum, quod Deus homini praebet. Hoc inaestimabile possumus donum amittere; sanctus Paulus de hoc monet Ti-

2089

[30] CONCILIUM VATICANUM I, Const. dogm. *Dei Filius*, c. 4: DS 3017.
[31] CONCILIUM VATICANUM II, Const. past. *Gaudium et spes*, 36: AAS 58 (1966) 1054.
[32] CONCILIUM VATICANUM II, Decl. *Dignitatis humanae*, 10: AAS 58 (1966) 936; cf. CIC canon 748 § 2.
[33] CONCILIUM VATICANUM II, Decl. *Dignitatis humanae*, 11: AAS 58 (1966) 936.
[34] CONCILIUM VATICANUM II, DECL. *Dignitatis humanae*, 11: AAS 58 (1966) 937.
[35] Cf. *Mc* 16, 16; *Io* 3, 36; 6, 40 et alibi.
[36] CONCILIUM VATICANUM I, Const. dogm. *Dei Filius*, c. 3: DS 3012; cf. CONCILIUM TRIDENTINUM, Sess. 6ª, *Decretum de iustificatione*, c. 8: DS 1532.

motheum: « Hoc praeceptum commendo tibi [...] ut milites [...] bonam militiam, habens fidem et bonam conscientiam, quam quidam repellentes circa fidem naufragaverunt » (*1 Tim* 1, 18-19). Ad vivendum, crescendum et perseverandum usque ad finem in fide, illam debemus Verbo Dei nutrire; Dominum precari debemus ut illam nobis adaugeat;[37] ipsa « per caritatem » operari (*Gal* 5, 6),[38] a spe sustineri[39] et in Ecclesiae fide debet esse radicata.

1037, 2016
2573, 2849

FIDES — INITIUM VITAE AETERNAE

163 Fides facit ut gaudium et lumen visionis beatificae quasi in antecessu gustemus, quae finis est nostrae peregrinationis hic in terris. Tunc videbimus Deum « facie ad faciem » (*1 Cor* 13, 12), « sicuti est » (*1 Io* 3, 2). Fides igitur iam est vitae aeternae initium:

1088

> « Repositorum nobis in promissis bonorum, quae per fidem fruenda exspectamus, perinde quasi iam adsint, gratiam velut in speculo contemplantes » sumus.[40]

164 Nunc tamen « per fidem [...] ambulamus et non per speciem » (*2 Cor* 5, 7) Deumque, « per speculum in aenigmate [...], ex parte » (*1 Cor* 13, 12) cognoscimus. Licet fides luminosa sit propter Illum in quem credit, vita fidei saepe obscura est. Fides potest probationi submitti. Mundus in quo vivimus, saepe valde videtur remotus ab iis quae fides asseverat; experientiae mali et doloris, multiplicis iniustitiae et mortis Bono Nuntio videntur contradicere; illae fidem possunt concutere et ei fieri tentatio.

2846

309, 1502
1006

165 Tunc ad *fidei testes* nos convertere debemus: ad Abraham « qui contra spem in spe credidit » (*Rom* 4, 18); ad Mariam Virginem quae « in peregrinatione fidei »,[41] usque ad « noctem fidei » processit[42] Filii sui cruciatus participans Eiusque sepulcri noctem;[43] et ad tot alios fidei testes: « Ideoque et nos tantam habentes circumpositam nobis nubem

2719

[37] Cf. *Mc* 9, 24; *Lc* 17, 5; 22, 32.
[38] Cf. *Iac* 2, 14-26.
[39] Cf. *Rom* 15, 13.
[40] SANCTUS BASILIUS MAGNUS, *Liber de Spiritu Sancto*, 15, 36: SC 17bis, 370 (PG 32, 132); cf. SANCTUS THOMAS AQUINAS, *Summa theologiae* 2-2, q. 4, a. 1, c: Ed. Leon. 8, 44.
[41] CONCILIUM VATICANUM II, Const. dogm. *Lumen gentium*, 58: AAS 57 (1965) 61.
[42] Cf. IOANNES PAULUS II, Litt. Enc. *Redemptoris Mater*, 17: AAS 79 (1987) 381.
[43] Cf. IOANNES PAULUS II, Litt. Enc. *Redemptoris Mater*, 18: AAS 79 (1987) 382-383.

testium, deponentes omne pondus et circumstans nos peccatum, per patientiam curramus propositum nobis certamen, aspicientes in ducem fidei et consummatorem Iesum » (*Heb* 12, 1-2).

Articulus 2

CREDIMUS

166 Fides est actus personalis: libera hominis responsio incepto Dei Se revelantis. Sed fides actus non est solitarius. Nemo credere potest solus, sicut nemo solus vivere potest. Nemo sibi ipsi dat fidem, sicut nemo sibi ipsi vitam dat. Credens fidem ab aliis accepit illamque aliis transmittere debet. Noster erga Iesum et homines amor nos ad aliis de nostra fide loquendum impellit. Unusquisque credens est quasi anulus in magna credentium catena. Credere non possum nisi aliorum fide sustentus et mea fide ad aliorum fidem confero sustinendam.

875

167 « Credo »: [44] est fides Ecclesiae quam unusquisque credens personaliter profitetur, praesertim cum baptizatur. « Credimus »: [45] est fides Ecclesiae quam Episcopi in Concilio profitentur congregati vel generalius quam liturgica credentium profitetur congregatio. « Credo »: est etiam Ecclesia, Mater nostra quae Deo fide respondet sua nosque docet dicere: « Credo », « Credimus ».

1124

2040

I. « Respice, Domine, fidem Ecclesiae Tuae »

168 Ecclesia credit imprimis et sic meam fidem ducit, nutrit et sustinet. Ecclesia Dominum ubique confitetur imprimis (« Te per orbem terrarum sancta confitetur Ecclesia », in hymno canimus « Te Deum ») atque cum illa et in illa impellimur et ducimur, ut nos etiam confiteamur: « Credo », « Credimus ». Ab Ecclesia recipimus fidem novamque in Christo vitam per Baptismum. Iuxta « Rituale Romanum », minister Baptismatis quaerit a catechumeno: « Quid petis ab Ecclesia Dei? ». Et responsio: « Fidem ». - « Fides quid tibi praestat? » - « Vitam aeternam ».[46]

1253

169 Salus a solo Deo venit; sed quia vitam fidei per Ecclesiam recipimus, ipsa est Mater nostra: « Credimus Ecclesiam quasi regenerationis

[44] *Symbolum Apostolicum*: DS 30.
[45] *Symbolum Nicaenum-Constantinopolitanum*: DS 150 (in textu originali graeco).
[46] *Ordo initiationis christianae adultorum*, 75, ed. typica (Typis Polyglottis Vaticanis 1972) p. 24; *Ibid.*, 247, p. 91.

750   Matrem, non in Ecclesiam credimus quasi in salutis auctorem ».[47] Quia
2030 illa est Mater nostra, est etiam nostrae fidei educatrix.

II. Sermo fidei

170   Non in formulas credimus, sed in res quas illae exprimunt et quas
nobis fides « tangere » permittit. « Actus autem [fidei] credentis non terminatur ad enuntiabile, sed ad rem [enuntiatam] ».[48] Tamen ad has res
186   adiutorio formulationum fidei appropinquamus. Hae permittunt fidem
exprimere et transmittere, illam in communitate celebrare, illam facere
propriam et ex illa magis magisque vivere.

171   Ecclesia quae est « columna et firmamentum veritatis » (*1 Tim* 3,
78, 84, 857   15), semel traditam sanctis fidem[49] custodit fideliter. Ipsa est quae verborum Christi memoriam servat et confessionem fidei Apostolorum a
generatione transmittit in generationem. Sicut mater suos filios loqui
docet atque adeo mente intelligere et cum aliis communicare, Ecclesia,
185   Mater nostra, sermonem fidei nos docet ad nos in fidei intelligentiam
introducendos et vitam.

III. Una fides

813   172   A saeculis, per tot linguas, culturas, populos et nationes, Ecclesia
unam fidem suam confiteri non desinit, ab uno Domino acceptam, per
unum Baptismum transmissam, in persuasione radicatam omnes homines nonnisi unum habere Deum et Patrem.[50] Sanctus Irenaeus Lugdunensis, huius fidei testis, declarat:

830   173   « Ecclesia enim per universum orbem usque ad fines terrae semi-
nata, et ab Apostolis et discipulis eorum accepit eam fidem [...]. Hanc
praedicationem [...] et hanc fidem [...] diligenter custodit quasi unam
domum inhabitans, et similiter credit his, videlicet quasi unam animam
habens et unum cor, et consonanter haec praedicat et docet, et tradit
quasi unum possidens os ».[51]

---

[47] Faustus Reiensis, *De Spiritu Sancto* 1, 2: CSEL 21, 104 (1, 1: PL 62, 11).
[48] Sanctus Thomas Aquinas, *Summa theologiae* 2-2, q. 1, a. 2, ad 2: Ed. Leon. 8, 11.
[49] Cf. *Ids* 1, 3.
[50] Cf. *Eph* 4, 4-6.
[51] Sanctus Irenaeus Lugdunensis, *Adversus haereses* 1, 10, 1-2: SC 264, 154-158
(PG 7, 550-551).

174 « Nam etsi in mundo loquelae dissimiles sunt, sed tamen virtus Tra-   78
ditionis una et eadem est. Et neque hae quae in Germania sunt fundatae
Ecclesiae aliter credunt aut aliter tradunt, neque hae quae in Hiberis sunt,
neque hae quae in Celtis, neque hae quae in Oriente, neque hae quae in
Aegypto, neque hae quae in Libya, neque hae quae in medio mundi sunt
constitutae ».[52] « Ecclesiae quidem praedicatio vera et firma, apud quam
una et eadem salutis via in universo mundo ostenditur ».[53]

175 Fidem « perceptam ab Ecclesia custodimus, et quae semper a Spiritu Dei, quasi in vaso bono eximium quoddam depositum iuvenescens,
et iuvenescere faciens ipsum vas in quo est ».[54]

Compendium

176 *Fides est personalis totius hominis ad Deum Se revelantem adhaesio.
Intellectus et voluntatis implicat adhaesionem ad Revelationem, quam
Deus gestis et verbis de Se Ipso fecit.*

177 *« Credere » igitur duplicem habet relationem: ad personam et ad veritatem; ad veritatem propter fiduciam in personam quae illam testi-
ficatur.*

178 *In nullum alium credere debemus quam in Deum, Patrem, Filium et
Spiritum Sanctum.*

179 *Fides donum Dei est supernaturale. Ad credendum homo interioribus
eget Spiritus Sancti auxiliis.*

180 *« Credere » actus est humanus, conscius et liber, qui personae humanae correspondet dignitati.*

181 *« Credere » actus est ecclesialis. Fides Ecclesiae nostram praecedit,
gignit, sustinet et nutrit fidem. Ecclesia est omnium credentium Mater. « Habere iam non potest Deum Patrem qui Ecclesiam non habet
Matrem ».[55]*

---

[52] Sanctus Irenaeus Lugdunensis, *Adversus haereses* 1, 10, 2: SC 264, 158-160 (PG
7, 531-534).

[53] Sanctus Irenaeus Lugdunensis, *Adversus haereses* 5, 20, 1: SC 153, 254-256 (PG
7, 1177).

[54] Sanctus Irenaeus Lugdunensis, *Adversus haereses* 3, 24, 1: SC 211, 472 (PG 7, 966).

[55] Sanctus Cyprianus Carthaginiensis, *De Ecclesiae catholicae unitate*, 6: CCL 3,
253 (PL 4, 519).

182   « *Nos ea omnia credimus, quae in Verbo Dei scripto vel tradito continentur et ab Ecclesia* [...] *tamquam divinitus revelata credenda proponuntur* ».[56]

183   *Fides ad salutem necessaria est. Ipse Dominus asserit*: « *Qui crediderit et baptizatus fuerit, salvus erit; qui vero non crediderit, condemnabitur* » (*Mc* 16, 16).

184   « *Fides* [...] *praelibatio quaedam est illius cognitionis quae nos in futuro beatos faciet* ».[57]

---

[56] Paulus VI, *Sollemnis Professio fidei*, 20: AAS 60 (1968) 441.
[57] Sanctus Thomas Aquinas, *Compendium theologiae*, 1, 2: Ed. Leon. 42, 83.

SYMBOLUM FIDEI

SYMBOLUM APOSTOLICUM [58]	SYMBOLUM NICAENUM-CONSTANTINOPOLITANUM [59]
Credo in Deum	Credo in unum Deum,
Patrem omnipotentem,	Patrem omnipotentem,
Creatorem caeli et terrae,	Factorem caeli et terrae,
	visibilium omnium et invisibilium.
et in Iesum Christum, Filium Eius unicum,	Et in unum Dominum Iesum Christum,
Dominum nostrum,	Filium Dei unigenitum
	et ex Patre natum ante omnia saecula,
	Deum de Deo,
	Lumen de Lumine,
	Deum verum de Deo vero,
	genitum, non factum,
	consubstantialem Patri:
	per quem omnia facta sunt;
	qui propter nos homines et propter nostram salutem,
	descendit de caelis,
qui conceptus est de Spiritu Sancto,	et incarnatus est de Spiritu Sancto
natus ex Maria Virgine,	ex Maria Virgine
	et homo factus est,
passus sub Pontio Pilato,	crucifixus etiam pro nobis sub Pontio Pilato,
crucifixus, mortuus,	passus et sepultus est,
et sepultus,	et resurrexit tertia die
descendit ad inferos,	
tertia die resurrexit a mortuis,	secundum Scripturas,
	et ascendit in caelum,
ascendit ad caelos,	sedet ad dexteram Patris,
sedet ad dexteram Dei Patris omnipotentis,	
	et iterum venturus est cum gloria,
inde venturus est iudicare vivos et mortuos.	iudicare vivos et mortuos;
	cuius regni non erit finis.
	Et in Spiritum Sanctum,

[58] DS 30.
[59] DS 150.

Credo in Spiritum Sanctum,

Dominum et vivificantem,
qui ex Patre Filioque procedit,
qui cum Patre et Filio
simul adoratur et conglorificatur,
qui locutus est per Prophetas.
Et unam sanctam catholicam et
apostolicam

sanctam Ecclesiam catholicam,
sanctorum communionem,
remissionem peccatorum,

Ecclesiam.
Confiteor unum Baptisma
in remissionem peccatorum.
Et exspecto resurrectionem
mortuorum,

carnis resurrectionem,
vitam aeternam.
Amen.

et vitam venturi saeculi.
Amen.

SECTIO SECUNDA

FIDEI CHRISTIANAE PROFESSIO

SYMBOLA FIDEI

185 Qui dicit « Credo », dicit « Adhaereo ei quod *nos* credimus ». Communio in fide eget communi fidei sermone, qui omnibus sit norma omnesque in eadem fidei confessione coniungat. 171, 949

186 Inde ab origine, Ecclesia apostolica suam propriam fidem in formulis brevibus et vim normae habentibus pro omnibus expressit et transmisit.[1] Sed iam prorsus cito Ecclesia etiam voluit suae fidei essentialia in compendiis organicis et articulatis colligere, quae candidatis ad Baptismum potissimum erant destinata.

> « Non enim ut hominibus placuit, fidei summa composita est; sed ex omni Scriptura potissima quaeque capita selecta, unam fidei doctrinam complent. Et quemadmodum sinapis semen in modico grano multos continet ramos, ita et fides haec, paucis in verbis, omnem tam Veteri quam Novo in Testamento contentam pietatis cognitionem insinuata recondit ».[2]

187 Hae fidei syntheses « Professiones fidei » appellantur, quia fidem breviter complectuntur quam christiani profitentur. « Credo » appellantur propterea quod in illis generatim primum verbum est « Credo ». Pariter « Symbola fidei » appellantur.

188 Verbum graecum σύμβολον dimidiam rei fractae significabat partem (exempli gratia, sigilli) quae tamquam agnitionis signum praesentabatur. Partes fractae simul collocabantur ad identitatem comprobandam illius qui quamdam partem portabat. Symbolum fidei est signum agnitionis et communionis inter credentes. Σύμβολον indicat deinde compendium, collectionem vel summarium. « Symbolum fidei » compendium est praecipuarum veritatum fidei. Inde sequitur illud pro catechesi tamquam primum et fundamentale haberi punctum, ad quod oportet referri.

189 Prima « Professio fidei » fit cum Baptismus recipitur. « Symbolum fidei » est imprimis Symbolum *baptismale*. Quia Baptismus « in nomine 1237
232

---

[1] Cf. *Rom* 10, 9; *1 Cor* 15, 3-5; etc.
[2] Sanctus Cyrillus Hierosolymitanus, *Catecheses illuminandorum* 5, 12: *Opera*, v. 1, ed. G.C. Reischl (Monaci 1848) p. 150 (PG 33, 521-524).

Patris et Filii et Spiritus Sancti» (*Mt* 28, 19) confertur, veritates fidei in Baptismo agnitae secundum suam ad tres Personas Sanctissimae Trinitatis relationem articulantur.

190 Symbolum est igitur in tres partes divisum «ut in una, divinae naturae Prima Persona et mirum creationis opus describatur; in altera, Secunda Persona et humanae Redemptionis mysterium; in tertia, Tertia item Persona, caput et fons sanctitatis nostrae».[3] Haec sunt «tria capita nostri sigilli [baptismalis]».[4]

191 Symbolum «in tres [...] partes ita distributum videtur, ut [...] variis et aptissimis sententiis concludatur. Eas autem sententias, similitudine quadam a Patribus nostris frequenter usurpata, articulos appellamus. Ut enim corporis membra articulis distinguuntur, ita etiam in hac fidei confessione, quidquid distincte et separatim ab alio nobis credendum est, recte et apposite articulum dicimus».[5] Secundum quamdam antiquam traditionem, quam iam sanctus Ambrosius testatur, mos etiam habetur *duodecim* articulos in Credo numerandi, ut, Apostolorum numero, symbolice fidei apostolicae significetur complexus.[6]

192 Decursu saeculorum, ut responsio necessitatibus daretur diversarum aetatum, plures fuerunt Professiones seu Symbola fidei: Symbola diversarum apostolicarum et veterum Ecclesiarum,[7] Symbolum «Quicumque» quod dicitur Athanasianum,[8] Professiones fidei quorumdam Conciliorum (Toletani;[9] Lateranensis;[10] Lugdunensis;[11] Tridentini[12]) vel aliquorum Summorum Pontificum sicut «Fides Damasi»[13] vel «*Credo populi Dei*» a Paulo VI exaratum (1968).[14]

193 Nullum e diversarum aetatum vitae Ecclesiae Symbolis potest tamquam superatum et inutile considerari. Illa nos adiuvant ad fidem

---

[3] *Catechismus Romanus*, 1, 1, 4: ed. P. Rodríguez (Città del Vaticano-Pamplona 1989) p. 20.
[4] Sanctus Irenaeus, *Demonstratio apostolicae praedicationis*, 100: SC 62, 170.
[5] *Catechismus Romanus*, 1, 1, 4: ed. P. Rodríguez (Città del Vaticano-Pamplona 1989) p. 20.
[6] Cf. Sanctus Ambrosius, *Explanatio Symboli*, 8: CSEL 73, 10-11 (PL 17, 1196).
[7] Cf. *Symbola fidei ab Ecclesia antiqua recepta*: DS 1-64.
[8] Cf. DS 75-76.
[9] Concilium Toletanum XI: DS 525-541.
[10] Concilium Lateranense IV: DS 800-802.
[11] Concilium Lugdunense II: DS 851-861.
[12] *Professio fidei Tridentina*: DS 1862-1870.
[13] Cf. DS 71-72.
[14] *Sollemnis Professio fidei*: AAS 60 (1968) 433-445.

semper propositam, per diversa compendia quae de illa sunt facta, hodie attingendam et penetrandam.

Inter omnia fidei Symbola, duo in vita Ecclesiae locum obtinent prorsus particularem:

194 *Symbolum Apostolicum* ita appellatum quia tamquam fidei Apostolorum iure consideratur fidele compendium. Vetus est Symbolum baptismale Ecclesiae Romanae. Eius magna auctoritas ex hoc procedit: « Hoc autem est Symbolum, quod Romana Ecclesia tenet, ubi primus Apostolorum Petrus sedit et communem sententiam eo detulit ».[15]

195 *Symbolum Nicaenum-Constantinopolitanum* appellatum suam magnam habet auctoritatem eo quod a duobus prioribus Conciliis Oecumenicis (325 et 381) procedit. Adhuc hodie omnibus magnis Ecclesiis Orientis et Occidentis permanet commune. 242, 245 465

196 Nostra fidei expositio Apostolicum sequetur Symbolum, quod, ut ita dicamus, « antiquissimum catechismum Romanum » constituit. Expositio tamen complebitur ad Symbolum Nicaenum-Constantinopolitanum assidue recurrendo, quod saepe magis explicite magisque singillatim exprimitur.

197 Sicut die nostri Baptismi, cum tota vita nostra « in eam formam doctrinae » (*Rom* 6, 17) concredita est, Symbolum accipimus nostrae fidei quae vitam praestat. « Credo » fide recitare est in communionem ingredi cum Deo Patre, Filio et Spiritu Sancto, est etiam in communionem ingredi cum universa Ecclesia quae nobis transmittit fidem et in cuius sinu credimus: 1064

> « Symbolum est spirituale signaculum, [...] cordis est nostri meditatio et quasi semper praesens custodia, certe thesaurus pectoris nostri ».[16] 1274

---

[15] Sanctus Ambrosius, *Explanatio Symboli*, 7: CSEL 73, 10 (PL 17, 1196).
[16] Sanctus Ambrosius, *Explanatio Symboli*, 1: CSEL 73, 3 (PL 17, 1193).

CREDO IN DEUM PATREM

198   Nostra fidei Professio incipit a *Deo*, quia Deus est « primus et [...] novissimus » (*Is* 44, 6), omnium initium et finis. « Credo » incipit a Deo *Patre*, quia Pater Prima est Persona divina Sanctissimae Trinitatis. Nostrum Symbolum incipit a creatione caeli et terrae, quia creatio initium et fundamentum est omnium Dei operum.

Articulus 1

« CREDO IN DEUM PATREM OMNIPOTENTEM, CREATOREM CAELI ET TERRAE »

Paragraphus 1

CREDO IN DEUM

199   « Credo in Deum »: haec prima Professionis fidei affirmatio est etiam omnium maxime fundamentalis. Totum Symbolum de Deo loquitur, et cum de homine etiam loquitur et de mundo, id in relatione facit ad Deum. Omnes Professionis fidei articuli ab hoc pendent primo, sicut mandata Dei primum explicant mandatum. Ceteri articuli faciunt ut melius Deum cognoscamus qualem Ipse Se hominibus gradatim revelavit. « Recte igitur fideles primo se in Deum credere profitentur ».[1]   2083

I. « Credo in unum Deum »

200   His verbis Symbolum incipit Nicaenum-Constantinopolitanum. Confessio unicitatis Dei, quae in Revelatione divina Veteris Foederis ra-   2085

---

[1] *Catechismus Romanus*, 1, 2, 6: ed. P. RODRÍGUEZ (Città del Vaticano-Pamplona 1989) p. 23.

dicatur, ab illa exsistentiae Dei est inseparabilis atque etiam prorsus fundamentalis. Deus est Unus: non est nisi unus Deus. « Deum igitur natura, substantia, essentia *unum* [...] christiana fides credit et profitetur ».[2]

2083   **201**   Israel, electo Suo, Deus, tamquam Unum, Se revelavit: « Audi, Israel: Dominus Deus noster Dominus Unus est. Diliges Dominum Deum tuum ex toto corde tuo et ex tota anima tua et ex tota fortitudine tua » (*Dt* 6, 4-5). Deus, per Prophetas, Israel et omnes appellat nationes ut ad Ipsum, Unum, se convertant: « Convertimini ad me et salvi eritis, omnes fines terrae, quia ego Deus, et non est alius. [...] Mihi curvabitur omne genu, et iurabit omnis lingua. "Tantum in Domino" dicent "sunt iustitiae et robur" » (*Is* 45, 22-24).[3]

     202   Ipse Iesus Deum « unum Dominum » esse confirmat Eumque ex toto corde et ex tota anima et ex tota mente et ex tota virtute aman-

446   dum esse.[4] Simul autem indicat, Se Ipsum « Dominum » esse.[5] Fidei christianae proprium est « Iesum esse Dominum » profiteri. Hoc fidei in

152   Unum Deum contrarium non est. Credere in Spiritum Sanctum « Dominum et vivificantem » nullam in Deum Unum introducit divisionem:

> 42   « Firmiter credimus et simpliciter confitemur, quod unus solus est verus Deus, aeternus, immensus et incommutabilis, incomprehensibilis, omnipotens et ineffabilis, Pater et Filius et Spiritus Sanctus: Tres quidem Personae, sed una essentia, substantia seu natura simplex omnino ».[6]

II. Deus Nomen Suum revelat

     203   Deus populo Suo Israel Se revelavit, illi Nomen Suum praebens

2143   cognoscendum. Nomen essentiam, identitatem personae et sensum exprimit vitae eius. Deus nomen habet. Ille vis anonyma non est. Nomen tradere suum est se aliis praebere cognoscendum, est quodammodo se ipsum tradere, se accessibilem reddendo, capacem qui intimius cognoscatur et appelletur, nempe personaliter.

63   **204**   Deus populo Suo, modo progressivo et sub diversis nominibus, Se revelavit, sed revelatio Nominis divini facta Moysi in theophania rubi ardentis, in limine Exodi et Foederis Sinaitici, tamquam revelatio pro Vetere et Novo Foedere fundamentalis apparuit.

---

[2] *Catechismus Romanus*, 1, 2, 8: ed. P. RODRÍGUEZ (Città del Vaticano 1989) p. 26.
[3] Cf. *Philp* 2, 10-11.
[4] Cf. *Mc* 12, 29-30.
[5] Cf. *Mc* 12, 35-37.
[6] CONCILIUM LATERANENSE IV, Cap. 1, *De fide catholica*: DS 800.

Deus vivens

205 Deus Moysen vocat de medio rubi, qui ardet quin consummatur. Deus dicit Moysi: « Ego sum Deus patris tui, Deus Abraham, Deus Isaac et Deus Iacob » (*Ex* 3, 6). Deus est Deus patrum, Ille qui Patriarchas in eorum peregrinationibus vocaverat et duxerat. Est Deus fidelis et misericors qui eorum et Suarum promissionum recordatur; venit ut eorum posteros a servitute liberet. Est Deus qui, ultra tempus et spatium, id potest et vult, quique Suam ad hoc consilium adhibebit omnipotentiam.

2575

268

« Ego sum qui sum »

> Ait Moyses ad Deum: « Ecce, ego vadam ad filios Israel et dicam eis: "Deus patrum vestrorum misit me ad vos". Si dixerint mihi: "Quod est nomen Eius?", quid dicam eis? ». Dixit Deus ad Moysen: « Ego sum qui sum ». Ait: « Sic dices filiis Israel: "Qui sum" misit me ad vos. [...] Hoc Nomen mihi est in aeternum, et hoc memoriale meum in generationem et generationem » (*Ex* 3, 13-15).

206 Deus, Nomen Suum YHWH revelans arcanum, scilicet, « Ego sum Ille qui est » vel « Ego sum Ille qui sum » vel etiam « Ego sum qui Ego sum », dicit Quis Ipse sit et quo nomine sit appellandus. Hoc Nomen divinum est arcanum sicut Deus mysterium est. Prorsus simul est Nomen revelatum et quasi nominis reiectio, et propterea Deum optime exprimit ut illud quod Ille est, infinite superans totum id quod intelligere vel dicere possumus: Ille est « Deus absconditus » (*Is* 45, 15), Nomen Eius est ineffabile,[7] atque Ille Deus est qui Se hominibus facit propinquum.

43

207 Deus, Nomen revelans Suum, simul Suam revelat fidelitatem, quae ab aeterno et in aeternum est, quae pro praeterito valet (« Ego sum Deus patris tui », *Ex* 3, 6) sicut pro futuro (« Ego ero tecum », *Ex* 3, 12). Deus qui Suum Nomen revelat tamquam « Ego sum », Se tamquam Deum revelat, qui semper adest, Suo populo praesens ad illum salvandum.

208 Coram attrahenti et arcana Dei praesentia, homo parvitatem detegit suam. Coram rubo ardenti, Moyses calceamenta solvit vultumque velat in conspectu divinae sanctitatis.[8] Coram gloria ter sancti Dei, Isaias exclamat: « Vae mihi, quia perii! Quia vir pollutus labiis ego sum » (*Is* 6, 5). Coram signis divinis quae Iesus patrat, exclamat Petrus:

724

---

[7] Cf. *Idc* 13, 18.
[8] Cf. *Ex* 3, 5-6.

448 « Exi a me, quia homo peccator sum, Domine » (*Lc* 5, 8). Sed quia Deus sanctus est, potest homini ignoscere, qui se coram Illo peccatorem
388 detegit: « Non faciam furorem irae meae, [...] quoniam Deus ego et non homo, in medio tui Sanctus » (*Os* 11, 9). Pari modo, apostolus Ioannes dicet: « In conspectu Eius placabimus corda nostra, quoniam si reprehenderit nos cor, maior est Deus corde nostro et cognoscit omnia » (*1 Io* 3, 19-20).

209 Populus Israel Nomen Dei propter reverentiam erga Eius sanctitatem non pronuntiat. In sacrae Scripturae lectione, Nomen revelatum titulo divino « Dominus » (*Adonai*, graece Κύριος) substituitur. Hoc titulo divinitas acclamabitur
446 Iesu: « Iesus est Dominus ».

« Deus teneritudinis et clementiae »

2116 210 Post peccatum Israel, qui se a Deo avertit ad vitulum aureum
2577 adorandum,[9] Deus intercessionem exaudit Moysis et acceptat in medio populi ambulare infidelis, amorem Suum ita manifestans.[10] Deus Moysi qui petit gloriam Eius videre, respondet: « Ego ostendam omne bonum [pulchrum] tibi et vocabo in nomine Domini [YHWH] coram te » (*Ex* 33, 18-19). Et Dominus coram Moyse transit et proclamat: « Dominus, Dominus [YHWH, YHWH] Deus, misericors et clemens, patiens et multae miserationis ac verax » (*Ex* 34, 6). Tunc Moyses Dominum tamquam Deum profitetur qui ignoscit.[11]

211 Nomen divinum « Ego sum » vel « Ille est » Dei exprimit fidelitatem qui, infidelitate peccati hominum et punitione quam illud meretur non obstantibus, « custodit misericordiam in milia » (*Ex* 34, 7). Deus revelat quod Ipse « dives est in misericordia » (*Eph* 2, 4), progrediens
604 usque ad proprium Filium tradendum Suum. Iesus, vitam Suam donans ut nos a peccato liberet, revelabit Se Ipsum ferre Nomen divinum: « Cum exaltaveritis Filium hominis, tunc cognoscetis quia "Ego sum" » (*Io* 8, 28).

Solus Deus est

212 Saeculorum decursu, fides Israel divitias in revelatione Nominis divini contentas explanare altiusque in eas penetrare potuit. Deus est

---

[9] Cf. *Ex* 32.
[10] Cf. *Ex* 33, 12-17.
[11] Cf. *Ex* 34, 9.

unus, extra Illum non sunt dei.[12] Ille mundum et historiam transcendit.   42
Ille caelum fecit et terram: « Ipsi peribunt. Tu autem permanes; et omnes sicut vestimentum veterascent [...]. Tu autem Idem Ipse es, et anni
Tui non deficient » (*Ps* 102, 27-28). Apud Eum « non est transmutatio   469, 2086
nec vicissitudinis obumbratio » (*Iac* 1, 17). Ille est « Qui est » ab aeterno et in aeternum, et sic etiam qui semper Sibi Ipsi Suisque promissionibus permanet fidelis.

213   Revelatio igitur Nominis ineffabilis « Ego sum qui sum » hanc
continet veritatem: solus Deus EST. Hoc sensu iam translatio Septuaginta interpretum et post illam Traditio Ecclesiae Nomen intellexerunt
divinum: Deus est plenitudo Essendi et omnis perfectionis, sine princi-   41
pio et sine fine. Dum omnes creaturae ab Illo receperunt quidquid sunt
et habent, Ille solus est Suum ipsum esse et Ille est a Se Ipso quidquid
Ille est.

III. Deus, « Ille qui est », est veritas et amor

214   Deus, « Ille qui est », Se Israel revelavit tamquam Illum qui est
« multae miserationis ac verax » (*Ex* 34, 6). Haec duo verba, modo com-
pendioso, Nominis divini exprimunt divitias. Deus in omnibus operibus
Suis Suam benevolentiam ostendit, Suam bonitatem, Suam gratiam, Suum
amorem; sed etiam Se dignum esse in quo fiducia reponatur, Suam constantiam, Suam fidelitatem, Suam veritatem. « Confitebor Nomini Tuo   1062
propter misericordiam Tuam et veritatem Tuam » (*Ps* 138, 2).[13] Ille est
veritas, « quoniam Deus lux est, et tenebrae in Eo non sunt ullae »
(*1 Io* 1, 5); Ille est « caritas », ut apostolus docet Ioannes (*1 Io* 4, 8).

DEUS VERITAS EST

215   « Principium verborum Tuorum veritas, in aeternum omnia iudicia   2465
iustitiae Tuae » (*Ps* 119, 160). « Nunc ergo, Domine Deus, Tu es Deus,
et verba Tua erunt vera » (*2 Sam* 7, 28); propterea Dei promissio-
nes semper in rem deducuntur.[14] Deus est ipsa veritas, Eius verba fallere   156, 1063
nequeunt. Hac de causa, potest quis, cum plena fiducia, veritati et fide-
litati verbi Eius in omnibus se tradere. Initium peccati et lapsus hominis mendacium fuit Tentatoris, qui ad dubitandum de verbo Dei, de
Eius benevolentia et de Eius fidelitate induxit.   397

---

[12] Cf. *Is* 44, 6.
[13] Cf. *Ps* 85, 11.
[14] Cf. *Dt* 7, 9.

295   216   Veritas Dei est Eius sapientia, quae toti ordini creationis et gubernationis dominatur mundi.[15] Deus qui solus caelum et terram creavit,[16]
solus potest veram omnium rerum creatarum cognitionem in earum
32   relatione ad Se praebere.[17]

217   Deus etiam verus est cum Se revelat: doctrina quae venit a Deo,
est « Lex veritatis » (*Mal* 2, 6). Cum « in mundum » Filium mittat
851   Suum, erit « ut testimonium » perhibeat « veritati » (*Io* 18, 37): « Et scimus quoniam Filius Dei venit et dedit nobis sensum, ut cognoscamus
2466   Eum, qui verus est » (*1 Io* 5, 20).[18]

DEUS CARITAS EST

218   Historiae suae decursu, Israel detegere potuit, Deum nonnisi
unum habuisse motivum ut Se revelaret et illum inter omnes populos
295   eligeret ut Eius esset: amorem Suum gratuitum.[19] Israel per suos intellexit Prophetas, Deum, etiam propter amorem, illum salvare [20] illique infidelitatem et peccata dimittere non desiisse.[21]

219   Dei amor erga Israel amori patris erga filium comparatur suum.[22]
239   Hic amor amore matris erga filios suos est fortior.[23] Deus populum
796   amat Suum plus quam sponsus suam dilectam; [24] hic amor vel pessimas
etiam vincet infidelitates; [25] ille usque ad pretiosissimum perveniet
458   donum: « Sic enim dilexit Deus mundum, ut Filium Suum unigenitum
daret » (*Io* 3, 16).

220   Dilectio Dei est « sempiterna » (*Is* 54, 8): « Montes enim recedent,
et colles movebuntur, misericordia autem mea non recedet a te » (*Is* 54,
10). « In caritate perpetua dilexi te; ideo attraxi te in misericordia » (*Ier*
31, 3).

[15] Cf. *Sap* 13, 1-9.
[16] Cf. *Ps* 115, 15.
[17] Cf. *Sap* 7, 17-21.
[18] Cf. *Io* 17, 3.
[19] Cf. *Dt* 4, 37; 7, 8; 10, 15.
[20] Cf. *Is* 43, 1-7.
[21] Cf. *Os* 2.
[22] Cf. *Os* 11, 1.
[23] Cf. *Is* 49, 14-15.
[24] Cf. *Is* 62, 4-5.
[25] Cf. *Ez* 16; *Os* 11.

221   Sanctus Ioannes adhuc ulterius progreditur cum testatur: « Deus   733
caritas est » (*1 Io* 4, 8. 16): ipsum Dei Esse est amor. Filium Suum unicum et Spiritum amoris in plenitudine temporum mittens, Deus Suum   851
summe intimum revelat secretum: [26] Ipse aeterne est amoris commercium: Pater, Filius et Spiritus Sanctus, nosque destinavit ut huius simus   257
participes.

IV. De consectariis fidei in Unum Deum

222   Credere in Deum, Unum, Illumque amare ex toto quod quis est,
immensa habet pro tota nostra vita consectaria.

223   *Dei magnitudinem et maiestatem cognoscere*: « Ecce Deus magnus   400
vincens scientiam nostram » (*Iob* 36, 26). Propterea Deus esse debet
« primus cui praestatur servitium ».[27]

224   *In gratiarum actione vivere*: si Deus Unus est, quidquid sumus et   2637
habemus, ab Illo venit: « Quid autem habes quod non accepisti? »
(*1 Cor* 4, 7). « Quid retribuam Domino pro omnibus, quae retribuit
mihi? » (*Ps* 116, 12).

225   *Unitatem et veram dignitatem omnium hominum cognoscere*: omnes   356, 360
sunt facti « ad imaginem et similitudinem » Dei (*Gn* 1, 26).   1700, 1934

226   *Rebus creatis bene uti*: fides in Unum Deum nos ducit ad utendum   339, 2402
omnibus quae Ipse non sunt, in mensura qua ea nos ad Illum admo-
vent, et ad separandum nos ab eis in mensura qua ea nos ab Illo
seiungunt: [28]   2415

> « Domine meus ac Deus meus, aufer a me quidquid ad Te me impedit!
> Domine meus ac Deus meus, da mihi quidquid ad Te me adducit! Do-
> mine meus ac Deus meus, solve me a me et da me totum Tibi [esse]
> proprium! ».[29]

227   *In omnibus adiunctis Deo fidere*, in rebus etiam adversis. Oratio   313
quaedam sanctae Theresiae a Iesu id exprimit mirabiliter: 2090

---

[26] Cf. *1 Cor* 2, 7-16; *Eph* 3, 9-12.
[27] Sancta Ioanna de Arco, *Dictum*: *Procès de condamnation*, ed. P. Tisset-Y. Lanhers, v. 1 (Paris 1960) p. 280 et 288.
[28] Cf. *Mt* 5, 29-30; 16, 24; 19, 23-24.
[29] Sanctus Nicolaus a Flüe, *Bruder-Klausen-Gebet*, apud R. Amschwand, *Bruder Klaus. Ergänzungsband zum Quellenwerk* von R. Durrer (Sarnen 1987) p. 215.

« Nihil te turbet, / nihil te terreat,
omnia transeunt, / Deus non mutatur,
2830   patientia / omnia obtinet;
ei qui Deum habet / nihil deest:
1723   Deus solus sufficit ».[30]

Compendium

228   « *Audi, Israel: Dominus Deus noster Dominus unus est...* » (*Dt* 6, 4; *Mc* 12, 29). « *Unicum sit necesse est summum magnum, — quod fuerit par non habendo —.* [...] *Deus, si non unus est, non est* ».[31]

229   *Fides in Deum nos ducit ut nos ad Deum solum, tamquam ad nostram primam originem nostrumque ultimum finem, vertamus, et ut nihil Illi praeferamus vel substituamus.*

230   *Deus, Se revelans, mysterium permanet ineffabile*: « *Si cepisti, non est Deus* ».[32]

231   *Deus nostrae fidei Se revelavit sicut* Ille qui est; *Se cognoscendum praebet ut qui* « *multae miserationis ac verax* » (*Ex* 34, 6) *est. Ipsum Eius Esse est veritas et amor.*

Paragraphus 2

PATER

I. « In nomine Patris et Filii et Spiritus Sancti »

189, 1223   232   Christiani « in nomine Patris et Filii et Spiritus Sancti » baptizantur (*Mt* 28, 19). Prius respondent « Credo » triplici interrogationi quae ab illis petit ut eorum fidem in Patrem, in Filium et in Spiritum profiteantur: « Fides omnium christianorum in Trinitate consistit ».[33]

---

[30] Sancta Theresia a Iesu, *Poesía*, 9: *Biblioteca Mística Carmelitana*, v. 6 (Burgos 1919) p. 90.
[31] Tertullianus, *Adversus Marcionem* 1, 3, 5: CCL 1, 444 (PL 2, 274).
[32] Sanctus Augustinus, *Sermo*, 52, 6, 16: ed. P. Verbraken: Revue Bénédictine 74 (1964) 27 (PL 38, 360).
[33] Sanctus Caesarius Arelatensis, *Expositio vel traditio Symboli* (*sermo* 9): CCL 103, 47.

233   Christiani baptizantur « in nomine » Patris et Filii et Spiritus Sancti, et non « in nominibus » eorum,[34] quia unus est Deus, Pater Omnipotens et Eius Filius unicus et Spiritus Sanctus: Sanctissima Trinitas.

234   Mysterium Sanctissimae Trinitatis est centrale fidei et vitae christianae mysterium. Est mysterium Dei in Se Ipso. Est igitur ceterorum fidei mysteriorum fons, lumen illa illuminans. Doctrina est maxime fundamentalis et essentialis in « hierarchia veritatum » fidei.[35] « Historia salutis idem est ac historia viae ac rationis, qua Deus verus et unus: Pater, Filius, Spiritus Sanctus, Sese hominibus revelat eosque a peccato aversos Sibi reconciliat et coniungit ».[36]

2157

90

1449

235   Hac paragrapho breviter exponetur quomodo Beatae Trinitatis mysterium revelatum sit (I), quomodo Ecclesia doctrinam fidei de hoc mysterio enuntiaverit (II), quomodo, denique, Deus Pater, per divinas Filii et Spiritus Sancti missiones, Suum creationis, Redemptionis et sanctificationis « benevolum consilium » ducat in rem (III).

236   Ecclesiae Patres inter Θεολογίαν et Οἰκονομίαν distinguunt, primo verbo mysterium vitae intimae Dei-Trinitatis denotantes, altero vero omnia Dei opera per quae Ipse Se revelat vitamque communicat Suam. Per *Oeconomiam* nobis *Theologia* revelatur; sed, e contra, *Theologia* totam illustrat *Oeconomiam*. Opera Dei revelant quis Ille in Se Ipso sit; et, e contra, mysterium Eius Esse intimi intelligentiam omnium operum Eius illuminat. Sic res analogice se habet inter personas humanas. Persona in agendo manifestatur et quo melius quamdam cognoscimus personam, eo melius eius agere intelligimus.

1066

259

237   Trinitas est fidei mysterium sensu stricto, unum nempe e mysteriis in Deo absconditis, « quae, nisi revelata divinitus, innotescere non possunt ».[37] Deus utique quaedam Sui Esse trinitarii vestigia in Suo creationis opere reliquit et in Revelatione Sua decursu Veteris Testamenti. Sed intimitas Eius Esse, ut Sanctae Trinitatis, ante Incarnationem Filii Dei et missionem Sancti Spiritus, constituit mysterium soli rationi et etiam fidei Israel inaccessibile.

50

---

[34] Cf. Vigilius, *Professio fidei* (552): DS 415.
[35] Cf. Sacra Congregatio pro Clericis, *Directorium catechisticum generale*, 43: AAS 64 (1972) 123.
[36] Sacra Congregatio pro Clericis, *Directorium catechisticum generale*, 47: AAS 64 (1972) 125.
[37] Concilium Vaticanum I, Const. dogm. *Dei Filius*, c. 4: DS 3015.

II. De revelatione Dei tamquam Trinitatis

PATER PER FILIUM REVELATUS

238   Invocatio Dei ut « Patris » in multis cognita est religionibus. Saepe divinitas tamquam « pater deorum et hominum » consideratur. In Israel, Deus, tamquam Creator mundi, est Pater appellatus.[38] Deus adhuc magis est Pater ratione Foederis et doni Legis populo facti, de quo dicit: « Filius meus primogenitus Israel » (*Ex* 4, 22). Etiam appellatus est Pater regis Israel.[39] Et est, modo prorsus peculiari, « Pater pauperum », orphani et viduae, qui sub Eius benevola sunt protectione.[40]

239   Sermo fidei, Deum nomine « Patris » nuncupans, duas rationes praecipue indicat: Deum primam omnium esse originem et auctoritatem transcendentem Illumque simul esse bonitatem et sollicitudinem omnes Suos filios diligentem. Haec paterna Dei teneritudo etiam per imaginem maternitatis exprimi potest,[41] quae Dei immanentiam atque intimitatem inter Deum et Eius creaturam magis indicat. Ita sermo fidei in experientia humana haurit parentum, qui quodammodo pro homine primi sunt Dei repraesentantes. Haec tamen experientia etiam ostendit, parentes humanos fallibiles esse illosque vultum paternitatis et maternitatis deformare posse. Recordari igitur oportet, Deum humanam sexuum transcendere distinctionem. Ille nec vir est nec femina, Ille est Deus. Paternitatem etiam et maternitatem transcendit humanas,[42] licet earum sit origo atque mensura:[43] nemo pater est, sicut Deus est Pater.

240   Iesus, Deum esse « Patrem », sensu inaudito, revelavit: Ille non est tantummodo Pater quatenus Creator, sed Pater est aeterne in relatione ad Filium Suum unicum, qui aeterne Filius non est nisi in relatione ad Patrem Suum: « Nemo novit Filium nisi Pater, neque Patrem quis novit nisi Filius et cui voluerit Filius revelare » (*Mt* 11, 27).

241   Hac de causa, Apostoli Iesum tamquam « Verbum » confitentur quod « in principio erat [...] apud Deum, et Deus erat Verbum » (*Io* 1, 1), tamquam Illum « qui est imago Dei invisibilis » (*Col* 1, 15) atque « splendor gloriae et figura substantiae Eius » (*Heb* 1, 3).

242   Post illos, Ecclesia Traditionem sequens apostolicam anno 325 in primo Concilio Oecumenico Nicaeno confessa est Filium esse « consub-

---

[38] Cf. *Dt* 32, 6; *Mal* 2, 10.
[39] Cf. *2 Sam* 7, 14.
[40] Cf. *Ps* 68, 6.
[41] Cf. *Is* 66, 13; *Ps* 131, 2.
[42] Cf. *Ps* 27, 10.
[43] Cf. *Eph* 3, 14-15; *Is* 49, 15.

Margin references: 2443 | 370, 2779 | 2780, 441-445 | 465

stantialem Patri »,[44] id est, unum Deum cum Illo. Secundum Concilium Oecumenicum Constantinopoli anno 381 congregatum, in sua formulatione Symboli Nicaeni, hanc expressionem servavit et confessum est « Filium Dei unigenitum, ex Patre natum ante omnia saecula, Lumen de Lumine, Deum verum de Deo vero, genitum, non factum, consubstantialem Patri ».[45]

Pater et Filius a Spiritu revelati

243   Iesus, ante Pascha Suum, missionem annuntiat « alius Paracliti » (Defensoris), Spiritus Sancti. Hic, iam a creatione operans,[46] et postquam « locutus est per Prophetas »,[47] erit nunc apud discipulos et in illis,[48] ut eos doceat [49] eosque deducat « in omnem veritatem » (*Io* 16, 13). Ita Spiritus Sanctus tamquam alia revelatur Persona divina in relatione ad Iesum et ad Patrem.

683
2780
687

244   Origo Spiritus aeterna in Eius missione revelatur temporali. Spiritus Sanctus ad Apostolos et ad Ecclesiam mittitur tam a Patre in nomine Filii quam personaliter a Filio, postquam Hic ad Patrem rediit.[50] Missio Personae Spiritus post Iesu glorificationem [51] mysterium Sanctissimae Trinitatis plene revelat.

732

245   Fides apostolica relate ad Spiritum Sanctum a secundo Concilio Oecumenico anno 381 Constantinopoli proclamata est: Credimus « et in Spiritum Sanctum, Dominum et vivificantem, qui ex Patre procedit ».[52] Hoc modo, Ecclesia Patrem agnoscit tamquam « fontem et originem totius divinitatis ».[53] Aeterna tamen Spiritus Sancti origo sine nexu cum illa Filii non est. « Spiritum quoque Sanctum, qui est Tertia in Trinitate Persona, unum atque aequalem cum Deo Patre et Filio credimus esse Deum, unius substantiae, unius quoque esse naturae; [...] qui tamen nec Patris tantum nec Filii tantum, sed simul Patris et Filii Spiritus dici-

152

---

[44] *Symbolum Nicaenum*: DS 125.
[45] *Symbolum Nicaenum-Constantinopolitanum*: DS 150.
[46] Cf. *Gn* 1, 2.
[47] *Symbolum Nicaenum-Constantinopolitanum*: DS 150.
[48] Cf. *Io* 14, 17.
[49] Cf. *Io* 14, 26.
[50] Cf. *Io* 14, 26; 15, 26; 16, 14.
[51] Cf. *Io* 7, 39.
[52] *Symbolum Nicaenum-Constantinopolitanum*: DS 150.
[53] Concilium Toletanum VI (anno 638), *De Trinitate et de Filio Dei Redemptore incarnato*: DS 490.

685   tur».[54] Symbolum Constantinopolitani Concilii Ecclesiae profitetur:
       « Qui cum Patre et Filio simul adoratur et conglorificatur ».[55]

246   Latina Symboli traditio profitetur Spiritum « a Patre *Filioque* »
procedere. Concilium Florentinum, anno 1438, explicat: « Spiritus Sanctus [...] essentiam Suam Suumque esse subsistens habet ex Patre simul
et Filio, et ex Utroque aeternaliter tamquam ab uno principio et unica
spiratione procedit [...]. Et quoniam omnia, quae Patris sunt, Pater Ipse
unigenito Filio Suo gignendo dedit, praeter esse Patrem, hoc ipsum
quod Spiritus procedit ex Filio, Ipse Filius a Patre aeternaliter habet, a
quo etiam aeternaliter genitus est ».[56]

247   Affirmatio de *Filioque* in Symbolo anno 381 Constantinopoli proclamato
non habebatur. Sed sanctus Leo Papa, veterem traditionem latinam et alexandri-
nam sequens, illam iam anno 447 dogmatice erat professus,[57] etiam priusquam Roma anno 451 in Concilio Chalcedonensi Symbolum anni 381 cognovis-
set et recepisset. Usus huius formulae in Symbolo pedetentim (inter VIII et XI
saeculum) est in liturgia latina admissus. Introductio tamen verbi *Filioque* in
Symbolum Nicaenum-Constantinopolitanum peracta a liturgia latina adhuc
hodie dissensionem cum Ecclesiis orthodoxis constituit.

248   Traditio orientalis imprimis notam exprimit Patris ut primae originis relate ad Spiritum. Profitens Spiritum « qui a Patre procedit » (*Io* 15, 26), Eum affirmat a Patre *per* Filium *procedere*.[58] Traditio vero occidentalis imprimis consubstantialem communionem inter Patrem et Filium affirmat, Spiritum ex Patre
Filioque procedere dicens. Ipsa hoc « licite et rationabiliter » [59] dicit, quia Personarum divinarum aeternus ordo in communione consubstantiali implicat Patrem, quatenus « est principium sine principio »,[60] primam originem esse Spiritus, sed etiam, quatenus Filii unici est Pater, cum Illo unicum esse principium
ex quo, « tamquam ex uno principio »,[61] Spiritus procedit. Haec licita complementaritas, nisi exacerbetur, identitatem fidei in realitatem eiusdem mysterii
proclamati non afficit.

---

[54] Concilium Toletanum XI (anno 675), *Symbolum*: DS 527.
[55] *Symbolum Nicaenum-Constantinopolitanum*: DS 150.
[56] Concilium Florentinum, *Decretum pro Graecis*: DS 1300-1301.
[57] Cf. Sanctus Leo Magnus, Epistula *Quam laudabiliter*: DS 284.
[58] Cf. Concilium Vaticanum II, Decr. *Ad gentes*, 2: AAS 58 (1966) 948.
[59] Concilium Florentinum, *Decretum pro Graecis* (anno 1439): DS 1302.
[60] Concilium Florentinum, *Decretum pro Iacobitis* (anno 1442): DS 1331.
[61] Concilium Lugdunense II, *Constitutio de Summa Trinitate et fide catholica* (1274):
     DS 850.

III. Sanctissima Trinitas in doctrina fidei

DOGMATIS TRINITARII EFFORMATIO

249   Inde ab initio, veritas revelata de Sanctissima Trinitate in radicibus fuit viventis fidei Ecclesiae, praesertim per Baptismum. Ipsa suam   683
invenit expressionem in regula fidei baptismalis enuntiata in praedica   189
tione, catechesi et oratione Ecclesiae. Tales formulae iam in scriptis inveniuntur apostolicis, sicut haec testatur salutatio, resumpta a liturgia
eucharistica: « Gratia Domini Iesu Christi et caritas Dei et communicatio Sancti Spiritus cum omnibus vobis » (*2 Cor* 13, 13).[62]

250   Priorum saeculorum decursu, Ecclesia suam fidem trinitariam,
modo magis explicito, enuntiare studuit, sive ut suam propriam fidei in   94
telligentiam altius penetraret sive ut illam contra errores defenderet qui
eam deformabant. Haec opera veterum fuit Conciliorum quae a labore
theologico Patrum Ecclesiae sunt adiuta et a sensu fidei populi christiani fulcita.

251   Pro enuntiatione dogmatis Trinitatis, Ecclesia propriam terminologiam
evolvere debuit, notionibus originis philosophicae adiuta: « substantia », « persona » vel « hypostasis », « relatio » etc. Hoc faciens, fidem non submisit sapientiae humanae, sed sensum novum, inauditum, his dedit vocabulis, quae exinde
ad significandum etiam destinabantur mysterium ineffabile quod « infinite omne   170
id superat, quod nos modo humano intellegere possumus ».[63]

252   Ecclesia vocabulo utitur « substantia » (quod per « essentiam » vel
per « naturam » quandoque etiam vertitur) ad Esse divinum in Eius designandum unitate, vocabulo autem « persona » vel « hypostasis » ad
Patrem, Filium et Spiritum Sanctum indicandos in Eorum reali distinctione inter Se, vocabulo autem « relatio » ad indicandum Eorum
distinctionem in eo residere quod alii ad alios referuntur.

SANCTISSIMAE TRINITATIS DOGMA

253   *Trinitas est Una.* Tres deos non confitemur, sed Unum Deum in
Tribus Personis: « Trinitatem consubstantialem ».[64] Personae divinae   2789
unam divinitatem non inter Se dividunt, sed unaquaeque Earum est

---

[62] Cf. *1 Cor* 12, 4-6; *Eph* 4, 4-6.
[63] PAULUS VI, *Sollemnis Professio fidei*, 9: AAS 60 (1968) 437.
[64] CONCILIUM CONSTANTINOPOLITANUM II (anno 553), *Anathematismi de tribus Capitulis*, 1: DS 421.

590
Deus totus: « cum [...] ipsum sit Pater quod Filius, ipsum Filius quod Pater, ipsum Pater et Filius quod Spiritus Sanctus: id est natura Unus Deus ».[65] « Quaelibet Trium Personarum est illa res, videlicet substantia, essentia seu natura divina ».[66]

468, 689
254 *Personae divinae sunt inter Se realiter distinctae.* « Colimus et confitemur: non sic unum Deum, quasi solitarium ».[67] « Pater », « Filius », « Spiritus Sanctus » non sunt simpliciter nomina modos divini « Esse » designantia, quia illi inter se realiter sunt distincti: « Non enim Ipse est Pater qui Filius, nec Filius Ipse qui Pater, nec Spiritus Sanctus Ipse qui est vel Pater vel Filius ».[68] Inter Se per relationes originis distinguuntur: « Est Pater, qui generat, et Filius, qui gignitur, et Spiritus Sanctus, qui procedit ».[69] *Divina Unitas est Trina.*

240
255 *Personae divinae inter Se sunt relativae.* Distinctio realis Personarum inter Se, quia divinam non dividit unitatem, in relationibus solummodo consistit quibus aliae ad alias referuntur: « In relativis vero Personarum nominibus Pater ad Filium, Filius ad Patrem, Spiritus Sanctus ad Utrosque refertur: quae cum relative Tres Personae dicantur, una tamen natura vel substantia creditur ».[70] Inter illas utique « omnia [...] sunt unum, ubi non obviat relationis oppositio ».[71] « Propter hanc unitatem Pater est totus in Filio, totus in Spiritu Sancto; Filius totus est in Patre, totus in Spiritu Sancto; Spiritus Sanctus totus est in Patre, totus in Filio ».[72]

236, 684
256 Sanctus Gregorius Nazianzenus, qui etiam « Theologus » appellatur, hoc fidei trinitariae compendium catechumenis tradit Constantinopolitanis:

84
« Ante omnia, bonum depositum, quaeso, custodi, cui vivo, et pro quo milito, et quod utinam me ex hac vita discedentem comitetur, cum quo et omnes vitae molestias perfero, et iucunditates omnes contemno ac pro nihilo duco; fidem, inquam, et confessionem in Patrem, et Filium, et Spiritum Sanctum. Hanc tibi hodierno die committo; cum hac te, et lustricis aquis immergam, et in altum extraham. Hanc tibi do totius vi-

---

[65] Concilium Toletanum XI (anno 675), *Symbolum*: DS 530.
[66] Concilium Lateranense IV (anno 1215), Cap. 2, *De errore abbatis Ioachim*: DS 804.
[67] *Fides Damasi*: DS 71.
[68] Concilium Toletanum XI (anno 675), *Symbolum*: DS 530.
[69] Concilium Lateranense IV (anno 1215), Cap. 2, *De errore abbatis Ioachim*: DS 804.
[70] Concilium Toletanum XI (anno 675), *Symbolum*: DS 528.
[71] Concilium Florentinum, *Decretum pro Iacobitis* (anno 1442): DS 1330.
[72] Concilium Florentinum, *Decretum pro Iacobitis* (1442): DS 1331.

tae sociam, et patronam, unam deitatem et potentiam, quae in Tribus coniunctim invenitur, et Tria divisim comprehendit, nec substantiis aut naturis inaequalis est, nec praestantiis aut submissionibus augetur vel minuitur [...]. Trium infinitorum, infinitam coniunctionem, Deum unumquemque, si separatim consideretur [...]; Deum rursus Tria haec, si simul cogitentur [...]. Vix Unum animo concepi, cum statim Tribus circumfulgeo. Vix Tria distinguere incipio, cum ad Unum reducor ».[73]

IV. De divinis operibus et missionibus trinitariis

257 « O lux, beata Trinitas, et principalis Unitas! ».[74] Deus est aeterna beatitudo, vita immortalis, lux indeficiens. Deus est amor: Pater, Filius et Spiritus Sanctus. Deus libere gloriam Suae vitae beatae communicare vult. Tale est « beneplacitum Eius » (*Eph* 1, 9) quod ante mundi creationem in Filio Suo concepit dilecto, atque adeo « praedestinavit nos in adoptionem filiorum per Iesum Christum » (*Eph* 1, 5), id est, nos « praedestinavit conformes fieri imaginis Filii Eius » (*Rom* 8, 29) per « Spiritum adoptionis filiorum » (*Rom* 8, 15). Hoc consilium gratia est « quae data est nobis ante tempora saecularia » (*2 Tim* 1, 9), immediate ab amore trinitario procedens. Illud in creationis opere evolvitur et post lapsum in tota salutis historia, in missionibus Filii et Spiritus quas missio continuat Ecclesiae.[75]

221

758

292
850

258 Tota Oeconomia divina commune Trium Personarum divinarum est opus. Etenim Trinitas, sicut nonnisi una eademque est natura, unam eamdemque habet operationem.[76] « Pater et Filius et Spiritus Sanctus non tria principia [sunt] creaturae, sed unum principium ».[77] Unaquaeque tamen Persona divina secundum Suam proprietatem personalem commune operatur opus. Sic Ecclesia, Novum sequens Testamentum,[78] profitetur: « Unus [...] Deus et Pater ex quo omnia; et Unus Dominus Iesus Christus, per quem omnia; et Unus Spiritus Sanctus, in quo om-

686

---

[73] Sanctus Gregorius Nazianzenus, *Oratio*, 40, 41: SC 358, 292-294 (PG 36, 417).
[74] *Hymnus ad II Vesperas Dominicae*, in Hebdomadis 2 et 4: *Liturgia Horarum*, editio typica, v. 3 (Typis Polyglottis Vaticanis 1973) p. 684 et 931; v. 4 (Typis Polyglottis Vaticanis 1974) p. 632 et 879.
[75] Cf. Concilium Vaticanum II, Decr. *Ad gentes*, 2-9: AAS 58 (1966) 948-958.
[76] Cf. Concilium Constantinopolitanum II (anno 553), *Anathematismi de tribus Capitulis*, 1: DS 421.
[77] Concilium Florentinum, *Decretum pro Iacobitis* (1442): DS 1331.
[78] Cf. *1 Cor* 8, 6.

nia ».[79] Missiones divinae Incarnationis Filii et doni Spiritus Sancti proprietates divinarum Personarum praecipue manifestant.

236   259   Tota Oeconomia divina, opus simul commune et personale, cognoscendas praebet et proprietatem divinarum Personarum et Earum unam naturam. Tota vita christiana est etiam cum unaquaque Personarum divinarum communio quin Illas ullo modo separet. Qui Patrem glorificat, id per Filium facit in Spiritu Sancto; qui Christum sequitur, id facit quia Pater illum attrahit [80] et Spiritus illum movet.[81]

1050, 1721   260   Totius Oeconomiae divinae finis ultimus est creaturarum in unitatem perfectam Beatissimae Trinitatis ingressus.[82] Sed iam nunc vocamur
1997   ut a Sanctissima inhabitemur Trinitate. Dicit enim Dominus: « Si quis diligit me, sermonem meum servabit, et Pater meus diliget eum, et ad eum veniemus et mansionem apud eum faciemus » (*Io* 14, 23):

> « O Deus meus, Trinitas quam adoro, adiuva me ut mei plene obliviscar ad me immobilem et serenam in Te stabiliendam, quasi anima mea in aeternitate iam esset; nihil pacem meam perturbare possit neque me ex Te educere, o mi Immutabilis, sed unumquodque temporis momentum me altius ducat in profunditatem mysterii Tui! Animam meam pacifica; fac ex ea caelum Tuum, mansionem Tuam dilectam et locum quietis Tuae. Utinam nunquam Te ibi relinquam solum, sed Tecum sim ibi tota egomet ipsa, tota in fide mea vigilans, tota in adoratione,
> **2565**   tota actioni creatrici Tuae dedita ».[83]

Compendium

261   *Mysterium Sanctissimae Trinitatis mysterium est centrale fidei et vitae christianae. Solus Deus Eius cognitionem nobis praebere potest Se tamquam Patrem, Filium et Spiritum Sanctum revelans.*

262   *Incarnatio Filii Dei revelat, Deum esse Patrem aeternum, et Filium esse Patri consubstantialem, scilicet, Ipsum in Illo et cum Illo Eumdem esse unum Deum.*

---

[79] Concilium Constantinopolitanum II (anno 553), *Anathematismi de tribus Capitulis*, 1: DS 421.
[80] Cf. *Io* 6, 44.
[81] Cf. *Rom* 8, 14.
[82] Cf. *Io* 17, 21-23.
[83] Beata Elisabeth a Trinitate, *Élévation à la Trinité: Ecrits spirituels*, 50, ed. M.M. Philipon (Paris 1949) p. 80.

263   *Missio Spiritus Sancti, quem Pater in nomine Filii*[84] *et Filius « a Patre »* (*Io* 15, 26) *mittit, revelat Ipsum esse cum Illis Eumdem Deum unum. « Cum Patre et Filio simul adoratur et conglorificatur ».*[85]

264   *« Spiritus Sanctus de Patre principaliter, et Ipso sine ullo intervallo temporis dante* [*Filio*], *communiter de Utroque procedit ».*[86]

265   *Per gratiam Baptismi « in nomine Patris et Filii et Spiritus Sancti »* (*Mt* 28, 19) *ad vitam Beatissimae Trinitatis vocamur participandam, « hisce in terris in obscuritate fidei et post mortem in sempiterna luce ».*[87]

266   *« Fides autem catholica haec est, ut Unum Deum in Trinitate, et Trinitatem in unitate veneremur, neque confundentes Personas, neque substantiam separantes: alia est enim Persona Patris, alia Filii, alia Spiritus Sancti; sed Patris et Filii et Spiritus Sancti una est divinitas, aequalis gloria, coaeterna maiestas ».*[88]

267   *Personae divinae, inseparabiles in eo quod sunt, etiam in eo quod faciunt inseparabiles sunt. Sed in unica operatione divina unaquaeque id manifestat quod Ei in Trinitate proprium est, praecipue in missionibus divinis Incarnationis Filii et doni Spiritus Sancti.*

Paragraphus 3

OMNIPOTENS

268   Ex omnibus attributis divinis, de sola omnipotentia Dei in Symbolo fit mentio: magni momenti est pro nostra vita eam profiteri.   222
Credimus illam esse *universalem*, quia Deus, qui omnia creavit,[89] omnia regit et omnia potest; *amore* plenam, quia Deus Pater est noster;[90] *arcanam*, quia illam sola fides potest discernere, cum « in infirmitate perficitur » (*2 Cor* 12, 9).[91]

---

[84] Cf. *Io* 14, 26.
[85] *Symbolum Nicaenum-Constantinopolitanum*: DS 150.
[86] Sanctus Augustinus, *De Trinitate*, 15, 26, 47: CCL 50A, 529 (PL 42, 1095).
[87] Paulus VI, *Sollemnis Professio fidei*, 9: AAS 60 (1968) 436.
[88] *Symbolum « Quicumque »*: DS 75.
[89] Cf. *Gn* 1, 1; *Io* 1, 3.
[90] Cf. *Mt* 6, 9.
[91] Cf. *1 Cor* 1, 18.

« Omnia, quaecumque voluit fecit » (*Ps* 115, 3)

269   Sacrae Litterae saepe potentiam Dei confitentur *universalem*. Ille « Potentis Iacob » appellatur nomine (*Gn* 49, 24; *Is* 1 24 et alibi), « Dominus virtutum » dicitur, « Fortis et Potens » (*Ps* 24, 8-10). Ideo Deus est omnipotens « in caelo et in terra » (*Ps* 135, 6), quia Ipse ea fecit. Nihil est Illi impossibile [92] et, secundum Suam voluntatem, de Suo opere disponit; [93] Ille est Dominus universi, cuius statuit ordinem qui Illi plene subiectus manet et praesto est. Ille est historiae Dominus: corda et eventus secundum Suam regit voluntatem: [94] « Multum enim valere Tibi soli subest semper, et virtuti brachii Tui quis resistet? » (*Sap* 11, 21).

« Misereris omnium, quia omnia potes » (*Sap* 11, 23)

270   Deus est *Pater* omnipotens. Eius paternitas et potentia mutuo se illuminant. Ille utique Suam omnipotentiam ostendit paternam modo quo de nostris curat necessitatibus; [95] adoptione filiali quam nobis donat (« ero vobis in Patrem et vos eritis mihi in filios et filias, dicit Dominus omnipotens »: *2 Cor* 6, 18); Sua denique infinita misericordia, etenim Suam potentiam summopere manifestat, peccata libere ignoscens.

271   Omnipotentia divina nequaquam est arbitraria: « In Deo est idem potentia et essentia et voluntas et intellectus et sapientia et iustitia. Unde nihil potest esse in potentia divina, quod non possit esse in voluntate iusta Ipsius, et in intellectu sapiente Eius ». [96]

Mysterium apparentis impotentiae Dei

272   Fides in Deum Patrem omnipotentem per mali et doloris experientiam potest in probationem adduci. Quandoque Deus potest absens videri atque incapax impediendi malum. Deus igitur Pater omnipotentiam Suam modo maxime *arcano* revelavit in voluntaria humiliatione et in resurrectione Filii Sui, per quas malum vicit. Sic Christus crucifixus est Dei virtus et Dei sapientia « quia quod stultum est Dei, sapientius est hominibus, et quod infirmum est Dei, fortius est hominibus » (*1 Cor* 1, 25). In Christi resurrectione et exaltatione, Pater operatus est « ope-

---

[92] Cf. *Ier* 32, 17; *Lc* 1, 37.
[93] Cf. *Ier* 27, 5.
[94] Cf. *Est* 4, 17c; *Prv* 21, 1; *Tb* 13, 2.
[95] Cf. *Mt* 6, 32.
[96] Sanctus Thomas Aquinas, *Summa theologiae* 1, q. 25, a. 5, ad 1: Ed. Leon. 4, 297.

rationem potentiae virtutis » Suae et ostendit quam « sit supereminens magnitudo virtutis » Suae « in nos qui credimus » (*Eph* 1, 19-22).

273 Sola fides viis omnipotentiae Dei adhaerere potest arcanis. Haec fides gloriatur in infirmitatibus suis ut attrahat super se potentiam Christi.[97] Huius fidei supremum exemplar est Maria Virgo, quae credidit « quia non erit impossibile apud Deum omne verbum » (*Lc* 1, 37) et Dominum magnificare potuit: « quia fecit mihi magna, qui potens est, et sanctum Nomen Eius » (*Lc* 1, 49).

148

274 « Nulla res tam ad fidem et spem nostram confirmandam valet, quam si fixum in animis nostris teneamus nihil non fieri a Deo posse; quidquid enim deinceps credere oporteat, quamvis magnum et admirabile sit, rerumque ordinem ac modum superet, illi tamen facile humana ratio, postquam Dei omnipotentis notitiam perceperit, sine ulla haesitatione assentitur ».[98]

1814, 1817

Compendium

275 *Cum Iob, iusto, confitemur*: « *Scio quia omnia potes et nulla Te latet cogitatio* » (*Iob* 42, 2).

276 *Ecclesia, fidelis testimonio Scripturae, saepe suam orationem ad* « *Deum omnipotentem et aeternum* » *dirigit* (« Omnipotens sempiterne Deus... »), *firmiter credens* « *quia non erit impossibile apud Deum omne verbum* » (*Lc* 1, 37).[99]

277 *Deus omnipotentiam ostendit Suam, nos a nostris peccatis convertens et in Suam amicitiam per gratiam restituens* (« Deus, qui omnipotentiam Tuam parcendo maxime et miserando manifestas »).[100]

278 *Nisi quis amorem Dei omnipotentem esse credat, quomodo credet Deum nos creare, Filium nos redimere, Spiritum Sanctum nos sanctificare potuisse?*

[97] Cf. *2 Cor* 12, 9; *Philp* 4, 13.
[98] *Catechismus Romanus*, 1, 2, 13: ed. P. RODRÍGUEZ (Città del Vaticano-Pamplona) p. 31.
[99] Cf. *Gn* 18, 14; *Mt* 19, 26.
[100] *Dominica XXVI* « *per annum* », *Collecta*: *Missale Romanum*, editio typica (Typis Polyglottis Vaticanis 1970) p. 365.

Paragraphus 4

CREATOR

279 « In principio creavit Deus caelum et terram » (*Gn* 1, 1). Haec verba sollemnia in limine sunt sacrae Scripturae. Symbolum fidei haec verba iterum sumit confitens Deum Patrem omnipotentem tamquam « Creatorem caeli et terrae »,[101] « visibilium omnium et invisibilium ».[102] Imprimis igitur de Creatore loquemur, deinde de Eius creatione, denique de lapsu peccati, a quo ut nos liberaret, Filius Dei, Iesus Christus, venit.

288   280   Creatio relate « ad omnia incepta salvifica Dei » est *fundamentum*, « exordium historiae salutis »,[103] quae in Christo culmen habet. Viceversa, Christi mysterium est lux decisiva pro mysterio creationis; illud finem revelat ob quem « in principio creavit Deus caelum et terram » (*Gn* 1043   1, 1): ab initio, Deus gloriam novae creationis in Christo intendebat.[104]

281   Hac de causa, lectiones Vigiliae Paschalis, quae celebratio est novae crea-
1095   tionis in Christo, a narratione incipiunt creationis; haec in liturgia Byzantina, in vigiliis magnorum Domini festorum, primam semper constituit lectionem. Secundum veterum testimonium, catechumenorum instructio ad Baptismum eandem sequitur viam.[105]

I. Catechesis de creatione

282   Catechesis de creatione summi est momenti. Ad ipsa vitae humanae et christianae fundamenta refertur: etenim fidei christianae responsum explicat ad quaestionem elementariam quam homines omnium temporum sibi posuerunt: « Unde venimus? » « Quo imus? » « Quaenam origo est nostra? » « Quinam noster est finis? » « Unde venit et quo it quidquid exsistit? ». Hae duae quaestiones, originis nempe et finis, sunt inseparabiles. Decisivae sunt pro sensu et ordinatione nostrae vitae 1730   nostrique modi agendi.

283   Quaestio de originibus mundi et hominis obiectum est plurium investiga-
159   tionum scientificarum, quae nostras cognitiones de aetate et dimensionibus

---

[101] *Symbolum apostolicum*: DS 30.
[102] *Symbolum Nicaenum-Constantinopolitanum*: DS 150.
[103] Sacra Congregatio pro Clericis, *Directorium catechisticum generale*, 51: AAS 64 (1972) 128.
[104] Cf. *Rom* 8, 18-23.
[105] Cf. Egeria, *Itinerarium seu Peregrinatio ad loca sancta* 46, 2: SC 296, 308; PLS 1, 1089-1090; Sanctus Augustinus, *De catechizandis rudibus* 3, 5: CCL 46, 124 (PL 40, 313).

mundi universi, de effectione formarum viventium, de prima hominis apparitione magnopere ditaverunt. Hae detectiones nos invitant ut magnitudinem Creatoris admiremur magis, Illi propter omnia Eius opera agamus gratias et propter intelligentiam et scientiam, quas Ipse doctis et investigatoribus praebet. Hi dicere possunt cum Salomone: « Ipse dedit mihi horum, quae sunt, scientiam veram, ut sciam dispositionem orbis terrarum et virtutes elementorum [...]; omnium enim artifex docuit me Sapientia » (*Sap* 7, 17-21). 341

284 Magna attentio his investigationibus concessa fortiter a quaestione alius ordinis stimulatur, quae campum proprium scientiarum naturalium excedit. Quaestio tantum non est, ut sciatur quando et quomodo universus mundus materialiter sit ortus neque quando homo apparuerit, sed ut potius detegatur quinam sit talis originis sensus: utrum illa casu regatur, fato caeco, anonyma necessitate, an ab Ente transcendenti, intelligenti et bono, quod Deus appellatur. Et si mundus a sapientia et bonitate Dei procedit, cur malum exsistit? Undenam illud venit? Quisnam est responsabilis illius? Habeturne ab eo liberatio?

285 Ab initio, fides christiana invenitur coram responsis ad quaestionem circa origines diversis a sua. Sic in religionibus et culturis antiquis plures habentur mythi relate ad origines. Quidam philosophi dixerunt, omnia esse Deum, mundum esse Deum, vel fieri mundi esse fieri Dei (pantheismus); alii dixerunt mundum emanationem Dei esse necessariam, ab hoc orientem fonte et ad illum redeuntem; adhuc alii affirmaverunt duorum principiorum aeternorum exsistentiam, Boni et Mali, Lucis et Tenebrarum, in pugna permanenti (dualismus, manicheismus); secundum quasdam ex his conceptionibus, mundus (saltem mundus materialis) malus esset, cuiusdam decadentiae productus, et propterea reiiciendus et superandus (gnosis); alii admittunt, mundum factum esse a Deo, sed ad modum quo artifex facit horologium, ita ut, postquam illum fecerit, sibi ipsi dereliquerit (deismus); alii denique nullam admittunt mundi originem transcendentem, sed vident in illo purum ludum materiae quae semper exstitisset (materialismus). Omnia haec tentamina permanentiam et universalitatem quaestionis de originibus testantur. Haec investigatio propria est hominis. 295 28

286 Ipsa humana intelligentia habet utique capacitatem quoddam responsum inveniendi quaestioni de originibus. Etenim exsistentia Dei Creatoris potest lumine rationis humanae per Eius opera certo cognosci,[106] quamquam haec cognitio saepe obscurata et deformata est errore. Hac de causa, fides rationem confirmat et illustrat in recta huius veritatis intelligentia. « Fide intelligimus aptata esse saecula Verbo Dei, ut ex invisibilibus visibilia facta sint » (*Heb* 11, 3). 32 37

287 Veritas creationis tanti momenti est pro tota vita humana ut Deus, in Sua teneritudine, populo Suo revelare voluerit quidquid saluta- 107

---

[106] Cf. CONCILIUM VATICANUM I, Const. dogm. *Dei Filius*, De Revelatione, canon 1: DS 3026.

re est de hac re cognoscere. Ultra cognitionem naturalem quam quilibet homo potest de Creatore habere,[107] Deus progressive Israel mysterium creationis revelavit. Ille qui Patriarchas elegit, qui Israel eduxit de Aegypto et qui, Israel eligens, eum creavit et formavit,[108] Se revelat tamquam Illum cui omnes populi terrae pertinent, atque adeo universa terra, tamquam Illum qui solus « fecit caelum et terram » (*Ps* 115, 15; 124, 8; 134, 3).

280 288 Ita revelatio creationis a revelatione et effectione Foederis Unius Dei cum Eius populo inseparabilis est. Creatio revelata est tamquam primus gressus ad hoc Foedus, tamquam primum et universale omnipo-
2569 tentis amoris Dei testimonium.[109] Veritas creationis exprimitur etiam cum vi crescenti in Prophetarum nuntio,[110] in oratione psalmorum [111] et liturgiae, in sapientiali consideratione [112] populi electi.

389 289 Inter omnia sacrae Scripturae de creatione verba, tria priora Ge-
390 nesis capita locum habent singularem. Sub ratione litteraria, hi textus diversos habere possunt fontes. Auctores inspirati eos initio Scripturae collocaverunt ita ut suo sermone sollemni exprimerent veritates creationis, eius originis et finis in Deo, eius ordinis et bonitatis, vocationis ho-
111 minis, denique tragoediae peccati et spei salutis. Haec verba, lecta sub lumine Christi, in unitate sacrae Scripturae et in Traditione viva Ecclesiae, fons permanent principalis pro catechesi mysteriorum « initii »: creationis, lapsus, promissionis salutis.

II. Creatio – Sanctissimae Trinitatis opus

290 « In principio creavit Deus caelum et terram » (*Gn* 1, 1): in his primis verbis Scripturae tria affirmantur: Deus aeternus initium dedit omnibus quae extra Illum exsistunt. Ille solus est Creator (verbum « creare » — hebraice *bara* — semper habet Deum tamquam subiec-
326 tum). Universitas eorum quae exsistunt (expressa a formula « caelum et terra ») ab Illo dependet, qui ei esse dat.

241 291 « In principio erat Verbum [...] et Deus erat Verbum. [...] Omnia per Ipsum facta sunt, et sine Ipso factum est nihil » (*Io* 1, 1-3). Novum

---

[107] Cf. *Act* 17, 24-29; *Rom* 1, 19-20.
[108] Cf. *Is* 43, 1.
[109] Cf. *Gn* 15, 5; *Ier* 33, 19-26.
[110] Cf. *Is* 44, 24.
[111] Cf. *Ps* 104.
[112] Cf. *Pvr* 8, 22-31.

Testamentum revelat, Deum omnia per Verbum creasse aeternum, Suum Filium dilectum. « In Ipso condita sunt universa in caelis et in terra [...]. Omnia per Ipsum et in Ipsum creata sunt, et Ipse est ante omnia, et omnia in Ipso constant » (*Col* 1, 16-17). Fides Ecclesiae actionem creatricem Spiritus Sancti pariter affirmat: Ille, quem profitemur « vivificantem »,[113] est « Spiritus Creator » (« Veni, Creator Spiritus »), « bonitatis Fons ».[114]

331

703

292 Actio creatrix Filii et Spiritus, cum illa Patris inseparabiliter una, adumbrata in Vetere Testamento,[115] in Novo Foedere revelata, clare a regula fidei affirmatur Ecclesiae: « Solus Hic Deus invenitur [...]: Hic Pater, Hic Deus, Hic Conditor, Hic Factor, Hic Fabricator, qui fecit ea *per Semetipsum*, hoc est per Verbum et per Sapientiam Suam »;[116] « Filius et Spiritus » sunt quasi « manus » Eius.[117] Creatio commune est opus Sanctissimae Trinitatis.

699

257

III. « Mundus ad Dei gloriam conditus est »

293 Veritas est fundamentalis, quam Scriptura et Traditio docere et celebrare non desinunt, « mundum ad Dei gloriam conditum esse ».[118] Deus omnia creavit, explicat sanctus Bonaventura « non [...] propter gloriam augendam, sed propter gloriam manifestandam et propter gloriam Suam communicandam ».[119] Deus enim nullam aliam rationem habere potest ad creandum, nisi Suum amorem Suamque bonitatem: « Aperta enim manu clave amoris, creaturae prodierunt ».[120] Concilium vero Vaticanum I explicat:

337, 344

1361

> « Deus bonitate Sua et omnipotenti virtute non ad augendam Suam beatitudinem nec ad acquirendam, sed ad manifestandam perfectionem Suam per bona, quae creaturis impertitur, liberrimo consilio simul ab

759

---

[113] *Symbolum Nicaenum-Constantinopolitanum*: DS 150.

[114] *Liturgia Byzantina* ?um Sticherum Vesperarum Dominicae Pentecostes: Πεντηκοστά-ριον (Rome 1883) p. 408.

[115] Cf. *Ps* 33, 6; 104, 30; *Gn* 1, 2-3.

[116] Sanctus Irenaeus Lugdunensis, *Adversus haereses*, 2, 30, 9: SC 294, 318-320 (PG 7, 822).

[117] Sanctus Irenaeus Lugdunensis, *Adversus haereses*, 4, 20, 1: SC 100, 626 (PG 7, 1032).

[118] Concilium Vaticanum I, Const. dogm. *Dei Filius*, De Deo rerum omnium Creatore, canon 5: DS 3025.

[119] Sanctus Bonaventura, *In secundum librum Sententiarum*, dist. 1, p. 2, a. 2, q. 1, concl.: *Opera omnia*, v. 2 (Ad Claras Aquas 1885) p. 44.

[120] Sanctus Thomas Aquinas, *Commentum in secundum librum Sententiarum*, Prologus: *Opera omnia*, v. 8 (Parisiis 1873) p. 2.

initio temporis utramque de nihilo condidit creaturam, spiritualem et corporalem».[121]

2809 **294** Gloria Dei est ut haec manifestatio et haec communicatio Suae bonitatis, propter quas mundus creatus est, in rem ducantur. «Praedestinavit nos in adoptionem filiorum per Iesum Christum in Ipsum, secundum beneplacitum voluntatis Suae *in laudem gloriae* gratiae Suae» (*Eph* 1, 5-6).

1722 «Gloria enim Dei vivens homo, vita autem hominis visio Dei. Si enim quae est per condicionem ostensio Dei vitam praestat omnibus in terra viventibus, multo magis ea quae est per Verbum manifestatio Patris vitam praestat his qui vident Deum».[122] Finis ultimus creationis est ut Deus, «qui conditor est omnium, tandem fiat "omnia in omnibus" (*1 Cor* 15, 28),

1992 *gloriam Suam simul et beatitudinem nostram procurando ».*[123]

IV. Mysterium creationis

Deus sapientia et amore creat

295 Credimus Deum secundum Suam sapientiam creasse mundum.[124] Hic cuiuslibet necessitatis, fati caeci aut casus non est effectus. Credimus eum a voluntate libera procedere Dei, qui creaturas voluit efficere

216, 1951 Sui esse, Suae sapientiae et Suae bonitatis participes. «Tu creasti omnia, et propter voluntatem Tuam erant et creata sunt» (*Apc* 4, 11). «Quam multiplicata sunt opera Tua, Domine! Omnia in sapientia fecisti» (*Ps* 104, 24). «Suavis Dominus universis, et miserationes Eius super omnia opera Eius» (*Ps* 145, 9).

Deus creat « ex nihilo »

296 Credimus Deum nulla re praeexsistenti neque ullo adiutorio egere

285 ad creandum.[125] Neque creatio emanatio est necessaria e divina substantia.[126] Deus libere creat « ex nihilo »: [127]

---

[121] Concilium Vaticanum I, Const. dogm. *Dei Filius*, c. 1: DS 3002.
[122] Sanctus Irenaeus Lugdunensis, *Adversus haereses* 4, 20, 7: SC 100, 648 (PG 7, 1037).
[123] Concilium Vaticanum II, Decr. *Ad gentes*, 2: AAS 58 (1966) 948.
[124] Cf. *Sap* 9, 9.
[125] Cf. Concilium Vaticanum I, Const. dogm. *Dei Filius*, c. 1: DS 3002.
[126] Cf. Concilium Vaticanum I, Const. dogm. *Dei Filius*, De Deo rerum omnium Creatore, canones 1-4: DS 3023-3024.
[127] Concilium Lateranense IV, Cap. 2, *De fide catholica*: DS 800; Concilium Vaticanum I, Const. dogm. *Dei Filius*, De Deo rerum omnium Creatore, canon 5: DS 3025.

> « Quid autem magni esset, si Deus ex materia subiecta mundum faceret? Opifex enim apud nos cum materiam ab aliquo acceperit ex ea quidquid placuerit effingit. Dei autem potentia in eo spectatur, ut ex nihilo faciat quaecumque voluerit ».[128]

297   Fidem de creatione « ex nihilo » Scriptura testatur tamquam plenam promissionis et spei veritatem. Ita mater septem filiorum eos ad martyrium excitat: 338

> « Nescio qualiter in utero meo apparuistis neque ego spiritum et vitam donavi vobis et singulorum vestrorum compagem non sum ego modulata; sed enim mundi Creator, qui formavit hominis nativitatem quique omnium invenit originem et spiritum et vitam vobis cum misericordia reddet, sicut nunc vosmetipsos despicitis propter leges Eius. [...] Peto, nate, ut aspicias ad caelum et terram et quae in ipsis sunt, universa videns intelligas quia non ex his, quae erant, fecit illa Deus; et hominum genus ita fit » (*2 Mac* 7, 22-23. 28).

298   Quia Deus ex nihilo creare potest, potest etiam per Spiritum   1375
Sanctum vitam animae peccatoribus donare cor purum in illis creans,[129]
et defunctis vitam corporis per resurrectionem, Ille « qui vivificat   992
mortuos et vocat ea, quae non sunt, quasi sint » (*Rom* 4, 17). Et quia
per Verbum Suum potuit efficere ut lux e tenebris splendesceret,[130] etiam
lumen fidei donare potest eis qui Illum ignorant.[131]

Deus mundum ordinatum creat et bonum

299   Si Deus cum sapientia creat, creatio ordinata est: « omnia in mensura et numero et pondere disposuisti » (*Sap* 11, 20). Illa in aeterno   339
Verbo et per aeternum Verbum, quod « est imago Dei invisibilis » (*Col*
1, 15), creata, homini destinatur et ad eum dirigitur, imaginem Dei,[132] et
ipsum ad relationem personalem cum Deo vocatum. Nostra intelligentia, particeps luminis Intellectus divini, potest intelligere id quod nobis   41, 1147
Deus per creationem dicit,[133] utique non sine magno nisu et in spiritu
humilitatis atque reverentiae coram Creatore Eiusque opere.[134] Creatio, e
divina bonitate orta, hanc participat bonitatem (« Et vidit Deus quod

---

[128] Sanctus Theophilus Antiochenus *Ad Autolycum*, 2, 4: SC 20, 102 (PG 6, 1052).
[129] Cf. *Ps* 51, 12.
[130] Cf. *Gn* 1, 3.
[131] Cf. *2 Cor* 4, 6.
[132] Cf. *Gn* 1, 26.
[133] Cf. *Ps* 19, 2-5.
[134] Cf. *Iob* 42, 3.

358
2415

esset bona [...] valde bona »: *Gn* 1, 4. 10. 12. 18. 21. 31). Deus enim creationem voluit tamquam donum homini designatum, tamquam hereditatem illi destinatam et concreditam. Ecclesia pluries bonitatem creationis, inclusa mundi materialis bonitate, defendere debuit.[135]

Deus creationem transcendit eique est praesens

42
223

300 Deus omnibus operibus Suis est infinite maior: [136] « elevata est magnificentia » Eius « super caelos » (*Ps* 8, 2), « magnitudinis Eius non est investigatio » (*Ps* 145, 3). Sed quia Ille Creator sublimis est et liber, prima omnium exsistentium causa, creaturarum Suarum ultimae intimitati est praesens: « In Ipso enim vivimus, movemur et sumus » (*Act* 17, 28). Secundum sancti Augustini verba, Ipse est « interior intimo meo et superior summo meo ».[137]

Deus creationem conservat et sustinet

301 Post creationem, Deus Suam sibi ipsi non derelinquit creaturam. Ei non solum esse et exsistere praebet, sed eam in « esse » singulis con-

1951
396

servat momentis, ei agere tribuit eamque ad eius ducit terminum. Hanc absolutam relate ad Creatorem agnoscere dependentiam fons est sapientiae et libertatis, gaudii et fiduciae:

> « Diligis enim omnia, quae sunt, et nihil odisti eorum, quae fecisti; nec enim, si odisses, aliquid constituisses. Quomodo autem posset aliquid permanere, nisi Tu voluisses? Aut, quod a Te vocatum non esset, conservaretur? Parcis autem omnibus, quoniam Tua sunt, Domine, qui amas animas » (*Sap* 11, 24-26).

V. Deus consilium Suum ducit in rem: divina providentia

302 Creatio propriam habet bonitatem propriamque perfectionem, sed e Creatoris manibus prorsus absoluta non exiit. Creata est « *in statu viae* » versus perfectionem ultimam adhuc obtinendam, ad quam Deus

---

[135] Cf. Sanctus Leo Magnus, Epistula *Quam laudabiliter*: DS 286; Concilium Bracarense I, *Anathematismi praesertim contra Priscillianistas*, 5-13: DS 455-463; Concilium Lateranense IV, Cap. 2, *De fide catholica*: DS 800; Concilium Florentinum, *Decretum pro Iacobitis*: DS 1333; Concilium Vaticanum I, Const. dogm. *Dei Filius*, c. 1: DS 3002.
[136] Cf. Eccli 43, 30.
[137] Sanctus Augustinus, *Confessiones*, 3, 6, 11: CCL 27, 33 (PL 32, 688).

illam destinavit. Divinam appellamus providentiam dispositiones per quas Deus Suam creationem in hanc ducit perfectionem.

> « Universa vero, quae condidit, Deus providentia Sua tuetur atque gubernat, "attingens a fine usque ad finem fortiter et disponens omnia suaviter" (cf. *Sap* 8, 1). "Omnia enim nuda et aperta sunt oculis Eius" (*Heb* 4, 13), ea etiam, quae libera creaturarum actione futura sunt ».[138]

303 Unanime est testimonium Scripturae: divinae providentiae sollicitudo *concreta* est et *immediata,* curae habet omnia a minimis rebus usque ad magnos mundi et historiae eventus. Libri sancti fortiter affirmant absolutum Dei dominatum in eventuum cursu: « Deus autem noster in caelo; omnia, quaecumque voluit, fecit » (*Ps* 115, 3); et de Christo dicitur: « qui aperit et nemo claudet, et claudit et nemo aperit » (*Apoc* 3, 7); « Multae cogitationes in corde viri, voluntas autem Domini permanebit » (*Prv* 19, 21).   269

304 Sic apparet Spiritum Sanctum, sacrae Scripturae auctorem principalem, Deo actiones saepe tribuere, quin causarum secundarum faciat mentionem. Ibi priscus non habetur « modus loquendi », sed profundus modus primatum Dei et Eius absolutum dominatum supra historiam et mundum in memoriam revocandi [139] atque ita educandi ad fiduciam in Illum. Psalmorum precatio huius fiduciae magna est schola.[140]   2568

305 Iesus postulat filialem derelictionem in providentiam Patris caelestis, qui minimas filiorum Suorum necessitates habet curae: « Nolite ergo solliciti esse dicentes: "Quid manducabimus?", aut: "Quid bibemus?" [...]. Scit enim Pater vester caelestis quia his omnibus indigetis. Quaerite autem primum Regnum Dei et iustitiam eius, et haec omnia adicientur vobis » (*Mt* 6, 31-33).[141]   2115

PROVIDENTIA ET CAUSAE SECUNDAE

306 Deus consilii Sui summus est Dominus. Sed ut illud ducat in rem, creaturarum etiam utitur concursu. In hoc non habetur debilitatis signum, sed magnitudinis et bonitatis omnipotentis Dei. Deus enim non solum creaturis donat ut exsistant, sed dignitatem ut ipsae agant, ut aliae aliarum causae sint et principia et ut sic ad impletionem consilii Eius cooperentur.   1884   1951

[138] CONCILIUM VATICANUM I, Const. dogm. *Dei Filius,* c. 1: DS 3003.
[139] Cf. *Is* 10, 5-15; 45, 5-7; *Dt* 32, 39; *Eccli* 11, 14.
[140] Cf. *Ps* 22; 32; 35; 103; 138; et alii.
[141] Cf. *Mt* 10, 29-31.

<table>
<tr><td>106
373
1954
2427</td><td>307   Hominibus Deus potestatem etiam largitur providentiam libere participandi Suam, illis responsabilitatem concredens terram subiiciendi eique dominandi.[142] Sic Deus hominibus praestat ut causae intelligentes sint et liberae ad creationis opus complendum eiusque harmoniam pro sui ipsorum et proximorum bono perficiendam. Homines, cooperatores voluntatis divinae saepe inconscii, consilium divinum possunt deliberate</td></tr>
</table>

2738
618, 1505

307 (continued) ingredi suis actionibus, suis precibus, sed etiam suis doloribus.[143] Sic « Dei [...] adiutores » (*1 Cor* 3, 9) [144] Eiusque Regni [145] plene fiunt.

308   A fide in Deum Creatorem haec veritas est inseparabilis: Deus in omni actione creaturarum Suarum agit. Ille causa est prima quae in causis secundis et per eas operatur: « Deus est enim, qui operatur in vobis et velle et perficere pro Suo beneplacito » (*Philp* 2, 13).[146] Haec veritas non solum creaturae non minuit dignitatem, sed eam extollit. Illa,

970   a Dei potentia, sapientia et bonitate, ex nihilo effecta, nihil potest, si a sua origine abscindatur; « creatura enim sine Creatore evanescit »; [147] multo minus potest finem suum ultimum consequi sine gratiae adiutorio.[148]

Providentia et mali scandalum

309   Si Deus Pater omnipotens, mundi ordinati et boni Creator, omnes
164, 385   creaturas Suas curae habet, cur malum exsistit? Huic tam urgenti quam inevitabili, tam dolorosae quam arcanae quaestioni nulla sufficiet festina responsio. Fidei christianae complexus huic quaestioni responsum constituit: creationis bonitas, peccati tragoedia, patiens amor Dei qui homini praevenit Suis Foederibus, Filii Sui Incarnatione redemptrice, Spiritus dono, Ecclesiae convocatione, sacramentorum virtute, ad vitam beatam vocatione, cui liberae creaturae praevie invitantur ut consentiant, sed a qua illae etiam praevie, terribili mysterio, se substrahere

2805   possunt. *Nulla nuntii christiani habetur ratio quae, partim, quaestioni de malo responsum non sit.*

412   310   Cur Deus mundum sic perfectum non creavit ut nullum malum in illo exsistere posset? Deus, secundum Suam potentiam infinitam, semper

---

[142] Cf. *Gn* 1, 26-28.
[143] Cf. *Col* 1, 24.
[144] Cf. *1 Thess* 3, 2.
[145] Cf. *Col* 4, 11.
[146] Cf. *1 Cor* 12, 6.
[147] Concilium Vaticanum II, Const. past. *Gaudium et spes*, 36: AAS 58 (1966) 1054.
[148] Cf. *Mt* 19, 26; *Io* 15, 5; *Philp* 4, 13.

aliquid melius posset creare.[149] Attamen Deus in Sua sapientia et bonitate infinitis mundum « in statu viae » in eius ultimam perfectionem
versus libere creare voluit. Hic processus implicat, in consilio Dei, cum
quorumdam entium apparitione disparitionem aliorum, cum perfectiore
etiam minus perfectum, cum naturae constructionibus etiam destructiones. Sic cum bono physico etiam *malum physicum* exsistit, donec creatio
perfectionem suam non fuerit consecuta.[150]

311 Angeli et homines, creaturae intelligentes et liberae, in suum finem ultimum, per electionem liberam et amorem praeferentiae, ambulare debent. Propterea deviare possunt. De facto peccaverunt. Sic *malum
morale*, sine comparatione gravius quam malum physicum, mundum est
ingressum. Deus nullo modo, neque directe neque indirecte, causa est
mali moralis.[151] Illud tamen permittit, creaturae Suae observans libertatem, et modo arcano scit ex illo bonum adducere:

> « Neque enim Deus omnipotens [...] cum summe bonus sit, ullo modo
> sineret mali esse aliquid in operibus Suis nisi usque adeo esset omnipo
> tens et bonus ut bene faceret et de malo ».[152]

312 Sic, tempore decurrente, detegi potest, Deum, in Sua omnipotenti
providentia, bonum adducere posse ex consequentiis mali, etiam moralis, a Suis creaturis patrati: « Non vestro consilio, sed Dei voluntate huc
missus sum. [...] Vos cogitastis de me malum; sed Deus vertit illud in
bonum ut [...] salvos faceret multos populos » (*Gn* 45, 8; 50, 20).[153] Deus
e maximo malo morali quod unquam commissum fuerit, e reiectione et
occisione Filii Dei, omnium hominum peccatis causata, per gratiae Suae
superabundantiam,[154] maximum adduxit bonorum: glorificationem Christi
et nostram Redemptionem. Non tamen propterea malum efficitur bonum.

313 « Diligentibus Deum omnia cooperantur in bonum » (*Rom* 8, 28).
Sanctorum testimonium hanc veritatem confirmare non desiit.

> Sic sancta Catharina Senensis dicit ad eos « qui cum multa scandalizan
> tur impatientia » et contra id insurgunt quod eis accidit: « Omnia ex

---

[149] Cf. Sanctus Thomas Aquinas, *Summa theologiae*, 1, q. 25, a. 6: Ed. Leon. 4, 298-299.
[150] Cf. Sanctus Thomas Aquinas, *Summa contra gentiles*, 3, 71: Ed. Leon. 14, 209-211.
[151] Cf. Sanctus Augustinus, *De libero arbitrio*, 1, 1, 1: CCL 29, 211 (PL 32, 1221-
1223); Sanctus Thomas Aquinas, *Summa theologiae*, 1-2, q. 79, a. 1: Ed. Leon. 7,
76-77.
[152] Sanctus Augustinus, *Enchiridion de fide, spe et caritate*, 3, 11: CCL 46, 53 (PL 40,
236).
[153] Cf. *Tb* 2, 12-18 vulg.
[154] Cf. *Rom* 5, 20.

Margin references: 1042-1050 · 342 · 396 · 1849 · 598-600 · 1994 · 227

amore data sunt et ut saluti hominis provideatur, et non propter ullum alium finem ».[155]

Et sanctus Thomas More, paulo ante martyrium, filiam consolatur suam: « Nihil contingere potest, quod Deus non velit. Quidquid autem Ille vult, utcumque nobis malum videatur, est tamen vere optimum ».[156]

Et domina Iuliana de Norwich: « Didici ergo, per gratiam Dei, oportere, me firmiter ad fidem adhaerere [...] atque cum fortitudine credere omnia rerum genera futura esse bona [...]. Tu ipsa videbis omnia rerum genera bona esse futura » (« *Thou shalt see thyself that all manner of thing shall be well* »).[157]

314   Firmiter credimus, Deum Dominum mundi esse et historiae. Sed viae providentiae Eius saepe nobis ignotae sunt. Solum in termino, cum nostra partialis cognitio finietur, cum Deum « facie ad faciem » (*1 Cor* 13, 12) videbimus, nobis plene cognitae erunt viae, quibus, etiam per mali et peccati tragoedias, Deus creationem Suam usque ad quietem illius *Sabbati* [158] deducet definitivi, propter quod caelum et terram creavit.

1040

2550

Compendium

315   *Deus in mundi et hominis creatione primum et universale protulit testimonium Sui amoris omnipotentis Suaeque sapientiae, primum nuntium Sui « benevolentis consilii », quod in nova creatione in Christo suum invenit finem.*

316   *Licet opus creationis peculiariter Patri attribuatur, est pariter fidei veritas Patrem, Filium et Spiritum Sanctum unum et indivisibile principium esse creationis.*

317   *Deus solus mundum libere, directe, sine ullo creavit adiutorio.*

318   *Nulla creatura potestatem habet infinitam, quae necessaria est ad « creandum » in proprio verbi sensu, id est, ad producendum et donandum esse ei quod id nullatenus habebat (vocare « ex nihilo » ad exsistentiam).*[159]

---

[155] Sancta Catharina Senensis, *Il dialogo della Divina provvidenza* 138: ed. G. Cavallini (Roma 1995) p. 441.

[156] Margarita Roper, *Epistula ad Aliciam Alington* (mense augusti 1534): *The Correspondence of Sir Thomas More*, ed. E.F. Rogers (Princeton 1947) p. 531-532.

[157] Iuliana de Norwich, *Revelatio* 13, 32: *A Book of Showings to the Anchoress Julian of Norwich*, ed. E. Colledge-J. Walsh, vol. 2 (Toronto 1978) p. 426 et 422.

[158] Cf. *Gn* 2, 2.

[159] Cf. Sacra Congregatio Studiorum, *Decretum* (27 iulii 1914): DS 3624.

319 *Deus mundum creavit ad Suam gloriam manifestandam et communicandam. Gloria propter quam Deus Suas creavit creaturas, est ut ipsae Eius veritatem, Eius bonitatem et Eius participent pulchritudinem.*

320 *Deus, qui mundum creavit universum, eum in exsistentia conservat per Verbum, Filium Suum qui portat « omnia verbo virtutis Suae » (Heb 1, 3), et per Spiritum Suum Creatorem vivificantem.*

321 *Divina providentia dispositiones sunt quibus Deus, cum sapientia et amore, omnes creaturas Suas usque ad ultimum earum conducit finem.*

322 *Christus nos ad filialem invitat derelictionem in providentiam nostri Patris caelestis,[160] et sanctus apostolus Petrus repetit: vivite « omnem sollicitudinem vestram proicientes in Eum, quoniam Ipsi cura est de vobis » (1 Pe 5, 7).[161]*

323 *Providentia divina etiam per actionem agit creaturarum. Deus hominibus tribuit ut libere Eius consiliis cooperentur.*

324 *Divina mali physici et mali moralis permissio mysterium est, quod Deus per Filium Suum, Iesum Christum, mortuum et resuscitatum ad malum vincendum, illuminat. Fides nobis certitudinem praebet de eo quod Deus malum non permitteret, nisi Ille ex ipso malo oriri faceret bonum, viis quas non nisi in vita aeterna plene cognoscemus.*

Paragraphus 5

CAELUM ET TERRA

325 Symbolum Apostolicum Deum « Creatorem caeli et terrae »[162] profitetur esse, et Symbolum Nicaenum-Constantinopolitanum explicat: « ...visibilium omnium et invisibilium ».[163]

326 In sacra Scriptura, locutio « caelum et terra » significat: totum quod exsistit, universam creationem. Etiam indicat vinculum, quod, intra creationem, simul caelum et terram unit et distinguit: « Terra » est   290

---

[160] Cf. *Mt* 6, 26-34.
[161] Cf. *Ps* 55, 23.
[162] DS 30.
[163] DS 150.

1023, 2794   mundus hominum.[164] « Caelum » vel « caeli » firmamentum potest deno-
tare,[165] sed etiam « locum » proprium Dei: Patris nostri, « qui in caelis
est » (*Mt* 5, 16); [166] et consequenter etiam « caelum » quod gloria est
eschatologica. Verbum « caelum » denique indicat « locum » creaturarum spiritualium — angelorum — qui Deum circumstant.

296   **327** Professio fidei Concilii Lateranensis quarti affirmat: Deus « simul
ab initio temporis utramque de nihilo condidit creaturam, spiritualem et
corporalem, angelicam videlicet et mundanam: ac denique humanam,
quasi communem ex spiritu et corpore constitutam ».[167]

I. Angeli

Exsistentia angelorum − fidei veritas

150   **328** Exsistentia entium spiritualium, non corporalium, quae sacra
Scriptura generatim angelos appellat, fidei est veritas. Tam dilucidum
est Scripturae testimonium quam dilucida est Traditionis unanimitas.

Qui sunt?

329 Sanctus Augustinus dicit relate ad illos: « "Angelus" [...] officii nomen est, non naturae. Quaeris nomen huius naturae, spiritus est; quaeris
officium, angelus est: ex eo quod est, spiritus est, ex eo quod agit, angelus
est ».[168] Angeli, ex toto esse suo, sunt Dei *ministri* et nuntii. Quoniam « semper vident faciem Patris mei, qui in caelis est » (*Mt* 18, 10), sunt « facientes
verbum Illius in audiendo vocem sermonum Eius » (*Ps* 103, 20).

330 Quatenus creaturae pure *spirituales*, intelligentiam habent et voluntatem: creaturae sunt personales [169] et immortales.[170] Perfectione creaturas omnes visibiles superant. Splendor gloriae eorum id testatur.[171]

---

[164] Cf. *Ps* 115, 16.
[165] Cf. *Ps* 19, 2.
[166] Cf. *Ps* 115, 16.
[167] Concilium Lateranense IV, Cap. 1, *De fide catholica*: DS 800; cf. Concilium
Vaticanum I, Const. dogm. *Dei Filius*, c. 1: DS 3002 et Paulus VI, *Sollemnis
Professio fidei*, 8: AAS 60 (1968) 436.
[168] Sanctus Augustinus, *Enarratio in Psalmum* 103, 1, 15: CCL 40, 1488 (PL 37,
1348-1349).
[169] Cf. Pius XII, Litt. enc. *Humani generis*: DS 3891.
[170] Cf. *Lc* 20, 36.
[171] Cf. *Dn* 10, 9-12.

CHRISTUS « CUM OMNIBUS ANGELIS SUIS »

331 Christus mundi angelici centrum est. Illi sunt angeli Eius: « Cum autem venerit Filius hominis in gloria Sua, et omnes angeli cum Eo... » (*Mt* 25, 31). Eius sunt, quia *per* Eum et *in* Eum sunt creati: « Quia in Ipso condita sunt universa in caelis et in terra, visibilia et invisibilia, sive throni sive dominationes sive principatus sive potestates. Omnia per Ipsum et in Ipsum creata sunt » (*Col* 1, 16). Eius sunt adhuc magis, quia illos fecit nuntios Sui consilii salutis: « Nonne omnes sunt administratorii spiritus, qui in ministerium mittuntur propter eos, qui hereditatem capient salutis? » (*Heb* 1, 14).

291

332 Illi, inde a creatione [172] et per totum historiae salutis decursum, adsunt, salutem sive procul sive prope annuntiantes atque eius effectionis divino servientes consilio: illi paradisum claudunt terrestrem,[173] Lot protegunt,[174] Agar eiusque filium salvant,[175] Abrahae detinent manum,[176] Lex per illorum communicatur ministerium,[177] populum Dei ducunt,[178] nativitates annuntiant[179] et vocationes,[180] Prophetis assistunt,[181] ut tantum quaedam afferamus exempla. Denique, Angelus Gabriel nativitatem Praecursoris et illam Ipsius Iesu annuntiat.[182]

333 Ab Incarnatione ad Ascensionem, vita Verbi incarnati adoratione et servitio circumdatur angelorum. Cum Deus « introducit primogenitum in orbem terrae dicit: Et adorent Eum omnes angeli Dei » (*Heb* 1, 6). Eorum canticum laudis in Christi Nativitate resonare non desiit in Ecclesiae laude: « Gloria [...] Deo... » (*Lc* 2, 14). Illi Iesu protegunt infantiam,[183] Ei serviunt in deserto,[184] Eum in agonia confortant,[185] cum Ipse

559

---

[172] Cf. *Iob* 38, 7, ubi angeli « filii Dei » appellantur
[173] Cf. *Gn* 3, 24.
[174] Cf. *Gn* 19.
[175] Cf. *Gn* 21, 17.
[176] Cf. *Gn* 22, 11.
[177] Cf. *Act* 7, 53.
[178] Cf. *Ex* 23, 20-23.
[179] Cf. *Idc* 13.
[180] Cf. *Idc* 6, 11-24; *Is* 6, 6.
[181] Cf. *1 Reg* 19, 5.
[182] Cf. *Lc* 1, 11. 26.
[183] Cf. *Mt* 1, 20; 2, 13. 19.
[184] Cf. *Mc* 1, 13; *Mt* 4, 11.
[185] Cf. *Lc* 22, 43.

per illos de inimicorum manu salvari potuisset [186] sicut olim Israel.[187] Angeli etiam evangelizant [188] Bonum Nuntium Incarnationis [189] et Resurrectionis annuntiantes Christi.[190] In Christi aderunt reditu, quem annuntiant,[191] pro Eius iudicii servitio.[192]

ANGELI IN VITA ECCLESIAE

334 Exinde tota Ecclesiae vita adiutorium arcanum et potens lucrifacit angelorum.[193]

1138 335 Ecclesia in sua liturgia se angelis coniungit ad Deum ter sanctum adorandum; [194] eorum invocat assistentiam (sic in oratione *In paradisum deducant te angeli...* liturgiae defunctorum,[195] vel etiam in « Hymno cherubico » liturgiae Byzantinae [196]); peculiarius memoriam celebrat quorumdam angelorum (sancti Michaelis, sancti Gabrielis, sancti Raphaelis, Angelorum Custodum).

1020 336 Vita humana, inde a suo initio [197] ad obitum,[198] est eorum custodia [199] et eorum circumdata intercessione.[200] « Quod autem unicuique fidelium adsit angelus velut paedagogus quidam et pastor vitam dirigens nemo contradicet ».[201] Vita christiana, iam hic in terris, societatem beatam angelorum et hominum in Deo unitorum participat in fide.

---

[186] Cf. *Mt* 26, 53.
[187] Cf. *2 Mac* 10, 29-30; 11, 8.
[188] Cf. *Lc* 2, 10.
[189] Cf. *Lc* 2, 8-14.
[190] Cf. *Mc* 16, 5-7.
[191] Cf. *Act* 1, 10-11.
[192] Cf. *Mt* 13, 41; 24, 31; *Lc* 12, 8-9.
[193] Cf. *Act* 5, 18-20; 8, 26-29; 10, 3-8; 12, 6-11; 27, 23-25.
[194] Cf. *Prex eucharistica*, 27, *Sanctus*: *Missale Romanum*, editio typica (Typis Polyglottis Vaticanis 1970) p. 392.
[195] *Ordo exsequiarum*, 50, editio typica (Typis Polyglottis Vaticanis 1969) p. 23.
[196] *Liturgia Byzantina sancti Ioannis Chrysostomi, Hymnus cherubinorum*: *Liturgies Eastern and Western*, ed. F.E. BRIGHTMAN (Oxford 1896) p. 377.
[197] Cf. *Mt* 18, 10.
[198] Cf. *Lc* 16, 22.
[199] Cf. *Ps* 34, 8; 91, 10-13.
[200] Cf. *Iob* 33, 23-24; *Zach* 1, 12; *Tb* 12, 12.
[201] SANCTUS BASILIUS MAGNUS, *Adversus Eunomium* 3, 1: SC 305, 148 (PG 29, 656).

II. Mundus visibilis

337   Deus Ipse mundum creavit visibilem in tota eius magnificentia, di-   290
versitate et ordine. Scriptura symbolice opus praesentat Creatoris tamquam successionem sex dierum « laboris » divini quae in « quiete » diei
septimi terminatur.[202] Relate ad creationem, textus sacer veritates docet a
Deo revelatas nostrae salutis causa,[203] quae permittunt « totius creaturae
intimam naturam, valorem et ordinationem in laudem Dei agnoscere ».[204]   293

338   *Nihil exsistit quod suam exsistentiam Deo Creatori non debeat.* Mundus
incepit, cum ex nihilo per Verbum Dei est factus; omnia entia exsistentia,   297
omnis natura, tota historia humana in hoc primordiali radicantur eventu:
est enim genesis per quam mundus constitutus est tempusque incepit.[205]

339   *Unaquaeque natura suam bonitatem et suam perfectionem possidet*   2501
proprias. De singulis operibus « sex dierum » dicitur: « Et vidit Deus
quod esset bonum ». « Ex ipsa enim creationis condicione res universae
propria firmitate, veritate, bonitate propriisque legibus ac ordine in-   299
struuntur ».[206] Diversae creaturae, in suo esse proprio volitae, radium reverberant, unaquaeque suo modo, infinitae sapientiae et infinitae bonitatis Dei. Hac de causa, homo bonitatem propriam uniuscuiusque creaturae revereri debet, ut usus rerum vitetur inordinatus, qui Creatorem   226
contemnit et consequentias nefastas pro hominibus et pro eorum ambitu secum fert.

340   *Creaturarum interdependentia* a Deo est volita. Sol et luna, cedrus   1937
et flosculus, aquila et passer: spectaculum earum diversitatum et inaequalitatum innumerarum significat, nullam e creaturis sibi ipsi sufficere.
Illae non exsistunt nisi in dependentia aliarum ab aliis, ut se mutuo
compleant in servitio aliarum ad alias.

341   *Universi pulchritudo.* Ordo et harmonia mundi creati ex diversitate
resultat entium et relationum inter ea exsistentium. Homo ea progressive detegit tamquam naturae leges. Scientiarum cultorum suscitant admi-   283
rationem. Creationis pulchritudo reverberat infinitam Creatoris pulchri-   2500
tudinem. Illa reverentiam et submissionem intelligentiae hominis et
voluntatis eius inspirare debet.

---

[202] Cf. *Gn* 1, 1-2, 4.
[203] Cf. Concilium Vaticanum II, Const. dogm. *Dei Verbum*, 11: AAS 58 (1966) 823.
[204] Concilium Vaticanum II, Const. dogm. *Lumen gentium*, 36: AAS 57 (1965) 41.
[205] Cf. Sanctus Augustinus, *De Genesi contra Manichaeos*, 1, 2, 4: PL 36, 175.
[206] Concilium Vaticanum II, Const. past. *Gaudium et spes*, 36: AAS 58 (1966) 1054.

342 *Creaturarum hierarchia* ordine « sex dierum » exprimitur qui a mi-
310   nus perfecto ad perfectiorem procedit. Deus omnes Suas amat creaturas,[207] et eas, etiam passeres, habet curae. Tamen Iesus dicit: « Multis
passeribus pluris estis » (*Lc* 12, 7), vel etiam: « Quanto igitur melior est
homo ove! » (*Mt* 12, 12).

355   343 *Homo culmen est* operis creationis. Narratio inspirata id exprimit,
creationem hominis nitide ab illa aliarum distinguens creaturarum.[208]

344 *Inter omnes creaturas mutua habetur necessitudo* eo quod omnes
293, 1939,   Eumdem habeant Creatorem, et omnes ad Eius ordinentur gloriam:
2416

« Laudatus sis, mi Domine, cum universa creatura Tua,
principaliter cum domino fratre Sole,
qui est dies, et illuminas nos per ipsum.
Et ipse est pulcher et irradians magno splendore;
de Te, Altissime, profert significationem...

1218   Laudatus sis, mi Domine, propter sororem Aquam,
quae est perutilis et humilis
et pretiosa et casta...

Laudatus sis, mi Domine, propter sororem nostram matrem Terram,
quae nos sustentat et gubernat,
et producit diversos fructus
cum coloratis floribus et herba...

Laudate et benedicite Dominum meum,
gratias agite et servite Illi
magna humilitate ».[209]

2168   345 *Sabbatum — finis operis « sex dierum »*. Textus sacer dicit: « Com-
plevitque Deus die septimo opus Suum, quod fecerat » et sic « perfecti
sunt caeli et terra »; atque Deus die septimo « requievit », huic « benedixit » diei et illum « sanctificavit » (*Gn* 2, 1-3). Haec inspirata verba doctrinis salutaribus sunt abundantia.

2169   346 Deus in creatione fundamentum posuit et leges quae stabilia permanent,[210]
super quae credens fidenter potest inniti et quae illi signum erunt et pignus in-

---

[207] Cf. *Ps* 145, 9.
[208] Cf. *Gn* 1, 26.
[209] SANCTUS FRANCISCUS ASSISIENSIS, *Canticum Fratris Solis: Opuscula sancti Patris Francisci Assisiensis*, ed. C. ESSER (Grottaferrata 1978) p. 84-86.
[210] Cf. *Heb* 4, 3-4.

concussae fidelitatis Foederis Dei.[211] Ex parte sua, homo fidelis huic fundamento manere debebit et leges vereri in illo a Creatore inscriptas.

347 Creatio intuitu sabbati effecta est et propterea intuitu cultus et adorationis Dei. Cultus est in creationis ordine inscriptus.[212] « Nihil operi Dei praeponatur », dicit sancti Benedicti Regula,[213] ita rectum sollicitudinum humanarum denotans ordinem. 1145-1152

348 Sabbatum in corde est Legis Israel. Servare mandata est sapientiae et voluntati Dei consonare in opere creationis Eius expressis. 2172

349 *Dies octavus.* Sed pro nobis, novus dies est ortus: dies resurrectionis Christi. Septimus dies primam concludit creationem. Octavus dies creationem incipit novam. Sic opus creationis culminat in maximo Redemptionis opere. Prima creatio sensum suum et culmen invenit in nova creatione in Christo, cuius splendor superat illum primae.[214] 2174

1046

Compendium

350 *Angeli creaturae sunt spirituales, quae Deum incessanter glorificant et qui Eius consiliis erga alias creaturas serviunt salvificis: « Ad omnia bona nostra cooperantur angeli ».*[215]

351 *Angeli Christum, Dominum circumstant suum. Illi serviunt peculiariter in effectione Eius missionis salvificae erga homines.*

352 *Ecclesia angelos veneratur qui eam in eius peregrinatione adiuvant terrestri et qui omne ens protegunt humanum.*

353 *Deus creaturarum Suarum diversitatem et earum propriam voluit bonitatem, earum interdependentiam et earum ordinem. Omnes creaturas materiales ad bonum generis destinavit humani. Homo, et per eum tota creatio, ad gloriam destinatur Dei.*

354 *Leges in creatione inscriptas observare atque relationes quae e rerum natura derivantur, principium est sapientiae et fundamentum moralitatis.*

---

[211] Cf. *Ier* 31, 35-37; 33, 19-26.
[212] Cf. *Gn* 1, 14.
[213] Sanctus Benedictus, *Regula*, 43, 3: CSEL 75, 106 (PL 66, 675).
[214] Cf. *Vigilia Paschalis, oratio post primam lectionem: Missale Romanum*, editio typica (Typis Polyglottis Vaticanis 1970) p. 276.
[215] Sanctus Thomas Aquinas, *Summa theologiae*, 1, 114, 3, ad 3: Ed. Leon. 5, 535.

Paragraphus 6

HOMO

1700
343
355 « Creavit Deus hominem ad imaginem Suam; ad imaginem Dei creavit illum; masculum et feminam creavit eos » (*Gn* 1, 27). Homo in creatione locum habet unicum: est « ad imaginem Dei » (I); in sua propria natura mundum spiritualem et mundum coniungit materialem (II); « masculus et femina » est creatus (III); Deus illum in Sua constituit amicitia (IV).

I. « Ad imaginem Dei »

1703, 2258
225
356 Inter omnes creaturas visibiles solus homo capax est « suum Creatorem cognoscendi et amandi »;[216] « in terris sola creatura est quam Deus propter seipsam voluerit »;[217] solus ille est vocatus ad vitam Dei, cognitione et amore, participandam. Ad hunc finem creatus est et in hoc fundamentalis habetur ratio eius dignitatis:

295
> « Quis fuit in causa, ut hominem in tanta dignitate locares? Amor inaestimabilis quo creaturam Tuam in Temetipso respexisti, de qua fuisti "philocaptus"; nam propter amorem eam creasti, propter amorem esse ei dedisti, ut summum Tuum aeternum gustaret Bonum ».[218]

1935
1877
357 Humanum individuum, quia est ad imaginem Dei, dignitatem habet *personae*: non est solum res aliqua, sed aliquis. Capax est se cognoscendi, se possidendi et se libere donandi atque in communionem ingrediendi cum aliis personis, est per gratiam ad Foedus cum suo Creatore vocatus, ad Illi fidei et amoris offerendum responsum quod nullus alius suo loco praebere potest.

299
901
358 Deus omnia creavit pro homine;[219] homo est creatus ut Deo serviat Eumque amet et Ei totam offerat creationem:

> « Quisnam igitur tandem est ille creandus, cui tantum honoris deferatur? Homo est, magnum illud animal et admirabile quodque omni creatura praestantius est apud Deum, propter quem caelum et terra et mare

---

[216] Concilium Vaticanum II, Const. past. *Gaudium et spes*, 12: AAS 58 (1966) 1034.
[217] Concilium Vaticanum II, Const. past. *Gaudium et spes*, 24: AAS 58 (1966) 1045.
[218] Sancta Catharina Senensis, *Il dialogo della Divina provvidenza,* 13: ed. G. Cavallini (Roma 1995) p. 43.
[219] Cf. Concilium Vaticanum II, Const. past. *Gaudium et spes*, 12: AAS 58 (1966) 1034; *Ibid.*, 24: AAS 58 (1966) 1045; *Ibid.*, 39: AAS 58 (1966) 1056-1057.

ac reliquum omne creaturae corpus est conditum: homo, cuius ita Deus salutem adamavit, ut ne Unigenito quidem Suo propter eum parceret: neque enim omnia praestare molirique destitit, donec in altum evectum in Sua dextera collocavit ».[220]

359 « Reapse nonnisi in mysterio Verbi incarnati mysterium hominis vere clarescit »:[221]   1701

« Duos homines beatus Apostolus hodie retulit humano generi dedisse principium, Adam videlicet et Christum. [...] Factus, inquit, primus homo Adam in animam viventem, novissimus Adam in spiritum vivificantem. Ille primus ab Isto novissimo factus est, a quo est et animam consecutus ut viveret. [...] Hic est Adam, qui Suam tunc in illo, cum fingeret, imaginem collocavit. Hinc est quod eius personam suscipit, nomen recipit, ne Sibi quod ad Suam imaginem fecerat deperiret. Primus Adam, novissimus Adam: ille primus habet initium, Hic novissimus non habet finem, quia Hic novissimus vere Ipse est primus, Ipso dicente: "Ego primus et ego novissimus" ».[222]   388, 411

360 Propter originis communitatem *genus humanum constituit unitatem*. Deus enim « fecit [...] ex uno omne genus hominum inhabitare super universam faciem terrae » (*Act* 17, 26):[223]   225, 404 775, 831 842

« Miro quodam mentis obtutu humanum genus, ob communem a Creatore originem unum intueri ac contemplari possumus [...]; itemque natura unum, quae ex corporis concretione et ex immortali spiritualique animo constat; unum ob proxime omnibus assequendum finem, obque commune per praesentis huius vitae decursum fungendum munus; unum ob eamdem habitationem, terrarum nempe orbem, cuius opibus naturali iure omnes frui possunt, ut sese alere queant seseque ad auctiora incrementa provehere; unum denique ob supernum finem, Deum Ipsum, quo contendant omnes oportet, et ob res atque adiumenta, quibus eundem finem tandem aliquando contingere valeant [...] Itemque ex una eademque Redemptione, quam Christus [ ] omnibus dilargitus est ».[224]

361 Haec lex « mutuae [...] hominum necessitudinis caritatisque »,[225] quin divitem varietatem personarum, culturarum et populorum excludat, nobis tutatur omnes homines vere esse fratres.   1939

---

[220] Sanctus Ioannes Chrysostomus, *Sermones in Genesim*, 2, 1: PG 54, 587-588.
[221] Concilium Vaticanum II, Const. past. *Gaudium et spes*, 22: AAS 58 (1966) 1042.
[222] Sanctus Petrus Chrysologus, *Sermones* 117, 1-2: CCL 24A, 709 (PL 52, 520).
[223] Cf. *Tb* 8, 6.
[224] Pius XII, Litt. enc. *Summi Pontificatus*: AAS 31 (1939) 427; cf. Concilium Vaticanum II, Decl. *Nostra aetate*, 1: AAS 58 (1966) 740.
[225] Pius XII, Litt. enc. *Summi Pontificatus*: AAS 31 (1939) 426.

II. « Corpore et anima unus »

362 Persona humana, ad imaginem Dei creata, simul est ens corporale
et spirituale. Narratio biblica hanc realitatem sermone exprimit symboli-
co, cum asserit: « Formavit Dominus Deus hominem pulverem de humo
et inspiravit in nares eius spiraculum vitae, et factus est homo in animam viventem » (*Gn* 2, 7). Totus ergo homo est a Deo *volitus*.

(margin: 1146, 2332)

363 In sacra Scriptura verbum *anima* saepe *vitam* denotat humanam [226]
vel totam humanam *personam*.[227] Sed denotat etiam id quod in homine
est summe intimum [228] et maximi valoris in illo,[229] per quod ille magis peculiariter est imago Dei: « anima » significat *principium spirituale* in homine.

(margin: 1703)

364 *Corpus* hominis dignitatem « imaginis Dei » participat; illud est
corpus humanum praecise quia anima spirituali animatur, atque tota
persona humana destinatur completa ut in corpore Christi templum
Spiritus fiat.[230]

(margin: 1004)

> « Corpore et anima unus, homo per ipsam suam corporalem condicio-
> nem elementa mundi materialis in se colligit, ita ut, per ipsum, fasti-
> gium suum attingant et ad liberam Creatoris laudem vocem attollant.
> Vitam ergo corporalem homini despicere non licet, e contra ipse corpus
> suum, utpote a Deo creatum et ultima die resuscitandum, bonum et
> honore dignum habere tenetur ».[231]

(margin: 2289)

365 Unitas animae et corporis ita est profunda ut anima « forma »
corporis considerari debeat; [232] id est propter animam spiritualem corpus,
materia constitutum, est corpus humanum et vivens; spiritus et materia
in homine non sunt duae naturae unitae, sed eorum unio unam solam
efficit naturam.

366 Ecclesia docet unamquamque animam spiritualem a Deo esse immediate creatam [233] — illa non est a parentibus « producta » —; ea nos

---

[226] Cf. *Mt* 16, 25-26; *Io* 15, 13.
[227] Cf. *Act* 2, 41.
[228] Cf. *Mt* 26, 38; *Io* 12, 27.
[229] Cf. *Mt* 10, 28; *2 Mac* 6, 30.
[230] Cf. *1 Cor* 6, 19-20; 15, 44-45.
[231] Concilium Vaticanum II, Const. past. *Gaudium et spes*, 14: AAS 58 (1966) 1035.
[232] Cf. Concilium Viennense (anno 1312), Const. « *Fidei catholicae* »: DS 902.
[233] Cf. Pius XII, Litt. enc. *Humani generis* (anno 1950): DS 3896; Paulus VI, *Sollemnis Professio fidei*, 8: AAS 60 (1968) 436.

etiam docet illam esse immortalem;[234] illa non perit cum a corpore separatur in morte, et iterum corpori unietur in resurrectione finali. 1005 997

367 Quandoque invenitur animam a spiritu distingui. Sic sanctus Paulus orat ut nostra « omnia, et integer spiritus [...] et anima et corpus » serventur « sine querela in Adventu Domini » (*1 Thess* 5, 23). Ecclesia docet hanc distinctionem dualitatem non introducere in animam.[235] « Spiritus » significat hominem inde a creatione sua ad suum finem supernaturalem ordinari,[236] animamque eius capacem esse quae gratuito ad communionem superelevetur cum Deo.[237] 2083

368 Ecclesiae traditio spiritualis etiam in *corde* insistit, sensu biblico « intimae profunditatis » (« in visceribus »: *Ier* 31, 33), ubi persona se decidit aut non decidit pro Deo.[238] 478, 582, 1431, 1764, 2517, 2562, 2843

III. « Masculum et feminam creavit eos »

2331-2336

Aequalitas et diversitas a Deo volitae

369 Vir et mulier *creati* sunt, id est sunt *a Deo voliti*: ex alia parte, in aequalitate perfecta quatenus personae humanae, ex alia vero in eorum esse specificum viri et mulieris. « Virum esse », « mulierem esse » realitas est bona et a Deo volita: vir et mulier dignitatem habent inamissibilem quae illis immediate a Deo eorum Creatore advenit.[239] Vir et mulier sunt, cum eadem dignitate, « ad imaginem Dei ». Illi in suo « virum-esse » et in suo « mulierem-esse » sapientiam et bonitatem reverberant Creatoris.

370 Deus nequaquam est ad imaginem hominis. Neque vir est neque mulier. Deus est spiritus purus in quo pro sexuum differentia locus non est. Sed viri et mulieris « perfectiones » aliquid infinitae perfectionis reverberant Dei: tales sunt perfectiones matris[240] et illae patris et sponsi.[241] 42, 239

---

[234] Cf. Concilium Lateranense V (anno 1513), Bulla *Apostolici regiminis*: DS 1440.
[235] Cf. Concilium Constantinopolitanum IV (anno 870), canon 11: DS 657.
[236] Cf. Concilium Vaticanum I, Const. dogm. *Dei Filius*, c. 2: DS 3005; Concilium Vaticanum II, Const. past. *Gaudium et spes*, 22: AAS 58 (1966) 1042-1043.
[237] Cf. Pius XII, Litt. enc. *Humani generis* (anno 1950): DS 3891.
[238] Cf. *Dt* 6, 5; 29, 3; *Is* 29, 13; *Ez* 36, 26; *Mt* 6, 21; *Lc* 8, 15; *Rom* 5, 5.
[239] Cf. *Gn* 2, 7. 22.
[240] Cf. *Is* 49, 14-15; 66, 13; *Ps* 131, 2-3.
[241] Cf. *Os* 11, 1-4; *Ier* 3, 4-19.

« ALIUS PRO ALIO » — « UNITAS DUORUM »

1605 371 Vir et mulier, *simul* creati, voliti sunt a Deo ut alius sit *pro* alio. Verbum Dei id suggerit intelligendum diversis textus sacri lineamentis. « Non est bonum esse hominem solum; faciam ei adiutorium simile sui » (*Gn* 2, 18). Nullum animalium tale « par » hominis esse potest.[242] Mulier quam Deus ex costa « efformat » de viro sublata quamque Ipse ad virum adduxit, admirationis ex parte viri provocat clamorem, amoris et communionis exclamationem: « Haec nunc os ex ossibus meis et caro de carne mea! » (*Gn* 2, 23). Vir mulierem detegit tamquam aliud « ego » eiusdem humanitatis.

372 Vir et mulier facti sunt « alius pro alio »: non quasi Deus eos nonnisi « dimidiatos » effecerit et « incompletos »; Ille eos pro personarum creavit communione, in qua unusquisque « adiutorium » esse potest pro alio, quia simul quatenus personae sunt aequales (« os ex ossibus meis... ») et quatenus masculinum et femininum sese mutuo complent.[243] 1652, 2366 In matrimonio, Deus eos ita coniungit ut « unam carnem » efformantes (*Gn* 2, 24) vitam humanam transmittere valeant: « Crescite et multiplicamini et replete terram » (*Gn* 1, 28). Vir et mulier, tamquam sponsi et parentes, suis descendentibus vitam transmittentes humanam, singulari modo, operi cooperantur Creatoris.[244]

307 373 In Dei consilio, vir et mulier vocationem habent subiiciendi terram[245] tamquam « administratores » Dei. Haec dominatus elatio arbitraria et destructiva esse non debet. Ad imaginem Creatoris qui diligit 2415 « omnia, quae sunt » (*Sap* 11, 24), vir et mulier vocantur ad divinam participandam providentiam erga alias creaturas. Exinde eorum responsabilitas pro mundo quem Deus illis concredidit.

IV. Homo in paradiso

374 Primus homo non solum est creatus bonus, sed in amicitia cum 54 Creatore suo et in harmonia cum semetipso et cum creatione illum circumstante constitutus est, quae solum a gloria novae creationis in Christo sunt superatae.

---

[242] Cf. *Gn* 2, 19-20.
[243] Cf. IOANNES PAULUS II, Ep. ap. *Mulieris dignitatem*, 7: AAS 80 (1988) 1664-1665.
[244] Cf. CONCILIUM VATICANUM II, Const. past. *Gaudium et spes*, 50: AAS 58 (1966) 1070-1071.
[245] Cf. *Gn* 1, 28.

375 Ecclesia symbolismum sermonis biblici authentice sub Novi Testamenti et Traditionis luce interpretans, docet primos nostros parentes, Adamum et Evam, in statu sanctitatis et iustitiae originalis constitutos esse.[246] Haec sanctitatis originalis gratia erat participatio vitae divinae.[247]

1997

376 Huius gratiae splendore omnes dimensiones vitae hominis confortabantur. Dum homo in intimitate permaneret divina, nec mori[248] nec pati debebat.[249] Interior harmonia personae humanae, harmonia inter virum et mulierem,[250] harmonia denique inter primum par humanum et totam creationem constituebat statum qui « iustitia originalis » appellatur.

1008
1502

377 Mundi « dominatus » quem Deus homini ab initio concesserat, imprimis apud ipsum hominem in rem ducebatur tamquam *sui dominatus.* Homo intactus erat et ordinatus in toto esse suo, quippe qui libera triplici concupiscentia[251] quae eum voluptatibus sensuum, bonorum terrenorum cupidini et affirmationi sui contra iussa submittit rationis.

2514

378 Signum familiaritatis hominis cum Deo est Deum eum in viridarium collocasse.[252] Ibi vivit ut illud « operaretur et custodiret » (*Gn* 2, 15): labor poena non est,[253] sed cooperatio viri et mulieris cum Deo in creatione visibili perficienda.

2415
2427

379 Tota haec iustitiae originalis harmonia, pro homine a consilio Dei praevisa, per peccatum nostrorum amittetur protoparentum.

Compendium

380 *Deus, « hominem ad Tuam imaginem condidisti, eique commisisti mundi curam universi, ut, Tibi soli Creatori serviens, creaturis omnibus imperaret ».*[254]

---

[246] Cf. Concilium Tridentinum, Sess. 5ª, *Decretum de peccato originali,* canon 1: DS 1511.
[247] Cf. Concilium Vaticanum II, Const. dogm. *Lumen gentium,* 2: AAS 57 (1965) 5-6.
[248] Cf. *Gn* 2, 17; 3, 19.
[249] Cf. *Gn* 3, 16.
[250] Cf. *Gn* 2, 25.
[251] Cf. *1 Io* 2, 16.
[252] Cf. *Gn* 2, 8.
[253] Cf. *Gn* 3, 17-19.
[254] *Prex eucharistica IV,* 118: *Missale Romanum,* editio typica (Typis Polyglottis Vaticanis 1970) p. 467.

381 *Homo praedestinatus est ut imaginem reproducat Filii Dei, hominis facti* — «*qui est imago Dei invisibilis*» (*Col* 1, 15) — *ut Christus primogenitus multitudinis fratrum sit et sororum.*[255]

382 *Homo est* «*corpore et anima unus*».[256] *Fidei doctrina affirmat animam spiritualem et immortalem immediate a Deo esse creatam.*

383 «*Deus non creavit hominem solum: nam inde a primordiis "masculum et feminam creavit eos"* (*Gn* 1, 27), *quorum consociatio primam formam efficit communionis personarum*».[257]

384 *Revelatio statum sanctitatis et iustitiae originalium viri et mulieris ante peccatum nobis cognoscendum praebet: ex eorum amicitia cum Deo exsistentiae eorum in paradiso promanabat felicitas.*

Paragraphus 7

LAPSUS

385 Deus infinite est bonus et omnia Eius opera bona sunt. Attamen nemo doloris, malorum in natura — quae tamquam limitibus creaturarum propriis apparent conexa — aufugit experientiam et praecipue quaestionem mali moralis. Unde venit malum? «Quaerebam, unde malum et non erat exitus», dicit sanctus Augustinus,[258] et eius propria dolorosa investigatio exitum non inveniet nisi in eius conversione ad Deum vivum. Quia «mysterium [...] iniquitatis» (*2 Thess* 2, 7) non illuminatur nisi sub luce mysterii pietatis.[259] Revelatio amoris divini in Christo simul extensionem mali et superabundantiam gratiae manifestavit.[260] Debemus igitur quaestionem originis mali considerare, nostrae fidei oculos coniicientes in Illum qui solus eius est victor.[261]

309

457

1848

539

[255] Cf. *Eph* 1, 3-6; *Rom* 8, 29.
[256] CONCILIUM VATICANUM II, Const. past. *Gaudium et spes*, 14: AAS 58 (1966) 1035.
[257] CONCILIUM VATICANUM II, Const. past. *Gaudium et spes*, 12: AAS 58 (1966) 1034.
[258] SANCTUS AUGUSTINUS, *Confessiones* 7, 7, 11: CCL 27, 99 (PL 32, 739).
[259] Cf. *1 Tim* 3, 16.
[260] Cf. *Rom* 5, 20.
[261] Cf. *Lc* 11, 21-22; *Io* 16, 11; *1 Io* 3, 8.

I. Ubi abundavit peccatum, superabundavit gratia

PECCATI REALITAS

386   Peccatum in historia hominis est praesens: vanum esset conari id
ignorare vel huic obscurae realitati alia praebere nomina. Ut quis intelligere enitatur quid peccatum sit, oportet *vinculum profundum hominis*   1847
cum Deo imprimis agnoscere, quia extra hanc relationem malum peccati
in sua vera identitate reiectionis Dei et oppositionis ad Illum non dete-
gitur, licet vitam hominis et historiam onerare pergat.

387   Realitas peccati et peculiarius peccati originum solummodo sub
Revelationis divinae illustratur luce. Sine cognitione quam illa nobis de
Deo praebet, peccatum clare nequit agnosci, et tentatio habetur illud   1848
tantum explicandi tamquam defectum in crescendo, tamquam psychologicam debilitatem, errorem, necessariam structurae socialis deficientis
consequentiam etc. Solummodo in cognitione consilii Dei de homine
intelligitur peccatum abusum esse libertatis quam Deus creatis donat   1739
personis ut Illum et se invicem possint amare.

PECCATUM ORIGINALE — ESSENTIALIS VERITAS FIDEI

388   Cum Revelationis progressu realitas etiam peccati illustrata est.   431
Licet populus Dei Veteris Testamenti ad dolorem condicionis humanae
sub luce historiae lapsus in Genesi narratae accesserit, huius historiae   208
ultimam non poterat assequi significationem quae solummodo sub luce
mortis et resurrectionis Iesu Christi manifestatur.[262] Necesse est Christum   359
tamquam gratiae cognoscere fontem ut Adam tamquam peccati fons
agnoscatur. Spiritus Paraclitus, a Christo resuscitato missus, venit ut
arguat « mundum de peccato » (*Io* 16, 8), Illum revelans qui eius est   729
Redemptor.

389   Peccati originalis doctrina est, ut ita dicatur, « aversa pars » huius
Boni Nuntii: Iesum omnium hominum esse Salvatorem, omnes egere sa-   422
lute atque salutem omnibus Christi offerri beneficio. Ecclesia quae sensum habet Christi,[263] scit revelationem peccati originalis attrectari non
posse quin Christi laedatur mysterium.

---

[262] Cf. *Rom* 5, 12-21.
[263] Cf. *1 Cor* 2, 16.

Ad narrationem lapsus legendam

289   390   Lapsus narratio (*Gn* 3) sermone utitur imaginibus confecto, sed eventum affirmat primordialem, factum quod *initio historiae hominis* locum habuit.[264] Revelatio nobis praebet fidei certitudinem de eo quod tota humana historia signata est originali culpa libere a nostris protoparentibus commissa.[265]

II. Angelorum lapsus

2538   391   Electioni inoboedienti nostrorum protoparentum vox subest seductrix, Deo opposita,[266] quae propter invidiam eos in mortem cadere facit.[267] Scriptura et Ecclesiae Traditio in hoc ente angelum perspiciunt lapsum, Satanam vel Diabolum appellatum.[268] Ecclesia docet eum primo angelum fuisse bonum, a Deo factum. « Diabolus et alii daemones a Deo quidem natura creati sunt boni, sed ipsi per se facti sunt mali ».[269]

1850   392   Scriptura loquitur de horum angelorum *peccato*.[270] Hic « lapsus » in libera electione horum creatorum consistit spirituum, qui radicaliter et irrevocabiliter Deum Eiusque *reiecerunt* Regnum. Huius rebellionis reverberationem in verbis Tentatoris ad protoparentes invenimus nostros:
2482   « Eritis sicut Deus » (*Gn* 3, 5). « A principio Diabolus peccat » (*1 Io* 3, 8), « mendax est et pater eius » (*Io* 8, 44).

393   *Irrevocabilis* indoles optionis angelorum, et non infinitae misericordiae divinae defectus, facit ut eorum peccatum remitti non possit.
1033-1037
« Post lapsum enim nulla ipsis paenitentia est, uti nec hominibus post
1022   mortem ».[271]

---

[264] Cf. Concilium Vaticanum II, Const past. *Gaudium et spes*, 13: AAS 58 (1966) 1034-1035.
[265] Cf. Concilium Tridentinum, Sess. 5ª, *Decretum de peccato originali*, canon 3: DS 1513; Pius XII, Litt. enc. *Humani generis*: DS 3897; Paulus VI, *Allocutio iis qui interfuerunt Coetui v. d. « Simposio » a theologis doctisque viris habito de originali peccato* (11 iulii 1966): AAS 58 (1966) 649-655.
[266] Cf. *Gn* 3, 1-5.
[267] Cf. *Sap* 2, 24.
[268] Cf. *Io* 8, 44; *Apc* 12, 9.
[269] Concilium Lateranense IV (anno 1215), Cap. 1, *De fide catholica*: DS 800.
[270] Cf. *2 Pe* 2, 4.
[271] Sanctus Ioannes Damascenus, *Expositio fidei* 18 [*De fide orthodoxa* 2, 4]: PTS 12, 50 (PG 94, 877).

394   Scriptura nefastum testatur influxum illius qui a Iesu « homicida [...] ab initio » (*Io* 8, 44) appellatur quique etiam Iesum a missione a Patre accepta conatus est deviare.[272] « Propter hoc apparuit Filius Dei, ut dissolvat opera Diaboli » (*1 Io* 3, 8). Horum operum gravissimum propter consequentias mendax fuit seductio quae hominem induxit ut Deo inoboediret.

538-540
550
2846-2849

395   Potentia tamen Satanae infinita non est. Ille non est nisi creatura, potens propterea quod purus est spiritus, sed semper creatura: aedificationem Regni Dei impedire non potest. Quamquam Satanas ex odio contra Deum Eiusque Regnum in Iesu Christo in mundo agit, et quamquam eius actio gravia causat damna — naturae spiritualis et indirecte etiam naturae physicae — unicuique homini et societati, haec actio a divina permittitur providentia quae fortiter et suaviter historiam hominis regit et mundi. Permissio divina activitatis diabolicae magnum est mysterium, « scimus autem quoniam diligentibus Deum omnia cooperantur in bonum » (*Rom* 8, 28).

309
1673
412
2850-2854

III. Peccatum originale

Libertatis probatio

396   Deus hominem ad Suam creavit imaginem et in amicitia constituit Sua. Homo, creatura spiritualis, in hac amicitia vivere non potest nisi per modum liberae submissionis ad Deum. Hoc exprimit prohibitio homini facta edendi de arbore scientiae boni et mali, « in quocumque enim die comederis ex eo, morte morieris » (*Gn* 2, 17). Lignum « scientiae boni et mali » (*Gn* 2, 17) symbolice limitem suggerit intransgressibilem quem homo, quatenus creatura, libere agnoscere et fidenter observare debet. Homo a Creatore pendet, legibus creationis et normis est submissus moralibus quae libertatis regulant usum.

1730
311
301

Primum peccatum hominis

397   Homo, a Diabolo tentatus, fiduciam erga suum Creatorem in corde mori sivit suo [273] et sua libertate abutens, Dei mandato *inoboedivit*. In

1707, 2541

---

[272] Cf. *Mt* 4, 1-11.
[273] Cf. *Gn* 3, 1-11.

1850
215
hoc hominis primum constitit peccatum.[274] Omne exinde peccatum inoboedientia erit relate ad Deum et defectus fiduciae in Eius bonitatem.

2084

2113
398   In hoc peccato, homo se ipsum praefert Deo, et eo ipso Deum
contemnit: electionem sui ipsius contra Deum fecit, contra exigentias sui
status creaturae et exinde contra suum proprium bonum. Homo, constitutus in statu sanctitatis, destinabatur ut plene esset a Deo in gloria
« deificatus ». Per Diaboli seductionem, voluit « sicut Deus esse »,[275] sed
« extra Deum, et prae Deo, et non secundum Deum ».[276]

399   Scriptura tragicas huius primae inoboedientiae ostendit consequentias. Adam et Eva sanctitatis originalis gratiam amittunt illico.[277] Metum
habent Dei,[278] cuius falsam conceperunt imaginem, illam Dei Suarum
avidi praerogativarum.[279]

1607
2514

602, 1008
400   Harmonia in qua erant, propter originalem iustitiam stabilita, destructa est; dominatus facultatum animae spiritualium in corpus ruptus
est;[280] viri et mulieris unio est submissa tensionibus;[281] eorum relationes a
cupidine et dominatione signabuntur.[282] Harmonia cum creatione est
fracta: creatio visibilis facta est pro homine aliena et hostilis.[283] Propter
hominem creatio servituti corruptionis subiecta est.[284] Denique consequentia pro inoboedientiae casu explicite nuntiata[285] ducetur in rem:
homo in pulverem revertetur, unde sumptus est.[286] *Mors in historiam
ingreditur humanitatis*[287].

1865, 2259
401   Post primum peccatum, vera « invasio » peccati mundum replet:
fratricidium a Cain commissum in Abelem;[288] universalis corruptio con-

---

[274] Cf. *Rom* 5, 19.
[275] Cf. *Gn* 3, 5.
[276] Sanctus Maximus Confessor, *Ambiguorum liber*: PG 91, 1156.
[277] Cf. *Rom* 3, 23.
[278] Cf. *Gn* 3, 9-10.
[279] Cf. *Gn* 3, 5.
[280] Cf. *Gn* 3, 7.
[281] Cf. *Gn* 3, 11-13.
[282] Cf. *Gn* 3, 16.
[283] Cf. *Gn* 3, 17. 19.
[284] Cf. *Rom* 8, 20.
[285] Cf. *Gn* 2, 17.
[286] Cf. *Gn* 3, 19.
[287] Cf. *Rom* 5, 12.
[288] Cf. *Gn* 4, 3-15.

sequenter ad peccatum; [289] etiam in historia Israel peccatum saepe manifestatur praesertim tamquam infidelitas erga Deum Foederis et tamquam transgressio Legis Moysis; etiam post Redemptionem Christi, inter christianos, peccatum multipliciter manifestatur.[290] Scriptura et Traditio Ecclesiae praesentiam et *universalitatem peccati in historia* hominum
memorare non desinunt:

1739

> « Quod Revelatione divina nobis innotescit, cum ipsa experientia con-
> cordat. Nam homo, cor suum inspiciens, etiam ad malum inclinatum se
> comperit et in multiplicibus malis demersum, quae a bono suo Creatore
> provenire non possunt. Deum tamquam principium suum saepe agno-
> scere renuens, etiam debitum ordinem ad finem suum ultimum, simul ac
> totam suam sive erga seipsum sive erga alios homines et omnes res
> creatas ordinationem disrupit ».[291]

Consequentiae peccati Adami pro humanitate

402   Omnes homines peccato Adami implicantur. Sanctus Paulus hoc
affirmat: « Per inoboeditionem unius hominis peccatores constituti sunt
multi » (*Rom* 5, 19), id est omnes homines: « Sicut per unum hominem
peccatum in hunc mundum intravit et per peccatum mors, et ita in omnes homines mors pertransiit, eo quod omnes peccaverunt... » (*Rom* 5,
12). Universalitati peccati et mortis, contraponit Apostolus universalitatem salutis in Christo: « Sicut per unius delictum in omnes homines in
condemnationem, sic et per unius [Christi] iustitiam in iustificationem
vitae » (*Rom* 5, 18).

430, 605

403   Ecclesia, sanctum Paulum sequens, semper docuit immensam miseriam, quae homines opprimit, et eorum inclinationem ad malum et ad
mortem comprehensibiles non esse sine earum vinculo cum peccato
Adami et cum facto quod ille nobis peccatum transmisit, quo omnes af-
fecti nascimur et quod est « mors animae ».[292] Propter hanc fidei certitudinem, Ecclesia Baptismum praebet in remissionem peccatorum etiam
infantibus qui peccatum personale non commiserunt.[293]

2606

1250

---

[289] Cf. *Gn* 6, 5. 12; *Rom* 1, 18-32.
[290] Cf. *1 Cor* 1-6; *Apc* 2-3.
[291] Concilium Vaticanum II, Const. past. *Gaudium et spes*, 13: AAS 58 (1966) 1035.
[292] Cf. Concilium Tridentinum, Sess. 5ª, *Decretum de peccato originali*, canon 2: DS
1512.
[293] Cf. Concilium Tridentinum, Sess. 5ª, *Decretum de peccato originali*, canon 4: DS
1514.

404 Quomodo peccatum Adami est peccatum omnium eius descendentium effectum? Totum genus humanum est in Adamo « sicut unum corpus unius hominis ».[294] Propter hanc « generis humani unitatem » omnes homines implicantur peccato Adami, sicut omnes iustitia Christi implicantur. Transmissio tamen peccati originalis est mysterium quod plene comprehendere non possumus. Sed per Revelationem scimus Adamum sanctitatem et iustitiam recepisse originales non pro se tantum, sed pro tota humana natura: Tentatori obsecundantes, Adam et Eva *peccatum personale* committunt, sed hoc peccatum *naturam humanam* afficit, quam illi *in statu lapso* sunt transmissuri.[295] Est peccatum quod toti humanitati per propagationem transmittetur, id est per transmissionem naturae humanae privatae originalibus sanctitate et iustitia. Hac de causa, peccatum originale appellatur « peccatum » modo analogico: est peccatum « contractum » et non commissum, status et non actus.

405 Peccatum originale, licet unicuique proprium,[296] in nullo descendente Adami indolem habet culpae personalis. Originalium sanctitatis et iustitiae est privatio, sed natura humana totaliter corrupta non est: ea in propriis viribus naturalibus est vulnerata, ignorantiae, dolori et mortis imperio submissa, et ad peccatum inclinata (haec ad malum inclinatio « concupiscentia » appellatur). Baptismus, vitam gratiae Christi donans, peccatum delet originale et hominem ad Deum convertit, sed consequentiae pro natura, debilitata et ad malum inclinata, permanent in homine eumque ad luctam vocant spiritualem.

406 Doctrina Ecclesiae de peccati originalis transmissione praesertim saeculo V, praecipue sub impulsu considerationis sancti Augustini contra pelagianismum, est determinata, et saeculo XVI in oppositione ad protestantium Reformationem. Pelagius tenebat hominem naturali vi suae liberae voluntatis, sine necessario adiutorio gratiae, posse vitam moraliter ducere bonam; sic culpae Adami reducebat influxum ad illum mali exempli. E contra, priores reformatores protestantes docebant per peccatum originum hominem radicaliter esse perversum et eius libertatem ad nihilum reductam; peccatum hereditate ab unoquoque homine receptum idem putabant ac tendentiam ad malum (*concupiscentiam*) quae insuperabilis esset. Ecclesia de sensu dati revelati circa peccatum originale

---

[294] Sanctus Thomas Aquinas, *Quaestiones disputatae de malo*, 4, 1, c.: Ed. Leon. 23, 105.
[295] Cf. Concilium Tridentinum, Sess. 5ª, *Decretum de peccato originali*, canones 1-2: DS 1511-1512.
[296] Cf. Concilium Tridentinum, Sess. 5ª, *Decretum de peccato originali*, canon 3: DS 1513.

(marginalia: 360, 50, 2515, 1264)

specialiter se expressit in Concilio Arausicano II anno 529 [297] et in Concilio Tridentino anno 1546.[298]

ARDUA LUCTA...

407   Doctrina de peccato originali — conexa cum illa de Redemptione per Christum — intuitum praebet lucidae discretionis circa statum hominis eiusque operationem in mundo. Per protoparentum peccatum Diabolus dominatum quemdam acquisivit super hominem, quamvis hic permaneat liber. Peccatum originale secum fert « captivitatem sub eius potestate, "qui mortis" deinde "habuit imperium", hoc est Diaboli ».[299] Ignorare hominem naturam habere vulneratam, ad malum inclinatam, gravibus erroribus ansam praebet in campo educationis, rei politicae, actionis socialis [300] et morum.

2015
2852

1888

408   Consequentiae peccati originalis et omnium personalium peccatorum hominum conferunt mundo, in eius complexu, peccatricem condicionem, quae sancti Ioannis potest expressione denotari: « peccatum mundi » (*Io* 1, 29). Per hanc expressionem etiam negativus significatur influxus quem condiciones communitariae et structurae sociales, quae peccatorum hominum sunt fructus, super personas exercent.[301]

1865

409   Hic tragicus status mundi, qui « totus in Maligno positus est » (*1 Io* 5, 19),[302] vitam hominis reddit luctam:

2516

> « Universam enim hominum historiam ardua colluctatio contra potestates tenebrarum pervadit, quae inde ab origine mundi incepta, usque ad ultimum diem, dicente Domino, perseverabit. In hanc pugnam insertus, homo ut bono adhaercat iugiter certare debet, nec sine magnis laboribus, Dei gratia adiuvante, in seipso unitatem obtinere valet ».[303]

---

[297] CONCILIUM ARAUSICANUM II, Canones 1-2: DS 371-372.

[298] CONCILIUM TRIDENTINUM, Sess. 5ᵃ, *Decretum de peccato originali*: DS 1510-1516.

[299] CONCILIUM TRIDENTINUM, Sess. 5ᵃ, *Decretum de peccato originali*, canon 1: DS 1511; cf. *Heb* 2, 14.

[300] Cf. IOANNES PAULUS II, Litt. enc. *Centesimus annus*, 25: AAS 83 (1991) 823-824.

[301] Cf. IOANNES PAULUS II, Adh. ap. *Reconciliatio et paenitentia*, 16: AAS 77 (1985) 213-217.

[302] Cf. *1 Pe* 5, 8.

[303] CONCILIUM VATICANUM II, Const. past. *Gaudium et spes*, 37: AAS 58 (1966) 1055.

IV. « Non dereliquisti eum in mortis imperio »

55, 705 410 Homo post suum lapsum non est a Deo derelictus. E contra,
1609, 2568 Deus eum vocat [304] et ei, modo arcano, victoriam supra malum annuntiat
et elevationem de lapsu.[305] Hic locus Genesis est « Protoevangelium » appellatus, quia primus est Messiae Redemptoris nuntius, luctae inter ser-
675 pentem et Mulierem et finalis victoriae cuiusdam a Muliere descendentis.

359, 615 411 Traditio christiana hoc loco nuntium videt « novi Adami »,[306] qui
propter suam oboedientiam « usque ad mortem [...] crucis » (*Philp* 2, 8),
superabundanter inoboedientiam reparat Adami.[307] Ceterum, plures Patres et Ecclesiae doctores in Muliere annuntiata in « Protoevangelio »
Matrem Christi agnoscunt Mariam, tamquam « novam Evam ». Illa fuit
quae prima, et modo singulari, victoria a Christo de peccato reportata
491 fruita est: illa ab omni labe peccati originalis praeservata est immunis [308]
et per totam suam vitam terrenam, propter gratiam Dei specialem, nullum commisit peccati genus.[309]

310, 395 412 Sed *cur Deus primum hominem peccare non impedivit*? Sanctus Leo
Magnus respondet: sumus « ampliora adepti per ineffabilem Christi gratiam quam per Diaboli amiseramus invidiam ».[310] Et sanctus Thomas
Aquinas: « Nihil autem prohibet ad aliquid maius humanam naturam
272 productam esse post peccatum: Deus enim permittit mala fieri ut inde
aliquid melius eliciat. Unde dicitur *Rom* 5, 20: "Ubi abundavit iniqui-
tas, superabundavit et gratia". Unde et in benedictione Cerei Paschalis
1994 dicitur: "O felix culpa, quae talem ac tantum meruit habere Redemptorem!" ».[311]

Compendium

413 « *Deus mortem non fecit nec laetatur in perditione vivorum* [...]. *Invidia
autem Diaboli mors introivit in orbem terrarum*» (*Sap* 1, 13; 2, 24).

---

[304] Cf. *Gn* 3, 9.
[305] Cf. *Gn* 3, 15.
[306] Cf. *1 Cor* 15, 21-22. 45.
[307] Cf. *Rom* 5, 19-20.
[308] Cf. Pius IX, Bulla *Ineffabilis Deus*: DS 2803.
[309] Cf. Concilium Tridentinum, Sess. 6ª, *Decretum de iustificatione*, canon 23: DS 1573.
[310] Sanctus Leo Magnus, *Sermo* 73, 4: CCL 88A, 453 (PL 54, 151).
[311] Sanctus Thomas Aquinas, *Summa theologiae*, 3, q. 1, a. 3, ad 3: Ed. Leon. 11, 14;
verba a sancto Thoma hic allata in Praeconio Paschali « Exsultet » cantantur.

414   *Satan seu Diabolus ceteraque demonia angeli sunt lapsi quia libere renuerunt Deo Eiusque servire consilio. Eorum contra Deum optio definitiva est. Hominem eorum rebellioni contra Deum sociare conantur.*

415   « *In iustitia a Deo constitutus, homo tamen, suadente Maligno, inde ab exordio historiae, libertate sua abusus est, seipsum contra Deum erigens et finem suum extra Deum attingere cupiens* ».[312]

416   *Adam, quatenus primus homo, per peccatum suum, sanctitatem et iustitiam amisit originales quas a Deo receperat, non solum sibi, sed omnibus hominibus.*

417   *Adam et Eva posteritati suae naturam humanam per suum primum peccatum transmiserunt vulneratam, et ideo sanctitate et iustitia privatam originalibus. Haec privatio « peccatum originale » appellatur.*

418   *Consequenter ad peccatum originale, natura humana est in suis viribus debilitata, ignorantiae, dolori et mortis dominatui submissa, atque ad peccatum inclinata (haec inclinatio appellatur « concupiscentia »).*

419   « *Tenemus igitur, Concilium Tridentinum secuti, peccatum originale, una cum natura humana, transfundi "propagatione, non imitatione", idque "inesse unicuique proprium"* ».[313]

420   *Victoria de peccato a Christo reportata nobis bona donavit meliora illis quae peccatum nobis abstulerat: « Ubi autem abundavit peccatum, superabundavit gratia » (Rom 5, 20).*

421   « *Mundum [...] christifideles credunt ex amore Creatoris conditum et conservatum, sub peccati quidem servitute positum, sed a Christo crucifixo et resurgente, fracta potestate Maligni, liberatum...* ».[314]

---

[312] CONCILIUM VATICANUM II, Const. past. *Gaudium et spes*, 13: AAS 58 (1966) 1034-1035.
[313] PAULUS VI, *Sollemnis Professio fidei*, 16: AAS 60 (1968) 439.
[314] CONCILIUM VATICANUM II, Const. past. *Gaudium et spes*, 2: AAS 58 (1966) 1026.

CREDO IN IESUM CHRISTUM, FILIUM DEI UNICUM

Bonus Nuntius: Deus Filium Suum misit

389

2763

422 « At ubi venit plenitudo temporis, misit Deus Filium Suum, factum ex muliere, factum sub Lege, ut eos, qui sub Lege erant, redimeret, ut adoptionem filiorum reciperemus » (*Gal* 4, 4-5). En Evangelium Iesu Christi Filii Dei:[1] Deus populum Suum visitavit.[2] Promissiones Abraham et semini eius factas implevit.[3] Id ultra omnem fecit exspectationem: misit Filium Suum dilectum.[4]

423 Credimus et profitemur Iesum ex Nazareth, Iudaeum natum de filia Israel in Bethlehem, tempore regis Herodis Magni et imperatoris Caesaris Augusti I, munere fabri lignarii fungentem, mortuum crucifixum Hierosolymis, sub Pontio Pilato procuratore, imperatore Tiberio regnante, aeternum esse Dei Filium hominem factum qui « a Deo exivit » (*Io* 13, 3), « qui descendit de caelo » (*Io* 3, 13; 6, 33), qui in carne venit,[5] quia « Verbum caro factum est et habitavit in nobis, et vidimus gloriam Eius, gloriam quasi Unigeniti a Patre, plenum gratiae et veritatis. [...] Et de plenitudine Eius nos omnes accepimus, et gratiam pro gratia » (*Io* 1, 14. 16).

683

552

424 Gratia moti Spiritus Sancti et a Patre tracti, credimus et confitemur relate ad Iesum: « Tu es Christus, Filius Dei vivi » (*Mt* 16, 16). Super huius fidei petram, quam Petrus confessus est, Christus Suam fundavit Ecclesiam.[6]

---

[1] Cf. *Mc* 1, 1.
[2] Cf. *Lc* 1, 68.
[3] Cf. *Lc* 1, 55.
[4] Cf. *Mc* 1, 11.
[5] Cf. *1 Io* 4, 2.
[6] Cf. *Mt* 16, 18; Sanctus Leo Magnus, *Sermo* 4, 3: CCL 88, 19-20 (PL 54, 151); *Sermo* 51, 1: CCL 88A, 296-297 (PL 54, 309); *Sermo* 62, 2: CCL 88A, 377-378 (PL 54, 350-351); *Sermo* 83, 3: CCL 88A, 521-522 (PL 54, 432).

« Evangelizare investigabiles divitias Christi » (*Eph* 3, 8)

425 Fidei christianae transmissio est imprimis Iesu Christi nuntius ut homines ad fidem in Illum adducantur. Ab initio, priores discipuli desiderio arserunt Christum nuntiandi: « Non enim possumus nos, quae vidimus et audivimus non loqui » (*Act* 4, 20). Omnium temporum homines invitant ut in gaudium eorum communionis cum Christo ingrediantur: 850, 858

> « Quod audivimus, quod vidimus oculis nostris, quod perspeximus et manus nostrae contrectaverunt de Verbo vitae — et vita apparuit, et vidimus et testamur et annuntiamus vobis vitam aeternam, quae erat coram Patre et apparuit nobis — quod vidimus et audivimus, annuntiamus et vobis, ut et vos communionem habeatis nobiscum. Communio autem nostra est cum Patre et cum Filio Eius Iesu Christo. Et haec scribimus nos, ut gaudium nostrum sit plenum » (*1 Io* 1, 1-4).

In catechesis corde: Christus

426 « Illico ergo affirmandum est in ipsa catecheseos intima ratione   1698
hanc potissimum personam inveniri: Iesu Christi Nazareni, "Unigeniti a Patre" [...]; qui passus ac pro nobis mortuus est; quique iam, quandoquidem resurrexit, vivit semper nobiscum. [...] Catechesim tradere [...]
idem valet ac patefacere in Christi Persona universum Dei consilium aeternum [...]; idem ac sensum gestuum et verborum Christi comprehende-   513
re studere necnon signorum, quae Ipse perpetravit ».[7] Catechesis scopus: « Ut quis [...] ad communionem cum Eo [cum Iesu Christo] [...] perveniat; Ipse enim solus conducere aliquem potest ad amorem Patris in Spiritu et ad Sanctissimae Trinitatis vitam participandam ».[8]   260

427 « Affirmari ergo oportet in catechesi Christum, Verbum incarna-   2145
tum et Filium Dei, institutione tradi, cetera autem prout ad Eum referantur; solum Christum docere, quemvis alium docentem ea dumtaxat ratione, qua Eius sit nuntius seu interpres et qua Christus per huius os loquatur. [...] Oportet ergo ad omnem catecheseos institutorem haec   876
arcana verba Christi possint transferri: "Mea doctrina non est mea, sed Eius qui misit me" (*Io* 7, 16) ».[9]

428 Qui ad Christum evangelizandum vocatus est, debet igitur imprimis « eminentiam scientiae Christi Iesu quaerere »; oportet eum « omnia

---

[7] Ioannes Paulus II, Adh. ap. *Catechesi tradendae*, 5: AAS 71 (1979) 1280-1281.
[8] Ioannes Paulus II, Adh. ap. *Catechesi tradendae*, 5: AAS 71 (1979) 1281.
[9] Ioannes Paulus II, Adh. ap. *Catechesi tradendae*, 6: AAS 71 (1979) 1281-1282.

detrimentum facere», «ut Christum» lucrifaciat et inveniatur «in Illo», «ad cognoscendum Illum et virtutem Resurrectionis Eius et communionem passionum Illius, conformans» se «morti Eius, si quo modo» occurrat «ad resurrectionem, quae est ex mortuis» (*Philp* 3, 8-11).

851   429   Ex hac Christi cognitione amore affecta, desiderium scaturit Illum annuntiandi, «evangelizandi», et alios adducendi ad «assensum» fidei in Iesum Christum. Sed simul necessitas percipitur hanc fidem semper melius cognoscendi. Ad hunc scopum, secundum ordinem Symboli fidei, imprimis praecipui Iesu praesentabuntur tituli: Christus, Filius Dei, Dominus (*articulus 2*). Symbolum deinde confitetur praecipua vitae Christi mysteria: illa Incarnationis Eius (*articulus 3*), illa Paschatis Eius (*articuli 4 et 5*), denique illa Eius glorificationis (*articuli 6 et 7*).

Articulus 2
« ET IN IESUM CHRISTUM, FILIUM EIUS UNICUM, DOMINUM NOSTRUM »

I. Iesus

210   430   *Iesus* Hebraice significat: «Deus salvat». In Annuntiatione, Angelus Gabriel Ei, tamquam nomen proprium, nomen Iesu dedit, quod simul identitatem Eius exprimit et missionem.[10] Quia nemo «potest dimittere peccata nisi solus Deus» (*Mc* 2, 7), in Iesu, Filio Suo

402   aeterno, homine facto, Ipse «salvum faciet populum Suum a peccatis eorum» (*Mt* 1, 21). Sic in Iesu, Deus totam Suam historiam recapitulat salutis pro hominibus.

       431   In historia salutis Deus satis non habuit Israel «de domo servitutis» (*Dt* 5, 6) liberare, eum de Aegypto faciens exire. Ille eum etiam de

1441, 1850   eius salvat peccato. Quia peccatum semper offensa est Deo illata,[11] solus

388   Ille potest id absolvere.[12] Hac de causa, Israel semper maiorem acquirens conscientiam universalitatis peccati, amplius salutem quaerere non poterit nisi in invocatione nominis Dei Redemptoris.[13]

---

[10] Cf. *Lc* 1, 31.
[11] Cf. *Ps* 51, 6.
[12] Cf. *Ps* 51, 11.
[13] Cf. *Ps* 79, 9.

432 Nomen Iesu significat ipsum Nomen Dei praesens in Persona esse Filii Sui,[14] hominis facti ad peccatorum universalem et definitivam Redemptionem. Iesus est Nomen divinum, quod solum affert salutem [15] et ab omnibus exinde invocari potest, quia Ipse per Incarnationem omnibus hominibus Se univit [16] ita ut nullum aliud sit nomen « sub caelo datum in hominibus, in quo oportet nos salvos fieri » (*Act* 4, 12).[17]

589, 2666

389

161

433 Nomen Dei Salvatoris semel in anno a summo sacerdote pro expiatione peccatorum Israel invocabatur, cum ille Sanctissimi propitiatorium sanguine asperserat sacrificii.[18] Propitiatorium locus erat praesentiae Dei.[19] Cum sanctus Paulus dicit de Iesu: « quem proposuit Deus propitiationem [...] in sanguine Ipsius » (*Rom* 3, 25), significat quod in Eius humanitate, « Deus erat in Christo mundum reconcilians Sibi » (*2 Cor* 5, 19).

615

434 Iesu resurrectio Nomen Dei glorificat « Salvatoris »,[20] quia exinde Nomen Iesu supremam potentiam plene manifestat Nominis « quod est super omne nomen » (*Philp* 2, 9-10). Spiritus maligni nomen timent Eius [21] et in nomine Eius discipuli Iesu faciunt miracula,[22] quoniam quodcumque petunt a Patre in nomine Eius, dat illis.[23]

2812

2614

435 Nomen Iesu in corde est orationis christianae. Omnes liturgicae orationes formula concluduntur: « per Dominum nostrum Iesum Christum ». Oratio « Ave Maria » culminat verbis: « Et benedictus fructus ventris tui, Iesus ». Orientalis oratio cordis, « oratio Iesu » appellata, dicit: « Iesu Christe, Fili Dei, Domine, miserere mei peccatoris ». Plures christiani moriuntur solum verbum « Iesu », sicut sancta Ioanna de Arco, habentes in ore.[24]

2667-2668

2676

---

[14] Cf. *Act* 5, 41; *3 Io* 7.
[15] Cf. *Io* 3, 18; *Act* 2, 21.
[16] Cf. *Rom* 10, 6-13.
[17] Cf. *Act* 9, 14; *Iac* 2, 7.
[18] Cf. *Lv* 16, 15-16; Eccli 50, 22; *Heb* 9, 7.
[19] Cf. *Ex* 25, 22; *Lv* 16, 2; *Nm* 7, 89; *Heb* 9, 5.
[20] Cf. *Io* 12, 28.
[21] Cf. *Act* 16, 16-18; 19, 13-16.
[22] Cf. *Mc* 16, 17.
[23] Cf. *Io* 15, 16.
[24] Cf. *La réhabilitation de Jeanne la Pucelle. L'enquête ordonnée par Charles VII en 1450 et le codicille de Guillaume Bouillé*, ed. P. Doncoeur-Y. Lanhers (Paris 1956) p. 39. 45. 56.

II. Christus

436 *Christus* e versione graeca venit verbi Hebraici « Messias » quod
« unctus » significat. Id proprium effectum non est nomen Iesu nisi quia
Ipse perfecte missionem divinam adimplet quam id indicat. In Israel
etenim in nomine Dei illi ungebantur qui consecrabantur Ei ad missionem ab Eo procedentem. Talis casus erat regum,[25] sacerdotum[26] et,
quandoque, Prophetarum.[27] Talis, per excellentiam, casus debebat esse
Messiae quem Deus ad Regnum Suum definitive instaurandum missurus
erat.[28] Oportebat Messiam per Spiritum Domini unctum esse[29] tamquam
regem simul et sacerdotem,[30] sed etiam tamquam Prophetam.[31] Iesus
spem Israel adimplevit messianicam in Suo triplici munere sacerdotis,
prophetae et regis.

437 Angelus pastoribus Nativitatem Iesu nuntiavit tamquam illam Messiae Israel promissi: « Natus est vobis hodie Salvator, qui est Christus
Dominus, in civitate David » (*Lc* 2, 11). Ab origine est Ille « quem Pater
sanctificavit et misit in mundum » (*Io* 10, 36), tamquam « sanctum » in
sinu virginali Mariae conceptum.[32] Ioseph a Deo vocatus est ut Mariam
acciperet coniugem suam in utero habentem id « quod [...] in ea natum est
de Spiritu Sancto » (*Mt* 1, 20), ut Iesus, « qui vocatur Christus », ex uxore
Ioseph nascatur in generatione messianica David (*Mt* 1, 16).[33]

438 Messianica Iesu consecratio Suam divinam manifestat missionem.
« Quemadmodum et ipsum nomen significat: in Christi enim nomine
subauditur qui unxit et Ipse qui unctus est, et ipsa unctio in qua unctus
est; et unxit quidem Pater, unctus est vero Filius, in Spiritu, qui est
Unctio ».[34] Eius messianica aeterna consecratio est tempore Eius vitae
terrestris revelata cum a Ioanne baptizatus est, cum « unxit Eum Deus
Spiritu Sancto et virtute » (*Act* 10, 38), « ut manifestetur Israel » (*Io* 1,
31) sicut Eius Messias. Eius opera et verba Eum cognoscendum praebent tamquam « Sanctum Dei ».[35]

690, 695

711-716
783

486, 525

727

535

---

[25] Cf. *1 Sam* 9, 16; 10, 1; 16, 1. 12-13; *1 Reg* 1, 39.
[26] Cf. *Ex* 29, 7; *Lv* 8, 12.
[27] Cf. *1 Reg* 19, 16.
[28] Cf. *Ps* 2, 2; *Act* 4, 26-27.
[29] Cf. *Is* 11, 2.
[30] Cf. *Zach* 4, 14; 6, 13.
[31] Cf. *Is* 61, 1; *Lc* 4, 16-21.
[32] Cf. *Lc* 1, 35.
[33] Cf. *Rom* 1, 3; *2 Tim* 2, 8; *Apc* 22, 16.
[34] Sanctus Irenaeus Lugdunensis, *Adversus haereses* 3, 18, 3: SC 211, 350 (PG 7, 934).
[35] Cf. *Mc* 1, 24; *Io* 6, 69; *Act* 3, 14.

439 Plures Iudaei atque etiam quidam gentiles qui illorum participa-   528-529
bant spem, in Iesu fundamentalia agnoverunt lineamenta messianici « filii David » a Deo Israel promissi.[36] Iesus titulum Messiae acceptavit, in   547
quem ius habebat,[37] sed non sine cautela, quia a nonnullis Eius coaetaneis secundum conceptionem nimis humanam,[38] essentialiter politicam
intelligebatur.[39]

440 Iesus professionem fidei Petri, qui Illum tamquam Messiam agno-   552
scebat, acceptavit, proximam annuntians Filii hominis passionem.[40] Authenticum Suae regalitatis messianicae contentum simul detexit in identitate transcendenti Filii hominis « qui descendit de caelo » (*Io* 3, 13),[41]
et in Sua missione redemptrice Servi patientis: « Filius hominis non venit ministrari sed ministrare et dare animam Suam Redemptionem pro
multis » (*Mt* 20, 28).[42] Propterea verus sensus Eius regalitatis nonnisi ex   550
crucis summitate manifestatus est.[43] Solummodo post Resurrectionem,   445
messianica Eius regalitas a Petro coram populo Dei proclamari poterit:
« Certissime ergo sciat omnis domus Israel quia Dominum Eum et
Christum Deus fecit, Hunc Iesum, quem vos crucifixistis » (*Act* 2, 36).

III. Filius Dei unicus

441 *Filius Dei* titulus est in Vetere Testamento angelis,[44] populo Electionis,[45] filiis Israel [46] eiusque regibus [47] datus. Tunc filiationem significat
adoptivam quae inter Deum et Eius creaturam relationes peculiaris intimitatis instituit. Cum promissus Rex-Messias dicitur « filius Dei »,[48] id
non implicat necessario, secundum horum textuum litteralem sensum,

---

[36] Cf. *Mt* 2, 2; 9, 27; 12, 23; 15, 22; 20, 30; 21, 9. 15.
[37] Cf. *Io* 4, 25-26; 11, 27.
[38] Cf. *Mt* 22, 41-46.
[39] Cf. *Io* 6, 15; *Lc* 24, 21.
[40] Cf. *Mt* 16, 16-23.
[41] Cf. *Io* 6, 62; *Dn* 7, 13.
[42] Cf. *Is* 53, 10-12.
[43] Cf. *Io* 19, 19-22; *Lc* 23, 39-43.
[44] Cf. *Dt* (LXX) 32, 8; *Iob* 1, 6.
[45] Cf. *Ex* 4, 22; *Os* 11, 1; *Ier* 3, 19; *Eccli* 36, 14; *Sap* 18, 13.
[46] Cf. *Dt* 14, 1; *Os* 2, 1.
[47] Cf. *2 Sam* 7, 14; *Ps* 82, 6.
[48] Cf. *1 Par* 17, 13; *Ps* 2, 7.

eum plus quam humanum esse. Illi qui ita Iesum tamquam Messiam Israel nominaverunt,[49] fortasse nihil amplius voluerunt dicere.[50]

442 Hoc non valet de Petro cum Iesum tamquam « Christum, Filium Dei vivi » confitetur,[51] quia Iesus ei sollemniter respondet: « Caro et sanguis non *revelavit* tibi, sed *Pater meus*, qui in caelis est » (*Mt* 16, 17). Pari modo, Paulus relate ad suam in via ad Damascum conversionem dicet: « Cum autem placuit Deo, qui me segregavit de utero matris meae et vocavit per gratiam Suam, ut revelaret Filium Suum in me, ut evangelizarem Illum in gentibus... » (*Gal* 1, 15-16). « Continuo in synagogis praedicabat Iesum, quoniam Hic est Filius Dei » (*Act* 9, 20). Hoc ab initio[52] centrum erit fidei apostolicae,[53] quam imprimis confessus est Petrus tamquam fundamentum Ecclesiae.[54]

443 Si Petrus indolem transcendentem filiationis divinae Iesu Messiae agnoscere potuit, hoc evenit quia Ipse eam clare significavit. Iesus, coram Synedrio, Suorum accusatorum quaestioni: « Tu ergo es Filius Dei? », respondit: « Vos dicitis quia ego sum » (*Lc* 22, 70).[55] Iam multo prius, Se tamquam « Filium » denotavit qui Patrem novit,[56] qui est distinctus a « servis » quos Deus antea populo miserat Suo,[57] ipsis angelis superior.[58] Suam filiationem ab illa Suorum distinxit discipulorum nunquam dicens « Pater noster »,[59] nisi ut illis mandaret: « Sic ergo *vos* orabitis: Pater noster » (*Mt* 6, 9); atque distinctionem extulit inter « Patrem meum et Patrem vestrum » (*Io* 20, 17).

444 Evangelia referunt in duobus momentis sollemnibus, in Baptismo et in Transfiguratione Christi, vocem Patris Illum tamquam « Filium Suum dilectum » denotasse.[60] Iesus Se Ipsum tamquam « Filium » Dei « Unigenitum » denotat (*Io* 3, 16) et hoc titulo Suam aeternam affirmat praeexsistentiam.[61] Fidem postulat « in nomen Unigeniti Filii Dei » (*Io*

---

[49] Cf. *Mt* 27, 54.
[50] Cf. *Lc* 23, 47.
[51] Cf. *Mt* 16, 16.
[52] Cf. *1 Thess* 1, 10.
[53] Cf. *Io* 20, 31.
[54] Cf. *Mt* 16, 18.
[55] Cf. *Mt* 26, 64; *Mc* 14, 62.
[56] Cf. *Mt* 11, 27; 21, 37-38.
[57] Cf. *Mt* 21, 34-36.
[58] Cf. *Mt* 24, 36.
[59] Cf. *Mt* 5, 48; 6, 8; 7, 21; *Lc* 11, 13.
[60] Cf. *Mt* 3, 17; 17, 5.
[61] Cf. *Io* 10, 36.

552

424

2786

536, 554

3, 18). Haec confessio christiana iam in exclamatione centurionis apparet coram Iesu in cruce: « Vere homo hic Filius Dei erat » (*Mc* 15, 39).
Solummodo in mysterio Paschali potest credens titulo « Filii Dei » ultimam eius praebere significationem.

445   Post Eius Resurrectionem, filiatio Eius divina in virtute glorifica-   653
tae humanitatis Eius apparet: « Constitutus est Filius Dei in virtute secundum Spiritum sanctificationis ex resurrectione mortuorum » (*Rom* 1,
4).[62] Apostoli confiteri poterunt: « Vidimus gloriam Eius, gloriam quasi
Unigeniti a Patre, plenum gratiae et veritatis » (*Io* 1, 14).

IV. Dominus

446   In versione graeca librorum Veteris Testamenti, Nomen ineffabile
YHWH sub quo Deus Se Moysi revelavit,[63] verbo Κύριος (« Dominus »)
redditur. *Dominus* exinde factus est nomen maxime usitatum ad ipsam
divinitatem Dei Israel denotandam. Novum Testamentum hunc fortem   209
tituli « Domini » sensum adhibet pro Patre et etiam simul, et in hoc novitas habetur, pro Iesu, Ipso sic agnito tamquam Deo.[64]

447   Ipse Iesus Sibi, modo velato, hunc tribuit titulum, cum de sensu
psalmi 110 disputat cum Pharisaeis,[65] sed etiam modo explicito Se ad
Suos vertens Apostolos.[66] Per totum Eius vitae publicae decursum   548
gestus Eius dominatus supra naturam, supra morbos, supra daemonia,
supra mortem et peccatum, Eius divinum demonstrabant principatum.

448   Saepissime in Evangeliis homines ad Iesum se vertunt Illum
« Dominum » appellantes. Hic titulus venerationem et fiduciam testatur
eorum qui ad Iesum appropinquant et ab Illo auxilium exspectant et
sanationem.[67] Sub Spiritus Sancti motione, agnitionem exprimit mysterii   208, 683
divini Iesu.[68] In occursu cum Iesu resuscitato efficitur adoratio:
« Dominus meus et Deus meus! » (*Io* 20, 28). Tunc connotationem
sumit amoris et affectus, quae traditionis christianae erit proprium: 641
« Dominus est! » (*Io* 21, 7).

[62] Cf. *Act* 13, 33.
[63] Cf. *Ex* 3, 14.
[64] Cf. *1 Cor* 2, 8.
[65] Cf. *Mt* 22, 41-46; cf. etiam *Act* 2, 34-36; *Heb* 1, 13.
[66] Cf. *Io* 13, 13.
[67] Cf. *Mt* 8, 2; 14, 30; 15, 22; et alibi.
[68] Cf. *Lc* 1, 43; 2, 11.

449 Priores confessiones fidei Ecclesiae, Iesu titulum divinum Domini tribuentes, ab origine affirmant [69] potestatem, honorem et gloriam Deo Patri debitas etiam Iesu deberi,[70] quia Ipse est « in forma Dei » (*Philp 2, 6*) et quia Pater hunc Iesu manifestavit dominatum Eum resuscitans ex mortuis et exaltans in gloria Sua.[71]

461
653

450 Ab historiae christianae initio, affirmatio dominatus Iesu super mundum et super historiam [72] significat etiam agnoscere hominem suam libertatem personalem nulli potestati terrestri, sed soli Deo Patri et Domino Iesu Christo, modo absoluto, submittere debere: Caesar « Dominus » non est.[73] Ecclesia « credit clavem, centrum et finem totius humanae historiae in Domino ac Magistro suo inveniri ».[74]

668-672

2242

451 Oratio christiana est titulo « Dominus » signata, sive invitatio ad orationem « Dominus vobiscum » sive orationis conclusio « per Dominum nostrum Iesum Christum » vel etiam clamor fiduciae plenus et spei: « *Maran atha* » (Dominus venit!) aut « *Marana tha* » (Veni, Domine!) (*1 Cor* 16, 22). « Amen. Veni, Domine Iesu » (*Apc* 22, 20).

2664-2665

2817

Compendium

452 *Nomen Iesu significat « Deum qui salvat ». Infans ex Virgine Maria natus appellatus est « Iesus »: « Ipse enim salvum faciet populum Suum a peccatis eorum » (Mt 1, 21). « Nec enim nomen aliud est sub caelo datum in hominibus, in quo oportet nos salvos fieri » (Act 4, 12).*

453 *Nomen Christi « unctum », « Messiam » significat. Iesus est Christus quia « unxit Eum Deus Spiritu Sancto et virtute » (Act 10, 38). Ille erat « qui venturus » est (Lc 7, 19), spei Israel obiectum.*[75]

454 *Nomen Filii Dei relationem unicam significat et aeternam Iesu Christi ad Deum Eius Patrem. Ille unicus Patris est Filius* [76] *et Deus*

---

[69] Cf. *Act* 2, 34-36.
[70] Cf. *Rom* 9, 5; *Tit* 2, 13; *Apc* 5, 13.
[71] Cf. *Rom* 10, 9; *1 Cor* 12, 3; *Philp* 2, 9-11.
[72] Cf. *Apc* 11, 15.
[73] Cf. *Mc* 12, 17; *Act* 5, 29.
[74] Concilium Vaticanum II, Const. past. *Gaudium et spes*, 10: AAS 58 (1966) 1033; cf. *Ibid.*, 45: AAS 58 (1966) 1066.
[75] Cf. *Act* 28, 20.
[76] Cf. *Io* 1, 14. 18; 3, 16. 18.

Ipse.[77] *Credere Iesum esse Filium Dei est necessarium ut quis christianus sit.*[78]

455 *Nomen Domini significat divinum principatum. Confiteri vel invocare Iesum tamquam Dominum est in Eius credere divinitatem*: « *Nemo potest dicere: "Dominus Iesus", nisi in Spiritu Sancto* » (*1 Cor* 12, 3).

Articulus 3

IESUS CHRISTUS
« CONCEPTUS EST DE SPIRITU SANCTO,
NATUS EX MARIA VIRGINE »

Paragraphus 1

FILIUS DEI HOMO FACTUS EST

I. Cur Verbum caro factum est?

456 Cum Symbolo Nicaeno-Constantinopolitano respondemus confitentes: « *Propter nos homines et propter nostram salutem*, descendit de caelis, et incarnatus est de Spiritu Sancto ex Maria Virgine et homo factus est ».[79]

457 Verbum caro factum est *ut nos cum Deo reconcilians salvaret*: Deus « dilexit nos et misit Filium Suum propitiationem pro peccatis nostris » (*1 Io* 4, 10). « Pater misit Filium salvatorem mundi » (*1 Io* 4, 14). « Ille apparuit, ut peccata tolleret » (*1 Io* 3, 5):   607

> « Opus enim habebat medico natura nostra, quae morbo laborabat. Opus habebat eo qui erigeret, homo qui ceciderat. Opus habebat eo qui vivificaret, qui a vita exciderat. Opus habebat eo qui ad bonum reduceret, qui defluxerat a boni participatione. Egebat lucis praesentia, qui erat inclusus in tenebris. Quaerebat redemptorem captivus, adiutorem vinctus, liberatorem is qui iugo premebatur servitutis. Haecne sunt parva et indigna quae Deum moveant, ut descendat ad humanam naturam visitandam, cum adeo infeliciter et miserabiliter affecta esset humanitas? ».[80]   385

---

[77] Cf. *Io* 1, 1.
[78] Cf. *Act* 8, 37; *1 Io* 2, 23.
[79] DS 150.
[80] Sanctus Gregorius Nyssenus, *Oratio catechetica* 15, 3: TD 7, 78 (PG 45, 48).

219   458   Verbum caro factum est *ut sic amorem Dei cognoscamus*: « In hoc apparuit caritas Dei in nobis quoniam Filium Suum unigenitum misit Deus in mundum, ut vivamus per Eum » (*1 Io* 4, 9). « Sic enim dilexit Deus mundum, ut Filium Suum unigenitum daret, ut omnis qui credit in Eum, non pereat, sed habeat vitam aeternam » (*Io* 3, 16).

520, 823   459   Verbum caro factum est *ut nostrum sit sanctitatis exemplar*: « Tollite 2012   iugum meum super vos et discite a me... » (*Mt* 11, 29). « Ego sum via et veritas et vita; nemo venit ad Patrem nisi per me » (*Io* 14, 6). Atque Pater super Transfigurationis montem mandat: « Audite Illum » (*Mc* 9, 7).[81] Ipse 1717, 1965   utique beatitudinum est exemplar et Legis novae norma: Diligite invicem « sicut dilexi vos » (*Io* 15, 12). Hic amor effectivam sui ipsius implicat oblationem ad sequelam Illius.[82]

1265, 1391   460   Verbum caro factum est *ut nos efficeret « divinae consortes naturae »* (*2 Pe* 1, 4): « Propter hoc Verbum Dei homo, et qui Filius Dei est Filius hominis factus est, ut homo, commixtus Verbo Dei et adoptionem percipiens, fiat filius Dei ».[83] « Ipse siquidem homo factus est, ut 1988   nos dii efficeremur ».[84] « Unigenitus [...] Dei Filius, Suae divinitatis volens nos esse participes, naturam nostram assumpsit, ut homines deos faceret factus homo ».[85]

II. Incarnatio

461   Ecclesia, sancti Ioannis expressionem iterum sumens (« Verbum 653, 661   caro factum est »: *Io* 1, 14), « Incarnationem » appellat factum assump-449   tionis naturae humanae a Filio Dei ut nostram in ea adimpleat salutem. Ecclesia in hymno quem sanctus Paulus testatur, mysterium canit Incarnationis:

> « Hoc sentite in vobis, quod et in Christo Iesu: qui cum in forma Dei esset, non rapinam arbitratus est esse Se aequalem Deo, sed Semetipsum exinanivit formam servi accipiens, in similitudinem hominum factus; et habitu inventus ut homo, humiliavit Semetipsum factus oboediens usque ad mortem, mortem autem crucis! » (*Philp* 2, 5-8).[86]

---

[81] Cf. *Dt* 6, 4-5.
[82] Cf. *Mc* 8, 34.
[83] Sanctus Irenaeus Lugdunensis, *Adversus haereses* 3, 19, 1: SC 211, 374 (PG 7, 939).
[84] Sanctus Athanasius Alexandrinus, *De Incarnatione* 54, 3: SC 199, 458 (PG 25, 192).
[85] Sanctus Thomas Aquinas, *Officium de festo corporis Christi*, Ad Matutinas, In primo Nocturno, Lectio 1: *Opera omnia*, v. 29 (Parisiis 1876) p. 336.
[86] Cf. *Canticum ad I Vesperas Dominicae: Liturgia Horarum*, editio typica, v. 1,

462 Epistula ad Hebraeos de eodem loquitur mysterio:

> « Ideo ingrediens mundum dicit: "Hostiam et oblationem noluisti, cor-
> pus autem aptasti mihi; holocautomata et sacrificia pro peccato non Tibi
> placuerunt. Tunc dixi: Ecce venio, [...] ut faciam, Deus, voluntatem
> Tuam" » (*Heb* 10, 5-7, adducens *Ps* 40, 7-9 LXX).

463 Fides in veram Filii Dei Incarnationem signum fidei christianae   90
est distinctivum: « In hoc cognoscitis Spiritum Dei: omnis spiritus, qui
confitetur Iesum Christum in carne venisse, ex Deo est » (*1 Io* 4, 2).
Talis est laeta persuasio Ecclesiae inde ab eius initio, cum « magnum
pietatis mysterium » canit: Ille « manifestatus est in carne » (*1 Tim* 3, 16).

III. Verus Deus et verus Homo

464 Eventus unicus et prorsus singularis Incarnationis Filii Dei non
significat Iesum Christum esse partim Deum et partim hominem, neque
esse confusae commixtionis effectum inter humanum et divinum. Ille
factus est vere Homo, vere permanens Deus. Iesus Christus verus est
Deus et verus Homo. Ecclesia hanc fidei veritatem defendere debuit et   88
clarificare priorum saeculorum decursu coram haeresibus quae illam
corrumpebant.

465 Priores haereses non tam divinitatem Christi negaverunt, quam
Eius veram humanitatem (docetismus gnosticus). A temporibus apostolicis, fides christiana in vera Incarnatione Filii Dei institit, qui in carne
venit.[87] Sed a saeculo tertio, Ecclesia contra Paulum Samosatenum, in
Concilio Antiochiae congregato, affirmare debuit Iesum Christum Filium Dei esse natura, non adoptione. Primum Concilium Oecumenicum
Nicaenum, anno 325, in suo Symbolo confessum est Filium Dei esse
« natum, non factum, unius substantiae cum Patre (*quod graece dicunt
homoousion*) »[88] et Arium damnavit qui affirmabat esse « Filium Dei or-   242
tum ex nihilo »[89] et « ex alia substantia aut essentia » esse quam Pater est.[90]

466 Haeresis nestoriana in Christo perspiciebat personam humanam
Personae divinae Filii Dei coniunctam. Adversus illam sanctus Cyrillus

---

p. 545. 629. 718 et 808; v. 2, p. 844. 937. 1037 et 1129; v. 3, p. 548. 669. 793 et
916; v. 4, p. 496. 617. 741 et 864 (Typis Polyglottis Vaticanis 1973-1974).

[87] Cf. *1 Io* 4, 2-3; *2 Io* 7.
[88] *Symbolum Nicaenum*: DS 125.
[89] Concilium Nicaenum, *Epistula synodalis* « Ἐπειδὴ τῆς » ad Aegyptios: DS 130.
[90] *Symbolum Nicaenum*: DS 126.

Alexandrinus et tertium Concilium Oecumenicum Ephesi congregatum anno 431 confessi sunt « Verbum, unita Sibi secundum hypostasim carne animata rationali anima, [...] hominem factum » esse.[91] Humanitas Christi aliud subiectum non habet quam Persona divina Filii Dei quae illam assumpsit fecitque Suam inde ab Eius conceptione. Hac de causa, Concilium Ephesinum anno 431 proclamavit Mariam per conceptionem humanam Filii Dei in sinu suo verissime factam esse Matrem Dei: « Deiparam [...], non quod Verbi natura Ipsiusque divinitas ortus Sui principium ex sancta Virgine sumpserit, sed quod sacrum illud corpus anima intelligente perfectum ex ea traxerit, cui et Dei Verbum, secundum hypostasim unitum, secundum carnem natum dicitur ».[92]

495

467 Monophysitae affirmabant naturam humanam qua talem in Christo exsistere desivisse, cum a Persona divina Filii Dei assumpta sit. Huic haeresi se contraponens, quartum Concilium Oecumenicum, Chalcedone, anno 451, confessum est:

> « Sequentes igitur sanctos Patres, unum Eundemque confiteri Filium Dominum nostrum Iesum Christum consonanter omnes docemus, Eundem perfectum in deitate, Eundem perfectum in humanitate, Deum vere et Hominem vere, Eundem ex anima rationali et corpore, consubstantialem Patri secundum deitatem et consubstantialem nobis Eundem secundum humanitatem, "per omnia nobis similem absque peccato";[93] ante saecula quidem de Patre genitum secundum deitatem, in novissimis autem diebus Eundem propter nos et propter nostram salutem ex Maria Virgine Dei Genetrice secundum humanitatem.
>
> Unum Eundemque Christum Filium Dominum unigenitum, in duabus naturis inconfuse, immutabiliter, indivise, inseparabiliter agnoscendum, nusquam sublata differentia naturarum propter unitionem magisque salva proprietate utriusque naturae, et in unam Personam atque subsistentiam concurrente ».[94]

468 Quidam post Concilium Chalcedonense ex natura humana Christi quasi subiectum effecerunt personale. Quintum Concilium Oecumenicum, Constantinopoli, anno 553, contra illos confessum est: esse « unam Eius subsistentiam [seu Personam] [...], qui est Dominus (noster) Iesus Christus, *Unus de sancta Trinitate* ».[95] Omnia ergo in Christi humanitate Eius Personae divinae tamquam Eius proprio subiecto attribui debent,[96] non solum

254

---

[91] Concilium Ephesinum, *Epistula II Cyrilli Alexandrini ad Nestorium*: DS 250.
[92] Concilium Ephesinum, *Epistula II Cyrilli Alexandrini ad Nestorium*: DS 251.
[93] Cf. *Heb* 4, 15
[94] Concilium Chalcedonense, *Symbolum*. DS 301-302.
[95] Concilium Constantinopolitanum II, Sess. 8ª, Canon 4: DS 424.
[96] Cf. iam Concilium Ephesinum, *Anathematismi Cyrilli Alexandrini*, 4: DS 255.

miracula, sed etiam passiones [97] et ipsa Mors: confitemur « Dominum   616
nostrum Iesum Christum, qui crucifixus est carne, Deum esse verum, et
Dominum gloriae, et Unum de Sancta Trinitate ».[98]

469   Sic Ecclesia confitetur Iesum inseparabiliter verum esse Deum et
verum Hominem. Est vere Filius Dei qui homo factus est, frater noster,
et quidem quin Deus, Dominus noster, esse desineret: 212

> « Id quod fuit remansit, et quod non erat assumpsit », canit liturgia Ro-
> mana.[99] Et sancti Ioannis Chrysostomi liturgia proclamat et canit: « O
> Fili Unigenite et Verbum Dei, qui es immortalis, propter nostram salu-
> tem dignatus es incarnari e sancta Matre Dei semperque Virgine Maria,
> qui sine mutatione factus es homo et crucifixus es. O Christe Deus, qui
> Morte Tua mortem devicisti, qui es Unus de Sancta Trinitate, cum
> Patre et Spiritu Sancto glorificatus, salva nos! ».[100]

IV. Quomodo Filius Dei est homo?

470   Cum, in Incarnationis arcana unione, natura humana « assumpta,
non perempta sit »,[101] Ecclesia saeculorum decursu adducta est ad plenam animae humanae cum eius intellectus et voluntatis operationibus
atque corporis humani Christi realitatem confitendam. Sed pari modo
in memoriam vicissim revocare debuit naturam humanam Christi tamquam propriam ad Personam divinam Filii Dei pertinere qui illam assumpsit. Quidquid Ille est et quidquid Ille agit in ea, « ex Uno de Tri-   516
nitate » provenit. Filius igitur Dei humanitati Suae proprium modum
exsistendi personaliter in Trinitate communicat Suum. Sic Christus, tam   626
in Sua anima quam in Suo corpore, divinos Trinitatis mores humane
exprimit:[102]

> « Filius Dei [...] humanis manibus opus fecit, humana mente cogitavit, hu-
> mana voluntate egit, humano corde dilexit, Natus de Maria Virgine, vere   2599
> unus ex nostris factus est, in omnibus nobis similis excepto peccato ».[103]

[97] Cf. Concilium Constantinopolitanum II, Sess. 8ª, Canon 3: DS 423.
[98] Concilium Constantinopolitanum II, Sess. 8ª, Canon 10: DS 432.
[99] *In sollemnitate sanctae Dei Genetricis Mariae*, Antiphona ad « Benedictus »: *Liturgia Horarum*, editio typica, v. 1 (Typis Polyglottis Vaticanis 1973) p. 394; cf. Sanctus Leo Magnus, *Sermo* 21, 2: CCL 138, 87 (PL 54, 192).
[100] *Officium Horarum Byzantinum, Hymnus* Ὁ μονογενής: Ὡρολόγιον τὸ μέγα (Romae 1876) p. 82.
[101] Concilium Vaticanum II, Const. past. *Gaudium et spes*, 22: AAS 58 (1966) 1042.
[102] Cf. *Io* 14, 9-10.
[103] Concilium Vaticanum II, Const. past. *Gaudium et spes*, 22: AAS 58 (1966) 1042-1043.

Anima et cognitio humana Christi

471   Apollinaris Laodicensis affirmabat Verbum in Christo animam vel spiritum substituisse. Contra hunc errorem Ecclesia confessa est Filium aeternum etiam animam rationalem assumpsisse humanam.[104]

363

472   Haec anima humana, quam Filius Dei assumpsit, vera cognitione humana est dotata. Haec cognitio qua talis de se illimitata esse non poterat: in condicionibus historicis suae in spatio et tempore exercebatur exsistentiae. Hac de causa, Filius Dei Se hominem faciens acceptare potuit « sapientia et aetate et gratia » proficere (*Lc* 2, 52) atque adeo inquirere debere de eis quae in condicione humana modo experimentali discenda sunt.[105] Hoc realitati Eius voluntariae in « forma servi » exinanitionis correspondebat.[106]

473   Sed, eodem tempore, haec cognitio vere humana Filii Dei vitam divinam Eius exprimebat Personae.[107] « Dei Filius cuncta noverat; ac per Ipsum, quem Ille hominem induerat; *non natura, sed qua Verbo unitus erat.* [...] Humana natura, qua erat unita Verbo, cuncta noverat divinaque haec ac pro maiestate in Se exhibebat ».[108] Talis est imprimis casus intimae et immediatae cognitionis quam Filius Dei homo factus habet de Patre Suo.[109] Filius etiam in Sua cognitione humana divinam ostendebat penetrationem quam de cogitationibus cordis hominum habebat secretis.[110]

240

474   Cognitio humana Christi, propter Suam unionem cum Sapientia divina in Persona Verbi incarnati plenitudine gaudebat scientiae consiliorum aeternorum, ad quae venerat revelanda.[111] Quod Ipse in hoc campo ignorare agnoscit,[112] alias declarat Se missionem non habere id revelandi.[113]

---

[104] Cf. Sanctus Damasus I, Epistula Ὅτι τῇ ἀποστολικῇ καθέδρᾳ: DS 149.
[105] Cf. *Mc* 6, 38; 8, 27; *Io* 11, 34; etc.
[106] Cf. *Phil* 2, 7.
[107] Cf. Sanctus Gregorius Magnus, Epistula *Sicut aqua*: DS 475.
[108] Sanctus Maximus Confessor, *Quaestiones et dubia*, Q. I, 67: CCG 10, 155 (66: PG 90, 840).
[109] Cf. *Mc* 14, 36; *Mt* 11, 27; *Io* 1, 18; 8, 55; etc.
[110] Cf. *Mc* 2, 8; Io 2, 25; 6, 61; etc.
[111] Cf. *Mc* 8, 31; 9, 31; 10, 33-34; 14, 18-20. 26-30.
[112] Cf. *Mc* 13, 32.
[113] Cf. *Act* 1, 7.

Voluntas humana Christi

475 Pari modo, Ecclesia in sexto Concilio Oecumenico confessa est Christum duas voluntates et duas naturales possidere operationes, divinas et humanas, non oppositas, sed cooperantes, ita ut Verbum caro factum in oboedientia ad Patrem humane voluerit quidquid Ipse cum Patre et Spiritu Sancto pro nostra salute divine deciderat.[114] Ecclesia agnoscit « sequentem Eius humanam voluntatem et non resistentem vel reluctantem, sed potius et subiectam divinae Eius atque omnipotenti voluntati ».[115]

2008
2824

Verum corpus Christi

476 Quia Verbum caro factum est veram assumens humanitatem, corpus Christi erat circumscriptum.[116] Hac de causa, vultus humanus Iesu potest « depingi ».[117] Ecclesia in septimo Concilio Oecumenico[118] tamquam legitimum agnovit ut per sanctas repraesentetur imagines.

1159-1162
2129-2132

477 Ecclesia simul semper hoc agnovit: in corpore Iesu, Deus qui est « invisibilis in Suis, visibilis in nostris apparuit ».[119] Re vera, peculiaritates individuales corporis Christi Personam exprimunt divinam Filii Dei. Hic Sui corporis humani lineamenta fecit Sua ita ut ea in quadam sacra imagine depicta possint veneratione coli, quia fidelis qui imaginem veneratur, « adorat in ea depicti subsistentiam ».[120]

Verbi incarnati cor

478 Iesus in vita Sua, in agonia Sua in Suaque passione nos cognovit et amavit omnes et singulos atque pro unoquoque nostrum Se tradidit: Filius Dei « dilexit me et tradidit Semetipsum pro me » (*Gal* 2, 20). Ipse nos omnes corde amavit humano. Hac de causa, sacrum cor Iesu, prop-

487
368
2669

---

[114] Cf. Concilium Constantinopolitanum III (anno 681), Sess. 18ª, *Definitio de duabus in Christo voluntatibus et operationibus*: DS 556-559.

[115] Concilium Constantinopolitanum III, Sess. 18ª, *Definitio de duabus in Christo voluntatibus et operationibus*: DS 556.

[116] Cf. Concilium Lateranense (anno 649), Canon 4: DS 504.

[117] Cf. *Gal* 3, 1.

[118] Concilium Nicaenum II (anno 787), Act. 7ª, *Definitio de sacris imaginibus*: DS 600-603.

[119] *Praefatio in Nativitate Domini, II*: *Missale Romanum*, editio typica (Typis Polyglottis Vaticanis 1970) p. 396.

[120] Concilium Nicaenum II, Act. 7ª, *Definitio de sacris imaginibus*: DS 601.

ter nostra peccata et pro nostra salute transfixum,[121] « praecipuus consi-
766   deratur index et symbolus [...] illius amoris, quo divinus Redemptor
aeternum Patrem hominesque universos continenter adamat ».[122]

Compendium

479   *Tempore a Deo stabilito, Filius unicus Patris, Verbum aeternum et*
substantialis imago Patris, incarnatus est: Ipse quin divinam naturam
amitteret, naturam assumpsit humanam.

480   *Iesus Christus verus est Deus et verus Homo in unitate Suae Perso-*
nae divinae; propterea unus est mediator inter Deum et homines.

481   *Iesus Christus duas possidet naturas, divinam et humanam, inconfu-*
sas, sed in unica Persona Filii Dei coniunctas.

482   *Christus, cum verus sit Deus verusque Homo, intellectum et volunta-*
tem habet humanos perfecte concordes et submissos Suo intellectui ac
Suae voluntati divinis, quos cum Patre et Spiritu Sancto habet com-
munes.

483   *Incarnatio est igitur mysterium admirabilis unionis naturae divinae et*
naturae humanae in unica Persona Verbi.

Paragraphus 2

« ...CONCEPTUS EST DE SPIRITU SANCTO, NATUS EX MARIA VIRGINE »

I. Conceptus est de Spiritu Sancto...

484   « Plenitudo temporis » (*Gal* 4, 4), id est, promissionum et praepa-
rationum adimpletio Annuntiatione ad Mariam sumit initium. Maria in-
461   vitatur ut Illum concipiat in quo « omnis plenitudo divinitatis corporaliter » inhabitabit (*Col* 2, 9). Responsio divina quaestioni eius: « Quomodo fiet istud, quoniam virum non cognosco? » (*Lc* 1, 34), per potentiam
721   datur Spiritus: « Spiritus Sanctus superveniet in te » (*Lc* 1, 35).

---

[121] Cf. *Io* 19, 34.
[122] Pius XII, Litt. Enc. *Haurietis aquas*: DS 3924; cf. Id., Litt. Enc. *Mystici corporis*:
DS 3812.

485 Spiritus Sancti missio semper coniungitur cum missione Filii et ad illam ordinatur.[123] Spiritus Sanctus, qui « Dominus est et Vivificans », mittitur ad uterum Virginis Mariae sanctificandum ad illamque divine fecundandam, faciens ut illa Filium Patris concipiat aeternum in humanitate assumpta ab eius humanitate. 689, 723

486 Filius unicus Patris, tamquam homo in utero Virginis Mariae conceptus, est « Christus », id est, a Spiritu Sancto unctus,[124] ab initio Suae exsistentiae humanae, licet Eius manifestatio non nisi progressive deducta fuerit in rem: pastoribus,[125] magis,[126] Ioanni Baptistae,[127] discipulis.[128] Tota igitur Iesu Christi vita manifestabit « quomodo unxit Eum Deus Spiritu Sancto et virtute » (*Act* 10, 38). 437

II. ...natus ex Maria Virgine

487 Id quod fides catholica credit circa Mariam, fundatur super id quod haec circa Christum credit, sed id quod illa de Maria docet, eius in Christum vicissim illuminat fidem. 963

Praedestinatio Mariae

488 « Misit Deus Filium Suum » (*Gal* 4, 4), sed ut Illi corpus aptaret[129] liberam cuiusdam creaturae voluit cooperationem. Ad hoc, ab aeterno, Deus, ut Mater esset Filii Sui, quamdam filiam Israel elegit, adulescentulam Iudaeam ex Nazareth in Galilaea, « virginem desponsatam viro, cui nomen erat Ioseph de domo David, et nomen virginis Maria » (*Lc* 1, 26-27):

> « Voluit autem misericordiarum Pater, ut acceptatio praedestinatae Matris Incarnationem praecederet, ut sic, quemadmodum femina contulit ad mortem, ita etiam femina conferret ad vitam ».[130]

489 Toto Veteris Foederis decursu, missio Mariae ab illa sanctarum mulierum est *praeparata*. Prorsus initio, est Eva: ipsa, non obstante sua 722

---

[123] Cf. *Io* 16, 14-15.
[124] Cf. *Mt* 1, 20; *Lc* 1, 35.
[125] Cf. *Lc* 2, 8-20.
[126] Cf. *Mt* 2, 1-12.
[127] Cf. *Io* 1, 31-34.
[128] Cf. *Io* 2, 11.
[129] Cf. *Heb* 10, 5.
[130] Concilium Vaticanum II, Const. dogm. *Lumen gentium*, 56: AAS 57 (1965) 60; cf. *Ibid.*, 61: AAS 57 (1965) 63.

410
145

inoboedientia, Promissionem recipit descendentiae quae Maligni erit victrix [131] et Promissionem de eo quod ipsa cunctorum viventium mater futura est.[132] Vi huius Promissionis, Sara, non obstante sua magna aetate, filium concipit.[133] Deus, contra omnem humanam spem, id eligit quod tamquam impotens considerabatur et debile [134] ut Suam fidelitatem erga Suam ostendat Promissionem: Annam, matrem Samuelis,[135] Deboram,

64

Ruth, Iudith, Esther multasque alias mulieres. Maria « praecellit inter humiles ac pauperes Domini, qui salutem cum fiducia ab Eo sperant et accipiunt. Cum ipsa tandem praecelsa Filia Sion, post diuturnam exspectationem Promissionis, complentur tempora et nova instauratur Oeconomia ».[136]

IMMACULATA CONCEPTIO

490 Maria, ut esset Mater Salvatoris, « a Deo donis tanto munere dignis praedita est ».[137] Angelus Gabriel, in Annuntiationis momento, eam tamquam « gratia plenam » salutat.[138] Erat revera necessarium illam a gratia Dei prorsus duci, ut liberum suae fidei assensum annuntiationi vocationis suae posset praebere.

2676, 2853
2001

491 Saeculorum decursu, Ecclesia conscia facta est Mariam, a Deo « gratia repletam »,[139] inde a sua conceptione esse redemptam. Immaculatae Conceptionis dogma, anno 1854 a Summo Pontifice Pio IX proclamatum, hoc confitetur:

411

> « beatissimam Virginem Mariam in primo instanti suae conceptionis fuisse singulari omnipotentis Dei gratia et privilegio, intuitu meritorum Christi Iesu Salvatoris humani generis, ab omni originalis culpae labe praeservatam immunem ».[140]

492 Hi « singularis prorsus sanctitatis » splendores, quibus « a primo instante suae conceptionis ditata » est,[141] universi ei proveniunt a Chris-

---

[131] Cf. *Gn* 3, 15.
[132] Cf. *Gn* 3, 20.
[133] Cf. *Gn* 18, 10-14; 21, 1-2.
[134] Cf. *1 Cor* 1, 27.
[135] Cf. *1 Sam* 1.
[136] CONCILIUM VATICANUM II, Const. dogm. *Lumen gentium*, 55: AAS 57 (1965) 59-60.
[137] CONCILIUM VATICANUM II, Const. dogm. *Lumen gentium*, 56: AAS 57 (1965) 60.
[138] Cf. *Lc* 1, 28.
[139] Cf. *Lc* 1, 28.
[140] PIUS IX, Bulla *Ineffabilis Deus*: DS 2803.
[141] CONCILIUM VATICANUM II, Const. dogm. *Lumen gentium*, 56: AAS 57 (1965) 60.

to: ipsa est « intuitu meritorum Filii sui sublimiore modo redempta ».[142]   2011
Pater eam, plus quam quamlibet aliam personam creatam, « benedixit   1077
[...] in omni benedictione spirituali in caelestibus in Christo » (*Eph* 1,
3). Ille « elegit » eam « in Ipso ante mundi constitutionem, ut » esset
sancta et immaculata « in conspectu Eius in caritate » (*Eph* 1, 4).

493   Traditionis orientalis Patres Matrem Dei « totam sanctam » (Πανα-
γίαν) appellant, illi eam celebrant « ab omni peccati labe immunem,
quasi a Spiritu Sancto plasmatam novamque creaturam formatam ».[143]
Gratia Dei, Maria in tota vita sua ab omni peccato personali pura
permansit.

« FIAT MIHI SECUNDUM VERBUM TUUM... »

494   Maria, cum ei nuntiatum esset se, quin virum cognosceret, per   2617
Spiritus Sancti virtutem, « Filium Altissimi » esse parituram,[144] respondit
cum « oboeditione fidei »,[145] certo sciens non esse impossibile apud   148
Deum omne verbum: « Ecce ancilla Domini; fiat mihi secundum verbum tuum » (*Lc* 1, 38). Sic Maria, verbo Dei suum praebens assensum,
Mater Iesu facta est et voluntatem divinam salutis, quin ullum pecca-   968
tum illam retineat, pleno corde amplectens, sese integre personae et
operi Filii sui devovit, ut mysterio Redemptionis dependenter ab Illo et
cum Illo, per Dei gratiam, serviret: [146]

> « Ipsa enim, ut ait Irenaeus, "oboediens et sibi et universo generi huma-
> no causa facta est salutis".[147] Unde non pauci Patres antiqui in praedica-
> tione sua cum eo libenter asserunt: "Hevae inoboedientiae nodum solu-
> tionem accepisse per oboedientiam Mariae; quod alligavit virgo Heva
> per incredulitatem, hoc Virginem Mariam solvisse per fidem";[148] et com-
> paratione cum Heva instituta, Mariam "Matrem viventium" appellant,   726
> saepiusque affirmant: "mors per Hevam, vita per Mariam" ».[149]

---

[142] CONCILIUM VATICANUM II, Const. dogm. *Lumen gentium*, 53: AAS 57 (1965) 58.
[143] CONCILIUM VATICANUM II, Const. dogm. *Lumen gentium*, 56: AAS 57 (1965) 60.
[144] Cf. *Lc* 1, 28-37.
[145] Cf. *Rom* 1, 5.
[146] Cf. CONCILIUM VATICANUM II, Const. dogm. *Lumen gentium*, 56: AAS 57 (1965) 60-61.
[147] SANCTUS IRENAEUS LUGDUNENSIS, *Adversus haereses* 3, 22, 4: SC 211, 440 (PG 7, 959).
[148] Cf. SANCTUS IRENAEUS LUGDUNENSIS, *Adversus haereses* 3, 22, 4: SC 211, 442-444
     (PG 7, 959-960).
[149] CONCILIUM VATICANUM II, Const. dogm. *Lumen gentium*, 56: AAS 57 (1965) 60-61.

DIVINA MARIAE MATERNITAS

495   Maria, in Evangeliis « Mater Iesu » appellata (*Io* 2, 1; 19, 25),[150]
iam ante Filii sui Nativitatem, sub impulsu Spiritus, tamquam « Mater
Domini mei » acclamatur (*Lc* 1, 43). Revera, Ille quem ipsa, qua hominem, de Spiritu Sancto concepit et qui vere eius Filius secundum
carnem factus est, alius non est quam Filius aeternus Patris, Secunda
Persona Sanctissimae Trinitatis. Ecclesia profitetur Mariam vere esse
Deiparam (Θεοτόκον).[151]

466, 2677 (left margin)

VIRGINITAS MARIAE

496   Inde a primis fidei formulis,[152] Ecclesia professa est Iesum per solam virtutem Sancti Spiritus in sinu Virginis Mariae esse conceptum, rationem etiam corporalem huius affirmans eventus: Iesus « absque semine [...] ex Spiritu Sancto » conceptus est.[153] Patres in conceptione virginali signum perspiciunt de eo quod vere Filius Dei in humanitate venit sicut nostra:

> Ita sanctus Ignatius Antiochenus (initio saeculi secundi) « Observavi vos
> [...] plena firmaque fide credentes in Dominum nostrum vere oriundum
> ex genere David secundum carnem,[154] Filium Dei secundum voluntatem
> et potentiam Dei,[155] natum vere ex virgine; [...] vere sub Pontio Pilato
> [...] clavis confixum pro nobis in carne [...]. Vere passus est, ut et vere
> resuscitavit ».[156]

497   Narrationes evangelicae[157] conceptionem intelligunt virginalem
tamquam opus divinum omnem comprehensionem et omnem possibilitatem superans humanas:[158] « Quod enim in ea natum est, de Spiritu
Sancto est », dicit angelus ad Ioseph circa Mariam eius sponsam (*Mt* 1,
20). Ecclesia ibi adimpletionem perspicit Promissionis divinae datae ab
Isaia propheta: « Ecce virgo in utero habebit et pariet filium » (*Is* 7,
14), secundum versionem graecam *Mt* 1, 23.

[150] Cf. *Mt* 13, 55.
[151] Cf. CONCILIUM EPHESINUM, *Epistula II Cyrilli Alexandrini ad Nestorium*: DS 251.
[152] Cf. DS 10-64.
[153] CONCILIUM LATERANENSE (anno 649), Canon 3: DS 503.
[154] Cf. *Rom* 1, 3.
[155] Cf. *Io* 1, 13.
[156] SANCTUS IGNATIUS ANTIOCHENUS, *Epistula ad Smyrnaeos* 1-2: SC 10bis, p. 132-134
(Funk 1, 274-276).
[157] Cf. *Mt* 1, 18-25; *Lc* 1, 26-38.
[158] Cf. *Lc* 1, 34.

498   Quandoque propter silentium evangelii sancti Marci et epistularum Novi Testamenti circa conceptionem virginalem Mariae habita est turbatio. Quaeri etiam potuit utrum hic de fabulis vel de constructionibus ageretur theologicis sine historicitatis ambitu. Ad id oportet respondere: fides in conceptionem virginalem Iesu e parte non credentium Iudaeorum et gentilium vivam oppositionem, irrisiones vel incomprehensionem invenit: [159] illa a mythologia pagana vel a quadam ad ideas temporis adaptatione orta non erat. Sensus huius eventus non nisi fidei accessibilis est, quae illum perspicit in « mysteriorum ipsorum nexu inter se »,[160] in mysteriorum Christi complexu, ab Eius Incarnatione usque ad Pascha Eius. Iam sanctus Ignatius Antiochenus hunc nexum testatur: « Et principem huius mundi latuit Mariae virginitas et partus ipsius, similiter et mors Domini: tria mysteria clamoris, quae in silentio Dei patrata sunt ».[161]

            90

            2717

Maria – « semper Virgo »

499   Profundior meditatio fidei eius in maternitatem virginalem adduxit Ecclesiam ad profitendam realem et perpetuam Mariae virginitatem,[162] etiam in partu Filii Dei, hominis facti.[163] Revera Nativitas Christi « virginalem Eius [matris] integritatem non minuit sed sacravit ».[164] Ecclesiae liturgia Mariam tamquam ἀειπαρθένον, « semper Virginem » celebrat.[165]

500   Ad hoc quandoque obiicitur Scripturam fratrum et sororum Iesu facere mentionem.[166] Ecclesia haec loca semper intellexit tamquam non alios filios Virginis Mariae denotantia: Iacobus utique et Ioseph, « fratres » Iesu (*Mt* 13, 55), filii sunt cuiusdam Mariae Christi discipulae,[167] quae significanter tamquam « altera Maria » (*Mt* 28, 1) denotatur. Agitur de proximis propinquis secundum quamdam notam Veteris Testamenti expressionem.[168]

---

[159] Cf. Sanctus Iustinus, *Dialogus cum Tryphone Iudaeo* 66-67: CA 2, 234-236 (PG 6, 628-629); Origenes, *Contra Celsum*, 1, 32: SC 132, 162-164 (PG 8, 720-724); *Ibid.*, 1, 69: SC 132, 270 (PG 8, 788-789); et alii.

[160] Concilium Vaticanum I, Const. dogm. *Dei Filius*, c. 4: DS 3016.

[161] Sanctus Ignatius Antiochenus, *Epistula ad Ephesios* 19, 1: SC 10bis, 74 (Funk 1, 228); Cf. *1 Cor* 2, 8.

[162] Cf. Concilium Constantinopolitanum II, Sess. 8ª, Canon 6: DS 427.

[163] Cf. Sanctus Leo Magnus, *Tomus ad Flavianum*: DS 291; *Ibid.*: DS 294; Pelagius I, Epistula *Humani generis*: DS 442; Concilium Lateranense, Canon 3: DS 503; Concilium Toletanum XVI, *Symbolum*: DS 571; Paulus IV, Const. *Cum quorumdam hominum*: DS 1880.

[164] Concilium Vaticanum II, Const. dogm. *Lumen gentium*, 57: AAS 57 (1965) 61.

[165] Cf. Concilium Vaticanum II, Const. dogm. *Lumen gentium*, 52: AAS 57 (1965) 58.

[166] Cf. *Mc* 3, 31-35; 6, 3; *1 Cor* 9, 5; *Gal* 1, 19.

[167] Cf. *Mt* 27, 56.

[168] Cf. *Gn* 13, 8; 14, 16; 29, 15; etc.

969　501　Iesus est unicus Mariae Filius. Sed spiritualis Mariae maternitas [169] ad omnes extenditur homines, ad quos Ille venit salvandos: « Filium autem peperit, quem Deus posuit primogenitum in multis fratribus
970　(*Rom* 8, 29), fidelibus nempe, ad quos gignendos et educandos materno amore cooperatur ».[170]

Virginalis maternitas Mariae in consilio Dei

90　502　Intuitus fidei, in connexione cum Revelationis complexu, arcanas potest detegere rationes, propter quas Deus, in Suo consilio salvifico, voluit Filium Suum e Virgine nasci. Hae rationes tam ad Personam et redemptricem Christi missionem quam ad huius missionis ex parte Mariae pro omnibus hominibus referuntur acceptationem.

422　503　Mariae virginitas absolutum inceptum Dei in Incarnatione manifestat. Iesus Patrem non habet nisi Deum.[171] « Numquam fuit propter hominem quem adsumpsit a Patre alienus. [...] Unus Idemque est Dei et hominis Filius. Naturaliter Patri secundum divinitatem, naturaliter Matri secundum humanitatem; proprius tamen Patri in utroque ».[172]

504　Iesus de Spiritu Sancto in sinu Virginis Mariae conceptus est, quia est *novus*
359　*vus Adam*,[173] qui creationem novam inaugurat: « Primus homo de terra terrenus, secundus homo de caelo » (*1 Cor* 15, 47). Humanitas Christi, inde a Sua conceptione, a Spiritu Sancto repletur quia Deus Ei « non [...] ad mensuram dat Spiritum » (*Io* 3, 34). « De plenitudine Eius », propria Illius qui caput est humanitatis redemptae,[174] « accepimus [...] gratiam pro gratia » (*Io* 1, 16).

505　Iesus, novus Adam, Sua conceptione virginali, *novam nativitatem* inaugurat
1265　filiorum adoptionis in Spiritu Sancto per fidem. « Quomodo fiet istud? » (*Lc* 1, 34).[175] Vitae divinae participatio procedit « non ex sanguinibus neque ex voluntate carnis neque ex voluntate viri, sed ex Deo » (*Io* 1, 13). Acceptio huius vitae est virginalis, quia homini omnino a Spiritu Sancto donatur. Sensus sponsalicius vocationis humanae relate ad Deum [176] in maternitate virginali Mariae perfecte adimpletur.

[169] Cf. *Io* 19, 26-27; *Apoc* 12, 17.
[170] Concilium Vaticanum II, Const. dogm. *Lumen gentium*, 63: AAS 57 (1965) 64.
[171] Cf. *Lc* 2, 48-49.
[172] Concilium Foroiuliense (anno 796 vel 797), *Symbolum*: DS 619.
[173] Cf. *1 Cor* 15, 45.
[174] Cf. *Col* 1, 18.
[175] Cf. *Io* 3, 9.
[176] Cf. *2 Cor* 11, 2.

506   Maria est Virgo quia eius virginitas est *signum fidei eius* nullo dubio adulteratae [177] et suae donationis indivisae voluntati Dei.[178] Eius fides praebet ei Matrem effici Salvatoris. «Beatior ergo Maria percipiendo fidem Christi quam concipiendo carnem Christi».[179]   148, 1814

507   Maria simul Virgo est et Mater quia figura est et perfectissima Ecclesiae effectio: [180] «Ecclesia [...] per Verbum Dei fideliter susceptum et ipsa fit Mater: praedicatione enim ac Baptismo filios, de Spiritu Sancto conceptos et ex Deo natos, ad vitam novam et immortalem generat. Et ipsa est virgo, quae fidem Sponso datam integre et pure custodit».[181]   967

149

Compendium

508   *Deus in descendentia Evae Virginem elegit Mariam ut Filii Sui esset Mater. Illa, «gratia plena», est «praecellens Redemptionis fructus»: [182] ipsa est a primo instanti conceptionis suae a labe peccati originalis prorsus immunis praeservata et pura ab omni peccato personali toto vitae suae permansit decursu.*

509   *Maria est vere «Mater Dei» propterea quod Mater est aeterni Filii Dei, hominis facti, qui est Deus Ipse.*

510   *Maria permansit Filium suum «concipiens Virgo, pariens Virgo, Virgo gravida, Virgo feta, Virgo perpetua»: [183] toto esse suo est «ancilla Domini» (Lc 1, 38).*

511   *Maria Virgo «libera fide et oboedientia humanae saluti» [184] est cooperata. Illa assensum suum, «loco totius humanae naturae»,[185] pronuntiavit. Illa est facta, sua oboedientia, nova Eva, Mater viventium.*

---

[177] Cf. Concilium Vaticanum II, Const. dogm. *Lumen gentium*, 63: AAS 57 (1965) 64.
[178] Cf. *1 Cor* 7, 34-35.
[179] Sanctus Augustinus, *De sancta virginitate* 3, 3: CSEL 41, 237 (PL 40, 398).
[180] Cf. Concilium Vaticanum II, Const. dogm. *Lumen gentium*, 63: AAS 57 (1965) 64.
[181] Concilium Vaticanum II, Const. dogm. *Lumen gentium*, 64: AAS 57 (1965) 64.
[182] Cf. Concilium Vaticanum II, Const. *Sacrosanctum Concilium*, 103: AAS 56 (1964) 125.
[183] Sanctus Augustinus, *Sermo* 186, 1: PL 38, 999.
[184] Concilium Vaticanum II, Const. dogm. *Lumen gentium*, 56: AAS 57 (1965) 60.
[185] Sanctus Thomas Aquinas, *Summa theologiae* 3, q. 30, a. 1, c: Ed. Leon. 11, 315.

Paragraphus 3

MYSTERIA VITAE CHRISTI

512 Symbolum fidei relate ad vitam Christi non loquitur nisi de mysteriis Incarnationis (conceptionis et nativitatis) et Paschatis (passionis, crucifixionis, mortis, sepulturae, descensus ad inferos, resurrectionis et ascensionis). Nihil explicite dicit de mysteriis vitae occultae et publicae Iesu; articuli tamen fidei qui ad Iesu Incarnationem et Pascha referuntur, *totam* vitam terrenam illuminant Christi. Omnia « quae coepit Iesus facere et docere, usque in diem, qua [...] assumptus est » (*Act 1, 1-2*), *sub lumine mysteriorum Nativitatis et Paschatis sunt perspicienda.*

1163

426, 561   513 Catechesis, secundum adiuncta, omnes divitias explanabit mysteriorum Iesu. Hic indicare sufficit quaedam omnibus mysteriis vitae Christi elementa communia (*I*), ad adumbranda deinde praecipua vitae occultae (*II*) et publicae (*III*) Iesu mysteria.

I. Tota vita Christi mysterium est

514 Plura quae curiositatem relate ad Iesum movent humanam, in Evangeliis non continentur. De vita Eius in Nazareth fere nihil dicitur, et etiam magna Eius vitae publicae pars non narratur.[186] Id quod in Evangeliis scriptum est, narratur « ut credatis quia Iesus est Christus Filius Dei, et ut credentes vitam habeatis in nomine Eius » (*Io* 20, 31).

126   515 Evangelia scripta sunt ab hominibus qui inter primos sunt qui fidem habuerunt [187] et illam aliis volunt participandam praebere. Cum cognovissent fide quis Iesus sit, perspicere et facere perspicienda potuerunt vestigia mysterii Eius in tota Eius vita terrestri. A pannis Nativitatis Eius [188] usque ad Eius passionis acetum [189] et Resurrectionis Eius sudarium,[190] totum in vita Iesu signum est Eius mysterii. Per Eius gesta, per Eius miracula, per verba Eius, revelatum est « in Ipso » inhabitare omnem plenitudinem « divinitatis corporaliter » (*Col* 2, 9). Sic humanitas

609, 774   Eius tamquam « sacramentum » apparet, id est, signum et instrumentum divinitatis Eius et salutis quam Ipse affert: quod in Eius vita terrestri

---

[186] Cf. *Io* 20, 30.
[187] Cf. *Mc* 1, 1; *Io* 21, 24.
[188] Cf. *Lc* 2, 7.
[189] Cf. *Mt* 27, 48.
[190] Cf. *Io* 20, 7.

visibile erat, ad mysterium ducebat invisibile Eius filiationis divinae 477
Eiusque missionis redemptricis.

COMMUNIA LINEAMENTA MYSTERIORUM IESU

516   Tota Christi vita est *Revelatio* Patris: verba et actus Eius, silentia 65
atque passiones, Eius modus essendi et loquendi. Iesus dicere potest:
« Qui vidit me, vidit Patrem » (*Io* 14, 9); et Pater: « Hic est Filius meus
electus; Ipsum audite » (*Lc* 9, 35). Cum Dominus noster factus sit homo ut voluntatem Patris adimpleat,[191] lineamenta vel minima mysteriorum Eius caritatem Dei erga nos [192] nobis manifestant. 2708

517   Tota Christi vita mysterium est *Redemptionis*. Redemptio venit ad 606
nos imprimis per crucis sanguinem,[193] sed hoc mysterium in tota vita 1115
operatur Christi: iam in Incarnatione Eius, per quam, Se pauperem faciens, nos Sua ditat paupertate;[194] in Eius vita occulta, quae, per Eius
submissionem,[195] nostram reparat insubiectionem; in Eius verbo, quod
Eius auditores purificat;[196] in Eius sanationibus et exorcismis, per quae
« Ipse nostras infirmitates accepit et aegrotationes portavit » (*Mt* 8,
17);[197] in Eius Resurrectione, per quam nos iustificat.[198]

518   Tota vita Christi *Recapitulationis* est mysterium. Quidquid Iesus 668, 2748
fecit, dixit et passus est, scopum habebat hominem lapsum in suam primam vocationem restaurandi:

> « Quando incarnatus et homo factus longam hominum expositionem in
> Seipso recapitulavit, in compendio nobis salutem praestans, ut quod
> perdideramus in Adam, id est secundum imaginem et similitudinem esse
> Dei, hoc in Christo Iesu reciperemus ».[199] « Quapropter et per omnem
> venit aetatem, omnibus restituens eam quae est ad Deum communio-
> nem ».[200]

---

[191] Cf. *Heb* 10, 5-7.
[192] Cf. *1 Io* 4, 9.
[193] Cf. *Eph* 1, 7; *Col* 1, 13-14 (Vulgata); *1 Pe* 1, 18-19.
[194] Cf. *2 Cor* 8, 9.
[195] Cf. *Lc* 2, 51.
[196] Cf. *Io* 15, 3.
[197] Cf. *Is* 53, 4.
[198] Cf. *Rom* 4, 25.
[199] SANCTUS IRENAEUS LUGDUNENSIS, *Adversus haereses* 3, 18, 1: SC 211, 342-344 (PG 7, 932).
[200] SANCTUS IRENAEUS LUGDUNENSIS, *Adversus haereses* 3, 18, 7: SC 211, 366 (PG 7, 937); cf. ID., *Adversus haereses* 2, 22, 4: SC 294, 220-222 (PG 7, 784).

NOSTRA CUM MYSTERIIS IESU COMMUNIO

793
602

519   Omnes Christi divitiae omni homini praesto sunt omnisque hominis bonum efficiunt.[201] Christus vitam Suam non duxit pro Se, sed *pro
nobis*, ab Incarnatione «propter nos homines et propter nostram salutem»[202] usque ad Suam Mortem «pro peccatis nostris» (*1 Cor* 15, 3) et
Resurrectionem Suam «propter iustificationem nostram» (*Rom* 4, 25).
Adhuc nunc Ipse noster est advocatus «ad Patrem» (*1 Io* 2, 1), «semper vivens ad interpellandum» pro nobis (*Heb* 7, 25). Cum omnibus
quae semel pro semper propter nos in vita transegit et passus est, in

1085

aeternum manet «vultui Dei pro nobis» (*Heb* 9, 24) praesens.

459
359
2607

520   Iesus, in tota Sua vita, Se tamquam *nostrum exemplar* ostendit:[203]
Ipse est «perfectus homo»,[204] qui nos invitat ut Eius efficiamur discipuli
Eumque sequamur: Sua humiliatione nobis exemplum dedit imitandum,[205] Sua oratione ad orationem attrahit,[206] Sua paupertate ad libere
inopiam et persecutiones vocat accipiendas.[207]

2715
1391

521   Christus facit ut quidquid Ipse vita transegit, nos *vita nostra in Eo
geramus* et Ipse *vita Sua in nobis gerat*. «Filius Dei Incarnatione Sua
cum omni homine quodammodo Se univit».[208] Vocamur ut nonnisi
unum simus cum Eo; Ipse facit ut nos, tamquam membra corporis
Eius, id communicemus quod Ille vita transegit in carne Sua pro nobis
et tamquam nostrum exemplar:

> «Prosequi debemus et adimplere in nobis status et mysteria Iesu Eum-
> que Iesum saepe deprecari [...] ut illa in nobis et in universa Ecclesia
> Sua consummet atque adimpleat. [...] Namque Dei Filius in animo ha-
> bet et communicare et extendere quodammodo ac continuare mysteria
> Sua in nobis atque in universa Ecclesia Sua, [...] tum gratiis quas nobis
> impertire statuit tum effectibus quos vult in nobis per haec eadem
> mysteria operari. Hac ratione vult in nobis illa adimplere».[209]

---

[201] Cf. IOANNES PAULUS II, Litt. Enc. *Redemptor hominis*, 11: AAS 71 (1979) 278.
[202] *Symbolum Nicaenum-Constantinopolitanum*: DS 150.
[203] Cf. *Rom* 15, 5; *Philp* 2, 5.
[204] CONCILIUM VATICANUM II, Const. past. *Gaudium et spes*, 38: AAS 58 (1966) 1055.
[205] Cf. *Io* 13, 15.
[206] Cf. *Lc* 11, 1.
[207] Cf. *Mt* 5, 11-12.
[208] CONCILIUM VATICANUM II, Const. past. *Gaudium et spes*, 22: AAS 58 (1966) 1042.
[209] SANCTUS IOANNES EUDES, *Le royaume de Jésus*, 3, 4: *Oeuvres complètes*, v. 1 (Van-
nes 1905) p. 310-311.

II. Mysteria infantiae et vitae occultae Iesu

PRAEPARATIONES

522 Adventus Filii Dei in terram eventus est ita immensus, ut Deus per saecula illum praeparare voluerit. Ipse omnia, ritus et sacrificia, figuras et symbola « Prioris Testamenti »,[210] in Christum facit convergere: Ipse Eum per os annuntiat Prophetarum qui se in Israel succedunt. Ceterum in corde gentilium obscuram suscitat huius Adventus exspectationem. 711, 762

523 *Sanctus Ioannes Baptista* immediatus est praecursor Domini,[211] ab Eo missus ut viam praeparet.[212] Ipse, « Propheta Altissimi » (*Lc* 1, 76), omnes Prophetas superat,[213] eorum est ultimus,[214] Evangelium inaugurat;[215] ex matris suae sinu Adventum salutat Christi,[216] et suum habet gaudium in eo quod sit « amicus sponsi » (*Io* 3, 29), quem tamquam Agnum « Dei, qui tollit peccatum mundi » denotat (*Io* 1, 29). Iesum « in spiritu et virtute Eliae » (*Lc* 1, 17) praecedens, Illi sua praedicatione, suo conversionis baptismate et tandem suo martyrio [217] perhibet testimonium. 712-720

524 Ecclesia, *Adventus liturgiam* singulis celebrans annis, hanc Messiae exspectationem in actum ducit: fideles longam primi Adventus Salvatoris praeparationem communicantes, ardens renovant secundi Adventus optatum.[218] Per celebrationem nativitatis et martyrii Praecursoris, Ecclesia eius unitur optato: « Illum oportet crescere, me autem minui » (*Io* 3, 30). 1171

NATIVITATIS MYSTERIUM

525 Iesus in stabuli humilitate natus est, in familia paupere;[219] simplices pastores testes eventus sunt primi. In hac paupertate manifestatur gloria caeli.[220] Ecclesia gloriam huius noctis canere non desinit: 437 2443

---

[210] Cf. *Heb* 9, 15.
[211] Cf. *Act* 13, 24.
[212] Cf. *Mt* 3, 3.
[213] Cf. *Lc* 7, 26.
[214] Cf. *Mt* 11, 13.
[215] Cf. *Act* 1, 22; *Lc* 16, 16.
[216] Cf. *Lc* 1, 41.
[217] Cf. *Mc* 6, 17-29.
[218] Cf. *Apc* 22, 17.
[219] Cf. *Lc* 2, 6-7.
[220] Cf. *Lc* 2, 8-20.

« Hodie Virgo parit Supersubstantiale,
et terra Inaccessibili specum offert.
Angeli cum pastoribus Eum glorificant,
magi cum stella faciunt iter:
quia pro nobis natus est
Parvus Infans, Deus in aeternum! ».[221]

526   « Puerum fieri » relate ad Deum est condicio ad Regnum ingrediendum; [222] ad hoc necessarium est se humiliare,[223] parvum effici; immo
necessarium est « nasci denuo » (*Io* 3, 7), ex Deo nasci [224] ut quis filius
Dei fiat.[225] Mysterium Nativitatis in nobis impletur, cum Christus « formatur » in nobis.[226] Iesu Nativitas est huius « admirabilis commercii »
mysterium:

> « O admirabile commercium! Creator generis humani, animatum corpus
> sumens, de Virgine nasci dignatus est; et, procedens homo sine semine,
> largitus est nobis Suam deitatem ».[227]

460

Mysteria infantiae Iesu

527   Iesu *circumcisio*, octo post Eius Nativitatem dies,[228] signum est in-
sertionis Eius in Abraham descendentiam, in Foederis populum, Eius
580   submissionis Legi [229] Eiusque destinationis ad cultum Israel, quem per
1214   totam Suam participabit vitam. Hoc signum praefigurat « Christi cir-
cumcisionem » quae est Baptisma.[230]

439   528   *Epiphania* est Iesu, ut Messiae Israel, Filii Dei et Salvatoris mundi,
manifestatio. Cum baptismate Iesu in Iordane et nuptiis Cana,[231] adorationem Iesu celebrat a « magis » qui ab oriente venerant.[232] Evangelium

---

[221] Sanctus Romanus Melodus, *Kontakion*, 10, *In diem Nativitatis Christi*, Prooemium: SC 110, 50.
[222] Cf. *Mt* 18, 3-4.
[223] Cf. *Mt* 23, 12.
[224] Cf *Io* 1, 13.
[225] Cf. *Io* 1, 12.
[226] Cf. *Gal* 4, 19.
[227] *In sollemnitate sanctae Dei Genetricis Mariae*, Antiphona ad I et II Vesperas: *Liturgia Horarum*, editio typica, v. 1 (Typis Polyglottis Vaticanis 1973) p. 385 et 397.
[228] Cf. *Lc* 2, 21.
[229] Cf. *Gal* 4, 4.
[230] Cf. *Col* 2, 11-13.
[231] Cf. *In sollemnitate Epiphaniae Domini*, Antiphona ad « Magnificat » in II Vesperis:
Liturgia Horarum, editio typica, v. 1 (Typis Polyglottis Vaticanis 1973) p. 465.
[232] Cf. *Mt* 2, 1.

in his « magis » religiones paganas circumstantes repraesentantibus perspicit primitias nationum quae Bonum Nuntium accipiunt salutis per Incarnationem. Magorum adventus in Ierusalem ad regem Iudaeorum adorandum [233] ostendit, eos in Israel, sub luce messianica stellae David,[234] Illum quaerere, qui rex erit nationum.[235] Eorum adventus significat paganos Iesum invenire et Illum ut Filium Dei et Salvatorem mundi adorare non posse nisi se ad Iudaeos vertant [236] et ab illis Promissionem accipiant messianicam sicut in Vetere continetur Testamento.[237] Epiphania manifestat gentium plenitudinem intrare in Patriarcharum familiam [238] et « *Israeliticam dignitatem* » [239] acquirere.

711-716,
122

529   *Praesentatio Iesu in Templo* [240] Ipsum ostendit tamquam Primogenitum qui ad Dominum pertinet ut proprius.[241] Cum Simeone et Anna, tota Israel exspectatio in Salvatoris sui venit *occursum* (ita traditio Byzantina hunc appellat eventum). Iesus tamquam Messias agnoscitur tam longe exspectatus, « lumen gentium » et « gloria Israel », sed etiam « signum contradictionis ». Doloris gladius qui Mariae praedicitur, annuntiat hanc aliam, perfectam et unicam, crucis oblationem, quae salutem donabit quam Deus « ante faciem omnium populorum » paravit.

583

439

614

530   *Fuga in Aegyptum* et innocentium occisio [242] oppositionem ostendunt tenebrarum ad lucem: « In propria venit, et Sui Eum non receperunt » (*Io* 1, 11). Tota Christi vita persecutione erit signata. Qui Eius sunt, illam cum Eo participant.[243] Reditus ex Aegypto [244] Exodum revocat in memoriam [245] et Iesum tamquam definitivum praesentat liberatorem.

574

---

[233] Cf. *Mt* 2, 2.
[234] Cf. *Nm* 24, 17; *Apc* 22, 16.
[235] Cf. *Nm* 24, 17-19.
[236] Cf. *Io* 4, 22.
[237] Cf. *Mt* 2, 4-6.
[238] Cf. Sanctus Leo Magnus, *Sermo* 33, 3: CCL 138, 173 (PL 54, 242).
[239] *Vigilia Paschalis, Oratio post tertiam lectionem*: *Missale Romanum*, editio typica (Typis Polyglottis Vaticanis 1970) p. 277.
[240] Cf. *Lc* 2, 22-39.
[241] Cf. *Ex* 13, 12-13.
[242] Cf. *Mt* 2, 13-18.
[243] Cf. *Io* 15, 20.
[244] Cf. *Mt* 2, 15.
[245] Cf. *Os* 11, 1.

Mysteria vitae occultae Iesu

531   Iesus, per magnam vitae Suae partem, condicionem partis immense maioris hominum participavit: vitam quotidianam sine apparenti
2427   magnitudine, vitam laboris manuum, vitam religiosam Iudaicam Legi
Dei submissam,[246] vitam in communitate. Tota hac periodo, nobis revelatur Iesum fuisse Suis parentibus subditum [247] et « sapientia et aetate et
gratia apud Deum et homines » profecisse (*Lc* 2, 52).

532   Iesu submissio Suae Matri Suoque patri legali quartum perfecte
2214-2220   adimplet praeceptum. Illa temporalis est imago Eius oboedientiae filialis
Patri Eius caelesti. Quotidiana Iesu submissio Ioseph et Mariae submis-
612   sionem annuntiat et anticipat orationis in horto: « Non mea voluntas... » (*Lc* 22, 42). Oboedientia Christi in quotidianis vitae occultae
adiunctis iam opus inaugurabat restaurationis eorum quae Adami de-
struxerat inoboedientia.[248]

533   Vita occulta Nazarethana omnibus permittit hominibus per vias
vitae maxime quotidianas cum Iesu communionem habere:

2717   « Nazarena domus schola est, in qua incipit Christi vita dignosci: Evangelii nempe schola. [...] *Silentium* enim haec docet imprimis. Utinam optima in nobis revirescat silentii aestimatio, mirandi nempe huius ac necessarii mentis habitus [...]. *Domesticam* hic praeterea *vivendi* percipimus
2204   *rationem*. Nos sane Nazareth admoneat quid sit familia, quid eius communio dilectionis, eius gravis ac nitida pulchritudo, sacra eius inviolabi-
lisque proprietas [...]. *Operis* denique hic cognoscimus *disciplinam*. O
Nazarena sedes, fabri Filii domus, hic potissimum severam quidem sed
redemptricem laboris humani legem intellegere optamus et celebrare
[...]; hic denique totius mundi operariis salutem volumus nuntiare,
2427   iisdemque magnum exemplar ostendere, divinum fratrem ».[249]

583   534   *Iesu inventio in Templo*[250] solus est eventus qui Evangeliorum de
2599   annis occultis Iesu rumpit silentium. Ibi Iesus Suae totalis consecrationis missioni e Sua filiatione divina provenienti mysterium permittit su-
spicari: « Nesciebatis quia in his, quae Patris mei sunt, oportet me
964   esse? ». Maria et Ioseph hoc verbum « non intellexerunt », sed illud in
fide acceperunt, et Maria « conservabat omnia verba in corde suo » per

---

[246] Cf. *Gal* 4, 4.
[247] Cf. *Lc* 2, 51.
[248] Cf. *Rom* 5, 19.
[249] Paulus VI, *Homilia in templo Annuntiationis beatae Mariae Virginis in Nazareth*
(5 ianuarii 1964): AAS 56 (1964) 167-168.
[250] Cf. *Lc* 2, 41-52.

totum decursum annorum quibus Iesus in vitae ordinariae silentio permanebat occultus.

III. Mysteria vitae publicae Iesu

IESU BAPTISMUS

535 Initium [251] vitae publicae Iesu est Eius baptismus a Ioanne in Iordane peractus.[252] Ioannes « baptismum paenitentiae in remissionem peccatorum » proclamabat (*Lc* 3, 3). Multitudo peccatorum, publicanorum et militum,[253] Pharisaeorum et Sadducaeorum [254] et meretricum [255] venit ut ab illo baptizetur. « Tunc venit Iesus ». Baptista haesitat, Iesus insistit: Ipse baptismum recipit. Tunc Spiritus Sanctus, in columbae forma, super Iesum venit, et vox proclamat de caelo: « Hic est Filius meus dilectus » (*Mt* 3, 13-17). Haec est Iesu manifestatio (« Epiphania ») tamquam Messiae Israel et Filii Dei.

719-720

701

438

536 Iesu baptismus est, ex parte Eius, acceptatio et inauguratio Eius missionis, tamquam Servi patientis. Ipse sinit Se inter peccatores adnumerari.[256] Ipse iam est « Agnus Dei, qui tollit peccatum mundi » (*Io* 1, 29); iam « baptismum » anticipat Suae cruentae Mortis.[257] Iam venit ad « omnem iustitiam » implendam (*Mt* 3, 15), id est, Se totum Patris Sui submittit voluntati: Ipse amore huic mortis consentit baptismo pro nostrorum peccatorum remissione.[258] Huic acceptationi vox respondet Patris qui in Filio Suo totum placitum ponit Suum.[259] Spiritus quem Iesus in plenitudine inde a Sua possidet conceptione, venit ut « maneat » super Eum.[260] Iesus erit Illius fons pro tota humanitate. In Suo baptismo, « aperti sunt Ei caeli » (*Mt* 3, 16), quos peccatum clauserat Adami; atque aquae per Iesum et Spiritus descensum sanctificantur, ut novae creationis proludium.

606

1224

444
727

739

537 Christianus, per Baptisma, sacramentaliter Iesu assimilatur qui in baptismo Suo Mortem Suam et Suam anticipat Resurrectionem; ille de-

1262

---

[251] Cf. *Lc* 3, 23.
[252] Cf. *Act* 1, 22.
[253] Cf. *Lc* 3, 10-14.
[254] Cf. *Mt* 3, 7.
[255] Cf. *Mt* 21, 32.
[256] Cf. *Is* 53, 12.
[257] Cf. *Mc* 10, 38; *Lc* 12, 50.
[258] Cf. *Mt* 26, 39.
[259] Cf. *Lc* 3, 22; *Is* 42, 1.
[260] Cf. *Io* 1, 32-33; *Is* 11, 2.

bet hoc humilis submissionis et paenitentiae mysterium ingredi, in aquam cum Iesu descendere ut cum Illo ascendat, atque ex aqua et Spiritu denuo nasci ut in Filio filius Patris fiat dilectus et « in novitate vitae » ambulet (*Rom* 6, 4):

628

> « Proinde, cum Christo per Baptismum sepeliamur, ut cum Eo resurgamus; cum Eo descendamus, ut simul etiam extollamur; cum Eo ascendamus, ut simul quoque gloria afficiamur ».[261]
>
> Sic factum est « ut ex eis quae consummabantur in Christo cognosceremus post aquae lavacrum et de caelestibus portis Sanctum in nos Spiritum involare et caelestis nos gloriae unctione perfundi et paternae vocis adoptione filios fieri ».[262]

Iesu tentationes

538   Evangelia de quodam tempore solitudinis Iesu in deserto loquuntur immediate postquam Ipse a Ioanne est baptizatus: « Spiritus expellit Eum in desertum » (*Mc* 1, 12) et Ipse ibi permanet quadraginta dies

394   quin manducet; cum bestiis vivit silvestribus et angeli serviunt Ei.[263] Ad finem huius temporis, Satanas ter Eum tentat quaerens Eius filialem er-

518   ga Deum habitum ponere in quaestione. Iesus has reiicit oppugnationes quae tentationes Adam in paradiso et Israel in deserto recapitulant, atque Diabolus ab Eo discedit « usque ad tempus » (*Lc* 4, 13).

539   Evangelistae indicant huius arcani eventus salvificum sensum. Ie-

397   sus est novus Adam, qui ibi permanet fidelis ubi primus tentationi succubuit. Iesus vocationem Israel perfecte adimplet: illis contrarie qui olim quadraginta annis in deserto Deum provocaverunt,[264] Christus e contra tamquam Servus revelatur Dei plene oboediens divinae voluntati.

385   In hoc est Iesus Diaboli victor: Ipse fortem alligavit ut ab illo praedam iterum eriperet.[265] Victoria Iesu de Tentatore in deserto victoriam antici-

609   pat passionis, supremae oboedientiae Eius amoris filialis erga Patrem.

2119   540   Tentatio Iesu modum manifestat quo Filius Dei est Messias, contrarium illi quem Ei Satan proponit atque homines [266] Ei exoptant attri-

519, 2849   buere. Propterea Christus Tentatorem *pro nobis* vicit: « Non enim habe-

---

[261] Sanctus Gregorius Nazianzenus, *Oratio* 40, 9: SC 358, 216 (PG 36, 369).
[262] Sanctus Hilarius Pictaviensis, *In evangelium Matthaei* 2, 6: SC 254, 110 (PL 9, 927).
[263] Cf. *Mc* 1, 13.
[264] Cf. *Ps* 95, 10.
[265] Cf. *Mc* 3, 27.
[266] Cf. *Mt* 16, 21-23.

mus pontificem, qui non possit compati infirmitatibus nostris, tentatum autem per omnia secundum similitudinem absque peccato » (*Heb* 4, 15). Singulis annis per quadraginta dies *Magnae Quadragesimae* Ecclesia unitur mysterio Iesu in deserto.

1438

« Appropinquavit Regnum Dei »

541   « Postquam autem traditus est Ioannes, venit Iesus in Galilaeam praedicans Evangelium Dei et dicens: "Impletum est tempus, et appropinquavit Regnum Dei; paenitemini et credite Evangelio" » (*Mc* 1, 14-15). « Christus ideo, ut voluntatem Patris impleret, Regnum caelorum in terris inauguravit ».[267] Patris autem voluntas est « homines ad participandam vitam divinam elevare ».[268] Id facit homines circa Filium Suum, Iesum Christum, congregans. Haec congregatio est Ecclesia quae in terris « germen et initium » est Regni Dei.[269]

2816
763

669, 768,
865

542   Christus in corde est huius congregationis hominum in « familia Dei ». Ipse eos convocat circa Se per verbum Suum, per Sua signa quae Regnum Dei manifestant, per discipulorum Suorum missionem. Ipse Adventum Sui Regni deducet in rem praecipue per magnum Suae Paschatis mysterium: per Suam Mortem in cruce et Resurrectionem Suam. « Et ego, si exaltatus fuero a terra, omnes traham ad meipsum » (*Io* 12, 32). Ad hanc unionem cum Christo omnes vocantur homines.[270]

2233

789

Annuntiatio Regni Dei

543   *Omnes homines* ad Regnum ingrediendum vocantur. Hoc Regnum messianicum, imprimis filiis Israel nuntiatum,[271] destinatur ad homines omnium gentium accipiendos.[272] Ad accedendum in illud, necessarium est Iesu accipere verbum:

764

> « Verbum nempe Domini comparatur semini, quod in agro seminatur: qui illud cum fide audiunt et Christi pusillo gregi adnumerantur,

---

[267] Concilium Vaticanum II, Const. dogm. *Lumen gentium*, 3: AAS 57 (1965) 6.
[268] Concilium Vaticanum II, Const. dogm. *Lumen gentium*, 2: AAS 57 (1965) 5-6.
[269] Concilium Vaticanum II, Const. dogm. *Lumen gentium*, 5: AAS 57 (1965) 8.
[270] Cf. Concilium Vaticanum II, Const. dogm. *Lumen gentium*, 3: AAS 57 (1965) 6.
[271] Cf. *Mt* 10, 5-7.
[272] Cf. *Mt* 8, 11; 28, 19.

Regnum ipsum susceperunt; propria dein virtute semen germinat et increscit usque ad tempus messis ».[273]

709
2443
2546

544 Regnum est *pauperum et parvulorum*, id est, illorum qui illud corde acceperunt humili. Iesus mittitur « evangelizare pauperibus » (*Lc* 4, 18).[274] Eos beatos declarat « quoniam ipsorum est Regnum Dei » (*Mt* 5, 3); his « parvulis » Pater id dignatus est revelare quod sapientibus et prudentibus manet absconditum.[275] Iesus, a praesepe usque ad crucem, vitam pauperum participat; famem,[276] sitim[277] et inopiam experitur.[278] Immo vero: Se cum pauperibus omnis generis identificat et ex amore activo erga illos condicionem facit ingressus in Regnum Suum.[279]

1443
588
1846
1439

545 Iesus *peccatores* ad mensam invitat Regni: « Non veni vocare iustos, sed peccatores » (*Mc* 2, 17).[280] Eos ad conversionem invitat sine qua Regnum ingredi possibile non est, sed eis ostendit, verbis et gestis, misericordiam Patris Sui illimitatam erga eos[281] et immensum « gaudium [quod] erit in caelo super uno peccatore paenitentiam agente » (*Lc* 15, 7). Suprema huius amoris demonstratio sacrificium erit Suae propriae vitae « in remissionem peccatorum » (*Mt* 26, 28).

2613

546 Iesus ad Regnum ingrediendum per *parabolas* vocat quae lineamentum constituunt characteristicum instructionis Eius.[282] Per eas, Ipse ad convivium invitat Regni,[283] sed etiam electionem exigit radicalem: ad acquirendum Regnum est necessarium omnia donare;[284] verba non sufficiunt, requiruntur actiones.[285] Parabolae pro homine quasi specula sunt: accepitne verbum tamquam durum solum an tamquam terra bona?[286] Quidnam ex acceptis facit talentis?[287] Iesus et praesentia Regni in hoc mundo sunt secreto in parabolarum corde. Necessarium est Regnum

542

ingredi, id est, discipulum fieri Christi ad « mysteria Regni caelorum »

---

[273] Concilium Vaticanum II, Const. dogm. *Lumen gentium*, 5: AAS 57 (1965) 7.
[274] Cf. *Lc* 7, 22.
[275] Cf. *Mt* 11, 25.
[276] Cf. *Mc* 2, 23-26; *Mt* 21, 18.
[277] Cf. *Io* 4, 6-7; 19, 28.
[278] Cf. *Lc* 9, 58.
[279] Cf. *Mt* 25, 31-46.
[280] Cf. *1 Tim* 1, 15.
[281] Cf. *Lc* 15, 11-32.
[282] Cf. *Mc* 4, 33-34.
[283] Cf. *Mt* 22, 1-14.
[284] Cf. *Mt* 13, 44-45.
[285] Cf. *Mt* 21, 28-32.
[286] Cf. *Mt* 13, 3-9.
[287] Cf. *Mt* 25, 14-30.

cognoscenda (*Mt* 13, 11). Pro eis qui « foris » perstant (*Mc* 4, 11), totum permanet aenigmaticum.[288]

Signa Regni Dei

547 Iesus Sua verba pluribus comitatur « virtutibus et prodigiis et signis » (*Act* 2, 22) quae ostendunt Regnum in Eo esse praesens. Illa testantur Iesum esse Messiam praenuntiatum.[289]

670

439

548 Signa a Iesu effecta Patrem Eum misisse testantur.[290] Invitant ad credendum in Eum.[291] Illis qui ad Eum fide se vertunt, id concedit quod petunt.[292] Tunc miracula fidem roborant in Eum qui Patris Sui facit opera: Eum Filium Dei testantur esse.[293] Sed etiam possunt esse scandali occasio.[294] Non enim intendunt curiositati et magicis satisfacere optatis. Iesus, non obstantibus Suis miraculis tam evidentibus, a quibusdam est reiectus;[295] accusatus etiam de eo est quod per daemonia ageret.[296]

156

2616

574

447

549 Iesus, quosdam homines a terrestribus famis,[297] iniustitiae,[298] morbi et mortis liberans malis,[299] signa perfecit messianica. Ipse tamen non venit ut omnia mala hic in terris aboleret,[300] sed ut homines a gravissima omnium servitute liberaret, ab illa peccati,[301] quae eos in eorum vocatione filiorum Dei irretit et omnes eorum causat humanas servitutes.

1503

440

550 Adventus Regni Dei profligatio est regni Satan:[302] « Si autem in Spiritu Dei ego eicio daemones, igitur pervenit in vos Regnum Dei » (*Mt* 12, 28). Iesu *exorcismi* homines a daemoniorum liberant dominio.[303]

394

1673

---

[288] Cf. *Mt* 13, 10-15.
[289] Cf. *Lc* 7, 18-23.
[290] Cf. *Io* 5, 36; 10, 25.
[291] Cf. *Io* 10, 38.
[292] Cf. *Mc* 5, 25-34; 10, 52; etc.
[293] Cf. *Io* 10, 31-38.
[294] Cf. *Mt* 11, 6.
[295] Cf. *Io* 11, 47-48.
[296] Cf. *Mc* 3, 22.
[297] Cf. *Io* 6, 5-15.
[298] Cf. *Lc* 19, 8.
[299] Cf. *Mt* 11, 5.
[300] Cf. *Lc* 12, 13-14; *Io* 18, 36.
[301] Cf. *Io* 8, 34-36.
[302] Cf. *Mt* 12, 26.
[303] Cf. *Lc* 8, 26-39.

440, 2816 Magnam Iesu anticipant victoriam super « principem huius mundi ».[304]
Per crucem Christi Regnum Dei definitive stabilietur: « Regnavit a ligno Deus ».[305]

« CLAVES REGNI »

858 551 Iesus, ab initio Suae vitae publicae, viros duodecim numero elegit ut cum Ipso essent et Suam participarent missionem.[306] Eis in Sua auctoritate partem tribuit « et misit illos praedicare Regnum Dei et sanare in-
765 firmos » (_Lc_ 9, 2). In perpetuum Regno Christi manent associati, quia Ipse per illos Ecclesiam dirigit:

> « Ego dispono vobis, sicut disposuit mihi Pater meus Regnum, ut edatis et bibatis super mensam meam in Regno meo, et sedeatis super thronos iudicantes duodecim tribus Israel » (_Lc_ 22, 29-30).

880 552 In Duodecim collegio, Simon Petrus primum habet locum.[307] Iesus
153 illi missionem credidit unicam. Vi revelationis a Patre procedentis, Pe-
442 trus confessus erat: « Tu es Christus, Filius Dei vivi » (_Mt_ 16, 16). Tunc Dominus noster illi declaraverat: « Tu es Petrus, et super hanc petram aedificabo Ecclesiam meam; et portae inferi non praevalebunt adversus eam » (_Mt_ 16, 18). Christus, « Lapis vivus »,[308] Ecclesiae Suae super Petrum aedificatae victoriam de mortis asseverat potentiis. Petrus, ratione
424 fidei quam confessus est, rupes Ecclesiae permanebit inconcussa. Missionem habebit hanc fidem custodiendi ne unquam deficiat, fratresque in ea confirmandi.[309]

381 553 Iesus Petro auctoritatem credidit specificam: « Tibi dabo claves Regni caelorum; et quodcumque ligaveris super terram, erit ligatum in caelis, et quodcumque solveris super terram, erit solutum in caelis » (_Mt_ 16, 19). « Potestas clavium » auctoritatem denotat ad domum Dei gubernandam, quae est Ecclesia. Iesus, « Pastor bonus » (_Io_ 10, 11) hoc confirmavit munus post Resurrectionem Suam: « Pasce oves meas » (_Io_
1445 21, 15-17). Potestas « ligandi et solvendi » auctoritatem significat ad absolvenda peccata, ad iudicia pronuntianda doctrinalia et ad decisiones disciplinares in Ecclesia sumendas. Iesus hanc Ecclesiae credidit auctori-

[304] Cf. _Io_ 12, 31.
[305] VENANTIUS FORTUNATUS, _Hymnus « Vexilla Regis »_: MGH 1/4/1, 34 (PL 88, 96).
[306] Cf. _Mc_ 3, 13-19.
[307] Cf. _Mc_ 3, 16; 9, 2; _Lc_ 24, 34; _1 Cor_ 15, 5.
[308] Cf. _1 Pe_ 2, 4.
[309] Cf. _Lc_ 22, 32.

tatem per Apostolorum ministerium [310] et peculiariter Petri, cui uni expli-   641, 881
cite claves credidit Regni.

Praegustatio Regni: Transfiguratio

554   A die qua Petrus confessus est Iesum esse Christum, Filium Dei
vivum, Magister « coepit [...] ostendere discipulis quia oporteret Eum
ire Hierosolymam et multa pati [...] et occidi et tertia die resurgere »
(*Mt* 16, 21): Petrus hanc reiicit annuntiationem,[311] ceteri illam non magis
intelligunt.[312] In hoc contextu, arcanus collocatur eventus Transfiguratio-   697, 2600
nis Iesu,[313] supra montem excelsum, coram tribus testibus ab Eo electis:
Petro, Iacobo et Ioanne. Vultus et vestimenta Iesu luce fiunt fulgentia.
Moyses et Elias apparent et loquentes cum Eo « dicebant exodum Eius,
quem completurus erat in Ierusalem » (*Lc* 9, 31). Nubes illos operit et
vox de caelo dicit: « Hic est Filius meus electus; Ipsum audite » (*Lc* 9, 35).   444

555   Momentanee Iesus Suam gloriam ostendit divinam, Petri sic con-
firmans confessionem. Etiam ostendit Se, ut intret « in gloriam Suam »
(*Lc* 24, 26), per crucem in Ierusalem transire debere. Moyses et Elias   2576, 2583
gloriam Dei super montem viderant; Lex et Prophetae passiones prae-
nuntiaverant Messiae.[314] Passio Iesu est utique a Patre volita: Filius tamquam Servus Dei agit.[315] Nubes praesentiam denotat Spiritus Sancti: 257
« Tota Trinitas apparuit, Pater in voce, Filius in homine, Spiritus
Sanctus in nube clara »: [316]

> « Transfiguratus es super montem, et quatenus capaces erant, discipuli
> Tui gloriam Tuam, Christe Deus, contemplati sunt, ut cum Te videant
> crucifixum, intelligant Tuam passionem esse voluntariam, et mundo
> praedicent Te vere esse Patris splendorem ».[317]

556   In vitae publicae limine· baptismus; in limine Paschatis: Transfiguratio. Per baptismum Iesu « declaratum fuit mysterium primae regenerationis »: nostrum Baptisma; Transfiguratio « est sacramentum secundae

---

[310] Cf. *Mt* 18, 18.
[311] Cf. *Mt* 16, 22-23.
[312] Cf. *Mt* 17, 23; *Lc* 9, 45.
[313] Cf. *Mt* 17, 1-8 et par.; *2 Pe* 1, 16-18.
[314] Cf. *Lc* 24, 27.
[315] Cf. *Is* 42, 1.
[316] Sanctus Thomas Aquinas, *Summa theologiae* 3, q. 45, a. 4, ad 2: Ed. Leon. 11, 433.
[317] *Liturgia Byzantina. Kontakion in die Transfigurationis*: Μηναῖα τοῦ ὅλου ἐνιαυτοῦ, v. 6
(Romae 1901) p. 341.

regenerationis »: propriae resurrectionis nostrae.[318] Iam nunc resurrectio-
1003   nem Domini participamus per Spiritum Sanctum qui in sacramentis agit
corporis Christi. Transfiguratio nobis praegustationem praebet gloriosi
Adventus Christi « qui transfigurabit corpus humilitatis nostrae, ut illud
conforme faciat corpori gloriae Suae » (*Philp* 3, 21). Sed ipsa etiam nobis in memoriam revocat « quoniam per multas tribulationes oportet
nos intrare in Regnum Dei » (*Act* 14, 22):

> « Hoc Petrus nondum intelligebat, quando in monte vivere cum Christo
> desiderabat.[319] Servabat tibi hoc, Petre, post mortem. Nunc autem Ipse
> dicit: Descende laborare in terra, servire in terra, contemni, crucifigi in
> terra. Descendit vita, ut occideretur; descendit panis, ut esuriret; descen-
> dit via, ut in itinere lassaretur; descendit fons, ut sitiret: et tu recusas
> laborare? ».[320]

Ascensus Iesu in Ierusalem

557   « Dum complerentur dies assumptionis Eius, et Ipse faciem Suam
firmavit, ut iret in Ierusalem » (*Lc* 9, 51).[321] Per hanc decisionem significabat Se in Ierusalem ascendere paratum ut ibi moreretur. Ter passionem Suam nuntiaverat et Suam Resurrectionem.[322] In Ierusalem pergens,
dicit: « Non capit Prophetam perire extra Ierusalem » (*Lc* 13, 33).

558   Iesus in memoriam revocat mortem Prophetarum, qui in Ierusalem erant interfecti.[323] Tamen insistit in vocanda Ierusalem ut circa Eum
congregetur: « Quotiens volui congregare filios tuos, quemadmodum
gallina congregat pullos suos sub alas, et noluistis! » (*Mt* 23, 37b). Cum
Ierusalem perspicitur, super illam plorat[324] et adhuc iterum cordis Sui
exprimit optatum: « Si cognovisses et tu in hac die, quae ad pacem tibi!
Nunc autem abscondita sunt ab oculis tuis » (*Lc* 19, 42).

---

[318] Sanctus Thomas Aquinas, *Summa theologiae* 3, q. 45, a. 4, ad 2: Ed. Leon. 11, 433.
[319] Cf. *Lc* 9, 33.
[320] Sanctus Augustinus, *Sermo* 78, 6: PL 38, 492-493.
[321] Cf. *Io* 13, 1.
[322] Cf. *Mc* 8, 31-33; 9, 31-32; 10, 32-34.
[323] Cf. *Mt* 23, 37a.
[324] Cf. *Lc* 19, 41.

Messianicus Iesu in Ierusalem ingressus

559 Quomodo Ierusalem Messiam accipiet suum? Iesus, qui Se semper popularibus subtraxerat conatibus Eum regem faciendi,[325] tempus eligit et Suum ingressum messianicum in civitatem « David patris Sui » (*Lc* 1, 32) singillatim praeparat.[326] Acclamatur ut filius David, ut Is qui salutem affert (*Hosanna* significat « salva igitur! », « salutem dona! »). Nunc vero « Rex gloriae » (*Ps* 24, 7-10) « sedens super asinum » (*Zach* 9, 9) Suam ingreditur civitatem: Filiam Sion, Suae figuram Ecclesiae, nec dolo nec violentia imperio subiicit Suo, sed humilitate quae veritatis testimonium perhibet.[327] Hac de causa, illa die, Regni Sui subditi erunt pueri [328] et « pauperes Dei » qui Eum acclamant, sicut angeli Eum pastoribus annuntiabant.[329] Eorum acclamatio: « Benedictus qui venit in nomine Domini » (*Ps* 118, 26) ab Ecclesia iterum sumitur in « Sanctus » liturgiae eucharisticae ad memoriale Paschatis Domini initiandum.

333

1352

560 *Ingressus Iesu in Ierusalem* Adventum manifestat Regni quem Rex-Messias per Suae Mortis et Suae Resurrectionis Pascha est impleturus. Liturgia Ecclesiae per eius celebrationem, in Dominica Palmarum, magnam Hebdomadam Sanctam aperit.

550, 2816

1169

Compendium

561 *Recte* « *consideranti tota Christi vita apparebit perpetua quaedam institutio: silentia videlicet Ipsius, signa, preces, amor erga homines, studium humilium atque pauperum singulare, Sacrificium crucis in hominum Redemptionem plene susceptum, ipsa denique Resurrectio sunt effectio verbi atque consummatio Revelationis Ipsius* ».[330]

562 *Christi discipuli debent Ei conformari donec Ipse in illis formetur.*[331] « *Quapropter in vitae Eius mysteria adsumimur, cum Eo configurati, commortui et conresuscitati, donec cum Eo conregnemus* ».[332]

563 *Homo, sive pastor sit sive magus, Deum hic in terra assequi non potest, nisi ante praesepe Bethlehem genuflectens Eumque in debilitate infantis adorans occultum.*

---

[325] Cf. *Io* 6, 15.
[326] Cf. *Mt* 21, 1-11.
[327] Cf. *Io* 18, 37.
[328] Cf. *Mt* 21, 15-16; *Ps* 8, 3.
[329] Cf. *Lc* 19, 38; 2, 14.
[330] Ioannes Paulus II, Adh. ap. *Catechesi tradendae*, 9: AAS 71 (1979) 1284.
[331] Cf. *Gal* 4, 19.
[332] Concilium Vaticanum II, Const. dogm. *Lumen gentium*, 7: AAS 57 (1965) 10.

564 *Iesus, per Suam Mariae et Ioseph submissionem atque adeo per Suum humilem per longos annos in Nazareth laborem nobis praebet exemplum sanctitatis in quotidiana familiae et laboris vita.*

565 *Iesus, inde ab initio Suae vitae publicae, a Suo baptismate, est « Servus » plene Redemptionis consecratus operi, quod per Eius passionis adimplebitur « baptisma ».*

566 *Tentatio in deserto Iesum ostendit Messiam humilem qui de Satan triumphat per Suam totalem consilio salutis a Patre volito adhaesionem.*

567 *Regnum caelorum in terra a Christo est inauguratum. « Hoc vero Regnum in verbo, operibus et praesentia Christi hominibus elucescit ».*[333] *Ecclesia semen est et initium huius Regni. Eius claves Petro committuntur.*

568 *Christi Transfiguratio habet, ut scopum, Apostolorum roborare fidem in ordine ad passionem: ascensus in « montem excelsum » ascensum praeparat in Calvarium. Christus, Caput Ecclesiae, manifestat id quod corpus continet Suum et quod in sacramentis reverberat: « spes gloriae » (Col 1, 27).*[334]

569 *Iesus voluntarie in Ierusalem ascendit, quamquam cognoscebat Se propter contradictionem peccatorum ibi morte violenta esse moriturum.*[335]

570 *Ingressus Iesu in Ierusalem Adventum manifestat Regni, quem Rex-Messias, a pueris et ab humilibus corde in Sua civitate acceptus, per Pascha Suae Mortis et Suae Resurrectionis impleturus est.*

Articulus 4

IESUS CHRISTUS EST « PASSUS SUB PONTIO PILATO, CRUCIFIXUS, MORTUUS, ET SEPULTUS »

1067 571 Mysterium Paschale crucis et resurrectionis Christi in centro est Boni Nuntii quem Apostoli et post illos Ecclesia mundo annuntiare debent. Consilium Dei salvificum per mortem redemptricem Eius Filii Iesu Christi « semel » (*Heb* 9, 26) impletum est.

---

[333] Concilium Vaticanum II, Const. dogm. *Lumen gentium*, 5: AAS 57 (1965) 7.
[334] Cf. Sanctus Leo Magnus, *Sermo* 51, 3: CCL 138A, 298-299 (PL 54, 310).
[335] Cf. *Heb* 12, 3.

572   Ecclesia permanet fidelis omnium Scripturarum interpretationi   599
quam Ipse Iesus tam ante quam post Suum dedit Pascha:[336] « Nonne
haec oportuit pati Christum et intrare in gloriam Suam? » (*Lc* 24, 26).
Iesu passio suam historicam sumpsit formam eo quod reprobatus est
« a senioribus et a summis sacerdotibus et scribis » (*Mc* 8, 31), qui tradiderunt « Eum gentibus ad illudendum et flagellandum et crucifigen-
dum » (*Mt* 20, 19).

573   Fides igitur potest conari circumstantias mortis Iesu scrutari, fide-   158
liter ab Evangeliis transmissas[337] et ab aliis historicis fontibus illustratas,
ad sensum Redemptionis melius intelligendum.

Paragraphus 1

IESUS ET ISRAEL

574   Ab initiis ministerii publici Iesu, Pharisaei et Herodis sectatores,   530
cum sacerdotibus et scribis, convenerunt ut Eum perderent.[338] Propter
quosdam ex Suis actibus (propter daemoniorum expulsiones;[339] peccatorum remissionem;[340] sanationes die sabbati;[341] propriam praeceptorum de
puritate legali interpretationem;[342] familiaritatem cum publicanis et publicis peccatoribus[343]), Iesus quibusdam mala intentione affectis visus est
de possessione diabolica suspectus.[344] Accusatus est de blasphemia[345] et   591
de falso prophetismo,[346] de criminibus nempe religiosis quae Lex poena
puniebat mortis sub lapidationis forma.[347]

575   Nonnulli igitur actus et verba Iesu fuerunt « signum contradictionis »[348]
pro auctoritatibus religiosis Hierosolymorum, quas evangelium sancti Ioannis

---

[336] *Lc* 24, 27. 44-45.
[337] Cf. Concilium Vaticanum II, Const. dogm. *Dei Verbum*, 19: AAS 58 (1966) 826-827.
[338] Cf. *Mc* 3, 6.
[339] Cf. *Mt* 12, 24.
[340] Cf. *Mc* 2, 7.
[341] Cf. *Mc* 3, 1-6.
[342] Cf. *Mc* 7, 14-23.
[343] Cf. *Mc* 2, 14-17.
[344] Cf. *Mc* 3, 22; *Io* 8, 48; 10, 20.
[345] Cf. *Mc* 2, 7; *Io* 5, 18; 10, 33.
[346] Cf. *Io* 7, 12; 7, 52.
[347] Cf. *Io* 8, 59; 10, 31.
[348] Cf. *Lc* 2, 34.

saepe « Iudaeos » appellat,[349] adhuc magis quam pro communi populo Dei.[350] Utique Eius relationes cum Pharisaeis non fuerunt solummodo contentiosae. Quidam Pharisaei Eum de periculo monent quod Ei impendit.[351] Iesus quosdam ex illis laudat, sicut scribam de quo *Mc* 12, 34, et pluries apud Pharisaeos manducat.[352] Iesus doctrinas confirmat in hoc selecto religioso populi Dei coetu communes: resurrectionem mortuorum,[353] formas pietatis (eleemosynam, orationem et ieiunium)[354] et consuetudinem se ad Deum ut Patrem dirigendi, indolem centralem mandati amoris Dei et proximi.[355]

993

576 Oculis plurium in Israel, Iesus contra essentiales populi electi agere videtur institutiones:

— contra submissionem Legi in integritate scriptorum mandatorum eius et, pro Pharisaeis, in interpretatione traditionis oralis;

— contra indolem centralem Templi Hierosolymorum tamquam loci sancti in quo Deus modo habitat singulari;

— contra fidem in Deum unicum cuius gloriae nullus homo potest particeps fieri.

I. Iesus et Lex

1965

577 Iesus initio sermonis montani sollemnem fecit admonitionem in qua Legem, a Deo in Sinai occasione Primi Foederis datam, sub luce gratiae Novi Foederis praesentavit:

1967

« Nolite putare quoniam veni solvere Legem aut Prophetas; non veni solvere, sed adimplere. Amen quippe dico vobis: Donec transeat caelum et terra, iota unum aut unus apex non praeteribit a Lege, donec omnia fiant. Qui ergo solverit unum de mandatis istis minimis et docuerit sic homines, minimus vocabitur in Regno caelorum; qui autem fecerit et docuerit, hic magnus vocabitur in Regno caelorum » (*Mt* 5, 17-19).

1953

578 Iesus, Messias Israel, maximus proinde in Regno caelorum, Legem implere debebat, eam, secundum Ipsius propria verba, in eius integritate exsequens usque ad eius minima mandata. Immo Ipse solus potuit id

---

[349] Cf. *Io* 1, 19; 2, 18; 5, 10; 7, 13; 9, 22; 18, 12; 19, 38; 20, 19.
[350] Cf. *Io* 7, 48-49.
[351] Cf. *Lc* 13, 31.
[352] Cf. *Lc* 7, 36; 14, 1.
[353] Cf. *Mt* 22, 23-34; *Lc* 20, 39.
[354] Cf. *Mt* 6, 2-18.
[355] Cf. *Mc* 12, 28-34.

facere perfecte.[356] Iudaei, secundum suam propriam confessionem, nunquam Legem in eius potuerunt implere integritate quin minimum mandatum violarent.[357] Propterea in singulis annuis Expiationis festivitatibus, filii Israel veniam a Deo precabantur pro suis Legis transgressionibus. Revera, Lex totum quid constituit et, sicut sanctus Iacobus commemorat, « quicumque autem totam Legem servaverit, offendat autem in uno, factus est omnium reus » (*Iac* 2, 10).[358]

579 Hoc principium integritatis in observanda Lege, non solum secundum eius litteram, sed secundum eius spiritum, magni aestimabatur a Pharisaeis. Illud pro Israel proponentes, multos temporis Iesu Iudaeos ad religiosum adduxerunt extremum zelum.[359] Hic, nisi se in « hypocrita » disceptatione casuum dissolvi vellet,[360] populum necessario praeparabat ad hunc Dei interventum inauditum qui perfecta Legis futura erat effectio a solo Iusto peracta loco omnium peccatorum.[361]

580 Perfecta Legis adimpletio nonnisi a divino poterat peragi Legislatore nato sub Lege in Persona Filii.[362] In Iesu, Lex non amplius super tabulis apparet inscripta lapideis, sed « in visceribus » et « in corde » (*Ier* 31, 33) Servi qui, quoniam « in veritatem proferet iudicium » (*Is* 42, 3), factus est « Foedus populi » (*Is* 42, 6). Iesus Legem adimplet usque ad « maledictum Legis » assumendum super Se [363] in quod illi incurrerant « qui non permanent in omnibus, quae scripta sunt, ut faciant ea »,[364] quia mors Christi evenit « in redemptionem earum praevaricationum, quae erant sub Priore Testamento » (*Heb* 9, 15).

527

581 Iesus Iudaeorum et eorum spiritualium ducum apparuit oculis tamquam « rabbi ».[365] Ipse saepe intra rabbinicam Legis interpretationem est argumentatus.[366] Sed simul Iesus necessario Legis doctores collidebat quia Se ad Suam proponendam interpretationem inter illas eorum non restringebat; « erat enim docens eos sicut potestatem habens et non sicut scribae eorum » (*Mt* 7, 29). In Eo, idem Verbum Dei quod resonaverat in Sinai ad Legem scriptam Moysi do-

2054

---

[356] Cf. *Io* 8, 46.
[357] Cf. *Io* 7, 19; *Act* 13, 38-41; 15, 10.
[358] Cf. *Gal* 3, 10; 5, 3.
[359] Cf. *Rom* 10, 2.
[360] Cf. *Mt* 15, 3-7; *Lc* 11, 39-54.
[361] Cf. *Is* 53, 11; *Heb* 9, 15.
[362] Cf. *Gal* 4, 4.
[363] Cf. *Gal* 3, 13.
[364] Cf. *Gal* 3, 10.
[365] Cf. *Io* 11, 28; 3, 2; *Mt* 22, 23-24. 34-36.
[366] Cf. *Mt* 12, 5; 9, 12; *Mc* 2, 23-27; *Lc* 6, 6-9; *Io* 7, 22-23.

nandam, Se iterum praebet audiendum in monte beatitudinum.³⁶⁷ Hoc Verbum
Legem non abolet, sed adimplet, eius ultimam interpretationem modo suppedi-
tans divino: « Audistis quia dictum est antiquis [...]. Ego autem dico vobis »
(*Mt* 5, 33-34). Ipse, cum hac eadem divina auctoritate quasdam reprobat « traditiones humanas »³⁶⁸ Pharisaeorum quae rescindunt verbum Dei.³⁶⁹

582 Iesus, ulterius procedens, de puritate alimentorum perfecit Legem, tanti
momenti in vita quotidiana Iudaeorum, eius sensum aperiens « paedagogi-
cum »³⁷⁰ per interpretationem divinam: « Omne extrinsecus introiens in hominem
non potest eum coinquinare, [...] — purgans omnes escas. Dicebat autem: Quod
de homine exit, illud coinquinat hominem; ab intus enim de corde hominum,
cogitationes malae procedunt » (*Mc* 7, 18-21). Iesus, interpretationem Legis definitivam tradens cum auctoritate divina, inventus est in oppositione ad quosdam Legis doctores qui Eius interpretationem non accipiebant, licet signis divinis confirmatam quae illam comitabantur.³⁷¹ Hoc peculiariter valet de sabbati
quaestione: Iesus saepe cum argumentis rabbinicis³⁷² commemorat requiem sabbati non perturbari Dei³⁷³ vel proximi servitio³⁷⁴ quod Eius praestant sanationes.

II. Iesus et Templum

583 Iesus, sicut ante Eum Prophetae, erga Templum Hierosolymorum
venerationem professus est profundissimam. Ibi a Ioseph et Maria quadraginta dies post Suam Nativitatem est praesentatus.³⁷⁵ Duodecim annorum aetate manere statuit in Templo ut Suis parentibus in memoriam
revocaret Se Patris Sui teneri rebus.³⁷⁶ Singulis annis saltem ad Pascha
illuc ascendit Suae vitae occultae tempore;³⁷⁷ ipsum Eius publicum
ministerium quasi rhythmo regebatur peregrinationum in Ierusalem pro
magnis Iudaeorum festis.³⁷⁸

584 Iesus in Templum ascendit tamquam ad locum pro occursu cum
Deo praestantem. Templum pro Eo Patris Eius est mansio, domus orationis, et indignatur quia eius exterius atrium locus factus est mercatu-

---

³⁶⁷ Cf. *Mt* 5, 1.
³⁶⁸ Cf. *Mc* 7, 8.
³⁶⁹ Cf. *Mc* 7, 13.
³⁷⁰ Cf. *Gal* 3, 24.
³⁷¹ Cf. *Io* 5, 36; 10, 25. 37-38; 12, 37.
³⁷² Cf. *Mc* 2, 25-27; *Io* 7, 22-24.
³⁷³ Cf. *Mt* 12, 5; *Nm* 28, 9.
³⁷⁴ Cf. *Lc* 13, 15-16; 14, 3-4.
³⁷⁵ Cf. *Lc* 2, 22-39.
³⁷⁶ Cf. *Lc* 2, 46-49.
³⁷⁷ Cf. *Lc* 2, 41.
³⁷⁸ Cf. *Io* 2, 13-14; 5, 1. 14; 7, 1. 10. 14; 8, 2; 10, 22-23.

(margine:) 368 · 548 · 2173 · 529 · 534 · 2599

rae.[379] Si mercatores expellit e Templo, id facit propter studiosum amorem erga Patrem Suum: « Nolite facere domum Patris mei domum negotiationis. Recordati sunt discipuli Eius quia scriptum est: "Zelus domus Tuae comedit me" (*Ps* 69, 10) » (*Io* 2, 16-17). Post Resurrectionem Eius, Apostoli religiosam erga Templum servaverunt venerationem.[380]

585 Iesus tamen, in Suae passionis limine, ruinam huius splendidi praenuntiavit aedificii, cuius non relinquetur lapis super lapidem.[381] Ipse hic signum ultimorum nuntiavit temporum quae per Pascha Suum sunt aperienda.[382] Sed haec prophetia modo deformato a falsis testibus in Eius interrogatorio coram summo sacerdote potuit referri [383] Eique tamquam iniuriam reddi cum Ipse cruci affixus erat clavis.[384]

586 Iesus, nullo modo fuit hostilis Templo,[385] in quo Suae doctrinae impertivit essentialia,[386] tributum Templi solvere voluit in hoc Sibi socians Petrum [387] quem nuper tamquam fundamentum pro Sua futura collocaverat Ecclesia.[388] Immo vero, Se cum Templo identificavit tamquam mansionem Dei inter homines Se ostendens definitivam.[389] Hac de causa, Eius corporalis occisio [390] Templi praenuntiat destructionem quae ingressum manifestabit in novam aetatem historiae salutis: « Venit hora quando neque in monte hoc neque in Hierosolymis adorabitis Patrem » (*Io* 4, 21).[391]

797

1179

III. Iesus et fides Israel in Deum Unicum et Salvatorem

587 Si Lex et Hierosolymorum Templum occasio « contradictionis » [392] esse potuerunt ex parte Iesu pro auctoritatibus religiosis Israel, Eius

---

[379] Cf. *Mt* 21, 13.
[380] Cf. *Act* 2, 46; 3, 1; 5, 20-21; etc
[381] Cf. *Mt* 24, 1-2.
[382] Cf. *Mt* 24, 3; *Lc* 13, 35.
[383] Cf. *Mc* 14, 57-58.
[384] Cf. *Mt* 27, 39-40.
[385] Cf. *Mt* 8, 4; 23, 21; *Lc* 17, 14; *Io* 4, 22.
[386] Cf. *Io* 18, 20.
[387] Cf. *Mt* 17, 24-27.
[388] Cf. *Mt* 16, 18.
[389] Cf. *Io* 2, 21; *Mt* 12, 6.
[390] Cf. *Io* 2, 18-22.
[391] Cf. *Io* 4, 23-24; *Mt* 27, 51; *Heb* 9, 11; *Apc* 21, 22.
[392] Cf. *Lc* 2, 34.

munus in peccatorum Redemptione, opere per excellentiam divino, vera petra scandali pro illis fuit.[393]

588	Iesus scandalum fuit Pharisaeis comedens cum publicanis et peccatoribus[394] tam familiariter sicut cum illis ipsis.[395] Contra eos inter illos « qui in se confidebant tamquam iusti et aspernabantur ceteros » (*Lc* 18, 9),[396] Iesus affirmavit: « Non veni vocare iustos, sed peccatores in paenitentiam » (*Lc* 5, 32). Longius vero processit, coram Pharisaeis proclamans, cum peccatum sit universale,[397] illos qui salute non egere praesumunt, se ipsos obcaecare.[398]

589	Iesus scandalum praecipue fuit quia Ipse Suum modum misericorditer agendi in peccatores cum modo agendi identificavit Ipsius Dei respectu eorum.[399] Ipse processit usque ad insinuandum Se, mensam participando peccatorum,[400] eos ad convivium admittere messianicum.[401] Sed praesertim peccata dimittens, Iesus auctoritates religiosas Israel ante dilemma collocavit. Nonne recte in sua dicerent consternatione: « Quis potest dimittere peccata nisi solus Deus » (*Mc* 2, 7)? Iesus, peccata dimittens, aut blasphemat quia est homo qui se Deo facit aequalem,[402] aut verum dicit et Eius Persona Nomen reddit praesens et revelat Dei.[403]

590	Sola identitas divina Personae Iesu hanc tam absolutam exigentiam potest iustificare: « Qui non est mecum, contra me est » (*Mt* 12, 30); eodem modo, cum dicit Se « plus quam Iona, [...] plus quam Salomon » esse (*Mt* 12, 41-42), vel Templo maiorem;[404] cum relate ad Se commemorat David Messiam Dominum appellasse suum;[405] cum asserit: « Antequam Abraham fieret, ego sum » (*Io* 8, 58); et etiam: « Ego et Pater unum sumus » (*Io* 10, 30).

545 · 431, 1441 · 432 · 253

[393] Cf. *Lc* 20, 17-18; *Ps* 118, 22.
[394] Cf. *Lc* 5, 30.
[395] Cf. *Lc* 7, 36; 11, 37; 14, 1.
[396] Cf. *Io* 7, 49; 9, 34.
[397] Cf. *Io* 8, 33-36.
[398] Cf. *Io* 9, 40-41.
[399] Cf. *Mt* 9, 13; *Os* 6, 6.
[400] Cf. *Lc* 15, 1-2.
[401] Cf. *Lc* 15, 23-32.
[402] Cf. *Io* 5, 18, 10, 33.
[403] Cf. *Io* 17, 6. 26.
[404] Cf. *Mt* 12, 6.
[405] Cf. *Mc* 12, 36-37.

591   Iesus a religiosis Hierosolymorum petivit auctoritatibus ut in Ipsum crederent propter opera Patris Eius quae Ipse faciebat.[406] Sed talis actus fidei per arcanam sibimet ipsi mortem debebat transire ad novam desuper nativitatem [407] cum gratiae divinae attractione.[408] Talis exigentia conversionis coram tam miranda promissionum adimpletione [409] tragicum errorem Synedrii permittit intelligere aestimantis Iesum tamquam blasphemum mereri mortem.[410] Sic eiusdem membra simul per ignorantiam [411] agebant et propter caecitatem [412] incredulitatis.[413]

526

574

Compendium

592   *Iesus Legem Sinai non abolevit sed adimplevit [414] cum tali perfectione [415] ut eius sensum revelaret ultimum [416] et ut transgressiones redimeret contra illam.[417]*

593   *Iesus Templum est veneratus, ad illud in festis peregrinationis ascendens Iudaeorum, atque hanc Dei inter homines mansionem amore amavit studioso. Templum mysterium praefigurat Eius. Destructionem praenuntiat illius, sed tamquam Suae propriae occisionis manifestationem et ingressus in novam historiae salutis aetatem in qua Eius corpus Templum erit definitivum.*

594   *Iesus posuit actus, sicut peccatorum remissionem, qui Ipsum tamquam Deum Salvatorem manifestaverunt.[418] Quidam Iudaei, qui in Eo Deum hominem factum [419] non agnoscentes perspiciebant hominem qui faciebat seipsum Deum [420] et Eum tamquam blasphemum iudicaverunt.*

---

[406] Cf. *Io* 10, 36-38.
[407] Cf. *Io* 3, 7.
[408] Cf. *Io* 6, 44.
[409] Cf. *Is* 53, 1.
[410] Cf. *Mc* 3, 6; *Mt* 26, 64-66.
[411] Cf. *Lc* 23, 34; *Act* 3, 17-18.
[412] Cf. *Mc* 3, 5; *Rom* 11, 25.
[413] Cf. *Rom* 11, 20.
[414] Cf. *Mt* 5, 17-19.
[415] Cf. *Io* 8, 46.
[416] Cf. *Mt* 5, 33.
[417] Cf. *Heb* 9, 15.
[418] Cf. *Io* 5, 16-18.
[419] Cf. *Io* 1, 14.
[420] Cf. *Io* 10, 33.

Paragraphus 2
IESUS MORTUUS EST CRUCIFIXUS

I. Iesu processus

Divisiones inter auctoritates Iudaeorum relate ad Iesum

595 Inter religiosas Hierosolymorum auctoritates non inventi sunt solummodo Pharisaeus Nicodemus [421] et procer Ioseph ab Arimathaea qui discipuli Iesu fuerunt secreto,[422] sed diu dissensiones circa Eum exortae sunt [423] ita ut, pridie ante passionem, sanctus Ioannes dicere potuerit: « ex principibus multi crediderunt in Eum », licet modo valde imperfecto (*Io* 12, 42). Hoc prorsus mirandum non est si consideretur immediate post Pentecosten « multa etiam turba sacerdotum oboediebat fidei » (*Act* 6, 7) et erant « quidam de haeresi Pharisaeorum, qui crediderant » (*Act* 15, 5) ita ut sanctus Iacobus sancto Paulo dicere potuerit: « Vides, frater, quot milia sint in Iudaeis, qui crediderunt, et omnes aemulatores sunt Legis » (*Act* 21, 20).

596 Auctoritates Hierosolymorum religiosae circa modum procedendi qui relate ad Iesum adhibendus erat, unanimes non fuerunt.[424] Pharisaei excommunicationem minati sunt illis qui Eum sequerentur.[425] Eis qui timebant: « Omnes credent in Eum, et venient Romani et tollent nostrum locum et gentem! » (*Io* 11, 48), summus sacerdos Caiphas prophetans proposuit: « Expedit vobis, ut unus moriatur homo pro populo, et non tota gens pereat! » (*Io* 11, 50). Synedrium, cum Iesum reum mortis declarasset [426] tamquam blasphemum, ius tamen ad mortem indicendam cum perdidisset,[427] Iesum Romanis tradit Ipsum de seditione politica accusans,[428] id quod Eum in comparationem ducet cum Barabba « propter seditionem » (*Lc* 23, 19) accusato. Summi etiam sacerdotes politicas in Pilatum exercent minationes ut Iesum damnet capitis.[429]

1753

Iudaei collective mortis Iesu obnoxii non sunt

597 Ratione habita multiplicitatis historicae processus Iesu, quae in narrationibus evangelicis manifestatur, et quodcumque est personale

[421] Cf. *Io* 7, 50.
[422] Cf. *Io* 19, 38-39.
[423] Cf. *Io* 9, 16-17; 10, 19-21.
[424] Cf. *Io* 9, 16; 10, 19.
[425] Cf. *Io* 9, 22.
[426] Cf. *Mt* 26, 66.
[427] Cf. *Io* 18, 31.
[428] Cf. *Lc* 23, 2.
[429] Cf. *Io* 19, 12. 15. 21.

peccatum actorum processus (Iudae, Synedrii, Pilati) quod solus Deus novit, non potest universitati Iudaeorum Hierosolymorum responsabilitas tribui, non obstantibus clamoribus multitudinis circumventae [430] vel incusationibus generalibus quae post Pentecosten in hortationibus ad conversionem continentur.[431] Iesus Ipse in cruce dans veniam [432] et Petrus post Eum rationem habuerunt « ignorantiae » [433] Iudaeorum Hierosolymorum et etiam ducum eorum. Adhuc minus licet, a clamore populi procedendo: « Sanguis Eius super nos et super filios nostros » (*Mt* 27, 25), qui formulam significat ratihabitionis,[434] responsabilitatem ad alios Iudaeos extendere in spatio et tempore:

1735

> Eodem modo Ecclesia in Concilio Vaticano II declaravit: « Ea quae in passione Eius perpetrata sunt nec omnibus indistincte Iudaeis tunc viventibus, nec Iudaeis hodiernis imputari possunt. [...] Iudaei [...] neque ut a Deo reprobati neque ut maledicti exhibeantur, quasi hoc ex sacris Litteris sequatur ».[435]

839

Omnes peccatores passionis Christi fuerunt auctores

598 Ecclesia in fidei suae Magisterio et in testimonio sanctorum suorum nunquam huiusmodi est oblita veritatis: « poenarum omnium quas [Christus] pertulit, peccatores et auctores et ministri fuerunt ».[436] Ratione habita de eo quod nostra peccata Christum Ipsum attingunt,[437] Ecclesia christianis maximam responsabilitatem non dubitat imputare in Iesu supplicio, qua responsabilitate ipsi nimis frequenter solos gravaverunt Iudaeos:

> « Hac culpa omnes teneri iudicandum est qui in peccata saepius prolabuntur. Nam, cum peccata nostra Christum Dominum impulerint ut crucis supplicium subiret, profecto qui in flagitiis et sceleribus volutantur, rursus, quod in ipsis est, crucifigunt in semetipsis Filium Dei, et ostentui habent. Quod quidem scelus eo gravius in nobis videri potest, quam fuerit in Iudaeis, quod illi, eodem Apostolo teste, *si cognovissent, numquam Dominum gloriae crucifixissent* (*1 Cor* 2, 8); nos autem et nos-

1851

---

[430] Cf. *Mc* 15, 11.
[431] Cf. *Act* 2, 23. 36; 3, 13-14; 4, 10; 5, 30; 7, 52; 10, 39; 13, 27-28; *1 Thess* 2, 14-15.
[432] Cf. *Lc* 23, 34.
[433] Cf. *Act* 3, 17.
[434] Cf. *Act* 5, 28; 18, 6.
[435] Concilium Vaticanum II, Decl. *Nostra aetate*, 4: AAS 58 (1966) 743.
[436] *Catechismus Romanus*, 1, 5, 11: ed. P. Rodríguez (Città del Vaticano-Pamplona 1989) p. 64; cf. *Heb* 12, 3.
[437] Cf. *Mt* 25, 45; *Act* 9, 4-5.

se Eum profitemur, et tamen factis negantes, quodammodo violentas Ei manus videmur inferre ».[438]

« Et etiam daemones non crucifixerunt Eum, sed tu cum ipsis crucifixisti Eum et adhuc crucifigis delectando in vitiis et peccatis ».[439]

II. Mors redemptiva Christi in divino salutis consilio

« IESUS DEFINITO CONSILIO DEI TRADITUS »

599 Violenta mors Iesu in infelici adiunctorum concursu fructus casus non fuit. Ea ad mysterium consilii pertinet Dei, ut sanctus Petrus Iudaeis Hierosolymorum explicat inde a suo primo Pentecostes sermone: Hic « definito consilio et praescientia Dei » traditus est (*Act* 2, 23). Hic biblicus loquendi modus non significat eos, qui Iesum tradiderunt,[440] solummodo passivos fuisse executores scenae in antecessu a Deo scriptae.

600 Omnia temporis momenta in sua actualitate praesentia sunt Deo. Ipse igitur consilium Suum « praedestinationis » stabilit aeternum, liberum uniuscuiusque hominis gratiae Suae responsum includens in eo: « Convenerunt enim vere in civitate ista adversus sanctum puerum Tuum Iesum, quem unxisti, Herodes et Pontius Pilatus cum gentibus et populis Israel,[441] facere, quaecumque manus Tua et consilium praedestinavit fieri » (*Act* 4, 27-28). Deus actus ex eorum caecitate ortos permisit[442] ad Suum consilium adimplendum salutis.[443]

« MORTUUS EST PRO PECCATIS NOSTRIS SECUNDUM SCRIPTURAS »

601 Hoc divinum salutis consilium occisionis « Iusti Servi »[444] in antecessum erat in Scriptura nuntiatum tamquam mysterium Redemptionis universalis, id est, Redemptionis quae homines a peccati liberat servitute.[445] Sanctus Paulus, in quadam fidei confessione, quam dicit se « acce-

---

[438] *Catechismus Romanus*, 1, 5, 11: ed. P. RODRÍGUEZ (Città del Vaticano-Pamplona 1989) p. 64.
[439] SANCTUS FRANCISCUS ASSISIENSIS, *Admonitio* 5, 3: *Opuscula sancti Patris Francisci Assisiensis*, ed. C. ESSER (Grottaferrata 1978) p. 66.
[440] Cf. *Act* 3, 13.
[441] Cf. *Ps* 2, 1-2.
[442] Cf. *Mt* 26, 54; *Io* 18, 36; 19, 11.
[443] Cf. *Act* 3, 17-18.
[444] Cf. *Is* 53, 11; *Act* 3, 14.
[445] Cf. *Is* 53, 11-12; *Io* 8, 34-36.

pisse »,[446] profitetur « quoniam Christus mortuus est pro peccatis nostris *secundum Scripturas* » (*1 Cor* 15, 3).[447] Mors Christi redemptiva peculiariter prophetiam Servi adimplet patientis.[448] Iesus Ipse sensum Suae vitae et Suae Mortis sub luce Servi patientis praesentavit.[449] Post Suam Resurrectionem, hanc Scripturarum interpretationem discipulis Emmaus,[450] deinde ipsis dedit Apostolis.[451]

    652
    713

« Deus Eum pro nobis peccatum fecit »

602   Consequenter potest sanctus Petrus fidem apostolicam in consilium divinum salutis sic exprimere: « Redempti estis de vana vestra conversatione a patribus tradita [...] pretioso sanguine quasi Agni incontaminati et immaculati Christi, praecogniti quidem ante constitutionem mundi, manifestati autem novissimis temporibus propter vos » (*1 Pe* 1, 18-20). Hominum peccata quae peccatum consequuntur originale, morte puniuntur.[452] Suum proprium Filium in forma servi mittens,[453] in forma nempe humanitatis lapsae et morti propter peccatum destinatae,[454] Deus « Eum, qui non noverat peccatum, pro nobis peccatum fecit, ut nos efficeremur iustitia Dei in Ipso » (*2 Cor* 5, 21).

    400

    519

603   Iesus reprobationem non cognovit ac si Ipse peccasset.[455] Sed in amore redemptivo qui Eum semper Patri uniebat,[456] nos assumpsit in nostri peccati deviatione relate ad Deum ita ut nomine nostro dicere potuerit in cruce: « Deus meus, Deus meus, ut quid dereliquisti me? » (*Mc* 15, 34).[457] Cum sic Eum nobis peccatoribus coniunxisset, Deus « Filio Suo non pepercit, sed pro nobis omnibus tradidit Illum » (*Rom* 8, 32) ut simus « reconciliati [...] Deo per Mortem Filii Eius » (*Rom* 5, 10).

    2572

---

[446] Cf. *1 Cor* 15, 3.
[447] Cf. etiam *Act* 3, 18; 7, 52; 13, 29; 26, 22-23.
[448] Cf. *Is* 53, 7-8; *Act* 8, 32-35.
[449] Cf. *Mt* 20, 28.
[450] Cf. *Lc* 24, 25-27.
[451] Cf. *Lc* 24, 44-45.
[452] Cf. *Rom* 5, 12; *1 Cor* 15, 56.
[453] Cf. *Philp* 2, 7.
[454] Cf. *Rom* 8, 3.
[455] Cf. *Io* 8, 46.
[456] Cf. *Io* 8, 29.
[457] Cf. *Ps* 22, 1.

DEUS INCEPTUM HABET IN AMORE REDEMPTIVO UNIVERSALI

211
2009
1825

604 Deus Filium Suum pro nostris tradens peccatis, manifestat Suum consilium circa nos consilium esse benevolentis amoris qui meritum ex parte nostra praecedit omne: « In hoc est caritas, non quasi nos dilexerimus Deum, sed quoniam Ipse dilexit nos et misit Filium Suum propitiationem pro peccatis nostris » (*1 Io* 4, 10).[458] « Commendat autem Suam caritatem Deus in nos, quoniam, cum adhuc peccatores essemus, Christus pro nobis mortuus est » (*Rom* 5, 8).

605 Hic amor exceptionem non habet. Iesus id in conclusione parabolae amissae ovis in memoriam revocavit: « Sic non est voluntas ante Patrem vestrum, qui in caelis est, ut pereat unus ex pusillis istis » (*Mt* 18, 14). Asseverat Se « dare animam Suam Redemptionem *pro multis* » (*Mt* 20, 28). Haec ultima dictio restrictiva non est: illa humanitatis complexum uni Personae opponit Redemptoris qui Se dat ut illam salvet.[459] Ecclesia, Apostolos sequens,[460] Christum docet pro omnibus hominibus sine ulla exceptione mortuum esse: « Nullus est, fuit vel erit homo, pro quo [Christus] passus non fuerit ».[461]

402

634, 2793

III. Christus Se Ipsum Patri Suo pro nostris obtulit peccatis

TOTA CHRISTI VITA AD PATREM EST OBLATIO

517

606 Filius Dei qui descendit de caelo, non ut faciat voluntatem Suam sed voluntatem Eius qui misit Illum,[462] « ingrediens mundum dicit: [...] Ecce venio [...] ut faciam, Deus, voluntatem Tuam; [...] in qua voluntate sanctificati sumus per oblationem corporis Christi Iesu in semel » (*Heb* 10, 5-10). Filius a primo instanti Incarnationis Suae consilium divinae salutis amplectitur in Sua missione redemptrice: « Meus cibus est, ut faciam voluntatem Eius, qui misit me, et ut perficiam opus Eius » (*Io* 4, 34). Iesu sacrificium « pro [peccatis] totius mundi » (*1 Io* 2, 2) expressio est Suae amoris communionis cum Patre: « Propterea me Pater diligit, quia ego pono animam meam » (*Io* 10, 17). Oportet « ut cognoscat

536

---

[458] Cf. *1 Io* 4, 19.
[459] Cf. *Rom* 5, 18-19.
[460] Cf. *2 Cor* 5, 15; *1 Io* 2, 2.
[461] CONCILIUM CARISIACUM (anno 853), *De libero arbitrio hominis et de praedestinatione*, canon 4: DS 624.
[462] Cf. *Io* 6, 38.

mundus quia diligo Patrem, et sicut mandatum dedit mihi Pater, sic facio » (*Io* 14, 31).

607   Hoc optatum amplectendi consilium amoris redemptivi Patris totam Iesu animat vitam,[463] quia Eius passio redemptrix est Incarnationis Eius ratio: « Pater, salvifica me ex hora hac! Sed propterea veni in horam hanc » (*Io* 12, 27). « Calicem, quem dedit mihi Pater, non bibam illum? » (*Io* 18, 11). Et adhuc in cruce ante quam totum « consummatum est » (*Io* 19, 30), dicit: « Sitio » (*Io* 19, 28).

457

« Agnus qui tollit peccatum mundi »

608   Ioannes Baptista in Iesu, postquam Ei inter peccatores baptisma donare acceptaverat,[464] vidit et monstravit Agnum Dei, qui tollit peccatum mundi.[465] Sic manifestat Iesum esse simul Servum patientem qui silens permittit ad lanienam Se duci [466] et peccatum portat multorum,[467] et Agnum Paschalem, symbolum Redemptionis Israel in primo Paschate.[468] Tota Christi vita Suam missionem exprimit: ministrare et dare animam Suam Redemptionem pro multis.[469]

523

517

Iesus libere amorem Patris amplectitur redemptivum

609   Iesus in corde Suo humano amorem Patris amplectens erga homines, « in finem dilexit eos » (*Io* 13, 1), quia « maiorem hac dilectionem nemo habet, ut animam suam quis ponat pro amicis suis » (*Io* 15, 13). Sic Eius humanitas in passione et in Morte instrumentum liberum effecta est et perfectum Eius amoris divini, qui hominum vult salutem.[470] Revera passionem Suam Suamque Mortem libere accepit ob amorem Patris Sui et hominum, quos Ipse salvare vult: « Nemo tollit [...] [animam meam] a me, sed ego pono eam a meipso » (*Io* 10, 18). Inde suprema Filii Dei libertas, cum Ipse pergit Mortem versus.[471]

478

515

272, 539

---

[463] Cf. *Lc* 12, 50; 22, 15; *Mt* 16, 21-23.
[464] Cf. *Lc* 3, 21; *Mt* 3, 14-15.
[465] Cf. *Io* 1, 29. 36.
[466] Cf. *Is* 53, 7; *Ier* 11, 19.
[467] Cf. *Is* 53, 12.
[468] Cf. *Ex* 12, 3-14; *Io* 19, 36; *1 Cor* 5, 7.
[469] Cf. *Mc* 10, 45.
[470] Cf. *Heb* 2, 10. 17-18; 4, 15; 5, 7-9.
[471] Cf. *Io* 18, 4-6; *Mt* 26, 53.

IESUS IN CENA ANTICIPAVIT LIBERAM VITAE SUAE OBLATIONEM

610   Iesus Suam liberam oblationem quam maxime expressit in convivio cum duodecim Apostolis manducato [472] « in qua nocte tradebatur » (*1 Cor* 11, 23). Iesus pridie passionis Suae, cum liber adhuc erat, ex hac ultima Cena cum Apostolis Suis memoriale fecit Suae voluntariae oblationis ad Patrem [473] pro hominum salute: « Hoc est corpus meum, quod pro vobis *datur* » (*Lc* 22, 19). « Hic est [...] sanguis meus Novi Testamenti, qui pro vobis *effunditur* in remissionem peccatorum » (*Mt* 26, 28).

(margin: 766, 1337)

611   Eucharistia quam Ipse in hoc momento instituit, « memoriale » [474] erit Eius sacrificii. Iesus Apostolos in Sua propria includit oblatione et ab illis petit ut illam perpetuent.[475] Sic Iesus Suos Apostolos sacerdotes instituit Novi Testamenti: « Pro eis ego sanctifico meipsum, ut sint et ipsi sanctificati in veritate » (*Io* 17, 19).[476]

(margin: 1364, 1341, 1566)

AGONIA IN GETHSEMANI

612   Iesus calicem Novi Testamenti, quod in Cena Seipsum offerens anticipaverat,[477] deinde de manibus Patris accipit in Sua agonia in Gethsemani,[478] « factus oboediens usque ad Mortem » (*Philp* 2, 8).[479] Iesus orat: « Pater mi, si possibile est, transeat a me calix iste... » (*Mt* 26, 39). Sic horrorem exprimit quem Mors pro Sua natura repraesentat humana. Revera, haec, sicut nostra, ad vitam destinatur aeternam; praeterea, aliter quam nostra, est perfecte a peccato exempta,[480] quod mortem causat; [481] sed praesertim illa est a Persona divina « Ducis vitae »,[482] « Viventis »,[483] assumpta. Acceptans Sua voluntate humana ut Patris fiat voluntas,[484] Suam Mortem acceptat quatenus redemptricem ut « peccata nostra Ipse » perferat « in corpore Suo super lignum » (*1 Pe* 2, 24).

(margin: 532, 2600, 1009)

---

[472] Cf. *Mt* 26, 20.
[473] Cf. *1 Cor* 5, 7.
[474] Cf. *1 Cor* 11, 25.
[475] Cf. *Lc* 22, 19.
[476] Cf. CONCILIUM TRIDENTINUM, Sess. 22ª, *Doctrina de sanctissimo Missae Sacrificio*, canon 2: DS 1752; Sess. 23ª, *Doctrina de sacramento Ordinis*, c. 1: DS 1764.
[477] Cf. *Lc* 22, 20.
[478] Cf. *Mt* 26, 42.
[479] Cf. *Heb* 5, 7-8.
[480] Cf. *Heb* 4, 15.
[481] Cf. *Rom* 5, 12.
[482] Cf. *Act* 3, 15.
[483] Cf. *Apc* 1, 18; *Io* 1, 4; 5, 26.
[484] Cf. *Mt* 26, 42.

CHRISTI MORS EST SACRIFICIUM UNICUM ET DEFINITIVUM

613 Christi mors simul est *sacrificium Paschale*, quod Redemptionem hominum adimplet definitivam [485] per Agnum qui tollit peccatum mundi,[486] et *sacrificium Novi Testamenti*,[487] quod hominem iterum in communione ponit cum Deo [488] illum cum Eo reconcilians per sanguinem pro multis effusum in remissionem peccatorum.[489]

1366

2009

614 Hoc Christi sacrificium est unicum et omnia sacrificia consummat et superat.[490] Illud est imprimis donum Ipsius Dei Patris: Pater tradit Filium Suum ut nos Secum reconciliet.[491] Simul est oblatio Filii Dei hominis facti qui libere et ob amorem [492] Suam offert vitam [493] Patri Suo per Spiritum Sanctum [494] ad nostram reparandam inoboedientiam.

529, 1330

2100

IESUS SUAM OBOEDIENTIAM PRO NOSTRA SUBSTITUIT INOBOEDIENTIA

615 « Sicut [...] per inoboedientiam unius hominis peccatores constituti sunt multi, ita et per unius oboedientiam iusti constituentur multi » (*Rom* 5, 19). Iesus, per Suam oboedientiam usque ad Mortem, substitutionem adimplevit Servi patientis qui ponit *in piaculum* animam Suam, peccatum multorum ferens, quos iustificat iniquitates eorum portans.[495] Iesus nostras reparavit culpas et Patri pro nostris satisfecit peccatis.[496]

1850

433

411

IN CRUCE, IESUS SACRIFICIUM CONSUMMAT SUUM

616 Hic amor in finem [497] sacrificio Christi confert valorem Redemptionis et reparationis, expiationis et satisfactionis. Ille nos omnes cognovit et amavit in vitae Suae oblatione.[498] « Caritas [...] Christi urget nos, ae-

478

---

[485] Cf. *1 Cor* 5, 7; *Io* 8, 34-36.
[486] Cf. *Io* 1, 29; *1 Pe* 1, 19.
[487] Cf. *1 Cor* 11, 25.
[488] Cf. *Ex* 24, 8.
[489] Cf. *Mt* 26, 28; *Lv* 16, 15-16..
[490] Cf. *Heb* 10, 10.
[491] Cf. *1 Io* 4, 10.
[492] Cf. *Io* 15, 13.
[493] Cf. *Io* 10, 17-18.
[494] Cf. *Heb* 9, 14.
[495] Cf. *Is* 53, 10-12.
[496] Cf. CONCILIUM TRIDENTINUM, Sess. 6ª, *Decretum de iustificatione*, c. 7: DS 1529.
[497] Cf. *Io* 13, 1.
[498] Cf. *Gal* 2, 20; *Eph* 5, 2. 25.

stimantes hoc quoniam, si unus pro omnibus mortuus est, ergo omnes mortui sunt » (*2 Cor* 5, 14). Nullus homo, etiamsi omnium esset sanctissimus, capax erat omnium hominum peccata sumendi super se seque offerendi in sacrificio pro omnibus. Exsistentia Personae divinae Filii in Christo, quae superat simulque amplectitur omnes personas humanas, et quae Eum Caput totius constituit humanitatis, Eius sacrificium redemptivum *pro omnibus* possibile facit.

468

519

1992

1235

617 « Sua sanctissima passione in ligno crucis nobis iustificationem meruit »: docet Concilium Tridentinum,[499] indolem efferens unicam sacrificii Christi tamquam auctoris salutis aeternae.[500] Ecclesia autem crucem veneratur cantans: « O crux, ave, spes unica! ».[501]

NOSTRA IN SACRIFICIO CHRISTI PARTICIPATIO

618 Crux unicum est sacrificium Christi unius mediatoris inter Deum et homines.[502] Sed quia, in Sua Persona divina incarnata, « cum omni homine quodammodo Se univit »,[503] hominibus « cunctis possibilitatem offert ut, modo Deo cognito, [...] Paschali mysterio consocientur ».[504] Ipse Suos vocat discipulos ut tollant crucem suam et sequantur Eum,[505] quia Ipse passus est pro nobis, nobis relinquens exemplum ut sequamur vestigia Eius.[506] Ipse etenim Suo sacrificio redemptivo illos vult etiam sociare qui eius sunt primi beneficiarii.[507] Hoc adimpletur, modo supremo, in persona Matris Eius, quae, intimius quam quilibet alius, mysterio Eius passionis redemptricis est associata.[508]

1368, 1460

307, 2100

964

> « Unica haec et vera est scala paradisi, nec praeter crucem alia superest qua in caelum ascendatur ».[509]

---

[499] CONCILIUM TRIDENTINUM, Sess. 6ª, *Decretum de iustificatione*, c. 1: DS 1529.
[500] Cf. *Heb* 5, 9.
[501] Additio liturgica ad Hymnum « Vexilla Regis »: *Liturgia Horarum*, editio typica, v. 2 (Typis Polyglottis Vaticanis 1974) p. 313; v. 4 (Typis Polyglottis Vaticanis 1974) p. 1129.
[502] Cf. *1 Tim* 2, 5.
[503] CONCILIUM VATICANUM II, Const. past. *Gaudium et spes*, 22: AAS 58 (1966) 1042.
[504] Cf. CONCILIUM VATICANUM II, Const. past. *Gaudium et spes*, 22: AAS 58 (1966) 1043.
[505] Cf. *Mt* 16, 24.
[506] Cf. *1 Pe* 2, 21.
[507] Cf. *Mc* 10, 39; *Io* 21, 18-19; *Col* 1, 24.
[508] Cf. *Lc* 2, 35.
[509] SANCTA ROSA DE LIMA: P. HANSEN, *Vita mirabilis* [...] *venerabilis sororis Rosae de sancta Maria Limensis* (Romae 1664) p. 137.

Compendium

619   « *Christus mortuus est pro peccatis nostris secundum Scripturas* »
      (*1 Cor* 15, 3).

620   *Nostra salus ex incepto amoris Dei erga nos profluit* « *quoniam Ipse
      dilexit nos et misit Filium Suum propitiationem pro peccatis nostris* »
      (*1 Io* 4, 10). « *Deus erat in Christo mundum reconcilians Sibi* »
      (*2 Cor* 5, 19).

621   *Iesus Se libere pro nostra obtulit salute. Ipse hoc significat donum et
      in antecessu ducit in rem dum ultima peragebatur Cena:* « *Hoc est
      corpus meum, quod pro vobis datur* » (*Lc* 22, 19).

622   *In hoc Christi consistit Redemptio: Ipse* « *venit* [...] *dare animam
      Suam Redemptionem pro multis* » (*Mt* 20, 28), *id est,* « *Suos* [...] *in
      finem dilexit* » (*Io* 13, 1) *ut redempti essent de vana sua conversatio-
      ne a patribus tradita.*[510]

623   *Iesus, per Suam erga Patrem amore plenam oboedientiam* « *usque ad
      Mortem* [...] *crucis* » (*Philp* 2, 8), *Suam missionem adimplet expiatri-
      cem*[511] *Servi patientis qui iustificat multos et iniquitates eorum Ipse
      portat.*[512]

Paragraphus 3

IESUS CHRISTUS SEPULTUS EST

624   Ille « gratia Dei pro omnibus » gustavit « mortem » (*Heb* 2, 9),
      Deus in Suo salutis consilio disposuit ut Filius Suus non solum morere-
      tur « pro peccatis nostris » (*1 Cor* 15, 3), sed etiam ut « gustaret mor-
      tem », id est, statum cognosceret mortis, statum separationis inter Suam   362, 1005
      animam et corpus Suum per tempus quod inter momentum comprehen-
      ditur in quo in cruce exspiravit et momentum in quo resurrexit. Hic
      Christi mortui status est mysterium sepulcri et descensus ad inferos. Est
      mysterium Sabbati Sancti in quo Christus in sepulcro positus[513] magnam

---

[510] Cf. *1 Pe* 1, 18.
[511] Cf. *Is* 53, 10.
[512] Cf. *Is* 53, 11; *Rom* 5, 19.
[513] Cf. *Io* 19, 42.

343   requiem Dei sabbaticam [514] manifestat post salutis hominum consummationem [515] quae universum pacificat mundum.[516]

Christus Suo corpore in sepulcro

625   Permanentia Christi in sepulcro vinculum constituit reale inter statum Christi passibilem ante Pascha et Eius, Resuscitati, actualem statum gloriosum. Eadem Persona « Viventis » dicere potest: « Fui mortuus
et ecce sum vivens in saecula saeculorum » (*Apc* 1, 18):

> « Est autem hoc mysterium dispensationis Dei circa [Filii] Mortem et
> Resurrectionis ex mortuis quod morte quidem fuerit anima separata a
> corpore, et non prohibuerit necessariam naturae consequentiam; omnis
> autem rursus ad Se invicem reduxerit per Resurrectionem, adeo *ut eis
> esset utriusque confinium, nempe mortis et vitae*: ut qui in Se quidem sta-
> tuerit naturam morte divisam, Ipse tamen fuerit principium unionis
> eorum quae sunt divisa ».[517]

626   Siquidem « Dux vitae » qui interfectus est [518] Idem utique est ac
« Vivens qui resurrexit »,[519] necessarium est Personam Filii Dei assumere
470, 650   perrexisse animam Suam Suumque corpus inter se per mortem separata:

> « Quamvis igitur Christus ut homo mortem obierit, sanctaque Ipsius
> anima ab immaculato corpore distracta sit, divinitas tamen a neutro,
> hoc est, nec ab anima, nec a corpore quoquo modo seiuncta est: neque
> propterea Persona una in duas divisa fuit. Siquidem et corpus et anima
> simul ab initio in Verbi Persona exsistentiam habuerunt; ac licet in
> morte divulsa sint, utrumque tamen eorum unam Verbi Personam, qua
> subsisteret, semper habuit ».[520]

« Non dabis Sanctum Tuum videre corruptionem »

1009   627   Mors Christi fuit vera mors, quatenus Eius exsistentiae humanae terrestri finem imposuit. Sed propter unionem quam Persona Filii cum corpo-
1683   re servavit Suo, hoc non factum est mortalis spoliatio sicut cetera, quia
« impossibile erat teneri » illud a morte (*Act* 2, 24) et propterea « virtus di-

---

[514] Cf. *Heb* 4, 4-9.
[515] Cf. *Io* 19, 30.
[516] Cf. *Col* 1, 18-20.
[517] Sanctus Gregorius Nyssenus, *Oratio catechetica* 16, 9: TD 7, 90 (PG 45, 52).
[518] Cf. *Act* 3, 15.
[519] Cf. *Lc* 24, 5-6.
[520] Sanctus Ioannes Damascenus, *Expositio fidei*, 71 [*De fide orthodoxa*, 3, 27]: PTS
12, 170 (PG 94, 1098).

vina corpus Christi a putrefactione praeservavit».[521] De Christo simul dici
potuit: « Abscissus est a terra viventium» (*Is* 53, 8); et: « Caro mea requi-
escet in spe. Quoniam non derelinques animam meam in inferno neque dabis Sanctum Tuum videre corruptionem» (*Act* 2, 26-27).[522] Resurrectio
Christi « tertia die» (*1 Cor* 15, 4; *Lc* 24, 46)[523] huius rei erat signum, etiam
quia corruptio putabatur a quarto manifestari die.[524]

« CONSEPULTI CUM CHRISTO... »

628   Baptisma cuius signum originale et plenum immersio est, efficaci-   537
ter descensum significat christiani in sepulcrum ut peccato moriatur
cum Christo in ordine ad novam vitam: « Consepulti ergo sumus cum   1215
Illo per Baptismum in mortem, ut quemadmodum suscitatus est
Christus a mortuis per gloriam Patris, ita et nos in novitate vitae ambulemus » (*Rom* 6, 4).[525]

Compendium

629   *Christus pro omni homine mortem gustavit.[526] Vere Filius Dei factus
homo est Ille qui est mortuus et sepultus.*

630   *Tempore permansionis Christi in sepulcro, Eius Persona divina assumere perrexit tam Suam animam quam corpus Suum, separata tamen inter se per mortem. Hac de causa, corpus Christi mortui « non
vidit corruptionem » (*Act* 13, 37).*

Articulus 5
« IESUS CHRISTUS DESCENDIT AD INFEROS, TERTIA DIE RESURREXIT A MORTUIS »

631   Iesus « descendit in inferiores partes terrae. Qui descendit, Ipse est
et qui ascendit» (*Eph* 4, 9-10). Symbolum Apostolicum in eodem articulo confitetur descensum Christi ad inferos et Eius Resurrectionem a

[521] SANCTUS THOMAS AQUINAS, *Summa theologiae* 3, 51, 3, ad 2: Ed. Leon. 11, 490.
[522] Cf. *Ps* 16, 9-10.
[523] Cf. *Mt* 12, 40; *Io* 2, 1; *Os* 6, 2.
[524] Cf. *Io* 11, 39.
[525] Cf. *Col* 2, 12; *Eph* 5, 26.
[526] Cf. *Heb* 2, 9.

mortuis tertia die, quia Ipse in Suo Paschate ex imo mortis vitam fecit scaturire:

> « Christus Filius Tuus,
> qui, regressus ab inferis,
> humano generi serenus illuxit,
> et vivit et regnat in saecula saeculorum. Amen ».[527]

Paragraphus 1

CHRISTUS DESCENDIT AD INFEROS

632   Frequentes Novi Testamenti affirmationes, secundum quas Iesus « resurrexit a mortuis » (*1 Cor* 15, 20),[528] praesupponunt, Illum, ante Resurrectionem, in mortuorum incoluisse mansione.[529] Praedicatio apostolica descensui Iesu ad inferos hunc primum tribuit sensum: Iesus mortem cognovit sicut omnes homines et ad illos, anima Sua, in mortuorum mansionem, profectus est. Ipse tamen ut Salvator illuc descendit, Bonum Nuntium spiritibus proclamans, qui ibi detinebantur.[530]

633   Scriptura mansionem mortuorum in quam Christus mortuus descendit, inferos appellat, Sheol vel Ἅιδην[531] quia illi qui ibi inveniuntur, visione privantur Dei.[532] Talis est revera, Redemptorem exspectando, casus omnium mortuorum, impiorum vel iustorum,[533] id quod non significat eorum sortem esse eamdem, sicut Iesus ostendit in parabola pauperis Lazari recepti « in sinum Abrahae ».[534] « Horum igitur piorum animas qui in sinu Abrahae Salvatorem exspectabant, Christus Dominus ad inferos descendens liberavit ».[535] Iesus ad inferos non descendit ut damna-

1033

---

[527] *Vigilia Paschalis, Praeconium Paschale* (« Exsultet »): *Missale Romanum*, editio typica (Typis Polyglottis Vaticanis 1970) p. 273 et 275.
[528] Cf. *Act* 3, 15; *Rom* 8, 11.
[529] Cf. *Heb* 13, 20.
[530] Cf. *1 Pe* 3, 18-19.
[531] Cf. *Philp* 2, 10; *Act* 2, 24; *Apc* 1, 18; *Eph* 4, 9.
[532] Cf. *Ps* 6, 6; 88, 11-13.
[533] Cf. *Ps* 89, 49; *1 Sam* 28, 19; *Ez* 32, 17-32.
[534] Cf. *Lc* 16, 22-26.
[535] *Catechismus Romanus*, 1, 6, 3: ed. P. Rodríguez (Città del Vaticano-Pamplona 1989) p. 71.

tos liberaret [536] neque ut damnationis destrueret infernum,[537] sed ut iustos liberaret qui Illum praecesserant.[538]

634 « Et mortuis evangelizatum est... » (*1 Pe* 4, 6). Descensus ad inferos adimpletio est, usque ad plenitudinem, nuntii evangelici salutis. Ille ultima est phasis missionis messianicae Iesu, in tempore densata, sed immense vasta in sua reali significatione extensionis operis redemptivi ad omnes homines omnium temporum omniumque locorum, quia omnes qui salvati sunt, Redemptionis facti sunt participes.

605

635 Christus igitur descendit in mortis profunditatem [539] ut « mortui » audiant « vocem Filii Dei et, qui audierint », vivant (*Io* 5, 25). Iesus, « Dux vitae »,[540] « per mortem » destruxit « eum, qui habebat mortis imperium, id est, Diabolum, et » liberavit « eos, qui timore mortis per totam vitam obnoxii erant servituti » (*Heb* 2, 14-15). Exinde Christus resuscitatus habet « claves mortis et inferni » (*Apc* 1, 18) et « in nomine Iesu omne genu » flectitur « caelestium et terrestrium et infernorum » (*Philp* 2, 10).

> « Hodie silentium magnum in terra; silentium magnum, et solitudo deinceps; silentium magnum, quoniam Rex dormit; terra timuit et quievit, quoniam Deus in carne obdormivit, et a saeculo dormientes excitavit. [...] Profecto primum parentem tamquam perditam ovem quaesitum vadit. Omnino in tenebris et in umbra mortis sedentes invisere vult; omnino captivum Adam, unaque captivam Evam ex doloribus solutum vadit Deus, Illiusque filius. [...] Ego Deus tuus, qui propter te factus sum filius tuus. [...] Expergiscere, qui dormis: etenim non ideo te feci, ut in inferno contineare vinctus. Surge a mortuis; ego sum Vita mortuorum ».[541]

Compendium

636 *Symbolum, in expressione « Iesus descendit ad inferos », confitetur Iesum vere mortuum esse et per Mortem Suam pro nobis mortem vicisse et Diabolum « qui habebat mortis imperium » (Heb 2, 14).*

---

[536] Cf. Concilium Romanum (anno 745), *De descensu Christi ad inferos*: DS 587.
[537] Cf. Benedictus XII, Libellus *Cum dudum* (1341), 18: DS 1011; Clemens VI, Epistula *Super quibusdam* (anno 1351), c. 15, 13: DS 1077.
[538] Cf. Concilium Toletanum IV (anno 633), *Capitulum*, 1: DS 485; *Mt* 27, 52-53.
[539] Cf. *Mt* 12, 40; *Rom* 10, 7; *Eph* 4, 9.
[540] Cf. *Act* 3, 15.
[541] *Antiqua homilia in sancto et magno Sabbato*: PG 43, 440. 452. 461.

637   *Mortuus Christus, anima Sua Suae Personae divinae unita, in mortuorum descendit mansionem. Iustis qui Illum praecesserant, portas
aperuit caeli.*

Paragraphus 2

TERTIA DIE RESURREXIT A MORTUIS

638   « Nos vobis evangelizamus eam, quae ad patres Promissio facta
est, quoniam hanc Deus adimplevit filiis eorum, nobis resuscitans Iesum » (*Act* 13, 32-33). Resurrectio Iesu suprema est veritas nostrae fidei
90   in Christum, tamquam veritas centralis credita et in vitam ducta a prima communitate christiana, transmissa a Traditione tamquam fundamentalis, stabilita a Novi Testamenti documentis, praedicata tamquam,
651, 991   simul cum cruce, essentialis pars mysterii Paschalis:

> « Christus resurrexit ex mortuis.
> Per Mortem Suam vicit mortem,
> mortuis Ipse vitam dedit ».[542]

I. Eventus historicus et transcendens

639   Mysterium resurrectionis Christi eventus est realis qui manifestationes historice compertas habuit sicut Novum Testamentum testatur.
Iam sanctus Paulus potuit ad Corinthios circa annum 56 scribere:
« Tradidi enim vobis in primis, quod et accepi, quoniam Christus mortuus est pro peccatis nostris secundum Scripturas et quia sepultus est et
quia suscitatus est tertia die secundum Scripturas et quia visus est Ce-
phae et post haec Duodecim » (*1 Cor* 15, 3-4). Apostolus hic loquitur
de *Resurrectionis traditione viventi* quam post conversionem ad portas
Damasci didicerat suam.[543]

SEPULCRUM VACUUM

640   « Quid quaeritis Viventem cum mortuis? Non est hic, sed resurrexit » (*Lc* 24, 5-6). Intra Paschatis eventus, primum elementum quod invenitur, est sepulcrum vacuum. Id in se argumentum directum non est.

---

[542] *Liturgia Byzantina, Troparium in die Paschatis*: Πεντηκοστάριον (Romae 1884) p. 6.
[543] Cf. *Act* 9, 3-18.

Absentia corporis Christi in sepulcro aliter posset explicari.[544] Hoc non obstante, sepulcrum vacuum pro omnibus constituit signum essentiale. Inventio eius a discipulis primus fuit gressus ad factum ipsum Resurrectionis agnoscendum. Talis est imprimis sanctarum mulierum casus,[545] deinde Petri.[546] Discipulus « quem amabat Iesus » (*Io* 20, 2) affirmat se, sepulcrum ingredientem et detegentem « linteamina posita » (*Io* 20, 6), vidisse et credidisse.[547] Hoc supponit ipsum comperuisse in sepulcri vacui statu [548] absentiam corporis Iesu opus humanum esse nequivisse et Iesum simpliciter ad vitam non rediisse terrestrem sicut casus fuerat Lazari.[549]

999

Resuscitati apparitiones

641   Maria Magdalena et sanctae mulieres quae veniebant ut perficerent corporis Iesu unctionem,[550] festinanter sepulti propter adventum Sabbati vespere magnae Feriae sextae,[551] primae fuerunt quae Resuscitato occurrerunt.[552] Sic mulieres Christi resurrectionis fuerunt primae nuntiae pro ipsis Apostolis.[553] His Iesus deinde apparet, prius Petro, postea Duodecim.[554] Petrus ergo, vocatus ad fidem suorum confirmandam fratrum,[555] videt Resuscitatum ante eos et super eius testimonium clamat communitas: « Surrexit Dominus vere et apparuit Simoni » (*Lc* 24, 34).

553

448

642   Quidquid his diebus evenit Paschalibus, unumquemque Apostolorum — et peculiariter Petrum — in construenda nova aetate obligat quae mane incepit Paschatis. Tamquam Resuscitati testes, lapides permanent fundationis Eius Ecclesiae. Primae credentium communitatis fides super testimonium hominum fundatur determinatorum quos christiani cognoscebant et quorum magna pars adhuc vivebat inter eos. Hi « testes resurrectionis Christi »[556] sunt imprimis Petrus et Duodecim, sed non illi solummodo: Paulus loquitur de plus quam quingentis personis

659, 881

860

---

[544] Cf. *Io* 20, 13; *Mt* 28, 11-15.
[545] Cf. *Lc* 24, 3. 22-23.
[546] Cf. *Lc* 24, 12.
[547] Cf. *Io* 20, 8.
[548] Cf. *Io* 20, 5-7.
[549] Cf. *Io* 11, 44.
[550] Cf. *Mc* 16, 1; *Lc* 24, 1.
[551] Cf. *Io* 19, 31. 42.
[552] Cf. *Mt* 28, 9-10; *Io* 20, 11-18.
[553] Cf. *Lc* 24, 9-10.
[554] Cf. *1 Cor* 15, 5.
[555] Cf. *Lc* 22, 31-32.
[556] Cf. *Act* 1, 22.

quibus Iesus simul apparuit, superquam quod Iacobo et omnibus Apostolis.[557]

643   Coram his testimoniis impossibile est Christi resurrectionem extra ordinem physicum interpretari, eamque non agnoscere tamquam factum historicum. Ex factis consequitur discipulorum fidem radicali passionis et Mortis eorum Magistri in cruce probationi, ab Ipso nuntiatae in antecessum,[558] fuisse submissam. Animi percussio a passione provocata tanta fuit ut discipuli (saltem quidam inter eos) nuntio Resurrectionis statim non crediderint. Evangelia a communitate nobis ostendenda affecta a mystica exaltatione longe distant; discipulos nobis praesentant fractos (« tristes »: *Lc* 24, 17) et consternatos.[559] Propterea sanctis mulieribus e sepulcro redeuntibus non crediderunt et earum verba « visa sunt ante illos sicut deliramentum » (*Lc* 24, 11).[560] Cum Iesus Se Undecim manifestavit vespere Paschatis, « exprobravit incredulitatem eorum et duritiam cordis, quia his, qui viderant Eum resuscitatum, non crediderunt » (*Mc* 16, 14).

644   Discipuli, etiam ante Iesu resuscitati positi realitatem, adhuc dubitant;[561] tam impossibilis eis videbatur res: illi spiritum videre putabant,[562] « adhuc autem illis non credentibus prae gaudio et mirantibus » (*Lc* 24, 41). Thomas eamdem dubii experietur probationem,[563] et occasione ultimae apparitionis in Galilaea quam Matthaeus narrat, « quidam [...] dubitaverunt » (*Mt* 28, 17). Hac de causa, hypothesis, secundum quam Resurrectio « effectus » fuisset fidei (vel credulitatis) Apostolorum, fundamento caret. Omnino e contra, eorum fides in Resurrectionem orta est — sub gratiae divinae actione — ex directa experientia realitatis Iesu resuscitati.

STATUS HUMANITATIS RESUSCITATAE CHRISTI

645   Iesus resuscitatus relationes directas cum Suis init discipulis per tactum [564] et participationem in cibo.[565] Sic illos invitat ut Eum agnoscant spiritum non esse,[566] sed praesertim ut comperiant corpus resuscitatum cum quo Se illis praesentat, idem esse quod cruciatum et crucifixum fuit, quia adhuc vestigia Suae portat passionis.[567] Hoc tamen corpus au-

999

---

[557] Cf. *1 Cor* 15, 4-8.
[558] Cf. *Lc* 22, 31-32.
[559] Cf. *Io* 20, 19.
[560] Cf. *Mc* 16, 11. 13.
[561] Cf. *Lc* 24, 38.
[562] Cf. *Lc* 24, 39.
[563] Cf. *Io* 20, 24-27.
[564] Cf. *Lc* 24, 39; *Io* 20, 27.
[565] Cf. *Lc* 24, 30. 41-43; *Io* 21, 9. 13-15.
[566] Cf. *Lc* 24, 39.
[567] Cf. *Lc* 24, 40; *Io* 20, 20. 27.

thenticum et reale proprietates simul possidet novas corporis gloriosi: non amplius in spatio et tempore positum est, sed potest libere praesens effici ubi et quando Ipse vult,[568] quia Eius humanitas non potest amplius in terra retineri et solum ad Patris ditionem pertinet divinam.[569] Hac etiam de causa, Iesus resuscitatus est supreme liber apparendi ut vult: sub specie hortulani[570] vel « in alia effigie » (*Mc* 16, 12) quam illa quae discipulis erat consueta, praecise ut eorum suscitet fidem.[571]

646 Resurrectio Christi ad vitam terrestrem reditus non fuit, sicut casus fuit resurrectionum quas Ipse ante Pascha peregerat: filiae Iairi, adulescentis Naim, Lazari. Haec facta eventus erant miraculosi, sed personae in quibus miraculum factum erat, vitam terrestrem « ordinariam »   934
recuperabant per Iesu potentiam. Quandoque illi morientur iterum.   549
Christi resurrectio est essentialiter diversa. In Suo corpore resuscitato transit ex mortis statu ad aliam vitam ultra tempus et spatium. Corpus Iesu in Resurrectione a Spiritus Sancti impletur potentia; vitae divinae participat in statu gloriae Suae, ita ut Paulus de Christo dicere potuerit, Illum esse hominem caelestem.[572]

RESURRECTIO TAMQUAM EVENTUS TRANSCENDENS

647 « O vere beata nox — canit hymnus « Exsultet » Paschatis —, quae sola meruit scire tempus et horam in qua Christus ab inferis resurrexit ».[573] Revera, ipsius eventus Resurrectionis nemo fuit testis oculatus et nullus Evangelista illum describit. Nemo dicere potuit quomodo illa physice locum habuit. Eius essentia maxime intima, transitus ad   1000
aliam vitam, adhuc minus sensibus fuit perceptibilis. Resurrectio, eventus historicus qui per sepulcri vacui signum et per realitatem occursuum Apostolorum cum Christo resuscitato potest comperiri, non minus in eo quod historiam transcendit et superat, in corde mysterii permanet fidei. Hac de causa, Christus resuscitatus Se mundo non manifestat,[574] sed discipulis Suis, « his, qui simul ascenderant cum Eo de Galilaea in Ierusalem, qui nunc sunt testes Eius ad populum » (*Act* 13, 31).

---

[568] Cf. *Mt* 28, 9. 16-17; *Lc* 24, 15. 36; *Io* 20, 14. 19. 26; 21, 4.
[569] Cf. *Io* 20, 17.
[570] Cf. *Io* 20, 14-15.
[571] Cf. *Io* 20, 14. 16; 21, 4. 7.
[572] Cf. *1 Cor* 15, 35-50.
[573] *Vigilia Paschalis, Praeconium Paschale* (« Exsultet »): *Missale Romanum*, editio typica (Typis Polyglottis Vaticanis 1970) p. 272.
[574] Cf. *Io* 14, 22.

II. Resurrectio – Sanctissimae Trinitatis opus

258
989
648 Resurrectio Christi est obiectum fidei quatenus interventus est transcendens Ipsius Dei in creatione et in historia. In ea, Tres Personae divinae simul operantur et Suam propriam originalitatem manifestant. Ea per potentiam fit Patris qui « suscitavit » (*Act* 2, 24) Christum, Fi-
663
445
lium Suum, et hoc modo humanitatem Eius — cum corpore Eius — modo perfecto in Trinitatem introduxit. Iesus definite revelatur « Filius Dei in virtute secundum Spiritum sanctificationis ex resurrectione mor-
272
tuorum » (*Rom* 1, 4). Sanctus Paulus insistit in manifestatione potentiae Dei [575] per operationem Spiritus qui humanitatem Iesu vivificavit mortuam et eam vocavit ad statum Domini gloriosum.

649 Filius autem Suam propriam operatur Resurrectionem virtute Suae potentiae divinae. Iesus annuntiat Filium hominis multa pati debere, mori et deinde resurgere (sensu activo verbi [576]). Ceterum Ipse affirmat explicite: « Ego pono animam meam, ut iterum sumam eam. [...] Potestatem habeo ponendi eam et potestatem habeo iterum sumendi eam » (*Io* 10, 17-18). « Credimus quod Iesus mortuus est et resurrexit » (*1 Thess* 4, 14).

626
650 Patres Resurrectionem contemplantur a divina Christi procedentes Persona quae unita animae Suae permansit Suoque corpori inter ipsa per mortem separatis. « Propter unitatem naturae divinae, quae utrique hominis parti ex aequo inest, quae seiuncta separataque erant, rursum coeunt et coniunguntur. Atque ita ex partium coniunctarum divisione
1005
mors sequitur, ex divisarum autem coniunctione Resurrectio ».[577]

III. Sensus et momentum Resurrectionis salvificum

651 « Si autem Christus non suscitatus est, inanis est ergo praedicatio nostra, inanis est et fides vestra » (*1 Cor* 15, 14). Resurrectio imprimis confirmationem constituit omnium quae Christus Ipse fecit et docuit. Omnes veritates, etiam illae spiritui humano maxime inaccessibiles,

[575] Cf. *Rom* 6, 4; *2 Cor* 13, 4; *Philp* 3, 10; *Eph* 1, 19-22; *Heb* 7, 16.
[576] Cf. *Mc* 8, 31; 9, 9. 31; 10, 34.
[577] Sanctus Gregorius Nyssenus, *De tridui inter mortem et resurrectionem Domini nostri Iesu Christi spatio*: *Gregorii Nysseni opera*, ed. W. Jaeger-H. Langerbeck, v. 9 (Leiden 1967) p. 293-294 (PG 46, 417); cf. etiam *Statuta Ecclesiae Antiqua*: DS 325; Anastasius II, Epistula *In prolixitate epistulae*: DS 359; Sanctus Hormisdas, Epistula *Inter ea quae*: DS 369; Concilium Toletanum XI, *Symbolum*: DS 539.

suam iustificationem inveniunt, si Christus resurgens definitivum Suae   129
auctoritatis divinae praebuit argumentum quod promiserat.   274

652   Resurrectio Christi *adimpletio promissionum* est Veteris Testamenti [578] et Iesu Ipsius in Eius vita terrestri.[579] Locutio « secundum Scriptu-   994
ras » [580] denotat Christi resurrectionem has implevisse praedictiones.   601

653   Veritas *divinitatis Iesu* Resurrectione confirmatur Eius. Ipse dixe-   445
rat: « Cum exaltaveritis Filium hominis, tunc cognoscetis quia Ego
sum » (*Io* 8, 28). Crucifixi Resurrectio demonstrat Illum vere « Ego
sum » esse, Filium Dei et Ipsum Deum. Sanctus Paulus potuit Iudaeis
declarare: « Et nos vobis evangelizamus eam, quae ad patres Promissio
facta est, quoniam hanc Deus adimplevit filiis eorum, nobis resuscitans
Iesum, sicut et in psalmo secundo scriptum est: Filius meus es tu; ego
hodie genui te » (*Act* 13, 32-33).[581] Resurrectio Christi mysterio Incarnationis Filii Dei est arcte coniuncta. Ea est eius adimpletio secundum   422, 461
aeternum Dei consilium.

654   In Paschali mysterio duplex habetur ratio: Ipse per Suam Mortem
nos a peccato liberat, per Suam Resurrectionem nobis accessum ad novam aperit vitam. Haec est imprimis *iustificatio*, quae nos in gratiam   1987
Dei restituit [582] « ut quemadmodum suscitatus est Christus a mortuis [...],
ita et nos in novitate vitae ambulemus » (*Rom* 6, 4). Ipsa in victoria
consistit de morte peccati et in nova gratiae participatione.[583] Ipsa *adop-*   1996
tionem filialem adimplet, quia homines fratres Christi efficiuntur sicut
Iesus Ipse Suos appellat discipulos post Resurrectionem Suam: « Ite,
nuntiate fratribus meis » (*Mt* 28, 10).[584] Fratres non natura, sed gratiae
dono, quia haec filiatio adoptiva participationem praestat realem in Filii unici vita, quae plene in Eius revelata est Resurrectione.

655   Resurrectio denique Christi — et Ipse Christus resuscitatus —
principium est et fons *nostrae resurrectionis futurae*; « Christus resurrexit   989
a mortuis, primitiae dormientium. [...] Sicut enim in Adam omnes moriuntur, ita et in Christo omnes vivificabuntur » (*1 Cor* 15, 20-22). In
huius adimpletionis exspectatione, Christus resuscitatus in corde Suo-   1002
rum vivit fidelium. In Eo christiani gustant « virtutes [...] saeculi ventu-

[578] Cf. *Lc* 24, 26-27. 44-48.
[579] Cf. *Mt* 28, 6; *Mc* 16, 7; *Lc* 24, 6-7.
[580] Cf. *1 Cor* 15, 3-4; *Symbolum Nicaenum-Constantinopolitanum*: DS 150
[581] Cf. *Ps* 2, 7.
[582] Cf. *Rom* 4, 25.
[583] Cf. *Eph* 2, 4-5; *1 Pe* 1, 3.
[584] Cf. *Io* 20, 17.

ri » (*Heb* 6, 5) et illorum vita a Christo in vitae divinae rapitur sinum [585] « ut et qui vivunt, iam non sibi vivant, sed Ei qui pro ipsis mortuus est et resurrexit » (*2 Cor* 5, 15).

Compendium

656   *Fides in Resurrectionem, ut obiectum, eventum habet simul historice testimonio confirmatum a discipulis qui realiter Resuscitato occurre= runt, et modo arcano transcendentem quatenus ingressum humanitatis Christi in gloriam Dei.*

657   *Sepulcrum vacuum et linteamina posita per se ipsa significant corpus Christi e vinculis mortis et corruptionis per potentiam Dei effugisse. Ea ad occursum cum Resuscitato discipulos praeparant.*

658   *Christus, « primogenitus ex mortuis » (*Col* 1, 18), nostrae propriae resurrectionis est principium, iam nunc per nostrae animae iustifica- tionem,[586] posterius per nostri corporis vivificationem.[587]*

Articulus 6

« IESUS ASCENDIT AD CAELOS, SEDET AD DEXTERAM DEI PATRIS OMNIPOTENTIS »

659   « Dominus quidem Iesus, postquam locutus est eis, assumptus est in caelum et sedit a dextris Dei » (*Mc* 16, 19). Corpus Christi, ab in-
645   stanti Suae Resurrectionis, glorificatum est, ut id novae et supernaturales demonstrant proprietates, quibus exinde gaudet permanenter.[588] Sed per quadraginta dies, in quibus cum discipulis Suis familiariter manducabit et bibet [589] illosque circa Regnum instruet,[590] Eius gloria adhuc sub linea-
66   mentis humanitatis ordinariae manet velata.[591] Ultima Iesu apparitio ab irreversibili Eius humanitatis absolvitur ingressu in gloriam divinam

---

[585] Cf. *Col* 3, 1-3.
[586] Cf. *Rom* 6, 4.
[587] Cf. *Rom* 8, 11.
[588] Cf. *Lc* 24, 31; *Io* 20, 19. 26.
[589] Cf. *Act* 10, 41.
[590] Cf. *Act* 1, 3.
[591] Cf. *Mc* 16, 12; *Lc* 24, 15; *Io* 20, 14-15; 21, 4.

a nube significatam [592] et a caelo,[593] ubi iam inde ad dexteram Dei sedet.[594]   697
Ipse, modo prorsus exceptionali et unico, Paulo « tamquam abortivo »
(*1 Cor* 15, 8) manifestabitur in quadam ultima apparitione quae illum
constituit Apostolum.[595]   642

660   Indoles gloriae Resuscitati per hoc tempus velata in Eius arcanis
verbis ad Mariam Magdalenam translucet: « Nondum [...] ascendi ad
Patrem; vade autem ad fratres meos et dic eis: Ascendo ad Patrem
meum et Patrem vestrum, et Deum meum et Deum vestrum » (*Io* 20,
17). Hoc differentiam denotat manifestationis inter gloriam Christi resuscitati et illam Christi exaltati ad dexteram Patris. Eventus Ascensionis
simul historicus et transcendens transitum signat inter aliam et aliam.

661   Hic ultimus gressus stricte manet unitus primo, id est, descensui
de caelis, qui in Incarnatione deductus est in rem. Ille tantum qui « ex   461
Patre exivit » potest « ad Patrem redire »: Christus.[596] « Nemo ascendit in
caelum, nisi qui descendit de caelo, Filius hominis » (*Io* 3, 13).[597] Humanitas, suis viribus relicta naturalibus, in « Domum Patris » [598] accessum
non habet, in vitam et in beatitudinem Dei. Solus Christus potuit homini hunc aperire accessum, « ut illuc confideremus, Sua membra, nos   792
subsequi quo Ipse, Caput nostrum Principiumque praecessit ».[599]

662   « Et ego, si exaltatus fuero a terra, omnes traham ad meipsum »
(*Io* 12, 32). Elevatio in cruce elevationem significat et annuntiat Ascensionis in caelum. Illa est eius initium. Iesus Christus, unicus Novi et ae-   1545
terni Foederis Sacerdos, « non [...] in manufacta sancta [...] introivit
[...], sed in ipsum caelum, ut appareat nunc vultui Dei pro nobis » (*Heb*
9, 24). Christus in caelo permanenter sacerdotium exercet Suum, « semper vivens ad interpellandum pro eis » qui accedunt « per Semetipsum
ad Deum » (*Heb* 7, 25). Tamquam « Pontifex futurorum bonorum »   1137
(*Heb* 9, 11), centrum est et principalis actor liturgiae quae Patrem honorat in caelis.[600]

---

[592] Cf. *Act* 1, 9; etiam *Lc* 9, 34-35; *Ex* 13, 22.
[593] Cf. *Lc* 24, 51.
[594] Cf. *Mc* 16, 19; *Act* 2, 33; 7, 56; etiam *Ps* 110, 1.
[595] Cf. *1 Cor* 9, 1; *Gal* 1, 16.
[596] Cf. *Io* 16, 28.
[597] Cf. *Eph* 4, 8-10.
[598] Cf. *Io* 14, 2.
[599] *Praefatio de Ascensione Domini, I: Missale Romanum*, editio typica (Typis Polyglottis Vaticanis 1970) p. 410.
[600] Cf. *Apc* 4, 6-11.

663   Christus, exinde, *sedet ad dexteram Patris*: « Per paternae dextrae vocabulum significamus divinitatis honorem et gloriam, in qua cum Dei Filius, tamquam Deus Patrique consubstantialis, ante saecula esset, ad extremum caro factus corporeo quoque modo considet, in eamdem nimirum gloriam ascita Ipsius carne ».[601]

648

664   Sessio ad dexteram Patris inaugurationem significat Regni Messiae, adimpletionem visionis Danielis prophetae circa Filium hominis: « Et data sunt Ei potestas et honor et Regnum; et omnes populi, tribus et linguae Ipsi servierunt: potestas Eius potestas aeterna, quae non auferetur, et Regnum Eius, quod non corrumpetur » (*Dn* 7, 14). Ab hoc momento, Apostoli testes facti sunt « Regni cuius non erit finis ».[602]

541

Compendium

665   *Christi Ascensio ingressum signat definitivum humanitatis Iesu in caelestem ditionem Dei, unde iterum veniet,[603] sed interim Eum hominum abscondit oculis.[604]*

666   *Iesus Christus, Ecclesiae Caput, nos in Regnum Patris praecedit gloriosum, ut nos, Eius corporis membra, in spe vivamus quandoque aeterne cum Eo essendi.*

667   *Iesus Christus, semel pro semper in sanctuarium ingressus caeleste, pro nobis incessanter intercedit tamquam mediator qui nobis permanenter Spiritus Sancti praestat effusionem.*

---

[601] Sanctus Ioannes Damascenus, *Expositio fidei*, 75 [*De fide orthodoxa*, 4, 2]: PTS 12, 173 (PG 94, 1104).
[602] Cf. *Symbolum Nicaenum-Constantinopolitanum*: DS 150.
[603] Cf. *Act* 1, 11.
[604] Cf. *Col* 3, 3.

Articulus 7

« INDE VENTURUS EST IUDICARE VIVOS ET MORTUOS »

I. « Iterum venturus est cum gloria »

CHRISTUS IAM PER ECCLESIAM REGNAT...

668   « Christus et mortuus est et vixit, ut et mortuorum et vivorum dominetur » (*Rom* 14, 9). Christi Ascensio in caelum participationem significat Eius humanitatis in Ipsius Dei potentia et auctoritate. Iesus Christus est Dominus: omnem potestatem possidet in caelis et in terra.   450 Ipse est « supra omnem principatum et potestatem et virtutem et dominationem », quia Pater « omnia subiecit sub pedibus Eius » (*Eph* 1, 20-22). Christus universi mundi est Dominus [605] atque historiae. In Eo historia hominis et etiam tota creatio suam inveniunt « recapitulationem »,[606] suum culmen transcendens.   518

669   Quatenus Dominus, Christus etiam Caput est Ecclesiae quae Eius   792 est corpus.[607] In caelum elevatus et glorificatus, cum plene Suam missio-   1088 nem sic adimplevisset, in Ecclesia Sua permanet in terris. Redemptio fons est auctoritatis quam Christus virtute Spiritus Sancti in Ecclesiam exercet.[608] « Regnum Christi iam praesens in mysterio » [609] est in Ecclesia   541 quae huius « Regni in terris germen et initium constituit ».[610]

670   Inde ab Ascensione, consilium Dei suam ingressum est adimpletionem. Iam sumus in « novissima hora » (*1 Io* 2, 18).[611] « Iam ergo fines saeculorum ad nos pervenerunt et renovatio mundi irrevocabiliter est   1042 constituta atque in hoc saeculo reali quodam modo anticipatur: etenim Ecclesia iam in terris vera sanctitate licet imperfecta insignitur ».[612]   825 Regnum Christi suam praesentiam per signa miraculosa iam mani-   547 festat,[613] quae eius per Ecclesiam comitantur nuntium.[614]

---

[605] Cf. *Eph* 4, 10; *1 Cor* 15, 24. 27-28.
[606] Cf. *Eph* 1, 10.
[607] Cf. *Eph* 1, 22.
[608] Cf. *Eph* 4, 11-13.
[609] CONCILIUM VATICANUM II, Const. dogm. *Lumen gentium*, 3: AAS 57 (1965) 6.
[610] CONCILIUM VATICANUM II, Const. dogm. *Lumen gentium*, 5: AAS 57 (1965) 8.
[611] Cf. *1 Pe* 4, 7.
[612] CONCILIUM VATICANUM II, Const. dogm. *Lumen gentium*, 48: AAS 57 (1965) 53.
[613] Cf. *Mc* 16, 17-18.
[614] Cf. *Mc* 16, 20.

Caput secundum

...DONEC OMNIA EI SUBIICIANTUR

671 Tamen Regnum Christi, iam in Eius Ecclesia praesens, nondum est absolutum « cum potestate et gloria magna » (*Lc* 21, 27)[615] per Adventum Regis in terram. Adhuc Regnum a potestatibus oppugnatur malis,[616] quamquam hae iam in radice sunt per Christi Pascha victae. Donec omnia Ei fuerint submissa,[617] « donec [...] fuerint novi caeli et nova terra, in quibus iustitia habitat, Ecclesia peregrinans, in suis sacramentis et institutionibus, quae ad hoc aevum pertinent, portat figuram huius saeculi quae praeterit et ipsa inter creaturas degit quae ingemiscunt et parturiunt usque adhuc et exspectant revelationem filiorum Dei ».[618] Hac de causa, christiani orant, maxime in Eucharistia,[619] ad Christi properandum reditum,[620] Ei dicentes: « Veni, Domine » (*Apc* 22, 20).[621]

672 Christus ante Suam Ascensionem affirmaverat nondum esse horam gloriosae constitutionis Regni messianici ab Israel exspectati,[622] quod omnibus hominibus afferre debebat, secundum Prophetas,[623] ordinem definitivum iustitiae, amoris et pacis. Tempus praesens est, secundum Dominum, Spiritus tempus et testimonii,[624] sed etiam tempus adhuc ab instanti necessitate[625] signatum et a probatione mali[626] quod Ecclesiae non parcet[627] et ultimorum dierum inaugurat proelium.[628] Tempus est exspectationis et vigiliae.[629]

ADVENTUS GLORIOSUS CHRISTI, SPES ISRAEL

673 Post Ascensionem, Adventus Christi in gloria imminet,[630] quamquam non est nostrum « nosse tempora vel momenta, quae Pater posuit

margins: 1043 / 769, 773 / 1043, 2046 / 2817 / 732 / 2612 / 1040, 1048

[615] Cf. *Mt* 25, 31.
[616] Cf. *2 Thess* 2, 7.
[617] Cf. *1 Cor* 15, 28.
[618] CONCILIUM VATICANUM II, Const. dogm. *Lumen gentium*, 48: AAS 57 (1965) 53.
[619] *1 Cor* 11, 26.
[620] Cf. *2 Pe* 3, 11-12.
[621] Cf. *1 Cor* 16, 22; *Apc* 22, 17.
[622] Cf. *Act* 1, 6-7.
[623] Cf. *Is* 11, 1-9.
[624] Cf. *Act* 1, 8.
[625] Cf. *1 Cor* 7, 26.
[626] Cf. *Eph* 5, 16.
[627] Cf. *1 Pe* 4, 17.
[628] Cf. *1 Io* 2, 18; 4, 3; *1 Tim* 4, 1.
[629] Cf. *Mt* 25, 1-13; *Mc* 13, 33-37.
[630] Cf. *Apc* 22, 20.

in Sua potestate » (*Act* 1, 7).[631] Hic eventus eschatologicus in quolibet
potest impleri momento,[632] quamquam tam ipse « detinetur » quam probatio finalis quae illum praecedet.[633]

674 Adventus Messiae gloriosi in quolibet historiae momento ab eo
pendet [634] quod agnoscatur ab « omni Israel »,[635] cuius pars est indurata [636]
in « incredulitate » (*Rom* 11, 20) relate ad Iesum. Sanctus Petrus Iudaeis
Hierosolymorum dicit post Pentecosten: « Paenitemini igitur et convertimini, ut deleantur vestra peccata, ut veniant tempora refrigerii a conspectu Domini, et mittat Eum, qui praedestinatus est vobis Christus, Iesum, quem oportet caelum quidem suscipere usque in tempora restitutionis omnium, quae locutus est Deus per os sanctorum a saeculo suorum Prophetarum » (*Act* 3, 19-21). Et sanctus Paulus ei resonat: « Si
enim amissio eorum reconciliatio est mundi, quae assumptio nisi vita ex
mortuis? » (*Rom* 11, 15). Ingressus plenitudinis Iudaeorum [637] in salutem
messianicam, post plenitudinem gentium,[638] populo Dei effectionem praebebit « plenitudinis Christi » (*Eph* 4, 13), in qua erit « Deus omnia in
omnibus » (*1 Cor* 15, 28).

840

58

Ultima Ecclesiae probatio

675 Ante Christi Adventum, Ecclesia probationem subire debet finalem quae fidem plurium credentium labefactabit.[639] Persecutio, quae eius
peregrinationem comitatur in terris,[640] deteget « mysterium iniquitatis »
sub forma religiosae fallaciae hominibus afferentis simulatam eorum
problematibus solutionem penso pretio apostasiae a veritate. Fallacia
religiosa suprema illa est Anti-Christi, id est, cuiusdam pseudo-messia-
nismi in quo homo se ipsum glorificat loco Dei Eiusque Messiae qui in
carne venit.[641]

769

676 Haec antichristica fallacia iam in mundo adumbratur quotiescumque intenditur messianicam in historia adimplere spem quae non nisi ultra historiam

---

[631] Cf. *Mc* 13, 32.
[632] Cf. *Mt* 24, 44; *1 Thess* 5, 2.
[633] Cf. *2 Thess* 2, 3-12.
[634] Cf. *Rom* 11, 31.
[635] Cf. *Rom* 11, 26; Mt 23, 39.
[636] Cf. *Rom* 11, 25.
[637] Cf. *Rom* 11, 12.
[638] Cf. *Rom* 11, 25; *Lc* 21, 24.
[639] Cf. *Lc* 18, 8; *Mt* 24, 12.
[640] Cf. *Lc* 21, 12; *Io* 15, 19-20.
[641] Cf. *2 Thess* 2, 4-12; *1 Thess* 5, 2-3; *2 Io* 7; *1 Io* 2, 18. 22.

per iudicium eschatologicum perfici potest: Ecclesia hanc Regni futuri adultera-
tionem, etiam sub eius forma mitigata, nomine millenarismi reiecit,[642] praecipue
2425 sub forma politica messianismi saecularizati, « intrinsecus pravi ».[643]

1340 677 Ecclesia gloriam Regni non ingredietur nisi per hoc ultimum Pascha, in quo Dominum suum in Eius Morte Eiusque sequetur Resurrectione.[644] Regnum igitur per Ecclesiae triumphum historicum non adimplebitur [645] secundum progressum quemdam ascendentem, sed per Dei
2853 victoriam de ultimo mali impetu,[646] quae faciet ut Eius Sponsa de caelo
descendat.[647] Dei triumphus de mali eversione formam sumet Iudicii ultimi,[648] post ultimam cosmicam excussionem huius mundi qui transit.[649]

1038-1041 ## II. « Iudicare vivos et mortuos »

1470 678 Iesus, post Prophetas [650] et Ioannem Baptistam,[651] in Sua praedicatione nuntiavit ultimi diei Iudicium. Tunc in luce ponentur rationes vivendi uniuscuiusque [652] et secretum cordium.[653] Tunc culpabilis condemnabitur incredulitas quae gratiam a Deo oblatam nihili fecit.[654] Habitus
relate ad proximum revelabit acceptationem vel repulsionem gratiae et
amoris divini.[655] Iesus ultimo die dicet: « Quamdiu fecistis uni de his
fratribus meis minimis, mihi fecistis » (*Mt* 25, 40).

679 Christus Dominus est vitae aeternae. Plenum ius de operibus et cordibus hominum definitive iudicandi ad Eum pertinet quatenus mundi Redemptorem. Hoc ius per Suam « acquisivit » crucem. Etiam Pater « iudi-

---

[642] Cf. Sanctum Officium, *Decretum de millenarismo* (19 iulii 1944): DS 3839.
[643] Cf. Pius XI, Litt. enc. *Divini Redemptoris* (19 martii 1937): AAS 29 (1937) 65-106,
condemnans « molimina simulato mystico sensu » huius « fucatae tenuiorum redemptionis speciei » (p. 69); Concilium Vaticanum II, Const. past. *Gaudium et
spes*, 20-21: AAS 58 (1966) 1040-1042.
[644] Cf. *Apc* 19, 1-9.
[645] Cf. *Apc* 13, 8.
[646] Cf. *Apc* 20, 7-10.
[647] Cf. *Apc* 21, 2-4.
[648] Cf. *Apc* 20, 12.
[649] Cf. *2 Pe* 3, 12-13.
[650] Cf. *Dn* 7, 10; *Il* 3-4; *Mal* 3, 19.
[651] Cf. *Mt* 3, 7-12.
[652] Cf. *Mc* 12, 38-40.
[653] Cf. *Lc* 12, 1-3; *Io* 3, 20-21; *Rom* 2, 16; *1 Cor* 4, 5.
[654] Cf. *Cf. Mt* 11, 20-24; 12, 41-42.
[655] Cf. *Mt* 5, 22; 7, 1-5.

cium omne dedit Filio» (*Io* 5, 22).[656] Filius autem non venit ut iudicet, sed
ut salvet,[657] et ut donet vitam quae in Ipso est.[658] Per reiectionem gratiae in
hac vita, unusquisque iam seipsum iudicat,[659] secundum sua recipit opera [660]   1021
et etiam se in aeternum damnare potest amoris reiiciens Spiritum.[661]

Compendium

680   *Christus Dominus iam per Ecclesiam regnat, sed huius mundi nondum sunt omnia Ei submissa. Triumphus Regni Christi sine ultimo
quodam impetu potestatum mali non habebitur.*

681   *Die Iudicii, in fine mundi, Christus in gloria veniet ad definitivum
adimplendum triumphum boni de malo, quae, tamquam triticum et
zizania, per historiae cursum simul creverint.*

682   *Christus gloriosus, in fine temporum veniens ad vivos et mortuos iu-
dicandos, secretam cordium revelabit dispositionem et singulis hominibus retribuet secundum eorum opera et secundum eorum acceptionem
vel reiectionem gratiae.*

[656] Cf. *Io* 5, 27; *Mt* 25, 31; *Act* 10, 42; 17, 31; *2 Tim* 4, 1.
[657] Cf. *Io* 3, 17.
[658] Cf. *Io* 5, 26.
[659] Cf. *Io* 3, 18; 12, 48.
[660] Cf. *1 Cor* 3, 12-15.
[661] Cf. *Mt* 12, 32; *Heb* 6, 4-6; 10, 26-31.

CAPUT TERTIUM

CREDO IN SPIRITUM SANCTUM

424, 2670   683 « Nemo potest dicere: "Dominus Iesus", nisi in Spiritu Sancto » (*1 Cor* 12, 3). « Misit Deus Spiritum Filii Sui in corda nostra clamantem: 152   "Abba, Pater!" » (*Gal* 4, 6). Haec fidei cognitio nonnisi in Spiritu Sancto possibilis est. Ut quis in communione sit cum Christo, necessarium est imprimis ut a Spiritu Sancto tangatur. Ipse nos praecedit fidemque in nobis suscitat. Per nostrum Baptisma, primum fidei sacramentum, vita, quae suum in Patre habet fontem et nobis offertur in Filio, intime et personaliter a Spiritu Sancto communicatur in Ecclesia:

249   Baptismus « nobis gratiam praebet novae nativitatis in Deo Patre per Filium Suum in Spiritu Sancto. Quia illi qui Spiritum Dei portant, conducuntur ad Verbum, id est, ad Filium; sed Filius illos Patri praesentat et Pater illis incorruptibilitatem procurat. Sine Spiritu igitur possibile non est Filium Dei videre, et sine Filio nemo potest ad Patrem appropinquare, quia cognitio Patris est Filius et cognitio Filii Dei fit per Spiritum Sanctum ».[1]

684   Spiritus Sanctus, gratia Sua, primus est in fide excitanda nostra et in vita nova quae solum Patrem cognoscere est et quem Ipse misit, Iesum Christum.[2] Ille tamen est ultimus in revelatione Personarum Sanc-
236   tissimae Trinitatis. Sanctus Gregorius Nazianzenus, « Theologus », hanc progressionem per « condescendentiae » divinae explicat paedagogiam:

« Vetus Testamentum Patrem aperte praedicabat, Filium obscurius. Novum autem nobis Filium perspicue ostendit, et Spiritus divinitatem subobscure quodammodo indicavit. Nunc vero Spiritus Ipse nobiscum versatur, seseque nobis apertius declarat. Neque enim tutum erat, Patris divinitate nondum confessa, Filium aperte praedicari: nec Filii divinitate nondum admissa, Spiritum Sanctum velut graviorem quamdam, si ita loqui fas est, sarcinam nobis ingeri: [...] quin tacitis potius accessionibus

---

[1] Sanctus Irenaeus Lugdunensis, *Demonstratio praedicationis apostolicae*, 7: SC 62, 41-42.
[2] Cf. *Io* 17, 3.

et [...] ascensionibus, atque "e claritate in claritatem" progressionibus et incrementis, Trinitatis lumen splendoribus illuceret».[3]

685   In Spiritum Sanctum credere est proinde profiteri Spiritum Sanctum Unam ex Personis esse Sanctissimae Trinitatis, Patri et Filio consubstantialem, quae «cum Patre et Filio simul adoratur et conglorificatur».[4] Hac de causa, de divino Spiritus Sancti mysterio in «theologia trinitaria» quaestio posita est. Hic igitur de Spiritu Sancto nonnisi in «Oeconomia» agetur divina.   236

686   Spiritus Sanctus ab initio usque ad consummationem consilii nostrae salutis cum Patre operatur et Filio. Sed tantum «ultimis temporibus» ab Incarnatione redemptrice Filii inauguratis, revelatur et donatur, agnoscitur et accipitur tamquam Persona. Tunc hoc consilium divinum, impletum in Christo, novae creationis «Primogenito» et Capite, corpus in humano genere per Spiritum effusum sumere poterit: Ecclesiam, sanctorum communionem, remissionem peccatorum, carnis resurrectionem, vitam aeternam.   258

Articulus 8

« CREDO IN SPIRITUM SANCTUM »

687   « Quae Dei sunt, nemo cognovit nisi Spiritus Dei» (*1 Cor* 2, 11). Nunc vero Spiritus qui Eum revelat, nobis praebet Christum cognoscere, Verbum Eius vivum, sed Semetipsum non exprimit. « Qui locutus est per Prophetas »[5] nobis Verbum Patris praebet audire. Sed Eum non audimus. Eum non cognoscimus nisi in motu in quo nobis Verbum revelat nosque disponit ad Illud in fide accipiendum. Spiritus veritatis qui nobis «detegit» Christum, non loquitur a Semetipso.[6] Talis occultatio proprie divina explicat cur Eum «mundus non potest accipere, quia non videt Eum nec cognoscit», dum illi qui in Christum credunt, Eum cognoscunt, quia cum illis manet (*Io* 14, 17).   243

688   Ecclesia, communio viva in Apostolorum fide quam transmittit, locus est nostrae cognitionis de Spiritu Sancto:

— in Scripturis quas Ipse inspiravit;
— in Traditione, cuius Patres testes sunt semper actuales;

---

[3] Sanctus Gregorius Nazianzenus, *Oratio* 31 (Theologica 5), 26: SC 250, 326 (PG 36, 161-164).
[4] *Symbolum Nicaenum-Constantinopolitanum*: DS 150.
[5] *Symbolum Nicaenum-Constantinopolitanum*: DS 150.
[6] Cf. *Io* 16, 13.

— in Ecclesiae Magisterio, cui Ipse assistit;
— in liturgia sacramentali, per eius verba et symbola, in quibus
  Spiritus Sanctus nos in communionem ponit cum Christo;
— in oratione, in qua Ipse pro nobis intercedit;
— in charismatibus et ministeriis, per quae Ecclesia aedificatur:
— in signis vitae apostolicae et missionalis;
— in sanctorum testimoniis, in quibus Ipse Suam manifestat
  sanctitatem et salutis prosequitur opus.

I. Coniuncta Filii et Spiritus missio

689 Ille quem Pater in nostra misit corda, Spiritus Filii Eius [7] vere Deus
est. Ille, Patri et Filio consubstantialis, est ab Eis inseparabilis tam in vita
Trinitatis intima quam in Eius dono amoris pro mundo. Sed fides Ecclesiae, Sanctissimam Trinitatem adorans vivificantem, consubstantialem et in-
divisibilem, etiam Personarum profitetur distinctionem. Cum Pater Suum
mittit Verbum, semper Spiritum mittit Suum: missio coniuncta in qua Filius et Spiritus Sanctus distincti sunt, sed inseparabiles. Christus est utique
qui apparet, Ipse Imago visibilis Dei invisibilis, sed est Spiritus Sanctus qui
Eum revelat.

690 Iesus est Christus, « unctus », quia Spiritus Unctio Eius est, et
quidquid inde ab Incarnatione evenit, ab hac profluit plenitudine.[8]
Cum denique Christus est glorificatus,[9] potest, Sua vice, apud Patrem,
illis, qui in Eum credunt, Spiritum mittere: Ipse illis Suam communicat
gloriam,[10] id est, Spiritum Sanctum qui Eum glorificat.[11] Coniuncta missio exinde in adoptatos a Patre expandetur filios in corpore Filii Eius:
missio Spiritus adoptionis erit illos cum Christo coniungere et efficere
ut in Eo vivant.

> « Unctionis autem [...] significatio est ut nullam inter Filium et Sanctum
> Spiritum distantiam esse putemus; nam sicuti inter corporis cutem et
> olei unctionem nihil intermedium nec ratio nec sensus novit, ita indivisa
> est Filii copulatio cum Sancto Spiritu, ita ut opus sit eum qui Christum
> fide velit attingere, antea accedere ad unguenti contactum: nullum est
> enim membrum illud, quod Spiritu Sancto sit nudum. Propterea confes-

[margin notes: 245, 254, 485, 436, 788]

---

[7] Cf. *Gal* 4, 6.
[8] Cf. *Io* 3, 34.
[9] Cf. *Io* 7, 39.
[10] Cf. *Io* 17, 22.
[11] Cf. *Io* 16, 14.

sio de Filii dominatu, in Sancto Spiritu a recipientibus fit, quibus per
fidem accedentibus undique occurrit Sanctus Spiritus ».[12]   448

II. Spiritus Sancti nomen, appellationes et symbola

Nomen Spiritus Sancti proprium

691 « Spiritus Sanctus », tale nomen est proprium Illius quem cum
Patre et Filio adoramus et glorificamus. Ecclesia hoc nomen a Domino
recepit et id in Baptismate novorum filiorum confitetur suorum.[13]

Verbum « Spiritus » vocem *Ruah* vertit Hebraicam quae, in suo primo sensu,
flatum, aerem, ventum significat. Iesus hac venti praecise imagine utitur sensibili ut Nicodemo transcendentem suggerat novitatem Illius qui est personaliter
Dei Afflatus, divinus Spiritus.[14] Ex alia parte, Spiritus et Sanctus attributa sunt
divina Tribus divinis Personis communia. Sed Scriptura, liturgia et theologicus
sermo, haec duo coniungentes vocabula, Personam ineffabilem denotant Spiritus
Sancti sine ulla possibili aequivocatione cum aliis usibus verborum « spiritus »
et « sanctus ».

Spiritus Sancti appellationes

692 Cum Iesus Spiritus Sancti annuntiat et promittit Adventum, Eum
Παράκλητον appellat, seu litteraliter: « illum qui prope appellatur », *ad-
vocatum* (*Io* 14, 16. 26; 15, 26; 16, 7). Παράκλητος solet verti ut « Conso-   1433
lator », cum Iesus primus consolator sit.[15] Ipse Dominus Spiritum
Sanctum « Spiritum veritatis » appellat.[16]

693 Praeter proprium Eius nomen, quod in Actibus Apostolorum et in
Epistulis est maxime adhibitum, apud sanctum Paulum inveniuntur appellationes: Spiritus Promissionis (*Eph* 1, 13; *Gal* 3, 14), Spiritus adoptionis (*Rom* 8, 15; *Gal* 4, 6), Spiritus Christi (*Rom* 8, 9), Spiritus Domini (*2 Cor* 3, 17), Spiritus Dei (*Rom* 8, 9. 14; 15, 19, *1 Cor* 6, 11; 7, 40),
et apud sanctum Petrum, Spiritus gloriae (*1 Pe* 4, 14).

[12] Sanctus Gregorius Nyssenus, *Adversus Macedonianos de Spiritu Sancto*, 16: *Gregorii Nysseni opera*, ed. W. Jaeger-H. Langerbeck, v. 3/1 (Leiden 1958) p. 102-103
(PG 45, 1321).
[13] Cf. *Mt* 28, 19.
[14] Cf. *Io* 3, 5-8.
[15] Cf. *1 Io* 2, 1 (παράκλητον).
[16] Cf. *Io* 16, 13.

SPIRITUS SANCTI SYMBOLA

1218   694   *Aqua.* Symbolum aquae significat actionem Spiritus Sancti in Baptismo, propterea quod ea post invocationem Spiritus Sancti signum sacramentale efficax novae fit nativitatis: sicut nostrae primae nativitatis graviditas in aqua peracta est, sic aqua baptismalis re vera significat nostram nativitatem ad vitam divinam in Spiritu Sancto donari. Sed, « in uno Spiritu [...] baptizati », « et omnes unum Spiritum potati sumus » (*1 Cor* 12, 13): Spiritus est igitur etiam personaliter Aqua viva quae e Christo oritur crucifixo [17] tamquam de suo fonte et
2652   quae in nobis salit in vitam aeternam. [18]

1293   695   *Unctio.* Symbolum unctionis olei etiam Spiritum Sanctum significat ita ut Eius efficiatur synonymon. [19] Illa est, in initiatione christiana, signum sacramentale Confirmationis, quae praecise in Ecclesiis Orientalibus appellatur « Chrismatio ». Sed ut tota eius vis intelligatur, oportet ad primam unctionem redire a
436   Spiritu Sancto peractam: illam Iesu. Christus (« Messias » a lingua Hebraica) « unctum » Spiritus Dei significat. In Vetere Foedere, quidam « uncti » Domini fuerunt, [20] rex David modo eminenti. [21] Sed Iesus est Unctus Dei singulariter: humanitas quam Filius assumit, totaliter est « uncta Spiritus Sancti ». Iesus a Spiritu Sancto « Christus » est constitutus. [22] Virgo Maria Christum concipit de Spiritu Sancto, qui Eum ut Christum per angelum annuntiat in Eius Nativitate, [23] et Simeonem impellit ut in Templum veniat ad Christum videndum Domini; [24] Ipse
1504   Christum implet [25] et Eius virtus a Christo exit in Huius actibus sanationis et salutis. [26] Ipse denique Iesum a mortuis resuscitat. [27] Tunc Iesus, plene « Christus » in Sua humanitate mortis victrice constitutus, [28] profuse Spiritum Sanctum effundit donec « sancti », in sua unione cum humanitate Filii Dei, constituant illum « virum perfectum, in mensuram aetatis plenitudinis Christi » (*Eph* 4, 13):
794   « totum Christum », secundum sancti Augustini locutionem. [29]

    696   *Ignis.* Dum aqua nativitatem significabat et fecunditatem vitae in Spiritu
1127   Sancto datae, ignis symbolum est virtutis transformantis actuum Spiritus Sancti. Propheta Elias, qui « surrexit [...] quasi ignis et verbum ipsius quasi facula ar-

---

[17] Cf. *Io* 19, 34; *1 Io* 5, 8.
[18] Cf. *Io* 4, 10-14; 7, 38; *Ex* 17, 1-6; *Is* 55, 1; *Zach* 14, 8; *1 Cor* 10, 4; *Apc* 21, 6; 22, 17.
[19] Cf. *1 Io* 2, 20. 27; *2 Cor* 1, 21.
[20] Cf. *Ex* 30, 22-32.
[21] Cf. *1 Sam* 16, 13.
[22] Cf. *Lc* 4, 18-19; *Is* 61, 1.
[23] Cf. *Lc* 2, 11.
[24] *Lc* 2, 26-27.
[25] Cf. *Lc* 4, 1.
[26] Cf. *Lc* 6, 19; 8, 46.
[27] Cf. *Rom* 1, 4; 8, 11.
[28] Cf. *Act* 2, 36.
[29] SANCTUS AUGUSTINUS, *Sermo* 341, 1, 1: PL 39, 1493; *Ibid.* 9, 11: PL 39, 1499.

debat» (*Eccli* 48, 1), perorationem suam de caelo super sacrificium montis Car- 2586
meli [30] attraxit ignem, ut figuram ignis Sancti Spiritus qui id transformat quod
tangit. Ioannes Baptista, qui praecedit ante Dominum «"in spiritu" et virtute
Eliae» (*Lc* 1, 17), Christum annuntiat tamquam Illum qui «baptizabit in Spiri- 718
tu Sancto et igni» (*Lc* 3, 16), in Illo Spiritu de quo Iesus dicet: «Ignem veni
mittere in terram et quid volo? Si iam accensus esset!» (*Lc* 12, 49). Sub imagine linguarum «tamquam ignis», Spiritus Sanctus super discipulos sedet mane
Pentecostes eosque Secum replet.[31] Traditio spiritualis hoc ignis symbolum tamquam actionis Spiritus Sancti retinebit maxime expressivum:[32] «Spiritum nolite
extinguere» (*1 Thess* 5, 19).

697 *Nubes et lumen.* Haec duo symbola in Spiritus Sancti manifestationibus inseparabilia sunt. Inde a Veteris Testamenti theophaniis, nubes sive obscura sive
luminosa Deum revelat viventem et salvatorem, transcendentiam velans Eius
gloriae; cum Moyse in monte Sinai,[33] in Tabernaculo Conventus [34] et per iter in
deserto; [35] cum Salomone occasione dedicationis Templi.[36] Hae igitur figurae a
Christo in Spiritu Sancto adimplentur. Hic super Virginem venit Mariam eam- 484
que «obumbrat» ut ipsa Iesum concipiat et pariat.[37] In monte Transfiguratio- 554
nis, Ipse supervenit in nube quae Iesum, Moysen et Eliam, necnon Petrum, Ia-
cobum et Ioannem, obumbrat «et vox facta est de nube dicens: "Hic est Filius
meus electus; Ipsum audite"» (*Lc* 9, 35). Eadem denique nubes «suscepit Iesum
ab oculis» discipulorum in die Ascensionis[38] et Filium hominis in Eius revelabit 659
gloria in Die Adventus Eius.[39]

698 *Sigillum* symbolum est propinquum illi unctionis. Christus utique est Ille 1295-1296
quem «Pater signavit Deus» (*Io* 6, 27) et in Illo nos etiam Pater signat.[40] Imago sigilli (σφραγῖδος), quia effectum denotat indelebilem unctionis Spiritus Sancti
in sacramentis Baptismi, Confirmationis et Ordinis, in quibusdam traditionibus 1121
theologicis adhibita est ad exprimendum «characterem» indelebilem ab his tribus impressum sacramentis quae iterari non possunt.

---

[30] Cf. *1 Reg* 18, 38-39.
[31] Cf. *Act* 2, 3-4.
[32] Cf. SANCTUS IOANNES A CRUCE, *Llama de amor viva: Biblioteca Mística Carmelitana*,
v. 13 (Burgos 1931) p. 1-102; 103-213.
[33] Cf. *Ex* 24, 15-18.
[34] Cf. *Ex* 33, 9-10.
[35] Cf. *Ex* 40, 36-38; *1 Cor* 10, 1-2.
[36] Cf. *1 Reg* 8, 10-12.
[37] Cf. *Lc* 1, 35.
[38] Cf. *Act* 1, 9.
[39] Cf. *Lc* 21, 27.
[40] Cf. *2 Cor* 1, 22; *Eph* 1, 13; 4, 30.

292   **699**   *Manus.* Iesus, manus imponens, aegrotos sanabat[41] et pueris benedicebat.[42] Apostoli eodem facient modo in nomine Eius.[43] Immo, Spiritus Sanctus per im-

1288   positionem manuum datur Apostolorum.[44] Epistula ad Hebraeos impositionem manuum inter «fundamentales articulos» enumerat suae doctrinae.[45] Ecclesia

1300, 1573   hoc signum omnipotentis effusionis Spiritus Sancti in suis sacramentalibus ser-

1668   vavit Epiclesibus.

           700   *Digitus.* «In digito Dei eiicit Iesus daemonia».[46] Si Lex Dei in tabulis la-

2056   pideis «digito Dei» (*Ex* 31, 18) scripta est, «epistula Christi», Apostolorum curae concredita, est «scripta [...] Spiritu Dei vivi, non in tabulis lapideis sed in tabulis cordis carnalibus» (*2 Cor* 3, 3). Hymnus «Veni Creator Spiritus» Spiritum Sanctum verbis invocat: «dextrae Dei Tu digitus».[47]

1219   **701**   *Columba.* In fine diluvii (cuius symbolum ad Baptismum spectat), columba a Noe dimissa redit, olivae virentem in ore portans ramum, significantem ter- ram iterum habitabilem esse.[48] Cum Iesus ex aqua Sui ascendit baptismi, Spiri-

535   tus Sanctus sub columbae forma super Eum descendit et manet.[49] Spiritus in cor purificatum descendit baptizatorum ibique quiescit. In quibusdam ecclesiis, sancta eucharistica Asservatio in receptaculo metallico fit formam columbae ha- benti (in *columbario*) super altare suspenso. Symbolum columbae ad Spiritum Sanctum denotandum in iconographia christiana traditionale est.

III. Spiritus et Verbum Dei in promissionum tempore

           702   Ab initio usque ad «Plenitudinem temporis»,[50] missio coniuncta Verbi et Spiritus Patris *occulta* manet, sed ea operatur. Spiritus Dei

122   tempus praeparat Messiae, et ambo, quin adhuc plene sint revelati, iam promissi sunt ut exspectentur et accipiantur cum Eorum fiat manifesta- tio. Hac de causa, Ecclesia cum Vetus legit Testamentum,[51] scrutatur[52]

---

[41] Cf. *Mc* 6, 5; 8, 23.
[42] Cf. *Mc* 10, 16.
[43] Cf. *Mc* 16, 18; *Act* 5, 12; 14, 3.
[44] Cf. *Act* 8, 17-19; 13, 3; 19, 6.
[45] Cf. *Heb* 6, 2.
[46] Cf. *Lc* 11, 20.
[47] *In Dominica Pentecostes*, Hymnus ad I et II Vesperas: *Liturgia Horarum*, editio typica, v. 2 (Typis Polyglottis Vaticanis 1974) p. 795 et 812.
[48] Cf. *Gn* 8, 8-12.
[49] Cf. *Mt* 3, 16 et par.
[50] Cf. *Gal* 4, 4.
[51] Cf. *2 Cor* 3, 14.
[52] Cf. *Io* 5, 39. 46.

id quod Spiritus « qui locutus est per Prophetas »,[53] nobis de Christo   107
dicere intendit.

Verbo « prophetae », fides Ecclesiae hic intelligit omnes illos quos Spiritus   243
Sanctus inspiravit in viva annuntiatione et in Libris Sanctis redigendis tam Veteris quam Novi Testamenti. Traditio Iudaica distinguit Legem (quinque primos
libros seu Pentateuchum), Prophetas (libros quos historicos et propheticos dicimus) et Scripta (praecipue libros sapientiales et Psalmos).[54]

In creatione

703   Verbum Dei et Eius Afflatus in origine sunt exsistentiae et vitae   292
omnis creaturae: [55]

> « Spiritui Sancto convenit regnare, sanctificare et animare creationem,
> quia Ipse Deus est Patri et Verbo consubstantialis [..]. Deus cum sit,
> robur praebet omnibus creaturis easque custodit in Patre et in Filio ».[56]   291

704   « Quantum ad hominem, Ipse illum Suis manibus [id est, Filio et
Spiritu Sancto] plasmavit [...] et super carnem plasmatam designavit
Suam propriam formam ita ut etiam id quod visibile esset, formam por-   356
taret divinam ».[57]

Promissionis Spiritus

705   Homo, a peccato et a morte deformatus, manet « ad imaginem   410
Dei », ad imaginem Filii, sed « eget gloria Dei »,[58] « similitudine » privatus. Promissio Abrahae facta Oeconomiam inaugurat salutis, ad cuius
finem Ipse Filius assumet « imaginem » [59] eamque restaurabit in « simili-   2809
tudinem » cum Patre, ei restituens gloriam, Spiritum « vivificantem ».

---

[53] *Symbolum Nicaenum-Constantinopolitanum*: DS 150.
[54] Cf. *Lc* 24, 44.
[55] Cf. *Ps* 33, 6; 104, 30; *Gn* 1, 2; 2, 7; *Eccle* 3, 20-21; *Ez* 37, 10.
[56] *Officium Horarum Byzantinum. Matutinum pro die Dominica modi secundi, Antipho-*
nae 1 et 2: Παρακλητικῆς (Romae 1885) p. 107.
[57] Sanctus Irenaeus Lugdunensis, *Demonstratio praedicationis apostolicae*, 11: SC 62,
48-49.
[58] Cf. *Rom* 3, 23.
[59] Cf. *Io* 1, 14; *Philp* 2, 7.

60   706   Contra omnem humanam spem, Deus Abrahae promittit descendentiam tamquam fructum fidei et virtutis Spiritus Sancti.[60] In illa omnes nationes benedicentur terrae.[61] Haec descendentia erit Christus [62] in
quo effusio Sancti Spiritus efficiet congregationem in unum filiorum
Dei qui erant dispersi.[63] Se iuramento obligans,[64] Deus iam ad Filii Sui
dilecti donum Se obligat [65] necnon ad donum Spiritus Promissionis qui
Redemptionem praeparat populi quem Deus Sibi acquisivit.[66]

In Theophaniis et in Lege

707   Theophaniae (manifestationes Dei), inde a Patriarchis usque ad
Moysen, et inde a Iosue usque ad visiones quae magnorum Prophetarum inaugurant missionem, iter illuminant Promissionis. Traditio
christiana semper agnovit Verbum Dei in his Theophaniis Se praebere
videndum et audiendum, in Sancti Spiritus nube revelatum simul et
« obumbratum ».

1961-1964   708   Haec Dei paedagogia speciatim in dono Legis apparet.[67] Lex
122   data est tamquam "paedagogus" ut populum ad Christum ducat.[68] Sed
eius impotentia ut hominem « similitudine » divina privatum salvet, et
augmentata cognitio quam de peccato praebet,[69] Spiritus Sancti susci-
2585   tant desiderium. Psalmorum gemitus id testantur.

In Regno et in Exilio

709   Lex, signum Promissionis et Foederis, cor et institutiones populi
ex fide Abrahae orti regere debuisset. « Si ergo audieritis vocem meam
et custodieritis pactum meum, [...] eritis mihi regnum sacerdotum et
gens sancta » (*Ex* 19, 5-6).[70] Sed, post David, Israel tentationi succubuit
constituendi regnum sicut aliae nationes. Regnum, autem, obiectum

---

[60] Cf. *Gn* 18, 1-15; *Lc* 1, 26-38. 54-55; *Io* 1, 12-13; *Rom* 4, 16-21.
[61] Cf. *Gn* 12, 3.
[62] Cf. *Gal* 3, 16.
[63] Cf. *Io* 11, 52.
[64] Cf. *Lc* 1, 73.
[65] Cf. *Gn* 22, 17-18; *Rom* 8, 32; *Io* 3, 16.
[66] Cf. *Eph* 1, 13-14; *Gal* 3, 14.
[67] Cf. *Ex* 19-20; *Dt* 1-11; 29-30.
[68] Cf. *Gal* 3, 24.
[69] Cf. *Rom* 3, 20.
[70] Cf. *1 Pe* 2, 9.

Promissionis David factae[71] opus erit Spiritus Sancti; id ad pauperes   2579
pertinebit secundum Spiritum.   544

710   Oblivio Legis et infidelitas relate ad Foedus ad mortem ducunt:
exilium apparenter promissionum est casus, de facto arcana Dei salvatoris fidelitas et initium promissae restaurationis, sed secundum Spiritum. Oportebat populum Dei hanc pati purificationem;[72] Exilium iam
umbram crucis in consilio Dei portat, et reliquiae pauperum quae ex illo redeunt, quaedam sunt figura inter illas maxime perlucidas Ecclesiae.

Messiae Eiusque Spiritus exspectatio

711   « Ecce ego facio nova » (*Is* 43, 19): duae lineae adumbrantur pro-
pheticae, altera ad exspectationem ducens Messiae, altera ad Spiritum   64, 522
novum annuntiandum, ambae in parvas convergunt « reliquias », in populum pauperum,[73] qui in spe « consolationem Israel » et « redemptionem Ierusalem » exspectat (*Lc* 2, 25. 38).

Supra vidimus quomodo Iesus prophetias ad Eum attinentes adimplevit. Hic ad
illas circumscribimur in quibus magis inter Messiam Eiusque Spiritum apparet
relatio.

712   Lineamenta vultus *Messiae* exspectati manifestari incipiunt in Li-   439
bro Emmanuelis[74] (cum « Isaias [...] vidit gloriam » Christi: *Io* 12, 41),
speciatim in *Is* 11, 1-2:

> « Et egredietur virga de stirpe Iesse,
> et flos de radice eius ascendet:
> et requiescet super eum Spiritus Domini:
> spiritus sapientiae et intellectus,
> spiritus consilii et fortitudinis,
> spiritus scientiae et timoris Domini ».

713   Messiae lineamenta praecipue in canticis Servi revelantur.[75] Haec
cantica sensum annuntiant passionis Iesu, et sic modum denotant, quo   601
Ipse Spiritum Sanctum effundet ut multitudinem vivificet: non ab
extra, sed nostram amplectens « formam servi » (*Philp* 2, 7). Super Se

---

[71] Cf. *2 Sam* 7; *Ps* 89; *Lc* 1, 32-33.
[72] Cf. *Lc* 24, 26.
[73] Cf. *Soph* 2, 3.
[74] Cf. *Is* 6-12.
[75] Cf. *Is* 42, 1-9; *Mt* 12, 18-21; *Io* 1, 32-34, atque etiam *Is* 49, 16; *Mt* 3, 17; *Lc* 2,
32, et denique *Is* 50, 4-10 et 52, 13-15; 53, 12.

nostram sumens mortem, nobis proprium Suum vitae Spiritum potest communicare.

714   Hac de causa, Christus annuntiationem Boni Nuntii inaugurat Suum hunc Isaiae faciens locum (*Lc* 4, 18-19): [76]

> « Spiritus Domini super me;
> propter quod unxit me
> evangelizare pauperibus,
> misit me praedicare captivis remissionem
> et caecis visum,
> dimittere confractos in remissione,
> praedicare annum Domini acceptum ».

715   Textus prophetici directe ad missionem Spiritus Sancti spectantes sunt oracula in quibus Deus ad cor loquitur populi Sui in Promissionis
214   sermone cum tenore amoris et fidelitatis,[77] cuius sanctus Petrus adimpletionem proclamabit mane Pentecostes.[78] Secundum has promissiones, in « ultimis temporibus », Spiritus Domini cor hominum renovabit novam
1965   Legem sculpens in illis; Ipse dispersos et divisos congregabit et reconciliabit populos; creationem transformabit primam ibique Deus cum hominibus habitabit in pace.

716   Populus « pauperum »,[79] humilium et mitium qui plene consiliis arcanis Dei sui se deserunt, illorum qui iustitiam exspectant non ab hominibus, sed a Messia, magnum denique est opus occultum Spiritus Sancti, tempore promissionum perdurante, ad Adventum Christi prae-
368   parandum. Valor eorum cordis, purificati et illuminati a Spiritu in Psalmis exprimitur. In his pauperibus, Spiritus Domino « plebem perfectam » praeparat.[80]

IV. Spiritus Christi in plenitudine temporum

IOANNES, PRAECURSOR, PROPHETA ET BAPTISTA

523   717   « Fuit homo missus a Deo, cui nomen erat Ioannes » (*Io* 1, 6). Ioannes est « Spiritu Sancto » repletus « adhuc ex utero matris suae »

---

[76] Cf. *Is* 61, 1-2.
[77] Cf. *Ez* 11, 19; 36, 25-28; 37, 1-14; *Ier* 31, 31-34; *Il* 3, 1-5.
[78] Cf. *Act* 2, 17-21.
[79] Cf. *Soph* 2, 3; *Ps* 22, 27; 34, 3; *Is* 49, 13; 61, 1; etc.
[80] Cf. *Lc* 1, 17.

(*Lc* 1, 15) [81] ab Ipso Christo quem Virgo Maria de Spiritu Sancto nuper conceperat. Sic « Visitatio » Mariae ad Elisabeth effecta est visitatio Dei populo Eius. [82]

718   Ioannes est « Elias qui venturus est »: [83] Ignis Spiritus in eo habitat   696
eumque facit « prae currere » (ut « praecursor ») Domino qui venit. In Ioanne, Praecursore, Spiritus Sanctus perficit « parare Domino plebem perfectam » (*Lc* 1, 17).

719   Ioannes est « plus quam Propheta ». [84] Spiritus Sanctus in eo « locutionem per Prophetas » adimplet. Ioannes cyclum claudit Prophetarum ab Elia inauguratum. [85] Annuntiat consolationem Israel imminere,   2684
est « vox » Consolatoris qui venit. [86] Ipse, ut etiam Spiritus veritatis faciet, « venit in testimonium, ut testimonium perhiberet de Lumine » (*Io*
1, 7). [87] Ita, in Ioanne, Spiritus « scrutationes Prophetarum » adimplet et
« desiderium » angelorum: [88] « Super quem videris Spiritum descendentem
et manentem super Eum, Hic est qui baptizat in Spiritu Sancto. Et ego
vidi et testimonium perhibui quia Hic est Filius Dei. [...] Ecce Agnus   536
Dei » (*Io* 1, 33-36).

720   Spiritus Sanctus denique, cum Ioanne Baptista id praefigurans
inaugurat, quod Ipse in rem ducet cum Christo et in Christo: homini
« similitudinem » restituere divinam. Baptisma Ioannis erat ad paeniten-   535
tiam, illud in aqua et in Spiritu nova erit nativitas. [89]

« AVE, GRATIA PLENA »

721   Maria, sanctissima Mater Dei, semper Virgo opus praestantissimum est missionis Filii et Spiritus in plenitudine temporis. Pater, in
consilio salutis et quia Eius Spiritus eam praeparaverat, *Mansionem* pri-   484
mo invenit in qua Eius Filius Eiusque Spiritus inter homines possunt
habitare. Hoc sensu, Traditio Ecclesiae saepe pulcherrimos textus de

---

[81] Cf. *Lc* 1, 41.
[82] Cf. *Lc* 1, 68.
[83] Cf. *Mt* 17, 10-13.
[84] Cf. *Lc* 7, 26.
[85] Cf. *Mt* 11, 13-14.
[86] Cf. *Io* 1, 23; *Is* 40, 1-3.
[87] Cf. *Io* 15, 26; 5, 33.
[88] Cf. *1 Pe* 1, 10-12.
[89] Cf. *Io* 3, 5.

Sapientia legit in relatione ad Mariam: [90] Maria in liturgia canitur et repraesentatur tamquam « Sedes Sapientiae ».

In ea « mirabilia Dei » manifestari incipiunt, quae Spiritus in Christo et in Ecclesia est adimpleturus.

489   722 Spiritus Sanctus gratia Sua Mariam *praeparavit*. Oportebat « gratia plenam » Matrem esse Illius in quo « inhabitat omnis plenitudo divinitatis corporaliter » (*Col* 2, 9). Ipsa concepta est, in pura gratia, sine peccato, tamquam humillima creaturarum, omnium capacissima ad ineffabile Omnipotentis donum accipiendum. Recte Angelus Gabriel eam

2676   tamquam « Filiam Sion » salutat: « Ave » (= « Laetare »).[91] Ipsa, cantico suo,[92] gratiarum actionem totius populi Dei ideoque Ecclesiae ascendere facit ad Patrem in Spiritu Sancto, cum ipsa in se Filium gestat aeternum.

723 In Maria, Spiritus Sanctus consilium Patris benevolens *deducit in*

485   *rem*. De Spiritu Sancto, Virgo concipit et parit Filium Dei. Eius virgini-

506   tas fecunditas fit singularis per Spiritus et fidei virtutem.[93]

724 In Maria, Spiritus Sanctus Filium Patris *manifestat* Filium Virgi-

208   nis effectum. Ea rubus est ardens Theophaniae definitivae: ipsa, Spiritu

2619   Sancto repleta, Verbum ostendit in humilitatis carnis Eius atque facit ut pauperes [94] et primitiae gentium [95] Illud cognoscant.

963   725 Per Mariam denique Spiritus Sanctus incipit *ponere in communionem* cum Christo homines qui sunt obiecta amoris benevolentis Dei (« bonae voluntatis » Dei),[96] atque humiles semper sunt primi qui illum accipiunt: pastores, magi, Simeon et Anna, sponsi in Cana et primi discipuli.

726 Ad finem huius missionis Spiritus, Maria fit « Mulier », nova Eva,

494, 2618 « Mater viventium », « totius Christi » Mater.[97] Qua talis cum Duodecim praesentatur « unanimiter in oratione » (*Act* 1, 14) in aurora « temporum novissimorum » quae Spiritus est inauguraturus mane Pentecostes cum Ecclesiae manifestatione.

---

[90] Cf. *Prv* 8, 1-9, 6; *Eccli* 24.
[91] Cf. *Soph* 3, 14; *Zach* 2, 14.
[92] Cf. *Lc* 1, 46-55.
[93] Cf. *Lc* 1, 26-38; *Rom* 4, 18-21; *Gal* 4, 26-28.
[94] Cf. *Lc* 2, 15-19.
[95] Cf. *Mt* 2, 11.
[96] Cf. *Lc* 2, 14.
[97] Cf. *Io* 19, 25-27.

CHRISTUS IESUS

727 Tota Filii et Spiritus Sancti in plenitudine temporis missio in eo continetur quod Filius est Unctus Spiritus Patris inde ab Incarnatione Sua: Iesus est Christus, Messias. 438 695 536

Totum caput secundum Symboli fidei est sub hac luce legendum. Totum Christi opus est missio coniuncta Filii et Spiritus Sancti. Hic solum commemorabitur id quod ad Spiritus Sancti spectat promissionem a Iesu et ad Eius donum a Domino glorificato.

728 Iesus Spiritum Sanctum non plene revelat donec Ipse per Suam Mortem Suamque Resurrectionem glorificatus est. Tamen Ipse Eum lente suggerit etiam in Sua doctrina ad turbas, cum revelat carnem Suam cibum pro mundi vita futuram esse.[98] Etiam Nicodemo,[99] Samaritanae[100] et illis suggerit qui Tabernaculorum participes sunt festivitatis.[101] Discipulis Suis aperte loquitur occasione orationis[102] et testimonii quod ipsi debebunt perhibere.[103] 2615

729 Solummodo cum venit Hora in qua Iesus est glorificandus, Ipse Adventum Spiritus Sancti *promittit,* propterea quod Eius Mors et Resurrectio adimpletio erunt Promissionis Patribus factae:[104] Spiritus veritatis, alius Παράκλητος ad orationem Iesu donabitur a Patre; Ipse a Patre mittetur in nomine Iesu; Iesus a Patre Eum mittet, quia Is ex Patre procedit. Spiritus Sanctus veniet, Eum cognoscemus, nobiscum erit pro semper, nobiscum habitabit; nos omnia docebit et nobis revocabit in memoriam omnia quae Iesus dixit Ipsique reddet testimonium; Is nos ducet in omnem veritatem Christumque glorificabit. Relate ad mundum, eum confundet in materia peccati, iustitiae et iudicii. 388, 1433

730 Tandem Hora Iesu advenit.[105] Iesus spiritum Suum in manus tradit Patris[106] tum cum in quo per Mortem Suam victor est mortis, ita ut « suscitatus [...] a mortuis per gloriam Patris » (*Rom* 6, 4), mox Spiri-

---

[98] Cf. *Io* 6, 27. 51. 62-63.
[99] Cf. *Io* 3, 5-8.
[100] Cf. *Io* 4, 10. 14. 23-24.
[101] Cf. *Io* 7, 37-39.
[102] Cf. *Lc* 11, 13.
[103] Cf. *Mt* 10, 19-20.
[104] Cf. *Io* 14, 16-17. 26; 15, 26; 16, 7-15; 17, 26.
[105] Cf. *Io* 13, 1; 17, 1.
[106] Cf. *Lc* 23, 46; *Io* 19, 30.

tum Sanctum *donet* « insufflans » super discipulos Suos.[107] Inde ab hac
850 Hora, missio Christi et Spiritus fit missio Ecclesiae: « Sicut misit me
Pater, et ego mitto vos » (*Io* 20, 21).[108]

V. Spiritus et Ecclesia in ultimis temporibus

Pentecostes

2623 731 Die Pentecostes (ad finem septem hebdomadarum Paschalium),
767 Pascha Christi in effusione Spiritus Sancti adimpletur qui manifestatur,
datur et communicatur tamquam Persona divina: Christus Dominus de
1302 plenitudine Sua abundanter Spiritum effundit.[109]

244 732 Hac die, Sanctissima Trinitas plene revelatur. Post hanc diem, Regnum a Christo nuntiatum illis aperitur qui in Eum credunt: in humilitate carnis et in fide iam Sanctissimae Trinitatis participant communio-
672 nem. Spiritus Sanctus, per Suum Adventum, qui non cessat, mundum
introducit in « tempora novissima », tempus Ecclesiae, Regnum iam
hereditate possessum, sed nondum consummatum:

> « Vidimus verum Lumen, Spiritum recepimus caelestem, veram fidem
> invenimus: Trinitatem adoramus indivisibilem quia Ipsa nos salvavit ».[110]

Spiritus Sanctus – Dei Donum

218 733 « Deus caritas est » (*1 Io* 4, 8. 16) et caritas primum est donum,
quod cetera continet omnia. Haec caritas « diffusa est in cordibus
nostris per Spiritum Sanctum, qui datus est nobis » (*Rom* 5, 5).

734 Quia per peccatum mortui sumus vel saltem vulnerati, primus ef-
1987 fectus doni caritatis remissio nostrorum est peccatorum. « Communicatio Sancti Spiritus » (*2 Cor* 13, 13) in Ecclesia baptizatos restituit ad
similitudinem divinam per peccatum amissam.

---

[107] Cf. *Io* 20, 22.
[108] Cf. *Mt* 28, 19; *Lc* 24, 47-48; *Act* 1, 8.
[109] Cf. *Act* 2, 33-36.
[110] *Officium Horarum Byzantinum. Vespertinum in die Pentecostes, Sticherum 4*: Πεντηκοστάριον (Romae 1884) p. 390.

735 Tunc Ipse « arrabonem » seu « primitias » nostrae praebet hereditatis: [111] vitam ipsam Sanctissimae Trinitatis quae diligere est « sicut Ipse
dilexit nos ». [112] Hic amor (caritas de qua *1 Cor* 13) principium est vitae   1822
novae in Christo, possibilis effectae quia accepimus « virtutem superveniente Spiritu Sancto » (*Act* 1, 8).

736 Per hanc Spiritus virtutem possunt filii Dei fructum ferre. Ille qui
nos in veram inseruit Vitem, nos ferre faciet Spiritus fructum qui « est   1832
caritas, gaudium, pax, longanimitas, benignitas, bonitas, fides, mansuetudo, continentia » (*Gal* 5, 22-23). Spiritus est vita nostra; quo magis
nosmetipsos abnegamus, [113] eo magis Spiritus facit ut etiam operaremur. [114]

> « Per Spiritum Sanctum datur in paradisum restitutio, ad Regnum cae-
> lorum ascensus, in adoptionem filiorum reditus: datur fiducia Deum
> appellandi Patrem suum, consortem fieri gratiae Christi, filium lucis
> appellari, aeternae gloriae participem esse ». [115]

Spiritus Sanctus et Ecclesia

737 Missio Christi et Spiritus Sancti in Ecclesia adimpletur, corpore
Christi et templo Spiritus Sancti. Haec missio coniuncta sociat exinde   787-798
Christi fideles communioni Eius cum Patre in Spiritu Sancto: Spiritus   1093-1109
homines *praeparat*, eos gratia Sua praevenit ut eos ad Christum trahat.
Ipse eis Dominum *manifestat* resuscitatum, Eiusdem verbum eis revocat
in memoriam eisque aperit spiritum ad intelligentiam Mortis et Resurrectionis Eius. Ipse eis mysterium Christi *praesens reddit*, maxime in Eucharistia, ut eos reconciliet eosque *in communionem ponat* cum Deo, ut
eos faciat « multum afferre fructum ». [116]

738 Sic Ecclesiae missio illi Christi et Spiritus Sancti non additur, sed
eius est sacramentum: illa, cum toto esse suo et in omnibus suis mem-   850, 777
bris, mittitur ut mysterium communionis Sanctissimae Trinitatis annun-
tiet et testetur, in actum ducat et propaget (hoc erit obiectum sequentis
articuli):

> « Dicemus rursus, nos omnes, accepto uno et Eodem Spiritu, Sancto ni-
> mirum, commisceri quodammodo et inter nos, et cum Deo. Licet enim

---

[111] Cf. *Rom* 8, 23; *2 Cor* 1, 22.
[112] Cf. *1 Io* 4, 11-12.
[113] Cf. *Mt* 16, 24-26.
[114] Cf. *Gal* 5, 25.
[115] Sanctus Basilius Magnus, *Liber de Spiritu Sancto* 15, 36: SC 17bis, 370 (PG 32, 132).
[116] Cf. *Io* 15, 5. 8. 16.

multi seorsim simus, et in unoquoque nostrum Christus Spiritum Patris ac Suum inhabitare faciat, unus tamen est ac indivisibilis, qui spiritus invicem distinctos [...] in unitatem colligit per Seipsum et omnes velut unum quid cerni facit in Seipso. Quemadmodum enim sanctae carnis [Christi] virtus concorporales reddit eos in quibus est, eodem, opinor, modo unus in omnibus indivisibilis inhabitans Dei Spiritus, ad unitatem spiritalem omnes cogit ».[117]

1076

739 Quia Spiritus Sanctus est Christi Unctio, Christus, Caput corporis, Eum effundit in membra Sua ut ea nutriat, sanet, in eorum mutuis functionibus ordinet, vivificet, mittat ad testificandum, Suae societ oblationi ad Patrem Suaeque intercessioni pro universo mundo. Per Ecclesiae sacramenta, Christus membris corporis Sui Suum Spiritum communicat Sanctum et Sanctificatorem (hoc obiectum erit secundae partis Catechismi).

740 Haec « mirabilia Dei », in sacramentis Ecclesiae oblata credentibus, suos ferunt fructus in vita nova in Christo secundum Spiritum (hoc obiectum erit tertiae Catechismi partis).

741 « Spiritus adiuvat infirmitatem nostram; nam quid oremus, sicut oportet nescimus, sed Ipse Spiritus interpellat gemitibus inenarrabilibus » (*Rom* 8, 26). Spiritus Sanctus, artifex operum Dei, orationis est Magister (hoc erit obiectum quartae partis Catechismi).

Compendium

742 « *Quoniam autem estis filii, misit Deus Spiritum Filii Sui in corda nostra clamantem:* Abba, *Pater* » (*Gal* 4, 6).

743 *Ab initio usque ad temporis consummationem, cum Deus Filium mittit Suum, semper Suum mittit Spiritum: Eorum missio est coniuncta et inseparabilis.*

744 *In plenitudine temporis, Spiritus Sanctus in Maria omnes adimplet praeparationes ad Christi Adventum in populum Dei. Per actionem Spiritus Sancti in illa, Pater mundo dat Emmanuelem,* « *Nobiscum-Deum* » (*Mt* 1, 23).

---

[117] Sanctus Cyrillus Alexandrinus, *Commentarius in Iohannem* 11, 11: PG 74, 561.

745 *Filius Dei per unctionem Spiritus Sancti consecratur Christus (Messias) in Incarnatione Sua.*[118]

746 *Iesus, per Mortem Suam Suamque Resurrectionem, est Dominus et Christus in gloria constitutus.*[119] *Ipse, de plenitudine Sua, Spiritum Sanctum effundit super Apostolos et Ecclesiam.*

747 *Spiritus Sanctus, quem Christus, Caput, in Sua membra effundit, Ecclesiam aedificat, animat et sanctificat. Ea sacramentum est communionis Sanctissimae Trinitatis et hominum.*

Articulus 9
« CREDO SANCTAM ECCLESIAM CATHOLICAM »

748 « Lumen gentium cum sit Christus, haec sacrosancta Synodus, in Spiritu Sancto congregata, omnes homines claritate Eius, super faciem Ecclesiae resplendente, illuminare vehementer exoptat, omni creaturae Evangelium annuntiando ».[120] His verbis aperitur « Constitutio dogmatica de Ecclesia » Concilii Vaticani II. Sic Concilium articulum fidei de Ecclesia plene ab articulis ostendit dependere qui ad Christum Iesum referuntur. Ecclesia aliud lumen non habet quam illud Christi; illa est aequiparabilis, secundum imaginem quae Patribus placet, lunae cuius totum lumen est solis reverberatio.

749 Articulus de Ecclesia etiam plene ab illo de Spiritu Sancto dependet qui eum praecedit. « Quia cum iam demonstratum sit Spiritum Sanctum omnis sanctitatis fontem et largitorem esse, nunc ab Eodem Ecclesiam sanctitate donatam confitemur »,[121] Ecclesia, secundum Patrum expressionem, locus est « ubi floret Spiritus »,[122]

750 Credere Ecclesiam « Sanctam » esse et « Catholicam », illamque esse « Unam » et « Apostolicam » (sicut Symbolum Nicaenum-Constantinopolitanum adiungit) inseparabile est a fide in Deum Patrem et   811

---

[118] Cf. *Ps* 2, 6-7.
[119] Cf. *Act* 2, 36.
[120] CONCILIUM VATICANUM II, Const. dogm. *Lumen gentium*, 1: AAS 57 (1965) 5.
[121] *Catechismus Romanus*, 1, 10, 1: ed. P. RODRÍGUEZ (Città del Vaticano-Pamplona 1989) p. 104.
[122] SANCTUS HIPPOLYTUS ROMANUS, *Traditio apostolica*, 35: ed. B. BOTTE (Münster i.W. 1989) p. 82.

169
Filium et Spiritum Sanctum. In Symbolo Apostolico profitemur nos
credere sanctam Ecclesiam (« *Credo* [...] *Ecclesiam* ») et non *in* Ecclesiam, ne Deum Eiusque confundamus opera et ut clare bonitati attri-
buamus Dei *omnia* dona quae Ipse in Sua posuit Ecclesia.[123]

Paragraphus 1
ECCLESIA IN CONSILIO DEI

I. Ecclesiae nomina et imagines

751 Verbum « Ecclesia » [ἐκκλησία, e verbo graeco ἐκ-καλεῖν, vocare
ex ») « convocationem » significat. Congregationem denotat populi,[124] generatim indolis religiosae. Hoc verbum frequenter a Vetere Testamento
graeco adhibetur pro congregatione populi electi ante Deum, praecipue
pro congregatione Sinai ubi Israel Legem accepit et a Deo tamquam
Eius populus sanctus constitutus est.[125] Se « Ecclesiam » appellans, prima
communitas eorum qui in Christum credebant, huius congregationis se
agnoscebat heredem. In ea Deus populum Suum ex omnibus terrae
« convocat » finibus. Verbum Κυριακή, ex quo *church, Kirche* derivantur,
significat « illam quae ad Dominum pertinet ».

1140
832, 830
752 In sermone christiano, verbum « Ecclesia » congregationem denotat liturgicam,[126] sed etiam communitatem localem[127] et totam communitatem universalem credentium.[128] Hae tres significationes de facto sunt
inseparabiles. « Ecclesia » est populus quem Deus congregat ex mundo
universo. Ipsa in communitatibus exsistit localibus et tamquam congregatio liturgica, praecipue eucharistica, ducitur in rem. Ex verbo et ex
corpore vivit Christi et sic ipsa corpus Christi fit.

[123] Cf. *Catechismus Romanus*, 1, 10, 22: ed. P. Rodríguez (Città del Vaticano-Pamplona 1989) p. 118.
[124] Cf. *Act* 19, 39.
[125] Cf. *Ex* 19.
[126] Cf. *1 Cor* 11, 18; 14, 19. 28. 34-35.
[127] Cf. *1 Cor* 1, 2; 16, 1.
[128] Cf. *1 Cor* 15, 9; *Gal* 1, 13; *Philp* 3, 6.

Ecclesiae symbola

753 In sacra Scriptura, multitudinem invenimus imaginum et figurarum quae inter se connectuntur, per quas Revelatio de Ecclesiae mysterio loquitur inexhauribili. Imagines ex Vetere Testamento desumptae variationes constituunt eiusdem ideae illis subiacentis, ideae « populi Dei ». In Novo Testamento,[129] omnes hae imagines novum inveniunt centrum eo quod Christus « Caput » fit huius populi,[130] qui exinde corpus est Eius. Circa hoc centrum imagines glomerantur « sive a vita pastorali vel ab agricultura, sive ab aedificatione aut etiam a familia et sponsalibus desumptae ».[131]

781

789

754 « Est enim Ecclesia *ovile*, cuius ostium unicum et necessarium Christus est.[132] Est etiam grex, cuius Ipse Deus pastorem Se fore praenuntiavit,[133] et cuius oves, etsi a pastoribus humanis gubernantur, indesinenter tamen deducuntur et nutriuntur ab Ipso Christo, bono Pastore Principeque pastorum,[134] qui vitam Suam dedit pro ovibus [135] ».[136]

857

755 « Est Ecclesia *agricultura* seu ager Dei.[137] In illo agro crescit antiqua oliva, cuius radix sancta fuerunt Patriarchae, et in qua Iudaeorum et gentium reconciliatio facta est et fiet.[138] Ipsa plantata est a caelesti Agricola tamquam vinea electa.[139] Vitis vera Christus est, vitam et fecunditatem tribuens palmitibus, scilicet nobis, qui per Ecclesiam in Ipso manemus, et sine quo nihil possumus facere [140] ».[141]

795

756 « Saepius quoque Ecclesia dicitur *aedificatio* Dei.[142] Dominus Ipse Se comparavit lapidi, quem reprobaverunt aedificantes, sed qui factus est in caput anguli (*Mt* 21, 42 et par; *Act* 4, 11; *1 Pe* 2, 7; *Ps* 118, 22). Super illud fundamentum Ecclesia ab Apostolis exstruitur,[143] ab eoque firmitatem et cohaesionem accipit. Quae constructio variis appellationibus decoratur: domus Dei,[144] in qua nem-

857

---

[129] Cf. *Eph* 1, 22; *Col* 1, 18.
[130] Cf. Concilium Vaticanum II, Const. dogm. *Lumen gentium*, 9: AAS 57 (1965) 13.
[131] Concilium Vaticanum II, Const. dogm. *Lumen gentium*, 6; AAS 57 (1965) 8.
[132] Cf. *Io* 10, 1-10.
[133] Cf. *Is* 40, 11; *Ez* 34, 11-31.
[134] Cf. *Io* 10, 11; *1 Pe* 5, 4.
[135] Cf. *Io* 10, 11-15.
[136] Concilium Vaticanum II, Const. dogm. *Lumen gentium*, 6: AAS 57 (1965) 8.
[137] Cf. *1 Cor* 3, 9.
[138] Cf. *Rom* 11, 13-26.
[139] Cf. *Mt* 21, 33-43 et par.; *Is* 5, 1-7.
[140] Cf. *Io* 15, 1-5.
[141] Concilium Vaticanum II, Const. dogm. *Lumen gentium*, 6: AAS 57 (1965) 8.
[142] Cf. *1 Cor* 3, 9.
[143] Cf. *1 Cor* 3, 11.
[144] Cf. *1 Tim* 3, 15.

797
1045
pe habitat Eius *familia*, habitaculum Dei in Spiritu,[145] tabernaculum Dei cum hominibus,[146] et praesertim *templum* sanctum, quod in lapideis sanctuariis repraesentatum a sanctis Patribus laudatur, et in liturgia non immerito assimilatur Civitati sanctae, novae Ierusalem. In ipsa enim tamquam lapides vivi his in terris aedificamur.[147] Quam sanctam Civitatem Ioannes contemplatur, in renovatione mundi descendentem de caelis a Deo, "paratam sicut sponsam ornatam viro suo" (*Apc* 21, 1-2)».[148]

507
796
1616
757 «Ecclesia etiam, "quae sursum est Ierusalem" et "Mater nostra" appellatur (*Gal* 4, 26);[149] describitur ut *Sponsa* immaculata Agni immaculati,[150] quam Christus "dilexit, et Seipsum tradidit pro ea, ut illam sanctificaret" (*Eph* 5, 25-26), quam Sibi Foedere indissolubili sociavit et indesinenter "nutrit et fovet" (*Eph* 5, 29)».[151]

II. Origo, fundatio et missio Ecclesiae

257
758 Ad mysterium Ecclesiae scrutandum, oportet imprimis eius originem in consilio meditari Sanctissimae Trinitatis et eius progressivam in historia effectionem.

Consilium in corde Patris ortum

293
759 «Aeternus Pater, liberrimo et arcano sapientiae ac bonitatis Suae consilio, mundum universum creavit, homines ad participandam vitam divinam elevare decrevit», ad quam omnes homines in Filio Suo appellat. «Credentes autem in Christum convocare statuit in sancta Ecclesia». Haec «familia Dei» constituitur et in rem gradatim ducitur per historiae humanae gressus secundum Patris dispositiones: revera, Ecclesia «iam ab origine mundi praefigurata, in historia populi Israel ac Foedere antiquo mirabiliter praeparata, in novissimis temporibus constituta, effuso Spiritu est manifestata, et in fine saeculorum gloriose consummabitur».[152]

Ecclesia – iam ab origine mundi praefigurata

760 «Mundus propter hanc [Ecclesiam] creatus est», dicebant christiani priorum temporum.[153] Deus mundum creavit intuitu communionis in

---

[145] Cf. *Eph* 2, 19-22.
[146] Cf. *Apc* 21, 3.
[147] Cf. *1 Pe* 2, 5.
[148] Concilium Vaticanum II, Const. dogm. *Lumen gentium*, 6: AAS 57 (1965) 8-9.
[149] Cf. *Apc* 12, 17.
[150] Cf. *Apc* 19, 7; 21, 2. 9; 22, 17.
[151] Concilium Vaticanum II, Const. dogm. *Lumen gentium*, 6: AAS 57 (1965) 9.
[152] Concilium Vaticanum II, Const. dogm. *Lumen gentium*, 2: AAS 57 (1965) 5-6.
[153] Hermas, *Pastor* 8, 1 (*Visio* 2, 4, 1): SC 53, 96; cf. Aristides, *Apologia* 16, 7: BP 11, 125; Sanctus Iustinus, *Apologia* 2, 7: CA 1, 216-218 (PG 6, 456).

vita Sua divina, communionis quae efficitur per « convocationem » ho- 294
minum in Christum, et haec « convocatio » Ecclesia est. Ecclesia finis
est omnium,[154] et ipsae dolorosae vicissitudines, sicut angelorum lapsus 309
et hominis peccatum, permissae a Deo non fuerunt nisi ut occasio et
medium ad totam Eius brachii extendendam virtutem, totam mensuram
amoris quem mundo praebere volebat:

> « Quemadmodum enim Eius voluntas est opus, et id mundus nomina-
> tur; ita etiam Eius propositum est hominum salus, et id vocatum est
> Ecclesia ».[155]

Ecclesia – in Vetere Foedere praeparata

761 Populi Dei congregatio incipit ab instante in quo peccatum communionem hominum cum Deo hominumque inter se destruit. Ecclesiae congregatio est quasi reactio Dei ad chaos a peccato provocatum. Haec readu- 55
natio secreto in sinu omnium efficitur populorum: « In omni gente, qui
timet [...] [Deum] et operatur iustitiam, acceptus est Illi » (*Act* 10, 35).[156]

762 Remota *praeparatio* congregationis populi Dei incipit cum vocatio- 122, 522
ne Abraham, cui Deus promittit eum patrem populi magni futurum es- 60
se.[157] Praeparatio immediata cum electione incipit Israel, tamquam populi Dei.[158] Per suam electionem, Israel futurae congregationis omnium
gentium debet esse signum.[159] Sed iam Prophetae accusant Israel quod 84
Foedus ruperit et se in modum meretricis gesserit.[160] Foedus Novum
annuntiant et aeternum.[161] « Quod Foedus Novum Christus instituit ».[162]

Ecclesia – a Christo Iesu constituta

763 Ad Filium pertinet, in plenitudine temporum, consilium salutis
Patris Sui ad effectum adducere: haec est Eius « missionis » ratio.[163]

---

[154] Cf. Sanctus Epiphanius, *Panarion*, 1, 1, 5, *Haereses* 2, 4: GCS 25, 174 (PG 41, 181).
[155] Clemens Alexandrinus, *Paedagogus* 1, 6, 27, 2: GCS 12, 106 (PG 8, 281).
[156] Cf. Concilium Vaticanum II, Const. dogm. *Lumen gentium*, 9: AAS 57 (1965) 12;
Ibid., 13: AAS 57 (1965) 17-18; Ibid., 16: AAS 57 (1965) 20.
[157] Cf. *Gn* 12, 2; 15, 5-6.
[158] Cf. *Ex* 19, 5-6; *Dt* 7, 6.
[159] Cf. *Is* 2, 2-5; *Mich* 4, 1-4.
[160] Cf. *Os* 1; *Is* 1, 2-4; *Ier* 2; etc.
[161] Cf. *Ier* 31, 31-34; *Is* 55, 3.
[162] Concilium Vaticanum II, Const. dogm. *Lumen gentium*, 9: AAS 57 (1965) 13.
[163] Cf. Concilium Vaticanum II, Const. dogm. *Lumen gentium*, 3: AAS 57 (1965) 6;
Id., Decr. *Ad gentes*, 3: AAS 58 (1966) 949.

« Dominus enim Iesus Ecclesiae Suae initium fecit praedicando faustum
541   nuntium, Adventum scilicet Regni Dei a saeculis in Scripturis promissi ».[164] Ad voluntatem Patris implendam, Christus Regnum caelorum
inauguravit in terris. Ecclesia est « Regnum Christi iam praesens in
mysterio ».[165]

764   « Hoc vero Regnum in verbo, operibus et praesentia Christi homi-
543   nibus elucescit ».[166] Iesu accipere verbum est « Regnum ipsum suscipere ».[167] Germen et initium Regni sunt « pusillus grex » (*Lc* 12, 32) eorum
ad quos Iesus circa Se convocandos venit et quorum Ipse est Pastor.[168]
1691   Illi veram Iesu constituunt familiam.[169] Illos quos Ipse circa Se congre-
2558   gavit, novum docuit « modum agendi », sed etiam propriam orationem.[170]

765   Dominus Iesus Suam communitatem instruxit structura quae
usque ad plenam Regni permanebit adimpletionem. Electio habetur im-
551, 860   primis Duodecim cum Petro tamquam eorum duce.[171] Ii, duodecim Israel
repraesentantes tribus,[172] petrae sunt fundamenti novae Ierusalem.[173] Duodecim [174] aliique discipuli [175] missionem participant Christi, potestatem
Eius, sed etiam Eius sortem.[176] Omnibus his actibus, Christus Suam
Ecclesiam praeparat et aedificat.

813   766   Sed Ecclesia praecipue nata est ex dono totali Christi pro nostra
610, 1340   salute, in Eucharistiae institutione anticipato et in cruce deducto in
rem. « Exordium et incrementum [Ecclesiae] significantur sanguine et
617   aqua ex aperto latere Iesu crucifixi exeunti ».[177] « Nam de latere Christi
in cruce dormientis ortum est totius Ecclesiae mirabile sacramentum ».[178]

---

[164] Concilium Vaticanum II, Const. dogm. *Lumen gentium*, 5: AAS 57 (1965) 7.
[165] Concilium Vaticanum II, Const. dogm. *Lumen gentium*, 3: AAS 57 (1965) 6.
[166] Concilium Vaticanum II, Const. dogm. *Lumen gentium*, 5: AAS 57 (1965) 7.
[167] Cf. Concilium Vaticanum II, Const. dogm. *Lumen gentium*, 5: AAS 57 (1965) 7.
[168] Cf. *Mt* 10, 16; 26, 31; *Io* 10, 1-21.
[169] Cf. *Mt* 12, 49.
[170] Cf. *Mt* 5-6.
[171] Cf. *Mc* 3, 14-15.
[172] Cf. *Mt* 19, 28; *Lc* 22, 30.
[173] Cf. *Apc* 21, 12-14.
[174] Cf. *Mc* 6, 7.
[175] Cf. *Lc* 10, 1-2.
[176] Cf. *Mt* 10, 25; *Io* 15, 20.
[177] Concilium Vaticanum II, Const. dogm. *Lumen gentium*, 3: AAS 57 (1965) 6.
[178] Concilium Vaticanum II, Const. *Sacrosanctum Concilium*, 5: AAS 56 (1964) 99.

Sicut Eva de latere Adami formata est, sic Ecclesia est nata de corde   478
transfixo Cristi in cruce mortui.[179]

Ecclesia – a Spiritu Sancto manifestata

767   « Opere autem consummato, quod Pater Filio commisit in terra faciendum, missus est Spiritus Sanctus die Pentecostes, ut Ecclesiam iugiter   731
sanctificaret ».[180] Tunc « Ecclesia coram multitudine publice manifestata est,
[et] diffusio Evangelii inter gentes per praedicationem exordium sumpsit ».[181]
Ecclesia, quia omnium hominum ad salutem est « convocatio », sua ipsa
natura, est missionalis, missa a Christo ad omnes nationes ut ex illis faciat   849
discipulos.[182]

768   Spiritus Sanctus « Ecclesiam [...] diversis donis hierarchicis et cha-
rismaticis instruit ac dirigit »,[183] ut suam efficiat missionem. « Unde Ecclesia, donis sui Fundatoris instructa fideliterque Eiusdem praecepta caritatis, humilitatis et abnegationis servans, missionem accipit Regnum
Christi et Dei annuntiandi et in omnibus gentibus instaurandi, huiusque
Regni in terris germen et initium constituit ».[184]   541

Ecclesia – consummata in gloria

769   « Ecclesia [...] nonnisi in gloria caelesti consummabitur »,[185] in Adventu Christi glorioso. Usque ad talem diem, « inter persecutiones mun-   671, 2818
di et consolationes Dei peregrinando procurrit Ecclesia ».[186] Hic in terris
se scit in exilio esse, peregrinantem a Domino,[187] et ad plenum Regni
Adventum adspirat, ad horam qua « cum Rege suo in gloria coniunge-   675
tur ».[188] Ecclesiae consummatio et per eam illa mundi in gloria non fiet

---

[179] Cf. Sanctus Ambrosius, *Expositio evangelii secundum Lucam* 2, 85-89: CCL 14,
69-72 (PL 15, 1666-1668).
[180] Concilium Vaticanum II, Const. dogm. *Lumen gentium*, 4: AAS 57 (1965) 6.
[181] Concilium Vaticanum II, Decr. *Ad gentes*, 4: AAS 58 (1966) 950.
[182] Cf. Mt 28, 19-20; Concilium Vaticanum II, Decr. *Ad gentes*, 2: AAS 58 (1966)
948; *Ibid.*, 5-6: AAS 58 (1966) 951-955.
[183] Concilium Vaticanum II, Const. dogm. *Lumen gentium*, 4: AAS 57 (1965) 7.
[184] Concilium Vaticanum II, Const. dogm. *Lumen gentium*, 5: AAS 57 (1965) 8.
[185] Concilium Vaticanum II, Const. dogm. *Lumen gentium*, 48: AAS 57 (1965) 53.
[186] Sanctus Augustinus, *De civitate Dei* 18, 51: CSEL 40/2, 354 (PL 41, 614);
cf. Concilium Vaticanum II, Const. dogm. *Lumen gentium*, 8: AAS 57 (1965) 12.
[187] Cf. *2 Cor* 5, 6; Concilium Vaticanum II, Const. dogm. *Lumen gentium*, 6: AAS
57 (1965) 9.
[188] Cf. Concilium Vaticanum II, Const. dogm. *Lumen gentium*, 5: AAS 57 (1965) 8.

sine magnis probationibus. Tunc solummodo « omnes iusti inde ab
1045 Adam, ab Abel iusto usque ad ultimum electum in Ecclesia universali
apud Patrem congregabuntur ».[189]

III. Ecclesiae mysterium

770 Ecclesia est in historia, sed eam simul transcendit. « Mens fide
812 tantummodo illustrata »[190] potest in eius realitate visibili realitatem
quamdam spiritualem perspicere quae vitam portat divinam.

ECCLESIA – SIMUL VISIBILIS ET SPIRITUALIS

827 771 « Unicus mediator Christus Ecclesiam Suam sanctam, fidei, spei et
caritatis communitatem his in terris ut compaginem visibilem constituit
et indesinenter sustentat, qua veritatem et gratiam ad omnes diffundit ».
Ecclesia est simul:

1880 — « societas [...] organis hierarchicis instructa et mysticum Christi
corpus »;
— « coetus adspectabilis et communitas spiritualis »;
954 — « Ecclesia terrestris et Ecclesia caelestibus bonis ditata ».
Hae dimensiones simul « unam realitatem complexam efformant,
quae humano et divino coalescit elemento ».[191]

> Ecclesiae « proprium est esse humanam simul ac divinam, visibilem in-
> visibilibus praeditam, actione ferventem et contemplationi vacantem, in
> mundo praesentem et tamen peregrinam; et ita quidem ut in ea quod
> humanum est ordinetur ad divinum eique subordinetur, quod visibile ad
> invisibile, quod actionis ad contemplationem, et quod praesens ad futu-
> ram civitatem quam inquirimus ».[192]
> « O humilitas! O sublimitas! Et tabernaculum Cedar, et sanctua-
> rium Dei; et terrenum tabernaculum et caeleste palatium; et domus lu-
> tea et aula regia; et corpus mortis et templum lucis; et despectio deni-
> que superbis, et sponsa Christi. Nigra sum, sed formosa, filiae Ierusa-
> lem: quam etsi labor et dolor longi exsilii decolorat, species tamen cae-
> lestis exornat ».[193]

---

[189] CONCILIUM VATICANUM II, Const. dogm. *Lumen gentium*, 2: AAS 57 (1965) 6.
[190] *Catechismus Romanus*, 1, 10, 20: ed. P. RODRÍGUEZ (Città del Vaticano-Pamplona 1989) p. 117.
[191] CONCILIUM VATICANUM II, Const. dogm. *Lumen gentium*, 8: AAS 57 (1965) 11.
[192] CONCILIUM VATICANUM II, Const. *Sacrosanctum Concilium*, 2: AAS 56 (1964) 98.
[193] SANCTUS BERNARDUS CLARAEVALLENSIS, *In Canticum sermo* 27, 7, 14: *Opera*, ed. J. LECLERCQ-C.H. TALBOT-H. ROCHAIS, v. 1 (Romae 1957) p. 191.

ECCLESIA – MYSTERIUM UNIONIS HOMINUM CUM DEO

772   In Ecclesia, Christus Suum proprium mysterium tamquam scopum consilii Dei adimplet et revelat: « recapitulare omnia in Christo » (*Eph* 1, 10). Sanctus Paulus unionem sponsalem Christi et Ecclesiae « mysterium [...] magnum » appellat (*Eph* 5, 32). Ecclesia quia Christo tamquam Sponso est unita suo,[194] fit etiam ipsa mysterium.[195] Sanctus Paulus in ea mysterium contemplans exclamat: « Christus in vobis, spes gloriae » (*Col* 1, 27).

518

796

773   In Ecclesia, haec hominum communio cum Deo per caritatem quae « numquam excidit » (*1 Cor* 13, 8), finis est qui ordinat quiquid in ea medium est sacramentale huic connexum mundo qui praeterit.[196] Ecclesiae « compago tota ad membrorum in Christo sanctimoniam dirigitur. Porro secundum "mysterium magnum" illa diiudicatur sanctitas, ubi Sponsi dono respondet Sponsa proprio amoris dono ».[197] Maria nos omnes praecedit in sanctitate quae mysterium est Ecclesiae, quatenus Sponsa est non habens maculam aut rugam.[198] Hac de causa, « mariana ratio Ecclesiae petrinam praecedit rationem ».[199]

671

972

ECCLESIA – SACRAMENTUM UNIVERSALE SALUTIS

774   Verbum graecum μυστήριον duobus vocabulis in linguam latinam versum est: *mysterium* et *sacramentum*. In ulteriore interpretatione, vocabulum *sacramentum* magis visibile exprimit signum realitatis occultae salutis, quam vocabulum *mysterium* denotat. Hoc sensu, Christus Ipse mysterium est salutis: « non est enim aliud Dei mysterium nisi Christus ».[200] Opus salvificum Eius humanitatis sanctae et sanctificantis sacramentum est salutis, quod manifestatur et operatur in Ecclesiae sacramentis (quae Ecclesiae Orientales etiam « sancta mysteria » appellant). Septem sacramenta signa sunt et instrumenta per quae Spiritus Sanctus gratiam effundit Christi qui est Caput, in Ecclesiam quae corpus est Eius. Ecclesia ergo invisibilem continet et communicat gratiam quam ipsa significat. Hoc sensu analogico, ipsa appellatur « sacramentum ».

1075

515
2014

1116

---

[194] Cf. *Eph* 5, 25-27.
[195] Cf. *Eph* 3, 9-11.
[196] Cf. CONCILIUM VATICANUM II, Const. dogm. *Lumen gentium*, 48: AAS 57 (1965) 53.
[197] IOANNES PAULUS II, Ep. ap. *Mulieris dignitatem*, 27: AAS 80 (1988) 1718.
[198] Cf. *Eph* 5, 27.
[199] IOANNES PAULUS II, Ep. ap. *Mulieris dignitatem*, 27: AAS 80 (1988) 1718, nota 55.
[200] SANCTUS AUGUSTINUS, *Epistula* 187, 11, 34: CSEL 57, 113 (PL 33, 845).

775   Ecclesia est « in Christo veluti sacramentum seu signum et instrumentum intimae cum Deo unionis totiusque generis humani unitatis »:[201] sacramentum esse *intimae unionis hominum cum Deo*: talis est primus Ecclesiae scopus. Quia communio inter homines in unione cum Deo radicatur, Ecclesia est etiam sacramentum *unitatis generis humani*. In ea, haec unitas iam incepit, quia homines congregat « ex omnibus gentibus et tribubus et populis et linguis » (*Apc* 7, 9); Ecclesia simul est « signum et instrumentum » plenae effectionis huius unitatis quae adhuc advenire debet.

360

1088   776   Tamquam sacramentum, Ecclesia instrumentum est Christi. « Ab Eo etiam ut instrumentum Redemptionis omnium adsumitur »,[202] « universale salutis sacramentum »[203] per quod Christus « mysterium amoris Dei erga homines manifestat simul et operatur ».[204] Ea « est consilium visibile amoris Dei erga genus humanum »,[205] quod vult « ut universum genus humanum unum populum efformet Dei, in unum corpus coalescat Christi, in unum coaedificetur templum Spiritus Sancti ».[206]

Compendium

777   *Verbum « Ecclesia » « convocationem » significat. Congregationem denotat eorum quos Verbum Dei convocat ut populum Dei efforment et qui, Christi corpore nutriti, fiunt ipsi corpus Christi.*

778   *Ecclesia simul via est et scopus consilii Dei: in creatione praefigurata, in Vetere Foedere praeparata, verbis et actionibus fundata Iesu Christi, in rem ducta a cruce Eius redemptrice ab Eiusque Resurrectione, est tamquam mysterium salutis ab effusione Spiritus Sancti manifestata. Ipsa consummabitur in gloria caelesti tamquam congregatio omnium qui redempti sunt de terra.*[207]

---

[201] CONCILIUM VATICANUM II, Const. dogm. *Lumen gentium*, 1: AAS 57 (1965) 5.
[202] CONCILIUM VATICANUM II, Const. dogm. *Lumen gentium*, 9: AAS 57 (1965) 13.
[203] CONCILIUM VATICANUM II, Const. dogm. *Lumen gentium*, 48: AAS 57 (1965) 53.
[204] Cf. CONCILIUM VATICANUM II, Const. past. *Gaudium et spes*, 45: AAS 58 (1966) 1066.
[205] PAULUS VI, *Allocutio ad Sacri Collegii Cardinalium Patres* (22 iunii 1973): AAS 65 (1973) 391.
[206] CONCILIUM VATICANUM II, Decr. *Ad gentes*, 7: AAS 58 (1966) 956; cf. ID., Const. dogm. *Lumen gentium*, 17: AAS 57 (1965) 20-21.
[207] Cf. *Apc* 14, 4.

779 *Ecclesia simul visibilis est et spiritualis, societas hierarchica et corpus Christi mysticum. Ipsa est una, duplice formata elemento humano et divino. Ibi est eius mysterium quod sola fide potest accipi.*

780 *Ecclesia est in hoc mundo sacramentum salutis, signum et instrumentum communionis Dei et hominum.*

Paragraphus 2

ECCLESIA – POPULUS DEI, CORPUS CHRISTI, TEMPLUM SPIRITUS SANCTI

I. Ecclesia – Populus Dei

781 « In omni quidem tempore et in omni gente Deo acceptus est quicumque timet Eum et operatur iustitiam. Placuit tamen Deo homines non singulatim, quavis mutua connexione seclusa, sanctificare et salvare, sed eos in populum constituere, qui in veritate Ipsum agnosceret Ipsique sancte serviret. Plebem igitur Israeliticam Sibi in populum elegit, quocum Foedus instituit et quem gradatim instruxit, Sese atque propositum voluntatis Suae in eius historia manifestando eumque Sibi sanctificando. Haec tamen omnia in praeparationem et figuram contigerunt Foederis illius Novi et perfecti, in Christo feriendi [...]. Quod Foedus Novum Christus instituit, Novum scilicet Testamentum in Suo sanguine, ex Iudaeis ac gentibus plebem vocans, quae non secundum carnem sed in Spiritu ad unitatem coalesceret ».[208]

POPULI DEI PECULIARITATES

782 Populus Dei peculiaritates habet quae illum nitide ab omnibus historiae coctibus religiosis, ethnicis, politicis vel culturalibus distinguunt: 871

— Populus est *Dei*: Deus ad nullum populum pertinet tamquam proprius. Sed Ipse Sibi populum acquisivit ex illis qui prius populus non erant: « genus electum, regale sacerdotium, gens sancta » (*1 Pe* 2, 9). 2787

— Huius populi *membrum* aliquis fit non per physicam nativitatem, sed per nativitatem « desuper », « ex aqua et Spiritu » (*Io* 3, 3-5), id est, per fidem in Christum et per Baptismum. 1267

---

[208] CONCILIUM VATICANUM II, Const. dogm. *Lumen gentium*, 9: AAS 57 (1965) 12-13.

695 — Hic populus habet ut *Caput* Iesum Christum (Unctum, Messiam): quia eadem Unctio, Spiritus Sanctus, ex Capite fluit in corpus, hoc est « populus messianicus ».

1741 — « Habet pro *conditione* dignitatem libertatemque filiorum Dei, in quorum cordibus Spiritus Sanctus sicut in templo inhabitat ».[209]

1972 — « Habet pro *lege* mandatum novum diligendi sicut Ipse Christus dilexit nos ».[210] Haec est Lex « nova » Spiritus Sancti.[211]

849 — Eius *missio* est, ut sal sit terrae et lux mundi.[212] « Pro toto [...] genere humano firmissimum est germen unitatis, spei et salutis ».[213]

769 — Eius tandem *finis* est « Regnum Dei, ab Ipso Deo in terris inchoatum, ulterius dilatandum, donec in fine saeculorum ab Ipso etiam consummetur ».[214]

Populus sacerdotalis, propheticus et regalis

436
873
783 Iesum Christum Pater Spiritu Sancto unxit atque « Sacerdotem, Prophetam et Regem » constituit. Universus populus Dei haec tria munera Christi participat et responsabilitates missionis fert et servitii quae ex illis derivantur.[215]

1268
1546
784 Cum quis populum Dei per fidem ingreditur et per Baptismum, participationem recipit in huius populi vocatione unica: in eius vocatione *sacerdotali*: « Christus Dominus, Pontifex ex hominibus assumptus novum populum "fecit regnum et sacerdotes Deo et Patri Suo". Baptizati enim, per regenerationem et Spiritus Sancti unctionem *consecrantur* in domum spiritualem et sacerdotium sanctum ».[216]

92
785 « Populus Dei sanctus de munere quoque *prophetico* Christi participat ». Praecipue per supernaturalem fidei sensum, qui proprius est populi universi, laicorum et hierarchiae, cum ille « semel traditae sanctis fidei indefectibiliter adhaeret »[217] eiusque profundius penetrat intelligentiam et testis fit Christi in medio mundi huius.

---

[209] Concilium Vaticanum II, Const. dogm. *Lumen gentium*, 9: AAS 57 (1965) 13.
[210] Concilium Vaticanum II, Const. dogm. *Lumen gentium*, 9: AAS 57 (1965) 13; cf. *Io* 13, 34.
[211] Cf. *Rom* 8, 2; *Gal* 5, 25.
[212] Cf. *Mt* 5, 13-16.
[213] Concilium Vaticanum II, Const. dogm. *Lumen gentium*, 9: AAS 57 (1965) 13.
[214] Concilium Vaticanum II, Const. dogm. *Lumen gentium*, 9: AAS 57 (1965) 13.
[215] Cf. Ioannes Paulus II, Litt. Enc. *Redemptor hominis*, 18-21: AAS 71 (1979) 301-320.
[216] Concilium Vaticanum II, Const. dogm. *Lumen gentium*, 10: AAS 57 (1965) 14.
[217] Concilium Vaticanum II, Const. dogm. *Lumen gentium*, 12: AAS 57 (1965) 16.

786   Populus denique Dei de munere *regali* participat Christi. Christus Suum regium exercet principatum omnes homines per Suam Mortem et Resurrectionem ad Se trahens.[218] Christus, Rex et Dominus universi mundi, factus est omnium servus, quatenus « non venit ministrari sed ministrare et dare animam Suam Redemptionem pro multis » (*Mt* 20, 28). Pro christiano, Illi « servire, regnare est »;[219] Ecclesia praesertim « in pauperibus et patientibus imaginem Fundatoris sui pauperis et patientis agnoscit ».[220] Populus Dei suam « regalem dignitatem » ducit in rem, secundum hanc vivens vocationem serviendi cum Christo.

2449

2443

> « Omnes enim in Christo regeneratos, crucis signum efficit reges, Spiritus Sancti unctio consecrat sacerdotes, ut praeter istam specialem nostri ministerii servitutem universi spiritales et rationabiles christiani agnoscant se regii generis et sacerdotalis officii esse consortes. Quid enim tam regium quam subditum Deo animum corporis sui esse rectorem? Et quid tam sacerdotale quam vovere Domino conscientiam puram, et immaculatas pietatis hostias de altari cordis offerre? ».[221]

II. Ecclesia – Corpus Christi

Ecclesia est communio cum Iesu

787   Inde ab initio, Iesus vitae Suae Suos associavit discipulos;[222] eis Regni revelavit mysterium;[223] eos Suae missionis, gaudii Sui[224] et Suarum passionum participes effecit.[225] Iesus de communione adhuc intimiore loquitur inter Se et eos qui Illum sequentur: « Manete in me, et ego in vobis. [...] Ego sum vitis, vos palmites » (*Io* 15, 4-5). Et communionem annuntiat arcanam et realem inter corpus Suum et nostrum: « Qui manducat meam carnem et bibit meum sanguinem, in me manet, et ego in illo » (*Io* 6, 56).

755

788   Iesus, cum visibilis Eius praesentia discipulis Eius sublata est, eos orphanos non reliquit.[226] Eis promisit Se cum illis usque ad finem tem-

---

[218] Cf. *Io* 12, 32.
[219] Concilium Vaticanum II, Const. dogm. *Lumen gentium*, 36: AAS 57 (1965) 41.
[220] Concilium Vaticanum II, Const. dogm. *Lumen gentium*, 8: AAS 57 (1965) 12.
[221] Sanctus Leo Magnus, *Sermo* 4, 1: CCL 138, 16-17 (PL 54, 149).
[222] Cf. *Mc* 1, 16-20; 3, 13-19.
[223] Cf. *Mt* 13, 10-17.
[224] Cf. *Lc* 10, 17-20.
[225] Cf. *Lc* 22, 28-30.
[226] Cf. *Io* 14, 18.

porum esse mansurum.[227] Ipse eis Spiritum misit Suum.[228] Sic communio
690 cum Iesu quodammodo facta est intensior: « Communicando enim Spiritum Suum, fratres Suos, ex omnibus gentibus convocatos, tamquam
corpus Suum mystice constituit ».[229]

789 Comparatio Ecclesiae cum corpore lumen emittit super nexum intimum inter Ecclesiam et Christum. Ipsa non est solum *circa Illum* con-
521 gregata; est *in Illo* unificata, in corpore Illius. Tres rationes Ecclesiae -
corporis Christi modo magis specifico sunt efferendae: unitas omnium
membrorum inter se per ipsorum unionem cum Christo; Christus Caput
corporis; Ecclesia, Christi Sponsa.

« Unum corpus »

947 790 Credentes qui Verbo Dei respondent et membra corporis Christi
fiunt, arcte uniti cum Christo efficiuntur: « In corpore illo vita Christi
in credentes diffunditur, qui Christo passo atque glorificato, per sacramenta arcano ac reali modo uniuntur ».[230] Hoc speciatim verum est de
1227 Baptismo per quem Christi morti et resurrectioni unimur,[231] et de Eucha-
1329 ristia, per quam « de corpore Domini realiter participantes, ad communionem cum Eo et inter nos elevamur ».[232]

791 Unitas corporis diversitatem non abolet membrorum: « In aedifi-
814 catione corporis Christi diversitas viget membrorum et officiorum. Unus
1937 est Spiritus, qui varia Sua dona, secundum divitias Suas atque ministeriorum necessitates ad Ecclesiae utilitatem dispertit ».[233] Unitas corporis
mystici inter fideles producit et fovet caritatem: « Unde si quid patitur
unum membrum, compatiuntur omnia membra; sive si unum membrum
honoratur, congaudent omnia membra ».[234] Unitas denique corporis
Christi de omnibus humanis divisionibus est victrix: « Quicumque enim
in Christum baptizati estis, Christum induistis: non est Iudaeus neque
Graecus, non est servus neque liber, non est masculus et femina; omnes
enim vos unus estis in Christo Iesu » (*Gal* 3, 27-28).

---

[227] Cf. *Mt* 28, 20.
[228] Cf. *Io* 20, 22; *Act* 2, 33.
[229] Concilium Vaticanum II, Const. dogm. *Lumen gentium*, 7: AAS 57 (1965) 9.
[230] Concilium Vaticanum II, Const. dogm. *Lumen gentium*, 7: AAS 57 (1965) 9.
[231] Cf. *Rom* 6, 4-5; *1 Cor* 12, 13.
[232] Concilium Vaticanum II, Const. dogm. *Lumen gentium*, 7: AAS 57 (1965) 9.
[233] Concilium Vaticanum II, Const. dogm. *Lumen gentium*, 7: AAS 57 (1965) 10.
[234] Concilium Vaticanum II, Const. dogm. *Lumen gentium*, 7: AAS 57 (1965) 10.

HUIUS CORPORIS, CHRISTUS EST CAPUT

792 Christus « est Caput corporis Ecclesiae » (*Col* 1, 18). Ipse Princi- 669
pium creationis est et Redemptionis. Elevatus in gloriam Patris, est « in
omnibus Ipse primatum tenens » (*Col* 1, 18), praecipue in Ecclesia per 1119
quam Ipse Regnum Suum extendit super omnia:

793 *Ipse nos Paschati unit Suo*: omnia membra eniti debent ut Ipsi si- 661
milia fiant « donec formetur Christus » in eis (*Gal* 4, 19). « Quapropter
in vitae Eius mysteria adsumimur, [...] Eius passionibus tamquam cor- 519
pus Capiti consociamur, Ei compatientes, ut cum Eo conglorificemur ».[235]

794 *Ipse nostro providet augmento*:[236] Christus, ut nos in Se, Caput 872
nostrum,[237] crescere faciat, disponit in corpore Suo, in Ecclesia, dona et
ministeria per quae nos mutuo in salutis via adiuvamus.

795 Christus et Ecclesia sunt igitur « *Christus totus* ». Ecclesia est cum 695
Christo una. Sancti huius unitatis sunt valde vivide conscii:

> « Ergo gratulemur et agamus gratias, non solum nos christianos factos
> esse, sed Christum. Intelligitis, fratres, gratiam Dei super nos Capitis?
> Admiramini, gaudete, Christus facti sumus. Si enim Caput Ille, nos
> membra; totus homo, Ille et nos. [...] Plenitudo ergo Christi, Caput et
> membra. Quid est Caput et membra? Christus et Ecclesia ».[238]
> « Redemptor noster unam Se personam cum sancta Ecclesia quam
> assumpsit, exhibuit ».[239]
> « Caput et membra sunt quasi una persona mystica ».[240] 1474
> Quaedam sanctae Ioannae de Arco ad eius iudices sententia fidem
> sanctorum Doctorum redigit in synthesin bonumque credentis exprimit
> sensum: « Et eius est opinio quod totum est unum de Domino nostro et
> de Ecclesia, et quod de hoc non debet fieri ulla difficultas ».[241]

---

[235] CONCILIUM VATICANUM II, Const. dogm. *Lumen gentium*, 7: AAS 57 (1965) 10.
[236] Cf. *Col* 2, 19.
[237] Cf. *Eph* 4, 11-16.
[238] SANCTUS AUGUSTINUS, *In Iohannis evangelium tractatus* 21, 8: CCL 36, 216-217 (PL 35, 1568).
[239] SANCTUS GREGORIUS MAGNUS, *Moralia in Iob*, Praefatio 6, 14: CCL 143, 19 (PL 75, 525).
[240] SANCTUS THOMAS AQUINAS, *Summa theologiae* 3, q. 48, a. 2, ad 1: Ed. Leon. 11, 464.
[241] SANCTA IOANNA DE ARCO, *Dictum*: *Procès de condamnation*, ed. P. TISSET (Paris 1960) p. 166, (textus gallicus).

ECCLESIA EST CHRISTI SPONSA

796   Unitas Christi et Ecclesiae, Capitis et membrorum corporis, etiam
utriusque implicat in relatione personali distinctionem. Haec ratio saepe
per sponsi et sponsae exprimitur imaginem. Thema Christi Ecclesiae
Sponsi a Prophetis praeparatum est et a Ioanne Baptista annuntiatum.[242]
Dominus Se Ipsum denotat tamquam « Sponsum » (*Mc* 2, 19).[243] Apostolus Ecclesiam praesentat et unumquemque fidelem, Eius corporis
membrum, tamquam Sponsam Christo Domino « desponsatam » ut cum
Illo unus sit Spiritus.[244] Illa Sponsa est immaculata Agni immmaculati,[245]
quam Christus dilexit, pro qua Se tradidit « ut illam sanctificaret » (*Eph*
5, 26), quam Ipse Sibi Foedere sociavit aeterno, et cuius, tamquam proprii corporis Sui, curam sumere non desinit.[246]

> « Fit totus Christus, caput et corpus, et ex multis unus. [...] Sive autem
> caput loquatur, sive membra loquantur, Christus loquitur: loquitur ex
> persona capitis, loquitur ex persona corporis. Sed quid dictum est?
> "Erunt duo in carne una. Sacramentum hoc magnum est; ego, inquit,
> dico, in Christo et in Ecclesia" (*Eph* 5, 31-32). Et Ipse in Evangelio:
> "Igitur iam non duo, sed una caro" (*Mt* 19, 6). Nam ut noveritis has
> duas quodammodo esse personas, et rursus unam copulatione coniugii
> [...] *"Sponsum" Se dixit ex capite, "sponsam" ex corpore* ».[247]

III. Ecclesia – Templum Spiritus Sancti

797   « Quod est spiritus noster, id est anima nostra, ad membra nostra;
hoc Spiritus Sanctus ad membra Christi, ad corpus Christi, quod est
Ecclesia ».[248] « Huic autem Christi Spiritui tamquam non adspectabili
principio id quoque attribuendum est, ut omnes corporis partes tam inter sese, quam cum excelso Capite suo coniungantur, totus in Capite
cum sit, totus in singulis membris ».[249] Spiritus Sanctus Ecclesiam efficit
« templum Dei vivi » (*2 Cor* 6, 16).[250]

> « Hoc enim Ecclesiae creditum est Dei munus [...] et in eo deposita est
> communicatio Christi, id est Spiritus Sanctus, arrha incorruptelae et

Marginal references: 757, 219, 772, 1602, 1616, 813, 586

---

[242] Cf. *Io* 3, 29.
[243] Cf. *Mt* 22, 1-14; 25, 1-13.
[244] Cf. *1 Cor* 6, 15-17; *2 Cor* 11, 2.
[245] Cf. *Apc* 22, 17; *Eph* 1, 4; 5, 27.
[246] Cf. *Eph* 5, 29.
[247] SANCTUS AUGUSTINUS, *Enarratio in Psalmum* 74, 4: CCL 39, 1027 (PL 37, 948-949).
[248] SANCTUS AUGUSTINUS, *Sermo* 268, 2: PL 38, 1232.
[249] PIUS XII, Litt. enc. *Mystici corporis*: DS 3808.
[250] Cf. *1 Cor* 3, 16-17; *Eph* 2, 21.

confirmatio fidei nostrae et scala ascensionis ad Deum. [...] Ubi enim Ecclesia, ibi et Spiritus Dei; et ubi Spiritus Dei, illic Ecclesia et omnis gratia ».[251]

798 Spiritus Sanctus « in omnibus corporis partibus cuiusvis est habendus actionis vitalis ac reapse salutaris principium ».[252] Ipse multipliciter in totius corporis aedificationem operatur in caritate:[253] per Verbum Dei « qui potens est aedificare » (*Act* 20, 32), per Baptisma per quod Ipse corpus efformat Christi;[254] per sacramenta quae membris Christi augmentum praebent et sanationem; per Apostolorum gratiam quae inter Eius dona praestat,[255] per virtutes quae secundum bonum agere faciunt, per multiplices denique speciales gratias (quae « charismata » appellantur) per quas Ipse fideles « aptos et promptos reddit ad suscipienda varia opera et officia, pro renovatione et campliore aedificatione Ecclesiae proficua ».[256]

737
1091-1109

791

Charismata

799 Charismata, sive extraordinaria sive simplicia et humilia, Spiritus Sancti sunt gratiae quae directe vel indirecte utilitatem habent ecclesialem, quatenus ad Ecclesiae ordinantur aedificationem, ad hominum bonum et ad mundi necessitates.

951, 2003

800 Charismata cum gratitudine sunt accipienda ab illo qui ea recipit, sed etiam ab omnibus Ecclesiae membris. Ea sunt revera mirabiles divitiae gratiae pro vitalitate apostolica et pro sanctitate totius corporis Christi; dummodo de donis agatur quae vere a Spiritu Sancto procedunt et modo exerceantur plene impulsibus authenticis Eiusdem Spiritus conformi, id est secundum caritatem, veram charismatum mensuram.[257]

801 Hoc sensu, charismatum discretio apparet semper necessaria. Nullum charisma eximitur de relatione et submissione Pastoribus Ecclesiae. Eis « speciatim competit, non Spiritum extinguere, sed omnia probare et

894

---

[251] Sanctus Irenaeus Lugdunensis, *Adversus haereses* 3, 24, 1: SC 211, 472-474 (PG 7, 966).
[252] Pius XII, Litt. enc. *Mystici corporis*: DS 3808.
[253] Cf. *Eph* 4, 16.
[254] Cf. *1 Cor* 12, 13.
[255] Cf. Concilium Vaticanum II, Const. dogm. *Lumen gentium*, 7: AAS 57 (1965) 10.
[256] Concilium Vaticanum II, Const. dogm. *Lumen gentium*, 12: AAS 57 (1965) 16; cf. Id., Decr. *Apostolicam actuositatem*, 3: AAS 58 (1966) 839-840.
[257] Cf. *1 Cor* 13.

quod bonum est tenere »,[258] ut omnia charismata in sua diversitate et
1905 complementaritate « ad utilitatem » (_1 Cor_ 12, 7) cooperentur.[259]

Compendium

802 _Christus Iesus « dedit Semetipsum pro nobis, ut nos redimeret ab
omni inquitate et mundaret Sibi populum peculiarem »_ (_Tit_ 2, 14).

803 _« Vos autem genus electum, regale sacerdotium, gens sancta, populus
in acquisitionem »_ (_1 Pe_ 2, 9).

804 _Ingressus in populum Dei per fidem fit et per Baptismum. « Ad novum populum Dei cuncti vocantur homines »,_[260] _ut in Christo « homines unam familiam unumque populum Dei constituant »._[261]

805 _Ecclesia corpus est Christi. Per Spiritum Eiusque actionem in sacramentis, praesertim in Eucharistia, Christus mortuus et resuscitatus
communitatem credentium constituit tamquam corpus Suum._

806 _In huius corporis unitate diversitas habetur membrorum et munerum.
Omnia membra inter se uniuntur, peculiariter cum illis qui patiuntur,
pauperes sunt et persecutione vexati._

807 _Ecclesia corpus est cuius Christus est Caput: de Ipso, in Ipso et pro
Ipso vivit; Ipse cum illa vivit et in illa._

808 _Ecclesia Sponsa est Christi: Ipse eam dilexit et tradidit Semetipsum
pro ea. Per Suum sanguinem eam purificavit. Eam Matrem fecit
fecundam omnium filiorum Dei._

809 _Ecclesia templum est Spiritus Sancti. Spiritus est velut corporis
mystici anima, principium vitae eius, unitatis in diversitate et divitiarum suorum donorum et charismatum._

810 _« Sic apparet universa Ecclesia sicuti "de unitate Patris et Filii et
Spiritus Sancti plebs adunata" »._[262]

---

[258] Concilium Vaticanum II, Const. dogm. _Lumen gentium_, 12: AAS 57 (1965) 17.
[259] Cf. Concilium Vaticanum II, Const. dogm. _Lumen gentium_, 30: AAS 57 (1965)
37; Ioannes Paulus II, Adh. ap. _Christifideles laici_, 24: AAS 81 (1989) 435.
[260] Concilium Vaticanum II, Const. dogm. _Lumen gentium_, 13: AAS 57 (1965) 17.
[261] Concilium Vaticanum II, Decr. _Ad gentes_, 1: AAS 58 (1966) 947.
[262] Concilium Vaticanum II, Const. dogm. _Lumen gentium_, 4: AAS 57 (1965) 7;
cf. Sanctus Cyprianus Carthaginiensis, _De dominica Oratione_, 23: CCL 3A, 105
(PL 4, 553).

Paragraphus 3

ECCLESIA EST UNA, SANCTA, CATHOLICA ET APOSTOLICA

811 « Haec est unica Christi Ecclesia, quam in Symbolo unam, sanc-   750
tam, catholicam et apostolicam profitemur ».²⁶³ Haec quattuor attributa
inseparabiliter inter se connexa,²⁶⁴ Ecclesiae eiusque missionis lineamenta
denotant essentialia. Ecclesia ea ex se ipsa non habet; Christus per Spiritum Sanctum tribuit Ecclesiae ut una, sancta, catholica sit et apostoli-   832, 865
ca, atque etiam Ipse eam vocat ut unamquamque ex his qualitatibus deducat in rem.

812 Solum fides agnoscere potest Ecclesiam has proprietates ex fonte
habere divino. Sed earum historicae manifestationes sunt etiam signa   156, 770
quae rationi humanae clare loquuntur. « Ecclesia per se ipsa — commemorat Concilium Vaticanum I —, ob suam [...] eximiam sanctitatem
[...], ob catholicam unitatem invictamque stabilitatem magnum quoddam et perpetuum est motivum credibilitatis et divinae suae legationis
testimonium irrefragabile ».²⁶⁵

I. Ecclesia est una

« Unitatis Ecclesiae sacrum mysterium » ²⁶⁶

813 *Ecclesia una est ratione sui fontis*: « Huius mysterii supremum   172
exemplar et principium est in Trinitate Personarum unitas unius Dei
Patris et Filii in Spiritu Sancto ».²⁶⁷ Ecclesia una est *ratione sui Fundato-*   766
ris: « Ipse enim Filius incarnatus [...] per crucem Suam omnes homines
Deo reconciliavit [...] restituens omnium unitatem in uno populo et uno
corpore ».²⁶⁸ Ecclesia una est *ratione "animae" suae*: « Spiritus Sanctus,   797
qui credentes inhabitat totamque replet atque regit Ecclesiam, miram illam communionem fidelium efficit et tam intime omnes in Christo

---

²⁶³ Concilium Vaticanum II, Const. dogm. *Lumen gentium*, 8: AAS 57 (1965) 11.
²⁶⁴ Cf. Sanctum Officium, *Epistula ad Episcopos Angliae* (14 septembris 1864): DS 2888.
²⁶⁵ Concilium Vaticanum I, Const. dogm. *Dei Filius*, c. 3: DS 3013.
²⁶⁶ Concilium Vaticanum II, Decr. *Unitatis redintegratio*, 2: AAS 57 (1965) 92.
²⁶⁷ Concilium Vaticanum II, Decr. *Unitatis redintegratio*, 2: AAS 57 (1965) 92.
²⁶⁸ Concilium Vaticanum II, Const. past. *Gaudium et spes*, 78: AAS 58 (1966) 1101.

coniungit, ut Ecclesiae unitatis sit Principium ».[269] Ad ipsam ergo essentiam Ecclesiae pertinet ut una sit:

> « O miraculum mysticum! Unus quidem est universorum Pater. Unum est etiam Verbum universorum, et Spiritus Sanctus unus, et Ipse est ubique. Una autem sola est Mater Virgo; mihi autem placet eam vocare Ecclesiam ».[270]

791, 873

1202

832

814 Haec tamen Ecclesia una, inde ab origine sua, se cum magna praesentat *diversitate*, quae simul procedit e varietate donorum Dei et e multiplicitate personarum quae illa recipiunt. In populi Dei unitate diversitates congregantur populorum et culturarum. Inter Ecclesiae membra diversitas exsistit donorum, munerum, condicionum et vitae modorum; « in ecclesiastica communione legitime adsunt Ecclesiae particulares, propriis traditionibus fruentes ».[271] Magnae huius diversitatis divitiae unitati Ecclesiae non opponuntur. Peccatum tamen et eius consequentiarum pondus constanter unitatis dono minantur. Propterea Apostolus hortari debet ad servandam « unitatem spiritus in vinculo pacis » (*Eph* 4, 3).

1827

830, 837

173

815 Quaenam sunt haec unitatis vincula? Super omnia, caritas quae « est vinculum perfectionis » (*Col* 3, 14). Sed Ecclesiae peregrinantis unitas etiam per visibilia communionis fulcitur vincula:

— per unius fidei Professionem ab Apostolis receptae;
— per communem cultus divini celebrationem, praesertim sacramentorum;
— per apostolicam ope sacramenti Ordinis successionem, quae concordiam familiae Dei sustinet fraternam.[272]

816 « Haec est unica Christi Ecclesia, [...] quam Salvator noster, post Resurrectionem Suam, Petro pascendam tradidit, eique ac ceteris Apostolis diffundendam et regendam commisit [...]. Haec Ecclesia, in hoc mundo ut societas constituta et ordinata, subsistit in Ecclesia catholica, a Successore Petri et Episcopis in eius communione gubernata ».[273]

> Decretum de Oecumenismo Concilii Vaticani II explicat: « Per solam enim catholicam Christi Ecclesiam, quae "generale auxilium salutis" est,

---

[269] CONCILIUM VATICANUM II, Decr. *Unitatis redintegratio*, 2: AAS 57 (1965) 91.
[270] CLEMENS ALEXANDRINUS, *Paedagogus* 1, 6, 42: GCS 12, 115 (PG 8, 300).
[271] CONCILIUM VATICANUM II, Const. dogm. *Lumen gentium*, 13: AAS 57 (1965) 18.
[272] Cf. CONCILIUM VATICANUM II, Decr. *Unitatis redintegratio*, 2: AAS 57 (1965) 91-92; ID., Const. dogm. *Lumen gentium*, 14: AAS 57 (1965) 18-19; CIC canon 205.
[273] CONCILIUM VATICANUM II, Const. dogm. *Lumen gentium*, 8: AAS 57 (1965) 11-12.

omnis salutarium mediorum plenitudo attingi potest. Uni nempe Colle-   830
gio apostolico cui Petrus praeest credimus Dominum commisisse omnia
bona Foederis Novi, ad constituendum unum Christi corpus in terris,
cui plene incorporentur oportet omnes, qui ad populum Dei iam aliquo
modo pertinent ».[274]

Unitatis vulnera

817   De facto, « in hac una et unica Dei Ecclesia iam a primordiis scis-
surae quaedam exortae sunt, quas ut damnandas graviter vituperat
Apostolus; posterioribus vero saeculis ampliores natae sunt dissensiones,
et communitates haud exiguae a plena communione Ecclesiae catholicae
seiunctae sunt, quandoque non sine hominum utriusque partis culpa ».[275]
Rupturae quae unitatem vulnerant corporis Christi (distinguuntur hae-   2089
resis, apostasia et schisma),[276] sine hominum peccatis non fiunt:

> « Ubi peccata sunt, ibi est multitudo, ibi schismata, ibi haereses, ibi dis-
> sensiones; ubi autem virtus, ibi singularitas, ibi unio, ex quo omnium
> credentium erat cor unum et anima una ».[277]

818   Illi qui hodie in communitatibus ortis ex talibus rupturis nascun-
tur « et fide Christi imbuuntur, de separationis peccato argui nequeunt,
eosque fraterna reverentia et dilectione amplectitur Ecclesia catholica.
[...] Iustificati ex fide in Baptismate, Christo incorporantur, ideoque   1271
christiano nomine iure decorantur et a filiis Ecclesiae catholicae ut fratres in Domino merito agnoscuntur ».[278]

819   Praeterea, « elementa plura sanctificationis et veritatis »[279] extra visibiles Ecclesiae catholicae limites exsistunt: « Verbum Dei scriptum, vita gratiae, fides, spes et caritas, aliaque interiora Spiritus Sancti dona
ac visibilia elementa ».[280] Christi Spiritus his Ecclesiis et communitatibus
utitur ecclesialibus tamquam salutis mediis quorum virtus ex gratiae et
veritatis procedit plenitudine quam Christus Ecclesiae catholicae commi-

---

[274] Concilium Vaticanum II, Decr. *Unitatis redintegratio*, 3: AAS 57 (1965) 94.
[275] Concilium Vaticanum II, Decr. *Unitatis redintegratio*, 3: AAS 57 (1965) 92-93.
[276] Cf. CIC canon 751.
[277] Origenes, *In Ezechielem homilia* 9, 1: SC 352, 296 (PG 13, 732).
[278] Concilium Vaticanum II, Decr. *Unitatis redintegratio*, 3: AAS 57 (1965) 93.
[279] Concilium Vaticanum II, Const. dogm. *Lumen gentium*, 8: AAS 57 (1965) 12.
[280] Concilium Vaticanum II, Decr. *Unitatis redintegratio*, 3: AAS 57 (1965) 93;
cf. Id., Const. dogm. *Lumen gentium*, 15: AAS 57 (1965) 19.

sit. Haec omnia bona proveniunt a Christo et ad Illum ducunt²⁸¹ atque ex semetipsis « ad unitatem catholicam »²⁸² vocant.

IN VIA AD UNITATEM

820 Unitatem, « quam Christus ab initio Ecclesiae Suae largitus est, [...] inamissibilem in Ecclesia catholica subsistere credimus et usque ad consummationem saeculi in dies crescere speramus ».²⁸³ Christus Suae Ecclesiae donum unitatis semper praebet, sed Ecclesia semper orare et adlaborare debet ad conservandam, fulciendam et perficiendam unitatem quam pro illa Christus vult. Hac de causa, Ipse Iesus in hora Suae passionis Patrem oravit, et orare non desinit, pro Suorum discipulorum unitate: « ...ut omnes unum sint, sicut Tu, Pater, in me et ego in Te, ut et ipsi in nobis unum sint: ut mundus credat quia Tu me misisti » (*Io* 17, 21). Optatum unitatem omnium christianorum restaurandi Christi est donum et Spiritus Sancti vocatio.²⁸⁴

2748

821 Ut huic adaequate respondeatur, requiruntur:

— permanens Ecclesiae *renovatio* in maiore fidelitate ad eius vocationem. Haec renovatio vis est motus unitatem versus;²⁸⁵

827

— *cordis conversio* ut singuli « secundum Evangelium vitam degere studeant »,²⁸⁶ quia membrorum infidelitas Christi dono divisionum est causa;

2791

— *oratio in communi*, quia « cordis conversio vitaeque sanctitas, una cum privatis et publicis supplicationibus pro christianorum unitate, tamquam anima totius motus oecumenici existimandae sunt et merito oecumenismus spiritualis nuncupari possunt »;²⁸⁷

— *mutua fraterna cognitio*;²⁸⁸

— *oecumenica institutio* fidelium et speciatim sacerdotum;²⁸⁹

— *dialogus* inter theologos et conventus inter christianos diversarum Ecclesiarum et communitatum;²⁹⁰

---

²⁸¹ Cf. CONCILIUM VATICANUM II, Decr. *Unitatis redintegratio*, 3: AAS 57 (1965) 93.
²⁸² CONCILIUM VATICANUM II, Const. dogm. *Lumen gentium*, 8: AAS 57 (1965) 12.
²⁸³ CONCILIUM VATICANUM II, Decr. *Unitatis redintegratio*, 4: AAS 57 (1965) 95.
²⁸⁴ Cf. CONCILIUM VATICANUM II, Decr. *Unitatis redintegratio*, 1: AAS 57 (1965) 90-91.
²⁸⁵ Cf. CONCILIUM VATICANUM II, Decr. *Unitatis redintegratio*, 6: AAS 57 (1965) 96-97.
²⁸⁶ CONCILIUM VATICANUM II, Decr. *Unitatis redintegratio*, 7: AAS 57 (1965) 97.
²⁸⁷ CONCILIUM VATICANUM II, Decr. *Unitatis redintegratio*, 8: AAS 57 (1965) 98.
²⁸⁸ Cf. CONCILIUM VATICANUM II, Decr. *Unitatis redintegratio*, 9: AAS 57 (1965) 98.
²⁸⁹ Cf. CONCILIUM VATICANUM II, Decr. *Unitatis redintegratio*, 10: AAS 57 (1965) 99.
²⁹⁰ Cf. CONCILIUM VATICANUM II, Decr. *Unitatis redintegratio*, 4: AAS 57 (1965) 94; *Ibid.*, 9: AAS 57 (1965) 98; *Ibid.*, 11: AAS 57 (1965) 99.

— *cooperatio* inter christianos in diversis servitii hominum campis.[291]

822 « Ad totam Ecclesiam sollicitudo unionis instaurandae spectat, tam ad fideles quam ad Pastores ».[292] Sed oportet nos esse conscios « hoc sanctum propositum reconciliandi christianos omnes in unitate unius unicaeque Ecclesiae Christi humanas vires et dotes excedere ». Hac de causa, nostram spem reponimus totam « in oratione Christi pro Ecclesia, in amore Patris erga nos, in virtute Spiritus Sancti ».[293]

II. Ecclesia est sancta

823 « Ecclesia [...] indefectibiliter sancta creditur. Christus enim Dei Filius, qui cum Patre et Spiritu "solus Sanctus" celebratur, Ecclesiam tamquam Sponsam Suam dilexit, Seipsum tradens pro ea, ut illam sanctificaret, eamque Sibi ut corpus Suum coniunxit atque Spiritus Sancti dono cumulavit, ad gloriam Dei ».[294] Ecclesia est igitur « populus Dei sanctus »,[295] eiusque membra « sancti » appellantur.[296]

                                                   459
  796
  946

824 Ecclesia, Christo unita, ab Ipso sanctificatur; ab Ipso et in Ipso illa fit etiam *sanctificans*: ad sanctificationem hominum in Christo et Dei glorificationem, « uti ad finem, omnia [...] Ecclesiae opera contendunt ».[297] In illa « omnis salutarium mediorum plenitudo »[298] reposita est. In illa « per gratiam Dei sanctitatem acquirimus ».[299]

 816

825 « Ecclesia iam in terris vera sanctitate licet imperfecta insignitur ».[300] In eius membris, sanctitas perfecta adhuc est acquirenda: « Tot ac tantis salutaribus mediis muniti, christifideles omnes, cuiusvis conditionis ac status, ad perfectionem sanctitatis qua Pater Ipse perfectus est, sua quisque via, a Domino vocantur ».[301]

 670
 2013

[291] Cf. Concilium Vaticanum II, Decr. *Unitatis redintegratio*, 12: AAS 57 (1965) 99-100.
[292] Concilium Vaticanum II, Decr. *Unitatis redintegratio*, 5: AAS 57 (1965) 96.
[293] Concilium Vaticanum II, Decr. *Unitatis redintegratio*, 24: AAS 57 (1965) 107.
[294] Concilium Vaticanum II, Const. dogm. *Lumen gentium*, 39: AAS 57 (1965) 44.
[295] Concilium Vaticanum II, Const. dogm. *Lumen gentium*, 12: AAS 57 (1965) 16.
[296] Cf. *Act* 9, 13; *1 Cor* 6, 1; 16, 1.
[297] Concilium Vaticanum II, Const. *Sacrosanctum Concilium*, 10: AAS 56 (1964) 102.
[298] Concilium Vaticanum II, Decr. *Unitatis redintegratio*, 3: AAS 57 (1965) 94.
[299] Concilium Vaticanum II, Const. dogm. *Lumen gentium*, 48: AAS 57 (1965) 53.
[300] Concilium Vaticanum II, Const. dogm. *Lumen gentium*, 48: AAS 57 (1965) 53.
[301] Concilium Vaticanum II, Const. dogm. *Lumen gentium*, 11: AAS 57 (1965) 16.

1827
2658

826 *Caritas* anima est sanctitatis ad quam omnes appellantur: illa « omnia sanctificationis media regit, informat ad finemque perducit »:[302]

864

« Intellexi Ecclesiae, si ipsa corpus variis compactum membris habeat, membrum maxime et omnium nobilissimum deesse non posse; intellexi Ecclesiam Cor habere et huiusmodi Cor esse Amore incensum. Intellexi unum Amorem facere ut membra Ecclesiae agant, et si Amor extingueretur, Apostolos Evangelium non amplius esse annuntiaturos, Martyres recusaturos esse sanguinem effundere suum... Intellexi *Amorem* omnes in se concludere Vocationes, Amorem omnia esse, eundemque universa tempora et loca comprehendere... uno verbo amorem Aeternum esse ».[303]

1425-1429

827 « Dum vero Christus, "sanctus, innocens, impollutus", peccatum non novit, sed sola delicta populi repropitiare venit, Ecclesia in proprio sinu peccatores complectens, sancta simul et semper purificanda, paeni-

821

tentiam et renovationem continuo prosequitur ».[304] Omnia Ecclesiae membra, eius ministris inclusis, se peccatores agnoscere debent.[305] In omnibus zizania peccati bono Evangelii semini usque ad finem temporum adhuc miscentur.[306] Ecclesia igitur peccatores congregat Christi salute captos, sed adhuc in sanctificationis via:

Ecclesia « est igitur sancta, licet in sinu suo peccatores complectatur; nam ipsa non alia fruitur vita, quam vita gratiae; hac profecto si aluntur, membra illius sanctificantur, si ab eadem se removent, peccata sordesque animae contrahunt, quae obstant, ne sanctitas eius radians diffundatur. Quare affligitur et paenitentiam agit pro noxis illis, potestatem habens ex his sanguine Christi et dono Spiritus Sancti filios suos liberandi ».[307]

1173

828 Ecclesia, quosdam *canonizans* fideles, id est sollemniter proclamans hos fideles heroice virtutes exercuisse et in fidelitate gratiae Dei duxisse vitam, potentiam agnoscit Spiritus sanctitatis qui est in ea, et spem sustinet fidelium his illos praebens tamquam exemplaria et inter-

---

[302] Concilium Vaticanum II, Const. dogm. *Lumen gentium*, 42: AAS 57 (1965) 48.

[303] Sancta Theresia a Iesu Infante, *Manuscrit B*, 3v: *Manuscrits autobiographiques* (Paris 1992) p. 299.

[304] Concilium Vaticanum II, Const. dogm. *Lumen gentium*, 8: AAS 57 (1965) 12; cf. Id., Decr. *Unitatis redintegratio*, 3: AAS 57 (1965) 92-94; *Ibid.*, 6: AAS 57 (1965) 96-97.

[305] Cf. *1 Io* 1, 8-10.

[306] Cf. *Mt* 13, 24-30.

[307] Paulus VI, *Sollemnis Professio fidei*, 19: AAS 60 (1968) 440.

cessores.[308] « In circumstantiis difficillimis per totam historiam Ecclesiae, semper sancti et sanctae fuerunt fons et origo renovationis ».[309] « Sanctitas Ecclesiae est profecto secretus fons et mensura infallibilis eius operositatis apostolicae et impetus missionarii ».[310]

2045

829   « Dum autem Ecclesia in beatissima Virgine ad perfectionem iam pertingit, qua sine macula et ruga exsistit, christifideles adhuc nituntur, ut devincentes peccatum in sanctitate crescant; ideoque oculos suos ad Mariam attollunt »:[311] in ea, Ecclesia est iam plene sancta.

1172

972

III. Ecclesia est catholica

Quid « catholica » significet?

830   Verbum « catholica » significat « universalis » sive « secundum totalitatem » sive « secundum integritatem ». Ecclesia est catholica duplici sensu:

Est catholica quia in ea Christus est praesens. « Ubi fuerit Christus Iesus, ibi catholica est Ecclesia ».[312] In ea Christi corporis, eius Capiti uniti, subsistit plenitudo,[313] id quod implicat eam ex Illo recipere « plenitudinem mediorum salutis »[314] ab Ipso volitorum: rectae et completae fidei confessionem, vitam sacramentalem integram atque ordinatum in successione apostolica ministerium. Hoc sensu fundamentali, Ecclesia die Pentecostes erat catholica,[315] et ipsa id semper erit usque ad diem Parusiae.

795

815-816

831   Ea est catholica quia a Christo ad genus humanum mittitur universum:[316]

849

« Ad novum populum Dei cuncti vocantur homines. Quapropter hic populus, unus et unicus manens, ad universum mundum et per omnia saecula est dilatandus, ut propositum adimpleatur voluntatis Dei, qui natu-

---

[308] Cf. Concilium Vaticanum II, Const. dogm. *Lumen gentium*, 40: AAS 57 (1965) 44-45; *Ibid.*, 48-51: AAS 57 (1965) 53-58.

[309] Ioannes Paulus II, Adh. ap. *Christifideles laici*, 16: AAS 81 (1989) 417.

[310] Ioannes Paulus II, Adh. ap. *Christifideles laici*, 17: AAS 81 (1989) 419-420.

[311] Concilium Vaticanum II, Const. dogm. *Lumen gentium*, 65: AAS 57 (1965) 64.

[312] Sanctus Ignatius Antiochenus, *Epistula ad Smyrnaeos* 8, 2: SC 10bis, p. 138 (Funk 1, 282).

[313] Cf. *Eph* 1, 22-23.

[314] Concilium Vaticanum II, Decr. *Ad gentes*, 6: AAS 58 (1966) 953.

[315] Cf. Concilium Vaticanum II, Decr. *Ad gentes*, 4: AAS 58 (1966) 950-951.

[316] Cf. *Mt* 28, 19.

360   ram humanam in initio condidit unam, filiosque Suos, qui erant disper-
       si, in unum tandem congregare statuit. [...] Hic universalitatis character,
       qui populum Dei condecorat, Ipsius Domini donum est, quo catholica
518   Ecclesia efficaciter et perpetuo tendit ad recapitulandam totam humani-
       tatem cum omnibus bonis eius, sub Capite Christo, in unitate Spiritus
       Eius ».³¹⁷

UNAQUAEQUE PARTICULARIS ECCLESIA EST « CATHOLICA »

814   832 « Christi Ecclesia vere adest in omnibus legitimis fidelium congre-
       gationibus localibus, quae, Pastoribus suis adhaerentes, et ipsae in No-
       vo Testamento Ecclesiae vocantur. [...] In eis praedicatione Evangelii
       Christi congregantur fideles et celebratur mysterium Coenae Domini [...].
       In his communitatibus, licet saepe exiguis et pauperibus, vel in disper-
811   sione degentibus, praesens est Christus, cuius virtute consociatur una,
       sancta, catholica et apostolica Ecclesia ».³¹⁸

       833 Nomine Ecclesiae particularis, quae in primis dioecesis est (vel
       eparchia), communitas quaedam intelligitur fidelium in communione fi-
       dei et sacramentorum cum eorum Episcopo in successione apostolica
886   ordinato.³¹⁹ Hae Ecclesiae particulares « ad imaginem Ecclesiae universa-
       lis » sunt formatae, « in quibus et ex quibus una et unica Ecclesia
       catholica exsistit ».³²⁰

       834 Ecclesiae particulares plene sunt catholicae per communionem
882, 1369   cum una ex ipsis: cum Ecclesia Romana, quae « caritati praesidens » ³²¹
       est. « Ad hanc enim Ecclesiam propter potentiorem principalitatem ne-
       cesse est omnem convenire Ecclesiam, hoc est eos qui sunt undique fi-
       deles ».³²² « Ab initio enim quando ad nos Dei Verbum assumpta carne
       descendit, unicam firmam basim et fundamentum omnes ubique
       christianorum Ecclesiae, quae ibi [Romae] est, maximam nacti sunt

---

³¹⁷ CONCILIUM VATICANUM II, Const. dogm. *Lumen gentium*, 13: AAS 57 (1965) 17.
³¹⁸ CONCILIUM VATICANUM II, Const. dogm. *Lumen gentium*, 26: AAS 57 (1965) 31.
³¹⁹ Cf. CONCILIUM VATICANUM II, Decr. *Christus Dominus*, 11: AAS 58 (1966) 677;
    CIC canones 368-369; CCEO canones 177, § 1. 178. 311, § 1. 312.
³²⁰ CONCILIUM VATICANUM II, Const. dogm. *Lumen gentium*, 23: AAS 57 (1965) 27.
³²¹ SANCTUS IGNATIUS ANTIOCHENUS, *Epistula ad Romanos*, Inscr.: SC 10bis, p. 106
    (FUNK 1, 252).
³²² SANCTUS IRENAEUS LUGDUNENSIS, *Adversus haereses* 3, 3, 2: SC 211, 32 (PG 7, 849);
    cf. CONCILIUM VATICANUM I, Const. dogm. *Pastor aeternus*, c. 2: DS 3057.

habentque Ecclesiam: ut in quam, iuxta ipsam Salvatoris promissionem, portae inferi haudquaquam praevaluerint ».[323]

835 « Caveamus autem, ne Ecclesiam universalem cogitemus quamdam esse summam vel, si dicere licet, foederatam consociationem [...] Ecclesiarum particularium [...]. Ecclesia ipsa, vocatione et missione universali, cum radices mittit in varias conditiones, ad civilem, socialem et humanum ordinem spectantes, in quavis orbis terrae parte exteriores facies ac lineamenta diversa induit ».[324] Dives disciplinarum ecclesiasticarum, liturgicorum rituum, patrimoniorum theologicorum et spiritualium Ecclesiis localibus propriorum « in unum conspirans varietas indivisae Ecclesiae catholicitatem luculentius demonstrat ».[325]

1202

Quis ad Ecclesiam pertinet catholicam?

836 « Ad [...] catholicam populi Dei unitatem [...] omnes vocantur homines, ad eamque variis modis pertinent vel ordinantur sive fideles catholici, sive alii credentes in Christo, sive denique omnes universaliter homines, gratia Dei ad salutem vocati ».[326]

831

837 « Illi plene Ecclesiae societati incorporantur, qui Spiritum Christi habentes, integram eius ordinationem omniaque media salutis in ea instituta accipiunt, et in eiusdem compage visibili cum Christo, eam per Summum Pontificem atque Episcopos regente, iunguntur, vinculis nempe Professionis fidei, sacramentorum et ecclesiastici regiminis ac communionis. Non salvatur tamen, licet Ecclesiae incorporetur, qui in caritate non perseverans, in Ecclesiae sinu "corpore" quidem, sed non "corde" remanet ».[327]

771

882

815

838 « Cum illis qui, baptizati, christiano nomine decorantur, integram autem fidem non profitentur vel unitatem communionis sub Successore Petri non servant, Ecclesia semetipsam novit pluies ob rationes coniunctam ».[328] « Hi enim qui in Christum credunt et Baptismum rite receperunt, in quadam cum Ecclesia catholica communione, etsi non perfecta constituuntur ».[329] *Cum Ecclesiis orthodoxis* haec communio tam pro-

818

1271

---

[323] Sanctus Maximus Confessor, *Opuscula theologica et polemica*: PG 91, 137-140.
[324] Paulus VI, Adh. ap. *Evangelii nuntiandi*, 62: AAS 68 (1976) 52.
[325] Concilium Vaticanum II, Const. dogm. *Lumen gentium*, 23: AAS 57 (1965) 29.
[326] Concilium Vaticanum II, Const. dogm. *Lumen gentium*, 13: AAS 57 (1965) 18.
[327] Concilium Vaticanum II, Const. dogm. *Lumen gentium*, 14: AAS 57 (1965) 18-19.
[328] Concilium Vaticanum II, Const. dogm. *Lumen gentium*, 15: AAS 57 (1965) 19.
[329] Concilium Vaticanum II, Decr. *Unitatis redintegratio*, 3: AAS 57 (1965) 93.

funda est « ut paululum ei desit ad plenitudinem assequendam quae
1399 permittat communem celebrationem Eucharistiae Domini ».³³⁰

ECCLESIA ET NON-CHRISTIANI

856 839 « [...] qui Evangelium nondum acceperunt, ad populum Dei diversis rationibus ordinantur ».³³¹

Relatio Ecclesiae cum populo Iudaico. Ecclesia, populus Dei in Novo Foedere, suum proprium scrutans mysterium, vinculum suum cum
63 populo detegit Iudaico,³³² ad quem « prius locutus est Dominus Deus noster ».³³³ Aliter ac apud alias religiones non christianas, fides Iudaica
147 revelationi Dei in Vetere Foedere est iam responsum. Huius populi Iudaici « adoptio est filiorum et gloria et testamenta et legislatio et cultus et promissiones, [...] [eius] sunt patres, et [...] [ex eo] Christus secundum carnem » (*Rom* 9, 4-5), « sine paenitentia enim sunt dona et vocatio Dei » (*Rom* 11, 29).

674 840 Ceterum, si futurum consideretur, populus Dei Veteris Foederis et novus populus Dei ad scopos tendunt analogos: exspectationem Adventus (vel reditus) Messiae. Sed, ex alia parte, est exspectatio reditus Messiae, mortui et resuscitati, tamquam Domini et Filii Dei agniti; ex alia vero parte, exspectatio Adventus, in fine temporum, Messiae, cuius lineamenta velata permanent, exspectatio
597 quam tragoedia ignorantiae vel inscientiae comitatur Christi Iesu.

841 *Relationes Ecclesiae cum musulmanis.* « Propositum salutis et eos amplectitur, qui Creatorem agnoscunt, inter quos imprimis musulmanos, qui fidem Abrahae se tenere profitentes, nobiscum Deum adorant unicum, misericordem, homines die novissimo iudicaturum ».³³⁴

842 *Ecclesiae vinculum cum religionibus non christianis* imprimis illud est
360 originis et finis generi humano communium:

« Una enim communitas sunt omnes gentes, unam habent originem, cum Deus omne genus hominum inhabitare fecerit super universam fa-

---

³³⁰ PAULUS VI, *Allocutio in Aede Sixtina, decem exactis annis a sublatis mutuis excommunicationibus inter Romanam et Constantinopolitanam Ecclesias* (14 decembris 1975): AAS 68 (1976) 121; cf. CONCILIUM VATICANUM II, Decr. *Unitatis redintegratio*, 13-18: AAS 57 (1965) 100-104.
³³¹ CONCILIUM VATICANUM II, Const. dogm. *Lumen gentium*, 16: AAS 57 (1965) 20.
³³² Cf. CONCILIUM VATICANUM II, Decl. *Nostra aetate*, 4: AAS 58 (1966) 742-743.
³³³ *Feria VI in passione Domini, Celebratio passionis Domini, Oratio universalis VI: Missale Romanum*, editio typica (Typis Polyglottis Vaticanis 1970) p. 254.
³³⁴ CONCILIUM VATICANUM II, Const. dogm. *Lumen gentium*, 16: AAS 57 (1965) 20; cf. ID., Decl. *Nostra aetate*, 3: AAS 58 (1966) 741-742.

ciem terrae, unum etiam habent finem ultimum, Deum, cuius providentia ac bonitatis testimonium et consilia salutis ad omnes se extendunt, donec uniantur electi in Civitate sancta ».[335]

843 Ecclesia in aliis religionibus « in umbris et imaginibus » inquisitionem agnoscit Dei ignoti, sed proximi, quia Ipse omnibus vitam, spiritum et omnia praebet et quia Ipse vult omnes homines salvos fieri. Sic Ecclesia quidquid bonum et verum in religionibus inveniri potest, tamquam praeparationem evangelicam considerat « et ab Illo datum qui illuminat omnem hominem, ut tandem vitam habeat ».[336]

28

856

844 Homines tamen in suo religiose procedendi modo etiam limites manifestant et errores qui in eis imaginem deturpant Dei:

29

« At saepius homines, a Maligno decepti, evanuerunt in cogitationibus suis, et commutaverunt veritatem Dei in mendacium, servientes creaturae magis quam Creatori vel sine Deo viventes ac morientes in hoc mundo, extremae desperationi exponuntur ».[337]

845 Pater, ut omnes filios Suos quos peccatum dispersit et avertit, iterum congregaret, totam humanitatem in Ecclesiam Filii Sui convocare voluit. Ecclesia est locus in quo humanitas suam unitatem suamque salutem recuperare debet. Ipsa est « mundus reconciliatus ».[338] Ipsa haec navis est « quae pleno dominicae crucis velo Sancti Spiritus flatu in hoc bene navigat mundo »[339] secundum aliam imaginem Patribus Ecclesiae acceptam, ipsa ab Arca Noe figuratur quae sola salvat de diluvio.[340]

30

953

1219

« Extra Ecclesiam nulla salus »

846 Quomodo haec assertio saepe a Patribus Ecclesiae repetita est intelligenda? Modo positivo formulata, significat omnem salutem a Christo-Capite per Ecclesiam procedere quae corpus est Eius:

Sancta Synodus « docet [...], sacra Scriptura et Traditione innixa, Ecclesiam hanc peregrinantem necessariam esse ad salutem. Unus enim

---

[335] Concilium Vaticanum II, Decl. *Nostra aetate*, 1: AAS 58 (1966) 740.
[336] Concilium Vaticanum II, Const. dogm. *Lumen gentium*, 16: AAS 57 (1965) 20; cf. Id., Decl. *Nostra aetate*, 2: AAS 58 (1966) 740-741; Paulus VI, Adh. ap. *Evangelii nuntiandi*, 53: AAS 68 (1976) 41.
[337] Concilium Vaticanum II, Const. dogm. *Lumen gentium*, 16: AAS 57 (1965) 20.
[338] Cf. Sanctus Augustinus, *Sermo* 96, 7, 9: PL 38, 588.
[339] Sanctus Ambrosius, *De virginitate* 18, 119: *Sancti Ambrosii Episcopi Mediolanensis opera*, v. 14/2 (Milano-Roma 1989) p. 96 (PL 16, 297).
[340] Cf. iam *1 Pe* 3, 20-21.

Christus est mediator ac via salutis, qui in corpore Suo, quod est Ecclesia, praesens nobis fit; Ipse autem necessitatem fidei et Baptismi
161, 1257   expressis verbis inculcando, necessitatem Ecclesiae, in quam homines per Baptismum tamquam per ianuam intrant, simul confirmavit. Quare illi homines salvari non possent, qui Ecclesiam Catholicam a Deo per Iesum Christum ut necessariam esse conditam non ignorantes, tamen vel in eam intrare, vel in eadem perseverare noluerint ».[341]

847   Haec affirmatio ad illos non refertur qui sine culpa sua Christum Eiusque ignorant Ecclesiam:

« Qui enim Evangelium Christi Eiusque Ecclesiam sine culpa ignorantes, Deum tamen sincero corde quaerunt, Eiusque voluntatem per conscientiae dictamen agnitam operibus adimplere, sub gratiae influxu, conantur, aeternam salutem consequi possunt ».[342]

1260   848   « Etsi ergo Deus viis Sibi notis homines Evangelium sine eorum culpa ignorantes ad fidem adducere possit, sine qua impossibile est Ipsi placere,[343] Ecclesiae tamen necessitas incumbit, simulque ius sacrum, evangelizandi »[344] omnes homines.

Missio – exigentia catholicitatis Ecclesiae

738, 767   849   *Missionale mandatum.* « Ad gentes divinitus missa ut sit "universale salutis sacramentum" Ecclesia ex intimis propriae catholicitatis exigentiis, mandato sui Fundatoris oboediens, Evangelium omnibus hominibus nuntiare contendit »:[345] « Euntes ergo docete omnes gentes, baptizantes eos in nomine Patris et Filii et Spiritus Sancti, docentes eos servare omnia, quaecumque mandavi vobis. Et ecce ego vobiscum sum omnibus diebus usque ad consummationem saeculi » (*Mt* 28, 19-20).

850   *Missionis origo et scopus.* Mandatum Domini missionale fontem
257   suum habet ultimum in amore aeterno Sanctissimae Trinitatis: « Ecclesia peregrinans natura sua missionaria est, cum ipsa ex missione Filii
730   missioneque Spiritus Sancti originem ducat secundum propositum Dei

---

[341] Concilium Vaticanum II, Const. dogm. *Lumen gentium*, 14: AAS 57 (1965) 18.
[342] Concilium Vaticanum II, Const. dogm. *Lumen gentium*, 16: AAS 57 (1965) 20; cf. Sanctum Officium, *Epistula ad Archiepiscopum Bostoniensem* (8 augusti 1949): DS 3866-3872.
[343] Cf. *Heb* 11, 6.
[344] Concilium Vaticanum II, Decr. *Ad gentes*, 7: AAS 58 (1966) 955.
[345] Concilium Vaticanum II, Decr. *Ad gentes*, 1: AAS 58 (1966) 947.

Patris ».[346] Ultimus missionis scopus alius non est quam homines efficere participes communionis exsistentis inter Patrem et Filium in Ipsorum amoris Spiritu.[347]

851 *Missionis motivum*. Ex Dei erga omnes homines *amore* hausit semper Ecclesia obligationem et vim sui impulsus missionalis: « Caritas enim Christi urget nos... » (*2 Cor* 5, 14).[348] Revera, Deus « omnes homines vult salvos fieri et ad agnitionem veritatis venire » (*1 Tim* 2, 4). Deus vult omnium salutem per *veritatis* agnitionem. Salus in veritate invenitur. Qui motioni Spiritus veritatis oboediunt, sunt iam in salutis via; sed Ecclesia, cui haec veritas concredita est, eorum optato debet occurrere ut eisdem eam afferat. Quia ipsa consilium salutis credit universale, missionaria esse debet.

221, 429
74, 217,
2104

890

852 *Missionis viae*. « Spiritus [...] Sanctus primas partes agens est totius missionis ecclesialis ».[349] Ipse Ecclesiam conducit in missionis viis. Eadem continuat et per historiam explicat missionem Ipsius Christi, qui evangelizare pauperibus missus est; « eadem via, instigante Spiritu Christi, Ecclesia procedere debet ac Ipse Christus processit, via nempe paupertatis, oboedientiae, servitii et Sui Ipsius immolationis usque ad mortem, ex qua per Resurrectionem Suam victor processit ».[350] Hoc modo, « semen est sanguis christianorum ».[351]

2044

2473

853 At Ecclesia in sua peregrinatione etiam experitur « quantum inter se distent nuntius a se prolatus et humana debilitas eorum quibus Evangelium concreditur ».[352] Populus Dei, nonnisi « paenitentiam et renovationem » prosequens [353] et « per angustam viam crucis procedens »,[354] Regnum Christi extendere valet.[355] « Sicut autem Christus opus Redemptionis in paupertate et persecutione perfe-

1428

2443

---

[346] Concilium Vaticanum II, Decr. *Ad gentes*, 2: AAS 58 (1966) 948.

[347] Cf. Ioannes Paulus II, Litt. enc. *Redemptoris missio*, 23: AAS 83 (1991) 269-270.

[348] Cf. Concilium Vaticanum II, Decr. *Apostolicam actuositatem*, 6: AAS 58 (1966) 842-843; Ioannes Paulus II, Litt. enc. *Redemptoris missio*, 11: AAS 83 (1991) 259-260.

[349] Ioannes Paulus II, Litt. enc. *Redemptoris missio*, 21: AAS 83 (1991) 268.

[350] Concilium Vaticanum II, Decr. *Ad gentes*, 5: AAS 58 (1966) 952.

[351] Tertullianus, *Apologeticum*, 50, 13: CCL 1, 171 (PL 1, 603).

[352] Concilium Vaticanum II, Const. past. *Gaudium et spes*, 43: AAS 58 (1966) 1064.

[353] Concilium Vaticanum II, Const. dogm. *Lumen gentium*, 8: AAS 57 (1965) 12; cf. *Ibid.*, 15: AAS 57 (1965) 20.

[354] Concilium Vaticanum II, Decr. *Ad gentes*, 1: AAS 58 (1966) 947.

[355] Cf. Ioannes Paulus II, Litt. enc. *Redemptoris missio*, 12-20: AAS 83 (1991) 260-268.

cit, ita Ecclesia ad eamdem viam ingrediendam vocatur, ut fructus salutis hominibus communicet ».[356]

854 Ecclesia, per suam ipsam missionem, « una cum tota humanitate incedit eamdemque cum mundo sortem terrenam experitur, ac tamquam fermentum et veluti anima societatis humanae in Christo renovandae et in familiam Dei transformandae exsistit ».[357] Missionalis igitur nisus *patientiam* exigit. Is per annuntiationem Evangelii incipit ad populos et ad coetus qui nondum in Christum credunt;[358] prosequitur christianas stabiliens communitates quae signa sint praesentiae Dei in mundo,[359] et locales fundans Ecclesias;[360] processum aggreditur inculturationis ad Evangelium in populorum culturis incarnandum;[361] non illi deerit ut etiam contrarium experiatur exitum. « Quod autem ad homines coetus et populos attinet, eos gradatim tantum tangit ac penetrat, et sic eos in catholicam plenitudinem assumit ».[362]

855 Ecclesiae missio nisum postulat *in christianorum unitatem.*[363] Etenim « divisiones christianorum impedimento Ecclesiae sunt quominus ipsa ad effectum deducat plenitudinem catholicitatis sibi propriam in iis filiis, qui sibi quidem Baptismate appositi, sed a sua plena communione seiuncti sunt. Immo et pro ipsa Ecclesia difficilius fit plenitudinem catholicitatis sub omni respectu in ipsa vitae realitate exprimere ».[364]

856 Missionale opus *dialogum observantia plenum* implicat cum illis qui nondum Evangelium acceptant.[365] Credentes pro se ipsis ex hoc dialogo profectum possunt obtinere, melius cognoscere discentes « quidquid [...] veritatis et gratiae iam apud gentes quasi secreta Dei praesentia inveniebatur ».[366] Ipsi Bonum Nuntium illis qui eum ignorant, annuntiant ut consolident, compleant et elevent veritatem et bonum quae Deus inter homines et populos diffudit, atque ut eos ab errore purificent et malo « ad gloriam Dei, confusionem Daemonis et beatitudinem hominis ».[367]

Marginal refs: 2105, 204, 821, 839, 843

[356] Concilium Vaticanum II, Const. dogm. *Lumen gentium*, 8: AAS 57 (1965) 12.
[357] Concilium Vaticanum II, Const. past. *Gaudium et spes*, 40: AAS 58 (1966) 1058.
[358] Cf. Ioannes Paulus II, Litt. enc. *Redemptoris missio*, 42-47: AAS 83 (1991) 289-295.
[359] Cf. Concilium Vaticanum II, Decr. *Ad gentes*, 15: AAS 58 (1966) 964.
[360] Cf. Ioannes Paulus II, Litt. enc. *Redemptoris missio*, 48-49: AAS 83 (1991) 295-297.
[361] Cf. Ioannes Paulus II, Litt. enc. *Redemptoris missio*, 52-54: AAS 83 (1991) 299-302.
[362] Concilium Vaticanum II, Decr. *Ad gentes*, 6: AAS 58 (1966) 953.
[363] Cf. Ioannes Paulus II, Litt. enc. *Redemptoris missio*, 50: AAS 83 (1991) 297-298.
[364] Concilium Vaticanum II, Decr. *Unitatis redintegratio*, 4: AAS 57 (1965) 96.
[365] Cf. Ioannes Paulus II, Litt. enc. *Redemptoris missio*, 55: AAS 83 (1991) 302-304.
[366] Concilium Vaticanum II, Decr. *Ad gentes*, 9: AAS 58 (1966) 958.
[367] Concilium Vaticanum II, Decr. *Ad gentes*, 9: AAS 58 (1966) 958.

IV. Ecclesia est apostolica

857 Ecclesia est apostolica quia est super Apostolos fundata, et qui- 75
dem triplici sensu:

— ipsa fuit et permanet aedificata « super fundamentum Apostolorum » (*Eph* 2, 20 [368]), testium ab Ipso Christo electorum et mis-
sorum; [369]

— ipsa, adiutorio Spiritus habitantis in ea, doctrinam,[370] bonum de- 171
positum, sana verba ab Apostolis audita [371] custodit et transmittit;

— ipsa doceri, sanctificari et dirigi pergit ab Apostolis usque ad
Christi reditum ope eorum qui illos in eorum munere pastorali 880, 1575
succedunt: ope collegii Episcoporum, « cui assistunt presbyteri, una
cum Successore Petri Ecclesiaeque Summo Pastore ».[372]

« Qui gregem Tuum, Pastor aeterne, non deseris, sed per beatos Apostolos
continua protectione custodis, ut iisdem rectoribus gubernetur, quos Filii
Tui vicarios eidem contulisti praeesse Pastores ».[373]

Apostolorum missio

858 Iesus est Patris Missus. Inde ab initio Sui ministerii « vocat ad Se, 551
quos voluit Ipse [...]. Et fecit Duodecim, ut essent cum Illo, et ut mitte-
ret eos praedicare » (*Mc* 3, 13-14). Exinde ii erunt Eius « missi »
(verbum graecum ἀπόστολοι hoc significat). Ipse in eis Suam propriam
prosequitur missionem: « Sicut misit me Pater, et ego mitto vos » (*Io* 425, 1086
20, 21).[374] Eorum ministerium est ergo missionis Eius continuatio: « Qui
recipit vos, me recipit », dicit Ipse Duodecim (*Mt* 10, 40).[375]

859 Iesus eos missioni Suae coniungit a Patre receptae: sicut « non po-
test Filius a Se facere quidquam » (*Io* 5, 19. 30), sed omnia recipit a
Patre qui Illum misit, sic ii quos Iesus mittit, nihil possunt facere sine
Illo [376] a quo missionis mandatum et potestatem illam adimplendi reci-

[368] Cf. *Apc* 21, 14.
[369] Cf. *Mt* 28, 16-20; *Act* 1, 8; *1 Cor* 9, 1; 15, 7-8; *Gal* 1, 1; etc.
[370] Cf. *Act* 2, 42.
[371] Cf. *2 Tim* 1, 13-14.
[372] Concilium Vaticanum II, Decr. *Ad gentes*, 5: AAS 58 (1966) 952.
[373] *Praefatio de Apostolis I: Missale Romanum*, editio typica (Typis Polyglottis Vaticanis 1970) p. 426.
[374] Cf. *Io* 13, 20; 17, 18.
[375] Cf. *Lc* 10, 16.
[376] Cf. *Io* 15, 5.

876 piunt. Christi igitur Apostoli sciunt se a Deo factos esse idoneos « ministros Novi Testamenti » (*2 Cor* 3, 6), « Dei ministros » (*2 Cor* 6, 4), « pro Christo [...] legatione » fungentes (*2 Cor* 5, 20), « ministros Christi et dispensatores mysteriorum Dei » (*1 Cor* 4, 1).

642
765
1536 860   In Apostolorum munere, quaedam habetur ratio quae transmitti non potest: esse scilicet resurrectionis Domini testes electos atque Ecclesiae fundamenta. Sed alia etiam permanens habetur ratio eorum muneris. Christus eis promisit Se cum illis usque ad finem temporum esse permansurum.[377] « Missio illa divina, a Christo Apostolis concredita, ad finem saeculi erit duratura, cum Evangelium, ab eis tradendum, sit in omne tempus pro Ecclesia totius vitae principium. Quapropter Apostoli [...] de instituendis successoribus curam egerunt ».[378]

EPISCOPI APOSTOLORUM SUCCESSORES

77
1087 861   Apostoli « ut missio ipsis concredita post eorum mortem continuaretur, cooperatoribus suis immediatis, quasi per modum testamenti, demandaverunt munus perficiendi et confirmandi opus ab ipsis inceptum, commendantes illis ut attenderent universo gregi, in quo Spiritus Sanctus eos posuit pascere Ecclesiam Dei. Constituerunt itaque huiusmodi viros ac deinceps ordinationem dederunt, ut cum decessissent, ministerium eorum alii viri probati exciperent ».[379]

880
1556 862   « Sicut autem permanet munus a Domino singulariter Petro, primo Apostolorum, concessum et successoribus eius transmittendum, ita permanet munus Apostolorum pascendi Ecclesiam, ab ordine sacrato Episcoporum iugiter exercendum ». Propterea docet Ecclesia « Episcopos ex divina institutione in locum Apostolorum successisse, tamquam Ecclesiae Pastores, quos qui audit, Christum audit, qui vero spernit, Christum spernit et Eum qui Christum misit ».[380]

APOSTOLATUS

900 863   Tota Ecclesia est apostolica quatenus, per successores Petri et Apostolorum, in fidei et vitae communione cum origine permanet sua.

---

[377] Cf. *Mt* 28, 20.
[378] CONCILIUM VATICANUM II, Const. dogm. *Lumen gentium*, 20: AAS 57 (1965) 23.
[379] CONCILIUM VATICANUM II, Const. dogm. *Lumen gentium*, 20: AAS 57 (1965) 23; cf. SANCTUS CLEMENS ROMANUS, *Epistula ad Corinthios*, 42, 4: SC 167, 168-170 (FUNK, 1, 152); *Ibid.*, 44, 2: SC 167, 172 (FUNK, 1, 154-156).
[380] CONCILIUM VATICANUM II, Const. dogm. *Lumen gentium*, 20: AAS 57 (1965) 24.

Tota Ecclesia est apostolica quatenus in mundum « mittitur » universum; omnia Ecclesiae membra, licet modis diversis, hanc participant missionem. « Vocatio enim christiana, natura sua, vocatio quoque est ad apostolatum ». « Apostolatus » appellatur « omnis navitas corporis mystici » ad « Regnum Christi ubique terrarum » dilatandum.[381]

2472

864 « Cum Christus missus a Patre totius apostolatus Ecclesiae fons et origo sit, patet fecunditatem apostolatus » tam ministrorum ordinatorum quam laicorum « pendere ex ipsorum cum Christo vitali unione ».[382] Apostolatus, secundum vocationes, temporis postulationes, diversa Spiritus Sancti dona, formas maxime diversas sumit. Sed caritas, hausta praesertim ex Eucharistia, semper « veluti anima est totius apostolatus ».[383]

828

824

1324

865 Ecclesia est *una, sancta, catholica et apostolica* in sua profunda et ultima identitate, quia in ea iam exsistit et in fine temporum adimplebitur « Regnum caelorum », « Regnum Dei »,[384] quod in Persona Christi advenit et in corde eorum qui Ei sunt incorporati, modo crescit arcano usque ad suam plenam eschatologicam manifestationem. Tunc *omnes* homines ab Eo redempti, in Eo effecti « sancti et immaculati in conspectu Dei in caritate »,[385] congregabuntur tamquam *unicus* populus Dei, « Sponsa Agni »,[386] « Civitas sancta descendens de caelo a Deo, habens claritatem Dei »;[387] « et murus civitatis habens fundamenta duodecim, et super ipsis duodecim nomina *duodecim Apostolorum Agni* » (*Apc* 21, 14).

811

541

Compendium

866 *Ecclesia est* una: *ipsa unum habet Dominum, unam profitetur fidem, ex uno nascitur Baptismo, nonnisi unum efformat corpus, uno vivificatum Spiritu, in ordine ad unam spem,[388] in cuius impletione omnes superabuntur divisiones.*

867 *Ecclesia est* sancta: *Sanctissimus Deus eius est auctor; Christus eius Sponsus est, qui tradidit Semetipsum ut eam sanctificaret; Spiritus*

---

[381] Concilium Vaticanum II, Decr. *Apostolicam actuositatem*, 2: AAS 58 (1966) 838.
[382] Concilium Vaticanum II, Decr. *Apostolicam actuositatem*, 4: AAS 58 (1966) 840; cf. *Io* 15, 5.
[383] Concilium Vaticanum II, Decr. *Apostolicam actuositatem*, 3: AAS 58 (1966) 839.
[384] Cf. *Apc* 19, 6.
[385] Cf. *Eph* 1, 4.
[386] Cf. *Apc* 21, 9.
[387] Cf. *Apc* 21, 10-11.
[388] Cf. *Eph* 4, 3-5.

sanctitatis eam vivificat. Licet peccatores amplectatur, ipsa est sine peccato ex peccatoribus facta. *In sanctis sanctitas eius elucet; in Maria est ipsa iam plene sancta.*

868   *Ecclesia est* catholica: *ipsa totalitatem annuntiat fidei; in se fert et administrat mediorum salutis plenitudinem; ipsa mittitur ad omnes gentes; ad omnes homines se dirigit; omnia amplectitur tempora; ipsa « natura sua missionaria est ».*[389]

869   *Ecclesia est* apostolica: *ipsa est super fundamentis mansuris aedificata: duodecim Apostolos Agni;* [390] *ipsa est indestructibilis;* [391] *ipsa in veritate servatur infallibiliter; Christus eam per Petrum et alios gubernat Apostolos, praesentes in eorum successoribus, in Summo Pontifice et in Episcoporum collegio.*

870   *« Unica Christi Ecclesia, quam in Symbolo unam, sanctam, catholicam et apostolicam profitemur,* [...] *subsistit in Ecclesia catholica, a Successore Petri et Episcopis in eius communione gubernata, licet extra eius compaginem elementa plura sanctificationis et veritatis inveniantur ».*[392]

Paragraphus 4

CHRISTIFIDELES: HIERARCHIA, LAICI, VITA CONSECRATA

1268-1269   871   « Christifideles sunt qui, utpote per Baptismum Christo incorporati, in populum Dei sunt constituti, atque hac ratione muneris Christi sacerdotalis, prophetici et regalis suo modo participes facti, secundum
782-786   propriam cuiusque condicionem, ad missionem exercendam vocantur, quam Deus Ecclesiae in mundo adimplendam concredidit ».[393]

872   « Inter christifideles omnes, ex eorum quidem in Christo regeneratione, vera viget quoad dignitatem et actionem aequalitas, qua cuncti,
1934

---

[389] Concilium Vaticanum II, Decr. *Ad gentes*, 2: AAS 58 (1966) 948.
[390] Cf. *Apc* 21, 14.
[391] Cf. *Mt* 16, 18.
[392] Concilium Vaticanum II, Const. dogm. *Lumen gentium*, 8: AAS 57 (1965) 11-12.
[393] CIC canon 204, § 1; cf. Concilium Vaticanum II, Const. dogm. *Lumen gentium*, 31: AAS 57 (1965) 37-38.

secundum propriam cuiusque condicionem et munus, ad aedificationem corporis Christi cooperantur ».[394]

794

873 Differentiae ipsae quas Dominus inter corporis Sui membra ponere voluit, eius unitatem servant eiusque missionem. Quia « est in Ecclesia diversitas ministerii, sed unitas missionis. Apostolis eorumque successoribus a Christo collatum est munus in Ipsius nomine et potestate docendi, sanctificandi et regendi. At laici, muneris sacerdotalis, prophetici et regalis Christi participes effecti, suas partes in missione totius populi Dei explent in Ecclesia et in mundo ».[395] Tandem « ex utraque parte [ex hierarchia et ex laicis] habentur christifideles, qui professione consiliorum evangelicorum [...] suo peculiari modo Deo consecrantur et Ecclesiae missioni salvificae prosunt ».[396]

814, 1937

I. Hierarchica Ecclesiae constitutio

Cur ministerium ecclesiale?

874 Ipse Christus est ministerii fons in Ecclesia. Ipse illud instituit illique auctoritatem et missionem, directionem praebuit et finalitatem:

1544

> « Christus Dominus, ad populum Dei pascendum semperque augendum, in Ecclesia Sua varia ministeria instituit, quae ad bonum totius corporis tendunt. Ministri enim, qui sacra potestate pollent, fratribus suis inserviunt, ut omnes qui de populo Dei sunt [...] ad salutem perveniant ».[397]

875 « Quomodo credent ei, quem non audierunt? Quomodo autem audient sine praedicante? Quomodo vero praedicabunt nisi mittantur? » (*Rom* 10, 14-15). Nemo, nec individuum ullum neque ulla communitas, potest sibi ipsi Evangelium annuntiare: « Fides ex auditu » (*Rom* 10, 17). Nemo potest sibi ipsi mandatum dare et missionem Evangelium nuntiandi. Missus a Domino non auctoritate propria loquitur et agit, sed virtute auctoritatis Christi; non tamquam communitatis membrum, sed eidem nomine Christi loquens. Nemo potest sibi ipsi conferre gratiam, haec debet donari et offerri. Hoc supponit ministros gratiae, auctoritate et aptitudine a Christo ornatos. Ab Eo Episcopi et presbyteri missionem et facultatem (« sacram potestatem ») agendi *in persona Christi Capitis* accipiunt, diaconi vero vim populo Dei serviendi in « diaconia » liturgiae, verbi

166

1548

---

[394] CIC canon 208; cf. Concilium Vaticanum II, Const. dogm. *Lumen gentium*, 32: AAS 57 (1965) 38-39.
[395] Concilium Vaticanum II, Decr. *Apostolicam actuositatem*, 2: AAS 58 (1966) 838-839.
[396] CIC canon 207, § 2.
[397] Concilium Vaticanum II, Const. dogm. *Lumen gentium*, 18: AAS 57 (1965) 21-22.

et caritatis, in communione cum Episcopo eiusque presbyterio. Hoc ministerium, in quo missi a Christo e dono Dei faciunt et tribuunt quod ex se ipsis facere et tribuere non possunt, Ecclesiae traditio «sacramentum» appellat. Ministerium Ecclesiae per sacramentum proprium confertur.

1536

876   Intrinsece coniuncta naturae sacramentali ministerii ecclesialis est *eius indoles servitii.* Ministri etenim, prorsus dependentes a Christo qui missionem praebet et auctoritatem, vere sunt «servi Christi»[398] ad imaginem Christi qui libere propter nos «formam servi» (*Philp* 2, 7) accepit. Quia verbum et gratia quorum sunt ministri, eorum non sunt, sed Christi qui illa eis pro aliis concredidit, ipsi libere omnium fient servi.[399]

1551

427

877   Eodem modo, sacramentalis naturae ministerii ecclesialis est ut indolem collegialem habeat. Revera, Dominus Iesus, inde ab initio Sui ministerii, Duodecim instituit, «novi Israel germina simulque sacrae hierarchiae» originem.[400] Simul electi, etiam sunt simul missi, eorumque unitas fraterna in servitium erit fraternae communionis omnium fidelium; ea quasi reverberatio erit et testimonium communionis Personarum divinarum.[401] Hac de causa, quilibet Episcopus suum exercet ministerium in collegii episcopalis sinu, in communione cum Episcopo Romano, sancti Petri Successore et collegii capite; presbyteri ministerium exercent suum in presbyterii dioecesis sinu, sub Episcopi sui directione.

1559

878   Naturae denique sacramentalis est ministerii ecclesialis ut habeat *indolem personalem.* Si Christi ministri in communione agunt, etiam semper modo agunt personali. Unusquisque personaliter vocatur: «Tu me sequere» (*Io* 21, 22),[402] ut, in missione communi, testis sit personalis, responsabilitatem personaliter ferens coram Illo qui missionem praebet, «in Eius persona» et pro personis agens: «Ego te baptizo in nomine Patris...»; «Ego te absolvo...».

1484

879   Ministerium sacramentale in Ecclesia est igitur servitium in nomine Christi exercitum. Hoc indolem habet personalem et formam collegialem. Haec in vinculis efficitur inter collegium episcopale et eius caput, Successorem Petri, et in relatione inter responsabilitatem pastoralem Episcopi pro sua Ecclesia particulari et sollicitudinem collegii episcopalis communem pro Ecclesia universali.

---

[398] Cf. *Rom* 1, 1.
[399] Cf. *1 Cor* 9, 19.
[400] Concilium Vaticanum II, Decr. *Ad gentes*, 5: AAS 58 (1966) 951.
[401] Cf. *Io* 17, 21-23.
[402] Cf. *Mt* 4, 19. 21; *Io* 1, 43.

COLLEGIUM EPISCOPALE EIUSQUE CAPUT, ROMANUS PONTIFEX

880 Christus, Duodecim condens, « ad modum collegii seu coetus stabilis instituit, cui ex iisdem electum Petrum praefecit ».[403] « Sicut statuen-
te Domino, sanctus Petrus et ceteri Apostoli unum Collegium apostolicum constituunt, pari ratione Romanus Pontifex, Successor Petri et
Episcopi, successores Apostolorum, inter se coniunguntur ».[404]

552, 862

881 Dominus e solo Simone, cui nomen dedit Petri, petram fecit Ecclesiae Suae. Ei claves eius dedit;[405] eum pastorem totius gregis instituit.[406] « Illud autem ligandi ac solvendi munus, quod Petro datum est,
collegio quoque Apostolorum, suo capiti coniuncto, tributum esse constat ».[407] Hoc Petri et aliorum Apostolorum pastorale munus ad Ecclesiae pertinet fundamenta. Id ab Episcopis continuatur sub Romani Pontificis primatu.

553

642

882 *Summus Pontifex*, Romanus Episcopus et Successor sancti Petri,
« est unitatis, tum Episcoporum tum fidelium multitudinis, perpetuum
ac visibile principium et fundamentum ».[408] « Romanus enim Pontifex habet in Ecclesiam, vi muneris sui, Vicarii scilicet Christi et totius Ecclesiae Pastoris, plenam, supremam et universalem potestatem, quam semper libere exercere valet ».[409]

834
1369
837

883 « *Collegium* autem *seu corpus Episcoporum* auctoritatem non habet,
nisi simul cum Pontifice Romano, [...] ut capite eius intellegatur ». Hoc
collegium, qua tale, « subiectum quoque supremae ac plenae potestatis
in universam Ecclesiam exsistit, quae quidem potestas nonnisi consen-
tiente Romano Pontifice exerceri potest ».[410]

884 « Potestatem in universam Ecclesiam Collegium Episcoporum sollemni modo exercet in Concilio Oecumenico ».[411] « Concilium Oecumeni-

---

[403] CONCILIUM VATICANUM II, Const. dogm. *Lumen gentium*, 19: AAS 57 (1965) 22.
[404] CONCILIUM VATICANUM II, Const. dogm. *Lumen gentium*, 22: AAS 57 (1965) 25;
cf. CIC canon 330.
[405] Cf. *Mt* 16, 18-19.
[406] Cf. *Io* 21, 15-17.
[407] CONCILIUM VATICANUM II, Const. dogm. *Lumen gentium*, 22: AAS 57 (1965) 26.
[408] CONCILIUM VATICANUM II, Const. dogm. *Lumen gentium*, 23: AAS 57 (1965) 27.
[409] CONCILIUM VATICANUM II, Const. dogm. *Lumen gentium*, 22: AAS 57 (1965) 26;
cf. ID, Decr. *Christus Dominus*, 2: AAS 58 (1966) 673; *Ibid.*, 9: AAS 58 (1966) 676.
[410] CONCILIUM VATICANUM II, Const. dogm. *Lumen gentium*, 22: AAS 57 (1965) 26;
cf. CIC canon 336.
[411] CIC canon 337, § 1.

cum nunquam datur, quod a Successore Petri non sit ut tale confirmatum vel saltem receptum ».[412]

885 « Collegium hoc quatenus ex multis compositum, varietatem et universalitatem populi Dei, quatenus vero sub uno capite collectum unitatem gregis Christi exprimit ».[413]

1560
833
886 « *Episcopi* autem singuli visibile principium et fundamentum sunt unitatis in suis Ecclesiis particularibus ».[414] Qua tales « regimen suum pastorale super portionem populi Dei sibi commissam [...] exercent »,[415] cum presbyterorum et diaconorum assistentia. Sed, qua collegii episcopalis membra, singuli eorum pro omnibus Ecclesiis participant sollicitudinem,[416] quam exercent imprimis « bene regendo propriam Ecclesiam ut portionem Ecclesiae universalis », sic conferentes « ad bonum totius mystici corporis, quod est etiam corpus Ecclesiarum ».[417] Haec sollicitudo praesertim ad pauperes extendetur,[418] ad eos qui persecutionem propter fidem patiuntur, necnon ad missionarios qui in tota operantur terra.

2448

887 Ecclesiae particulares proximae et cultura praeditae homogenea provincias efformant ecclesiasticas vel ampliores circumscriptiones patriarchatus appellati vel regiones.[419] Harum circumscriptionum Episcopi in Synodis possunt congregari vel in provincialibus Conciliis. « Simili ratione Coetus Episcopales hodie multiplicem atque fecundam opem conferre possunt, ut collegialis affectus ad concretam applicationem perducatur ».[420]

85-87
2032-2040
Munus docendi

888 Episcopi, cum presbyteris, cooperatoribus suis, « primum habent officium Evangelium Dei omnibus evangelizandi »,[421] secundum Domini

---

[412] CONCILIUM VATICANUM II, Const. dogm. *Lumen gentium*, 22: AAS 57 (1965) 27.
[413] CONCILIUM VATICANUM II, Const. dogm. *Lumen gentium*, 22: AAS 57 (1965) 26.
[414] CONCILIUM VATICANUM II, Const. dogm *Lumen gentium*, 23: AAS 57 (1965) 27.
[415] CONCILIUM VATICANUM II, Const. dogm *Lumen gentium*, 23: AAS 57 (1965) 27.
[416] Cf. CONCILIUM VATICANUM II, Decr. *Christus Dominus*, 3: AAS 58 (1966) 674.
[417] CONCILIUM VATICANUM II, Const. dogm. *Lumen gentium*, 23: AAS 57 (1965) 28.
[418] Cf. *Gal* 2, 10.
[419] Cf. *Canones Apostolorum*, 34 [*Constitutiones apostolicae* 8, 47, 34]: SC 336, 284 (FUNK, *Didascalia et Constitutiones Apostolorum* 1, 572-574).
[420] CONCILIUM VATICANUM II, Const. dogm. *Lumen gentium*, 23: AAS 57 (1965) 29.
[421] CONCILIUM VATICANUM II, Decr. *Presbyterorum ordinis*, 4: AAS 58 (1966) 995.

mandatum.[422] Ipsi « sunt fidei praecones, qui novos discipulos ad Chris-   2068
tum adducunt, et doctores authentici » fidei apostolicae, « auctoritate
Christi praediti ».[423]

889   Christus, qui veritas est, ad Ecclesiam in puritate fidei ab Apostolis transmissae conservandam, voluit Ecclesiae Suae participationem in
Sua propria infallibilitate conferre. « Mediante supernaturali sensu   92
fidei », populus Dei « fidei indefectibiliter adhaeret », sub ductu vivi
Magisterii Ecclesiae.[424]

890   Missio Magisterii coniungitur cum indole definitiva Foederis a   851
Deo in Christo cum populo Suo instaurati; Ipse eum a deviationibus
protegere debet et defectibus, eique possibilitatem obiectivam tutari fidem authenticam sine errore profitendi. Sic Magisterii pastorale munus
ordinatur ad vigilandum ut populus Dei in veritate permaneat quae   1785
liberat. Ad hoc servitium adimplendum, Christus Pastores charismate
donavit infallibilitatis in rebus fidei et morum. Huius charismatis
exercitium diversas potest induere formas:

891   Hac « infallibilitate Romanus Pontifex, Collegii Episcoporum caput vi muneris sui gaudet, quando, ut supremus omnium christifidelium
Pastor et Doctor, qui fratres suos in fide confirmat, doctrinam de fide
vel moribus definitivo actu proclamat. [...] Infallibilitas Ecclesiae promissa in corpore Episcoporum quoque inest, quando supremum Magisterium cum Petri Successore exercet », presertim in aliquo Concilio Oecumenico.[425] Cum Ecclesia, ope sui supremi Magisterii, quaedam « tamquam divinitus revelata credenda proponit »[426] et tamquam doctrinam
Christi, talibus « definitionibus fidei obsequio est adhaerendum ».[427] Haec
infallibilitas « tantum patet quantum divinae Revelationis patet depositum ».[428]

892   Assistentia divina etiam Apostolorum successoribus praebetur in
communione cum Petri Successore docentibus, et peculiariter Episcopo
Romano, totius Ecclesiae Pastori, cum, quin ad definitionem perveniant

---

[422] Cf. Mc 16, 15.
[423] Concilium Vaticanum II, Const. dogm. *Lumen gentium*, 25: AAS 57 (1965) 29.
[424] Concilium Vaticanum II, Const. dogm. *Lumen gentium*, 12: AAS 57 (1965) 16;
cf. Id., Const. dogm. *Dei Verbum*, 10: AAS 58 (1966) 822.
[425] Concilium Vaticanum II, Const. dogm. *Lumen gentium*, 25: AAS 57 (1965) 30;
cf. Concilium Vaticanum I, Const. dogm. *Pastor aeternus*, c. 4: DS 3074.
[426] Concilium Vaticanum II, Const. dogm. *Dei Verbum*, 10: AAS 58 (1966) 822.
[427] Concilium Vaticanum II, Const. dogm. *Lumen gentium*, 25: AAS 57 (1965) 30.
[428] Concilium Vaticanum II, Const. dogm. *Lumen gentium*, 25: AAS 57 (1965) 30.

infallibilem et quin « modo definitivo » se exprimant, in Magisterii ordinarii exercitio doctrinam proponunt quae ad meliorem Revelationis ducit intelligentiam in rebus fidei et morum. Christifideles huic ordinario Magisterio « religioso animi obsequio adhaerere debent »,[429] quod, licet ab assensu fidei distinguatur, illum tamen protrahit.

Munus sanctificandi

893 Episcopus etiam « est "oeconomus gratiae supremi sacerdotii" »,[430] praesertim in Eucharistia quam ipse offert et cuius oblationem per presbyteros, cooperatores suos, tutatur. Eucharistia enim centrum est vitae Ecclesiae particularis. Episcopus et presbyteri Ecclesiam sanctificant oratione sua suoque labore, per verbi et sacramentorum ministerium. Eam sanctificant per exemplum suum, non « dominantes in cleris, sed formae facti gregis » (*1 Pe* 5, 3). Sic fiet « ut ad vitam, una cum grege sibi credito, perveniant sempiternam ».[431]

Munus regendi

894 « Episcopi Ecclesias particulares sibi commissas ut vicarii et legati Christi regunt, consiliis, suasionibus, exemplis, verum etiam auctoritate et sacra potestate »,[432] quam tamen debent ad aedificandum exercere in servitii spiritu, qui ille est Magistri eorum.[433]

895 « Haec potestas qua, nomine Christi, personaliter funguntur, est propria, ordinaria et immediata, licet a suprema Ecclesiae auctoritate exercitium eiusdem ultimatim regatur ».[434] Sed Episcopi considerandi non sunt tamquam vicarii Romani Pontificis, cuius ordinaria et immediata super omnem Ecclesiam auctoritas illam eorum non abrogat, sed e contra confirmat et defendit. Haec exerceri debet in communione cum tota Ecclesia sub Romani Pontificis ductu.

896 Bonus Pastor exemplar erit et « forma » muneris pastoralis Episcopi. Debilitatum suarum conscius, Episcopus « condolere potest iis qui ignorant et errant. Subditos, quos ut veros filios suos fovet [...], audire

---

[429] Concilium Vaticanum II, Const. dogm. *Lumen gentium*, 25: AAS 57 (1965) 29-30.
[430] Concilium Vaticanum II, Const. dogm. *Lumen gentium*, 26: AAS 57 (1965) 31.
[431] Concilium Vaticanum II, Const. dogm. *Lumen gentium*, 26: AAS 57 (1965) 32.
[432] Concilium Vaticanum II, Const. dogm. *Lumen gentium*, 27: AAS 57 (1965) 32.
[433] Cf. *Lc* 22, 26-27.
[434] Concilium Vaticanum II, Const. dogm. *Lumen gentium*, 27: AAS 57 (1965) 32.

ne renuat. [...] Fideles autem Episcopo adhaerere debent sicut Ecclesia Iesu Christo, et sicut Iesus Christus Patri »: [435]

> « Omnes Episcopo obtemperate, ut Iesus Christus Patri, et presbyterio ut Apostolis; diaconos autem revereamini ut Dei mandatum. Separatim ab Episcopo nemo quidquam faciat eorum, quae ad Ecclesiam spectant ».[436]

II. Christifideles laici

897 « Nomine laicorum hic intelleguntur omnes christifideles praeter membra ordinis sacri et status religiosi in Ecclesia sanciti, christifideles scilicet qui, utpote Baptismate Christo concorporati, in populum Dei constituti, de munere Christi sacerdotali, prophetico et regali suo modo participes facti, pro parte sua missionem totius populi christiani in Ecclesia et in mundo exercent ».[437]   873

Laicorum vocatio

898 « Laicorum est, ex vocatione propria, res temporales gerendo et secundum Deum ordinando, Regnum Dei quaerere. [...] Ad illos ergo peculiari modo spectat res temporales omnes, quibus arcte coniunguntur, ita illuminare et ordinare, ut secundum Christum iugiter fiant et crescant et sint in laudem Creatoris et Redemptoris ».[438]   2105

899 Laicorum christianorum incepta peculiariter sunt necessaria cum agitur de detegendis et inveniendis mediis ut ea quae doctrina et vita christianae exigunt, realitates sociales, politicas, oeconomicas imbuant. Haec incepta elementum sunt normale vitae Ecclesiae: 2442

> « Christifideles, et magis concrete laici, in prima vitae Ecclesiae inveniuntur acie; per illos Ecclesia societatis humanae vitale est principium. Propterea illi, et quidem praecipue, semper clarius conscii esse debent se non solum ad Ecclesiam pertinere, sed Ecclesiam esse, id est, christifidelium in terris communitatem sub communis capitis ductu, nempe Romani Pontificis, et Episcoporum in communione cum ipso. Illi sunt Ecclesia ».[439]

---

[435] Concilium Vaticanum II, Const. dogm. *Lumen gentium*, 27: AAS 57 (1965) 33.

[436] Sanctus Ignatius Antiochenus, *Epistula ad Smyrnaeos* 8, 1: SC 10bis, 138 (Funk 1, 282).

[437] Concilium Vaticanum II, Const. dogm. *Lumen gentium*, 31: AAS 57 (1965) 37.

[438] Concilium Vaticanum II, Const. dogm. *Lumen gentium*, 31: AAS 57 (1965) 37-38.

[439] Pius XII, *Allocutio ad Patres Cardinales recenter creatos* (20 februarii 1946): AAS 38 (1946) 149; adductus a Ioanne Paulo II, Adh. ap. *Christifideles laici*, 9: AAS 81 (1989) 406.

863
900   Laici, quia ipsis, sicut omnibus christifidelibus, a Deo virtute Baptismi et Confirmationis apostolatus est commendatus, officio tenentur et iure gaudent, sive individualiter sive in consociationibus congregati, laborandi ut nuntius divinus salutis ab omnibus hominibus et in terra universa cognoscatur et accipiatur; haec obligatio est adhuc urgentior cum homines nonnisi per eos Evangelium audire possunt et Christum cognoscere. Eorum actio in communitatibus ecclesialibus ita est necessaria ut, sine illa, apostolatus Pastorum plerumque non possit suum plenum effectum obtinere.⁴⁴⁰

PARTICIPATIO LAICORUM IN MUNERE SACERDOTALI CHRISTI

784, 1268
901   « Laici, utpote Christo dicati et Spiritu Sancto uncti, mirabiliter vocantur et instruuntur, ut uberiores semper fructus Spiritus in ipsis producantur. Omnia enim eorum opera, preces et incepta apostolica, conversatio coniugalis et familiaris, labor quotidianus, animi corporisque relaxatio, si in Spiritu peragantur, immo molestiae vitae si patienter sustineantur, fiunt spirituales hostiae, acceptabiles Deo per Iesum Christum (cf. *1 Pe* 2, 5), quae in Eucharistiae celebratione, cum dominici corporis oblatione, Patri piissime offeruntur. Sic et laici, qua adoratores

358
ubique sancte agentes, ipsum mundum Deo consecrant ».⁴⁴¹

902   Modo peculiari, parentes munus participant sanctificationis « vitam coniugalem spiritu christiano ducendo et educationem christianam filiorum procurando ».⁴⁴²

1143
903   Laici, si qualitates habeant requisitas, possunt modo stabili ad ministeria admitti lectoris et acolythi.⁴⁴³ « Ubi Ecclesiae necessitas id suadeat, deficientibus ministris, possunt etiam laici, etsi non sint lectores vel acolythi, quaedam eorundem officia supplere, videlicet ministerium verbi exercere, precibus liturgicis praeesse, Baptismum conferre atque sacram Communionem distribuere, iuxta iuris praescripta ».⁴⁴⁴

⁴⁴⁰ Cf. CONCILIUM VATICANUM II, Const. dogm. *Lumen gentium*, 33: AAS 57 (1965) 39.
⁴⁴¹ CONCILIUM VATICANUM II, Const. dogm. *Lumen gentium*, 34: AAS 57 (1965) 40; cf. *Ibid.*, 10: AAS 57 (1965) 14-15.
⁴⁴² CIC canon 835, § 4.
⁴⁴³ Cf. CIC canon 230, § 1.
⁴⁴⁴ CIC canon 230, § 3.

EORUM PARTICIPATIO IN MUNERE PROPHETICO CHRISTI

904 « Christus [...] Suum munus propheticum adimplet, non solum per Hierarchiam, [...] sed etiam per laicos, quos ideo et testes constituit et sensu fidei et gratia verbi instruit »: [445]

785

92

> « Instructio [...] conversiva ad fidem [...] potest competere cuilibet prae-dicatori, vel etiam cuilibet fideli ».[446]

905 Laici suam missionem propheticam etiam per evangelizationem adimplent, « nuntium Christi scilicet et testimonio vitae et verbo prola-tum ». Apud laicos « haec evangelizatio [...] notam quamdam specificam et peculiarem efficacitatem acquirit ex hoc, quod in communibus condi-cionibus vitae completur »: [447]

2044

> « Apostolatus tamen huiusmodi non in solo vitae testimonio consistit; verus apostolatus quaerit occasiones Christum verbis annuntiandi sive non credentibus [...], sive fidelibus ».[448]

2472

906 Illi ex christifidelibus laicis qui harum rerum capaces sint et ad eas effor-mentur, suum etiam possunt praebere concursum ad catecheticam formatio-nem,[449] ad scientiarum sacrarum institutionem,[450] ad communicationis socialis media.[451]

2495

907 « Pro scientia, competentia et praestantia quibus pollent, ipsis ius est, im-mo et aliquando officium, ut sententiam suam de his quae ad bonum Ecclesiae pertinent sacris Pastoribus manifestent eamque, salva fidei morumque integritate ac reverentia erga Pastores, attentisque communi utilitate et personarum digni-tate, ceteris christifidelibus notam faciant ».[452]

EORUM PARTICIPATIO IN MUNERE CHRISTI REGALI

908 Christus, per Suam oboedientiam usque ad mortem,[453] Suis discipu-lis communicavit donum libertatis regiae ut « sui abnegatione vitaque sancta regnum peccati in seipsis devincant ».[454]

786

---

[445] CONCILIUM VATICANUM II, Const. dogm. *Lumen gentium*, 35: AAS 57 (1965) 40.
[446] SANCTUS THOMAS AQUINAS, *Summa theologiae* 3, q. 71, a. 4, ad 3: Ed. Leon. 12, 124.
[447] CONCILIUM VATICANUM II, Const. dogm. *Lumen gentium*, 35: AAS 57 (1965) 40.
[448] CONCILIUM VATICANUM II, Decr. *Apostolicam actuositatem*, 6: AAS 58 (1966) 843; cf. ID., Decr. *Ad gentes*, 15: AAS 58 (1966) 965.
[449] Cf. CIC canones 774. 776. 780.
[450] Cf. CIC canon 229.
[451] Cf. CIC canon 822, § 3.
[452] CIC canon 212, § 3.
[453] Cf. *Philp* 2, 8-9.
[454] CONCILIUM VATICANUM II, Const. dogm. *Lumen gentium*, 36: AAS 57 (1965) 41.

« Quicumque proprium corpus subegerit nec eius passionibus turbari animam suam rector sui congrua vivacitate permiserit, is bene regia quadam potestate se cohibens rex dicitur, quod regere se noverit et arbiter sui iuris sit, non captivus trahatur in culpam ».[455]

909   « Laici praeterea, collatis quoque viribus, instituta ac condiciones mundi, si qua mores ad peccatum incitant, ita sanent, ut haec omnia ad iustitiae normas conformentur et virtutum exercitio potius faveant quam obsint. Ita agendo culturam operaque humana valore morali imbuent ».[456]

1887

910   « Laici [...] possunt animadvertere se vocatos esse vel vocari ad consociandam operam cum Pastoribus in famulatu communitatis ecclesialis, in eius auctum et vitae ubertatem, dum ministeria valde distincta exercent, pro gratia atque charismatibus, quae Dominus iis dilargiri voluerit ».[457]

799

911   In Ecclesia, in exercitio potestatis regiminis, « christifideles laici ad normam iuris cooperari possunt ».[458] Sic cum eorum praesentia in Conciliis particularibus,[459] Synodis dioecesanis,[460] Consiliis pastoralibus; [461] in exercitio muneris pastoralis cuiusdam paroeciae; [462] collaboratione in Consiliis de rebus oeconomicis; [463] participatione in tribunalibus ecclesiasticis,[464] etc.

912   Christifideles debent « sedulo distinguere inter iura et officia quae eis incumbunt, quatenus Ecclesiae aggregantur, et ea quae eis competunt, ut sunt humanae societatis membra. Utraque inter se harmonice consociare satagent, memores se, in quavis re temporali, christiana conscientia duci debere, cum nulla humana activitas, ne in rebus temporalibus quidem, Dei imperio substrahi possit ».[465]

2245

913   « Sic omnis laicus, ex ipsis donis sibi collatis, testis simul et vivum instrumentum missionis ipsius Ecclesiae exsistit "secundum mensuram donationis Christi" (*Eph* 4, 7) ».[466]

---

[455] Sanctus Ambrosius, *Expositio psalmi CXVIII* 14, 30: CSEL 62, 318 (PL 15, 1476).
[456] Concilium Vaticanum II, Const. dogm. *Lumen gentium*, 36: AAS 57 (1965) 42.
[457] Paulus VI, Adh. ap. *Evangelii nuntiandi*, 73: AAS 68 (1976) 61.
[458] CIC canon 129, § 2.
[459] Cf. CIC canon 443, § 4.
[460] Cf. CIC canon 463, § 1-2.
[461] Cf. CIC canones 511-512. 536.
[462] Cf. CIC canon 517, § 2.
[463] Cf. CIC canones 492, § 1. 537.
[464] Cf. CIC canon 1421, § 2.
[465] Concilium Vaticanum II, Const. dogm. *Lumen gentium*, 36: AAS 57 (1965) 42.
[466] Concilium Vaticanum II, Const. dogm. *Lumen gentium*, 33: AAS 57 (1965) 39.

III. Vita consecrata

914 « Status [...], qui professione consiliorum evangelicorum constitui-   2103
tur, licet ad Ecclesiae structuram hierarchicam non spectet, ad eius tamen vitam et sanctitatem inconcusse pertinet ».[467]

CONSILIA EVANGELICA, VITA CONSECRATA

915 Consilia evangelica, in sua multiplicitate, omnibus Christi proponuntur discipulis. Perfectio caritatis, ad quam omnes christifideles vo-   1973-1974
cantur, pro illis qui libere vocationem assumunt ad vitam consecratam,
implicat obligationem observandi castitatem in caelibatu pro Regno,
paupertatem et oboedientiam. Horum consiliorum *professio*, in vitae stabilis statu ab Ecclesia agnito, « vitam consecratam » Deo distinguit.[468]

916 Vitae consecratae status apparet tunc tamquam unus e modis vi-   2687
vendi in consecratione « intimiore », quae in Baptismo radicatur et Deo
totaliter devovet.[469] In vita consecrata, christifideles sibi proponunt, sub
Spiritus Sancti motione, Christum pressius sequi, se Deo super omnia
dilecto dare et, perfectionem persequens caritatis in Regni servitio, gloriam mundi futuri significare et annuntiare in Ecclesia.[470]   933

ARBOR MAGNA, PLURES RAMI

917 « Quasi in arbore ex germine divinitus dato mirabiliter et multipli-   2684
citer in agro Domini ramificata, variae formae vitae solitariae vel communis, variaeque Familiae [...] [creverunt], quae tum ad profectum so-
dalium, tum ad bonum totius corporis Christi opes augent ».[471]

918 « Inde ab exordiis quidem Ecclesiae fuerunt viri et mulieres, qui per pro
xim consiliorum evangelicorum Christum maiore cum libertate sequi pressiusque
imitari intenderunt et suo quisque modo vitam Deo dicatam duxerunt, e quibus
multi, Spiritu Sancto afflante, vel vitam solitariam degerunt vel Familias religiosas suscitaverunt, quas Ecclesia sua auctoritate libenter suscepit et adprobavit ».[472]

---

[467] CONCILIUM VATICANUM II, Const. dogm. *Lumen gentium*, 44: AAS 57 (1965) 51.
[468] Cf. CONCILIUM VATICANUM II, Const. dogm. *Lumen gentium*, 42-43: AAS 57 (1965)
47-50; ID., Decr. *Perfectae caritatis*, 1: AAS 58 (1966) 702-703.
[469] Cf. CONCILIUM VATICANUM II, Decr. *Perfectae caritatis*, 5: AAS 58 (1966) 704-705.
[470] Cf. CIC canon 573.
[471] CONCILIUM VATICANUM II, Const. dogm. *Lumen gentium*, 43: AAS 57 (1965) 49.
[472] CONCILIUM VATICANUM II, Decr. *Perfectae caritatis*, 1: AAS 58 (1966) 702.

919   Episcopi nova dona vitae consecratae a Spiritu Sancto Ecclesiae Eius concredita semper discernere satagent; novarum vitae consecratae formarum approbatio Sedi Apostolicae reservatur.[473]

VITA EREMITICA

920   Eremitae, quin publice tria consilia evangelica semper profiteantur, « arctiore a mundo secessu, solitudinis silentio, assidua prece et paenitentia, suam in laudem Dei et mundi salutem vitam devovent ».[474]

2719

921   Ipsi singulis hanc interiorem mysterii Ecclesiae ostendunt rationem, quae intimitas est personalis cum Christo. Eremitae vita, oculis hominum abscondita, silentiosa est praedicatio Eius, cui ipse vitam suam donavit, quia Is pro ipso est omnia. Ibi vocatio habetur peculiaris ad inveniendam in deserto, in ipso spirituali proelio, Crucifixi gloriam.

2015

VIRGINES ET VIDUAE CONSECRATAE

1618-1620

922   A temporibus apostolicis, virgines [475] fuerunt et viduae christianae,[476] quae a Domino vocatae ut Ei sine divisione adhaereant in maiore cordis, corporis et spiritus libertate, consilium ceperunt, ab Ecclesia approbatum, vivendi respective in virginitatis vel castitatis perpetuae statu « propter Regnum caelorum » (*Mt* 19, 12).

923   Virgines, « sanctum propositum emittentes Christum pressius sequendi, ab Episcopo dioecesano iuxta probatum ritum liturgicum Deo consecrantur, Christo Dei Filio mystice desponsantur et Ecclesiae servitio dedicantur ».[477] Per hunc sollemnem ritum (*Consecratio virginum*), « virgo [...] [constituitur] persona sacrata, signum transcendens amoris Ecclesiae erga Christum, imago eschatologica Sponsae caelestis vitaeque futurae ».[478]

1537

1672

---

[473] Cf. CIC canon 605.
[474] CIC canon 603, § 1.
[475] *1 Cor* 7, 34-36.
[476] Cf. IOANNES PAULUS II, Adh. ap. *Vita consecrata*, 7: AAS 88 (1996) 382.
[477] CIC canon 604, § 1.
[478] *Ordo Consecrationis virginum*, Praenotanda, 1, editio typica (Typis Polyglottis Vaticanis 1970) p. 7.

924   Aliis vitae consecratae formis accedens,[479] ordo virginum mulierem in mundo viventem (vel monialem) instituit in oratione, paenitentia, fratrum servitio et apostolico labore, secundum statum et charismata unicuique respective oblata.[480] Virgines consecratae consociari possunt ut fidelius propositum servent suum.[481]

Vita religiosa

925   Vita religiosa, in Oriente prioribus christianismi saeculis orta[482] et in institutis canonice ab Ecclesia erectis acta,[483] ab aliis vitae consecratae formis distinguitur ratione cultuali, publica consiliorum evangelicorum professione, vita fraterna in communi ducta, testimonio unioni Christi et Ecclesiae tributo.[484]

1672

926   Vita religiosa ab Ecclesiae procedit mysterio. Ea donum est quod Ecclesia a Domino recipit suo et quod ipsa, tamquam statum stabilem fideli vocato a Deo in professione offert consiliorum. Sic Ecclesia simul potest Christum manifestare et se tamquam Salvatoris agnoscere Sponsam. Vita religiosa invitatur ut, sub formis diversis, ipsam Dei significet caritatem, in nostri temporis sermone.

796

927   Omnes religiosi, exempti vel non exempti,[485] inter Episcopi dioecesani in eius pastorali munere cooperatores locum obtinent.[486] Plantatio et dilatatio missionalis Ecclesiae praesentiam requirunt vitae religiosae omnibus eius formis inde ab evangelizationis initio.[487] « Illustrat historia merita egregia religiosarum Familiarum in fide propaganda necnon in novis conformandis Ecclesiis: nec solum antiquorum Institutorum monasticorum et Ordinum Mediae Aetatis, verum nostrae etiam aetatis Congregationum ».[488]

854

---

[479] Cf. CIC canon 604, § 1.
[480] Cf. *Ordo Consecrationis virginum*, Praenotanda, 2, editio typica (Typis Polyglottis Vaticanis 1970) p. 7.
[481] Cf. CIC canon 604, § 2.
[482] Cf. Concilium Vaticanum II, Decr. *Unitatis redintegratio*, 15: AAS 57 (1965) 102.
[483] Cf. CIC canon 573.
[484] Cf. CIC canon 607.
[485] Cf. CIC canon 591.
[486] Concilium Vaticanum II, Decr. *Christus Dominus*, 33-35: AAS 58 (1966) 690-692.
[487] Cf. Concilium Vaticanum II, Decr. *Ad gentes*, 18: AAS 58 (1966) 968-969; *Ibid.*, 40: AAS 58 (1966) 987-988.
[488] Ioannes Paulus II, Litt. enc. *Redemptoris missio*, 69: AAS 83 (1991) 317.

INSTITUTA SAECULARIA

928 « Institutum saeculare est institutum vitae consecratae, in quo christifideles in saeculo viventes ad caritatis perfectionem contendunt atque ad mundi sanctificationem praesertim ab intus conferre student ».[489]

929 Membra horum institutorum, « vita perfecte et omnino [huic] sanctificationi consecrata »,[490] « munus Ecclesiae evangelizandi, in saeculo et ex saeculo, participant »,[491] ubi eorum praesentia ut fermentum agit.[492] Eorum testimonium vitae christianae tendit ad ordinandas secundum Deum res temporales atque ad mundum virtute Evangelii informandum. Vinculis sacris consilia assumunt evangelica et inter se communionem servant et fraternitatem vitae rationi saeculari eorum proprias.[493]

901

SOCIETATES VITAE APOSTOLICAE

930 Diversis vitae consecratae formis « accedunt societates vitae apostolicae, quarum sodales, sine votis religiosis, finem apostolicum societatis proprium prosequuntur et, vitam fraternam in communi ducentes, secundum propriam vitae rationem, per observantiam constitutionum ad perfectionem caritatis tendunt. Inter has sunt societates in quibus sodales [...] consilia evangelica assumunt » secundum suas constitutiones.[494]

CONSECRATIO ET MISSIO: REGEM ANNUNTIARE QUI VENIT

931 Deo summe dilecto traditus, ille quem iam Baptismus Ei dicaverat, sic intimius servitio divino invenitur consecratus et bono Ecclesiae deditus. Per statum consecrationis ad Deum, Ecclesia manifestat Christum atque ostendit quomodo Spiritus Sanctus modo admirabili in ipsa agat. Ii qui consilia evangelica profitentur, habent imprimis, ut missionem, suam consecrationem in vitam ducere. « Cum vi ipsius consecrationis sese servitio Ecclesiae dedicent, obligatione tenentur ad operam,

---

[489] CIC canon 710.
[490] PIUS XII, Const. ap. *Provida Mater*: AAS 39 (1947) 118.
[491] CIC canon 713, § 2.
[492] Cf. CONCILIUM VATICANUM II, Decr. *Perfectae caritatis*, 11: AAS 58 (1966) 707.
[493] Cf. CIC canon 713.
[494] CIC canon 731, § 1-2.

ratione suo Instituto propria, speciali modo in actione missionali navandam ».[495]

932 In Ecclesia quae est veluti sacramentum, id est signum et instrumentum vitae Dei, vita religiosa tamquam signum mysterii Redemptionis apparet peculiare. « Pressius » Christum sequi et imitari, « clarius » Eius manifestare exinanitionem, est « profundius » praesens, in corde Christi, esse coaetaneis suis. Illi qui in hac « arctiore » sunt via, suos fratres exemplo stimulant suo et « praeclarum et eximium testimonium reddunt, mundum transfigurari Deoque offerri non posse sine spiritu beatitudinum ».[496]

775

933 Sive hoc testimonium publicum sit, sicut in statu religioso, sive magis privatum vel etiam secretum, Christi Adventus pro omnibus consecratis origo et eorum vitae permanet directio:

672

> « Cum enim populus Dei hic manentem civitatem non habeat, [...] [hic status] tum bona caelestia iam in hoc saeculo praesentia omnibus credentibus manifestat, tum vitam novam et aeternam Redemptione Christi acquisitam testificat, tum resurrectionem futuram et gloriam Regni caelestis praenuntiat ».[497]

769

Compendium

934 « *Ex divina institutione, inter christifideles sunt in Ecclesia ministri sacri, qui in iure et clerici vocantur; ceteri autem et laici nuncupantur* ». *Denique ex utraque hac parte habentur christifideles qui, per consiliorum evangelicorum professionem, sunt Deo consecrati et sic missioni prosunt Ecclesiae.*[498]

935 *Christus ad fidem annuntiandam et Regnum Suum stabiliendum Suos mittit Apostolos eorumque successores. Eos Suae missionis facit participes. Ii potestatem agendi in Eius persona ab Ipso accipiunt.*

---

[495] CIC canon 783; cf. IOANNES PAULUS II, Litt. enc. *Redemptoris missio*, 69: AAS 83 (1991) 317-318.
[496] CONCILIUM VATICANUM II, Const. dogm. *Lumen gentium*, 31: AAS 57 (1965) 37.
[497] CONCILIUM VATICANUM II, Const. dogm. *Lumen gentium*, 44: AAS 57 (1965) 50-51.
[498] Cf. CIC canon 207, § 1-2.

936 *Dominus ex Petro fundamentum Ecclesiae Suae fecit visibile. Ei
claves dedit eius. Episcopus Ecclesiae Romanae, Successor Petri,
« Collegii Episcoporum est caput, Vicarius Christi atque universae
Ecclesiae his in terris Pastor ».*[499]

937 *Romanus Pontifex « suprema, plena, immediata et universali in
curam animarum, ex divina institutione, gaudet potestate ».*[500]

938 *Episcopi, a Spiritu Sancto constituti, Apostolis succedunt. « Singuli
visibile principium et fundamentum sunt unitatis in suis Ecclesiis particularibus ».*[501]

939 *Episcopi, a presbyteris, suis collaboratoribus, et a diaconis adiuti,
munus habent fidem authentice docendi, cultum divinum, praecipue
Eucharistiam, celebrandi, et Ecclesias suas, tamquam veri Pastores,
regendi. Eorum muneri etiam omnium Ecclesiarum pertinet sollicitudo
cum et sub Romano Pontifice.*

940 *Cum vero laicorum statui hoc sit proprium ut in medio mundi nego-
tiorumque saecularium vitam agant, ipsi a Deo vocantur ut, spiritu
christiano ferventes, fermenti instar in mundo apostolatum suum
exerceant ».*[502]

941 *Laici sacerdotium Christi participant: Ei semper magis uniti, gratiam
Baptismi et Confirmationis in omnibus vitae personalis, familiaris,
socialis et ecclesialis rationibus explicant, et sic vocationem ad sanctitatem omnibus baptizatis directam deducunt in rem.*

942 *Laici, propter suam missionem propheticam, « etiam ad hoc vocantur
ut in omnibus, in media quidem humana consortione, Christi sint
testes ».*[503]

943 *Laici, propter suam missionem regiam, per suam abnegationem et
per sanctitatem vitae suae possunt peccato imperium eius in se ipsis
evellere et in mundo.*[504]

944 *Vita Deo consecrata per professionem publicam consiliorum evangelicorum distinguitur paupertatis, castitatis et oboedientiae in statu
vitae stabilis ab Ecclesia agnito.*

[499] CIC canon 331.
[500] CONCILIUM VATICANUM II, Decr. *Christus Dominus*, 2: AAS 58 (1966) 673.
[501] CONCILIUM VATICANUM II, Const. dogm. *Lumen gentium*, 23: AAS 57 (1965) 27.
[502] CONCILIUM VATICANUM II, Decr. *Apostolicam actuositatem*, 2: AAS 58 (1966) 839.
[503] CONCILIUM VATICANUM II, Const. past. *Gaudium et spes*, 43: AAS 58 (1966) 1063.
[504] Cf. CONCILIUM VATICANUM II, Const. dogm. *Lumen gentium*, 36: AAS 57 (1965) 41.

945 *Deo summe dilecto traditus, ille quem iam Baptismus ad Eum desti-*
naverat, in vitae consecratae statu, intimius servitio divino dicatus
invenitur et totius Ecclesiae bono deditus.

Paragraphus 5

SANCTORUM COMMUNIO

946 Symbolum Apostolicum postquam « sanctam Ecclesiam catholicam » est professum, « sanctorum communionem » adiungit. Hic articulus quodammodo explicitatio est praecedentis: « Ecclesia quid est aliud   823
quam sanctorum omnium congregatio? ».[505] Sanctorum communio est
profecto Ecclesia.

947 « Quia omnes fideles sunt unum corpus, bonum unius alteri communicatur. [...] Unde et inter alia credenda [...], est quod communicatio bonorum sit in Ecclesia [...]. Principale membrum est Christus, quia est Caput.
[...] Bonum ergo Christi communicatur [...] omnibus membris; et haec com-   790
municatio fit per sacramenta Ecclesiae ».[506] « Unitas enim Spiritus, a quo
illa regitur, efficit ut quidquid in eam collatum est, commune sit ».[507]

948 Expressio igitur « sanctorum communio » duas habet significationes: « communionem rerum sanctarum (*sancta*) » et « communionem   1331
inter personas sanctas (*sancti*) ».

> « *Sancta sanctis*! » a celebrante proclamatur in plerisque liturgiis orienta-
> libus cum elevatio fit sanctorum Donorum ante Communionis servi-
> tium. Christifideles (*sancti*) corpore et sanguine Christi (*sancta*) nutriun-
> tur ut in communione Spiritus Sancti crescant (Κοινωνία) eamque
> mundo communicent.

I. Bonorum spiritualium communio

949 In communitate primitiva Ierusalem, discipuli « erant [...] perseverantes in doctrina Apostolorum et communicatione, in fractione panis
et orationibus » (*Act* 2, 42).

---

[505] Sanctus Nicetas Remesianae, *Instructio ad competentes* 5, 3, 23 [*Explanatio Symboli*, 10]: TPL 1, 119 (PL 52, 871).
[506] Sanctus Thomas Aquinas, *In Symbolum Apostolorum scilicet « Credo in Deum »
expositio*, 13: *Opera omnia*, v. 27 (Parisiis 1875) p. 224.
[507] *Catechismus Romanus*, 1, 10, 24: ed.P. Rodríguez (Città del Vaticano-Pamplona
1989) p. 119.

185   *Communio in fide.* Fides fidelium est fides *Ecclesiae* ab Apostolis
             accepta, thesaurus vitae qui communicatus ditescit.

1130   950 *Sacramentorum communio.* « Omnium enim sacramentorum fructus
             ad universos fideles pertinet; quibus sacramentis, veluti sacris vinculis,
             Christo connectuntur et copulantur, et maxime omnium baptismo, quo
             tamquam ianua in Ecclesiam ingrediuntur. Hac autem sanctorum com-
             munione sacramentorum communionem intelligi debere, Patres in Sym-
             bolo significant [...]. Hoc nomen [communionis] omnibus sacramentis
1331   convenit, cum Deo nos coniungant [...]; magis tamen proprium est
             Eucharistiae, quae hanc efficit communionem ».[508]

799   951 *Charismatum communio*: in Ecclesiae communione, Spiritus Sanc-
             tus « inter omnis ordinis fideles distribuit gratias quoque speciales » ad
             Ecclesiae aedificationem.[509] « Unicuique autem datur manifestatio Spiri-
             tus ad utilitatem » (*1 Cor* 12, 7).

2402   952 « *Erant illis omnia communia* » (*Act* 4, 32): « Nihil tandem a vere
             christiano homine possidetur, quod sibi cum ceteris omnibus commune
             esse non existimare debeat; quare ad sublevandam indigentium mise-
             riam prompti ac parati esse debent ».[510] Christianus est administrator
             bonorum Domini.[511]

1827   953 *Communio caritatis*: in *sanctorum communione* « nemo [...] nostrum
             sibi vivit et nemo sibi moritur » (*Rom* 14, 7). « Et sive patitur unum
             membrum, compatiuntur omnia membra; sive glorificatur unum mem-
             brum, congaudent omnia membra. Vos autem estis corpus Christi et
             membra ex parte » (*1 Cor* 12, 26-27). Caritas « non quaerit, quae sua
2011   sunt » (*1 Cor* 13, 5).[512] Nostrorum actuum minimus in caritate factus ad
             omnium profectum repercutitur, in hac mutua necessitudine cum omni-
             bus hominibus, vivis et mortuis, quae in sanctorum communione funda-
845, 1469   tur. Omne peccatum huic nocet communioni.

---

[508] *Catechismus Romanus*, 1, 10, 24: ed. P. Rodríguez (Città del Vaticano-Pamplona
     1989) p. 119.
[509] Concilium Vaticanum II, Const. dogm. *Lumen gentium*, 12: AAS 57 (1965) 16.
[510] *Catechismus Romanus*, 1, 10, 27: ed. P. Rodríguez (Città del Vaticano-Pamplona
     1989) p. 121.
[511] Cf. *Lc* 16, 1-3.
[512] Cf. *1 Cor* 10, 24.

II. Communio inter Ecclesiam caelestem et terrestrem

954   *Tres Ecclesiae status*. « Donec ergo Dominus venerit in maiestate   771
Sua et omnes angeli cum Eo et, destructa morte, Illi subiecta fuerint
omnia, alii e discipulis Eius in terris peregrinantur, alii hac vita functi
purificantur, alii vero glorificantur intuentes "clare Ipsum Deum trinum   1031, 1023
et unum, sicuti est" »: [513]

> « Omnes tamen, gradu quidem modoque diverso, in eadem Dei et pro-
> ximi caritate communicamus et eundem hymnum gloriae Deo nostro ca-
> nimus. Universi enim qui Christi sunt, Spiritum Eius habentes, in unam
> Ecclesiam coalescunt et invicem cohaerent in Ipso ».[514]

955   « Viatorum igitur unio cum fratribus qui in pace Christi dormie-
runt, minime intermittitur, immo secundum perennem Ecclesiae fidem,
spiritualium bonorum communicatione roboratur ».[515]

956   *Sanctorum intercessio*: « Ex eo enim quod coelites intimius cum   1370
Christo uniuntur, totam Ecclesiam in sanctitatem firmius consolidant
[...]. Non desinunt apud Patrem pro nobis intercedere, exhibentes meri-   2683
ta quae per unum mediatorem Dei et hominum, Christum Iesum in terris sunt adepti. [...] Eorum proinde fraterna sollicitudine infirmitas
nostra plurimum iuvatur »: [516]

> « Nolite plorare, quia ego utilior ero vobis ad locum, ad quem vado,
> quam hic fuerim ».[517]
> « In meo degere volo caelo, bonum faciens in terra ».[518]

957   *Communio cum sanctis*. « Nec tamen solius exempli titulo coelitum   1173
memoriam colimus, sed magis adhuc ut totius Ecclesiae unio in Spiritu
roboretur per fraternae caritatis exercitium. Nam sicut christiana inter
viatores communio propinquius nos ad Christum adducit, ita consortium cum sanctis nos Christo coniungit, a quo tamquam a fonte et capite omnis gratia et ipsius populi Dei vita promanat »: [519]

---

[513] Concilium Vaticanum II, Const. dogm. *Lumen gentium*, 49: AAS 57 (1965) 54.
[514] Concilium Vaticanum II, Const. dogm. *Lumen gentium*, 49: AAS 57 (1965) 54-55.
[515] Concilium Vaticanum II, Const. dogm. *Lumen gentium*, 49: AAS 57 (1965) 55.
[516] Concilium Vaticanum II, Const. dogm. *Lumen gentium*, 49: AAS 57 (1965) 55.
[517] Sanctus Dominicus, moribundus, ad suos fratres: *Relatio iuridica* 4 (Frater Radul-
phus de Faventia), 42: Acta sanctorum, Augustus I, p. 636; cf. Iordanus de Sa-
xonia, *Vita* 4, 69: Acta sanctorum, Augustus I, p. 551.
[518] Sancta Theresia a Iesu Infante, *Verba* (17 iulii 1897): *Derniers Entretiens* (Paris
1971) p. 270.
[519] Concilium Vaticanum II, Const. dogm. *Lumen gentium*, 50: AAS 57 (1965) 56.

« Illum [Christum] enim, utpote Filium Dei, adoramus; martyres vero tamquam Domini discipulos et imitatores merito diligimus propter eximiam ipsorum erga Regem ac Magistrum suum benevolentiam; quorum utinam et nos fiamus consortes ac condiscipuli ».[520]

1371 958 *Cum defunctis communio*: « Hanc communionem totius Iesu Christi mystici corporis apprime agnoscens, Ecclesia viatorum inde a primaevis christianae religionis temporibus, defunctorum memoriam magna cum pietate excoluit et, quia "sancta et salubris est cogitatio pro defunctis
1032, 1689 exorare, ut a peccatis solvantur" (*2 Mac* 12, 46), etiam suffragia pro illis obtulit ».[521] Nostra pro eis oratio non solum eos potest iuvare, sed etiam eorum intercessionem pro nobis efficacem facere.

959 *In una Dei familia.* « Omnes qui filii Dei sumus et unam familiam
1027 in Christo constituimus, dum in mutua caritate et una Sanctissimae Trinitatis laude invicem communicamus, intimae Ecclesiae vocationi correspondemus ».[522]

Compendium

960 *Ecclesia est « sanctorum communio »: haec expressio imprimis « res sanctas » (sancta) denotat et maxime Eucharistiam, per quam « repraesentatur et efficitur unitas fidelium, qui unum corpus in Christo constituunt ».*[523]

961 *Haec locutio etiam communionem denotat « personarum sanctarum » (sancti) in Christo qui « pro omnibus mortuus est », ita ut id quod unusquisque in et pro Christo facit vel patitur, ferat fructum pro omnibus.*

962 *« Credimus communionem omnium christifidelium, scilicet eorum qui in terris peregrinantur, qui vita functi purificantur et qui caelesti beatitudine perfruuntur, universosque in unam Ecclesiam coalescere; ac pariter credimus in hac communione praesto nobis esse misericordem Dei Eiusque sanctorum amorem, qui semper precibus nostris pronas aures praebent ».*[524]

---

[520] *Martyrium sancti Polycarpi* 17, 3: SC 10bis, 232 (Funk 1, 336).
[521] Concilium Vaticanum II, Const. dogm. *Lumen gentium*, 50: AAS 57 (1965) 55.
[522] Concilium Vaticanum II, Const. dogm. *Lumen gentium*, 51: AAS 57 (1965) 58.
[523] Concilium Vaticanum II, Const. dogm. *Lumen gentium*, 3: AAS 57 (1965) 6.
[524] Paulus VI, *Sollemnis Professio fidei*, 30: AAS 60 (1968) 445.

Paragraphus 6

MARIA – MATER CHRISTI, MATER ECCLESIAE

963 Postquam de beatae Virginis munere in mysterio Christi et Spiritus sumus locuti, oportet nunc eius locum in mysterio Ecclesiae considerare. « Virgo enim Maria [...] ut vera Mater Dei ac Redemptoris agnoscitur et honoratur [...], immo "plane Mater membrorum (Christi), [...] quia cooperata est caritate ut fideles in Ecclesia nascerentur, quae illius Capitis membra sunt ».[525] « Maria, [...] Mater Christi, Mater etiam [...] Ecclesiae ».[526]

484-507
721-726

I. Maternitas Mariae relate ad Ecclesiam

TOTA SUO FILIO UNITA...

964 Munus Mariae erga Ecclesiam ab eius unione cum Christo est inseparabile, ex ea directe derivatur. « Haec autem Mariae cum Filio in opere salutari coniunctio a tempore virginalis conceptionis Christi ad Eius usque Mortem manifestatur ».[527] In hora passionis Eius illa est peculiariter manifesta:

> « Beata Virgo in peregrinatione fidei processit, suamque unionem cum Filio fideliter sustinuit usque ad crucem, ubi non sine divino consilio stetit, vehementer cum Unigenito suo condoluit et sacrificio Eius se materno animo sociavit, victimae de se genitae immolationi amanter consentiens; ac demum ab Eodem Christo Iesu in cruce moriente uti mater discipulo, hisce verbis data est: "Mulier, ecce filius tuus" (cf. *Io* 19, 26-27) ».[528]

534

618

965 Maria, post Ascensionem Filii sui, « primitiis Ecclesiae precibus suis adstitit ».[529] Cum Apostolis et quibusdam adunatam mulieribus, « videmus [...] Mariam quoque precibus suis implorantem donum Spiritus, qui in Annuntiatione ipsam iam obumbraverat ».[530]

---

[525] CONCILIUM VATICANUM II, Const. dogm. *Lumen gentium*, 53: AAS 57 (1965) 57-58; cf. SANCTUS AUGUSTINUS, *De sancta virginitate* 6, 6: CSEL 41, 240 (PL 40, 399).

[526] PAULUS VI, *Allocutio ad Conciliares Patres, tertia exacta Oecumenicae Synodi Sessione* (21 novembris 1964): AAS 56 (1964) 1015.

[527] CONCILIUM VATICANUM II, Const. dogm. *Lumen gentium*, 57: AAS 57 (1965) 61.

[528] CONCILIUM VATICANUM II, Const. dogm. *Lumen gentium*, 58: AAS 57 (1965) 61-62.

[529] CONCILIUM VATICANUM II, Const. dogm. *Lumen gentium*, 69: AAS 57 (1965) 66.

[530] CONCILIUM VATICANUM II, Const. dogm. *Lumen gentium*, 59: AAS 57 (1965) 62.

...ETIAM IN ASSUMPTIONE SUA...

491   966 « Denique Immaculata Virgo, ab omni originalis culpae labe praeservata immunis, expleto terrestris vitae cursu, corpore et anima ad caelestem gloriam assumpta est, ac tamquam universorum Regina a Domino exaltata, ut plenius conformaretur Filio suo, Domino dominantium
ac peccati mortisque victori ».[531] Sanctae Virginis Assumptio est singularis participatio Resurrectionis Filii sui et anticipatio resurrectionis ceterorum christianorum:

> « In generatione tua virginitatem servasti, in dormitione tua mundum
> non dereliquisti, o Dei genetrix: fontem Vitae es adepta, tu, quae Deum
> concepisti viventem et quae, per preces tuas, nostras animas liberabis a
> morte ».[532]

...IPSA EST MATER NOSTRA IN ORDINE GRATIAE

967 Virgo Maria, propter suam plenam adhaesionem voluntati Patris,
operi Filii sui redemptivo et omni Spiritus Sancti motioni, est pro Ec-
2679   clesia exemplar fidei et caritatis. Hac de causa, ipsa est « supereminens
prorsusque singulare membrum Ecclesiae »,[533] et etiam « exemplarem
507   effectionem », « *typum* », Ecclesiae constituit.[534]

968 Sed eius munus erga Ecclesiam et omnem humanitatem ulterius
494   extenditur. Ipsa « operi Salvatoris singulari prorsus modo cooperata est,
oboedientia, fide, spe et flagrante caritate, ad vitam animarum supernaturalem restaurandam. Quam ob causam Mater nobis in ordine gratiae
exsistit ».[535]

501   969 « Haec autem in gratiae Oeconomia maternitas Mariae indesinenter perdurat, inde a consensu quem in Annuntiatione fideliter praebuit,
149   quemque sub cruce incunctanter sustinuit, usque ad perpetuam omnium
electorum consummationem. In coelis enim assumpta salutiferum hoc
1370   munus non deposuit, sed multiplici intercessione sua pergit in aeternae

---

[531] CONCILIUM VATICANUM II, Const. dogm. *Lumen gentium*, 59: AAS 57 (1965) 62;
cf. PIUS XII, Const. ap. *Munificentissimus Deus* (1 novembris 1950): DS 3903.
[532] *Troparium in die dormitionis beatae Mariae Virginis*: Ὡρολόγιον τὸ μέγα (Romae
1876) p. 215.
[533] CONCILIUM VATICANUM II, Const. dogm. *Lumen gentium*, 53: AAS57 (1965) 59.
[534] Cf. CONCILIUM VATICANUM II, Const. dogm. *Lumen gentium*, 63: AAS 57 (1965) 64.
[535] CONCILIUM VATICANUM II, Const. dogm. *Lumen gentium*, 61: AAS 57 (1965) 63.

salutis donis nobis conciliandis. [...] Propterea beata Virgo in Ecclesia titulis Advocatae, Auxiliatricis, Adiutricis, Mediatricis invocatur ».[536]

970 « Mariae autem maternum munus erga homines [...] Christi unicam mediationem nullo modo obscurat nec minuit, sed virtutem eius ostendit. Omnis enim salutaris beatae Virginis influxus [...] ex superabundantia meritorum Christi profluit, Eius mediationi innititur, ab illa omnino dependet, ex eademque totam virtutem haurit ».[537] « Nulla enim creatura cum Verbo incarnato ac Redemptore connumerari unquam potest; sed sicut sacerdotium Christi variis modis tum a ministris tum a fideli populo participatur, et sicut una bonitas Dei in creaturis modis diversis realiter diffunditur, ita etiam unica mediatio Redemptoris non excludit, sed suscitat variam apud creaturas participatam ex unico fonte cooperationem ».[538]

2008

1545

308

II. Beatae Virginis cultus

971 « *Beatam me dicent omnes generationes* » (*Lc* 1, 48). « Ecclesiae pietas erga beatam Mariam Virginem pertinet ad naturam ipsam christiani cultus ».[539] Beata Virgo « speciali cultu ab Ecclesia merito honoratur. Et sane ab antiquissimis temporibus beata Virgo sub titulo "Deiparae" colitur, sub cuius praesidium fideles in cunctis periculis et necessitatibus suis deprecantes confugiunt. [...] Qui cultus [...] singularis omnino quamquam est, essentialiter differt a cultu adorationis, qui Verbo incarnato aeque ac Patri et Spiritui Sancto exhibetur, eidemque potissimum favet »;[540] ipse in festivitatibus liturgicis Matri Dei dicatis exprimitur[541] et in oratione mariana, sicut est sanctum Rosarium, « totius Evangelii breviarium ».[542]

1172

2678

III. Maria – icon eschatologica Ecclesiae

972 Postquam de Ecclesia, de eius origine, de missione eius atque de eius destinatione sumus locuti, melius concludere non possumus quam erga Mariam vertens intuitum ut in illa contemplemur quid Ecclesia in suo mysterio, in sua sit « peregrinatione fidei », et quid ipsa in patria

773

---

[536] Concilium Vaticanum II, Const. dogm. *Lumen gentium*, 62: AAS 57 (1965) 63.
[537] Concilium Vaticanum II, Const. dogm. *Lumen gentium*, 60: AAS 57 (1965) 62.
[538] Concilium Vaticanum II, Const. dogm. *Lumen gentium*, 62: AAS 57 (1965) 63.
[539] Paulus VI, Adh. ap. *Marialis cultus*, 56: AAS 66 (1974) 162.
[540] Concilium Vaticanum II, Const. dogm. *Lumen gentium*, 66: AAS 57 (1965) 65.
[541] Cf. Concilium Vaticanum II, Const. *Sacrosanctum Concilium*, 103: AAS 56 (1964) 125.
[542] Paulus VI, Adh. ap. *Marialis cultus*, 42: AAS 66 (1974) 152-153.

futura sit, in sui itineris fine, ubi eam, « ad gloriam Sanctissimae et individuae Trinitatis », « in omnium sanctorum communione »,[543] illa exspectat quam Ecclesia tamquam Matrem Domini sui suamque propriam Matrem veneratur.

829

> « Interim autem Mater Iesu, quemadmodum in caelis corpore et anima iam glorificata, imago et initium est Ecclesiae in futuro saeculo consummandae, ita his in terris, quoadusque advenerit dies Domini, tamquam signum certae spei et solatii peregrinanti populo Dei praelucet ».[544]

2853

Compendium

973 *Maria, verbum « Fiat » in Annuntiatione pronuntians atque sic mysterio Incarnationis suum donans consensum, iam toti cooperatur operi quod eius Filius adimplere debet. Ipsa est Mater ubicumque Ille Salvator est atque corporis mystici Caput.*

974 *Beatissima Virgo Maria, peracto suae vitae terrestris cursu, corpore et anima in gloriam caelestem assumpta est, ubi ipsa iam Resurrectionis Filii sui participat gloriam, omnium membrorum corporis Eius anticipans resurrectionem.*

975 *« Credimus sanctissimam Dei Genetricem, novam Hevam, Matrem Ecclesiae, caelitus nunc materno pergere circa Christi membra munere fungi ».*[545]

Articulus 10

« CREDO REMISSIONEM PECCATORUM »

976 Symbolum Apostolicum fidem de peccatorum remissione cum fide in Spiritum Sanctum coniungit, sed etiam cum fide de Ecclesia et de sanctorum communione. Christus resuscitatus, Apostolis Suis donans Spiritum Sanctum, eis Suam propriam divinam remittendi peccata contulit potestatem: « Accipite Spiritum Sanctum. Quorum remiseritis peccata, remissa sunt eis; quorum retinueritis, retenta sunt » (*Io* 20, 22-23).

---

[543] Concilium Vaticanum II, Const. dogm. *Lumen gentium*, 69: AAS 57 (1965) 66-67.
[544] Concilium Vaticanum II, Const. dogm. *Lumen gentium*, 68: AAS 57 (1965) 66.
[545] Paulus VI, *Sollemnis Professio fidei*, 15: AAS 60 (1968) 439.

(Altera Catechismi pars de peccatorum remissione per Baptismum, per sacramentum Paenitentiae et alia sacramenta, praesertim Eucharistiam aget explicite. Sufficit igitur hic breviter quaedam elementa commemorare fundamentalia).

I. Unum Baptisma in remissionem peccatorum 1263

977 Dominus noster remissionem peccatorum ad fidem et Baptismum alligavit: « Euntes in mundum universum praedicate Evangelium omni creaturae. Qui crediderit et baptizatus fuerit, salvus erit » (*Mc* 16, 15-16). Baptismus est primum et praecipuum sacramentum remissionis peccatorum, quia ipse nos cum Christo coniungit mortuo propter nostra peccata et resuscitato propter nostram iustificationem,[546] ut « in novitate vitae ambulemus » (*Rom* 6, 4).

978 « Venia, cum primum fidem profitentes sacro baptismo abluimur, adeo cumulate nobis datur, ut nihil aut culpae delendum, sive ea origine contracta, sive quid propria voluntate omissum vel commissum sit, aut poenae persolvendum relinquatur. Verum per baptismi gratiam nemo tamen ab omni naturae infirmitate liberatur: quin potius, [...] unicuique adversus concupiscentiae motus, quae nos ad peccata incitare non desinit, pugnandum » est.[547]   1264

979 Quis, in hoc proelio cum inclinatione ad malum, sat esset strenuus et vigilans ad omne vulnus peccati vitandum? « Cum igitur necesse fuerit in Ecclesia potestatem esse peccata remittendi alia etiam ratione quam baptismi sacramento, claves regni caelorum illi concreditae sunt, quibus possint unicuique paenitenti, etiam si usque ad extremum vitae diem peccasset, delicta condonari ».[548]   1446

980 Per Paenitentiae sacramentum, baptizatus potest cum Deo et cum Ecclesia reconciliari: 1422-1484

> « Merito Paenitentia "laboriosus quidam Baptismus" [549] a sanctis Patribus dictus [...] [est]. Est autem hoc sacramentum Paenitentiae lapsis post Baptismum ad salutem necessarium, ut nondum regeneratis ipse Baptismus ».[550]

---

[546] Cf. *Rom* 4, 25.
[547] *Catechismus Romanus*, 1, 11, 3: ed. P. RODRÍGUEZ (Città del Vaticano-Pamplona 1989) p. 123.
[548] *Catechismus Romanus*, 1, 11, 4: ed. P. RODRÍGUEZ (Città del Vaticano-Pamplona 1989) p. 123.
[549] Cf. SANCTUS GREGORIUS NAZIANZENUS, *Oratio* 39, 17: SC 358, 188 (PG 36, 356).
[550] CONCILIUM TRIDENTINUM, Sess. 14ª, *Doctrina de sacramento Paenitentiae*, c. 2: DS 1672.

II. Potestas clavium

981   Christus, post Resurrectionem Suam, Suos misit Apostolos ut praedicarent « in nomine Eius paenitentiam in remissionem peccatorum in omnes gentes » (*Lc* 24, 47). Apostoli eorumque successores hoc « ministerium reconciliationis » (*2 Cor* 5, 18) adimplent non solum hominibus remissionem a Deo annuntiantes, quam nobis Christus meruit, eos-
1444   que ad conversionem et ad fidem vocantes, sed etiam eis remissionem peccatorum per Baptismum communicantes eosque cum Deo et cum Ecclesia reconciliantes virtute potestatis clavium a Christo receptae:

553   Ecclesia « claves accipit Regni caelorum, ut in illa per sanguinem Christi, operante Spiritu Sancto, fiat remissio peccatorum. In hac Ecclesia revivescit anima, quae mortua fuerat peccatis, ut convivificetur Christo, cuius gratia sumus salvi facti ».[551]

1463   982   Nulla habetur culpa, cuiuslibet sit gravitatis, quam sancta Ecclesia remittere non possit. « Nemo adeo improbus et scelestus fuerit, quem si erratorum suorum vere paeniteat, certa ei veniae spes proposita esse
605   non debeat ».[552] Christus, qui pro omnibus hominibus mortuus est, vult ianuas remissionis in Ecclesia Sua semper apertas esse cuicumque qui redeat e peccato.[553]

1442   983   Catechesis nitetur ut in fidelibus fidem de incomparabili magnitudine doni a Domino resuscitato Eius Ecclesiae facti suscitet atque nutriat: missionis et potestatis peccata per Apostolorum eorumque successorum ministerium vere remittendi.

1465   « Vult Dominus plurimum posse discipulos Suos, vult a servulis Suis ea fieri in nomine Suo, quae faciebat Ipse positus in terris ».[554]
               « Potestatemque acceperunt [sacerdotes], quam neque angelis neque archangelis dedit Deus. [...] Ac quaecumque inferne sacerdotes faciunt eadem Deus superne confirmat ».[555]
               Remissio peccatorum « in Ecclesia si non esset, nulla spes esset: remissio peccatorum si in Ecclesia non esset, nulla futurae vitae et libera-

---

[551] Sanctus Augustinus, *Sermo* 214, 11: ed. P. Verbraken: Revue Bénédictine 72 (1962) 21 (PL 38, 1071-1072).
[552] *Catechismus Romanus*, 1, 11, 5: ed. P. Rodríguez (Città del Vaticano-Pamplona 1989) p. 124.
[553] Cf. *Mt* 18, 21-22.
[554] Sanctus Ambrosius, *De Paenitentia* 1, 8, 34: CSEL 73, 135-136 (PL 16, 476-477).
[555] Sanctus Ioannes Chrysostomus, *De sacerdotio* 3, 5: SC 272, 148 (PG 48, 643).

tionis aeternae spes esset. Gratias agimus Deo, qui Ecclesiae Suae dedit hoc donum ».[556]

Compendium

984   *Symbolum « remissionem peccatorum » cum Professione fidei in Spiritum Sanctum coniungit. Christus etenim resuscitatus potestatem remittendi peccata concredidit Apostolis, cum eis Spiritum Sanctum donavit.*

985   *Baptismus primum est et praecipuum sacramentum pro remissione peccatorum: ipse nos cum Christo coniungit mortuo et resuscitato nobisque Spiritum Sanctum donat.*

986   *Ex Christi voluntate, Ecclesia remittendi baptizatis peccata possidet potestatem quam, modo habituali, per Episcopos et presbyteros exercet in sacramento Paenitentiae.*

987   *« Tum sacerdotes tum sacramenta ad peccata condonanda veluti instrumenta [...] [valent], quibus Christus Dominus, auctor Ipse et largitor salutis, remissionem peccatorum et iustitiam in nobis efficit ».[557]*

Articulus 11
« CREDO CARNIS RESURRECTIONEM »

988   Symbolum christianum — Professio nostrae fidei in Deum Patrem, Filium et Spiritum Sanctum atque de Eius actione creatrici, salvatrici et sanctificanti — ad culmen pervenit in proclamatione resurrectionis mortuorum in fine temporum atque vitae aeternae.

989   Firmiter credimus atque adeo speramus: sicut Christus vere a mortuis resurrexit atque in aeternum vivit, ita etiam iusti post mortem suam in aeternum cum Christo vivent resuscitato qui eos ultimo die resuscitabit.[558] Nostra resurrectio, sicut illa Eius, opus erit Sanctissimae Trinitatis: 655

648

---

[556] Sanctus Augustinus, *Sermo* 213, 8, 8: ed. G. Morin, *Sancti Augustini sermones post Maurinos reperti* [Guelferbytanus 1, 9] (Romae 1930) p. 448 (PL 38, 1064).

[557] *Catechismus Romanus*, 1, 11, 6: ed. P. Rodríguez (Città del Vaticano-Pamplona 1989) p. 124-125.

[558] Cf. *Io* 6, 39-40.

« Quod si Spiritus Eius, qui suscitavit Iesum a mortuis, habitat in vobis, qui suscitavit Christum a mortuis, vivificabit et mortalia corpora vestra per inhabitantem Spiritum Suum in vobis » (*Rom* 8, 11).[559]

364

990   Verbum « caro » hominem denotat in eius condicione debilitatis et mortalitatis.[560] « Carnis resurrectio » significat post mortem non solum vitam animae haberi immortalis, sed etiam nostra « mortalia corpora » (*Rom* 8, 11) vitam esse iterum assumptura.

638

991   Credere mortuorum resurrectionem elementum fuit essentiale fidei christianae inde ab eius initiis. « Fiducia christianorum resurrectio mortuorum. Illam credentes sumus »:[561]

« Quomodo quidam dicunt in vobis quoniam resurrectio mortuorum non est? Si autem resurrectio mortuorum non est, neque Christus suscitatus est! Si autem Christus non suscitatus est, inanis est ergo praedicatio nostra, inanis est et fides vestra [...]. Nunc autem Christus resurrexit a mortuis, primitiae dormientium » (*1 Cor* 15, 12-14. 20).

I. Resurrectio Christi et nostra

PROGRESSIVA RESURRECTIONIS REVELATIO

992   Resurrectio mortuorum progressive a Deo est populo Eius revelata. Spes in corporalem mortuorum resurrectionem praevaluit tamquam intrinseca consequentia fidei in Deum totius hominis, animae et corporis, Creatorem. Caeli et terrae Creator est etiam Ille qui Foedus Suum cum Abraham et eius progenie fideliter servat. In hoc duplici prospectu fides resurrectionis incipiet exprimi. Martyres Maccabaei in suis profitentur probationibus:

297

« Rex mundi defunctos nos pro Suis legibus in aeternam vitae resurrectionem suscitabit » (*2 Mac* 7, 9). « Potius est ab hominibus morti datos spem exspectare a Deo iterum ab Ipso resuscitandos » (*2 Mac* 7, 14).[562]

575

993   Pharisaei[563] et plures Domini coaetanei[564] resurrectionem exspectabant. Iesus illam firmiter docet. Sadducaeis qui eam negant, respondet: « Non ideo erratis, quia non scitis Scripturas neque virtutem Dei? » (*Mc*

---

[559] Cf. *1 Thess* 4, 14; *1 Cor* 6, 14; *2 Cor* 4, 14; *Philp* 3, 10-11.
[560] Cf. *Gn* 6, 3; *Ps* 56, 5; *Is* 40, 6.
[561] TERTULLIANUS, *De resurrectione mortuorum* 1, 1: CCL 2, 921 (PL 2, 841).
[562] Cf. *2 Mac* 7, 29; *Dn* 12, 1-13.
[563] Cf. *Act* 23, 6.
[564] Cf. *Io* 11, 24.

12, 24). Resurrectionis fides nititur fidei in Deum qui « non est Deus 205
mortuorum sed vivorum » (*Mc* 12, 27).

994 Immo vero: Iesus fidem resurrectionis cum Sua propria coniungit
Persona: « Ego sum Resurrectio et Vita » (*Io* 11, 25). Ipse Iesus novissimo die resuscitabit illos qui in Eum crediderint [565] et qui Eius maducave-
rint corpus Eiusque biberint sanguinem.[566] Iam nunc signum praebet et 646
pignus quibusdam mortuis vitam reddens,[567] Suam sic propriam annuntians Resurrectionem quae tamen alius erit ordinis. De hoc eventu unico loquitur tamquam de signo Ionae,[568] tamquam de signo Templi: [569]
Ipse Resurrectionem Suam die tertia post Suam interfectionem annun- 652
tiat esse eventuram.[570]

995 Christi esse testem est « testem Resurrectionis Eius » (*Act* 1, 22) [571] 860
esse, manducavisse et bibisse « cum Illo postquam resurrexit a mortuis »
(*Act* 10, 41). Spes christiana resurrectionis est prorsus signata occursi-
bus cum Christo resuscitato. Resurgemus sicut Ipse, cum Ipso, per Ipsum. 655

996 Inde ab initio, fides christiana resurrectionis incomprehensionibus 643
occurrit et oppositionibus.[572] « In nulla ergo re tam vehementer, tam per-
tinaciter, tam obnixe et contentiose contradicitur fidei christianae, sicut
de carnis resurrectione ».[573] Valde communiter accipitur vitam personae
humanae, post mortem, modo prosequi spirituali. Sed quomodo crede-
retur hoc corpus tam manifeste mortale ad vitam posse resurgere aeternam?

QUOMODO RESURGUNT MORTUI?

997 *Quid est « resurgere »*? In morte, animae et corporis separatione,
corpus hominis in corruptionem decidit, dum eius anima in Dei occur- 366
sum procedit, manens tamen in exspectatione corpori suo glorificato sese coniungendi. Deus, omnipotentia Sua, definitive vitam incorruptibi-

---

[565] Cf. *Io* 5, 24-25; 6, 40.
[566] Cf. *Io* 6, 54.
[567] Cf. *Mc* 5, 21-43; *Lc* 7, 11-17; *Io* 11.
[568] Cf. *Mt* 12, 39.
[569] Cf. *Io* 2, 19-22.
[570] Cf. *Mc* 10, 34.
[571] Cf. *Act* 4, 33.
[572] Cf. *Act* 17, 32; *1 Cor* 15, 12-13.
[573] SANCTUS AUGUSTINUS, *Enarratio in Psalmum* 88, 2, 5: CCL 39, 1237 (PL 37, 1134).

lem nostris reddet corporibus, ea, resurrectionis Iesu virtute, nostris animabus coniungens.

1038   **998** *Quis resurget*? Omnes homines qui mortui sunt: « Procedent, qui bona fecerunt, in resurrectionem vitae, qui vero mala egerunt, in resurrectionem iudicii » (*Io* 5, 29).[574]

640   **999** *Quomodo*? Christus cum proprio Suo corpore surrexit: « Videte manus meas et pedes meos, quia ipse ego sum!» (*Lc* 24, 39); sed Ipse
645   ad vitam non rediit terrestrem. Pari modo, in Eo « omnes cum suis propriis resurgent corporibus, quae nunc gestant »,[575] sed hoc corpus transfigurabitur in corpus gloriae,[576] in « corpus spiritale » (*1 Cor* 15, 44):

> « Sed dicet aliquis: "Quomodo resurgunt mortui? Quali autem corpore veniunt?" Insipiens! Tu, quod seminas, non vivificatur, nisi prius moriatur; et quod seminas, non corpus, quod futurum est, seminas, sed nudum granum [...]. Seminatur in corruptione, resurgit in incorruptione; [...] mortui suscitabuntur incorrupti [...]. Oportet enim corruptibile hoc induere incorruptelam, et mortale induere immortalitatem » (*1 Cor* 15, 35-37. 42. 52-53).

647   **1000** Hic « modus quo resurrectio fiet », nostram imaginationem nostrumque superat intellectum; ipse solum in fide est accessibilis. Sed nostra in Eucharistia participatio iam nobis praelibationem praebet transfigurationis nostri corporis per Christum:

> « Quemadmodum enim qui est a terra panis, percipiens invocationem Dei, iam non communis panis est, sed Eucharistia ex duabus rebus
1405   constans, terrena et caelesti: sic et corpora nostra percipientia Eucharistiam iam non sunt corruptibilia, spem resurrectionis habentia ».[577]

1038   **1001** *Quando*? Modo definitivo, « in novissimo die » (*Io* 6, 39-40. 44.
673   54; 11, 24); « in fine mundi ».[578] Resurrectio etenim mortuorum intime cum Parusia Christi connectitur:

> « Quoniam Ipse Dominus in iussu, in voce archangeli et in tuba Dei descendet de caelo, et mortui, qui in Christo sunt, resurgent primi » (*1 Thess* 4, 16).

---

[574] Cf. *Dn* 12, 2.
[575] Concilium Lateranense IV, Cap. 1, *De fide catholica*: DS 801.
[576] Cf. *Philp* 3, 21.
[577] Sanctus Irenaeus Lugdunensis, *Adversus haereses* 4, 18, 5: SC 100, 610-612 (PG 7, 1028-1029).
[578] Concilium Vaticanum II, Const. dogm. *Lumen gentium*, 48: AAS 57 (1965) 54.

CUM CHRISTO RESUSCITATI

1002 Si verum est Christum nos « in novissimo die » esse resuscitaturum, etiam est verum nos iam quodammodo cum Christo esse resuscitatos. Revera, vita christiana, propter Spiritum Sanctum, est, iam in terris, participatio in morte et resurrectione Christi:

655

> « Consepulti Ei in Baptismo, in quo et conresuscitati estis per fidem operationis Dei, qui suscitavit Illum a mortuis [...]. Igitur si conresurrexistis cum Christo, quae sursum sunt quaerite, ubi Christus est in dextera Dei sedens » (*Col* 2, 12; 3, 1).

1003 Credentes, Christo per Baptismum coniuncti, realiter vitam caelestem Christi resuscitati iam participant,[579] sed haec vita permanet « abscondita [...] cum Christo in Deo » (*Col* 3, 3). Ipse nos « et conresuscitavit et consedere fecit in caelestibus in Christo Iesu » (*Eph* 2, 6). Corpore Christi in Eucharistia nutriti, iam ad Eius corpus pertinemus. Cum in novissimo resurgemus die, « tunc et » nos apparebimus « cum Ipso in gloria » (*Col* 3, 4).

1227
2796

1004 In huius diei exspectatione, corpus et anima credentis iam dignitatem participant essendi « in Christo »; unde exigentia observantiae erga proprium corpus, sed etiam erga corpus alius, praesertim cum patitur:

364
1397

> « Corpus autem [...] Domino, et Dominus corpori; Deus vero et Dominum suscitavit et nos suscitabit per virtutem Suam. Nescitis quoniam corpora vestra membra Christi sunt? [...] Non estis vestri. [...] Glorificate ergo Deum in corpore vestro » (*1 Cor* 6, 13-15. 19-20).

II. In Christo Iesu mori

1005 Ad resurgendum cum Christo oportet cum Christo mori, oportet « peregrinari a corpore et praesentes esse ad Dominum » (*2 Cor* 5, 8). In profectione,[580] quae est mors, anima a corpore separatur. Ea corpori suo iterum coniungetur resurrectionis mortuorum die.[581]

624
650

---

[579] Cf. *Philp* 3, 20.
[580] Cf. *Philp* 1, 23.
[581] Cf. PAULUS VI, *Sollemnis Professio fidei*, 28: AAS 60 (1968) 444.

MORS

164, 1500   1006 « Coram morte aenigma condicionis humanae maximum evadit ».[582] Quodam sensu, corporalis mors est naturalis, sed pro fide, de facto, « stipendia [...] peccati mors » (*Rom* 6, 23) est.[583] Et pro illis qui in gratia moriuntur Christi, ipsa participatio est in morte Domini, ut illi in Eius resurrectione etiam possint participare.[584]

1007 *Mors terminus est vitae terrestris.* Vitae nostrae mensurantur a tempore, in cuius cursu mutamur, senescimus et, sicut apud omnia entia terrae viventia, mors tamquam finis normalis apparet vitae. Haec mortis ratio nostris vitis urgentiam praebet: mortalitatis nostrae recordatio etiam inservit ut nobis in memoriam revocet nos tempus habere limitatum ad vitam nostram deducendam in rem:

> « Memento Creatoris tui in diebus iuventutis tuae, antequam [...] revertatur pulvis in terram suam, unde erat, et spiritus redeat ad Deum, qui dedit illum » (*Eccle* 12, 1. 7).

401   1008 *Mors consequentia est peccati.* Ecclesiae Magisterium, authenticus affirmationum sacrae Scripturae[585] et Traditionis interpres, docet mortem in mundum ingressam esse propter hominis peccatum.[586] Quamquam homo naturam possidebat mortalem, Deus illum destinabat ad non mo-

376   riendum. Mors igitur contraria consiliis fuit Dei Creatoris et in mundum ingressa est tamquam peccati consequentia.[587] « Mors [...] corporalis, a qua homo si non peccasset subtractus fuisset »,[588] est etiam hominis « novissima [...] inimica » (*1 Cor* 15, 26) vincenda.

1009 *Mors est a Christo transformata.* Iesus, Filius Dei, etiam mortem

612   est passus, ut condicionis humanae proprium est. Sed Ipse, non obstante Suo coram illa pavore,[589] eam assumpsit in actu totalis et liberae submissionis voluntati Patris Sui. Iesu oboedientia maledictionem mortis in benedictionem transformavit.[590]

---

[582] CONCILIUM VATICANUM II, Const. past. *Gaudium et spes*, 18: AAS 58 (1966) 1038.
[583] Cf. *Gn* 2, 17.
[584] Cf. *Rom* 6, 3-9; *Philp* 3, 10-11.
[585] Cf. *Gn* 2, 17; 3, 3. 19; *Sap* 1, 13; *Rom* 5, 12; 6, 23.
[586] Cf. CONCILIUM TRIDENTINUM, Sess. 5ª, *Decretum de peccato originali*, canon 1: DS 1511.
[587] Cf. *Sap* 2, 23-24.
[588] CONCILIUM VATICANUM II, Const. past. *Gaudium et spes*, 18: AAS 58 (1966) 1038.
[589] Cf. *Mc* 14, 33-34; *Heb* 5, 7-8.
[590] Cf. *Rom* 5, 19-21.

Mortis christianae sensus

1681-1690

1010 Propter Christum, mors christiana sensum habet positivum. « Mihi enim vivere Christus est et mori lucrum » (*Philp* 1, 21). « Fidelis sermo: nam si commortui sumus, et convivemus » (*2 Tim* 2, 11). Essentialis novitas mortis christianae in hoc habetur: christianus, per Baptismum, est iam sacramentaliter « mortuus cum Christo », ut in vita nova vivat; si in gratia morimur Christi, mors physica illud « mori cum Christo » consummat et ita nostram ad Illum perficit in Eius actu redemptivo incorporationem:

1220

> « Praestat mihi in (εἰς) Christum Iesum mori, quam finibus terrae imperare. Illum quaero, qui pro nobis mortuus est; Illum volo, qui propter nos resurrexit. Partus mihi instat. [...] Sinite mihi purum lumen percipere; ubi illuc advenero, homo ero ».[591]

1011 Deus ad Se hominem vocat in morte. Hac de causa, christianus relate ad mortem potest optatum experiri simile illi sancti Pauli: « desiderium » habeo « dissolvi et cum Christo esse » (*Philp* 1, 23); et suam propriam mortem potest transformare in actum oboedientiae et amoris erga Patrem ad exemplum Christi: [592]

1025

> « Amor meus crucifixus est; [...] aqua vivens et loquens in me est, mihi interius dicens: "Veni ad Patrem" ».[593]
> « Te videndi anxia,/mori cupio ».[594]
> « Non morior, vitam ingredior ».[595]

1012 Visio christiana mortis,[596] modo praeclaro, in liturgia exprimitur Ecclesiae:

> « Tuis enim fidelibus, Domine, vita mutatur, non tollitur, et, dissoluta terrestris huius incolatus domo, aeterna in caelis habitatio comparatur ».[597]

---

[591] Sanctus Ignatius Antiochenus, *Epistula ad Romanos* 6, 1-2: SC 10bis, 114 (Funk 1, 258-260).

[592] Cf. *Lc* 23, 46.

[593] Sanctus Ignatius Antiochenus, *Epistula ad Romanos* 7, 2: SC 10bis, 116 (Funk 1, 260).

[594] Sancta Theresia a Iesu, *Poesía*, 7: *Biblioteca Mística Carmelitana*, v. 6 (Burgos 1919) p. 86.

[595] Sancta Theresia a Iesu Infante, *Lettre* (9 iunii 1897): *Correspondance Générale*, v. 2 (Paris 1973) p. 1015.

[596] Cf. *1 Thess* 4, 13-14.

[597] *Praefatio defunctorum I: Missale Romanum*, editio typica (Typis Polyglottis Vaticanis 1970) p. 439.

1013   Mors finis est terrestris peregrinationis hominis, temporis gratiae et misericordiae quas Deus ei offert ad eius vitam terrestrem in rem deducendam secundum consilium divinum et ad eius ultimam decidendam sortem. « Expleto unico terrestris nostrae vitae cursu »,[598] ad alias vitas terrestres ulterius non redibimus. « Statutum est hominibus semel mori » (*Heb* 9, 27). « Reincarnatio » post mortem non habetur.

1014   Ecclesia nos hortatur ut ad horam mortis nostrae praeparemur (« A subitanea et improvisa morte, libera nos, Domine »: antiquae Litaniae sanctorum), ut Matrem Dei pro nobis « in hora mortis nostrae » intercedere precemur (oratio « Ave Maria »), ut nos sancto Ioseph, bonae mortis patrono, committamus:

2676-2677

> « Sic te in omni facto et cogitatu deberes tenere, quasi statim esses moriturus. Si bonam conscientiam haberes, non multum mortem timeres. Melius esset peccata cavere, quam mortem fugere. Si hodie non es paratus, quomodo cras eris? ».[599]
>
> « Laudatus sis, mi Domine, propter sororem mortem corporalem, quam nullus homo vivens potest evadere. Vae illis, qui morientur in peccatis mortalibus; beati illi, quos reperiet in Tuis sanctissimis voluntatibus, quia secunda mors non faciet eis malum ».[600]

Compendium

1015   « Caro salutis est cardo ».[601] *Credimus in Deum qui est carnis Creator; credimus in Verbum carnem factum ut carnem redimeret; credimus resurrectionem carnis, culmen creationis et redemptionis carnis.*

1016   *Anima per mortem a corpore separatur, sed in resurrectione Deus vitam incorruptibilem corpori nostro reddet transformato, illud iterum nostrae coniungens animae. Sicut Christus resurrexit et in aeternum vivit, omnes nos ultimo resurgemus die.*

1017   *« Credimus [...] veram resurrectionem huius carnis, quam nunc gestamus ».*[602] *Seminatur tamen in sepulcro corpus corruptibile, resurgit corpus incorruptibile,*[603] *« corpus spiritale »* (*1 Cor* 15, 44).

---

[598] Concilium Vaticanum II, Const. dogm. *Lumen gentium*, 48: AAS 57 (1965) 54.
[599] *De imitatione Christi* 1, 23, 5-8: ed. T. Lupo (Città del Vaticano 1982) p. 70.
[600] Sanctus Franciscus Assisiensis, *Canticum Fratris Solis*: *Opuscula sancti Patris Francisci Assisiensis*, ed. C. Esser (Grottaferrata 1978) p. 85-86.
[601] Tertullianus, *De resurrectione mortuorum* 8, 2: CCL 2, 931 (PL 2, 852).
[602] Concilium Lugdunense II, *Professio fidei Michaelis Palaeologi imperatoris*: DS 854.
[603] Cf. *1 Cor* 15, 42.

1018 *Consequenter ad peccatum originale, homo debet corporalem subire mortem « a qua [...] si non peccasset subtractus fuisset ».*[604]

1019 *Iesus, Filius Dei, mortem pro nobis est libere passus in totali et libera submissione voluntati Dei, Patris Sui. Sua Morte vicit mortem, possibilitatem salutis omnibus sic aperiens hominibus.*

Articulus 12

« CREDO VITAM AETERNAM »

1020 Christianus qui suam propriam mortem cum illa Iesu coniungit, mortem videt tamquam adventum ad Ipsum et ingressum in vitam aeternam. Cum Ecclesia ultimo super morientem christianum verba veniae absolutionis Christi dixerit, ultimo unctione roboranti eum signaverit eique Christum in viatico tamquam alimentum pro itinere dederit, eum cum dulci alloquitur securitate: 1523-1525

> « Proficiscere, anima christiana, de hoc mundo, in nomine Dei Patris omnipotentis, qui te creavit, in nomine Iesu Christi Filii Dei vivi, qui pro te passus est, in nomine Spiritus Sancti, qui in te effusus est; hodie sit in pace locus tuus et habitatio tua apud Deum in sancta Sion, cum sancta Dei Genetrice Virgine Maria, cum sancto Ioseph, et omnibus angelis et sanctis Dei. [...] Ad auctorem tuum, qui te de limo terrae formavit, revertaris. Tibi itaque egredienti de hac vita sancta Maria, angeli et omnes sancti occurrant. [...] Redemptorem tuum facie ad faciem videas et contemplatione Dei potiaris in saecula saeculorum ».[605]   336, 2677

I. Iudicium particulare

1021 Mors vitae hominis imponit finem tamquam tempori aperto acceptationi vel reiectioni gratiae divinae in Christo manifestatae.[606] Novum Testamentum de iudicio loquitur praecipue in prospectu finalis occursus cum Christo in Eius secundo Adventu, sed pluries etiam retributionem uniuscuiusque immediate post mortem affirmat in relatione cum eius operibus eiusque fide. Parabola pauperis Lazari[607] et verbum Christi   1038 / 679

---

[604] CONCILIUM VATICANUM II, Const. past. *Gaudium et spes*, 18: AAS 58 (1966) 1038.
[605] *Ordo Unctionis infirmorum eorumque pastoralis curae*, Ordo commendationis morientium, 146-147, editio typica (Typis Polyglottis Vaticanis 1972) p. 60-61.
[606] Cf. *2 Tim* 1, 9-10.
[607] Cf. *Lc* 16, 22.

in cruce ad bonum latronem,[608] sicut alii Novi Testamenti textus[609] loquuntur de ultima animae sorte,[610] quae diversa pro aliis et aliis esse potest.

393 **1022** Singuli homines inde a morte sua retributionem suam aeternam in sua immortali recipiunt anima in iudicio particulari quod eorum vitam refert Christo sive per purificationem[611] sive ad immediate in beatitudinem caeli ingrediendum[612] sive ad se immediate in aeternum damnandum.[613]

1470   « Ad vesperum te de amore examinabunt ».[614]

II. Caelum

1023 Illi qui in gratia et amicitia moriuntur Dei et qui perfecte sunt
954 purificati, in aeternum cum Christo vivunt. In aeternum sunt similes Deo quia Eum vident « sicuti est » (*1 Io* 3, 2), « facie ad faciem » (*1 Cor* 13, 12):[615]

> « Auctoritate apostolica diffinimus: quod secundum communem Dei ordinationem animae sanctorum omnium [...] et aliorum fidelium defunctorum post sacrum ab eis Christi Baptisma susceptum, in quibus nihil purgabile fuit, quando decesserunt, [...] vel si tunc fuerit aut erit aliquid purgabile in eisdem, cum post mortem suam fuerint purgatae [...] etiam ante resumptionem suorum corporum et iudicium generale post Ascensionem Salvatoris Domini nostri Iesu Christi in caelum, fuerunt, sunt et erunt in caelo, caelorum Regno et paradiso caelesti cum Christo, sanctorum angelorum consortio congregatae, ac post Domini Iesu

---

[608] Cf. *Lc* 23, 43.
[609] Cf. *2 Cor* 5, 8; *Philp* 1, 23; *Heb* 9, 27; 12, 23.
[610] Cf. *Mt* 16, 26.
[611] Cf. Concilium Lugdunense II, *Professio fidei Michaelis Palaeologi imperatoris*: DS 856; Concilium Florentinum, *Decretum pro Graecis*: DS 1304; Concilium Tridentinum, Sess. 25ª, *Decretum de purgatorio*: DS 1820.
[612] Cf. Concilium Lugdunense II, *Professio fidei Michaelis Palaeologi imperatoris*: DS 857; Ioannes XXII, Bulla *Ne super his*: DS 991; Benedictus XII, Const. *Benedictus Deus*: DS 1000-1001; Concilium Florentinum, *Decretum pro Graecis*: DS 1305.
[613] Cf. Concilium Lugdunense II, *Professio fidei Michaelis Palaeologi imperatoris*: DS 858; Benedictus XII, Const. *Benedictus Deus*: DS 1002; Concilium Florentinum, *Decretum pro Graecis*: DS 1306.
[614] Sanctus Ioannes a Cruce, *Avisos y sentencias*, 57: *Biblioteca Mística Carmelitana*, v. 13 (Burgos 1931) p. 238.
[615] Cf. *Apc* 22, 4.

Christi passionem et mortem viderunt et vident divinam essentiam visione intuitiva et etiam faciali, nulla mediante creatura ».[616]

1024   Haec vita perfecta cum Sanctissima Trinitate, haec communio vitae cum Ea, cum Maria Virgine, angelis et omnibus beatis « caelum » appellatur. Caelum finis est ultimus et adimpletio profundissimarum appetitionum hominis, status supremae et definitivae beatitudinis.

260, 326
2734, 1718

1025   In caelo vivere est « cum Christo esse ».[617] Electi « in Ipso » vivunt, sed ibi servant, immo inveniunt suam propriam identitatem, suum proprium nomen: [618]

1011

« Vita est enim esse cum Christo, quia ubi Christus ibi Regnum ».[619]

1026   Iesus Christus, per Suam Mortem Suamque Resurrectionem nobis caelum « aperuit ». Beatorum vita in plena possessione consistit fructuum Redemptionis peractae a Christo qui Suae glorificationi caelesti illos consociat qui in Eum crediderunt et qui Eius voluntati permanserunt fideles. Caelum beata est communitas omnium eorum qui Ei perfecte sunt incorporati.

793

1027   Hoc mysterium beatae communionis cum Deo et cum omnibus illis qui in Christo sunt, omnem comprehensionem superat et repraesentationem omnem. Scriptura nobis de illa loquitur in imaginibus: vita, lux, pax, nuptiale convivium, vinum Regni, domus Patris, Ierusalem caelestis, paradisus: « Quod oculus non vidit, nec auris audivit, nec in cor hominis ascendit, quae praeparavit Deus his, qui diligunt Illum » (*1 Cor* 2, 9).

959, 1720

1028   Deus, propter Suam transcendentiam, non potest sicuti est videri nisi cum Ipse Suum mysterium immediatae aperit contemplationi hominis illique Ipse capacitatem praebet. Haec Dei contemplatio in Eius gloria caelesti ab Ecclesia « visio beatifica » appellatur:

1722

163

« Quae erit gloria et quanta laetitia admitti ut Deum videas, honorari ut cum Christo Domino Deo tuo salutis ac lucis aeternae gaudium

---

[616] BENEDICTUS XII, Const. *Benedictus Deus*: DS 1000; cf. CONCILIUM VATICANUM II, Const. dogm. *Lumen gentium*, 49: AAS 57 (1965) 54.
[617] Cf. *Io* 14, 3; *Philp* 1, 23; *1 Thess* 4, 17.
[618] Cf. *Apc* 2, 17.
[619] SANCTUS AMBROSIUS, *Expositio evangelii secundum Lucam* 10, 121: CCL 14, 379 (PL 15, 1927).

capias, [...] cum iustis et Dei amicis in Regno caelorum datae immortalitatis voluptate gaudere ».[620]

956   1029   In caeli gloria, beati gaudenter voluntatem Dei implere pergunt
relate ad alios homines et ad universam creationem. Iam illi cum Chris-
668   to regnant; cum Eo « regnabunt in saecula saeculorum » (*Apc* 22, 5).[621]

III. Finalis purificatio seu purgatorium

1030   Illi qui in gratia et amicitia Dei, sed imperfecte purificati, moriuntur, quamquam suae aeternae salutis sunt certi, post suam mortem
patiuntur purificationem, ut sanctitatem acquirant necessariam ad caeli
gaudium ingrediendum.

954, 1472   1031   Ecclesia *purgatorium* hanc finalem appellat electorum purificationem quae prorsus a damnatorum poena est diversa. Ecclesia doctrinam
fidei relate ad purgatorium formulavit, praecipue in Conciliis Florenti-
no[622] et Tridentino.[623] Ecclesiae Traditio, se ad quosdam Scripturae textus
referens,[624] de igne loquitur purificatorio:

> « De quibusdam levibus culpis esse ante iudicium purgatorius ignis
> credendus est, pro eo quod veritas dicit quia si quis in Sancto Spiritu
> blasphemiam dixerit, neque in hoc saeculo remittetur ei, neque in futu-
> ro (*Mt* 12, 32). In qua sententia datur intelligi quasdam culpas in hoc
> saeculo, quasdam vero in futuro posse laxari ».[625]

958   1032   Haec doctrina etiam nititur praxi orationis pro defunctis, de qua
iam sacra Scriptura loquitur: « Unde pro defunctis expiationem fecit
[Iudas Maccabaeus], ut a peccato solverentur » (*2 Mac* 12, 46). Inde a
prioribus temporibus, Ecclesia defunctorum memoriam est venerata et
1371   suffragia pro illis obtulit, maxime Sacrificium eucharisticum,[626] ut purificati ad visionem beatificam Dei possent pervenire. Ecclesia etiam elee-
1479   mosynas, indulgentias et opera paenitentiae commendat pro defunctis:

---

[620] Sanctus Cyprianus Carthaginiensis, *Epistula* 58, 10: CSEL 3/2, 665 (56, 10: PL
4, 367-368).
[621] Cf. *Mt* 25, 21. 23.
[622] Cf. Concilium Florentinum, *Decretum pro Graecis*: DS 1304.
[623] Cf. Concilium Tridentinum, Sess. 25ª, *Decretum de purgatorio*: DS 1820; Sess. 6ª,
Decretum de iustificatione, canon 30: DS 1580.
[624] Exempli gratia, *1 Cor* 3, 15; *1 Pe* 1, 7.
[625] Sanctus Gregorius Magnus, *Dialogi* 4, 41, 3: SC 265, 148 (4, 39: PL 77, 396).
[626] Cf. Concilium Lugdunense II, *Professio fidei Michaelis Palaeologi imperatoris*: DS 856.

« Eis ergo opem feramus, et commemorationem eorum peragamus. Si enim Iobi filios expiabat patris sacrificium: [627] quid dubitas, an nobis pro eis qui excesserunt offerentibus, ipsis detur aliqua consolatio? [...] Ne nos pigeat opem ferre iis qui excesserunt, et pro eis offerre preces ».[628]

IV. Infernus

1033 Non possumus Deo esse uniti nisi libere Eum diligere eligamus. Sed Deum diligere non possumus, si contra Eum, contra nostrum proximum vel contra nosmetipsos graviter peccemus: « Qui non diligit, manet in morte. Omnis, qui odit fratrem suum, homicida est, et scitis quoniam omnis homicida non habet vitam aeternam in semetipso manentem » (*1 Io* 3, 14-15). Dominus noster nos monet nos ab Eo separatos fore, si necessitatibus gravibus occurrere omittamus pauperum et parvulorum qui Eius sunt fratres.[629] In peccato mortali mori quin nos huius paeniteat et quin amorem Dei excipiamus misericordem, significat ab Eo in aeternum propter nostram propriam liberam electionem manere separatos. Hic status definitivae exclusionis sui ipsius (« auto-exclusionis ») a communione cum Deo et cum beatis denotatur verbo « infernus ». | 1861

393
633

1034 Iesus saepe loquitur de « gehenna » ignis inextinguibilis,[630] illis reservata qui usque ad suae vitae finem credere et converti recusant, et ubi simul anima et corpus perdi possunt.[631] Iesus verbis annuntiat gravibus: « Mittet Filius hominis angelos Suos, et colligent de Regno Eius [...] eos, qui faciunt iniquitatem, et mittent eos in caminum ignis » (*Mt* 13, 41-42), et Ipse condemnationem pronuntiabit: « Discedite a me, maledicti, in ignem aeternum! » (*Mt* 25, 41).

1035 Doctrina Ecclesiae exsistentiam inferni eiusque affirmat aeternitatem. Animae eorum qui in statu moriuntur peccati, immediate post mortem in inferos descendunt ubi poenas patiuntur inferni, « ignem aeternum ».[632] Praecipua inferni poena consistit in aeterna separatione a | 393

---

[627] Cf. *Iob* 1, 5.
[628] Sanctus Ioannes Chrysostomus, *In epistulam I ad Corinthios* homilia 41, 5: PG 61, 361.
[629] Cf. *Mt* 25, 31-46.
[630] Cf. *Mt* 5, 22. 29; 13, 42. 50; *Mc* 9, 43-48.
[631] Cf. *Mt* 10, 28.
[632] Cf. Symbolum *Quicumque*: DS 76; Synodus Constantinopolitana (anno 543), *Anathematismi contra Origenem*, 7: DS 409; *Ibid.*, 9: DS 411; Concilium Lateranense IV, Cap. 1, *De fide catholica*: DS 801; Concilium Lugdunense II, *Professio fidei Michaelis Palaeologi imperatoris*: DS 858; Benedictus XII, Const. *Benedictus*

Deo in quo solummodo potest homo vitam et beatitudinem habere pro quibus creatus est et quas cupit.

1036 Affirmationes sacrae Scripturae et doctrina Ecclesiae relate ad infernum sunt *vocatio ad responsabilitatem* qua homo sua uti debet libertate intuitu suae aeternae sortis. Simul *urgentem vocationem ad conversionem* constituunt: « Intrate per angustam portam, quia lata est porta et spatiosa via, quae ducit ad perditionem, et multi sunt, qui intrant per eam; quam angusta porta et arta via, quae ducit ad vitam, et pauci sunt, qui inveniunt eam! » (*Mt* 7, 13-14).

> « Cum vero nesciamus diem neque horam, monente Domino, constanter vigilemus oportet, ut, expleto unico terrestris nostrae vitae cursu, cum Ipso ad nuptias intrare et cum benedictis connumerari mereamur, neque sicut servi mali et pigri iubeamur discedere in ignem aeternum, in tenebras exteriores ubi erit fletus et stridor dentium ».[633]

1037 Deus neminem praedestinat ut in infernum eat;[634] ad hoc enim requiruntur aversio a Deo voluntaria (peccatum mortale) et in illa usque ad finem persistere. Ecclesia, in liturgia eucharistica et in suorum fidelium orationibus quotidianis, misericordiam implorat Dei qui non vult « aliquos perire, sed omnes ad paenitentiam reverti » (*2 Pe* 3, 9):

> « Hanc igitur oblationem servitutis nostrae, sed et cunctae familiae Tuae, quaesumus, Domine, ut placatus accipias: diesque nostros in Tua pace disponas atque ab aeterna damnatione nos eripi et in electorum Tuorum iubeas grege numerari ».[635]

V. Ultimum Iudicium

1038 Resurrectio omnium mortuorum, « iustorum et iniquorum » (*Act* 24, 15), Iudicium praecedet ultimum. Tunc erit « hora, in qua omnes, qui in monumentis sunt, audient vocem [...] [Filii hominis] et procedent, qui bona fecerunt, in resurrectionem vitae, qui vero mala egerunt, in resurrectionem iudicii » (*Io* 5, 28-29). Tunc Christus veniet « in gloria Sua, et omnes angeli cum Eo [...]. Et congregabuntur ante Eum omnes

---

Deus: DS 1002; Concilium Florentinum, *Decretum pro Iacobitis*: DS 1351; Concilium Tridentinum, Sess. 6ª, *Decretum de iustificatione*, canon 25: DS 1575; Paulus VI, *Sollemnis Professio fidei*, 12: AAS 60 (1968) 438.

[633] Concilium Vaticanum II, Const. dogm. *Lumen gentium*, 48: AAS 57 (1965) 54.

[634] Cf. Concilium Arausicanum II, *Conclusio*: DS 397; Concilium Tridentinum, Sess. 6ª, *Decretum de iustificatione*, canon 17: DS 1567.

[635] *Prex eucharistica I seu Canon Romanus, 88: Missale Romanum*, editio typica (Typis Polyglottis Vaticanis 1970) p. 450.

gentes; et separabit eos ab invicem, sicut pastor segregat oves ab hae-
dis, et statuet oves quidem a dextris suis, haedos autem a sinistris. [...]
Et ibunt hi in supplicium aeternum, iusti autem in vitam aeternam»
(*Mt* 25, 31-33. 46).

1039   Coram Christo qui veritas est, veritas circa relationem unius-   678
cuiusque hominis cum Deo definitive fiet manifesta.[636] Iudicium ultimum
id revelabit, usque ad eius ultimas consequentias, quod unusquisque boni fecerit, aut facere omiserit, in suae vitae terrestris decursu:

> « Servatur quidquid mali faciunt et nesciunt, ubi venerit Deus noster
> manifestus et non silebit (*Ps* 50, 3) [...]. Deinde convertet Se et ad illos
> qui sunt a sinistris: Minimos meos egentes posueram vobis in terra. Ego
> tamquam caput, dicet, in caelo sedebam ad dexteram Patris, sed mem-
> bra mea in terra laborabant, membra mea in terra egebant. Membris
> meis daretis, et ad caput perveniret quod daretis. Et sciretis quia mini-
> mos meos egentes quando vobis in terra posui, laturarios vobis institui
> qui opera vestra in thesaurum meum portarent. Et nihil in eorum mani-
> bus posuistis, propterea apud me nihil invenistis ».[637]

1040   Iudicium ultimum in reditu Christi glorioso eveniet. Solus Pater
cognoscit horam et diem, solus Ipse Eius decidit Adventum. Per Filium   637
Suum Iesum Christum, verbum definitivum super totam historiam tunc
pronuntiabit Suum. Sensum ultimum totius operis creationis et totius
Oeconomiae salutis cognoscemus et mirabiles intelligemus vias per quas
Eius providentia omnia versus eorum ultimum conduxerit finem. Iudi-   314
cium ultimum revelabit iustitiam Dei de omnibus iniustitiis commissis a
Suis creaturis triumphare Eiusque amorem morte esse fortiorem.[638]

1041   Iudicii ultimi nuntius vocat ad conversionem dum Deus adhuc   1432
hominibus « tempus acceptabile » praebet et « dies salutis » (*2 Cor* 6, 2).
Sanctum Dei inspirat timorem. Ad Regni Dei impellit iustitiam. Annuntiat « beatam spem » (*Tit* 2, 13) reditus Domini, qui veniet « glorificari   2854
in sanctis Suis et admirabilis fieri in omnibus, qui crediderunt »
(*2 Thess* 1, 10).

VI. Caelorum novorum et terrae novae spes

1042   In fine temporum, Regnum Dei ad suam perveniet plenitudinem.   769
Post Iudicium universale, iusti in aeternum cum Christo regnabunt,
corpore et anima glorificati, et ipse universus renovabitur mundus: 670

---

[636] Cf. *Io* 12, 48.
[637] SANCTUS AUGUSTINUS, *Sermo* 18, 4, 4: CCL 41, 247-249 (PL 38, 130-131).
[638] Cf. *Ct* 8, 6.

310 Tunc Ecclesia « in gloria caelesti consummabitur, quando [...] cum genere humano universus quoque mundus, qui intime cum homine coniungitur et per eum ad finem suum accedit, perfecte in Christo instaurabitur ».[639]

671
280
518 1043 Sacra Scriptura hanc arcanam renovationem, quae humanitatem transformabit et mundum, appellat « novos [...] caelos et terram novam » (*2 Pe* 3, 13).[640] Illa erit definitiva effectio consilii Dei: « recapitulare omnia in Christo, quae in caelis et quae in terra » (*Eph* 1, 10).

1044 In hoc universo mundo novo,[641] in Ierusalem caelesti, Deus mansionem Suam inter homines habebit. « Et absterget omnem lacrimam ab oculis eorum, et mors ultra non erit, neque luctus neque clamor neque dolor erit ultra, quia prima abierunt » (*Apc* 21, 4).[642]

775
1404 1045 *Pro homine*, haec consummatio effectio erit ultima unitatis generis humani a Deo volitae inde a creatione et cuius Ecclesia peregrinans erat « veluti sacramentum ».[643] Qui Christo fuerint uniti, redemptorum efformabunt communitatem, Dei « Civitatem sanctam » (*Apc* 21, 2), « sponsam uxorem Agni » (*Apc* 21, 9). Haec non amplius a peccato erit vulnerata, a sordibus,[644] a sui ipsius amore, quae communitatem terrestrem hominum destruunt vel vulnerant. Visio beatifica in qua Deus electis modo inexhaustibili aperietur, perennis erit fons beatitudinis, pacis et mutuae communionis.

1046 *Relate ad mundum universum*, Revelatio profundam communitatem destinationis affirmat mundi materialis et hominis:

349 « Nam exspectatio creaturae revelationem filiorum Dei exspectat [...] in spem, quia et ipsa creatura liberabitur a servitute corruptionis [...]. Scimus enim quod omnis creatura congemiscit et comparturit usque adhuc; non solum autem, sed et nos ipsi primitias Spiritus habentes, et ipsi intra nos gemimus [...] exspectantes redemptionem corporis nostri » (*Rom* 8, 19-23).

1047 Universus mundus visibilis destinatur igitur et ipse ut transformetur: « Oportet ergo et ipsam conditionem redintegratam ad pristinum

[639] CONCILIUM VATICANUM II, Const. dogm. *Lumen gentium*, 48: AAS 57 (1965) 53.
[640] Cf. *Apc* 21, 1.
[641] Cf. *Apc* 21, 5.
[642] Cf. *Apc* 21, 27.
[643] CONCILIUM VATICANUM II, Const. dogm. *Lumen gentium*, 1: AAS 57 (1965) 5.
[644] Cf. *Apc* 21, 27.

sine prohibitione servire iustis »,[645] participantem eorum glorificationis in Iesu Christo resuscitato.

1048 « Terrae ac humanitatis *consummandae tempus ignoramus*, nec   673
universi transformandi modum novimus. Transit quidem figura huius mundi per peccatum deformata, sed docemur Deum novam habitationem novamque terram parare in qua iustitia habitat, et cuius beatitudo omnia pacis desideria, quae in cordibus hominum ascendunt, implebit et superabit ».[646]

1049 « Exspectatio tamen novae terrae extenuare non debet, sed potius excitare, sollicitudinem hanc terram excolendi, ubi corpus illud novae familiae humanae crescit quod aliqualem novi saeculi adumbrationem iam praebere valet. Ideo, licet progressus terrenus a Regni Christi aug-   2820 mento sedulo distinguendus sit, inquantum tamen ad societatem humanam melius ordinandam conferre potest, Regni Dei magnopere interest ».[647]

1050 « Bona enim humanae dignitatis, communionis fraternae et liber-   1709 tatis, hos omnes scilicet bonos naturae ac industriae nostrae fructus, postquam in Spiritu Domini et iuxta Eius mandatum in terris propagaverimus, postea denuo inveniemus, mundata tamen ab omni sorde, illuminata ac transfigurata, cum Christus Patri reddet Regnum aeternum et universale ».[648] Tunc Deus erit « omnia in omnibus » (*1 Cor* 15, 28), in   260 *vita aeterna*:

> « Vita reipsa et veritate Pater est, qui per Filium omnibus in Spiritu Sancto caelestia dona tamquam ex fonte profundit: at per Eius benignitatem nobis quoque hominibus aeternae vitae bona veraciter promissa sunt ».[649]

Compendium

1051 *Singuli homines in anima sua immortali, inde a morte sua, in iudicio particulari, aeternam suam recipiunt retributionem a Christo, vivorum et mortuorum iudice.*

[645] Sanctus Irenaeus Lugdunensis, *Adversus haereses* 5, 32, 1: SC 153, 398 (PG 7, 1210).
[646] Concilium Vaticanum II, Const. past. *Gaudium et spes*, 39: AAS 58 (1966) 1056-1057.
[647] Concilium Vaticanum II, Const. past. *Gaudium et spes*, 39: AAS 58 (1966) 1057.
[648] Concilium Vaticanum II, Const. past. *Gaudium et spes*, 39: AAS 58 (1966) 1057; cf. Id., Const. dogm. *Lumen gentium*, 2: AAS 57 (1965) 5-6.
[649] Sanctus Cyrillus Hierosolymitanus, *Catecheses illuminandorum* 18, 29: *Opera*, v. 2, ed. J. Rupp (Monaci 1870) p. 332 (PG 33, 1049).

1052 « *Credimus animas eorum omnium, qui in gratia Christi moriuntur [...] populum Dei constituere post mortem, quae omnino destruetur resurrectionis die, quo hae animae cum suis corporibus coniungentur* ».[650]

1053 « *Credimus multitudinem earum animarum, quae cum Iesu et Maria in paradiso congregantur, Ecclesiam caelestem efficere, ubi eaedem, aeterna beatitudine fruentes, Deum vident sicuti est atque etiam gradu quidem modoque diverso, una cum sanctis angelis partem habent in divina rerum gubernatione, quam Christus glorificatus exercet, cum pro nobis intercedant suaque fraterna sollicitudine infirmitatem nostram plurimum iuvent* ».[651]

1054 *Qui in gratia et amicitia Dei, sed imperfecte purificati, moriuntur, quamquam de sua salute aeterna sunt certi, post suam mortem patiuntur purificationem ut sanctitatem acquirant necessariam ad gaudium Dei ingrediendum.*

1055 *Propter* « *sanctorum communionem* », *Ecclesia defunctos Dei commendat misericordiae et pro illis suffragia offert, maxime sanctum Sacrificium eucharisticum.*

1056 *Ecclesia, Christi sequens exemplum, fideles admonet de tristi ac luctuosa realitate mortis aeternae,*[652] *quae etiam* « *infernus* » *appellatur.*

1057 *Praecipua inferni poena in aeterna consistit separatione a Deo, in quo homo vitam et beatitudinem habere solummodo potest ad quas creatus est et quas ipse cupit.*

1058 *Ecclesia orat ut nullus se perdat:* « *Domine, [...] me [...] a Te numquam separari permittas* ».[653] *Si verum est neminem posse se ipsum salvare, verum etiam est, Deum velle* « *omnes homines salvos fieri* » (*1 Tim* 2, 4) *et apud Eum* « *omnia possibilia* » *esse* (*Mt* 19, 26).

---

[650] PAULUS VI, *Sollemnis Professio fidei*, 28: AAS 60 (1968) 444.
[651] PAULUS VI, *Sollemnis Professio fidei*, 29: AAS 60 (1968) 444.
[652] Cf. SACRA CONGREGATIO PRO CLERICIS, *Directorium catechisticum generale*, 69: AAS 64 (1972) 141.
[653] *Oratio ante Communionem*, 132: *Missale Romanum*, editio typica (Typis Polyglottis Vaticanis 1970) p. 474.

1059 « *Sacrosancta Ecclesia Romana firmiter credit et firmiter asseverat, quod* [...] *in die Iudicii omnes homines ante tribunal Christi cum suis corporibus comparebunt, reddituri de propriis factis rationem* ».[654]

1060 *Regnum Dei, in fine temporum, ad suam perveniet plenitudinem. Tunc iusti regnabunt in aeternum cum Christo, corpore et anima glorificati, et ipse mundus materialis universus transformabitur. Tunc Deus erit « omnia in omnibus »* (*1 Cor* 15, 28), *in vita aeterna.*

« AMEN »

1061 Symbolum, sicut etiam ultimus sacrae Scripturae liber,[655] verbo Hebraico *Amen* concluditur. Idem saepe in fine orationum invenitur Novi Testamenti. Eodem modo, Ecclesia suas orationes finit cum *Amen.*　　2856

1062 *Amen* Hebraice ad eamdem radicem quam verbum « credere » refertur. Haec radix soliditatem, credibilitatem, fidelitatem exprimit. Sic intelligitur cur « Amen » de fidelitate Dei erga nos dici possit et de nostra fiducia in Ipsum.　　214

1063 In prophetia Isaiae invenitur expressio « Deus veritatis », ad litteram « Deus Amen », id est, Deus Suis promissis fidelis: « Quicumque benedicit sibi in terra, benedicet sibi in Deo Amen » (*Is* 65, 16). Dominus noster saepe verbo « Amen » utitur,[656] quandoque sub forma iterata,[657] ad efferendam Suae doctrinae credibilitatem, auctoritatem Suam super Dei veritatem fundatam.　　215　156

1064 Finale igitur « Amen » Symboli iterum sumit et confirmat primum eius verbum: « Credo ». Credere est verbis, promissionibus, mandatis Dei dicere « Amen », est se Illi prorsus concredere qui est « Amen » infiniti amoris et perfectae fidelitatis. Vita christiana uniuscuiusque diei erit ergo « Amen » illi « credo » Professionis fidei nostri Baptismatis:　　197, 2101

---

[654] Concilium Lugdunense II, *Professio fidei Michaelis Palaeologi imperatoris*: DS 859; cf. Concilium Tridentinum, Sess. 6ᵃ, *Decretum de iustificatione*, c. 16: DS 1549.

[655] Cf. *Apc* 22, 21.

[656] Cf. *Mt* 6, 2. 5. 16.

[657] Cf. *Io* 5, 19.

« Sit tamquam speculum tibi Symbolum tuum. Ibi te vide, si credis omnia quae te credere confiteris, et gaude quotidie in fide tua ».[658]

1065 Iesus Christus Ipse est « Amen » (*Apc* 3, 14). Ipse est « Amen » definitivum amoris Patris erga nos; Ipse assumit et perficit nostrum « Amen » ad Patrem: « Quotquot enim promissiones Dei sunt, in Illo "Est"; ideo et per Ipsum "Amen" Deo ad gloriam per nos » (*2 Cor* 1, 20):

> « Per Ipsum et cum Ipso et in Ipso,
> est Tibi Deo Patri omnipotenti,
> in unitate Spiritus Sancti,
> omnis honor et gloria
> per omnia saecula saeculorum.
>
> **AMEN** ».[659]

---

[658] Sanctus Augustinus, *Sermo* 58, 11, 13: PL 38, 399.
[659] *Doxologia post precem eucharisticam: Missale Romanum*, editio typica (Typis Polyglottis Vaticanis 1970) p. 455, 460, 464 et 471.

Pictura udo illita catacumbarum sancti Petri et sancti Marcellini, initio saeculi quarti.

Scaena occursum repraesentat Iesu cum muliere profluvium sanguinis patienti. Haec mulier, inde a pluribus annis aegrota, tangens vestimenta Iesu sanatur propter « virtutem, quae exierat de Eo » (cf. *Mc* 5, 25-34).

Ecclesiae sacramenta nunc opera prosequuntur quae Christus in Sua vita terrestri peregerat (§ 1115). Sacramenta sunt quasi illae « virtutes, quae exeunt » e corpore Christi ut nos a vulneribus sanent peccati nobisque novam Christi donent vitam (§ 1116).

Haec igitur imago symbolice divinam et salvificam Filii Dei indicat virtutem, qui totum hominem, animam et corpus, per vitam salvat sacramentalem.

PARS SECUNDA

MYSTERII CHRISTIANI CELEBRATIO

CUR LITURGIA?

1066   Ecclesia, in Symbolo fidei, mysterium profitetur Sanctissimae Trinitatis et « mysterium voluntatis Suae secundum beneplacitum Eius »   50
(*Eph* 1, 9) super totam creationem: Pater « mysterium voluntatis Suae »
adimplet Filium Suum dilectum Suumque Spiritum Sanctum pro salute
mundi donans et pro Sui Nominis gloria. Tale est mysterium Christi [1]
revelatum et peractum in historia secundum consilium, « dispositionem » sapienter ordinatam quae a sancto Paulo « dispensatio [οἰκονομία]   236
mysterii » (*Eph* 3, 9) appellatur et a traditione patristica « Oeconomia
Verbi incarnati » vel « Oeconomia salutis » appellabitur.

1067   « Hoc autem humanae Redemptionis et perfectae Dei glorificationis opus, cui divina magnalia in populo Veteris Testamenti praeluse-
rant, adimplevit Christus Dominus, praecipue per Suae beatae passionis, ab inferis Resurrectionis et gloriosae Ascensionis Paschale mysterium, quo 'mortem nostram moriendo destruxit, et vitam resurgendo
reparavit'. Nam de latere Christi in cruce dormientis ortum est totius
Ecclesiae mirabile sacramentum ».[2] Hac de causa, Ecclesia in liturgia
praecipue mysterium celebrat Paschale per quod Christus opus nostrae   571
salutis adimplevit.

1068   Ecclesia hoc Christi mysterium in sua liturgia annuntiat et celebrat, ut fideles ex eo vivant idque in mundo testentur:

> « Liturgia enim, per quam, maxime in divino Eucharistiae Sacrificio,
> 'opus nostrae Redemptionis exercetur', summe eo confert ut fideles
> vivendo exprimant et aliis manifestent mysterium Christi et genuinam
> verae Ecclesiae naturam ».[3]

QUID VERBUM « LITURGIA » SIGNIFICAT?

1069   Verbum « liturgia » originaliter « opus publicum », « in nomine
populi / pro populo servitium » significat. In traditione christiana signi-

---

[1] Cf. *Eph* 3, 4.
[2] CONCILIUM VATICANUM II, Const. *Sacrosanctum Concilium*, 5: AAS 56 (1964) 99.
[3] CONCILIUM VATICANUM II, Const. *Sacrosanctum Concilium*, 2: AAS 56 (1964) 97-98.

ficare vult, Dei populum « opus Dei »⁴ participare. Christus, Redemptor noster et Summus Sacerdos, per liturgiam, in Ecclesia Sua, cum ipsa et per ipsam, opus prosequitur nostrae Redemptionis.

1070 Verbum « liturgia » in Novo Testamento adhibetur ad denotandum non solum divini cultus celebrationem,⁵ sed etiam Evangelii nuntium⁶ et caritatem in actu.⁷ In omnibus his adiunctis agitur de Dei et hominum servitio. Ecclesia in celebratione liturgica est serva, ad imaginem Domini sui, unius « Liturgi »,⁸ Eius participans sacerdotium (cultum) propheticum (nuntium) et regale (caritatis servitium):

783

> « Merito igitur liturgia habetur veluti Iesu Christi sacerdotalis muneris exercitatio, in qua per signa sensibilia significatur et modo singulis proprio efficitur sanctificatio hominis, et a mystico Iesu Christi corpore, Capite nempe Eiusque membris, integer cultus publicus exercetur. Proinde omnis liturgica celebratio, utpote opus Christi Sacerdotis Eiusque corporis, quod est Ecclesia, est actio sacra praecellenter, cuius efficacitatem eodem titulo eodemque gradu nulla alia actio Ecclesiae adaequat ».⁹

Liturgia tamquam vitae fons

1071 Liturgia, opus Christi, est etiam Eius *Ecclesiae* actio. Eadem Ecclesiam efficit et manifestat tamquam signum visibile communionis Dei et hominum per Christum. Fideles assumit in novam communitatis vitam. Implicat participationem ab omnibus « scienter, actuose et fructuose »¹⁰ peractam.

1692

1072 « Liturgia non explet totam actionem Ecclesiae »:¹¹ illam evangelizatio, fides et conversio debent praecedere; tunc ipsa in vita fidelium suos potest ferre fructus: vitam novam secundum Spiritum, obligationem in missione Ecclesiae et servitium pro eius unitate.

---

⁴ Cf. *Io* 17, 4.
⁵ Cf. *Act* 13, 2; *Lc* 1, 23.
⁶ Cf. *Rom* 15, 16; *Philp* 2, 14-17. 30.
⁷ Cf. *Rom* 15, 27; *2 Cor* 9, 12; *Philp* 2, 25.
⁸ Cf. *Heb* 8, 2. 6.
⁹ Concilium Vaticanum II, Const. *Sacrosanctum Concilium*, 7: AAS 56 (1964) 101.
¹⁰ Concilium Vaticanum II, Const. *Sacrosanctum Concilium*, 11: AAS 56 (1964) 103.
¹¹ Concilium Vaticanum II, Const. *Sacrosanctum Concilium*, 9: AAS 56 (1964) 101.

ORATIO ET LITURGIA

1073 Liturgia est etiam participatio orationis Christi, ad Patrem in Spiritu Sancto directae. In ea, omnis oratio christiana suum fontem suumque invenit finem. Per liturgiam, homo interior radicatur et fundatur [12] super Dei « nimiam caritatem [...], qua dilexit nos » (*Eph* 2, 4) in Filio Suo dilecto. Est idem « mirabile Dei » quod vita ducitur et interius fit ab omni oratione, « omni tempore in Spiritu » (*Eph* 6, 18).   2558

CATECHESIS ET LITURGIA

1074 « Liturgia est culmen ad quod actio Ecclesiae tendit et simul fons unde omnis eius virtus emanat ».[13] Ea locus est praecipuus catechesis populi Dei. « Catechesis suapte natura cum omnibus celebrationibus liturgicis atque sacramentalibus coniungitur, quippe cum in sacramentis, maxime in Eucharistia, Christus Iesus cumulate agat ad hominum transformationem ».[14]

1075 Catechesis liturgica in mysterium Christi conatur introducere   426
(ipsa est μυσταγωγία), ab invisibili ad visibile procedens, a significanti ad significatum, a « sacramentis » ad « mysteria ». Talis catechesis ad   774
competentiam pertinet catechismorum localium et regionalium. Hic Catechismus, qui ad totius Ecclesiae servitium in diversitate eius rituum eiusque culturarum esse vult,[15] id exponet quod fundamentale est totique Ecclesiae commune ad liturgiam tamquam mysterium et celebrationem attinens (*sectio prima*), deinde septem sacramenta et sacramentalia (*sectio secunda*).

---

[12] Cf. *Eph* 3, 16-17.
[13] CONCILIUM VATICANUM II, Const. *Sacrosanctum Concilium*, 10: AAS 56 (1964) 102.
[14] IOANNES PAULUS II, Adh. ap. *Catechesi tradendae*, 23: AAS 71 (1979) 1296.
[15] CONCILIUM VATICANUM II, Const. *Sacrosanctum Concilium*, 3-4: AAS 56 (1964) 98.

SECTIO PRIMA

OECONOMIA SACRAMENTALIS

1076   Die Pentecostes, per Spiritus Sancti effusionem, Ecclesia mundo est manifestata.[1] Donum Spiritus tempus inaugurat novum in « dispensatione mysterii »: tempus Ecclesiae, quo perdurante Christus per liturgiam Ecclesiae Suae Suum opus salutis manifestat, praesens facit et communicat « donec veniat » (*1 Cor* 11, 26). Per hoc Ecclesiae tempus, Christus vivit et agit iam in Ecclesia Sua et cum illa modo novo proprio huius novi temporis. Agit per sacramenta; hoc communis traditio Orientis et Occidentis « Oeconomiam sacramentalem » appellat; haec in communicatione (seu « dispensatione ») consistit fructuum mysterii Paschalis Christi in celebratione liturgiae « sacramentalis » Ecclesiae.

739

Hac de causa, imprimis ostendere oportet hanc « dispensationem sacramentalem » (*caput primum*). Sic clarius apparebunt natura et rationes essentiales celebrationis liturgicae (*caput secundum*).

---

[1] Cf. Concilium Vaticanum II, Const. *Sacrosanctum Concilium*, 6: AAS 56 (1964) 100; Id., Const. dogm. *Lumen gentium*, 2: AAS 57 (1965) 6.

MYSTERIUM PASCHALE
IN ECCLESIAE TEMPORE

Articulus 1
LITURGIA – SANCTISSIMAE TRINITATIS OPUS

I. Pater, liturgiae fons et finis

1077 « Benedictus Deus et Pater Domini nostri Iesu Christi, qui bene- 492
dixit nos in omni benedictione spiritali in caelestibus in Christo, sicut
elegit nos in Ipso ante mundi constitutionem, ut essemus sancti et immaculati in conspectu Eius in caritate, qui praedestinavit nos in adoptionem filiorum per Iesum Christum in Ipsum, secundum beneplacitum
voluntatis Suae, in laudem gloriae gratiae Suae, in qua gratificavit nos
in Dilecto » (*Eph* 1, 3-6).

1078 Benedictio actio est divina quae vitam donat et cuius Pater est 2626
fons. Eius benedictio est simul verbum et donum (*bene-dictio*, εὐ-λογία).
Haec locutio homini applicata adorationem et redditionem Creatori eius
significabit in gratiarum actione.

1079 Inde ab initio usque ad temporum consummationem, totum Dei
opus *benedictio* est. Inde a primae creationis liturgico poëmate usque ad
caelestis Ierusalem cantica, inspirati auctores consilium annuntiant salutis tamquam immensam benedictionem divinam.

1080 Inde ab initio, Deus viventibus, praesertim viro et mulieri, benedixit. Foedus cum Noe et cum omnibus entibus animatis hanc fecunditatis renovat benedictionem, non obstante hominis peccato propter
quod terra est « maledicta ». Sed inde ab Abraham, benedictio divina
penetrat hominum historiam quae mortem versus ibat, ut illam faceret
vitam versus, ad eius fontem, ascendere: per fidem « patris credentium »
qui benedictionem accipit, salutis historia inauguratur.

1081 Benedictiones divinae in mirabilibus et salvificis manifestantur eventibus: tales sunt nativitas Isaac, exitus de Aegypto (Pascha et Exodus), donum Terrae promissae, electio David, Dei praesentia in Templo, exilium purificans et reditus « parvi residui ». Lex, Prophetae et Psalmi qui populi electi intexunt liturgiam, has divinas simul commemorant benedictiones illisque cum laudis et gratiarum actionis respondent benedictionibus.

1082 In Ecclesiae liturgia, benedictio divina plene revelatur et communicatur: Pater tamquam fons et finis omnium benedictionum creationis et salutis agnoscitur et adoratur; in Verbo Suo, pro nobis incarnato, mortuo et resuscitato, nos Suis cumulat benedictionibus, et per Illum in corda nostra donum effundit quod omnia continet dona: Spiritum Sanctum.

2627   1083 Duplex tunc intelligitur liturgiae christianae ratio tamquam responsionis fidei et amoris « benedictionibus spiritualibus » quibus Pater nos gratificavit. Ex altera parte, Ecclesia, suo Domino unita et sub Spiritus Sancti actione,[2] Patri benedicit « super inenarrabili dono Eius » (*2 Cor* 9, 15), per adorationem, laudem et gratiarum actionem. Ex altera vero, et usque ad consilii Dei consummationem, Ecclesia Patri « oblationem suorum propriorum donorum » offerre non desinit Eumque precari ut Spiritum Sanctum super hanc mittat oblationem, super semetipsam, super fideles et super totum mundum, ut, per communionem in morte et resurrectione Christi-Sacerdotis et per virtutem Spiritus, hae divinae benedictiones fructus ferant vitae « in laudem gloriae gratiae Suae » (*Eph* 1, 6).

1360 (in margin)

II. Christi opus in liturgia

Christus glorificatus...

662   1084 Christus, « sedens ad dexteram Patris » et Spiritum Sanctum in Suum effundens corpus, quod est Ecclesia, iam operatur per sacramenta a Se instituta ad Suam gratiam communicandam. Sacramenta signa sunt sensibilia (verba et actiones), nostro actuali generi humano accessibilia. Efficaciter gratiam efficiunt quam significant propter Christi actionem et per Spiritus Sancti virtutem.

1127 (in margin)

1085 In Ecclesiae liturgia, Christus Suum Paschale mysterium praecipue significat et efficit. In vita Sua terrestri, Iesus per Suam doctrinam

---

[2] Cf. *Lc* 10, 21.

annuntiabat et per Suos actus mysterium Paschale anticipabat Suum. Cum Hora venit,[3] unicum historiae vixit eventum qui non transit: Iesus moritur, sepelitur, resurgit a mortuis et sedet ad dexteram Patris « semel » (*Rom* 6, 10; *Heb* 7, 27; 9, 12). Eventus est realis, qui in nostra historia accidit, sed est unicus: omnes alii historiae eventus semel adveniunt, deinde transeunt, a praeterito tempore devorati. E contra, mysterium Paschale Christi solum in praeterito permanere non potest, propterea quod Ipse per Mortem Suam destruxit mortem et quidquid Christus est, et quidquid Ipse pro omnibus hominibus fecit et passus   519 est, aeternitatem participat divinam et sic omnia transcendit tempora et praesens efficitur. Eventus crucis et Resurrectionis *permanet* omniaque   1165 ad vitam trahit.

...INDE AB APOSTOLORUM ECCLESIA...

1086 « Sicut Christus missus est a Patre, ita et Ipse Apostolos, reple- 858 tos Spiritu Sancto, misit, non solum ut, praedicantes Evangelium omni creaturae, annuntiarent Filium Dei Morte Sua et Resurrectione nos a potestate Satanae et a morte liberasse et in Regnum Patris transtulisse, sed etiam ut, quod annuntiabant, opus salutis per Sacrificium et sacramenta, circa quae tota vita liturgica vertit, exercerent ».[4]

1087 Sic Christus resuscitatus, Apostolis Spiritum Sanctum donans, eis Suam sanctificationis concredit potestatem:[5] ipsi signa Christi efficiuntur sacramentalia. Per Eiusdem Spiritus Sancti virtutem, hanc potestatem suis concredunt successoribus. Haec « successio apostolica » totam   861 liturgicam Ecclesiae vitam struit: ipsa sacramentalis est per Ordinis   1536 sacramentum transmissa.

...PRAESENS IN TERRESTRI EST LITURGIA...

1088 « Ad tantum vero opus perficiendum [dispensationem seu communicationem Sui operis salutis] Christus Ecclesiae Suae semper adest, praeser- 776 tim in actionibus liturgicis. Praesens adest in Missae Sacrificio cum in mi- 669 nistri persona, 'Idem nunc offerens sacerdotum ministerio, qui Seipsum tunc in cruce obtulit', tum maxime sub speciebus eucharisticis. Praesens   1373 adest virtute Sua in sacramentis, ita ut cum aliquis baptizat, Christus Ipse

---

[3] Cf. *Io* 13, 1; 17, 1.
[4] CONCILIUM VATICANUM II, Const. *Sacrosanctum Concilium*, 6: AAS 56 (1964) 100.
[5] Cf. *Io* 20, 21-23.

baptizet. Praesens adest in Verbo Suo, siquidem Ipse loquitur dum sacrae Scripturae in Ecclesia leguntur. Praesens adest denique cum supplicat et psallit Ecclesia, Ipse qui promisit: 'Ubi sunt duo vel tres congregati in nomine meo, ibi sum in medio eorum' (*Mt* 18, 20)».[6]

796 1089 « Tanto in opere, quo Deus perfecte glorificatur et homines sanctificantur, Christus Ecclesiam, Sponsam Suam dilectissimam, Sibi semper consociat, quae Dominum suum invocat et per Ipsum Aeterno Patri cultum tribuit ».[7]

...QUAE LITURGIAM PARTICIPAT CAELESTEM

1137-1139 1090 « In terrena liturgia caelestem illam praegustando participamus, quae in sancta Civitate Ierusalem, ad quam peregrini tendimus, celebratur, ubi Christus est in dextera Dei sedens, sanctorum minister et tabernaculi veri; cum omni militia caelestis exercitus hymnum gloriae Domino canimus; memoriam sanctorum venerantes partem aliquam et societatem cum iis speramus; Salvatorem exspectamus Dominum nostrum Iesum Christum, donec Ipse apparebit vita nostra, et nos apparebimus cum Ipso in gloria ».[8]

III. Spiritus Sanctus et Ecclesia in liturgia

798 1091 Spiritus Sanctus est in liturgia paedagogus fidei populi Dei, artifex « operum capitalium Dei » quae Novi Testamenti sunt sacramenta. Optatum et opus Spiritus in corde Ecclesiae est ut ex Christi resuscitati vivamus vita. Cum in nobis fidei invenit responsum quod Ipse suscitavit, vera fit cooperatio. Propter hanc liturgia opus fit commune Spiritus Sancti et Ecclesiae.

737 1092 In hac sacramentali dispensatione mysterii Christi, Spiritus Sanctus operatur eodem modo ac aliis temporibus Oeconomiae salutis: Ipse Ecclesiam praeparat ut Domino occurrat suo; fidei congregationis Christum commemorat et manifestat; praesens et actuale Christi facit mysterium per Suam transformantem virtutem; Spiritus denique communionis Ecclesiam vitae et missioni coniungit Christi.

[6] Concilium Vaticanum II, Const. *Sacrosanctum Concilium*, 7: AAS 56 (1964) 100-101.
[7] Concilium Vaticanum II, Const. *Sacrosanctum Concilium*, 7: AAS 56 (1964) 101.
[8] Concilium Vaticanum II, Const. *Sacrosanctum Concilium*, 8: AAS 56 (1964) 101; cf. Id., Const. dogm. *Lumen gentium*, 50: AAS 57 (1965) 55-57.

SPIRITUS SANCTUS AD CHRISTUM PRAEPARAT ACCIPIENDUM

1093   Spiritus Sanctus in Oeconomia sacramentali figuras adimplet *Ve-*   762
teris Foederis. Propterea quod Ecclesia Christi erat « in historia populi
Israel ac Foedere Antiquo mirabiliter praeparata »,[9] Ecclesiae liturgia,
tamquam partem integrantem atque non substituendam, elementa conservat cultus Veteris Foederis, ea sua faciens:
    — praecipue lectionem Veteris Testamenti;   121
    — psalmorum orationem;   2585
    — et maxime memoriam eventuum salutarium et realitatum signifi-   1081
cantium quae suam in mysterio Christi invenerunt adimpletionem (Promissionis et Foederis, Exodus et Paschatis, Regni et Templi, Exilii et
reditus).

1094   Super hanc utriusque Testamenti harmoniam,[10] catechesis Pascha-   128-130
lis Domini ordinatur,[11] deinde illa Apostolorum et Ecclesiae Patrum.
Haec catechesis detegit id quod sub littera Veteris Testamenti occultum
manebat: mysterium Christi. Ea « typologica » appellatur quia novitatem Christi revelat inde a « figuris » (τύποις) quae Illum in primi Foederis factis, verbis et symbolis annuntiabant. Per hanc in Spiritu veritatis
inde a Christo novam lectionem, revelantur figurae.[12] Sic diluvium et
Arca Noe salutem praefigurabant per Baptismum,[13] pari modo nubes et
Maris Rubri transitus, atque aqua de petra figura erat spiritualium
Christi donorum;[14] manna deserti Eucharistiam, « Panem de caelo
verum » (*Io* 6, 32), praefigurabat.

1095   Hac de causa, Ecclesia, praesertim temporibus Adventus, Quadragesimae et maxime nocte Paschatis, omnes hos magnos historiae sa-   281
lutis eventus in « hodie » suae liturgiae iterum legit iterumque vivit. Sed
hoc etiam exigit ut catechesis fideles adiuvet ad se huic intelligentiae
« spirituali » Oeconomiae salutis aperiendos, qualem liturgia Ecclesiae   117
manifestat facitque vivere.

1096   *Liturgia Iudaica et liturgia christiana*. Melior cognitio fidei et vitae religiosae populi Iudaici, sicut adhuc hodie in professione exprimuntur et in vitam
ducuntur, ad quasdam liturgiae christianae rationes melius intelligendas potest

---

[9] CONCILIUM VATICANUM II, Const. dogm. *Lumen gentium*, 2: AAS 57 (1965) 6.
[10] Cf. CONCILIUM VATICANUM II, Const. dogm. *Dei Verbum*, 14-16: AAS 58 (1966)
824-825.
[11] Cf. *Lc* 24, 13-49.
[12] Cf. *2 Cor* 3, 14-16.
[13] Cf. *1 Pe* 3, 21.
[14] Cf. *1 Cor* 10, 1-6.

adiuvare. Pro Iudaeis et pro christianis, sacra Scriptura pars est essentialis liturgiarum ipsorum: pro proclamatione Verbi Dei, responsione ad hoc Verbum, oratione laudis et intercessionis pro vivis et defunctis, recursu ad misericordiam divinam. Verbi liturgia, in sua propria structura, a liturgia Iudaica originem invenit suam. Oratio Horarum et alii textus et formularia liturgica parallelos habent suos, sicut etiam ipsae formulae nostrarum maxime venerabilium orationum, qualis est « Pater noster ». Preces eucharisticae etiam in exemplaribus traditionis Iudaicae inspirantur. Relatio inter liturgiam Iudaicam et liturgiam christianam, sed etiam differentia contentuum earum, peculiariter visibiles sunt in magnis festivitatibus anni liturgici, sicut in Paschate. Christiani et Iudaei Pascha celebrant: Pascha historiae versus futurum tendens apud Iudaeos; Pascha adimpletum in Christi morte et resurrectione apud christianos, licet semper in consummationis definitivae exspectatione.

1097   In *Novi Foederis liturgia*, omnis actio liturgica, speciatim celebratio Eucharistiae et sacramentorum, occursus est inter Christum et Ecclesiam. Liturgica congregatio suam habet unitatem ex « communione Spiritus Sancti » qui filios Dei coniungit in unum Christi corpus. Illa affinitates superat humanas, gentilitias, culturales et sociales.

1098   Congregatio se debet *praeparare* ut Domino occurrat suo, ut sit plebs perfecte parata.[15] Haec cordium praeparatio commune est opus Spiritus Sancti et congregationis, praesertim ministrorum eius. Gratia Spiritus Sancti fidem suscitare conatur, conversionem cordis et voluntati Patris adhaesionem. Hae dispositiones praesupponuntur pro acceptione aliarum gratiarum quae in ipsa offeruntur celebratione et pro vitae novae fructibus ad quos deinde producendos celebratio destinatur.

Spiritus Sanctus mysterium Christi in memoriam revocat

1099   Spiritus et Ecclesia cooperantur ut Christus Eiusque opus salutis manifestentur in liturgia. Praecipue in Eucharistia et analogice in ceteris sacramentis, liturgia *Memoriale* est mysterii salutis. Spiritus Sanctus vivens Ecclesiae est memoria.[16]

1100   *Verbum Dei.* Spiritus Sanctus imprimis congregationi commemorat liturgicae sensum eventus salutis, vitam donans Dei Verbo quod annuntiatur, ut recipi possit et in vitam adduci:

> « Maximum est sacrae Scripturae momentum in liturgia celebranda. Ex ea enim lectiones leguntur et in homilia explicantur, psalmi canuntur,

[15] Cf. *Lc* 1, 17.
[16] Cf. *Io* 14, 26.

Margin references: 1174 · 1352 · 840 · 1430 · 91 · 1134 · 103, 131 atque ex eius afflatu instinctuque preces, orationes et carmina liturgica effusa sunt, et ex ea significationem suam actiones et signa accipiunt ».[17]

1101 Spiritus Sanctus intelligentiam Verbi Dei spiritualem legentibus praebet et audientibus, secundum cordium eorum dispositiones. Per verba, actiones et symbola quae celebrationis tramam efformant, fideles et ministros in relatione viventi ponit cum Christo, Verbo et Imagine Patris, ut illi possint facere ut in eorum vitas sensus rerum transeat quae in celebratione audiunt, contemplantur et agunt.

117

1102 « Verbo [...] salutari [...] in corde fidelium alitur fides, qua congregatio fidelium incipit et crescit ».[18] Verbi Dei annuntiatio in quadam instructione non sistit: *responsum fidei* postulat, tamquam consensum et obligationem, in ordine ad Foedus inter Deum Eiusque populum. Spiritus Sanctus etiam gratiam praebet fidei, eam roborat et crescere facit in communitate. Liturgica congregatio est imprimis communio in fide.

143

1103 Ἀνάμνησις. Celebratio liturgica semper ad interventus Dei salvificos in historia refertur. « Revelationis Oeconomia fit gestis verbisque intrinsece inter se connexis, ita ut [...] verba [...] opera proclament et mysterium in eis contentum elucident ».[19] In liturgia verbi, Spiritus Sanctus congregationi « revocat in memoriam » quidquid Christus pro nobis fecit. Secundum actionum liturgicarum naturam et traditiones Ecclesiarum rituales, celebratio « memoriam facit » mirabilium Dei in Anamnesi plus minusve explicata. Spiritus Sanctus, qui sic memoriam suscitat Ecclesiae, excitat etiam gratiarum actionem et laudem (Δοξολογίαν).

1362

SPIRITUS SANCTUS MYSTERIUM CHRISTI EFFICIT ACTUALE

1104 Liturgia christiana non solum commemorat eventus qui nos salvaverunt, sed eos actuales reddit, praesentes efficit. Paschale Christi mysterium celebratur, non iteratur; celebrationes iterantur; in unaquaque ex illis effusio supervenit Spiritus Sancti qui unicum mysterium reddit actuale.

1085

1105 Ἐπίκλησις (« invocatio-super ») est intercessio in qua sacerdos Patrem supplicat Spiritum mittere Sanctificatorem, ut oblationes corpus et sanguis fiant Christi et fideles ea recipientes fiant et ipsi vivens Deo oblatio.

1153

[17] CONCILIUM VATICANUM II, Const. *Sacrosanctum Concilium*, 24: AAS 56 (1964) 106-107.
[18] CONCILIUM VATICANUM II, Decr. *Presbyterorum ordinis*, 4: AAS 58 (1966) 996.
[19] CONCILIUM VATICANUM II, Const. dogm. *Dei Verbum*, 2: AAS 58 (1966) 818.

1106   Epiclesis est, cum Anamnesi, in corde uniuscuiusque celebrationis sacramentalis, modo magis particulari Eucharistiae:

1375

« Et quaeris quomodo panis fit corpus Christi, ac vinum [...] sanguis Christi? Ego vero tibi repono Spiritum Sanctum supervenire, et ea facere, quae sermonem conceptumque omnem procul exsuperant. [...] Sat tibi sit audire, hoc fieri per Spiritum Sanctum; quemadmodum et ex sancta Dei Genitrice per Spiritum Sanctum Dominus Sibimet et in Seipso carnem sumpsit ».[20]

2816

1107   Virtus transformans Spiritus Sancti in liturgia Adventum Regni properat et consummationem mysterii salutis. In exspectatione et in spe Ipse nos communionem plenam Sanctissimae Trinitatis realiter facit anticipare. Spiritus, missus a Patre qui Epiclesim exaudit Ecclesiae, illis vitam praebet qui Eum accipiunt et iam nunc est pro illis illorum hereditatis « arrabo ».[21]

Spiritus Sancti communio

788

1091

775

1108   Finis missionis Spiritus Sancti in omni actione liturgica est ut in communione simus cum Christo ad corpus Eius efformandum. Spiritus Sanctus est quasi succus vitis Patris qui in palmitibus suum fert fructum.[22] In liturgia, cooperatio intima Spiritus et Ecclesiae deducitur in rem. Ipse, Spiritus communionis, in Ecclesia permanet indefectibiliter, et hac de causa Ecclesia magnum est communionis divinae sacramentum quod filios Dei congregat dispersos. Fructus Spiritus in liturgia est inseparabiliter communio cum Sanctissima Trinitate et communio fraterna.[23]

1368

1109   Epiclesis est etiam oratio pro pleno effectu communionis congregationis in Christi mysterio. « Gratia Domini Iesu Christi et caritas Dei et communicatio Sancti Spiritus » (*2 Cor* 13, 13) nobiscum semper debent permanere fructusque ferre ultra eucharisticam celebrationem. Ecclesia igitur Patrem orat ut Spiritum Sanctum mittat qui ex fidelium vita oblationem Deo efficiat viventem per spiritualem transformationem ad imaginem Christi, sollicitudinem de unitate Ecclesiae et participationem in missione eius per testimonium et caritatis servitium.

---

[20] Sanctus Ioannes Damascenus, *Expositio fidei*, 86 [*De fide orthodoxa*, 4, 13]: PTS 12, 194-195 (PG 94, 1141. 1145).
[21] Cf. *Eph* 1, 14; *2 Cor* 1, 22.
[22] Cf. *Io* 15, 1-17; *Gal* 5, 22.
[23] Cf. *1 Io* 1, 3-7.

Compendium

1110 *In Ecclesiae liturgia, Deus Pater benedicitur et adoratur tamquam fons omnium benedictionum creationis et salutis, quibus Ipse nobis in Filio benedixit Suo, ad nobis Spiritum adoptionis filialis donandum.*

1111 *Christi opus in liturgia est sacramentale quia Eius mysterium salutis per virtutem Spiritus Sancti Eius efficitur praesens; quia Eius corpus, quod est Ecclesia, veluti sacramentum (signum et instrumentum) est per quod Spiritus Sanctus mysterium salutis dispensat; quia Ecclesia peregrinans, per suas actiones liturgicas, iam praegustando, liturgiam participat caelestem.*

1112 *Spiritus Sancti missio in Ecclesiae liturgia est congregationem praeparare ut Christo occurrat; fidei congregationis Christum commemorare et praesentare; per Suam transformantem virtutem opus salvificum Christi praesens reddere et actuale atque efficere ut donum communionis in Ecclesia ferat fructus.*

Articulus 2

MYSTERIUM PASCHALE
IN ECCLESIAE SACRAMENTIS

1113 Tota vita liturgica Ecclesiae circa Sacrificium eucharisticum et sacramenta vertit.[24] In Ecclesia septem sunt sacramenta: Baptismus, Confirmatio seu Chrismatio, Eucharistia, Paenitentia, Unctio infirmorum, Ordo et Matrimonium.[25] In hoc articulo agitur de eo quod septem Ecclesiae sacramentis ratione doctrinali commune est. Id quod ratione celebrationis est commune, in capite secundo exponetur, et quod proprium unicuique est eorum, obiectum erit secundae sectionis.

1210

---

[24] Cf. Concilium Vaticanum II, Const. *Sacrosanctum Concilium*, 6: AAS 56 (1964) 100.
[25] Cf. Concilium Lugdunense II, *Professio fidei Michaelis Palaeologi imperatoris*: DS 860; Concilium Florentinum, *Decretum pro Armenis*: DS 1310; Concilium Tridentinum, Sess. 7ª, *Canones de sacramentis in genere*, canon 1: DS 1601.

I. Christi sacramenta

1114 « Sanctarum Scripturarum doctrinae, apostolicis Traditionibus [...] et Patrum consensui inhaerendo »,[26] profitemur « sacramenta novae Legis [...] fuisse omnia a Iesu Christo Domino nostro instituta ».[27]

512-560
1115 Iam verba et opera Iesu, tempore Eius vitae occultae Eiusque ministerii publici, salvifica erant. Eius mysterii Paschalis anticipabant virtutem. Illa id annuntiabant et praeparabant quod Ipse Ecclesiae erat daturus, cum omnia essent adimpleta. Mysteria vitae Christi fundamenta sunt illius quod Christus deinceps per Ecclesiae Suae ministros in sacramentis dispensat, quia « quod [...] Redemptoris nostri conspicuum fuit, in sacramenta transivit ».[28]

1504
774
1116 « Virtutes quae exeunt » de corpore Christi,[29] semper viventis et vivificantis, actiones Spiritus Sancti in Eius corpore operantis quod est Ecclesia, sacramenta « opera capitalia Dei » sunt in Novo et aeterno Foedere.

II. Ecclesiae sacramenta

1117 Ecclesia, per Spiritum qui eam « in omnem veritatem » (*Io* 16, 13) deducit, hunc thesaurum a Christo receptum paulatim agnovit eiusque « dispensationem » determinavit sicut pro sacrarum Scripturarum canone fecit et fidei doctrina, tamquam fidelis mysteriorum Dei dispensatrix.[30] Sic Ecclesia saeculorum discrevit decursu, inter suas celebrationes liturgicas, septem esse quae, sensu huius termini proprio, sacramenta sunt a Domino instituta.

120

1396
1118 Sacramenta, hoc duplici sensu, sunt « Ecclesiae »: ea sunt « per illam » et « pro illa ». Sunt « per Ecclesiam » quia haec sacramentum est actionis Christi in ea per Spiritus Sancti missionem operantis. Et sunt « pro Ecclesia », sunt « sacramenta [...] quibus aedificatur Ecclesia »,[31] quippe quae hominibus, praesertim in Eucharistia, mysterium communionis Dei-Amoris, Unius in Tribus Personis, manifestant et communicant.

---

[26] CONCILIUM TRIDENTINUM, Sess. 7ª, *Decretum de sacramentis*, Prooemium: DS 1600.
[27] CONCILIUM TRIDENTINUM, Sess. 7ª, *Canones de sacramentis in genere*, canon 1: DS 1601.
[28] SANCTUS LEO MAGNUS, *Sermo* 74, 2: CCL 138A, 457 (PL 54, 398).
[29] Cf. *Lc* 5, 17; 6, 19; 8, 46.
[30] Cf. *Mt* 13, 52; *1 Cor* 4, 1.
[31] SANCTUS AUGUSTINUS, *De civitate Dei* 22, 17: CSEL 40/2, 625 (PL 41, 779); cf. SANCTUS THOMAS AQUINAS, *Summa theologiae* 3, q. 64, a. 2, ad 3: Ed. Leon. 12, 43.

1119 Ecclesia, cum Christo-Capite constituens « unam dumtaxat [...] mysticam personam »,[32] in sacramentis operatur tamquam « communitas sacerdotalis » « organice exstructa »: [33] per Baptisma et Confirmationem, populus sacerdotalis ad liturgiam celebrandam fit aptus; ex altera parte, quidam fideles, sacro Ordine insigniti, « ad Ecclesiam verbo et gratia Dei pascendam, Christi nomine instituuntur ».[34]

792

1120 Ministerium ordinatum seu « sacerdotium *ministeriale* »[35] in sacerdotii baptismalis est servitium. Illud Christum revera, in sacramentis, agere per Spiritum Sanctum pro Ecclesia praestat. Missio salutis a Patre Eius Filio incarnato concredita, Apostolis committitur et per eos successoribus eorum: hi Spiritum Sanctum Iesu accipiunt ad agendum in nomine et in persona Eius.[36] Sic ministerium ordinatum vinculum est sacramentale quod actionem liturgicam coniungit cum eo quod Apostoli dixerunt et fecerunt, et, per illos, cum eo quod Christus, sacramentorum fons et fundamentum, dixit et fecit.

1547

1121 Tria sacramenta Baptismi, Confirmationis et Ordinis, praeter gratiam, sacramentalem conferunt *characterem* seu « signum » per quod christianus Christi participat sacerdotium et Ecclesiae fit pars secundum status et munera diversa. Haec configuratio Christo et Ecclesiae, a Spiritu effecta, indelebilis est,[37] perpetuo permanet in christiano tamquam dispositio positiva pro gratia, tamquam promissio et cautio protectionis divinae atque tamquam vocatio ad cultum divinum et ad Ecclesiae servitium. Haec igitur sacramenta numquam possunt iterari.

1272, 1304
1582

III. Sacramenta fidei

1122 Christus Suos Apostolos misit ut praedicent « in nomine Eius paenitentiam in remissionem peccatorum in omnes gentes » (*Lc* 24, 47) « Docete omnes gentes, baptizantes eos in nomine Patris et Filii et Spiritus Sancti » (*Mt* 28, 19). Missio baptizandi, missio igitur sacramentalis, in missione evangelizandi implicatur, quia sacramentum *a verbo Dei* et a fide praeparatur quae huic verbo est assensus:

849

1236

[32] Pius XII, Litt. enc. *Mystici corporis*: AAS 35 (1943) 226.
[33] Concilium Vaticanum II, Const. dogm. *Lumen gentium*, 11: AAS 57 (1965) 15.
[34] Concilium Vaticanum II, Const. dogm. *Lumen gentium*, 11: AAS 57 (1965) 15.
[35] Concilium Vaticanum II, Const. dogm. *Lumen gentium*, 10: AAS 57 (1965) 14.
[36] Cf. *Io* 20, 21-23; *Lc* 24, 47; *Mt* 28, 18-20.
[37] Concilium Tridentinum, Sess. 7ª, *Canones de sacramentis in genere*, canon 9: DS 1609.

« Populus Dei primum coadunatur Verbo Dei vivi [...]. Verbi praedicatio requiritur ad ipsum ministerium sacramentorum, quippe quae sint
sacramenta fidei, quae de Verbo nascitur et nutritur ».[38]

1123 « Sacramenta ordinantur ad sanctificationem hominum, ad aedificationem corporis Christi, ad cultum denique Deo reddendum; ut signa
vero etiam ad instructionem pertinent. Fidem non solum supponunt,
1154 sed verbis et rebus etiam alunt, roborant, exprimunt; quare *fidei* sacramenta dicuntur ».[39]

166 1124 Ecclesiae fides fidem praecedit fidelis, qui invitatur ut illi adhaereat. Cum Ecclesia sacramenta celebrat, fidem profitetur ab Apostolis
1327 receptam. Inde vetus adagium: « *Lex orandi, lex credendi* » (vel: « *Legem
credendi lex statuat supplicandi* », secundum Prosperum Aquitanum [sae-
culo quinto]).[40] Lex orationis est lex fidei. Ecclesia credit sicut orat.
78 Liturgia elementum est constituens sanctae et vivificae Traditionis.[41]

1205 1125 Hac de causa, nullus ritus sacramentalis potest ad placitum ministri vel communitatis mutari vel ad eorum variari commodum. Ipsa
auctoritas Ecclesiae suprema non potest liturgiam ad placitum commu-
tare suum, sed solummodo in oboedientia fidei et in religiosa mysterii
liturgiae observantia.

1126 Ceterum, quia sacramenta communionem fidei in Ecclesia expri-
815 munt et explicant, *lex orandi* quoddam est e criteriis essentialibus dialogi qui unitatem christianorum intendit restaurare.[42]

IV. Sacramenta salutis

1127 Sacramenta, in fide digne celebrata, gratiam conferunt quam si-
1084 gnificant.[43] Sunt *efficacia* quia in eis Ipse Christus operatur: Ipse est qui
baptizat, Ipse est qui in Suis agit sacramentis ut gratiam communicet
quam sacramentum significat. Pater orationem Ecclesiae Filii Sui sem-
1105 per exaudit, quae, in uniuscuiusque sacramenti Epiclesi, suam fidem
696 exprimit in virtutem Spiritus. Sicut ignis transformat in se quidquid

---

[38] CONCILIUM VATICANUM II, Decr. *Presbyterorum ordinis*, 4: AAS 58 (1966) 995-996.
[39] CONCILIUM VATICANUM II, Const. *Sacrosanctum Concilium*, 59: AAS 56 (1964) 116.
[40] *Indiculus*, c. 8: DS 246 (PL 51, 209).
[41] Cf. CONCILIUM VATICANUM II, Const. dogm. *Dei Verbum*, 8: AAS 58 (1966) 821.
[42] Cf. CONCILIUM VATICANUM II, Decr. *Unitatis redintegratio*, 2: AAS 57 (1965) 91-92;
Ibid., 15: AAS 57 (1965) 101-102.
[43] Cf. CONCILIUM TRIDENTINUM, Sess. 7ª, *Canones de sacramentis in genere*, canon 5:
DS 1605; *Ibid.*, canon 6: DS 1606.

tangit, Spiritus Sanctus in vitam transformat divinam id quod Eius virtuti submittitur.

1128   Hic est sensus affirmationis Ecclesiae:[44] sacramenta agunt *ex opere operato* (seu « ex ipso facto quod actio adimpleta est »), id est, virtute salvifici operis Christi, semel pro semper adimpleti. Inde hoc sequitur: « non [...] sacramentum perficitur per iustitiam hominis dantis vel suscipientis, sed per virtutem Dei ».[45] Eo ipso quod sacramentum   1584
secundum intentionem Ecclesiae celebratur, virtus Christi et Eius Spiritus in eo et per id operatur independenter a sanctitate personali ministri. Tamen, sacramentorum fructus etiam a dispositionibus dependent illius qui ea recipit.

1129   Ecclesia affirmat sacramenta Novi Foederis esse pro credentibus   1257
ad salutem necessaria.[46] « Gratia sacramentalis » est gratia Spiritus Sancti   2003
a Christo donata et unicuique sacramento propria. Spiritus sanat et transformat illos qui Eum recipiunt Filio Dei ipsos conformans. Vitae sacramentalis fructus est, ut Spiritus adoptionis fideles deificet,[47] eos   460
modo vitali cum Filio unico, Salvatore, coniungens.

V. Sacramenta vitae aeternae

1130   Ecclesia mysterium Domini sui celebrat « donec veniat » (*1 Cor* 11, 26) et « sit Deus omnia in omnibus » (*1 Cor* 15, 28). Inde ab aetate apostolica, liturgia ad suum trahitur finem per gemitum Spiritus in Ec-   2817
clesia: « *Marana tha*! » (*1 Cor* 16, 22). Sic liturgia desiderium participat Iesu: « Desiderio desideravi hoc Pascha manducare vobiscum, [...] donec impleatur in Regno Dei » (*Lc* 22, 15-16). In Christi sacramentis, Ecclesia iam recipit arrabonem Eius hereditatis, iam vitam participat aeter-   950
nam, licet exspectans « beatam spem et adventum gloriae magni Dei et Salvatoris nostri Iesu Christi » (*Tit 2*, 13). « Et Spiritus et Sponsa dicunt: 'Veni!' [...] Veni, Domine Iesu! » (*Apc* 22, 17. 20).

> Sanctus Thomas ita diversas signi sacramentalis rationes compendiat:
> « Sacramentum est et signum rememorativum eius quod praecessit, scili-
> cet passionis Christi; et demonstrativum eius quod in nobis efficitur per

---

[44] Cf. Concilium Tridentinum, Sess. 7ª, *Canones de sacramentis in genere*, canon 8: DS 1608.
[45] Sanctus Thomas Aquinas, *Summa theologiae* 3, q. 68, a. 8, c.: Ed. Leon. 12, 100.
[46] Cf. Concilium Tridentinum, Sess. 4ª, *Canones de sacramentis in genere*, canon 8: DS 1604.
[47] Cf. *2 Pe* 1, 4.

Christi passionem, scilicet gratiae; et prognosticum, idest praenuntiativum, futurae gloriae ».[48]

Compendium

1131   *Sacramenta sunt signa efficacia gratiae, a Christo instituta et Ecclesiae concredita, per quae vita divina nobis praebetur. Ritus visibiles quibus sacramenta celebrantur, gratias significant et efficiunt unicuique sacramento proprias. Fructum ferunt in illis qui ea cum requisitis recipiunt dispositionibus.*

1132   *Ecclesia sacramenta celebrat tamquam sacerdotalis communitas a sacerdotio baptismali et ab illo ministrorum ordinatorum exstructa.*

1133   *Spiritus Sanctus ad sacramenta per Verbum Dei praeparat et per fidem quae Verbum accipit in cordibus bene dispositis. Tunc sacramenta fidem roborant et exprimunt.*

1134   *Vitae sacramentalis fructus est simul personalis et ecclesialis. Ex altera parte, hic fructus pro omni fideli est vita pro Deo in Iesu Christo; ex altera, pro Ecclesia est augmentum in caritate et in eius missione testimonii.*

---

[48] Sanctus Thomas Aquinas, *Summa theologiae* 3, q. 60, a. 3, c.: Ed. Leon. 12, 6.

CAPUT SECUNDUM

SACRAMENTALIS CELEBRATIO
MYSTERII PASCHALIS

1135 Liturgiae catechesis Oeconomiae sacramentalis imprimis implicat intelligentiam (*caput primum*). Sub hac luce, eius *celebrationis* revelatur novitas. In hoc igitur capite de celebratione agetur sacramentorum Ecclesiae. Id considerabitur quod, in traditionum liturgicarum diversitate, septem sacramentorum celebrationi est commune; id quod unicuique eorum proprium est, exponetur ulterius. Haec fundamentalis catechesis celebrationum sacramentalium prioribus respondebit quaestionibus quas fideles de hac re sibi ponunt:

— Quis celebrat?
— Quomodo celebrandum?
— Quando celebrandum?
— Ubi celebrandum?

Articulus 1

ECCLESIAE LITURGIAM CELEBRARE

I. Quis celebrat?

1136 Liturgia « actio » est *totius Christi*. Illi qui nunc eam ultra signa celebrant, sunt iam in liturgia caelesti, ubi celebratio plene communio est et festum.

795
1090

LITURGIAE CAELESTIS CELEBRANTES

2642

1137 Sancti Ioannis Apocalypsis, in Ecclesiae liturgia lecta, nobis imprimis revelat thronum positum in caelo; et supra thronum sedentem: [1]

---

[1] Cf. *Apc* 4, 2.

662 « Dominum » (*Is* 6, 1).[2] Deinde « Agnum stantem tamquam occisum » (*Apc* 5, 6):[3] Christum crucifixum et resuscitatum, unum Summum Sacerdotem tabernaculi veri,[4] Eundem qui est « offerens et oblatus, accipiens et donatus ».[5] Tandem, « fluvium aquae vivae [...] procendentem de throno Dei et Agni » (*Apc* 22, 1), quoddam e pulcherrimis Spiritus Sancti signis.[6]

335 1138 In Christo « recapitulati » servitium laudis Dei et adimpletionem participant Eius consilii: Virtutes caelestes,[7] tota creatio (quattuor Animalia), Veteris et Novi Foederis ministri (viginti quattuor Seniores), novus populus Dei (centum quadraginta quattuor milia),[8] peculiariter martyres interfecti « propter verbum Dei » (*Apc* 6, 9), et sanctissima 1370 Mater Dei (Mulier;[9] Sponsa Agni[10]), denique « turba magna, quam dinumerare nemo poterat, ex omnibus gentibus et tribubus et populis et linguis » (*Apc* 7, 9).

1139 Huius aeternae liturgiae participes Spiritus et Ecclesia nos efficiunt, cum mysterium salutis in sacramentis celebramus.

LITURGIAE SACRAMENTALIS CELEBRANTES

752, 1348 1140 Tota *communitas*, corpus Christi suo Capiti unitum, celebrat. « Actiones liturgicae non sunt actiones privatae, sed celebrationes Ecclesiae, quae est 'unitatis sacramentum', scilicet plebs sancta sub Episcopis adunata et ordinata. Quare ad universum corpus Ecclesiae pertinent illudque manifestant et afficiunt; singula vero membra ipsius diverso mo- 1372 do, pro diversitate ordinum, munerum et actualis participationis attingunt ».[11] Hac etiam de causa, « quoties ritus, iuxta propriam cuiusque naturam, secum ferunt celebrationem communem, cum frequentia et ac-

---

[2] Cf. *Ez* 1, 26-28.
[3] Cf. *Io* 1, 29.
[4] Cf. *Heb* 4, 14-15; 10, 19-21; etc.
[5] *Liturgia Byzantina. Anaphora Iohannis Chrysostomi*: F.E. Brightman, *Liturgies Eastern and Western* (Oxford 1896) p. 378 (PG 63, 913).
[6] Cf. *Io* 4, 10-14; *Apc* 21, 6.
[7] Cf. *Apc* 4-5; *Is* 6, 2-3.
[8] Cf. *Apc* 7, 1-8; 14, 1.
[9] Cf. *Apc* 12.
[10] Cf. *Apc* 21, 9.
[11] CONCILIUM VATICANUM II, Const. *Sacrosanctum Concilium*, 26: AAS 56 (1964) 107.

tuosa participatione fidelium, inculcetur hanc, in quantum fieri potest, esse praeferendam celebrationi eorum singulari et quasi privatae ».[12]

1141 Celebrans congregatio communitas est baptizatorum, qui, « per regenerationem et Spiritus Sancti unctionem consecrantur in domum spiritualem et sacerdotium sanctum, ut per omnia opera hominis christiani spirituales offerant hostias ».[13] « Sacerdotium commune » illud est Christi, unius Sacerdotis, ab omnibus Eius membris participatum: [14]   1120

> « Valde cupit Mater Ecclesia ut fideles universi ad plenam illam, consciam atque actuosam liturgicarum celebrationum participationem ducantur, quae ab ipsius liturgiae natura postulatur et ad quam populus christianus, 'genus electum, regale sacerdotium, gens sancta, populus acquisitionis' (*1 Pe* 2, 9),[15] vi Baptismatis ius habet et officium ».[16]   1268

1142 « Omnia autem membra non eundem actum habent » (*Rom* 12, 4). Quaedam membra vocantur a Deo, in Ecclesia et per eam, ad speciale communitatis servitium. Hi ministri eliguntur et consecrantur per sacramentum Ordinis, per quod Spiritus Sanctus illos aptos reddit ut in persona agant Christi-Capitis ad omnium membrorum Ecclesiae servitium.[17] Minister ordinatus est velut « icon » Christi Sacerdotis. Quia, in   1549
Eucharistia, sacramentum Ecclesiae plene manifestatur, in praesidentia Eucharistiae apparet imprimis ministerium Episcopi et, in communione   1561
cum eo, illud presbyterorum et diaconorum.

1143 Ad muneribus sacerdotii communis fidelium inserviendum, alia etiam habentur *ministeria particularia*, per sacramentum Ordinis non   903
consecrata, et quorum functio ab Episcopis secundum traditiones liturgicas et necessitates pastorales determinatur. « Etiam ministrantes, lectores, commentatores et ii qui ad scholam cantorum pertinent, vero ministerio liturgico funguntur ».[18]   1672

1144 Sic, in celebratione sacramentorum, tota congregatio « liturgus » est, unusquisque secundum munus suum, sed « in unitate Spiritus » qui

---

[12] Concilium Vaticanum II, Const. *Sacrosanctum Concilium*, 27: AAS 56 (1964) 107.
[13] Concilium Vaticanum II, Const. dogm. *Lumen gentium*, 10: AAS 57 (1965) 14.
[14] Cf. Concilium Vaticanum II, Const. dogm. *Lumen gentium*, 10: AAS 57 (1965) 14; *Ibid.*, 34: AAS 57 (1965) 40; Id., Decr. *Presbyterorum ordinis*, 2: AAS 58 (1966) 991-992.
[15] Cf. *1 Pe* 2, 4-5.
[16] Concilium Vaticanum II, Const. *Sacrosanctum Concilium*, 14: AAS 56 (1964) 104.
[17] Cf. Concilium Vaticanum II, Decr. *Presbyterorum ordinis*, 2: AAS 58 (1966) 992; *Ibid.*, 15: AAS 58 (1966) 1014.
[18] Concilium Vaticanum II, Const. *Sacrosanctum Concilium*, 29: AAS 56 (1964) 107.

in omnibus agit. « In celebrationibus liturgicis quisque, sive minister sive fidelis, munere suo fungens, *solum* et *totum* id agat, quod ad ipsum ex rei natura et normis liturgicis pertinet ».[19]

II. Quomodo celebrandum?

1333-1340 SIGNA ET SYMBOLA

53
1145 Celebratio sacramentalis signis et symbolis texitur. Secundum paedagogiam divinam salutis, eorum significatio in opere creationis et in cultura humana radicatur, in eventibus Veteris Foederis determinatur et in persona et opere Christi plene revelatur.

362, 2702

1879
1146 *Signa mundi humani.* In vita humana, signa et symbola locum magni momenti occupant. Homo, ens simul corporale et spirituale cum sit, realitates spirituales per signa et symbola materialia exprimit et percipit. Tamquam ens sociale, homo signis eget et symbolis ut, per locutionem, per gestus, per actiones, cum aliis communicet. Idem pro eius relatione cum Deo evenit.

299
1147 Deus homini per creationem loquitur visibilem. Mundus universus materialis intelligentiae exhibetur hominis ut ipse in eo Creatoris sui vestigia legat.[20] Lumen et nox, ventus et ignis, aqua et terra, arbor et fructus de Deo loquuntur, Eius simul magnitudinem et proximitatem symbolice significant.

1148 Hae realitates sensibiles, quatenus creaturae, possunt fieri locus expressionis actionis Dei qui homines sanctificat, et actionis hominum qui cultum suum tribuunt Deo. Idem signis evenit et symbolis vitae socialis hominum: lavare et ungere, panem frangere et calicem distribuere possunt praesentiam Dei sanctificantem exprimere et gratitudinem hominis coram eius Creatore.

843
1149 Magnae generis humani religiones testantur, saepe modo animum moventi, hunc sensum cosmicum atque symbolicum rituum religiosorum. Ecclesiae liturgia elementa creationis et culturae humanae praesupponit, assumit et sanctificat, eis conferens dignitatem signorum gratiae, novae creationis in Iesu Christo.

---

[19] CONCILIUM VATICANUM II, Const. *Sacrosanctum Concilium*, 28: AAS 56 (1964) 107.
[20] Cf. *Sap* 13, 1; *Rom* 1, 19-20; *Act* 14, 17.

1150 *Foederis signa.* Populus electus a Deo signa et symbola recipit peculiaria quae eius vitam distinguunt liturgicam: non sunt amplius solummodo celebrationes cyclorum cosmicorum et gestuum socialium, sed signa Foederis, symbola magnalium a Deo gestorum pro Ipsius populo. Inter haec signa liturgica Veteris Foederis commemorari possunt circumcisio, regum et sacerdotum unctio et consecratio, manuum impositio, sacrificia et praesertim Pascha. Ecclesia in his signis praefigurationem videt sacramentorum Novi Foederis. **1334**

1151 *Signa a Christo assumpta.* Dominus Iesus in Sua praedicatione signis saepe utitur creationis ut cognoscenda praebeat mysteria Regni Dei.[21] Sanationes peragit vel praedicationem effert Suam signis materialibus vel gestibus symbolicis.[22] Sensum donat novum factis et signis Veteris Foederis, praesertim Exodo et Paschati,[23] quia Ipse sensus est omnium horum signorum. **1335**

1152 *Signa sacramentalia.* Post Pentecosten, Spiritus Sanctus, per sacramentalia Ecclesiae Suae signa, sanctificationem operatur. Ecclesiae sacramenta non abolent, sed omnes divitias signorum et symbolorum mundi materialis vitaeque socialis purificant et assumunt. Praeterea typos adimplent et figuras Foederis Veteris, salutem significant et efficiunt a Christo peractam caelique gloriam praefigurant et anticipant.

Verba et actiones

1153 Celebratio sacramentalis est occursus filiorum Dei cum ipsorum Patre, in Christo et Spiritu Sancto, atque hic occursus exprimitur tamquam dialogus, per actiones et verba. Actiones symbolicae sunt utique iam ipsae dictio quaedam, sed requiritur Verbum Dei et responsionem fidei has comitari et vivificare actiones, ut semen Regni suum ferat fructum in terra bona. Actiones liturgicae id significant quod Verbum Dei exprimit: simul gratuitum Dei inceptum et responsionem fidei populi Eius. **53**

1154 *Verbi liturgia* pars est integralis celebrationum sacramentalium. Ut fidem fidelium nutriant, signa Verbi Dei debent magni fieri: liber Verbi (lectionarium vel evangeliarium), eius veneratio (processio, incensum, lumen), locus eius annuntiationis (ambo), eius audibilis et intelligi- **1100** **103**

---

[21] Cf. *Lc* 8, 10.
[22] Cf. *Io* 9, 6; *Mc* 7, 33-35; 8, 22-25.
[23] Cf. *Lc* 9, 31; 22, 7-20.

bilis lectio, homilia ministri quae eius protrahit proclamationem, congregationis responsiones (acclamationes, meditationis psalmi, litaniae, Professio fidei).

1127

1155 Liturgicum verbum atque liturgica actio, inseparabilia quatenus signa et doctrina, inseparabilia etiam sunt quatenus efficientia id quod significant. Spiritus Sanctus non solum Verbi Dei praebet intelligentiam, fidem suscitans: Ipse per sacramenta etiam « mirabilia » Dei efficit a Verbo annuntiata: opus Patris a Filio dilecto peractum praesens reddit et communicat.

Cantus et musica

1156 « Musica traditio Ecclesiae universae thesaurum constituit pretii inaestimabilis, inter ceteras artis expressiones excellentem, eo praesertim quod ut cantus sacer qui verbis inhaeret necessariam vel integralem liturgiae sollemnis partem efficit ».[24] Compositio et cantus psalmorum inspiratorum, quos musicae instrumenta comitabantur saepe, iam celebrationibus liturgicis Veteris Foederis erant arcte coniuncta. Ecclesia hanc traditionem prosequitur et amplificat: « Loquentes vobismetipsis in psalmis et hymnis et canticis spiritalibus, cantantes et psallentes in cordibus vestris Domino » (*Eph* 5, 19).[25] Qui canit, bis orat.[26]

2502

1157 Cantus et musica suum munus signorum modo eo significantiore conficiunt, « quanto arctius cum actione liturgica connectuntur »[27] secundum tria praecipua criteria: pulchritudinem expressivam orationis, unanimem congregationis in momentis praevisis participationem et sollemnem celebrationis indolem. Sic illa finem participant verborum et actionum liturgicarum: gloriam Dei et sanctificationem fidelium:[28]

> « Quantum flevi in hymnis et canticis Tuis suave sonantis ecclesiae Tuae vocibus commotus acriter! Voces illae influebant auribus meis et eliquabatur veritas in cor meum et exaestuabat inde affectus pietatis, et currebant lacrimae, et bene mihi erat cum eis ».[29]

---

[24] Concilium Vaticanum II, Const. *Sacrosanctum Concilium*, 112: AAS 56 (1964) 128.
[25] Cf. *Col* 3, 16-17.
[26] Cf. Sanctus Augustinus, *Enarratio in Psalmum* 72, 1: CCL 39, 986 (PL 36, 914).
[27] Concilium Vaticanum II, Const. *Sacrosanctum Concilium*, 112: AAS 56 (1964) 128.
[28] Cf. Concilium Vaticanum II, Const. *Sacrosanctum Concilium*, 112: AAS 56 (1964) 128.
[29] Sanctus Augustinus, *Confessiones* 9, 6, 14: CCL 27, 141 (PL 32, 769-770).

1158 Harmonia signorum (cantus, musicae, verborum et actionum) hic eo magis est expressiva et fecunda quo magis *divitiis culturalibus* exprimitur populo Dei celebranti propriis.[30] Hac de causa, « cantus popularis religiosus sollerter foveatur, ita ut in piis sacrisque exercitiis et in ipsis liturgicis actionibus », iuxta Ecclesiae normas, « fidelium voces resonare possint ».[31] Attamen « textus cantui sacro destinati catholicae doctrinae sint conformes, immo ex sacris Scripturis et fontibus liturgicis potissimum hauriantur ».[32]

1201
1674

476-477
2129-2132

SANCTAE IMAGINES

1159 Sacra imago, liturgica icon, *Christum* praecipue repraesentat. Ipsa Deum invisibilem et incomprehensibilem nequit repraesentare; Filii Dei Incarnatio novam inauguravit imaginum « oeconomiam »:

> « Olim Deus, ut corporis ac figurae expers, imagine nequaquam repraesentabatur. Nunc vero postquam in carne visus est Deus, et cum hominibus conversatus est, qua parte conspiciendum Se praebuit, Dei imaginem efformo. [...] Nos autem revelata facie gloriam Domini speculamur ».[33]

1160 Per imaginem christiana iconographia evangelicum transcribit nuntium, quem sacra Scriptura transmittit per Verbum. Imago et Verbum sese mutuo explanant:

> « Ut compendiose fateamur, omnes ecclesiasticas sive scripto, sive sine scripto sancitas nobis traditiones illibate servamus; quarum una est etiam imaginalis picturae formatio, quae historiae evangelicae praedicationis concinit, ad certitudinem verae et non secundum phantasiam Dei Verbi inhumanationis effectae, et ad similem nobis utilitatem commode proficiens. Quae namque se mutuo indicant, indubitanter etiam mutuas habent significationes »[34]

1161 Omnia celebrationis liturgicae signa ad Christum referuntur: etiam sacrae imagines sanctae Dei Genetricis et sanctorum. Ipsae revera significant Christum qui in illis glorificatur. Ipsae manifestant « nubem testium » (*Heb* 12, 1) qui in mundi salute participare pergunt et quibus

---

[30] Cf. CONCILIUM VATICANUM II, Const. *Sacrosanctum Concilium*, 119: AAS 56 (1964) 129-130.

[31] CONCILIUM VATICANUM II, Const. *Sacrosanctum Concilium*, 118: AAS 56 (1964) 129.

[32] CONCILIUM VATICANUM II, Const. *Sacrosanctum Concilium*, 121: AAS 56 (1964) 130.

[33] SANCTUS IOHANNES DAMASCENUS, *De sacris imaginibus oratio* 1, 16: PTS 17, 89 et 92 (PG 94, 1245 et 1248).

[34] CONCILIUM NICAENUM II (anno 787), *Terminus*: COD p. 135.

in celebratione sacramentali praecipue coniungimur. Per eorum icones, homo, « ad imaginem Dei » effectus, tandem « ad Eius similitudinem » [35] transfiguratus, nostrae revelatur fidei, atque per easdem etiam angeli, qui et ipsi in Christo sunt recapitulati:

> « Sequentes [...] divinitus inspiratum sanctorum Patrum nostrorum magisterium, et catholicae Traditionem Ecclesiae (nam Spiritus Sancti hanc esse novimus, qui nimirum in ipsa inhabitat), definimus in omni certitudine ac diligentia, sicut figuram pretiosae ac vivificae crucis, ita venerabiles ac sanctas imagines proponendas tam quae de coloribus et tessellis, quam quae ex alia materia congruenter in sanctis Dei ecclesiis, et sacris vasis et vestibus, et in parietibus ac tabulis, domibus et viis: tam videlicet imaginem Dei ac Salvatoris nostri Iesu Christi, quam intemeratae Dominae nostrae sanctae Dei Genitricis, honorabiliumque angelorum et omnium sanctorum simul et almorum virorum ». [36]

2502   1162 « Imaginum pulchritudo et colores meam stimulant orationem. Aspectum movent picturae flores, atque ad instar prati visum oblectant meum, et Dei gloriam sensim instillant animo ». [37] Sanctarum iconum contemplatio, simul cum Verbi Dei meditatione et hymnorum liturgicorum cantu, ad signorum celebrationis harmoniam accedit ut mysterium celebratum in cordis imprimatur memoria et deinde in vita nova exprimatur fidelium.

III. Quando celebrandum?

Tempus liturgicum

1163 « Pia Mater Ecclesia suum esse ducit Sponsi sui divini opus salutiferum, statis diebus per anni decursum, sacra recordatione celebrare. In unaquaque hebdomada, die quam Dominicam vocavit, memoriam habet resurrectionis Domini, quam semel etiam in anno solemnitate maxima Paschatis, una cum beata Ipsius passione, frequentat. Totum vero
512   Christi mysterium per anni circulum explicat [...]. Mysteria Redemptionis ita recolens, divitias virtutum atque meritorum Domini sui, adeo ut omni tempore quodammodo praesentia reddantur, fidelibus aperit, qui ea attingant et gratia salutis repleantur ». [38]

---

[35] Cf. *Rom* 8, 29; *1 Io* 3, 2.
[36] Concilium Nicaenum II, *Definitio de sacris imaginibus*: DS 600.
[37] Sanctus Iohannes Damascenus, *De sacris imaginibus oratio* 1, 47: PTS 17, 151 (PG 94, 1268).
[38] Concilium Vaticanum II, Const. *Sacrosanctum Concilium*, 102: AAS 56 (1964) 125.

1164 Populus Dei, iam a Lege mosaica, festivitates cognovit fixas inde a Paschate ad actiones Dei Salvatoris commemorandas mirabiles, ad gratias Ei de illis reddendas, ad earum memoriam servandam et ad novas docendas generationes ut suum modum procedendi eis aptent. Ecclesiae tempore, quod inter Pascha Christi semel pro semper iam impletum et eius consummationem in Regno Dei decurrit, liturgia diebus statutis celebrata plene a mysterii Christi signata est novitate.

1165 Cum Ecclesia mysterium celebrat Christi, unum verbum oratio-   2659, 2836
nem effert eius: « *Hodie!* », orationem repercutiens quam eius Dominus
ipsam docuit,[39] et vocationem Spiritus Sancti.[40] Hoc Dei viventis « hodie » ad quod ingrediendum vocatur homo, est « Hora » Paschatis Iesu
qui omnem transcendit et ducit historiam: 1085

> « Vita universis aperta est, et luce perenni omnia plena sunt, atque
> Oriens orientium universum obtinet: et Ille ante luciferum genitus, im-
> mortalis et magnus splendet Christus universis plus quam sol. Ideoque
> longa et aeterna et inextinguibilis nobis in Ipsum credentibus dies adest
> candida, Pascha mysticum ».[41]

Dies Domini   2174-2188

1166 « Mysterium Paschale Ecclesia, ex Traditione apostolica, quae
originem ducit ab ipsa die resurrectionis Christi, octava quaque die celebrat, quae dies Domini seu dies Dominica merito nuncupatur ».[42] Dies   1343
resurrectionis Christi simul est « prima dies Hebdomadae », memoriale
primae diei creationis, et « octava dies » in qua Christus, post Suam
magni Sabbati « quietem », Diem inaugurat « quam fecit Dominus » (*Ps*
118, 24), « diem sine vespero ».[43] « Cena Domini » centrum est eius,
quia in ea tota communitas fidelium Domino occurrit resuscitato qui
eos ad Suum invitat convivium.[44]

> « Dies Dominica, dies Resurrectionis, dies christianorum, dies nostra
> est. Unde et Dominica dicitur: quia Dominus in ea victor ascendit ad
> Patrem. Quod si a gentilibus dies solis vocatur, et nos hoc libentissime

---

[39] Cf. *Mt* 6, 11.
[40] Cf. *Heb* 3, 7-4, 11; *Ps* 95, 8.
[41] Pseudo-Hippolytus Romanus, *In sanctum Pascha* 1, 1-2: Studia patristica mediola-
nensia 15, 230-232 (PG 59, 755).
[42] Concilium Vaticanum II, Const. *Sacrosanctum Concilium*, 106: AAS 56 (1964) 126.
[43] Cf. *Matutinum in die Paschatis ritus Byzantini, Oda 9, troparium*: Πεντηκοστάριον
(Romae 1884) p. 11.
[44] Cf. *Io* 21, 12; *Lc* 24, 30.

confitemur: hodie enim lux mundi orta est, hodie sol iustitiae ortus est, in cuius pennis est sanitas ».[45]

1167 Dominica est per excellentiam dies liturgici conventus, in qua fideles congregantur « ut, Verbum Dei audientes et Eucharistiam participantes, memores sint passionis, resurrectionis et gloriae Domini Iesu, et gratias agant Deo qui eos regeneravit in spem vivam per resurrectionem Iesu Christi ex mortuis »: [46]

> « Cum ergo meditamur, [Christe,] mirabilia gloriosa et signa prodigiosa quae in hac sancta die Dominica Tuae sanctae et gloriosae Resurrectionis impleta sunt, dicimus: Benedicta est dies Dominica, quia in ea initium fuit creationis, [...] Redemptio mundi, [...] renovatio generis humani [...]. In ea caelum et terra splendent et mundus universus lumine est repletus. Benedicta est dies Dominica, quia in ea portae paradisi sunt apertae ut eum Adam et omnes exclusi ingrediantur sine timore ».[47]

Annus liturgicus

2698
1168 Novum tempus Resurrectionis, inde a Triduo Paschali, tamquam a suo fonte luminis, totum annum liturgicum sua replet claritate. Pedetentim, in alio et alio huius fontis latere, per liturgiam transfiguratur annus. Ipse est revera annus Domini acceptus.[48] Oeconomia salutis intra temporis operatur quadrum, sed, inde ab eius adimpletione in Iesu Paschate et in Spiritus Sancti effusione, finis historiae anticipatur « praegustu » et Regnum Dei nostra ingreditur tempora.

1330
560
1169 Hac de causa, *Pascha* festivitas quaedam inter alias simpliciter non est: ipsa est « Festivitas festivitatum », « Sollemnitas sollemnitatum », sicut Eucharistia sacramentum est sacramentorum (magnum sacramentum). Sanctus Athanasius illud « magnam Dominicam » appellat,[49] quemadmodum Hebdomada sancta apud Orientales « Magna Hebdomada » appellatur. Resurrectionis mysterium, in quo Christus mortem abolevit, Sua potenti virtute nostrum vetus penetrat tempus, donec omnia Ei subiiciantur.

1170 In Concilio Nicaeno (anno 325), omnes Ecclesiae consenserunt ut Pascha christianum die celebraretur Dominica quae plenilunium (14 Nisan) post aequi-

---

[45] Sanctus Hieronymus, *In die Dominica Paschae homilia*: CCL 78, 550 (PL 30, 218-219).
[46] Concilium Vaticanum II, Const. *Sacrosanctum Concilium*, 106: AAS 56 (1964) 126.
[47] *Fanqîth, Breviarium iuxta ritum Ecclesiae Antiochenae Syrorum*, v. 6 (Mossul 1886) p. 193b.
[48] Cf. *Lc* 4, 19.
[49] Sanctus Athanasius Alexandrinus, *Epistula festivalis* 1 (anno 329), 10: PG 26, 1366.

noctium subsequitur vernum. Propter diversas methodos ad diem 14 mensis Nisan calculandum adhibitas, Paschatis dies in Ecclesiis Occidentis et Orientis non semper simul incidit. Quapropter ipsae hodie consensionem quaerunt qua perveniant ad diem resurrectionis Domini communi tempore iterum celebrandam.

1171   Annus liturgicus est diversarum rationum unius mysterii Paschalis explicatio. Id praesertim valet de cyclo festivitatum circa Incarnationem (de Annuntiatione, Nativitate, Epiphania), quae initium nostrae   524 commemorant salutis et mysterii Paschalis nobis communicant primitias.

PROPRIUM SANCTORUM IN ANNO LITURGICO

1172   « In hoc annuo mysteriorum Christi circulo celebrando, sancta Ecclesia beatam Mariam Dei Genetricem cum peculiari amore venera-   971 tur, quae indissolubili nexu cum Filii sui opere salutari coniungitur; in   2030 qua praecellentem Redemptionis fructum miratur et exaltat, ac veluti in purissima imagine, id quod ipsa tota esse cupit et sperat cum gaudio contemplatur ».⁵⁰

1173   Cum Ecclesia, in circulo annuo, martyres aliosque sanctos com-   957 memorat, « praedicat Paschale mysterium » in illis viris et mulieribus « cum Christo compassis et conglorificatis, et fidelibus exempla eorum proponit, omnes per Christum ad Patrem trahentia, eorumque meritis Dei beneficia impetrat ».⁵¹

LITURGIA HORARUM

1174   Christi mysterium, Eius Incarnatio Eiusque Pascha, quod in Eucharistia, praesertim in congregatione dominicali, celebramus, tempus uniuscuiusque diei penetrat et transfigurat per liturgiae Horarum cele-   2698 brationem, per « Officium divinum ».⁵² Hoc celebrationis officium apostolicis hortationibus « ad orandum sine intermissione » ⁵³ fideliter obsequens, « ita est constitutum ut totus cursus diei ac noctis per laudem

---

⁵⁰ CONCILIUM VATICANUM II, Const. *Sacrosanctum Concilium*, 103: AAS 56 (1964) 125.
⁵¹ CONCILIUM VATICANUM II, Const. *Sacrosanctum Concilium*, 104: AAS 56 (1964) 126; cf. *Ibid.*, 108: AAS 56 (1964) 126 et *Ibid.*, 111: AAS 56 (1964) 127.
⁵² Cf. CONCILIUM VATICANUM II, Const. *Sacrosanctum Concilium*, IV, 83-101: AAS 56 (1984) 121-125.
⁵³ Cf. *1 Thess* 5, 15; *Eph* 6, 18.

Dei consecretur ».⁵⁴ «Orationem publicam Ecclesiae»⁵⁵ constituit, in qua fideles (clerici, religiosi et laici) regale exercent baptizatorum sacerdotium. Liturgia Horarum, «forma probata» ab Ecclesia cum celebratur, «vere vox est ipsius Sponsae, quae Sponsum alloquitur, immo etiam oratio Christi cum Ipsius corpore ad Patrem».⁵⁶

1175 Liturgia Horarum est destinata ut totius populi Dei fiat oratio. In ea enim Ipse Christus «sacerdotale munus per ipsam Suam Ecclesiam pergit»⁵⁷ exercere; unusquisque, secundum suum munus in Ecclesia proprium et vitae suae adiuncta, in ea participat: sacerdotes quia, quatenus ministerio pastorali addicti, vocati sunt ut in oratione et ministerio verbi assidui permaneant;⁵⁸ religiosi et religiosae propter suae vitae consecratae charisma;⁵⁹ omnes fideles secundum suam possibilitatem. «Curent animarum Pastores ut Horae praecipuae, praesertim Vesperae, diebus Dominicis et festis sollemnioribus, in ecclesia communiter celebrentur. Commendatur ut et ipsi laici recitent Officium divinum, vel cum sacerdotibus, vel inter se congregati, quin immo unusquisque solus ».⁶⁰

2700   1176 Liturgiam Horarum celebrare exigit non solum vocem cordi concordare oranti, sed etiam «liturgicam et biblicam praecipue psalmorum institutionem sibi uberiorem»⁶¹ comparare.

2586   1177 Hymni et litaniae Orationis Horarum precationem psalmorum in tempus inserunt Ecclesiae, symbolismum exprimentes momenti diei, temporis liturgici vel festivitatis celebratae. Praeterea lectio Verbi Dei in singulis Horis (cum responsoriis vel tropariis quae illam consequuntur) et, quibusdam in Horis, lectiones Patrum et magistrorum spiritualium sensum mysterii celebrati profundius revelant, psalmorum adiuvant intelligentiam et ad orationem praeparant silentiosam. *Lectio divina*, in qua Verbum Dei legitur et meditatione consideratur ut ipsum efficiatur oratio, in celebratione liturgica sic etiam radicatur.

1178 Liturgia Horarum, quae quasi celebrationis eucharisticae est productio, non excludit, sed tamquam complementum postulat diversas

---

⁵⁴ Concilium Vaticanum II, Const. *Sacrosanctum Concilium*, 84: AAS 56 (1964) 121.
⁵⁵ Concilium Vaticanum II, Const. *Sacrosanctum Concilium*, 98: AAS 56 (1964) 124.
⁵⁶ Concilium Vaticanum II, Const. *Sacrosanctum Concilium*, 84: AAS 56 (1964) 121.
⁵⁷ Concilium Vaticanum II, Const. *Sacrosanctum Concilium*, 83: AAS 56 (1964) 121.
⁵⁸ Cf. Concilium Vaticanum II, Const. *Sacrosanctum Concilium*, 86: AAS 56 (1964) 121; *Ibid.*, 96: AAS 56 (1964) 123; Id., Decr. *Presbyterorum ordinis*, 5: AAS 58 (1966) 998.
⁵⁹ Cf. Concilium Vaticanum II, Const. *Sacrosanctum Concilium*, 98: AAS 56 (1964) 124.
⁶⁰ Concilium Vaticanum II, Const. *Sacrosanctum Concilium*, 100: AAS 56 (1964) 124.
⁶¹ Concilium Vaticanum II, Const. *Sacrosanctum Concilium*, 90: AAS 56 (1964) 122.

populi Dei devotiones, praesertim adorationem et cultum Sanctissimi Sacramenti. 1378

IV. Ubi celebrandum?

1179   Cultus Novi Foederis « in Spiritu et veritate » (*Io* 4, 24) loco unico non vinculatur. Tota terra est sancta et filiis hominum concredita. Primaria ratione cum fideles in eodem congregantur loco, sunt « lapides vivi », collecti ut « domus spiritalis » aedificetur (*1 Pe* 2, 5). Corpus Christi resuscitati templum est spirituale, ex quo aquae vivae fluit fons. Christo per Spiritum Sanctum incorporati, « templum Dei vivi » (*2 Cor* 6, 16) ipsi nos sumus. 586

1180   Cum libertatis religiosae non impeditur exercitium,[62] christiani aedificia construunt cultui divino destinata. Hae visibiles ecclesiae non sunt simplices loci congressionis, sed Ecclesiam significant et manifestant tali loco viventem, commorationem Dei cum hominibus in Christo reconciliatis et unitis. 2106

1181   « Domus orationis in qua sanctissima Eucharistia celebratur et servatur, fidelesque congregantur, et in qua praesentia Filii Dei Salvatoris nostri in ara sacrificali pro nobis oblati, in auxilium atque solatium fidelium colitur, nitida, orationi et sacris sollemnibus apta esse debet ».[63] In hac « domo Dei », signorum, quae illam constituunt, veritas et harmonia debent Christum manifestare qui in hoc loco praesens est et operatur: [64] 2691

1182   Novi Foederis *altare* crux est Domini,[65] ex qua sacramenta mysterii Paschalis promanant. Super altare, quod ecclesiae est centrum, sub signis sacramentalibus Sacrificium crucis fit praesens. Id etiam Domini est Mensa, ad quam populus Dei invitatur.[66] In quibusdam liturgiis orientalibus, altare symbolum est etiam sepulcri (Christus vere est mortuus et vere resuscitatus). 617, 1383

---

[62] Cf. CONCILIUM VATICANUM II, Decl. *Dignitatis humanae*, 4: AAS 58 (1966) 932-933.
[63] CONCILIUM VATICANUM II, Decr. *Presbyterorum ordinis*, 5: AAS 58 (1966) 998; cf. ID., Const. *Sacrosanctum Concilium*, 122-127: AAS 56 (1964) 130-132.
[64] Cf. CONCILIUM VATICANUM II, Const. *Sacrosanctum Concilium*, 7: AAS 56 (1964) 100-101.
[65] Cf. *Heb* 13, 10.
[66] Cf. *Institutio generalis Missalis Romani*, 259: *Missale Romanum*, editio typica (Typis Polyglottis Vaticanis 1970) p. 75.

1379
2120

1241

103
1348

2717

1130

1183 *Tabernaculum* debet « in nobilissimo loco et quam honorificentissime in ecclesiis » [67] collocari. Tabernaculi eucharistici nobilitas, dispositio et securitas [68] adorationem Domini realiter in Sanctissimo altaris Sacramento praesentis fovere debent.

Sanctum chrisma (myron), cuius unctio signum sacramentale est sigilli doni Spiritus Sancti, more traditionali conservatur et honoratur in tuto sanctuarii loco. Ibi oleum catechumenorum et infirmorum potest includi.

1184 *Sedes* Episcopi (cathedra) vel presbyteri « debet munus eius praesidendi coetui atque orationem dirigendi significare ».[69]

Ambo: « Dignitas Verbi Dei requirit ut in ecclesia locus congruus exsistat e quo annuntietur et ad quem, inter liturgiam verbi, attentio fidelium sponte convertatur ».[70]

1185 Congregatio populi Dei a Baptismate incipit; ecclesia igitur debet locum habere pro celebratione *Baptismatis* (baptisterium) et memoriam promissionum Baptismi promovere (aqua benedicta).

Renovatio vitae baptismalis *paenitentiam* exigit. Ecclesia paenitentiae expressioni et veniae receptioni obsequi debet, id quod aptum ad paenitentes recipiendos postulat locum.

Ecclesia etiam spatium esse debet quod ad recollectionem et ad orationem invitat silentiosam quae magnam Eucharistiae precem protrahit et interiorem reddit.

1186 Ecclesia denique significationem habet eschatologicam. Ad ingrediendum in domum Dei, necessarium est *limen* transgredi, quod symbolum est transitus e mundo vulnerato a peccato ad mundum vitae novae ad quem omnes vocantur homines. Ecclesia visibilis symbolum est domus paternae ad quam populus Dei progreditur et in qua Pater « absterget omnem lacrimam ab oculis eorum » (*Apc* 21, 4). Hac de causa, ecclesia etiam domus est *omnium* filiorum Dei, ample aperta et receptatrix.

[67] Paulus VI, Litt. Enc. *Mysterium fidei*: AAS 57 (1965) 771.
[68] Cf. Concilium Vaticanum II, Const. *Sacrosanctum Concilium*, 128: AAS 56 (1964) 132.
[69] *Institutio generalis Missalis Romani*, 271: *Missale Romanum*, editio typica (Typis Polyglottis Vaticanis 1970) p. 77.
[70] *Institutio generalis Missalis Romani*, 272: *Missale Romanum*, editio typica (Typis Polyglottis Vaticanis 1970) p. 77.

Compendium

1187 *Liturgia opus est totius Christi, Capitis et corporis. Summus Sacerdos noster eam incessanter in liturgia caelesti celebrat, cum sancta Dei Genetrice, Apostolis, omnibus sanctis et multitudine hominum qui iam Regnum sunt ingressi.*

1188 *In celebratione liturgica, tota congregatio « liturgus » est, unusquisque secundum munus suum. Sacerdotium baptismale illud est totius corporis Christi. Sed quidam fideles ab Ordinis sacramento sunt ordinati ut Christum tamquam Caput corporis repraesentent.*

1189 *Celebratio liturgica signa implicat et symbola quae ad creationem (lumen, aqua, ignis), ad vitam humanam (lavare, ungere, panem frangere) et ad historiam referuntur salutis (Paschatis ritus). Haec elementa cosmica, hi ritus humani, hi Dei memoriales gestus, inserta in mundo fidei et a virtute Spiritus Sancti assumpta, portatoria fiunt salvatricis et sanctificatricis actionis Christi.*

1190 *Liturgia verbi pars integralis est celebrationis. Sensus celebrationis exprimitur Dei Verbo, quod annuntiatur, et fidei obligatione quae ei respondet.*

1191 *Cantus et musica in stricta sunt connexione cum actione liturgica. Criteria pro bono eius usu sunt: pulchritudo orationem exprimens, unanimis participatio congregationis et indoles sacra celebrationis.*

1192 *Sanctae imagines, in nostris ecclesiis in nostrisque domibus praesentes, ad nostram fidem in mysterium Christi destinantur suscitandam et nutriendam. Per Christi Eiusque operum salutis iconem, Ipsum adoramus. Per sanctae Dei Genetricis, angelorum et sanctorum imagines sanctas, personas veneramur quae in illis repraesentantur.*

1193 *Dominica, « Dies Domini », praecipua est dies pro Eucharistiae celebratione quia Resurrectionis est dies. Per excellentiam dies est liturgicae congregationis, dies familiae christianae, dies laetitiae et requiei a labore. Est « fundamentum et nucleus totius anni liturgici ».*[71]

1194 *Ecclesia « totum [...] Christi mysterium per anni circulum explicat, ab Incarnatione et Nativitate usque ad Ascensionem, ad diem Pentecostes et ad exspectationem beatae spei et Adventus Domini ».*[72]

---

[71] Concilium Vaticanum II, Const. *Sacrosanctum Concilium*, 106: AAS 56 (1964) 126.
[72] Concilium Vaticanum II, Const. *Sacrosanctum Concilium*, 102: AAS 56 (1964) 125.

1195 *Ecclesia terrestris sanctos statutis anni liturgici diebus commemorans, imprimis sanctam Dei Genetricem, deinde martyres et alios sanctos, se liturgiae caelesti unitam manifestat; ipsa Christum glorificat propter salutem ab Eo in Eius membris glorificatis adimpletam; eorum exemplum ipsam stimulat in eius via ad Patrem.*

1196 *Fideles qui liturgiam Horarum celebrant, Christo uniuntur nostro Summo Sacerdoti, per psalmorum precationem, meditationem Verbi Dei, cantica et benedictiones, ut Eius incessabili et universali consocientur orationi, quae Patrem glorificat et Spiritus Sancti donum super mundum implorat universum.*

1197 *Christus verum Templum est Dei, «locus ubi Eius habitat gloria»; per gratiam Dei, christiani efficiuntur, et ipsi, templa Spiritus Sancti, lapides vivi, ex quibus Ecclesia aedificatur.*

1198 *Ecclesia, in sua terrestri condicione, locis eget in quibus communitas congregari possit: nostris visibilibus ecclesiis, locis sanctis, imaginibus sanctae Civitatis seu caelestis Ierusalem, ad quam peregrini pergimus.*

1199 *In his ecclesiis cultum publicum celebrat Ecclesia ad gloriam Sanctissimae Trinitatis, Verbum Dei audit et Eius canit laudes, suam orationem ascendere facit et Christi sacramentaliter praesentis in medio congregationis Sacrificium offert. Hae ecclesiae recollectionis et orationis personalis etiam sunt loci.*

Articulus 2

DIVERSITAS LITURGICA ET UNITAS MYSTERII

TRADITIONES LITURGICAE ET CATHOLICITAS ECCLESIAE

2625

1200 Idem mysterium Paschale ubique celebrant Ecclesiae Dei, a prima Hierosolymorum communitate usque ad Parusiam, fidei apostolicae fideles. Mysterium in liturgia celebratum unum est, sed formae eius celebrationis sunt diversae.

2663

1201 Inscrutabiles mysterii Christi tales sunt divitiae ut nulla traditio liturgica possit eius expressionem exhaurire. Historia ortus et progressionis horum rituum mirabilem testatur complementaritatem. Cum Ecclesiae has traditiones liturgicas in fidei et sacramentorum fidei communione duxerunt in vitam, mutuo se locupletaverunt et creverunt in fidelitate Traditioni et communi totius Ecclesiae missioni.[73]   1158

1202   Diversae traditiones liturgicae propter ipsam Ecclesiae missionem sunt ortae. Ecclesiae eiusdem geographici et culturalis spatii pervenerunt ad mysterium Christi per expressiones peculiares, culturaliter proprias, celebrandum: in traditione « depositi fidei »,[74] in liturgico symbolismo, in fraternae communionis organizatione, in theologica mysteriorum intelligentia et in sanctitatis typis. Sic Christus, omnium populorum Lux et Salus, in liturgica cuiusdam Ecclesiae vita, populo et culturae manifestatur ad quos illa missa et in quibus radicata est. Ecclesia est catholica: in suam unitatem omnes veras culturarum divitias, potest, eas purificans, colligere.[75]   814   1674   835   1937

1203   Traditiones liturgicae seu ritus nunc usitati in Ecclesia sunt ritus latinus (praecipue ritus Romanus, sed etiam ritus quarumdam localium Ecclesiarum, sicut ritus Ambrosianus, vel quorumdam ordinum religiosorum) et ritus Byzantinus, Alexandrinus seu Copticus, Syriacus, Armenius, Maronita et Chaldaeus. « Traditioni [...] fideliter obsequens, sacrosanctum Concilium declarat sanctam Matrem Ecclesiam omnes ritus legitime agnitos aequo iure atque honore habere, eosque in posterum servari et omnimodo foveri velle ».[76]

LITURGIA ET CULTURAE

1204   Liturgiae celebratio debet igitur diversorum populorum correspondere indoli atque culturae.[77] Ut mysterium Christi « ad oboedientiam fidei in cunctis gentibus » patefiat (*Rom* 16, 26), in omnibus culturis annuntiari, celebrari et in vitam duci debet ita ut hae ab illo non aboleantur, sed redimantur et perficiantur.[78] Multitudo filiorum Dei cum eorum humana propria cultura et per illam, a Christo assumptam et transfiguratam, accessum habet ad Patrem, ad Ipsum in uno Spiritu glorificandum.   2684   854, 1232   2527

---

[73] Cf. PAULUS VI, Adh. ap. *Evangelii nuntiandi*, 63-64: AAS 68 (1976) 53-55.
[74] Cf. *2 Tim* 1, 14.
[75] Cf. CONCILIUM VATICANUM II, Const. dogm. *Lumen gentium*, 23: AAS 57 (1965) 28-29; ID., Decr. *Unitatis redintegratio*, 4: AAS 57 (1964) 95.
[76] CONCILIUM VATICANUM II, Const. *Sacrosanctum Concilium*, 4: AAS 56 (1964) 98.
[77] Cf. CONCILIUM VATICANUM II, Const. *Sacrosanctum Concilium*, 37-40: AAS 56 (1964) 110-111.
[78] Cf. IOANNES PAULUS II, Adh. ap. *Catechesi tradendae*, 53: AAS 71 (1979) 1319-1321.

1125   1205 « Consideretur oportet in liturgia, et praesertim in sacramentorum liturgia, *partem immutabilem* inesse, utpote divinitus instituta, cuius
Ecclesia est custos, et *partes quae mutari possunt*, quas ipsa potest et interdum debet ad culturas componere populorum recens evangelizato-
rum ».[79]

1206 « Varietas liturgica fons auctus esse potest, sed etiam contentiones suscitare, inscitias invicem et etiam schismata. Patet hac in re varietatem non debere unitati nocere, nec exprimi posse nisi per fidelitatem
erga fidem communem, erga signa sacramentalia, quae Ecclesia a
Christo accepit, atque erga hierarchicam communionem. Accommodatio
ad culturas cordis conversionem exigit et, si necesse sit, etiam intermis-
sionem consuetudinum avitarum cum fide catholica insociabilium ».[80]

Compendium

1207   *Oportet ut liturgiae celebratio ad se in cultura populi tendat exprimendam ubi Ecclesia invenitur, quin se illi submittat. Ex alia vero
parte, liturgia ipsa est culturarum generatrix et efformatrix.*

1208   *Diversae liturgicae traditiones, seu ritus, legitime agnitae, quatenus
idem Christi mysterium significant et communicant, Ecclesiae manifestant catholicitatem.*

1209   *Criterium, quod unitatem in traditionum liturgicarum tuetur pluri-
formitate, est Traditioni apostolicae fidelitas, id est: communio in
fide et sacramentis ab Apostolis receptis, quae quidem communio a
successione apostolica significatur et in tuto ponitur.*

---

[79] Ioannes Paulus II, Litt. ap. *Vicesimus quintus annus*, 16: AAS 81 (1989) 912-913;
cf. Concilium Vaticanum II, Const. *Sacrosanctum Concilium*, 21: AAS 56 (1964)
105-106.
[80] Ioannes Paulus II, Litt. ap. *Vicesimus quintus annus*, 16: AAS 81 (1989) 913.

SECTIO SECUNDA

SEPTEM ECCLESIAE SACRAMENTA

1113   1210   Sacramenta novae Legis a Christo sunt instituta et numero sunt septem, scilicet, Baptismus, Confirmatio, Eucharistia, Poenitentia, Unctio infirmorum, Ordo et Matrimonium. Septem sacramenta omnes gressus omniaque magni ponderis momenta in christiani vita attingunt: ipsa vitae fidei christianorum originem et augmentum, sanationem praebent atque missionem. In hoc quaedam habetur similitudo inter vitae naturalis gressus illosque vitae spiritualis.[1]

1211   Secundum hanc analogiam, imprimis tria exponentur sacramenta initiationis christianae (*caput primum*), deinde sacramenta sanationis (*caput secundum*), tandem sacramenta quae in servitium sunt communionis et missionis fidelium (*caput tertium*). Hic utique ordo unicus possibilis non est, sed perspicere permittit sacramenta quemdam efformare organismum in quo unumquodque particulare sacramentum suum habet locum vitalem. In hoc organismo Eucharistia locum obtinet singularem

1374   quatenus « sacramentorum sacramentum »: « Omnia alia sacramenta ordinari videntur ad hoc sacramentum sicut ad finem ».[2]

---

[1] Sanctus Thomas Aquinas, *Summa theologiae* 3, q. 65, a. 1, c: Ed. Leon. 12, 56-57.
[2] Sanctus Thomas Aquinas, *Summa theologiae* 3, q. 65, a. 3, c: Ed. Leon. 12, 60.

INITIATIONIS CHRISTIANAE SACRAMENTA

1212 Per initiationis christianae sacramenta, Baptismum, Confirmationem et Eucharistiam, omnis vitae christianae ponuntur *fundamenta*. « Divinae consortium naturae, quo homines per Christi gratiam donantur, similitudinem quandam prae se fert ortus vitae naturalis, eius incrementi et alimonii. Etenim Baptismo renati fideles Confirmationis sacramento roborantur ac tandem in Eucharistia cibo vitae aeternae vegetantur, ita ut hisce initiationis christianae sacramentis thesauros vitae divinae magis magisque percipiant atque ad perfectionem caritatis progrediantur ».[3]

Articulus 1

SACRAMENTUM BAPTISMI

1213 Sanctum Baptisma totius est fundamentum vitae christianae, *vitae spiritualis ianua* atque ostium ad reliqua sacramenta aperiens accessum. Per Baptisma a peccato liberamur et tamquam filii Dei regeneramur, Christi efficimur membra et Ecclesiae incorporamur atque eius missionis reddimur participes;[4] « Ita fit ut recte et apposite definiatur baptismum esse sacramentum regenerationis per aquam in verbo ».[5]

---

[3] Paulus VI, Const. ap. *Divinae consortium naturae*: AAS 63 (1971) 657; cf. *Ordo initiationis christianae adultorum*, Praenotanda 1-2 (Typis Polyglottis Vaticanis 1972) p. 7.

[4] Cf. Concilium Florentinum, *Decretum pro Armenis*: DS 1314; CIC canones 204, § 1. 849; CCEO canon 675, § 1.

[5] *Catechismus Romanus* 2, 2, 5: ed. P. Rodríguez (Città del Vaticano-Pamplona 1989) p. 179.

I. Quomodo hoc sacramentum appellatur?

1214 Appellatur *Baptismus* secundum ritum centralem quo efficitur: baptizare (graece βαπτίζειν) significat « mergere », « immergere »; « immersio » in aquam significat sepulturam catechumeni in mortem Christi, unde, per Resurrectionem cum Illo,[6] tamquam « nova creatura » (*2 Cor* 5, 17; *Gal* 6, 15) egreditur.

628

1215 Hoc sacramentum etiam « *lavacrum regenerationis et renovationis Spiritus Sancti* » (*Tit* 3, 5) appellatur, quia illam significat et efficit ex aqua et Spiritu nativitatem, sine qua nemo « potest introire in Regnum Dei » (*Io* 3, 5).

1257

1216 « Vocatur autem hoc lavacrum *illuminatio*, quod mente illuminentur qui haec [catechetice] discunt ».[7] Baptizatus, cum in Baptismo receperit Verbum quod est « lux vera quae illuminat omnem hominem » (*Io* 1, 9), postquam « illuminatus » est,[8] fit « filius lucis »[9] et ipse « lux » (*Eph* 5, 8):

1243

> Baptismus, « omnium Dei beneficiorum praeclarissimum est et praestantissimum. [...] Donum vocamus, gratiam, Baptismum, unctionem, illuminationem, incorruptionis indumentum, regenerationis lavacrum, sigillum, ac denique excellentissimo quovis nomine appellamus. *Donum* dicitur quia iis qui nihil prius contulerunt datur; *gratia* quia etiam debentibus; *baptismus*, quia peccatum in aqua sepelitur; *unctio*, quia sacer et regius (haec enim erant quae ungebantur); *illuminatio*, quia splendor et claritas; *indumentum*, quia ignominiae nostrae velamen est; *lavacrum*, quia abluit; *sigillum*, quia conservatio est ac dominationis obsignatio ».[10]

II. Baptismus in Oeconomia salutis

PRAEFIGURATIONES BAPTISMI IN VETERE FOEDERE

1217 In Vigiliae Paschalis liturgia, cum *aquae baptismalis benedictio* fit, Ecclesia sollemniter magnos commemorat historiae salutis eventus qui iam Baptismi praefigurabant mysterium:

[6] Cf. *Rom* 6, 3-4; *Col* 2, 12.
[7] SANCTUS IUSTINUS, *Apologia* 1, 61: CA 1, 168 (PG 6, 421).
[8] Cf. *Heb* 10, 32.
[9] Cf. *1 Thess* 5, 5.
[10] SANCTUS GREGORIUS NAZIANZENUS, *Oratio* 40, 3-4: SC 358, 202-204 (PG 36, 361-364).

> « Deus, [...] invisibili potentia per sacramentorum signa mirabilem operaris effectum, et creaturam aquae multis modis praeparasti ut Baptismi gratiam demonstraret ».[11]

1218 A mundi origine, aqua, haec humilis et miranda creatura, vitae et fecunditatis est fons. Eam sacra Scriptura perspicit sub Spiritu Dei qui veluti ei « incubat »: [12]   344 694

> « Deus, cuius Spiritus super aquas inter ipsa mundi exordia ferebatur, ut iam tunc virtutem sanctificandi aquarum natura conciperet ».[13]

1219 Ecclesia in Arca Noe praefigurationem vidit salutis per Baptismum. Revera, per illam « pauci, id est octo animae, salvae factae sunt per aquam » (*1 Pe* 3, 20):   701, 845

> « Regenerationis speciem in ipsa diluvii effusione signasti, ut unius eiusdemque elementi mysterio et finis esset vitiis et origo virtutum ».[14]

1220 Si aqua fontis symbolum est vitae, aqua maris symbolum est mortis. Hac de causa, crucis mysterii figura esse poterat. Propter hunc symbolismum, Baptismus communionem cum morte Christi significat.   1010

1221 Praesertim transitus Maris Rubri, vera Israel liberatio a servitute Aegypti, liberationem a Baptismo peractam annuntiat:

> « Abrahae filios per Mare Rubrum sicco vestigio transire fecisti, ut plebs, a Pharaonis servitute liberata, populum baptizatorum praefiguraret ».[15]

1222 Baptismus denique in Iordanis praefiguratur transitu, per quem populus Dei donum recipit Terrae descendentibus Abrahae promissae, imaginis vitae aeternae. Huius beatae hereditatis promissio in Novo Foedere adimpletur.

---

[11] *Vigilia Paschalis, Benedictio aquae*: *Missale Romanum*, editio typica (Typis Polyglottis Vaticanis 1970) p. 283.

[12] Cf. *Gn* 1, 2.

[13] *Vigilia Paschalis, Benedictio aquae*: *Missale Romanum*, editio typica (Typis Polyglottis Vaticanis 1970) p. 283.

[14] *Vigilia Paschalis, Benedictio aquae*: *Missale Romanum*, editio typica (Typis Polyglottis Vaticanis 1970) p. 283.

[15] *Vigilia Paschalis, Benedictio aquae*: *Missale Romanum*, editio typica (Typis Polyglottis Vaticanis 1970) p. 283.

BAPTISMUS CHRISTI

1223   Omnes Veteris Foederis praefigurationes suam in Christo Iesu inveniunt consummationem. Ipse Suam vitam publicam incipit postquam
fecit Se a sancto Ioanne Baptista in Iordane baptizari,[16] et, post Resurrectionem Suam, hanc Apostolis praebet missionem: « Euntes ergo docete omnes gentes, baptizantes eos in nomine Patris et Filii et Spiritus
232   Sancti, docentes eos servare omnia, quaecumque mandavi vobis »
(*Mt* 28, 19-20).[17]

1224   Dominus noster Se voluntarie sancti Ioannis submisit baptismo,
536   peccatoribus destinato, ad omnem iustitiam implendam.[18] Hic Iesu gestus manifestatio est Eius « exinanitionis ».[19] Spiritus qui super aquas primae creationis ferebatur, tunc super Christum descendit, novam creationem praeludens, et Pater Iesum ut Suum dilectum manifestat Filium.[20]

1225   In Paschate Suo, Christus omnibus hominibus Baptismi fontes
aperuit. Re quidem vera, iam de passione quam Ipse Hierosolymis erat
subiturus, locutus erat tamquam de « Baptismo » quo Ipse baptizandus
766   erat.[21] Sanguis et aqua quae de aperto Iesu crucifixi exiverunt latere,[22]
typi sunt Baptismi et Eucharistiae, vitae novae sacramentorum:[23] exinde
possibile est « ex aqua et Spiritu » nasci ad introeundum in Regnum
Dei (*Io* 3, 5).

> « Vide, ubi baptizaris, unde sit Baptisma nisi de cruce Christi, de morte
> Christi. Ibi est omne mysterium, quia pro te passus est. In Ipso redime-
> ris, in Ipso salvaris ».[24]

BAPTISMUS IN ECCLESIA

1226   Inde a die Pentecostes, Ecclesia sanctum celebravit et administra-
vit Baptismum. Revera, sanctus Petrus multitudini sua praedicatione
849   perturbatae declarat: « Paenitentiam [...] agite, et baptizetur unusquisque
vestrum in nomine Iesu Christi in remissionem peccatorum vestrorum,

[16] Cf. *Mt* 3, 13.
[17] Cf. *Mc* 16, 15-16.
[18] Cf. *Mt* 3, 15.
[19] Cf. *Phil* 2, 7.
[20] Cf. *Mt* 3, 16-17.
[21] Cf. *Mc* 10, 38; *Lc* 12, 50.
[22] Cf. *Io* 19, 34.
[23] Cf. *1 Io* 5, 6-8.
[24] SANCTUS AMBROSIUS, *De sacramentis* 2, 2, 6: CSEL 73, 27-28 (PL 16, 425-426).

et accipietis donum Sancti Spiritus » (*Act* 2, 38). Apostoli et eorum collaboratores Baptismum offerunt cuilibet qui in Iesum credit: Iudaeis, Deum timentibus, paganis.[25] Baptismus semper apparet ut fidei coniunctus: « Crede in Domino Iesu et salvus eris tu et domus tua », declarat sanctus Paulus suo custodi carceris Philippis. Narratio autem prosequitur: « Et baptizatus est ipse et omnes eius continuo » (*Act* 16, 31-33).

1227   Secundum sanctum Paulum apostolum, credens per Baptismum morti Christi communicat; cum Ipso sepelitur et resurgit: 790

> « Quicumque baptizati sumus in Christum Iesum, in Mortem Ipsius baptizati sumus. Consepulti ergo sumus cum Illo per Baptismum in mortem, ut quemadmodum suscitatus est Christus a mortuis per gloriam Patris, ita et nos in novitate vitae ambulemus » (*Rom* 6, 3-4).[26]

Baptizati « Christum induerunt ».[27] Baptismus, per Spiritum Sanctum, lavacrum est quod purificat, sanctificat et iustificat.[28]

1228   Baptismus est ergo aquae lavacrum in quo « semen incorruptibile » Verbi Dei suum producit effectum vivificantem.[29] Sanctus Augustinus de Baptismo dicet: « Accedit verbum ad elementum, et fit sacramentum ».[30]

III. Quomodo Baptismi celebratur sacramentum?

Christiana initiatio

1229   Inde ab Apostolorum temporibus, christianum fieri in rem deducitur per iter et initiationem quae pluribus constant gradibus. Hoc iter potest celeriter vel lente percurri. Illud vero quaedam elementa essentialia semper implicabit: Verbi annuntiationem, Evangelii acceptionem ad conversionem trahentem, fidei Professionem, Baptismum, Spiritus Sancti effusionem, ad Communionem eucharisticam accessum.

1230   Haec initiatio, saeculorum decursu et secundum diversa adiuncta, multum variavit. Prioribus Ecclesiae saeculis, initiatio christiana magnum experta

---

[25] Cf. *Act* 2, 41; 8, 12-13; 10, 48; 16, 15.
[26] Cf. *Col* 2, 12.
[27] Cf. *Gal* 3, 27.
[28] Cf. *1 Cor* 6, 11; 12, 13.
[29] Cf. *1 Pe* 1, 23; *Eph* 5, 26.
[30] Sanctus Augustinus, *In Iohannis evangelium tractatus* 80, 3: CCL 36, 529 (PL 35, 1840).

1248   est incrementum, cum longa *catechumenatus* periodo et cum praeviorum succes-
        sione rituum qui iter praeparationis catechumenatus liturgice signabant et ad
        celebrationem sacramentorum initiationis christianae ducebant.

        1231 Ubi infantium Baptismus ample habitualis forma celebrationis effectus
        est huius sacramenti, ipsa est facta actus unicus qui gradus initiationi christia-
        nae praevios, modo valde compendiario, colligit. Propter suam ipsam naturam,
        Baptismus infantium *catechumenatum* exigit *postbaptismalem*. Agitur non solum
        de necessitate institutionis Baptismo posterioris, sed de necessaria gratiae bap-
13   tismalis explicatione in personae incremento. Hic est proprius *catechismi* locus.

        1232 A Concilio Vaticano II pro Ecclesia latina « catechumenatus adultorum
        pluribus gradibus distinctus » est restauratus.[31] Eius inveniuntur ritus in *Ordine
        initiationis christianae adultorum* (1972). Concilium ceterum permisit ut, « praeter
        ea quae in traditione christiana habentur », in terris missionum admittantur
1204   « illa etiam elementa [...] quae apud unumquemque populum in usu esse repe-
        riuntur, quatenus ritui christiano accommodari possunt ».[32]

        1233 Hodie igitur in omnibus latinis et orientalibus ritibus, initiatio christiana
        adultorum ab eorum in catechumenatum incipit ingressu, suumque attingit
        culmen in unica celebratione trium sacramentorum Baptismi, Confirmationis et
1290   Eucharistiae.[33] In ritibus orientalibus, initiatio christiana infantium in Baptismo
        incipit quem immediate Confirmatio et Eucharistia sequuntur, dum in ritu Ro-
        mano illa per catecheseos prosequitur annos ut posterius Confirmatione conclu-
        datur et Eucharistia quae culmen est eorum initiationis christiana.[34]

        MYSTAGOGIA CELEBRATIONIS

        1234 Sensus et gratia sacramenti Baptismi clare in ritibus eius appa-
        rent celebrationis. Fideles, gestus et verba huius celebrationis attenta
        participatione sequentes, initiantur divitiis quas hoc sacramentum in
        unoquoque novo baptizato significat et efficit.

617   1235 *Signum crucis*, in celebrationis limine, Christi denotat sigillum su-
        per illum qui ad Eum mox pertinebit et Redemptionis significat gratiam
2157   quam Christus nobis per Suam crucem acquisivit.

        1236 *Verbi Dei annuntiatio* candidatis et congregationi veritatem illumi-
        nat revelatam, et fidei suscitat responsum, quod a Baptismo est insepa-

---

[31] CONCILIUM VATICANUM II, Const. *Sacrosanctum Concilium*, 64: AAS 56 (1964) 117.
[32] CONCILIUM VATICANUM II, Const. *Sacrosanctum Concilium*, 65: AAS 56 (1964) 117;
        cf. *Ibid.*, 37-40: AAS 56 (1964) 110-111.
[33] Cf. CONCILIUM VATICANUM II, Decr. *Ad gentes*, 14: AAS 58 (1966) 963; CIC cano-
        nes 851. 865-866.
[34] Cf. CIC canones 851, 2. 868.

rabile. Baptismus est modo peculiari « sacramentum fidei », quia ipse sacramentalis in vitam fidei est ianua. 1122

1237 Quia Baptismus a peccato et ab eius instigatore, Diabolo, significat liberationem, unus (vel plures) super candidatum profertur *exorcismus*. Ipse ungitur catechumenorum oleo vel celebrans ei imponit manum, et ipse Satanae explicite abrenuntiat. Ita praeparatus, potest *Ecclesiae profiteri fidem* in quam ipse per Baptismum « tradetur ».[35] 1673 189

1238 *Aqua baptismalis* deinde (sive in momento ipso sive in Vigilia Paschali) per Epiclesis consecratur orationem. Ecclesia petit a Deo ut, per Eius Filium, Spiritus Sancti virtus in hanc descendat aquam, ut qui in ea baptizabuntur, « ex aqua et Spiritu » nascantur (*Io* 3, 5). 1217

1239 Tunc sacramenti sequitur *ritus essentialis*: *Baptismus* proprie dictus, qui mortem peccato significat et efficit, atque ingressum in vitam Sanctissimae Trinitatis per configurationem mysterio Paschali Christi. Baptismus modo maxime significativo fit per triplicem immersionem in aquam baptismalem. Sed ab antiquitate potest etiam conferri ter super caput candidati infundendo aquam. 1214

1240 In Ecclesia latina, hanc triplicem infusionem haec verba comitantur ministri: « N., ego te baptizo in nomine Patris et Filii et Spiritus Sancti ». In liturgiis orientalibus, catechumeno ad Orientem verso, sacerdos dicit: « Servus Dei, N., baptizatur in nomine Patris et Filii et Spiritus Sancti ». Et ad uniuscuiusque Personae Sanctissimae Trinitatis invocationem, ille eum in aquam mergit et ab ipsa extollit.

1241 *Unctio sancti chrismatis*, olei fragrantis ab Episcopo consecrati, Spiritus Sancti significat donum novo baptizato collatum. Ipse effectus est christianus, id est « unctus » a Spiritu Sancto, incorporatus Christo qui Sacerdos, Propheta et Rex est unctus.[36] 1294, 1574 783

1242 In Ecclesiarum Orientalium liturgia, unctio postbaptismalis sacramentum est Chrismationis (Confirmationis). In liturgia Romana, ipsa secundam annuntiat sancti chrismatis unctionem quam Episcopus conferet: sacramentum Confirmationis quod unctionem baptismalem quasi « confirmat » et perficit. 1291

---

[35] Cf. *Rom* 6, 17.
[36] Cf. *Ordo Baptismi parvulorum*, 62 (Typis Polyglottis Vaticanis 1969) p. 32.

1243 *Vestis alba* baptizatum Christum induisse,[37] cum Christo surrexisse, symbolice indicat. *Cereus* de Cereo Paschali accensus Christum significat neophytum illuminasse. In Christo, baptizati sunt « lux mundi » (*Mt* 5, 14).[38]

1216

Novus baptizatus iam filius est Dei in Filio Unico. Filiorum Dei potest dicere orationem: Pater noster.

2769

1244 *Prima Communio eucharistica.* Neophytus, filius Dei effectus, vestique nuptiali indutus, « ad cenam nuptiarum Agni » admittitur et vitae novae recipit nutrimentum, corpus et sanguinem Christi. Ecclesiae Orientales vivam servant conscientiam unitatis initiationis christianae, sanctam Communionem donantes omnibus novis baptizatis et confirmatis, etiam parvulis infantibus, verbum Domini recolentes: « Sinite parvulos venire ad me. Ne prohibueritis eos » (*Mc* 10, 14). Ecclesia latina, accessum ad sanctam Communionem illis reservans qui usus rationis attigerunt aetatem, apertionem Baptismi ad Eucharistiam exprimit, infantem mox baptizatum ad altare pro oratione « Pater noster » admovens.

1292

1245 *Sollemnis benedictio* celebrationem concludit Baptismi. Cum de recenter natorum agitur Baptismo, matris benedictio peculiarem habet locum.

IV. Quis Baptismum recipere potest?

1246 « Baptismi capax est omnis et solus homo nondum baptizatus ».[39]

BAPTISMUS ADULTORUM

1247 Ab Ecclesiae originibus, adultorum Baptismus est condicio omnium frequentissima ubi Evangelii annuntiatio adhuc est recens. Catechumenatus (praeparatio ad Baptismum) locum tunc habet magni momenti. Is, cum initiatio ad fidem sit et ad vitam christianam, disponere debet ad doni Dei in Baptismo, Confirmatione et Eucharistia acceptionem.

1230

1248 Scopus catechumenatus, seu formationis catechumenorum, est illis efficere possibile, incepto divino respondendo et in unione cum quadam ecclesiali communitate, suam conversionem suamque fidem ad maturitatem ducere. Agitur de « totius vitae christianae » institutione, qua

---

[37] Cf. *Gal* 3, 27.
[38] Cf. *Philp* 2, 15.
[39] CIC canon 864; cf. CCEO canon 679.

« discipuli cum Christo suo Magistro coniunguntur. Catechumeni ergo apte initientur mysterio salutis et exercitio morum evangelicorum sacrisque ritibus, successivis temporibus celebrandis, introducantur in vitam fidei, liturgiae et caritatis populi Dei ».[40]

1249   Catechumeni « iam [...] cum Ecclesia coniuncti sunt, iam de domo sunt Christi et non raro iam vitam agunt fidei, spei et caritatis ».[41] Eos « iam ut suos dilectione et cura complectitur Mater Ecclesia ».[42]

1259

BAPTISMUS INFANTIUM

1250   Cum natura lapsa et peccato originali maculata nati, etiam ipsi infantes nova egent in Baptismo nativitate[43] ut liberentur a tenebrarum potestate et transferantur in dominium libertatis filiorum Dei,[44] ad quam omnes homines vocantur. In Baptismo infantium peculiariter manifestatur pura gratuitas gratiae salutis. Ideo Ecclesia et parentes infantem inaestimabili privarent gratia deveniendi in filium Dei, si ei, paulo post nativitatem, Baptismum non conferrent.[45]

403

1996

1251   Parentes christiani agnoscent, hanc praxim etiam congruere cum suo munere nutritorum vitae a Deo illis concreditae.[46]

1252   Praxis parvulos baptizandi infantes traditio Ecclesiae est immemorialis. A saeculo II explicita de illa habentur testimonia. Est tamen vere possibile, iam ab initiis praedicationis apostolicae, cum integrae « domus » Baptismum receperunt,[47] etiam infantes esse baptizatos.[48]

---

[40] CONCILIUM VATICANUM II, Decr. *Ad gentes*, 14: AAS 58 (1966) 962-963; cf. *Ordo initiationis christianae adultorum*, Praenotanda 19 (Typis Polyglottis Vaticanis 1972) p. 11; *Ibid.*, De tempore catechumenatus eiusque ritibus 98, p. 56.

[41] CONCILIUM VATICANUM II, Decr. *Ad gentes*, 14: AAS 58 (1966) 963.

[42] CONCILIUM VATICANUM II, Const. dogm. *Lumen gentium*, 14: AAS 57 (1965) 19; cf. CIC canones 206. 788.

[43] Cf. CONCILIUM TRIDENTINUM, Sess. 5ª, *Decretum de peccato originali*, canon 4: DS 1514.

[44] Cf. *Col* 1, 12-14.

[45] Cf. CIC canon 867; CCEO canon 686, § 1.

[46] Cf. CONCILIUM VATICANUM II, Const. dogm. *Lumen gentium*, 11: AAS 57 (1965) 15-16; *Ibid.*, 41: AAS 57 (1965) 47; ID., Const. past. *Gaudium et spes*, 48: AAS 58 (1966) 1067-1069; CIC canones 774, § 2. 1136.

[47] Cf. *Act* 16, 15. 33; 18, 8; *1 Cor* 1, 16.

[48] Cf. SACRA CONGREGATIO PRO DOCTRINA FIDEI, Instr. *Pastoralis actio*, 4: AAS 72 (1980) 1139.

FIDES ET BAPTISMUS

1123   **1253** Baptismus est sacramentum fidei.[49] Sed fides communitate eget credentium. Singuli christifideles nonnisi in fide Ecclesiae credere possunt. Fides quae pro Baptismo requiritur non est fides perfecta et matura, sed quoddam initium quod vocatur ad se augendum. Catechumenus vel eius patrinus interrogatur: « Quid petis ab Ecclesia Dei? ». Et respondet: « Fidem! ».

168

2101   **1254** Fides in omnibus baptizatis, sive infantibus sive adultis *post* Baptismum crescere debet. Hac de causa, Ecclesia, singulis annis, in Vigilia Paschali, renovationem celebrat promissionum baptismalium. Praeparatio ad Baptismum solum ad vitae novae ducit limen. Baptismus fons est vitae novae in Christo ex quo tota vita christiana profluit.

1311   **1255** Ut gratia baptismalis explicari possit, parentum adiutorium magni est momenti. Hac etiam in re munus habetur *patrini* vel *matrinae* qui solidi debent esse credentes, idonei et parati ad novum baptizatum, infantem vel adultum, adiuvandum in eius vitae christianae itinere.[50] Eorum munus est verum ecclesiale *officium*.[51] Tota communitas ecclesialis responsabilitatem participat in explicanda et servanda gratia Baptismo recepta.

V. Quis baptizare potest?

1239-1240   **1256** Ministri ordinarii Baptismi sunt Episcopus et presbyter et, in Ecclesia latina, etiam diaconus.[52] In casu necessitatis, quaelibet persona, etiam non baptizata, intentionem habens requisitam, potest baptizare,[53]

1752   formulam baptismalem adhibens trinitariam. Intentio autem requisita est id velle facere quod facit Ecclesia baptizans. Ecclesia huius possibilitatis perspicit rationem in Dei voluntate salvifica universali [54] et in Baptismi necessitate ad salutem.[55]

---

[49] Cf. *Mc* 16, 16.
[50] Cf. CIC canones 872-874.
[51] Cf. CONCILIUM VATICANUM II, Const. *Sacrosanctum Concilium*, 67: AAS 56 (1964) 118.
[52] Cf. CIC canon 861, § 1; CCEO canon 677, § 1.
[53] Cf. CIC canon 861, § 2.
[54] Cf. *1 Tim* 2, 4.
[55] Cf. *Mc* 16, 16.

VI. Necessitas Baptismi

1257 Ipse Dominus asserit Baptismum esse ad salutem necessarium.[56] Ille etiam Suis discipulis mandatum dedit nuntiandi Evangelium atque omnes gentes baptizandi.[57] Baptismus ad salutem illis est necessarius quibus Evangelium nuntiatum est et qui possibilitatem habuerunt hoc sacramentum petendi.[58] Ecclesia aliud medium non cognoscit ad ingressum in beatitudinem aeternam in tuto ponendum nisi Baptismum; hac de causa, missionem neglegere vitat quam ea a Domino accepit faciendi ut « ex aqua et Spiritu » illi omnes nascantur qui baptizari possunt. *Deus salutem sacramento alligavit Baptismi, sed Ipse non est Suis sacramentis alligatus.*

1129

161, 846

1258 Inde a suo ortu, Ecclesia firmam servat persuasionem, eos qui mortem propter fidem patiuntur, quin Baptismum receperint, sua pro Christo et cum Ipso baptizari morte. Hic *Baptismus sanguinis*, sicut *votum Baptismi*, fructus affert Baptismi, quin sit sacramentum.

2473

1259 Pro *catechumenis* qui ante Baptismum moriuntur, eorum votum explicitum recipiendi illum, paenitentiae de eorum peccatis atque caritati coniunctum, illis praestat salutem quam per sacramentum recipere nequiverunt.

1249

1260 « Cum enim pro omnibus mortuus sit Christus, cumque vocatio hominis ultima revera una sit, scilicet divina, tenere debemus Spiritum Sanctum cunctis possibilitatem offerre ut, modo Deo cognito, huic Paschali mysterio consocientur ».[59] Quilibet homo qui, Evangelium Christi Eiusque Ecclesiam ignorans, veritatem quaerit et Dei facit voluntatem prout illam cognoscit, salvari potest. Supponi potest, tales personas *explicite Baptismum fuisse desideraturas*, si eius cognovissent necessitatem.

848

1261 Relate ad *infantes mortuos sine Baptismo*, Ecclesia non potest nisi eos misericordiae Dei concredere, sicut ipsa in ritu pro eis facit exsequiarum. Re vera, magna misericordia Dei, « qui omnes homines vult

---

[56] Cf. *Io* 3, 5.
[57] Cf. *Mt* 28, 20. Cf. Concilium Tridentinum, Sess. 7ᵃ, *Decretum de sacramentis*, Canones de sacramento Baptismi, canon 5: DS 1618; Concilium Vaticanum II, Const. dogm. *Lumen gentium*, 14: AAS 57 (1965) 18; Id., Decr. *Ad gentes*, 5: AAS 58 (1966) 951-952.
[58] Cf. *Mc* 16, 16.
[59] Concilium Vaticanum II, Const. past. *Gaudium et spes*, 22: AAS 58 (1966) 1043; cf. Id., Const. dogm. *Lumen gentium*, 16: AAS 57 (1965) 20; Id., Decr. *Ad gentes*, 7: AAS 58 (1966) 955.

salvos fieri » (*1 Tim* 2, 4), et Iesu teneritas erga infantes, propter quam dixit: « Sinite parvulos venire ad me. Ne prohibueritis eos » (*Mc* 10,
1257   14), nobis permittunt sperare, viam haberi salutis pro infantibus mortuis sine Baptismo. Tanto vehementior est etiam hortatio Ecclesiae, ne
1250   parvuli impediantur infantes quominus ad Christum per sancti Baptismi perveniant donum.

VII. Gratia Baptismi

1234   1262   Diversi Baptismi effectus per sensibilia ritus sacramentalis significantur elementa. Immersio in aquam ad symbolismos appellat mortis et purificationis, sed etiam ad illos regenerationis et renovationis. Duo praecipui effectus sunt ergo peccatorum purificatio et nova in Spiritu Sancto nativitas.[60]

In remissionem peccatorum...

977   1263   Per Baptismum *omnia peccata* remittuntur, peccatum originale et omnia personalia peccata, sicut etiam omnes peccati poenae.[61] Re vera
1425   in eis qui sunt regenerati, nihil manet quod eos Regnum Dei ingredi impediat, neque Adae peccatum neque peccatum personale, neque peccati consequentiae, quarum gravissima est a Deo separatio.

1264   Quaedam tamen consequentiae temporales peccati in baptizato permanent, sicut dolores, aegritudo, mors, vel fragilitates vitae inhaerentes, sicut indolis debilitates, etc., vel etiam inclinatio ad peccatum
976, 2514,   quae *concupiscentia* vel metaphorice *fomes peccati* a Traditione appella-
1426   tur: « quae, cum ad agonem relicta sit, nocere non consentientibus et viriliter per Christi Iesu gratiam repugnantibus non valet. Quin immo
405   'qui legitime certaverit, coronabitur' (*2 Tim* 2, 5) ».[62]

« Nova creatura »

1265   Baptismus non solum ab omnibus peccatis purificat, sed etiam e
505   neophyto « novam creaturam » facit,[63] filium Dei adoptivum [64] qui effec-

---

[60] Cf. *Act* 2, 38; *Io* 3, 5.
[61] Cf. Concilium Florentinum, *Decretum pro Armenis*: DS 1316.
[62] Concilium Tridentinum, Sess. 5ª, *Decretum de peccato originali*, canon 5: DS 1515.
[63] Cf. *2 Cor* 5, 17.
[64] Cf. *Gal* 4, 5-7.

tus est « divinae consors naturae »,[65] Christi membrum [66] et cum Eo coheres,[67] Spiritus Sancti templum.[68]

460

1266 Sanctissima Trinitas baptizato *gratiam sanctificantem*, gratiam *iustificationis* largitur:

1992

— quae illum reddit capacem credendi in Deum, in Eum sperandi Eumque amandi per *virtutes theologales*;

1812

— illi potestatem praebet vivendi et agendi secundum Spiritus Sancti motionem per *dona Spiritus Sancti*;

1831

— illum in bono *per virtutes morales* crescendi dat facultatem.

1810

Sic totus vitae supernaturalis christiani organismus in sancto radicatur Baptismo.

ECCLESIAE, CHRISTI CORPORI INCORPORATI

1267 Baptismus nos membra efficit corporis Christi. « Propter quod [...] sumus invicem membra » (*Eph* 4, 25). Baptismus *Ecclesiae* incorporat. E baptismalibus fontibus unus nascitur populus Dei Novi Foederis, qui omnes limites naturales vel humanos superat nationum, culturarum, stirpium et sexuum: « Etenim in uno Spiritu omnes nos in unum corpus baptizati sumus » (*1 Cor* 12, 13).

782

1268 Baptizati « lapides vivi » sunt effecti ad aedificationem « domus spiritalis in sacerdotium sanctum » (*1 Pe* 2, 5). Per Baptismum, Christi participant sacerdotium Eiusque missionem propheticam et regiam, ipsi sunt « genus electum, regale sacerdotium, gens sancta, populus in acquisitionem, ut virtutes » annuntient « Eius qui de tenebris [...] [eos] vocavit in admirabile lumen Suum » (*1 Pe* 2, 9). *Baptismus in sacerdotio communi fidelium largitur participationem.*

1141

784

1269 Baptizatus, membrum Ecclesiae effectus, non amplius sibi pertinet,[69] sed Illi qui pro nobis mortuus est et resurrexit.[70] Exinde vocatur ut se aliis submittat,[71] illis serviat [72] in Ecclesiae communione atque ut

---

[65] Cf. *2 Pe* 1, 4.
[66] Cf. *1 Cor* 6, 15; 12, 27.
[67] Cf. *Rom* 8, 17.
[68] Cf. *1 Cor* 6, 19.
[69] Cf. *1 Cor* 6, 19.
[70] Cf. *2 Cor* 5, 15.
[71] Cf. *Eph* 5, 21; *1 Cor* 16, 15-16.
[72] Cf. *Io* 13, 12-15.

871 « oboediens et docilis » Ecclesiae sit praepositis [73] eosque observantia et caritate prosequatur.[74] Sicut Baptismus fons est responsabilitatum et obligationum, etiam baptizatus iuribus in Ecclesiae gaudet sinu: ut sacramenta recipiat, ut verbo Dei nutriatur et ut aliis spiritualibus sustineatur Ecclesiae adiumentis.[75]

2472 1270 Baptizati, « in filios Dei [per Baptismum] regenerati, fidem quam a Deo per Ecclesiam acceperunt coram hominibus profiteri tenentur » [76] et actuositatem apostolicam et missionalem populi Dei participare.[77]

SACRAMENTALE UNITATIS CHRISTIANORUM VINCULUM

818, 838 1271 Baptismus fundamentum constituit communionis inter omnes christianos, etiam relate ad illos qui nondum in plena sunt cum Ecclesia catholica communione: « Hi enim qui in Christo credunt et Baptismum rite receperunt, in quadam cum Ecclesia catholica communione, etsi non perfecta, constituuntur. [...] Iustificati ex fide in Baptismate, Christo incorporantur, ideoque christiano nomine iure decorantur et a filiis Ecclesiae catholicae ut fratres in Domino merito agnoscuntur ».[78] « Baptismus igitur *vinculum unitatis sacramentale* constituit vigens inter omnes qui per illum regenerati sunt ».[79]

SIGNUM SPIRITUALE INDELEBILE...

1121 1272 Baptizatus, Christo per Baptismum incorporatus, Christo est configuratus.[80] Baptismus christianum signat sigillo spirituali indelebili (*charactere*) quod eum ad Christum pertinere significat. Hoc sigillum nullo peccato deletur, quamquam peccatum impedit ne Baptismus suos fructus salutis ferat.[81] Baptismus, semel pro semper collatus, iterari non potest.

---

[73] Cf. *Heb* 13, 17.
[74] Cf. *1 Thes* 5, 12-13.
[75] Cf. CONCILIUM VATICANUM II, Const. dogm. *Lumen gentium*, 37: AAS 57 (1965) 42-43; CIC canones 208-223; CCEO canon 675, § 2.
[76] CONCILIUM VATICANUM II, Const. dogm. *Lumen gentium*, 11: AAS 57 (1965) 16.
[77] Cf. CONCILIUM VATICANUM II, Const. dogm. *Lumen gentium*, 17: AAS 57 (1965) 21; ID., Decr. *Ad gentes*, 7: AAS 58 (1966) 956; *Ibid.*, 23: AAS 58 (1966) 974-975.
[78] CONCILIUM VATICANUM II, Decr. *Unitatis redintegratio*, 3: AAS 57 (1965) 93.
[79] CONCILIUM VATICANUM II, Decr. *Unitatis redintegratio*, 22: AAS 57 (1965) 105.
[80] Cf. *Rom* 8, 29.
[81] Cf. CONCILIUM TRIDENTINUM, Sess. 7ª, *Decretum de sacramentis*, Canones de sacramentis in genere, canon 9: DS 1609; *Ibid.*, Canones de sacramento Baptismi, canon 6: DS 1619.

1273   Fideles, Ecclesiae per Baptismum incorporati, characterem receperunt sacramentalem qui eos cultui religioso christiano consecrat.[82] Sigillum baptismale christianos reddit capaces eosque obligat ad Deo serviendum in participatione viva sanctae liturgiae Ecclesiae et ad eorum   1070
sacerdotium baptismale exercendum testimonio vitae sanctae et caritatis
actuosae.[83]

1274   « *Dominicus character* »[84] est sigillum quo Spiritus nos signavit
« in diem Redemptionis » (*Eph* 4, 30).[85] « Baptismus est sigillum vitae   197
aeternae ».[86] Fidelis qui usque ad finem « sigillum servaverit », id est,
exigentiis Baptismi sui permanserit fidelis, poterit « cum signo fidei »[87]   2016
decedere, cum sui Baptismi fide, in exspectatione beatae visionis Dei
— quae fidei est consummatio — et in spe resurrectionis.

Compendium

1275   *Christiana initiatio per trium sacramentorum complexum adimple-*
tur: per Baptismum qui est vitae novae initium; per Confirmationem
quae eius est solidatio; et per Eucharistiam quae corpore et sangui-
ne Christi nutrit discipulum ut hic in Illum transformetur.

1276   *«Euntes ergo docete omnes gentes, baptizantes eos in nomine Patris*
et Filii et Spiritus Sancti, docentes eos servare omnia, quaecumque
mandavi vobis » (*Mt 28*, 19-20).

1277   *Baptismus nativitatem ad novam vitam constituit in Christo. Secun-*
dum voluntatem Domini, necessarius est ad salutem, sicut ipsa
Ecclesia in quam Baptismus introducit.

1278   *Ritus essentialis Baptismi consistit in immersione candidati in*
aquam vel in aquae infusione super caput eius, Sanctissimae Trinita-
tis, id est, Patris et Filii et Spiritus Sancti invocationem pronuntiando.

1279   *Baptismi fructus seu gratia baptismalis realitas est dives, quae im-*
plicat: peccati originalis et omnium peccatorum personalium remis-

---

[82] Cf. Concilium Vaticanum II, Const. dogm. *Lumen gentium*, 11: AAS 57 (1965) 16.
[83] Cf. Concilium Vaticanum II, Const. dogm. *Lumen gentium*, 10: AAS 57 (1965) 15-16.
[84] Cf. Sanctus Augustinus, *Epistula* 98, 5: CSEL 34, 527 (PL 33, 362).
[85] Cf. *Eph* 1, 13-14; *2 Cor* 1, 21-22.
[86] Sanctus Irenaeus Lugdunensis, *Demonstratio praedicationis apostolicae*, 3: SC 62, 32.
[87] *Prex Eucharistica I seu Canon Romanus*: *Missale Romanum*, editio typica (Typis
Polyglottis Vaticanis 1970) p. 454.

sionem, nativitatem ad vitam novam per quam homo filius adoptivus fit Patris, membrum Christi et templum Spiritus Sancti. Eo ipso, baptizatus Ecclesiae, corpori Christi incorporatur, et sacerdotii Christi efficitur particeps.

1280   *Baptismus imprimit in anima signum spirituale indelebile, characterem, quod baptizatum cultui christianae religionis consecrat. Propter characterem, Baptismus iterari nequit.*[88]

1281   *Qui mortem propter fidem patiuntur, catechumeni et omnes homines qui, sub gratiae impulsu, quin Ecclesiam cognoscant, Deum sincere quaerunt et Eius voluntatem implere conantur, salvari possunt, etiamsi Baptismum non receperint.*[89]

1282   *Inde a temporibus perquam antiquissimis, Baptismus infantibus administratur, quia ipse gratia et donum est Dei, quae merita non praesupponunt humana; infantes in fide baptizantur Ecclesiae. Ingressus in vitam christianam accessum verae praebet libertati.*

1283   *Relate ad infantes mortuos sine Baptismo, liturgia Ecclesiae nos invitat ad fiduciam in misericordia divina habendam, et ad orandum pro eorum salute.*

1284   *In casu necessitatis, quaelibet persona baptizare potest, dummodo intentionem habeat faciendi quod facit Ecclesia et super candidati caput aquam infundat dicens: « Ego te baptizo in nomine Patris et Filii et Spiritus Sancti ».*

Articulus 2

SACRAMENTUM CONFIRMATIONIS

1285   Sacramentum Confirmationis cum Baptismo et Eucharistia complexum constituit « sacramentorum initiationis christianae », cuius unitas tuenda est. Fidelibus igitur explicandum est, huius sacramenti receptionem necessariam esse ad gratiae baptismalis completionem.[90] Re vera,

---

[88] Cf. Concilium Tridentinum, Sess. 7ª, *Decretum de sacramentis*, Canones de sacramentis in genere, canon 9: DS 1609; *Ibid.*, Canones de sacramento Baptismi, canon 11: DS 1624.

[89] Cf. Concilium Vaticanum II, Const. dogm. *Lumen gentium*, 16: AAS 57 (1965) 20.

[90] Cf. *Ordo Confirmationis*, Praenotanda 1 (Typis Polyglottis Vaticanis 1973) p. 16.

baptizati « sacramento Confirmationis perfectius Ecclesiae vinculantur, speciali Spiritus Sancti robore ditantur, sicque ad fidem tamquam veri testes Christi verbo et opere simul diffundendam et defendendam arctius obligantur ».[91]

I. Confirmatio in Oeconomia salutis

1286 In *Vetere Testamento*, Prophetae annuntiaverunt Spiritum Domini super Messiam exspectatum esse requieturum [92] Eius missionis salvificae causa.[93] Descensus Spiritus Sancti super Iesum, cum Ipse a Ioanne baptizatus est, signum fuit, Ipsum esse Illum qui erat venturus, Eum Messiam esse, Filium Dei.[94] Iesus conceptus erat de Spiritu Sancto; tota Eius vita totaque Eius missio fiunt in totali communione cum Spiritu Sancto quem Pater Illi « non [...] ad mensuram dat » (*Io* 3, 34).

702-716

1287 Haec autem Spiritus plenitudo illa solummodo Messiae manere non debebat, ipsa erat *toti populo messianico* communicanda.[95] Pluries Christus hanc Spiritus promisit effusionem,[96] et promissionem hanc die Paschatis primum complevit,[97] et deinde, splendidiore modo, die Pentecostes.[98] Spiritu Sancto repleti, Apostoli « magnalia Dei » incipiunt proclamare (*Act* 2, 11), Petrusque declarat hanc Spiritus effusionem signum temporum esse messianicorum.[99] Qui tunc praedicationi crediderunt apostolicae et baptizari curaverunt, Spiritus Sancti donum sua vice receperunt.[100]

739

1288 « Ex [...] [illo] tempore Apostoli, Christi voluntatem implentes, Spiritus donum, quod Baptismi gratiam compleret, neophytis manuum impositione impertierunt.[101] Sic factum est, ut in epistula ad Hebraeos, inter primae institutionis christianae elementa, recenseretur doctrina

699

---

[91] Concilium Vaticanum II, Const. dogm. *Lumen gentium*, 11: AAS 57 (1965) 15; cf. *Ordo Confirmationis*, Praenotanda 2 (Typis Polyglottis Vaticanis 1973) p. 16.
[92] Cf. *Is* 11, 2.
[93] Cf. *Lc* 4, 16-22; *Is* 61, 1.
[94] Cf. *Mt* 3, 13-17; *Io* 1, 33-34.
[95] Cf. *Ez* 36, 25-27; *Il* 3, 1-2.
[96] Cf. *Lc* 12, 12; *Io* 3, 5-8; 7, 37-39; 16, 7-15; *Act* 1, 8.
[97] Cf. *Io* 20, 22.
[98] Cf. *Act* 2, 1-4.
[99] Cf. *Act* 2, 17-18.
[100] Cf. *Act* 2, 38.
[101] Cf. *Act* 8, 15-17; 19, 5-6.

Baptismatum et impositionis manuum.[102] Quae manuum impositio ex traditione catholica merito agnoscitur initium sacramenti Confirmationis, quod gratiam pentecostalem in Ecclesia quodam modo perpetuat ».[103]

695

436

1297

1289   Cito, ut melius donum Spiritus Sancti significaretur, impositioni manuum unctio fragrantis olei (chrismatis) adiuncta est. Haec unctio nomen « christiani » elucidat quod « unctum » significat et ab illo Ipsius Christi suam sumit originem: « Unxit Eum Deus Spiritu Sancto » (*Act* 10, 38). Hic quidem ritus unctionis usque ad nostros exsistit dies tam in Oriente quam in Occidente. Hac de causa, in Oriente, hoc sacramentum *Chrismatio* vocatur seu chrismatis unctio, vel μύρον quod « chrisma » significat. In Occidente, nomen *Confirmationis* suggerit hoc sacramentum simul Baptismum confirmare et gratiam solidare baptismalem.

DUAE TRADITIONES: ORIENTIS ET OCCIDENTIS

1233

1290   Prioribus saeculis, Confirmatio unam celebrationem cum Baptismo generatim constituit, « sacramentum utrumque », secundum expressionem sancti Cypriani,[104] efformans cum eo. Inter alia motiva, multiplicatio Baptismorum infantium, et quidem in quolibet anni tempore, et paroeciarum (ruralium) multiplicatio, dioeceses augens, in omnibus baptismalibus celebrationibus non amplius Episcopi permittunt praesentiam. In Occidente, quia optatur perfectionem Baptismi reservare Episcopo, temporalis instituitur utriusque sacramenti separatio. Oriens duo sacramenta servavit coniuncta, ita ut Confirmatio conferatur a praesbytero qui baptizat. Hic tamen id facere nequit nisi μύρον adhibens ab Episcopo consecratum.[105]

1242

1291   Quidam Ecclesiae Romanae mos facilius reddidit incrementum praxis occidentalis, propter duplicem unctionem cum sancto chrismate post Baptismum: illa, iam a presbytero peracta super neophytum, cum hic a lavacro baptismali exibat, per secundam completur unctionem ab Episcopo factam super frontem singulorum novorum baptizatorum.[106] Prima unctio cum sancto chrismate, illa quam presbyter praebet, ritui baptismali coniuncta mansit; ipsa participationem significat baptizati in muneribus prophetico, sacerdotali et regio Christi. Si Baptismus adulto confertur, non nisi una habetur unctio postbaptismalis: illa Confirmationis.

---

[102] Cf. *Heb* 6, 2.
[103] PAULUS VI, Const. ap. *Divinae consortium naturae*: AAS 63 (1971) 659.
[104] Cf. SANCTUS CYPRIANUS CARTHAGINIENSIS, *Epistula* 73, 21: CSEL 3/2, 795 (PL 3, 1169).
[105] Cf. CCEO canones 695, § 1. 696, § 1.
[106] Cf. SANCTUS HIPPOLYTUS ROMANUS, *Traditio apostolica*, 21: ed. B. BOTTE (Münster i.W. 1989) p. 50 et 52.

1292 Praxis Ecclesiarum Orientalium unitatem initiationis christianae magis effert. Illa Ecclesiae latinae clarius exprimit communionem novi christiani cum eius Episcopo, sponsore et servitore unitatis Ecclesiae eius, eius catholicitatis et eius apostolicitatis, et proinde vinculum cum originibus apostolicis Ecclesiae Christi. **1244**

II. Confirmationis signa et ritus

1293 In ritu huius sacramenti, considerare oportet signum *unctionis* et id quod unctio indicat et imprimit: spirituale *sigillum*.

Unctio, in biblico et vetere symbolismo, pluribus abundat significationibus: oleum est signum abundantiae [107] et laetitiae,[108] purificat (unctio ante et post lavacrum) et agilem reddit (unctio athletarum et luctatorum); signum est sanationis, quia contusiones mollit et plagas; [109] pulchritudine, sanitate et vi reddit splendentem. **695**

1294 Omnes hae significationes unctionis cum oleo peractae in vita sacramentali iterum inveniuntur. Unctio ante Baptismum cum catechumenorum oleo purificationem significat et roborationem; unctio infirmorum sanationem et consolationem exprimit. Unctio sancti chrismatis post Baptismum, in Confirmatione et in Ordinatione, signum est cuiusdam consecrationis. Per Confirmationem, christiani, id est, illi qui sunt uncti, magis in missione participant Iesu Christi et in Spiritus Sancti plenitudine, qua Ille est repletus, ut tota eorum vita exhalet Christi bonum odorem.[110] **1152**

1295 Confirmandus, per hanc unctionem, signum, *sigillum* accipit Spiritus Sancti. Sigillum est personae symbolum,[111] signum eius auctoritatis,[112] eius possessionis super aliquod obiectum [113] — hoc modo, milites sigillo sui ducis signabantur et etiam servi illo domini sui ; ratum facit actum iuridicum [114] vel documentum [115] idque quandoque reddit secretum.[116]

---

[107] Cf. *Dt* 11, 14; etc.
[108] Cf. *Ps* 23, 5; 104, 15.
[109] Cf. *Is* 1, 6; *Lc* 10, 34.
[110] Cf. *2 Cor* 2, 15.
[111] Cf. *Gn* 38, 18; *Ct* 8, 6.
[112] Cf. *Gn* 41, 42.
[113] Cf. *Dt* 32, 34.
[114] Cf. *1 Reg* 21, 8.
[115] Cf. *Ier* 32, 10.
[116] Cf. *Is* 29, 11.

1296 Ipse Iesus Se signatum sigillo Patris Sui declarat.[117] Etiam chri-
1121 stianus est sigillo quodam signatus: « Qui autem confirmat nos vobiscum in Christum et qui unxit nos Deus, et qui signavit nos et dedit arrabonem Spiritus in cordibus nostris » (*2 Cor* 1, 21-22).[118] Hoc sigillum
Spiritus Sancti totalem significat pertinentiam ad Christum, aliquem in
Eius servitium esse in perpetuum, sed etiam promissionem protectionis
divinae in magna eschatologica probatione.[119]

CONFIRMATIONIS CELEBRATIO

1297 Magni momenti ritus, qui celebrationem Confirmationis praece-
1183 dit, sed qui, quodammodo, eius efficit partem, est *sancti chrismatis consecratio.* Episcopus, Feria quinta in Cena Domini, intra Missam chris-
1241 malem, sanctum chrisma pro tota sua consecrat dioecesi. In Ecclesiis
Orientalibus, haec consecratio Patriarchae etiam reservatur:

> Liturgia Antiochena, sic Epiclesim consecrationis sancti chrismatis
> (quod graece dicitur μύρον) exprimit: « [Pater (...)] Spiritum Sanctum mit-
> te] super nos et super unguentum hoc propositum, et sanctifica ipsum,
> ut sit omnibus qui eo perungentur et consignabuntur myron sanctum,
> myron sacerdotale, unguentum regale, indumentum lucidum, amictus
> salutis, custodia vitae, munus spirituale, sanctitas animarum et corpo-
> rum, laetitia cordis, suavitas aeterna, gaudium indefectibile, sigillum
> illaesum, scutum fidei, galea terribilis adversus omnem operationem
> Adversarii ».[120]

1298 Cum Confirmatio separatim a Baptismo celebratur, sicut in ritu Romano
accidit, sacramenti liturgia renovatione promissionum Baptismi et Professione
fidei confirmandorum incipit. Sic clare apparet Confirmationem in continuitate
cum Baptismo collocari.[121] Cum adultus baptizatur, immediate Confirmationem
recipit et Eucharistiam participat.[122]

1299 In ritu Romano, Episcopus manus super universos confirmandos
extendit, qui quidem gestus, inde ab Apostolorum temporibus, signum
est doni Spiritus. Et sic Episcopus effusionem invocat Spiritus:

---

[117] Cf. *Io* 6, 27.
[118] Cf. *Eph* 1, 13; 4, 30.
[119] Cf. *Apc* 7, 2-3; 9, 4; *Ez* 9, 4-6.
[120] *Pontificale iuxta ritum Ecclesiae Syrorum Occidentalium id est Antiochiae*, Pars I,
Versio latina (Typis Polyglottis Vaticanis 1941) p. 36-37.
[121] Cf. CONCILIUM VATICANUM II, Const. *Sacrosanctum Concilium*, 71: AAS 56 (1964) 118.
[122] Cf. CIC canon 866.

« Deus omnipotens, Pater Domini nostri Iesu Christi, qui hos famulos regenerasti ex aqua et Spiritu Sancto, liberans eos a peccato, Tu, Domine immitte in eos Spiritum Sanctum Paraclitum; da eis spiritum sapientiae et intellectus, spiritum consilii et fortitudinis, spiritum scientiae et pietatis; adimple eos spiritu timoris Tui. Per Christum Dominum nostrum ».[123]

1831

1300   Sacramenti sequitur *ritus essentialis*. In ritu latino, « sacramentum Confirmationis confertur per unctionem chrismatis in fronte, quae fit manus impositione, atque per verba: 'Accipe signaculum doni Spiritus Sancti' ».[124] In Ecclesiis Orientalibus Byzantini ritus, unctio μύρου fit post Epiclesis orationem, super partes corporis magis significativas: frontem, oculos, nares, aures, labia, pectus, dorsum, manus et pedes; singulas unctiones comitatur formula: Σφραγὶς δωρεᾶς Πνεύματος Ἁγίου (« Signaculum doni Spiritus Sancti »).[125]

699

1301   Osculum pacis quod ritum concludit sacramenti, communionem ecclesialem cum Episcopo et cum omnibus fidelibus indicat et manifestat.[126]

III. Confirmationis effectus

1302   E celebratione patet effectum sacramenti Confirmationis specialem esse Spiritus Sancti effusionem, sicut fuit illa olim die Pentecostes Apostolis concessa.

731

1303   Hac de causa, Confirmatio augmentum et altiorem penetrationem affert gratiae baptismalis:

1262-1274

— nos profundius in filiationem radicat divinam in qua clamamus: « *Abba*, Pater! » (*Rom* 8, 15);

— nos Christo firmius unit;

— dona Spiritus Sancti in nobis auget;

— nostrum vinculum cum Ecclesia reddit perfectius;[127]

---

[123] *Ordo Confirmationis*, 25 (Typis Polyglottis Vaticanis 1973) p. 26.
[124] Paulus VI, Const. ap. *Divinae consortium naturae*: AAS 63 (1971) 657.
[125] *Rituale per le Chiese orientali di rito bizantino in lingua greca*, Pars 1 (Libreria Editrice Vaticana 1954) p. 36.
[126] Cf. Sanctus Hippolytus Romanus, *Traditio apostolica*, 21: ed. B. Botte (Münster i.W. 1989) p. 54.
[127] Cf. Concilium Vaticanum II, Const. dogm. *Lumen gentium*, 11: AAS 57 (1965).

2044
— nobis specialem Spiritus Sancti concedit vim, ut fidem verbo et opere propagemus et defendamus tamquam veri Christi testes, ut nomen Christi strenue confiteamur neque experiamur coram cruce ruborem: [128]

> « Unde repete, quia accepisti signaculum spirituale, spiritum sapientiae et intellectus, spiritum consilii atque virtutis, spiritum cognitionis atque pietatis, spiritum sancti timoris, et serva quod accepisti. Signavit te Deus Pater, confirmavit te Christus Dominus, et dedit pignus, Spiritum, in cordibus tuis ». [129]

1121
1304 Confirmatio, sicut Baptismus cuius est perfectio, solum semel confertur. Confirmatio etenim in anima imprimit *signum spirituale indelebile*, « characterem », [130] qui significat Iesum Christum sigillo Sui Spiritus christianum signavisse, eum virtute superinduens ex alto ut ipse Eius sit testis. [131]

1268
1305 « Character » sacerdotium commune fidelium, in Baptismo receptum, perficit, et « confirmatus accipit potestatem publice fidem Christi verbis profitendi, *quasi ex officio* ». [132]

IV. Quis hoc sacramentum recipere potest?

1212
1306 Omnis baptizatus nondum confirmatus sacramentum Confirmationis recipere potest et debet. [133] Quia Baptismus, Confirmatio et Eucharistia unitatem efformant, consequenter « fideles tenentur obligatione hoc sacramentum tempestive recipiendi », [134] quia sacramentum Baptismi, sine Confirmatione et Eucharistia, validum utique est et efficax, sed initiatio christiana incompleta manet.

1307 Consuetudo latina, inde a saeculis, ad Confirmationem recipiendam, « aetatem discretionis » indicat tamquam punctum ad quod referri oportet. In mortis tamen periculo, infantes confirmari debent, etiamsi nondum ad aetatem pervenerint discretionis. [135]

---

[128] Cf. Concilium Florentinum, *Decretum pro Armenis*: DS 1319; Concilium Vaticanum II, Const. dogm. *Lumen gentium*, 11: AAS 57 (1965) 15; *Ibid.*, 12: AAS 57 (1965) 16.

[129] Sanctus Ambrosius, De mysteriis 7, 42: CSEL 73, 106 (PL 16, 402-403).

[130] Cf. Concilium Tridentinum, Sess. 7ª, *Decretum de sacramentis*, Canones de sacramentis in genere, canon 9: DS 1609.

[131] Cf. *Lc* 24, 48-49.

[132] Sanctus Thomas Aquinas, *Summa theologiae* 3, q. 72, a. 5, ad 2: Ed. Leon. 12, 130.

[133] Cf. CIC canon 889, § 1.

[134] CIC canon 890.

[135] Cf. CIC canones 891. 883, 3.

1308 Si quandoque de Confirmatione tamquam de « sacramento maturitatis christianae » fit sermo, oporteret non propterea aetatem adultam fidei cum aetate adulta naturalis incrementi confundere, neque oblivisci gratiam baptismalem gratiam esse electionis gratuitae et immeritae quae « ratihabitione » non eget ut efficax efficiatur. Sanctus Thomas id in memoriam revocat: 1250

> « Aetas corporis non praeiudicat animae. Unde etiam in puerili aetate homo potest consequi perfectionem spiritualis aetatis: de qua dicitur Sapientia [4, 8]: 'Senectus venerabilis est non diuturna, neque numero annorum computata'. Et inde est, quod multi in puerili aetate propter robur Spiritus Sancti perceptum, usque ad sanguinem fortiter certaverunt pro Christo ».[136]

1309 *Praeparatio* ad Confirmationem intendere debet, christianum ad intimiorem cum Christo unionem ducere, ad vividiorem cum Spiritu Sancto, cum Eius actione, cum Eius donis et cum Eius vocationibus familiaritatem, ut melius responsabilitates apostolicas vitae christianae assumere possit. Hac de causa, catechesis Confirmationis conabitur suscitare sensum pertinendi ad Iesu Christi Ecclesiam, tam ad Ecclesiam universalem quam ad paroecialem communitatem. Haec ultima specialem in confirmandorum praeparatione habet responsabilitatem.[137]

1310 Ad Confirmationem suscipiendam, status gratiae necessarius est. Oportet ad sacramentum Poenitentiae recurrere, ut quis purificetur in ordine ad Sancti Spiritus donum. Intensior oratio disponere debet ad virtutem et gratias Sancti Spiritus, cum docilitate et promptitudine, recipiendas.[138] 2670

1311 Pro Confirmatione, sicut pro Baptismo, candidatos oportet spirituale *patrini* vel *matrinae* quaerere adiutorium. Ad utriusque sacramenti unitatem bene efferendam, oportet illum esse eumdem ac pro Baptismo.[139] 1255

---

[136] Sanctus Thomas Aquinas, *Summa theologiae* 3, q. 72, a. 8, ad 2: Ed. Leon. 12, 133.
[137] Cf. *Ordo Confirmationis*, Praenotanda 3 (Typis Polyglottis Vaticanis 1973) p. 16.
[138] Cf. *Act* 1, 14.
[139] Cf. *Ordo Confirmationis*, Praenotanda 5 (Typis Polyglottis Vaticanis 1973) p. 17; *Ibid.*, 6 (Typis Polyglottis Vaticanis 1973) p. 17; CIC canon 893, § 1-2.

V. Confirmationis minister

1312   Confirmationis *minister originarius* est Episcopus.[140]

1233   In *Oriente* communiter presbyter qui baptizat, etiam immediate Confirmationem confert in una eademque celebratione. Illud tamen efficit cum sancto chrismate consecrato a Patriarcha vel Episcopo, id quod unitatem Ecclesiae exprimit apostolicam, cuius vincula sacramento corroborantur Confirmationis. In Ecclesia latina eadem adhibetur disciplina in Baptismate adultorum vel cum in plenam communionem admittitur cum Ecclesia baptizatus alius communitatis christianae quae sacramentum Confirmationis validum non habet.[141]

1290   1313   *In ritu latino*, minister ordinarius Confirmationis est Episcopus.[142] Licet Episcopus, si adsit necessitas, presbyteris facultatem concedere possit Confirmationem administrandi,[143] oportet, ipsum illam conferre, ne obliviscatur celebrationem Confirmationis a Baptismo temporaliter hac de causa esse separatam. Episcopi Apostolorum sunt successores, ipsi plenitudinem sacramenti Ordinis receperunt. Administratio huius sacramenti ab ipsis bene significat, illud tamquam effectum habere, eos,

1285   qui illud recipiunt, arctius cum Ecclesia coniungere, cum eius apostolicis originibus et cum eius missione Christum testandi.

1314   Si christianus in mortis versatur periculo, quilibet sacerdos illi

1307   Confirmationem potest conferre.[144] Revera Ecclesia nullum e suis filiis, etiam maxime parvulum, ex hoc mundo vult proficisci, quin a Spiritu Sancto prius perficiatur dono plenitudinis Christi.

Compendium

1315   « *Cum autem audissent Apostoli, qui erant Hierosolymis, quia recepit Samaria verbum Dei, miserunt ad illos Petrum et Ioannem, qui cum descendissent, oraverunt pro ipsis, ut acciperent Spiritum Sanctum; nondum enim super quemquam illorum venerat, sed baptizati tantum erant in nomine Domini Iesu. Tunc imposuerunt manus super illos, et accipiebant Spiritum Sanctum* » (*Act* 8, 14-17).

[140] Cf. Concilium Vaticanum II, Const. dogm. *Lumen gentium*, 26: AAS 57 (1965) 32.
[141] Cf. CIC canon 883, § 2.
[142] Cf. CIC canon 882.
[143] Cf. CIC canon 884, § 2.
[144] Cf. CIC canon 883, 3.

1316 *Confirmatio gratiam perficit baptismalem; est sacramentum quod Spiritum Sanctum donat ad nos profundius in filiatione divina radicandos, ad nos firmius Christo incorporandos, ad solidius nostrum vinculum efficiendum cum Ecclesia, ad nos magis Eius missioni sociandos et ad nos adiuvandos ut testimonium fidei christianae reddamus verbo quod opera comitentur.*

1317 *Confirmatio, sicut Baptismus, in christiani anima signum spirituale seu characterem imprimit indelebilem; hac de causa, sacramentum non nisi semel in vita recipi potest.*

1318 *In Oriente, hoc sacramentum immediate post Baptismum administratur; illud participatio sequitur Eucharistiae; haec traditio unitatem trium sacramentorum initiationis christianae effert. In Ecclesia latina, hoc sacramentum administratur cum aetas rationis attingitur et eius celebratio communiter Episcopo reservatur, ita significando hoc sacramentum vinculum firmare ecclesiale.*

1319 *Candidatus ad Confirmationem, qui ad rationis pervenerit aetatem, fidem debet profiteri, in gratiae statu esse, intentionem habere recipiendi sacramentum et paratum esse ad munus assumendi discipuli et testis Christi, in communitate ecclesiali et in negotiis temporalibus.*

1320 *Ritus essentialis Confirmationis est unctio cum sancto chrismate super frontem baptizati (in Oriente etiam super alia sensuum organa), cum impositione manus ministri et verbis: « Accipe signaculum doni Spiritus Sancti » in ritu Romano, « Signaculum doni Spiritus Sancti » in ritu Byzantino.*

1321 *Cum Confirmatio separatim a Baptismo celebratur, eius vinculum cum Baptismo, inter alia, per renovationem exprimitur baptismalium promissionum. Celebratio Confirmationis intra Eucharistiam ad unitatem confert sacramentorum initiationis christianae efferendam.*

Articulus 3

SACRAMENTUM EUCHARISTIAE

1322 Sancta Eucharistia initiationem christianam concludit. Qui ad dignitatem sacerdotii regalis sunt per Baptismum elevati et profundius Christo per Confirmationem configurati, ipsum sacrificium Domini cum tota communitate per Eucharistiam participant.

1212

1402
1323 « Salvator noster, in Cena novissima, qua nocte tradebatur, Sacrificium eucharisticum corporis et sanguinis Sui instituit, quo Sacrificium crucis in saecula, donec veniret, perpetuaret, atque adeo Ecclesiae dilectae Sponsae memoriale concrederet Mortis et Resurrectionis Suae: sacramentum pietatis, signum unitatis, vinculum caritatis, convivium Paschale, in quo Christus sumitur, mens impletur gratia et futurae gloriae nobis pignus datur ».[145]

I. Eucharistia – fons et culmen vitae ecclesialis

864
1324 Eucharistia est « totius vitae christianae fons et culmen ».[146] « Cetera autem sacramenta, sicut et omnia ecclesiastica ministeria, et opera apostolatus, cum sacra Eucharistia cohaerent et ad eam ordinantur. In sanctissima enim Eucharistia totum bonum spirituale Ecclesiae continetur, Ipse scilicet Christus, Pascha nostrum ».[147]

775
1325 « Communio vitae divinae et unitas populi Dei, quibus Ecclesia subsistit, Eucharistia apte significatur et mirabiliter efficitur. In ea culmen habetur et actionis qua Deus in Christo mundum sanctificat et cultus quem homines Christo et per Ipsum Patri in Spiritu Sancto exhibent ».[148]

1090
1326 Denique per celebrationem eucharisticam caelesti iam coniungimur liturgiae atque vitam anticipamus aeternam in qua erit « Deus omnia in omnibus » (*1 Cor* 15, 18).

1327 Breviter, Eucharistia est nostrae fidei compendium et summa: « Nostra autem consonans est sententia Eucharistiae, et Eucharistia rursus confirmat sententiam nostram ».[149]

1124

II. Quomodo hoc appellatur sacramentum?

1328 Huius sacramenti inexhaustibiles divitiae diversis exprimuntur nominibus quae illi praebentur. Unumquodque ex illis nominibus quasdam eius evocat rationes. Appellatur:

[145] Concilium Vaticanum II, Const. *Sacrosanctum Concilium*, 47: AAS 56 (1964) 113.
[146] Cf. Concilium Vaticanum II, Const. dogm. *Lumen gentium*, 11: AAS 57 (1965) 15.
[147] Concilium Vaticanum II, Decr. *Presbyterorum ordinis*, 5: AAS 58 (1966) 997.
[148] Sacra Congregatio Rituum, Instr. *Eucharisticum mysterium*, 6: AAS 59 (1967) 545.
[149] Sanctus Irenaeus Lugdunensis, *Adversus haereses* 4, 18, 5: SC 100, 610 (PG 7, 1028).

Eucharistia quia est gratiarum actio ad Deum. Verba εὐχαριστεῖν (*Lc* 22, 19; *1 Cor* 11, 24) et εὐλογεῖν (*Mt* 26, 26; *Mc* 14, 22) benedictiones Iudaicas revocant in memoriam quae — praesertim in convivio — Dei proclamant opera: creationem, Redemptionem et sanctificationem. 2637 1082 1359

1329 *Dominica Cena*[150] quia agitur de *Cena* quam Dominus cum Suis discipulis sumpsit Suae passionis pridie, et de anticipatione *cenae nuptiarum Agni*[151] in caelesti Ierusalem. 1382

Fractio panis quia hic ritus, convivii Iudaici proprius, a Iesu adhibitus est cum panem benedicebat et distribuebat tamquam mensae dominus,[152] praecipue in ultima Cena.[153] Per hunc gestum, discipuli Eum agnoscent post Eius Resurrectionem,[154] et cum hac expressione primi christiani suas eucharisticas denotabunt congregationes.[155] Sic significant omnes illos qui unicum edunt panem fractum, Christum, in communionem cum Eo ingredi et non nisi unum corpus in Eo efformare.[156] 790

Eucharistica congregatio (σύναξις), quia Eucharistia celebratur in fidelium congregatione, visibili Ecclesiae expressione.[157] 1348

1330 *Memoriale* passionis et resurrectionis Domini. 1341

Sanctum Sacrificium, quia unicum Christi Salvatoris sacrificium reddit actuale et quia Ecclesiae includit oblationem; vel etiam *sanctum Sacrificium Missae,* « *hostia laudis* » (*Heb* 13, 15),[158] *spiritalis hostia,*[159] *oblatio munda*[160] *et sancta,* quia omnia sacrificia Veteris Foederis complet et superat. 2643 614

Sancta et divina liturgia, quia tota Ecclesiae liturgia suum centrum et suam expressionem quam maxime densam in huius sacramenti invenit celebratione; eodem sensu etiam appellatur *sanctorum mysteriorum* celebratio. Sermo etiam est de *Sanctissimo Sacramento* quia ipsum est sacramentum sacramentorum. Hoc nomine species designantur eucharisticae quae in tabernaculo reservantur. 1169

[150] Cf. *1 Cor* 11, 20.
[151] Cf. *Apc* 19, 9.
[152] Cf. *Mt* 14, 19; 15, 36; *Mc* 8, 6. 19.
[153] Cf. *Mt* 26, 26; *1 Cor* 11, 24.
[154] Cf. *Lc* 24, 13-35.
[155] Cf. *Act* 2, 42. 46; 20, 7. 11.
[156] Cf. *1 Cor* 10, 16-17.
[157] Cf. *1 Cor* 11, 17-34.
[158] Cf. *Ps* 116, 13. 17.
[159] Cf. *1 Pe* 2, 5.
[160] Cf. *Mal* 1, 11.

950   1331 *Communio,* quia per hoc sacramentum coniungimur cum Christo,
       qui nos corporis Sui et sanguinis Sui facit participes ad unum effor-
       mandum corpus;[161] appellatur etiam *sancta,* τὰ ἅγια[162] — hic est prima-
948   rius sensus « communionis sanctorum » de qua Symbolum loquitur
1405   Apostolorum —, *panis angelorum, panis de caelo, pharmacum immortali-
       tatis,*[163] *viaticum...*

       1332 *Sancta Missa,* quia liturgia in qua mysterium completur salutis,
849   per *missionem* concluditur fidelium, ut ipsi Dei voluntatem in sua vita
       adimpleant quotidiana.

III. Eucharistia in Oeconomia salutis

Signa panis et vini

1350   1333 In corde celebrationis Eucharistiae habentur panis et vinum
       quae, per Christi verba et per Spiritus Sancti invocationem, corpus et
       sanguis Christi fiunt. Ecclesia, mandato Domini fidelis, in Eius memo-
       riam, usque ad reditum Eius gloriosum, agere pergit id quod Ipse Suae
       passionis egit pridie: « Accepit panem... », « Accepit calicem, ex genimi-
       ne vitis repletum... ». Panis et vini signa, cum corpus et sanguis Christi
1147   arcano modo efficiuntur, creationis etiam significare pergunt bonitatem.
1148   Sic in Offertorio, gratias agimus Creatori propter panem et vinum,[164]
       fructum « operis manuum hominum », sed etiam prius « fructum ter-
       rae » atque « vitis », Creatoris igitur dona. Ecclesia in gestu Melchi-
       sedech, regis et sacerdotis, qui protulit « panem et vinum » (*Gn* 14, 18),
       propriae suae oblationis perspicit praefigurationem.[165]

1150   1334 In Vetere Foedere, panis et vinum, inter terrae primitias, offe-
       runtur velut sacrificium, tamquam signum gratitudinis erga Creatorem.
1363   Sed ea novam etiam accipiunt in contextu Exodi significationem: Panes
       azymi, quos Israel singulis annis in Paschate edebat, festinationem com-
       memorant liberatoris exitus ex Aegypto; recordatio manna deserti sem-

---

[161] Cf. *1 Cor* 10, 16-17.
[162] Cf. *Constitutiones apostolicae* 8, 13, 12: SC 336, 208 (Funk, *Didascalia et Constitu-
       tiones Apostolorum* 1, 516); *Didaché* 9, 5: SC 248, 178 (Funk, *Patres apostolici* 1,
       22); *Ibid.,* 10, 6: SC 248, 180 (Funk, *Patres apostolici* 1, 24).
[163] Sanctus Ignatius Antiochenus, *Epistula ad Ephesios* 20, 2: SC 10bis, 76 (Funk 1,
       230).
[164] Cf. *Ps* 104, 13-15.
[165] Cf. *Prex eucharistica I seu Canon Romanus,* 95: *Missale Romanum,* editio typica
       (Typis Polyglottis Vaticanis 1970) p. 453.

per Israel commemorabit, ipsum ex pane Verbi Dei vivere.[166] Panis denique quotidianus est Terrae promissae fructus, pignus fidelitatis Dei promissionibus Eius. « Calix benedictionis » (*1 Cor* 10, 16), ad finem convivii Paschalis Iudaeorum, gaudio festivo vini rationem addit eschatologicam, illam messianicae exspectationis restitutionis Ierusalem. Iesus Suam instituit Eucharistiam, sensum novum praebens et definitivum benedictioni panis et calicis.

1335 Miracula multiplicationis panum, cum Dominus benedictionem dixit, panes fregit et per Suos discipulos ad multitudinem nutriendam distribuit, superabundantiam praefigurant unius huius panis Eucharistiae Eius.[167] Signum aquae in vinum mutatae in Cana,[168] iam Horam annuntiat glorificationis Iesu. Ipsum consummationem manifestat convivii nuptiarum in Patris Regno, in quo fideles novum vinum bibent[169] sanguinem Christi effectum. — 1151

1336 Prima Eucharistiae annuntiatio discipulos divisit, sicut illos passionis annuntiatio scandalizavit: « Durus est hic sermo! Quis potest eum audire? » (*Io* 6, 60). Eucharistia et crux petrae sunt scandali. Idem est mysterium et occasio esse non desinit divisionis. « Numquid et vos vultis abire? » (*Io* 6, 67): haec Domini interrogatio per aetates resonat, tamquam invitatio amoris Eius ad detegendum, Ipsum esse unum qui habeat « verba vitae aeternae » (*Io* 6, 68), atque in fide accipere donum Eucharistiae Eius esse Ipsum accipere. — 1327

Institutio Eucharistiae

1337 Dominus, cum dilexisset Suos, in finem dilexit eos. Sciens horam venisse transeundi ex hoc mundo ut ad Suum Patrem rediret, in convivii transcursu, eis pedes lavit et mandatum dedit amoris.[170] Ut eis pignus huius amoris relinqueret, ut a Suis Se nunquam amoveret et ut eos Sui Paschatis efficeret participes, Eucharistiam instituit tamquam Suae Mortis Suaeque Resurrectionis memoriale, atque eam usque ad Suum reditum celebrare, Suis mandavit Apostolis, « quos tunc Novi Testamenti sacerdotes constituebat ».[171] — 610 / 611

---

[166] Cf. *Dt* 8, 3.
[167] Cf. *Mt* 14, 13-21; 15, 32-39.
[168] Cf. *Io* 2, 11.
[169] Cf. *Mc* 14, 25.
[170] Cf. *Io* 13, 1-17.
[171] Concilium Tridentinum, Sess. 22ª, *Doctrina de ss. Missae Sacrificio*, c. 1: DS 1740.

1338   Tria Evangelia synoptica et sanctus Paulus narrationem institutionis Eucharistiae nobis transmiserunt; e parte sua, sanctus Ioannes refert verba Iesu in synagoga Capharnaum, quae quidem verba institutionem praeparant Eucharistiae: Christus Se Ipsum designat tamquam panem vitae, qui descendit de caelo.[172]

1169   1339   Iesus Paschatis elegit tempus ad id adimplendum quod in Capharnaum nuntiaverat: Se discipulis Suis Suum corpus Suumque sanguinem esse daturum:

> « Venit autem dies Azymorum, in qua necesse erat occidi Pascha. Et [Iesus] misit Petrum et Ioannem dicens: 'Euntes parate nobis Pascha, ut manducemus'. [...] Euntes autem [...] paraverunt Pascha. Et cum facta esset hora, discubuit, et Apostoli cum Eo. Et ait illis: 'Desiderio desideravi hoc Pascha manducare vobiscum, antequam patiar. Dico enim vobis: Non manducabo illud, donec impleatur in Regno Dei'. [...] Et accepto pane, gratias egit et fregit et dedit eis dicens: 'Hoc est corpus meum, quod pro vobis datur. Hoc facite in meam commemorationem'. Similiter et calicem, postquam cenavit, dicens: 'Hic calix Novum Testamentum est in sanguine meo, qui pro vobis funditur' » (*Lc* 22, 7-20).[173]

1151   1340   Iesus, ultimam cum Apostolis Suis celebrans Cenam in decursu Paschalis convivii, Paschati Iudaico sensum tribuit definitivum. Re vera, transitus Iesu ad Eius Patrem per Mortem et Resurrectionem, novum nempe Pascha, in Cena anticipatur et in Eucharistia celebratur quae
677   Pascha Iudaicum adimplet et Pascha Ecclesiae anticipat finale in gloria Regni.

« HOC FACITE IN MEAM COMMEMORATIONEM »

1341   Mandatum Iesu Eius gestus Eiusque verba iterandi « donec veniat » (*1 Cor* 11, 26), non solum exigit Iesum et id quod Ipse fecit, recordari. Liturgicam per Apostolos eorumque successores prospicit
611, 1363   celebrationem *memorialis* Christi, Ipsius vitae, Mortis, Resurrectionis et intercessionis apud Patrem.

2624   1342   Ab initio, Ecclesia huic Domini mandato fuit fidelis. De Ecclesia dicitur Hierosolymitana:

> « Erant autem perseverantes in doctrina Apostolorum et communicatione, in fractione panis et orationibus. [...] Cotidie quoque perdurantes

---

[172] Cf. *Io* 6.
[173] Cf. *Mt* 26, 17-29; *Mc* 14, 12-25; *1 Cor* 11, 23-25.

unanimiter in templo et frangentes circa domos panem, sumebant cibum cum exsultatione et simplicitate cordis» (*Act* 2, 42. 46).

1343 Praecipue «in una [...] sabbatorum», id est, die Dominica, die resurrectionis Iesu, christiani conveniebant «ad frangendum panem» (*Act* 20, 7). Ab illo tempore ad nostros usque dies, celebratio Eucharistiae est perpetuata ita ut hodie eam ubique in Ecclesia cum eadem structura inveniamus fundamentali. Ipsa centrum permanet vitae Ecclesiae.

1166, 2177

1344 Ita populus Dei peregrinans, mysterium Iesu annuntians Paschale, «donec veniat» (*1 Cor* 11, 26), ab alia ad aliam celebrationem, «per angustam viam crucis» [174] procedit ad convivium caeleste, in quo omnes electi ad mensam sedebunt Regni.

1404

IV. Celebratio liturgica Eucharistiae

Missa omnium saeculorum

1345 A saeculo II, sancti Iustini martyris habemus testimonium circa lineamenta fundamentalia quibus eucharistica evolvitur celebratio. Haec ad nostros usque dies pro omnibus magnis liturgicis familiis permanserunt eadem. Ecce quid ipse circa annum 155 scribat ut imperatori pagano Antonino Pio (138-161) explicet id quod christiani peragunt:

> «Ac Solis qui dicitur die omnium qui in urbibus aut agris degunt in eundem locum conventus fit.
> Et commentaria Apostolorum aut scripta Prophetarum leguntur, quoad licet per tempus.
> Deinde, ubi lector desiit, is qui praeest oratione admonet et incitat ad haec praeclara imitanda.
> Postea consurgimus communiter omnes et preces fundimus» [175] «et pro nobis ipsis [...] et pro aliis ubique omnibus [...] ut rectam operibus vitam agentes et mandatorum observatores inveniamur, quo aeternam salutem adsequamur.
> Invicem osculo salutamus ubi desiimus precari.
> Deinde ei qui fratribus praeest panis affertur et poculum aquae et vini.
> Quibus ille acceptis laudem et gloriam Parenti universorum per nomen Filii et Spiritus Sancti sursum mittit et gratiarum actionem (graece: εὐχαριστίαν), pro eo quod nos his donis dignatus sit, prolixe exsequitur.
> Postquam preces et gratiarum actionem absolvit, omnis qui adest populus fauste acclamat dicens *Amen*.

[174] Concilium Vaticanum II, Decr. *Ad gentes*, 1: AAS 58 (1966) 947.
[175] Sanctus Iustinus, *Apologia*, 1, 67: CA 1, 184-186 (PG 6, 429).

> [...] Postquam vero is qui praeest gratiarum actionem absolvit et omnis populus fauste acclamavit, qui apud nos dicuntur diaconi panem et vinum et aquam 'eucharistizata' (εὐχαριστηθέντος) unicuique praesentium dant participanda et ad absentes perferunt ».[176]

1346   Eucharistiae liturgia secundum structuram evolvitur fundamentalem quae per saecula usque ad nos conservata est. In duobus magnis explicatur cardinibus qui unitatem penitus efformant:

— congregatio, *liturgia verbi*, cum lectionibus, homilia et universali precatione;
— *liturgia eucharistica*, cum panis et vini praesentatione, gratiarum actione consecratoria et communione.

103   Liturgia verbi et liturgia eucharistica simul efficiunt « unum actum cultus »;[177] re vera, mensa pro nobis in Eucharistia praeparata simul est illa Verbi Dei et illa corporis Domini.[178]

1347   Nonne ibi ipse motus habetur convivii Paschalis Iesu resuscitati cum discipulis Suis? Iter peragens, Ipse eis Scripturas aperiebat, deinde ad mensam cum eis recumbens: « Accepit panem et benedixit ac fregit et porrigebat illis » (*Lc* 24, 30).[179]

Celebrationis motus

1140   1348   *Omnium conventus*. Christiani in eumdem locum pro eucharistica concurrunt congregatione. In illo principem obtinet locum Ipse Christus, qui Eucharistiae principalis est agens. Ipse est Summus Novi Foederis Sacerdos. Ipse invisibiliter omni celebrationi eucharisticae praeest.
1548   Eum repraesentans Episcopus vel presbyter (*in persona Christi Capitis* agens) congregationi praesidet, post lectiones sermonem facit, dona recipit et precationem dicit eucharisticam. *Omnes* in celebratione suas activas habent partes, unusquisque suo modo: lectores, illi qui dona afferunt, illi qui communionem distribuunt, et totus integer populus, cuius Amen participationem manifestat.

1184   1349   *Liturgia verbi* implicat « scripta Prophetarum » seu Antiquum Testamentum et « commentaria Apostolorum », id est, eorum epistulas et evangelia; post homiliam quae ad hoc verbum hortatur accipiendum

---

[176] Sanctus Iustinus, *Apologia*, 1, 65: CA 1, 176-180 (PG 6, 428).
[177] Concilium Vaticanum II, Const. *Sacrosanctum Concilium*, 56: AAS 56 (1964) 115.
[178] Cf. Concilium Vaticanum II, Const. dogm. *Dei Verbum*, 21: AAS 58 (1966) 827.
[179] Cf. *Lc* 24, 13-35.

tamquam id quod ipsum vere est, Verbum Dei,[180] et ad illud exsequendum, intercessiones sequuntur pro omnibus hominibus, secundum Apostoli verba: « Obsecro igitur primo omnium fieri obsecrationes, orationes, postulationes, gratiarum actiones, pro omnibus hominibus, pro regibus et omnibus, qui in sublimitate sunt » (*1 Tim* 2, 1-2).

1350 *Donorum praesentatio* (offertorium): tunc ad altare, quandoque processione, panis et vinum afferuntur quae a sacerdote, nomine Christi, in Sacrificio offerentur eucharistico, in quo Eiusdem corpus et sanguis efficientur. Est idem gestus Christi in ultima Cena, « panem et calicem accipientis ». « Hanc oblationem Ecclesia sola puram offert Fabricatori, offerens Ei cum gratiarum actione ex creatura Eius ».[181] Donorum praesentatio ad altare gestum Melchisedech assumit et Creatoris dona manibus concredit Christi. Ipse in Suo sacrificio omnia humana conamina offerendi sacrificia ad perfectionem ducit. — 1359 / 614

1351 Ab initio, christiani offerunt, cum pane et vino pro Eucharistia, sua dona ut eis impertiantur qui in egestate sunt. Hic *collectae*[182] mos, semper actualis, ab exemplo inspiratur Christi qui factus est pauper ut nos divites efficeret:[183] — 1397 / 2186

> « Qui abundant ac volunt pro arbitrio quisque suo quod visum est largiuntur, et quod colligitur apud eum qui praeest deponitur, et ipse subvenit pupillis ac viduis, et iis qui ob morbum aut aliam ob causam indigent, et iis qui in vinculis sunt, et advenientibus peregre hospitibus, uno verbo omnium inopum curator est ».[184]

1352 *Anaphora*: cum eucharistica prece, cum prece nempe actionis gratiarum et consecrationis, ad cor et culmen pervenimus celebrationis:

> in *praefatione*, Ecclesia, per Christum, in Spiritu Sancto, gratias Patri agit propter omnia Eius opera, propter creationem, Redemptionem et sanctificationem. Tota communitas tunc huic laudi incessanti coniungitur quam caelestis Ecclesia, angeli omnesque sancti, ter Sancto canunt Deo. — 559

1353 In *Epiclesi*, ipsa petit a Patre ut Suum mittat Spiritum (vel Suae benedictionis potentiam [185]) super panem et vinum ut, per Eius virtutem, corpus et san- — 1105

---

[180] Cf. *1 Thess* 2, 13.
[181] Sanctus Irenaeus Lugdunensis, *Adversus haereses* 4, 18, 4: SC 100, 606 (PG 7, 1027); cf. *Mal* 1, 11.
[182] Cf. *1 Cor* 16, 1.
[183] Cf. *2 Cor* 8, 9.
[184] Sanctus Iustinus, *Apologia*, 1, 67: CA 1, 186-188 (PG 6, 429).
[185] Cf. *Prex eucharistica I seu Canon Romanus*, 90: *Missale Romanum*, editio typica (Typis Polyglottis Vaticanis 1970) p. 451.

guis Iesu Christi fiant, et ut illi qui Eucharistiam participant, unum sint corpus et unus spiritus (quaedam liturgicae traditiones Epiclesim post anamnesim collocant).

1375   In *institutionis narratione*, vis verborum et actionis Christi, et Spiritus Sancti potentia, sub panis et vini speciebus Eius corpus et sanguinem sacramentaliter efficiunt praesentia, Eius sacrificium semel pro semper in cruce oblatum.

1103   1354   In *anamnesi* quae sequitur, Ecclesia passionem, resurrectionem et reditum Christi Iesu recolit gloriosum; ipsa Patri oblationem praesentat Filii Eius qui nos cum Eo reconciliat.

954   In *intercessionibus*, Ecclesia exprimit Eucharistiam in communione cum tota Ecclesia caeli et terrae, vivorum et defunctorum, celebrari et in communione cum Pastoribus Ecclesiae, cum Papa, cum Episcopo dioeceseos, eius presbyterio et eius diaconis, et cum Episcopis totius mundi cum eorum Ecclesiis.

1382   1355   In *Communione*, quam Domini oratio et panis praecedunt fractio, fideles « panem de caelo » et « calicem salutarem » accipiunt, corpus et sanguinem Christi qui Se Ipsum tradidit « pro mundi vita » (*Io* 6, 51).

1327   Quia hic panis et hoc vinum, secundum veterem expressionem sunt « eucharistizata »,[186] « hoc alimentum apud nos vocatur *Eucharistia*, cuius nulli alii licet esse participi nisi qui credat veram esse doctrinam nostram, et illo ad remissionem peccatorum et ad regenerationem lavacro ablutus fuerit, et ita vivat ut Christus tradidit ».[187]

V. Sacrificium sacramentale: gratiarum actio, memoriale, praesentia

1356   Si christiani inde ab originibus Eucharistiam celebrant, et quidem sub quadam forma, quae, quoad substantiam, in decursu magnae diversitatis aetatum et liturgiarum mutata non est, hoc ideo accidit quia scimus nos mandato Domini vinculari, pridie passionis Eius praescripto: « Hoc facite in meam commemorationem » (*1 Cor* 11, 24-25).

1357   Hoc Domini adimplemus mandatum *memoriale sacrificii Eius* celebrantes. Hoc facientes, id Patri offerimus quod Ipse nobis donavit: dona Eius creationis, panem et vinum, per Spiritus Sancti potentiam et Christi verba, corpus et sanguinem Christi effecta: sic Christus realiter et arcano modo *praesens* fit.

---

[186] Cf. Sanctus Iustinus, *Apologia*, 1, 65: CA 1, 180 (PG 6, 428).
[187] Sanctus Iustinus, *Apologia*, 1, 66: CA 1, 180 (PG 6, 428).

1358 Oportet igitur ut Eucharistiam consideremus:

— tamquam actionem gratiarum et laudem *Patri*;
— tamquam memoriale sacrificale *Christi* et corporis Eius;
— tamquam Christi praesentiam per virtutem Eius verbi Eiusque *Spiritus*.

Gratiarum actio et laus Patri

1359 Eucharistia, sacramentum nostrae salutis per Christum in cruce adimpletae, laudis est etiam sacrificium in gratiarum actionem propter creationis opus. In Sacrificio eucharistico, tota creatio a Deo dilecta praesentatur Patri per Christi mortem et resurrectionem. Per Christum potest Ecclesia sacrificium laudis offerre in gratiarum actionem propter quidquid boni, pulchri et iusti in creatione et in genere humano Deus effecit. 293

1360 Eucharistia est sacrificium actionis gratiarum ad Patrem, benedictio per quam Ecclesia Deo propter omnia Eius beneficia suam exprimit gratitudinem, propter omnia quae Ipse per creationem, Redemptionem et sanctificationem effecit. Eucharistia imprimis « gratiarum actionem » significat. 1083

1361 Eucharistia est etiam sacrificium laudis, per quod Ecclesia in totius creationis nomine gloriam canit Dei. Hoc laudis sacrificium non nisi per Christum possibile est: Ipse fideles Suae coniungit personae, Suae laudi et Suae intercessioni, atque ita sacrificium laudis ad Patrem *per* Christum et *cum* Ipso offertur ut accipiatur *in* Ipso. 294

Memoriale sacrificale Christi Eiusque corporis, Ecclesiae

1362 Eucharistia est memoriale Paschatis Christi, Eius unici sacrificii in actum deductio et sacramentalis oblatio, in liturgia Ecclesiae quae corpus est Eius. In omnibus eucharisticis precibus, post institutionis verba, orationem invenimus quae *anamnesis* seu memoriale appellatur. 1103

1363 In sacrae Scripturae sensu, *memoriale* recordatio eventuum praeteritorum solummodo non est, sed proclamatio mirabilium quae Deus pro hominibus implevit.[188] In liturgica horum eventuum celebratione, ii quodammodo praesentes fiunt et actuales. Sic Israel suam ex Aegypto 1099

[188] Cf. *Ex* 13, 3.

intelligit liberationem: semper ac Pascha celebratur, Exodi eventus memoriae credentium fiunt praesentes ut ipsi illis suam conforment vitam.

1364 Memoriale in Novo Testamento sensum recipit novum. Cum Ecclesia Eucharistiam celebrat, memor est Christi Paschatis, quod praesens fit: sacrificium quod Christus semel pro semper obtulit in cruce, semper permanet actuale:[189] « Quoties Sacrificium crucis, quo 'Pascha nostrum immolatus est Christus' (*1 Cor* 5, 7), in altari celebratur, opus nostrae Redemptionis exercetur ».[190]

1365 Quia Eucharistia memoriale Paschatis est Christi, *est etiam sacrificium*. Indoles sacrificalis Eucharistiae in ipsis verbis institutionis manifestatur: « Hoc est corpus meum, quod pro vobis datur » et « Hic calix Novum Testamentum est in sanguine meo qui pro vobis funditur » (*Lc* 22, 19-20). In Eucharistia, Christus hoc ipsum corpus dat quod pro nobis in cruce tradidit, ipsum sanguinem quem Ille effudit « pro multis [...] in remissionem peccatorum » (*Mt* 26, 28).

1366 Eucharistia est igitur sacrificium quia Sacrificium crucis *repraesentat* (praesens reddit), quia eius est *memoriale* et quia eius fructum *applicat*:

> Christus « Deus et Dominus noster, [...] semel Se Ipsum in ara crucis, morte intercedente, Deo Patri [...] [obtulit], ut aeternam illis [hominibus] Redemptionem operaretur: quia tamen post mortem sacerdotium Eius exstinguendum non erat [*Heb* 7, 24. 27], in Coena novissima, 'qua nocte tradebatur' [*1 Cor* 11, 13], [...] dilectae Sponsae Suae Ecclesiae visibile (sicut hominum natura exigit) [...] [reliquit] sacrificium, quo cruentum illud semel in cruce peragendum repraesentaretur eiusque memoria in finem usque saeculi permaneret, atque illius salutaris virtus in remissionem eorum, quae a nobis quotidie committuntur, peccatorum applicaretur ».[191]

1367 Sacrificium Christi et Sacrificium Eucharistiae *unum* sunt *sacrificium*: « Una enim eademque est hostia, Idem nunc offerens sacerdotum ministerio, qui Se Ipsum tunc in cruce obtulit, sola ratione offerendi diversa »:[192] « Et quoniam in divino hoc sacrificio, quod in Missa peragitur, Idem Ille Christus continetur et incruente immolatur, qui in ara

---

[189] Cf. *Heb* 7, 25-27.
[190] Concilium Vaticanum II, Const. dogm. *Lumen gentium*, 3: AAS 57 (1965) 6.
[191] Concilium Tridentinum, Sess. 22ª, *Doctrina de ss. Missae Sacrificio*, c. 1: DS 1740.
[192] Concilium Tridentinum, Sess. 22ª, *Doctrina de ss. Missae Sacrificio*, c. 2: DS 1743.

crucis 'semel Se Ipsum cruente obtulit' [...] sacrificium istud vere propitiatorium » est.[193]

1368 *Eucharistia est quoque Ecclesiae sacrificium.* Ecclesia, quae corpus est Christi, oblationem sui Capitis participat. Cum Eo, ipsa tota offertur. Cum Eius intercessione apud Patrem pro omnibus hominibus se coniungit. In Eucharistia, sacrificium Christi fit etiam sacrificium membrorum Eius corporis. Vita fidelium, eorum laus, eorum dolor, eorum oratio, eorum labor illis Christi Eiusque totali uniuntur oblationi, et sic novum acquirunt valorem. Sacrificium Christi super altari praesens omnibus christianorum generationibus possibilitatem praebet Eius oblationi se uniendi.

618, 2031

1109

> In catacumbis, Ecclesia saepe tamquam mulier in oratione repraesentatur, brachiis apertis in gestu orantis. Se, sicut Christus qui brachia extendit in cruce, per Ipsum, cum Ipso et in Ipso offert et pro omnibus intercedit hominibus.

1369 *Ecclesia tota cum oblatione coniungitur et intercessione Christi. Papa* qui Petri ministerium in Ecclesia sustinet, omni Eucharistiae associatur celebrationi in qua tamquam unitatis Ecclesiae Universae signum et minister nominatur. *Episcopus loci* semper Eucharistiae est responsabilis, etiam cum *presbyter* illi praeest; eius nomen in illa pronuntiatur ut significetur eum Ecclesiae particulari praeesse, in medio presbyterii et assistentibus *diaconis*. Communitas etiam pro omnibus intercedit ministris qui, pro illa et cum illa, Sacrificium offerunt eucharisticum:

834, 882

1561
1566

> « Valida Eucharistia habeatur illa, quae sub Episcopo peragitur vel sub eo, cui ipse concesserit ».[194]
> « Per presbyterorum autem ministerium sacrificium spirituale fidelium consummatur in unione cum sacrificio Christi, unici mediatoris, quod per manus eorum, nomine totius Ecclesiae, in Eucharistia incruente et sacramentaliter offertur, donec Ipse Dominus veniat ».[195]

1370 Christi oblationi coniunguntur non solum membra quae adhuc hic in terris sunt, sed etiam illa quae iam sunt *in caeli gloria*: Ecclesia, in communione cum beatissima Virgine Maria et eiusdem, sicut etiam omnium sanctorum omniumque sanctarum, faciens memoriam, Sacrificium offert eucharisticum. Ecclesia in Eucharistia, cum Maria, est quodammodo iuxta crucem, oblationi Christi unita et intercessioni.

956
969

---

[193] *Ibid.*
[194] Sanctus Ignatius Antiochenus, *Epistula ad Smyrnaeos* 8, 1: SC 10bis, 138 (Funk 1, 282).
[195] Concilium Vaticanum II, Decr. *Presbyterorum ordinis*, 2: AAS 58 (1966) 993.

958, 1689   1371   Sacrificium eucharisticum offertur etiam *pro fidelibus defunctis*,
1032   « pro defunctis in Christo, nondum ad plenum purgatis »,¹⁹⁶ ut Christi
lumen et pacem ingredi possint:

> « Ponite [...] hoc corpus ubicumque: nihil vos eius cura conturbet; tan-
> tum illud vos rogo, ut ad Domini altare memineritis mei, ubiubi fueritis ».¹⁹⁷

> « Deinde [in anaphora] et pro defunctis sanctis Patribus et Episcopis, et
> omnibus generatim qui inter nos vita functi sunt [oramus]; maximum
> hoc credentes adiumentum illis animabus fore, pro quibus oratio defer-
> tur, dum sancta et perquam tremenda coram iacet victima. [...] Et nos
> pro defunctis, etiamsi peccatores sint, preces Deo offerentes, [...] Chris-
> tum mactatum pro peccatis nostris offerimus, Deum amicum hominum
> cum pro illis tum pro nobis propitiantes ».¹⁹⁸

1140   1372   Sanctus Augustinus in synthesim mirabiliter hanc redegit doctrinam quae nos incitat ad participationem semper magis completam in
nostri Redemptoris sacrificio quod in Eucharistia celebramus:

> « Tota ipsa redempta civitas, hoc est congregatio societasque sancto-
> rum, universale sacrificium [...] [offertur] Deo per Sacerdotem magnum,
> qui etiam Se Ipsum obtulit in passione pro nobis, ut tanti Capitis cor-
> pus essemus, secundum formam servi. [...] Hoc est sacrificium christia-
> norum: 'Multi unum corpus in Christo' (*Rom* 12, 5). Quod etiam Sacra-
> mento altaris fidelibus noto frequentat Ecclesia, ubi ei demonstratur,
> quod in ea re, quam offert, ipsa offeratur ».¹⁹⁹

Christi praesentia per Eius verbi et Spiritus Sancti virtutem

1373   « Christus Iesus, qui mortuus est, immo qui suscitatus est, qui et
est ad dexteram Dei, qui etiam interpellat pro nobis » (*Rom* 8, 34), multipliciter est Ecclesiae Suae praesens: ²⁰⁰ in verbo Suo, in Ecclesiae Suae
oratione, « ubi enim sunt duo vel tres congregati in nomine meo, ibi
sum in medio eorum » (*Mt* 18, 20), in pauperibus, aegrotis, captivis,²⁰¹ in

---

¹⁹⁶ Concilium Tridentinum, Sess. 22ª, *Doctrina de ss. Missae Sacrificio*, c. 2: DS 1743.
¹⁹⁷ Sanctus Augustinus, *Confessiones*, 9, 11, 27: CCL 27, 149 (PL 32, 775); verba
     sanctae Monicae, ante suam mortem, ad sanctum Augustinum et fratrem eius.
¹⁹⁸ Sanctus Cyrillus Hierosolymitanus, *Catecheses mystagogicae* 5, 9-10: SC 126,
     158-160 (PG 30, 1116-1117).
¹⁹⁹ Sanctus Augustinus, *De civitate Dei* 10, 6: CSEL 40/1, 456 (PL 41, 284).
²⁰⁰ Cf. Concilium Vaticanum II, Const. dogm. *Lumen gentium*, 48: AAS 57 (1965) 53.
²⁰¹ Cf. *Mt* 25, 31-46.

sacramentis quorum Ipse est auctor, in Missae Sacrificio et in persona ministri. Sed « *maxime* [est praesens] *sub speciebus eucharisticis* ».[202]   1088

1374   Modus praesentiae Christi sub speciebus eucharisticis est singularis. Is Eucharistiam super omnibus sacramentis elevat et propterea illa   1211 est « quasi consummatio spiritualis vitae, et omnium sacramentorum finis ».[203] In Sanctissimo Eucharistiae Sacramento continentur *vere, realiter et substantialiter* corpus et sanguis una cum anima et divinitate Domini nostri Iesu Christi ac proinde *totus Christus*.[204] « Quae quidem praesentia 'realis' dicitur non per exclusionem, quasi aliae 'reales' non sint, sed per excellentiam, quia est *substantialis*, qua nimirum totus atque integer Christus, Deus et homo, fit praesens ».[205]

1375   In hoc sacramento, Christus fit praesens per *conversionem* panis et vini in corpus et sanguinem Christi. Patres Ecclesiae fidem Ecclesiae in verbi Christi et actionis Spiritus Sancti efficacitatem ad hanc conver-   1105 sionem peragendam asseveraverunt firmiter. Sic sanctus Ioannes Chrysostomus declarat:

> « Non enim homo est, qui facit ut proposita efficiantur corpus et sanguis Christi, sed Ipse Christus qui pro nobis crucifixus est. Figuram implens stat sacerdos verba illa proferens: virtus autem et gratia Dei est.   1128 *Hoc est corpus meum*, inquit. Hoc verbum transformat ea, quae proposita sunt ».[206]

Et sanctus Ambrosius de hac conversione ait:

> Persuasi simus « non hoc esse, quod natura formavit, sed quod benedictio consecravit, maioremque vim esse benedictionis quam naturae, quia benedictione etiam natura ipsa mutatur ».[207] « Sermo ergo Christi, qui potuit ex nihilo facere, quod non erat, non potest ea, quae sunt, in id   298 mutare, quod non erant? Non enim minus est novas rebus dare quam mutare naturas ».[208]

1376   Concilium Tridentinum fidem catholicam in synthesim redigit declarans: « Quoniam autem Christus Redemptor noster corpus Suum id, quod sub specie panis offerebat, vere esse dixit, ideo persuasum semper

---

[202] Concilium Vaticanum II, Const. *Sacrosanctum Concilium*, 7: AAS 56 (1964) 100-101.
[203] Sanctus Thomas Aquinas, *Summa theologiae* 3, q. 73, a. 3, c: Ed. Leon. 12, 140.
[204] Cf. Concilium Tridentinum, Sess. 13ª, *Decretum de ss. Eucharistia*, canon 1: DS 1651.
[205] Paulus VI, Litt. Enc. *Mysterium fidei*: AAS 57 (1965) 764.
[206] Sanctus Ioannes Chrysostomus, *De proditione Iudae homilia* 1, 6: PG 49, 380.
[207] Sanctus Ambrosius, *De mysteriis* 9, 50: CSEL 73, 110 (PL 16, 405).
[208] *Ibid.*, 9, 52: CSEL 73, 112 (PL 16, 407).

in Ecclesia Dei fuit, idque nunc denuo sancta haec Synodus declarat: per consecrationem panis et vini conversionem fieri totius substantiae panis in substantiam corporis Christi Domini nostri, et totius substantiae vini in substantiam sanguinis Eius. Quae conversio convenienter et proprie a sancta catholica Ecclesia *transsubstantiatio* est appellata ».[209]

1377 Praesentia eucharistica Christi a momento incipit consecrationis et perdurat dum species subsistunt eucharisticae. Christus est totus integer sub unaquaque specierum et totus integer in earum partibus, ita ut panis fractio Christum non dividat.[210]

1378 *Eucharistiae cultus.* In Missae liturgia, nostram fidem in praesentiam realem Christi sub panis et vini speciebus, exprimimus, inter alia, genua flectentes vel profunde in signum adorationis Domini nos inclinantes. « Hunc latriae cultum Eucharistiae sacramento praestandum, Catholica Ecclesia non solum intra, verum etiam extra Missarum sollemnia exhibuit et exhibet, consecratas Hostias quam diligentissime adservando, eas sollemni fidelium venerationi proponendo, in processionibus frequentissimi populi laetitia circumferendo ».[211]

1379 Sancta reservatio (tabernaculum) prius destinabatur ad Eucharistiam digne servandam ut aegrotis et absentibus posset extra Missam deferri. Ecclesia, per ulteriorem penetrationem in fidem de reali Christi praesentia in Eucharistia, effecta est conscia sensus silentiosae adorationis Christi sub speciebus eucharisticis praesentis. Hac de causa, tabernaculum collocari debet in loco ecclesiae peculiariter digno; sic construi debet ut veritas praesentiae realis Christi in Sanctissimo Sacramento efferatur et manifestetur.

1380 Valde conveniens est, Christum, hoc modo singulari, Ecclesiae Suae praesentem manere voluisse. Quia Christus sub Sua forma visibili relicturus erat Suos, nobis Suam praesentiam volebat donare sacramentalem; quia Ipse Se in cruce oblaturus erat ut nos salvaret, volebat nos memoriale habere amoris quo Ipse nos « in finem dilexit » (*Io* 13, 1), usque ad vitae Suae donum. Re vera, Ipse, in Sua praesentia eucharistica, in medio nostri modo manet arcano sicut Is qui nos dilexit et tradidit Semetipsum pro nobis,[212] et quidem manet sub signis quae hunc amorem exprimunt et communicant:

« Ecclesiae quidem et mundo valde opus est eucharistico cultu. Praestolatur nos Iesus hoc in caritatis sacramento. Ne tempori nostro parca-

[209] Concilium Tridentinum, Sess. 13ª, *Decretum de ss. Eucharistia*, c. 4: DS 1642.
[210] Cf. Concilium Tridentinum, Sess. 13ª, *Decretum de ss. Eucharistia*, c. 3: DS 1641.
[211] Paulus VI, Litt. Enc. *Mysterium fidei*: AAS 57 (1965) 769.
[212] Cf. *Gal* 2, 20.

mus ut Eum conveniamus cum adoratione, cum contemplatione fidei 2715
plena et parata graves culpas et crimina mundi compensare. Adoratio
nostra profecto numquam deficiat ».[213]

1381   « Verum corpus Christi et verum sanguinem esse in hoc sacramento, ut ait sanctus Thomas, 'non sensu deprehendi potest, sed *sola fi-*
de, quae auctoritati divinae innititur. Unde super illud Lucae 22, 19:   156
Hoc est corpus meum quod pro vobis tradetur, dicit Cyrillus: Non dubites
an hoc verum sit; sed potius suscipe verba Salvatoris in fide; cum enim
sit veritas, non mentitur' »:[214]   215

> « Adoro Te devote, latens Deitas,
> quae sub his figuris vere latitas;
> Tibi se cor meum totum subicit
> quia Te contemplans totum deficit.
>
> Visus, tactus, gustus in Te fallitur,
> sed auditu solo tute creditur;
> credo quidquid dixit Dei Filius,
> verbo veritatis nihil verius ».[215]

VI. Convivium Paschale

1382   Missa simul et inseparabiliter sacrificale est memoriale in quo
crucis perpetuatur Sacrificium, et sacrum convivium Communionis corporis et sanguinis Domini. Sed Sacrificii eucharistici celebratio prorsus
dirigitur ad intimam unionem fidelium cum Christo per Communionem.   950
Communicare est Ipsum recipere Christum qui Se pro nobis obtulit.

1383   *Altare*, circa quod Ecclesia in Eucharistiae celebratione congrega-   1182
tur, duas eiusdem mysterii repraesentat rationes: altare sacrificii et mensam Domini, et quidem eo magis quod christianum altare symbolum est
Ipsius Christi, praesentis in medio congregationis fidelium Eius, simul
sicut victimae pro nostra reconciliatione oblatae et sicut cibi caelestis
qui nobis Se dat. « Quid est enim altare Christi nisi forma corporis
Christi? », inquit sanctus Ambrosius,[216] et alibi: « Forma corporis altare

---

[213] Ioannes Paulus II, Epist. *Dominicae Cenae*, 3: AAS 72 (1980) 119; cf. *Enchiridion Vaticanum* 7, 177.
[214] Paulus VI, Litt. Enc. *Mysterium fidei*: AAS 57 (1965) 757; cf. Sanctus Thomas Aquinas, *Summa theologiae* 3, q. 75, a. 1, c: Ed. Leon. 12, 156; Sanctus Cyrillus Alexandrinus, *Commentarius in Lucam* 22, 19: PG 72, 912.
[215] AHMA 50, 589.
[216] Sanctus Ambrosius, *De sacramentis* 5, 7: CSEL 73, 61 (PL 16, 447).

est et corpus Christi est in altari ».[217] Liturgia hanc sacrificii et Communionis unitatem in pluribus exprimit orationibus. Sic Ecclesia Romana in sua precatur anaphora:

> « Supplices Te rogamus, omnipotens Deus: iube haec perferri per manus sancti angeli Tui in sublime altare Tuum, in conspectu divinae maiestatis Tuae; ut, quotquot ex hac altaris participatione sacrosanctum Filii Tui corpus et sanguinem sumpserimus, omni benedictione caelesti et gratia repleamur ».[218]

« Accipite et comedite omnes »: Communio

2835   1384   Dominus instantem ad nos dirigit invitationem ut Ipsum in Eucharistiae recipiamus sacramento: « Amen, amen dico vobis: Nisi manducaveritis carnem Filii hominis et biberitis Eius sanguinem, non habetis vitam in vobismetipsis » (*Io* 6, 53).

1385   Ut huic invitationi respondeamus, ad hoc momentum tam magnum et sanctum *nos praeparare* debemus. Sanctus Paulus ad conscientiae hortatur examen: « Quicumque manducaverit panem vel biberit calicem Domini indigne, reus erit corporis et sanguinis Domini. Probet autem seipsum homo, et sic de pane illo edat et de calice bibat; qui enim manducat et bibit, iudicium sibi manducat et bibit non diiudicans
1457   corpus » (*1 Cor* 11, 27-29). Qui peccati gravis est conscius, sacramentum Reconciliationis recipere debet antequam ad Communionem accedat.

1386   Fidelis coram huius sacramenti magnitudine non nisi verba centurionis humiliter et cum ardenti fide repetere potest:[219] « *Domine, non sum dignus, ut intres sub tectum meum, sed tantum dic verbo, et sanabitur anima mea* ».[220] Et in divina liturgia sancti Ioannis Chrysostomi, fideles eodem orant spiritu:

732   > « Fac me hodie communicare in Tua Cena mystica, o Fili Dei. Quia secretum Tuis non dicam inimicis, neque Tibi osculum dabo Iudae. Sed, sicut latro, ad Te clamo: Memento mei, Domine, in Regno Tuo ».[221]

---

[217] Sanctus Ambrosius, *De sacramentis* 4, 7: CSEL 73, 49 (PL 16, 437).
[218] *Prex eucharistica I seu Canon Romanus*, 96: *Missale Romanum*, editio typica (Typis Polyglottis Vaticanis 1970) p. 453.
[219] Cf. *Mt* 8, 8.
[220] *Ritus Communionis*, 133: *Missale Romanum*, editio typica (Typis Polyglottis Vaticanis 1970) p. 474.
[221] *Liturgia Byzantina. Anaphora Iohannis Chrysostomi*, Prex ante Communionem: F.E. Brightman, *Liturgies Eastern and Western* (Oxford 1896) p. 394 (PG 63, 920).

1387 Fideles, ut se convenienter ad hoc sacramentum praeparent recipiendum, ieiunium in Ecclesia sua praescriptum observabunt.[222] Habitus corporalis (gestus, vestis) respectum, sollemnitatem, laetitiam huius exprimet momenti in quo Christus hospes fit noster. — 2043

1388 Ipsi sensui Eucharistiae conforme est, fideles, si dispositiones habeant quae requiruntur,[223] Communionem recipere, cum Missam participant: [224] « Valde commendatur illa perfectior Missae participatio qua fideles post Communionem sacerdotis ex eodem Sacrificio corpus Dominicum sumunt ».[225]

1389 Ecclesia fidelibus obligationem imponit qua ipsi « tenentur diebus Dominicis et festis interesse divinae liturgiae »,[226] et Eucharistiam, saltem semel in anno, recipere, tempore Paschali si fieri potest,[227] sacramento Reconciliationis praeparati. Sed Ecclesia fidelibus vehementer commendat sanctam Eucharistiam diebus Dominicis et festivis recipere, vel adhuc frequentius, singulis etiam diebus. — 2042 / 2837

1390 Communio sub una panis specie, propter praesentiam sacramentalem Christi sub unaquaque specie, totum fructum gratiae Eucharistiae recipere permittit. Ob rationes pastorales, haec recipiendi Communionem forma, tamquam maxime habitualis, est in ritu latino legitime stabilita. « Formam ratione signi pleniorem habet sacra Communio cum fit sub utraque specie. In ea enim forma signum eucharistici convivii perfectius elucet ».[228] Talis forma recipiendi Communionem est habitualis in ritibus orientalibus.

COMMUNIONIS FRUCTUS

1391 *Communio nostram cum Christo auget unionem.* Eucharistiam in Communione recipere, tamquam praecipuum fructum, unionem affert intimam cum Christo Iesu. Re vera Dominus dicit: « Qui manducat meam carnem et bibit meum sanguinem, in me manet et ego in illo » (*Io* 6, 56). Vita in Christo suum invenit fundamentum in convivio eu- — 460

---

[222] Cf. CIC canon 919.
[223] Cf. CIC canones 916-917: AAS 75 (1983 II), pp. 165-166.
[224] Fideles, eadem die, altera tantum vice, ss. Eucharistiam suscipere possunt. PONTIFICIA COMMISSIO CODICI IURIS CANONICI AUTHENTICE INTERPRETANDO, *Responsa ad proposita dubia*, 1: AAS 76 (1984) 746.
[225] CONCILIUM VATICANUM II, Const. *Sacrosanctum Concilium*, 55: AAS 56 (1964) 115.
[226] Cf. CONCILIUM VATICANUM II, Decr. *Ecclesiarum Orientalium*, 15: AAS 57 (1956) 81.
[227] Cf. CIC canon 920.
[228] *Institutio generalis Missalis Romani*, 240: *Missale Romanum*, editio typica (Typis Polyglottis Vaticanis 1970) p. 68.

charistico: « Sicut misit me vivens Pater, et ego vivo propter Patrem; et,
521   qui manducat me, et ipse vivet propter me » (*Io* 6, 57):

> « Cum in festivitatibus [Domini] populus corpus accipit Filii, alius alii
> Bonum proclamant Nuntium: arrhabonem vitae datum esse; sicut cum
> angelus Mariae [Magdalenae] dixit: 'Surrexit Christus!'. Ecce etiam nunc
> vitam et resurrectionem illi conferri qui Christum recipit ».[229]

1212   1392 Id quod materiale nutrimentum in vita producit corporali, Communio modo admirabili in nostra vita spirituali deducit in rem. Communio carnis Christi resuscitati, « Spiritu Sancto vivificatae et vivificantis »,[230] vitam gratiae in Baptismo susceptam conservat, auget et renovat.
Hoc vitae christianae augmentum eget Communione eucharistica,
nostrae peregrinationis pane, nutriri usque ad mortis horam, in qua
1524   nobis dabitur tamquam viaticum.

1393 *Communio nos a peccato separat.* Corpus Christi quod in Communione recipimus, est « traditus pro nobis », et sanguis quem bibimus,
613   est « effusus pro multis in remissionem peccatorum ». Hac de causa,
Eucharistia nos Christo unire non potest quin simul nos a peccatis purificet commissis et a peccatis praeservet futuris:

> « Quotiescumque accipimus, mortem Domini adnuntiamus.[231] Si mortem,
> adnuntiamus remissionem peccatorum. Si, quotiescumque effunditur
> sanguis, in remissionem peccatorum funditur, debeo illum semper acci-
> pere, ut semper mihi peccata dimittat. Qui semper pecco, semper debeo
> habere medicinam ».[232]

1863   1394 Sicut nutrimentum materiale ad vires amissas inservit restauran-
das, Eucharistia caritatem roborat quae, in vita quotidiana, ad se debi-
litandam tendit; atque haec vivificata caritas *peccata delet venialia.*[233]
Christus, Se nobis donans, nostrum iterum vivificat amorem nosque ca-
1436   paces reddit, nostros inordinatos affectus ad creaturas rumpendi nosque
in Eum radicandi:

> « Quoniam ergo Christus pro nobis caritate mortuus est, cum tempore
> sacrificii commemorationem Mortis Eius facimus, caritatem nobis tribui
> per Adventum Sancti Spiritus postulamus; hoc suppliciter exorantes, ut
> per ipsam caritatem qua pro nobis Christus crucifigi dignatus est, nos

---

[229] *Fanqîth, Breviarium iuxta ritum Ecclesiae Antiochenae Syrorum,* v. 1 (Mossul 1886)
p. 237a-b.
[230] Cf. Concilium Vaticanum II, Decr. *Presbyterorum ordinis,* 5: AAS 58 (1966) 997.
[231] Cf. *1 Cor* 11, 26.
[232] Sanctus Ambrosius, *De sacramentis* 4, 28: CSEL 73, 57-58 (PL 16, 446).
[233] Cf. Concilium Tridentinum, Sess. 13ª, *Decretum de ss. Eucharistia,* c. 2: DS 1638.

quoque gratia Sancti Spiritus accepta, mundum crucifixum habere et mundo crucifigi possimus; [...] munere caritatis accepto, moriamur peccato et vivamus Deo ».[234]

1395 Eucharistia, per ipsam caritatem quam in nobis accendit, nos *a peccatis mortalibus praeservat* futuris. Quo magis Christi vitam participamus et quo magis in Illius progredimur amicitia, eo difficilius fit cum Illo per peccatum mortale abscindere coniunctionem. Eucharistia ad peccatorum mortalium remissionem non ordinatur. Hoc sacramenti Reconciliationis proprium est. Eucharistiae est proprium, eorum esse sacramentum qui in plena Ecclesiae sunt communione.

1855

1446

1396 *Corporis mystici unitas*: *Eucharistia facit Ecclesiam*. Illi qui Eucharistiam recipiunt, arctius Christo coniunguntur. Propterea, Christus omnes coniungit fideles in unum corpus: Ecclesiam. Communio hanc incorporationem ad Ecclesiam, iam per Baptismum deductam in rem, renovat, roborat et profundiorem reddit. In Baptismo vocati sumus ad unum corpus constituendum.[235] Eucharistia hanc adimplet vocationem: « Calix benedictionis, cui benedicimus, nonne communicatio sanguinis Christi est? Et panis, quem frangimus, nonne communicatio corporis Christi est? Quoniam unus panis, unum corpus multi sumus, omnes enim de uno pane participamus » (*1 Cor* 10, 16-17):

1118

1267

790

« Si ergo vos estis corpus Christi et membra, mysterium vestrum in Mensa dominica positum est: mysterium vestrum accipitis. Ad id quod estis, Amen [Utique, verum est] respondetis, et respondendo subscribitis. Audis enim, corpus Christi; et respondes, Amen. Esto membrum corporis Christi, ut verum sit Amen ».[236]

1064

1397 *Eucharistia erga pauperes obligat*: ad corpus et sanguinem Christi pro nobis tradita in veritate recipienda, Christum in pauperrimis, fratribus Eius, debemus agnoscere:[237]

2449

« Gustasti sanguinem Dominicum, et neque fratrem ita agnoscis; [...] nunc autem ipsam etiam mensam dedecoras, dum illum qui dignatus est illius particeps fieri, ne cibis quidem tuis dignum existimas. [...]. Ab [...] omnibus [peccatis] te liberavit Deus, teque tali mensa dignatus est: tu vero nec sic quidem benignior effectus es ».[238]

---

[234] Sanctus Fulgentius Ruspensis, *Contra gesta Fabiani* 28, 17: CCL 91A, 813-814 (PL 65, 789).

[235] Cf. *1 Cor* 12, 13.

[236] Sanctus Augustinus, *Sermo* 272: PL 38, 1247.

[237] Cf. *Mt* 25, 40.

[238] Sanctus Ioannes Chrysostomus, *In epistulam I ad Corinthios*, homilia 27, 5: PG 61, 230.

1398 *Eucharistia et christianorum unitas.* Coram huius mysterii magnitudine sanctus Augustinus exclamat: « *O sacramentum pietatis! O signum unitatis! O vinculum caritatis!* ».[239] Quo magis dolorosae percipiuntur Ecclesiae divisiones quae communem disrumpunt participationem mensae Domini, eo urgentiores sunt orationes ad Dominum ut dies unitatis completae redeant omnium eorum qui in Eum credunt.

817

838 1399 Ecclesiae Orientales quae in plena communione cum Ecclesia catholica non sunt, Eucharistia magno cum amore celebrant. « Illae Ecclesiae, quamvis seiunctae, vera sacramenta [...] [habent], praecipua vero, vi successionis apostolicae, sacerdotium et Eucharistiam, quibus arctissima necessitudine adhuc nobiscum coniunguntur ».[240] Proinde « quaedam communicatio *in sacris*, datis opportunis circumstantiis et approbante auctoritate ecclesiastica, non solum possibilis est sed etiam suadetur ».[241]

1536 1400 Communitates ecclesiales e Reformatione ortae, ab Ecclesia catholica seiunctae, « praesertim propter sacramentum Ordinis defectum, genuinam atque integram substantiam mysterii eucharistici non » servant.[242] Hac de causa, pro Ecclesia catholica, intercommunio eucharistica cum his communitatibus possibilis non est. Hae tamen communitates ecclesiales « dum in sancta Cena mortis et resurrectionis Domini memoriam faciunt, vitam in Christi communione significari profitentur atque gloriosum Eius Adventum exspectant ».[243]

1483 1401 Cum necessitas gravis urget, secundum Ordinarii iudicium, ministri catholici possunt sacramenta (Eucharistiam, Paenitentiam, Unctionem infirmorum) aliis conferre christianis qui in plena communione cum Ecclesia catholica non sunt, sed qui sua sponte illa petunt: oportet eos tunc fidem catholicam circa

1385 haec sacramenta profiteri et in dispositionibus inveniri quae requiruntur.[244]

VII. Eucharistia – « Futurae gloriae pignus »

1402 In quadam vetere oratione, Ecclesia mysterium acclamat Eu-

1323 charistiae: « O sacrum convivium in quo Christus sumitur: recolitur memoria passionis Eius, mens impletur gratia et futurae gloriae nobis pi-

---

[239] Sanctus Augustinus, *In Iohannis evangelium tractatus* 26, 13: CCL 36, 266 (PL 35, 1613); cf. Concilium Vaticanum II, Const. *Sacrosanctum Concilium*, 47: AAS 56 (1964) 113.

[240] Concilium Vaticanum II, Decr. *Unitatis redintegratio*, 15: AAS 57 (1965) 102.

[241] Concilium Vaticanum II, Decr. *Unitatis redintegratio*, 15: AAS 57 (1965) 102; cf. CIC canon 844, § 3.

[242] Concilium Vaticanum II, Decr. *Unitatis redintegratio*, 22: AAS 57 (1965) 106.

[243] Concilium Vaticanum II, Decr. *Unitatis redintegratio*, 22: AAS 57 (1965) 106.

[244] Cf. CIC canon 844, § 4.

gnus datur ».[245] Si Eucharistia memoriale est Paschatis Domini, si per nostram altaris Communionem « omni benedictione caelesti et gratia » replemur,[246] Eucharistia est quoque gloriae caelestis anticipatio.

1130

1403 In ultima Cena, Ipse Dominus intuitum discipulorum Suorum ad Paschatis consummationem in Regno Dei direxit: « Dico autem vobis: Non bibam amodo de hoc genimine vitis usque in diem illum, cum illud bibam vobiscum novum in Regno Patris mei » (*Mt* 26, 29).[247] Quoties Ecclesia Eucharistiam celebrat, huius promissionis est memor et eius intuitus vertitur ad Eum « qui venturus est » (*Apc* 1, 4). In oratione sua Ipsius implorat Adventum: « *Marana tha* » (*1 Cor* 16, 22), « Veni, Domine Iesu » (*Apc* 22, 20), « Adveniat gratia et praetereat mundus hic ».[248]

671

1404 Ecclesia scit iam nunc Dominum in Sua venire Eucharistia, et ibi Eum in medio esse nostri. Tamen haec praesentia est velata. Hac de causa, Eucharistiam celebramus « exspectantes beatam spem et Adventum Salvatoris nostri Iesu Christi »,[249] orantes « ut [in Regno Tuo] simul gloria Tua perenniter satiemur, quando omnem lacrimam absterges ab oculis nostris, quia Te, sicuti es, Deum nostrum videntes, Tibi similes erimus cuncta per saecula, et Te sine fine laudabimus ».[250]

1041

1028

1405 Huius magnae spei, illius nempe caelorum novorum et terrae novae in quibus habitabit iustitia,[251] nullum securius habemus pignus neque signum magis manifestum quam Eucharistiam. Re vera, quoties hoc celebratur mysterium « opus nostrae Redemptionis exercetur »[252] et nos « unum panem [...] [frangimus], qui pharmacum immortalitatis est, antidotum, ne moriamur, sed vivamus semper in Iesu Christo ».[253]

1042

1000

[245] *In Sollemnitate ss.mi corporis et sanguinis Christi*, Antiphona ad « Magnificat » in II Vesperis: *Liturgia Horarum*, editio typica, v. 3 (Typis Polyglottis Vaticanis 1973) p. 502.
[246] *Prex eucharistica I seu Canon Romanus*, 96: *Missale Romanum*, editio typica (Typis Polyglottis Vaticanis 1970) p. 453.
[247] Cf. *Lc* 22, 18; *Mc* 14, 25.
[248] *Didaché* 10, 6: SC 248, 180 (Funk, *Patres apostolici* 1, 24).
[249] *Ritus Communionis*, 126 [Embolismus post « Pater noster »]: *Missale Romanum*, editio typica (Typis Polyglottis Vaticanis 1970) p. 472; cf. *Tit* 2, 13.
[250] *Prex eucharistica III*, 116: *Missale Romanum*, editio typica (Typis Polyglottis Vaticanis 1970) p. 465.
[251] Cf. *2 Pe* 3, 13.
[252] Concilium Vaticanum II, Const. dogm. *Lumen gentium*, 3: AAS 57 (1965) 6.
[253] Sanctus Ignatius Antiochenus, *Epistula ad Ephesios,* 20, 2: SC 10bis, 76 (Funk 1, 230).

Compendium

1406   *Iesus dixit:* «*Ego sum panis vivus, qui de caelo descendi. Si quis manducaverit ex hoc pane, vivet in aeternum* [...] *Qui manducat meam carnem et bibit meum sanguinem, habet vitam aeternam,* [...] *in me manet, et ego in illo*» (*Io* 6, 51. 54. 56).

1407   *Eucharistia cor et culmen est vitae Ecclesiae, quia in ea Christus Ecclesiam Suam et omnia eius membra sacrificio laudis et actionis gratiarum sociat Suo quod semel pro semper in cruce Suo Patri obtulit; Ipse per hoc sacrificium gratias salutis super Suum effundit corpus quod est Ecclesia.*

1408   *Celebratio eucharistica semper implicat: proclamationem Verbi Dei, actionem gratiarum Deo Patri pro omnibus Eius beneficiis, praesertim pro dono Filii Eius, consecrationem panis et vini et participationem in convivio liturgico per receptionem corporis et sanguinis Domini. Haec elementa unum eumdemque actum cultus constituunt.*

1409   *Eucharistia est Paschatis Christi memoriale: id est, operis salutis per Christi vitam, mortem et resurrectionem adimpleti, operis per actionem liturgicam praesentis effecti.*

1410   *Ipse Christus, aeternus Novi Foederis Summus Sacerdos, per sacerdotum ministerium agens, Sacrificium offert eucharisticum. Praeterea Idem Christus realiter sub panis et vini speciebus praesens est Sacrificii eucharistici oblatio.*

1411   *Solummodo sacerdotes valide ordinati Eucharistiae possunt praeesse atque panem et vinum consecrare ut corpus et sanguis fiant Domini.*

1412   *Signa essentialia sacramenti sunt panis tritici et vinum vitis, super quae Spiritus Sancti invocatur benedictio atque sacerdos verba pronuntiat consecrationis quae Iesus in ultima dixit Cena:* «*Hoc est corpus meum quod pro vobis tradetur.* [...] *Hic est calix sanguinis mei*».

1413   *Per consecrationem transsubstantiatio fit panis et vini in Christi corpus et sanguinem. Sub panis et vini speciebus consecratis, Ipse Christus, vivus et gloriosus, praesens est vere, realiter et substantialiter, Eius corpus et sanguis cum Eius anima et divinitate.*[254]

---

[254] Cf. Concilium Tridentinum, Sess. 13ª, *Decretum de ss. Eucharistia*, c. 3: DS 1640; *Ibid.*, canon 1: DS 1651.

1414   *Eucharistia, quatenus sacrificium, etiam in reparationem offertur peccatorum tam vivorum quam defunctorum, et ad beneficia spiritualia vel temporalia a Deo obtinenda.*

1415   *Qui Christum in Communione eucharistica vult recipere, in gratiae statu debet inveniri. Si quis de peccato mortali a se commisso habet conscientiam, ad Eucharistiam accedere non debet quin prius absolutionem in sacramento acceperit Poenitentiae.*

1416   *Sancta corporis et sanguinis Christi Communio unionem communicantis auget cum Domino, ei peccata remittit venialia eumque a peccatis praeservat gravibus. Eo quod caritatis vincula inter communicantem et Christum roborantur, huius sacramenti receptio unitatem roborat Ecclesiae, corporis mystici Christi.*

1417   *Ecclesia fidelibus vehementer commendat ut sanctam recipiant Communionem, cum Eucharistiae participant celebrationem; eis huius rei obligationem imponit saltem semel in anno.*

1418   *Eo quod Ipse Christus in altaris Sacramento praesens est, Eum cultu adorationis honorare oportet. Sanctissimi Sacramenti visitatio est « erga Christum Dominum [...] et grati animi argumentum et amoris pignus et debitae adorationis officium ».*[255]

1419   *Christus, cum ex hoc mundo ad Patrem transierit, nobis in Eucharistia pignus praebet gloriae apud Se: participatio sancti Sacrificii nos Ipsius assimilat cordi, nostras sustinet vires peregrinatione huius vitae perdurante, nos vitam aeternam facit concupiscere atque nos iam Ecclesiae unit caelesti, beatissimae Virgini et omnibus sanctis.*

---

[255] PAULUS VI, Litt. Enc. *Mysterium fidei*: AAS 57 (1965) 771.

CAPUT SECUNDUM
SACRAMENTA SANATIONIS

1420 Per initiationis christianae sacramenta, homo vitam Christi recipit novam. Hanc autem vitam « in vasis fictilibus » (*2 Cor* 4, 7) gestamus. Nunc ea adhuc « abscondita est cum Christo in Deo » (*Col* 3, 3). Adhuc sumus in terrestri domo nostra,[1] dolori, aegritudini et morti submissa. Haec nova filii Dei vita potest debilitari et etiam amitti per peccatum.

1421 Dominus Iesus Christus, medicus nostrarum animarum nostrorumque corporum, qui paralytico peccata remisit et salutem reddidit corporis,[2] voluit Ecclesiam Suam, Spiritus Sancti virtute, Eius opus sanationis prosequi et salutis, etiam relate ad sua propria membra. Hic est duorum sacramentorum sanationis scopus: sacramenti Poenitentiae et Unctionis infirmorum.

Articulus 4
SACRAMENTUM POENITENTIAE ET RECONCILIATIONIS

980 1422 « Qui vero ad sacramentum Poenitentiae accedunt, veniam offensionis Deo illatae ab Eius misericordia obtinent et simul reconciliantur cum Ecclesia, quam peccando vulneraverunt, et quae eorum conversioni caritate, exemplo, precibus adlaborat ».[3]

I. Quomodo hoc sacramentum appellatur?

1989 1423 *Conversionis sacramentum* appellatur, propterea quod sacramentaliter vocationem Iesu ad conversionem deducit in rem,[4] consilium nempe redeundi ad Patrem [5] a quo quis per peccatum se elongavit.

[1] Cf. *2 Cor* 5, 1.
[2] Cf. *Mc* 2, 1-12.
[3] Concilium Vaticanum II, Const. dogm. *Lumen gentium*, 11: AAS 57 (1965) 15.
[4] Cf. *Mc* 1, 15.
[5] Cf. *Lc* 15, 18.

Poenitentiae sacramentum appellatur, propterea quod iter consecrat personale et ecclesiale conversionis, poenitentiae et satisfactionis christiani peccatoris.   1440

1424 *Confessionis sacramentum* appellatur, propterea quod declaratio, confessio peccatorum coram sacerdote elementum est essentiale huius sacramenti. Sensu quodam profundo, sacramentum etiam « confessio » est, agnitio et laus sanctitatis Dei et misericordiae Eius erga hominem peccatorem.   1456

Indulgentiae sacramentum appellatur, propterea quod per sacramentalem sacerdotis absolutionem, Deus poenitenti tribuit « indulgentiam [...] et pacem ».[6]   1449

Reconciliationis sacramentum appellatur, quia peccatori amorem praebet Dei qui reconciliat: « Reconciliamini Deo » (*2 Cor* 5, 20). Qui ex amore Dei vivit misericorde, est promptus ut vocationi Domini respondeat: « Vade prius, reconciliare fratri tuo » (*Mt* 5, 24).   1442

II. Cur sacramentum quoddam Reconciliationis post Baptismum?

1425 « Abluti estis, [...] sanctificati estis, [...] iustificati estis in nomine Domini Iesu Christi et in Spiritu Dei nostri! » (*1 Cor* 6, 11). Oportet conscios esse magnitudinis doni Dei quod nobis in initiationis christianae sacramentis concessum est, ad intelligendum quousque peccatum res sit aliena pro eo qui Christum induit.[7] Sed sanctus apostolus Ioannes etiam scribit: « Si dixerimus quoniam peccatum non habemus, nosmetipsos seducimus, et veritas in nobis non est » (*1 Io* 1, 8). Atque Ipse Dominus nos docuit orare: « Dimitte nobis peccata nostra » (*Lc* 11, 4), mutuam nostrarum offensionum remissionem coniungens remissioni quam Deus nostris concedet peccatis.   1263 2838

1426 *Conversio* ad Christum, nova in Baptismo nativitas, donum Spiritus Sancti, corpus et sanguis Christi tamquam nutrimentum recepta nos effecerunt sanctos et immaculatos « in conspectu Eius » (*Eph* 1, 4), sicut Ecclesia ipsa, Christi Sponsa, est coram Eo « sancta et immaculata » (*Eph* 5, 27). Tamen vita nova recepta in initiatione christiana fragilitatem et debilitatem naturae humanae non suppressit, neque inclinationem ad peccatum quam traditio *concupiscentiam* appellat, quae manet in baptizatis ut ipsi suas probationes subeant in vitae christianae proelio,   405, 978 1264

[6] *Ordo Paenitentiae*, 46. 55 (Typis Polyglottis Vaticanis 1974) p. 27. 37.
[7] Cf. *Gal* 3, 27.

Christi gratia adiuti.[8] Hoc proelium est illud *conversionis* propter sanctitatem et vitam aeternam ad quam Dominus nos incessanter vocat.[9]

III. Baptizatorum conversio

541   1427   Iesus ad conversionem vocat. Haec vocatio pars essentialis est
annuntiationis Regni: « Impletum est tempus, et appropinquavit Regnum Dei; paenitemini et credite Evangelio » (*Mc* 1, 15). In Ecclesiae
praedicatione haec vocatio dirigitur imprimis ad illos qui nondum
Christum et Eius Evangelium cognoscunt. Sic Baptismus locus est
praecipuus primae et fundamentalis conversionis. Per fidem in Bonum
1226   Nuntium et per Baptismum fit [10] mali abrenuntiatio et acquiritur salus,
id est omnium peccatorum remissio et vitae novae donum.

1428   Vocatio igitur Christi ad conversionem in christianorum vita re-
1036   sonare pergit. Haec *secunda conversio* munus est non interrumptum pro
tota Ecclesia quae « in proprio sinu peccatores complectens, sancta si-
853   mul et semper purificanda, poenitentiam et renovationem continuo prosequitur ».[11] Hic conversionis nisus opus solummodo humanum non est.
Motus est « cordis contriti » [12] gratia attracti et permoti [13] ut amori
1996   respondeat misericordi Dei qui prior nos dilexit.[14]

1429   Sancti Petri post triplicem sui Magistri negationem conversio id
testatur. Intuitus infinitae misericordiae Iesu lacrimas provocat poenitentiae [15] et, post resurrectionem Domini, triplicem affirmationem illius
amoris erga Eum.[16] Secunda conversio etiam rationem habet *communitariam*. Hoc apparet in vocatione Domini ad quamdam integram Ecclesiam: « Age poenitentiam! » (*Apc* 2, 5. 16).

---

[8] Cf. Concilium Tridentinum, Sess. 5ᵃ, *Decretum de peccato originali*, canon 5: DS
1515.
[9] Cf. Concilium Tridentinum, Sess. 6ᵃ, *Decretum de iustificatione*, c. 16: DS 1545;
Concilium Vaticanum II, Const. dogm. *Lumen gentium*, 40: AAS 57 (1965) 44-45.
[10] Cf. *Act* 2, 38.
[11] Concilium Vaticanum II, Const. dogm. *Lumen gentium*, 8: AAS 57 (1965) 12.
[12] Cf. *Ps* 51, 19.
[13] Cf. *Io* 6, 44; 12, 32.
[14] Cf. 1 *Io* 4, 10.
[15] Cf. *Lc* 22, 61-62.
[16] Cf. *Io* 21, 15-17.

Sanctus Ambrosius de duabus conversionibus dicit: « Ecclesia autem et aquam habet, et lacrimas habet, aquam Baptismatis, lacrimas Poenitentiae ».[17]

IV. Interior poenitentia

1430 Sicut iam apud Prophetas, vocatio Iesu ad conversionem et ad poenitentiam opera externa non intendit primario, « saccum et cinerem », ieiunia et mortificationes, sed *conversionem cordis, interiorem poenitentiam*. Sine hac, opera poenitentiae infructuosa manent et mendacia; e contra, interior conversio ad huius habitus impellit expressionem in signis visibilibus, in gestibus et in poenitentiae operibus.[18] 1098

1431 Poenitentia interior est radicalis totius vitae nova directio, reditus, e toto nostro corde ad Deum conversio, cessatio a peccato, aversio a malo, una cum repugnantia erga malas actiones quas commiserimus. Simul implicat optatum et resolutionem mutandi vitam cum misericordiae divinae spe et cum fiducia in adiutorium gratiae Eius. Hanc cordis conversionem dolor et tristia comitantur salutares quae a Patribus *animi cruciatus, compunctio cordis* appellantur.[19] 1451

368

1432 Hominis cor grave est et induratum. Oportet ut Deus cor homini indat novum.[20] Conversio est imprimis opus gratiae Dei qui efficit ut corda nostra redeant ad Ipsum: « Converte nos, Domine, ad Te, et convertemur » (*Lam* 5, 21). Deus nobis vim donat ut iterum incipiamus. Cor nostrum, amoris Dei detegens magnitudinem, horrore et pondere concutitur peccati et ne Deum peccato offendat et ab Eo separetur timere incipit. Cor humanum convertitur, in Eum respiciens quem peccata nostra transfixerunt.[21] 1989

« Sanguinem Christi intentis oculis intueamur et cognoscamus, quam pretiosus sit Deo et Patri Eius, qui propter nostram salutem effusus toti mundo paenitentiae gratiam obtulit ».[22]

---

[17] Sanctus Ambrosius, *Epistula extra collectionem* 1 [41], 12: CSEL 82/3, 152 (PL 16, 1116).
[18] Cf. *Il* 2, 12-13; *Is* 1, 16-17; *Mt* 6, 1-6. 16-18.
[19] Cf. Concilium Tridentinum, Sess. 14ª, *Doctrina de sacramento Paenitentiae*, c. 4: DS 1676-1678; Id., Sess. 14ª, *Canones de Paenitentia*, canon 5: DS 1705; *Catechismus Romanus*, 2, 5, 4: ed. P. Rodríguez (Città del Vaticano-Pamplona 1989) p. 289.
[20] Cf. *Ez* 36, 26-27.
[21] Cf. *Io* 19, 37; *Zach* 12, 10.
[22] Sanctus Clemens Romanus, *Epistula ad Corinthios* 7, 4: SC 167, 110 (Funk 1, 108).

729

692, 1848

1433 Inde a Paschate, Spiritus Sanctus arguit mundum de peccato, quia scilicet non crediderunt in Eum [23] quem Pater misit. Sed Idem Hic Spiritus, qui peccatum detegit, est Consolator [24] qui cordi hominis gratiam praebet poenitentiae et conversionis. [25]

V. Multiplices poenitentiae formae in vita christiana

1969

1434 Christiani interior poenitentia expressiones valde diversas potest habere. Scriptura et Patres tribus praecipue insistunt formis: *ieiunio, orationi, eleemosynae,* [26] quae conversionem exprimunt relate ad se ipsum, relate ad Deum et relate ad alios. Iuxta radicalem purificationem quam Baptismus vel martyrium operantur, ipsi afferunt, sicut media ad veniam peccatorum obtinendam, nisus peractos ad se cum proximo reconciliandum, poenitentiae lacrimas, curam pro salute proximi, [27] intercessionem sanctorum et exercitium caritatis quae « operit multitudinem peccatorum » (*1 Pe* 4, 8).

1435 Conversio in vita fit quotidiana per reconciliationis gestus, per curam de pauperibus, per exercitium et defensionem iustitiae et iuris, [28] per defectuum confessionem ad fratres, correctionem fraternam, vitae revisionem, examen conscientiae, spiritualem directionem, dolorum acceptationem, patientiam in persecutione propter iustitiam. Tutissima via poenitentiae est propriam crucem quotidie sumere et Iesum sequi. [29]

1394

1436 *Eucharistia et Poenitentia.* Conversio et poenitentia quotidianae suum fontem suumque nutrimentum in Eucharistia inveniunt, quia in ea praesens fit Christi sacrificium quod nos cum Deo reconciliavit; per illam nutriuntur et roborantur illi qui ex Christi vivunt vita; ipsa est « antidotum, quo liberemur a culpis quotidianis et a peccatis mortalibus praeservemur ». [30]

1437 Sacrae Scripturae lectio, precatio liturgiae Horarum et orationis « Pater noster », quilibet sincerus actus cultus vel pietatis in nobis spiritum resuscitant conversionis et poenitentiae et ad nostrorum peccatorum conferunt remissionem.

540

1438 *Poenitentiae tempora et dies* in anni liturgici decursu (tempus quadragesimae, unaquaeque feria sexta in mortis Domini memoriam) momenta sunt prae-

[23] Cf. *Io* 16, 8-9.
[24] Cf. *Io* 15, 26.
[25] Cf. *Act* 2, 36-38; IOANNES PAULUS II, Litt. enc. *Dominum et vivificantem,* 27-48: AAS 78 (1986) 837-868.
[26] Cf. *Tb* 12, 8; *Mt* 6, 1-18.
[27] Cf. *Iac* 5, 20.
[28] Cf. *Am* 5, 24; *Is* 1, 17.
[29] Cf. *Lc* 9, 23.
[30] Cf. CONCILIUM TRIDENTINUM, Sess. 13ª, *Decretum de ss. Eucharistia,* c. 2: DS 1638.

clara pro praxi poenitentiali Ecclesiae.[31] Haec tempora sunt praesertim apta pro exercitiis spiritualibus, liturgiis poenitentialibus, peregrinationibus in poenitentiae signum, privationibus voluntariis sicut ieiunio et eleemosyna, fraterna participatione (operibus caritativis et missionalibus). 2043

1439 *Conversionis et poenitentiae motus* a Iesu mirabiliter descriptus est in parabola quae « filii prodigi » appellatur, cuius centrum est « pater misericors »:[32] 545 fallacis libertatis fascinatio, domus paternae derelictio; extrema miseria in qua filius versatur post sua fortunae dona dilapidata, profunda humiliatio illius qui se obligatum perspicit ad porcos pascendos et, quod peius est, ea cupiendi se siliquis nutriri quas porci manducabant; de bonis amissis meditatio; poenitentia et decisio se culpabilem coram patre declarandi suo; reditus via; generosa acceptio apud patrem; gaudium patris: ibi aliquot lineamenta habentur processus conversionis propria. Pulchra vestis, anulus et epulae festivae quaedam sunt symbola huius vitae novae, purae, dignae, laetitia plenae quae vita est hominis revertentis ad Deum et ad sinum familiae Eius, quae est Ecclesia. Solummodo Christi cor quod profunditates cognoscit amoris Patris Sui, potuit abyssum misericordiae Eius, modo ita simplicitate et pulchritudine pleno, nobis revelare.

VI. Sacramentum Poenitentiae et Reconciliationis

1440 Peccatum est primario offensio Dei, abruptio communionis cum 1850 Eo. Simul Ecclesiae communioni infert detrimentum. Hac de causa, conversio simul indulgentiam Dei et reconciliationem apportat cum Ecclesia, id quod sacramentum Poenitentiae et Reconciliationis liturgice exprimit et efficit.[33]

Solus Deus peccatum dimittit

1441 Solus Deus peccata dimittit.[34] Quia Iesus Filius est Dei, dicit de 270, 431 Se Ipso: « Potestatem habet Filius hominis in terra dimittendi peccata » (*Mc* 2, 10) et Ipse hanc divinam exercet potestatem: « Dimittuntur peccata tua » (*Mc* 2, 5).[35] Immo: Ipse, virtute Suae auctoritatis divinae, 589 hanc potestatem confert hominibus,[36] ut eam in nomine exerceant Eius.

---

[31] Cf. Concilium Vaticanum II, Const. *Sacrosanctum Concilium*, 109-110: AAS 56 (1964) 127; CIC canones 1249-1253; CCEO canones 880-883.
[32] Cf. *Lc* 15, 11-24.
[33] Cf. Concilium Vaticanum II, Const. dogm. *Lumen gentium*, 11: AAS 57 (1965) 15.
[34] Cf. *Mc* 2, 7.
[35] Cf. *Lc* 7, 48.
[36] Cf. *Io* 20, 21-23.

1442   Christus voluit Suam Ecclesiam totam, in sua oratione, in vita sua et in suis operationibus, signum esse et instrumentum indulgentiae et reconciliationis quas Ipse nobis, Sui sanguinis pretio, acquisivit. Tamen potestatis absolutionis exercitium ministerio concredidit apostolico. Ipsum suscepit « ministerium reconciliationis » (*2 Cor* 5, 18). Apostolus nomine Christi mittitur, et Deus Ipse per illum exhortatur et rogat: « Reconciliamini Deo » (*2 Cor* 5, 20).

983

Reconciliatio cum Ecclesia

1443   Iesus, Suae vitae publicae tempore, non solum peccata remisit, sed etiam effectum huius remissionis manifestavit: peccatores quibus remissionem concedebat, in populi Dei iterum redintegravit communitatem, a qua peccatum illos elongaverat vel etiam excluserat. Huius rei signum est conspicuum, Iesum peccatores ad Suam mensam admisisse, immo vero Se eorum mensae accubuisse, qui quidem gestus, modo commoventi, simul exprimit remissionem Dei [37] et reditum ad populi Dei sinum.[38]

545

981   1444   Dominus, Apostolos Suae propriae potestatis peccata dimittendi participes efficiens, illis etiam auctoritatem donat peccatores reconciliandi cum Ecclesia. Haec ecclesialis ratio muneris illorum speciatim exprimitur in sollemnibus Christi ad Petrum verbis: « Tibi dabo claves Regni caelorum; et quodcumque ligaveris super terram, erit ligatum in caelis, et quodcumque solveris super terram, erit solutum in caelis » (*Mt* 16, 19). « Illud autem ligandi ac solvendi munus, quod Petro datum est, collegio quoque Apostolorum, suo capiti coniuncto, tributum esse constat (*Mt* 18, 18; 28, 16-20) ».[39]

553   1445   Verba *ligare* et *solvere* significant: ille, quem vos a vestra excluseritis communione, a communione excludetur cum Deo; Deus eum, quem vos iterum in vestram receperitis communionem, recipiet etiam in Suam. *Reconciliatio cum Ecclesia a reconciliatione cum Deo inseparabilis est.*

Indulgentiae sacramentum

979   1446   Christus hoc sacramentum Poenitentiae pro omnibus membris Ecclesiae Suae instituit peccatoribus, imprimis pro illis quae, post Bap-

---

[37] Cf. *Lc* 15.
[38] Cf. *Lc* 19, 9.
[39] Concilium Vaticanum II, Const. dogm. *Lumen gentium*, 22: AAS 57 (1965) 26.

tismum, in peccatum grave ceciderunt et sic gratiam amiserunt baptis- 1856
malem atque communioni ecclesiali vulnus intulerunt. Hisce sacramentum Poenitentiae novam offert possibilitatem se convertendi et iustifica- 1990
tionis gratiam iterum inveniendi. Ecclesiae Patres hoc sacramentum
praesentant tamquam salutis « secundam post naufragium deperditae
gratiae tabulam ».[40]

1447 Decursu saeculorum, forma concreta, secundum quam Ecclesia hanc
exercuit potestatem a Domino receptam, multum variavit. Per priora saecula,
christianorum, qui peccata peculiariter gravia post suum commiserant Baptismum (exempli gratia, idololatriam, homicidium vel adulterium), reconciliatio
cum valde stricta coniungebatur disciplina, secundum quam poenitentes pro suis
peccatis publicam debebant poenitentiam agere, quandoque per longos annos,
antequam reconciliationem reciperent. Ad hunc « poenitentium ordinem » (qui
non nisi ad quaedam gravia attinebat peccata) non admittebatur quis nisi raro
et, in quibusdam regionibus, semel in vita sua. Durante saeculo VII, missionarii
hibernici, qui a traditione monastica inspirabantur orientali, ad Europam conti-
nentalem praxim poenitentiae attulerunt « privatam » quae non exigit publicam
et protractam effectionem operum poenitentiae ante receptionem reconciliationis
cum Ecclesia. Exinde sacramentum, secretiore modo, inter poenitentem confici-
tur et sacerdotem. Haec nova praxis possibilitatem praevidebat reiterationis et
sic viam aperiebat regulari huius sacramenti frequentationi. Illa in una celebratione sacramentali complecti permittebat peccatorum gravium et peccatorum venialium remissionem. In suis magnis lineamentis, haec est Poenitentiae forma
quam Ecclesia ad nostros usque dies exsequitur.

1448 Per has mutationes, quas disciplina et celebratio huius sacramenti saeculorum decursu expertae sunt, eadem perspicitur *structura fundamentalis*. Ipsa implicat duo elementa pariter essentialia: ex altera parte,
actus hominis qui sub Spiritus Sancti actione se convertit: scilicet contritionem, confessionem et satisfactionem; ex altera autem actionem Dei
per interventum Ecclesiae. Ecclesia, quae, per Episcopum et eius presbyteros, peccatorum concedit remissionem, in Iesu Christi nomine, et
satisfactionis determinat modum, etiam pro peccatore orat et poenitentiam peragit cum eo. Sic peccator sanatur et in communionem ecclesialem restituitur.

1449 Absolutionis formula, qua Ecclesia latina utitur, elementa huius 1481
sacramenti exprimit essentialia: Pater misericordiarum fons est omnis
remissionis. Ipse reconciliationem efficit peccatorum per Filii Sui 234
Pascha et per donum Spiritus, per orationem et ministerium Ecclesiae:

---

[40] Concilium Tridentinum, Sess. 6ᵃ, *Decretum de iustificatione*, c. 14: DS 1542;
cf. Tertullianus, *De paenitentia* 4, 2: CCL 1, 326 (PL 1, 1343).

« Deus, Pater misericordiarum, qui per mortem et resurrectionem Filii Sui mundum Sibi reconciliavit et Spiritum Sanctum effudit in remissionem peccatorum, per ministerium Ecclesiae indulgentiam tibi tribuat et pacem. Et ego te absolvo a peccatis tuis in nomine Patris, et Filii, et Spiritus Sancti ».[41]

VII. Poenitentis actus

1450   « Poenitentia cogit peccatorem omnia libenter sufferre; in corde eius contritio, in ore confessio, in opere tota humilitas vel fructifera satisfactio ».[42]

Contritio

1451   Inter actus poenitentis, primum locum habet contritio. Ipsa « animi dolor ac detestatio est de peccato commisso, cum proposito non peccandi de cetero ».[43]

431

1822   1452   Contritio cum ex amore provenit Dei super omnia amati, « perfecta » appellatur (caritatis contritio). Talis contritio veniales remittit defectus; etiam veniam obtinet peccatorum mortalium, si firmum implicat propositum ad confessionem sacramentalem recurrendi quam primum possibile sit.[44]

1453   Contritio quae dicitur « imperfecta » (seu « attritio »), est, et ipsa, donum Dei, Spiritus Sancti impulsio. E consideratione oritur foeditatis peccati vel ex timore damnationis aeternae et aliarum poenarum quae peccatori minantur (contritio ex timore). Talis commotio conscientiae interiorem incipere potest evolutionem quae sub actione gratiae per absolutionem perficietur sacramentalem. Per se ipsam tamen contritio imperfecta veniam peccatorum gravium non obtinet, sed disponit ad eam obtinendam in Poenitentiae sacramento.[45]

---

[41]   *Ordo Paenitentiae*, 46. 55 (Typis Polyglottis Vaticanis 1974) p. 27. 37.
[42]   *Catechismus Romanus*, 2, 5, 21: ed. P. Rodríguez (Città del Vaticano-Pamplona 1989) p. 299; cf. Concilium Tridentinum, Sess. 14ª, *Doctrina de sacramento Paenitentiae*, c. 3: DS 1673.
[43]   Concilium Tridentinum, Sess. 14ª, *Doctrina de sacramento Paenitentiae*, c. 4: DS 1676.
[44]   Cf. Concilium Tridentinum, Sess. 14ª, *Doctrina de sacramento Paenitentiae*, c. 4: DS 1677.
[45]   Cf. Concilium Tridentinum, Sess. 14ª, *Doctrina de sacramento Paenitentiae*, c. 4: DS 1678; Id., Sess. 14ª, *Canones de sacramento Paenitentiae*, canon 5: DS 1705.

1454 Oportet huius sacramenti receptionem *per examen conscientiae* factum sub lumine Verbi Dei praeparare. Aptissimi textus ad hoc sunt in Decalogo quaerendi atque in Evangeliorum et Epistularum apostolicarum morali catechesi: in sermone montano, in apostolicis doctrinis.[46]

PECCATORUM CONFESSIO

1455 Peccatorum confessio (accusatio), etiam ex quadam mere humana consideratione, nos liberat et nostram cum aliis reconciliationem efficit faciliorem. Per confessionem homo peccata directe respicit, quorum ipse culpabilis est effectus; eorum assumit responsabilitatem atque adeo iterum aperitur Deo et Ecclesiae communioni ad novum futurum possibile efficiendum.

1424

1734

1456 Confessio sacerdoti partem constituit essentialem sacramenti Poenitentiae: Oportet « a paenitentibus omnia peccata mortalia, quorum post diligentem sui discussionem conscientiam habent, in confessione recenseri, etiamsi occultissima illa sint et tantum adversus duo ultima Decalogi praecepta commissa,[47] quae nonnumquam animum gravius sauciant, et periculosiora sunt iis, quae in manifesto admittuntur »:[48]

1855

« Dum omnia, quae memoriae occurrunt, peccata Christi fideles confiteri student, procul dubio omnia divinae misericordiae ignoscenda exponunt. Qui vero secus faciunt et scienter aliqua retinent, nihil divinae bonitati per sacerdotem remittendum proponunt. 'Si enim erubescat aegrotus vulnus medico detegere, quod ignorat medicina non curat' ».[49]

1505

1457 Iuxta Ecclesiae praeceptum, « omnis fidelis, postquam ad annos discretionis pervenerit, obligatione tenetur peccata sua gravia, saltem semel in anno, fideliter confitendi ».[50] Qui conscientiam habet de peccato mortali a se commisso, sanctam Communionem recipere non debet, etiamsi magnam experiatur contritionem, quin prius absolutionem acceperit sacramentalem,[51] nisi motivum grave

2042

1385

---

[46] Cf. *Rom* 12-15; *1 Cor* 12-13; *Gal* 5; *Eph* 4-6.
[47] Cf. *Ex* 20, 17; *Mt* 5, 28.
[48] CONCILIUM TRIDENTINUM, Sess. 14ª, *Doctrina de sacramento Paenitentiae*, c. 5: DS 1680.
[49] CONCILIUM TRIDENTINUM, Sess. 14ª, *Doctrina de sacramento Paenitentiae*, c. 5: DS 1680; cf. SANCTUS HIERONYMUS, *Commentarius in Ecclesiasten* 10, 11: CCL 72, 338 (PL 23, 1096).
[50] CIC canon 989; cf. CONCILIUM TRIDENTINUM, Sess. 14ª, *Doctrina de sacramento Paenitentiae*, c. 5: DS 1683; ID., Sess. 14ª, *Canones de sacramento Paenitentiae*, canon 8: DS 1708.
[51] Cf. CONCILIUM TRIDENTINUM, Sess. 13, *Decretum de ss. Eucharistia*, c. 7: DS 1647; *Ibid.*, canon 11: DS 1661.

adsit ad Communionem suscipiendam et possibile non sit ad confessarium accedere.[52] Pueri ad Poenitentiae sacramentum debent accedere ante quam primam
sanctam recipiant Communionem.[53]

1458 Confessio defectuum quotidianorum (peccatorum venialium),
quin stricte sit necessaria, enixe ab Ecclesia commendatur.[54] Revera
regularis nostrorum peccatorum venialium confessio nos adiuvat ad nos-
1783 tram efformandam conscientiam, ad pugnandum contra nostras malas
tendentias, ad permittendum ut Christus nos sanet, ad progrediendum
in vita Spiritus. Donum misericordiae Patris frequentius per hoc sacramentum accipientes, impellimur ut misericordes simus sicut Ipse.[55]

> « Qui confitetur peccata sua, et accusat peccata sua, iam cum Deo facit.
> Accusat Deus peccata tua; si et tu accusas, coniungeris Deo. Quasi
> duae res sunt, homo et peccator. Quod audis homo, Deus fecit; quod
> audis peccator, ipse homo fecit. Dele quod fecisti, ut Deus salvet quod
> fecit. [...] Cum autem coeperit tibi displicere quod fecisti, inde incipiunt
> bona opera tua, quia accusas mala opera tua. Initium operum bono-
2468 rum, confessio est operum malorum. Facis veritatem et venis ad Lucem ».[56]

SATISFACTIO

1459 Multa peccata malum inferunt proximo. Oportet facere quidquid
2412 possibile est, ad id reparandum (exempli gratia, res restituere furto su-
blatas, famam restabilire illius quem sumus calumniati, compensare vul-
2487 nera). Mera iustitia hoc exigit. Sed ulterius peccatum peccatorem ipsum
vulnerat et debilitat, sicut etiam eius relationes cum Deo et cum proximo. Absolutio peccatum tollit, sed omnibus inordinationibus a peccato
causatis remedium non affert.[57] A peccato liberatus, peccator debet
1473 adhuc plenam salutem spiritualem recuperare. Debet igitur aliquid amplius facere ad sua peccata reparanda: debet « satisfacere » modo convenienti vel peccata sua « expiare ». Haec satisfactio vocatur etiam « poenitentia ».

[52] Cf. CIC canon 916; CCEO canon 711.
[53] Cf. CIC canon 914.
[54] Cf. CONCILIUM TRIDENTINUM, Sess. 14ª, *Doctrina de sacramento Paenitentiae*, c. 5:
DS 1680; CIC canon 988, § 2.
[55] Cf. *Lc* 6, 36.
[56] SANCTUS AUGUSTINUS, *In Iohannis evangelium tractatus* 12, 13: CCL 36, 128 (PL 35,
1491).
[57] Cf. CONCILIUM TRIDENTINUM, Sess. 14ª, *Canones de sacramento Paenitentiae*, canon
12: DS 1712.

1460 *Poenitentia*, quam confessarius imponit, rationem habere debet personalis status poenitentis eiusque bonum quaerere spirituale. In quantum possibile est, gravitati et naturae peccatorum commissorum oportet ut correspondeat. Consistere potest in oratione, in quadam oblatione, in operibus misericordiae, in servitio proximi, in privationibus voluntariis, in sacrificiis, et praecipue in patienti crucis acceptatione quam ferre debemus. Tales poenitentiae nos adiuvant ut Christo configuremur qui solus nostra expiavit peccata [58] semel pro semper. Eaedem nobis permittunt coheredes fieri Christi resuscitati quia Ipsi « compatimur » (*Rom* 8 17): [59]

> « Neque vero ita nostra est satisfactio haec, quam pro peccatis nostris exsolvimus, ut non sit per Christum Iesum; nam qui ex nobis tamquam ex nobis nihil possumus, Eo cooperante, 'qui nos confortat, omnia possumus'.[60] Ita non habet homo, unde glorietur; sed omnis gloriatio nostra in Christo est, [...] in quo satisfacimus, 'facientes fructus dignos paenitentiae',[61] qui ex Illo vim habent, ab Illo offeruntur Patri, et per Illum acceptantur a Patre ».[62]

(margin: 2447, 618, 2011)

VIII. Huius sacramenti minister

1461 Quia Christus ministerium Reconciliationis Suis concredidit Apostolis,[63] Episcopi, eorum successores, et presbyteri, Episcoporum collaboratores, hoc ministerium exercere pergunt. Re vera, Episcopi et presbyteri, virtute sacramenti Ordinis, potestatem habent omnia remittendi peccata « in nomine Patris et Filii et Spiritus Sancti ».

(margin: 981)

1462 Peccatorum absolutio reconciliat cum Deo, sed etiam cum Ecclesia. Episcopus igitur, Ecclesiae particularis visibile caput, inde a temporibus antiquis, iusta ratione consideratur sicut ille qui principaliter reconciliationis habet potestatem et ministerium: ipse est disciplinae poenitentialis moderator.[64] Presbyteri, eius collaboratores, id exercent in

(margin: 886, 1567)

---

[58] Cf. Rom 3, 25; *1 Io* 2, 1-2.
[59] Cf. Concilium Tridentinum, Sess. 14ª, *Doctrina de sacramento Paenitentiae*, c. 8: DS 1690.
[60] Cf. *Philp* 4, 13.
[61] Cf. *Lc* 3, 8.
[62] Concilium Tridentinum, Sess. 14ª, *Doctrina de sacramento Paenitentiae*, c. 8: DS 1691.
[63] Cf. *Io* 20, 23; *2 Cor* 5, 18.
[64] Cf. Concilium Vaticanum II, Const. dogm. *Lumen gentium*, 26: AAS 57 (1965) 32.

ea mensura in qua facultatem receperint sive ab Episcopo suo (vel a superiore religioso) sive a Romano Pontifice per Ecclesiae ius.[65]

1463   Quaedam peccata speciatim gravia plectuntur excommunicatione, poena ecclesiastica omnium severissima, quae sacramentorum impedit receptionem et quorumdam actuum ecclesiasticorum exercitium,[66] et cuius absolutio consequenter non potest concedi, secundum Ecclesiae ius, nisi a Romano Pontifice, ab Episcopo loci vel a sacerdotibus quibus ipsi auctoritatem contulerint.[67] In casu periculi mortis, quilibet sacerdos, etiam facultate ad audiendas confessiones
982   carens, ab omni peccato absolvere potest atque ab omni excommunicatione.[68]

1464   Sacerdotes debent fideles hortari ut ad Poenitentiae accedant sacramentum et debent se paratos ostendere ad hoc sacramentum celebrandum quoties christiani illud rationabiliter petant.[69]

1465   Sacerdos, sacramentum celebrans Poenitentiae, ministerium adim-
983   plet boni Pastoris qui perditam quaerit ovem, illud boni Samaritani qui vulnera curat, Patris qui filium exspectat prodigum et eum accipit in eius reditu, iusti iudicis qui personarum non facit acceptionem et cuius iudicium simul iustum est et misericors. Uno verbo, sacerdos signum est et instrumentum amoris misericordis Dei erga peccatorem.

1551   1466   Confessarius dominus non est, sed minister veniae Dei. Minister huius sacramenti cum intentione et caritate Christi se coniungere de-
2690   bet.[70] Cognitionem christianorum morum habere debet probatam, rerum humanarum experientiam, respectum et suavitatem erga illum qui cecidit; veritatem debet amare, Ecclesiae Magisterio esse fidelem et patienter poenitentem ducere ad sanationem et plenam maturitatem. Orare debet atque poenitentiam agere pro eo, eumdem Domini concredens misericordiae.

1467   Perspectis sanctimonia et magnitudine huius ministerii et observantia personis debita, Ecclesia declarat omnes sacerdotes qui confessio-
2490   nes audiunt, obligatos esse ad secretum absolutum relate ad peccata quae eorum poenitentes illis sint confessi, sub poenis severissimis.[71] Neque possunt usum facere cognitionum quas illis confessio praebuerit

---

[65] Cf. CIC canones 844. 967-969. 972; CCEO canon 722, §§ 3-4.
[66] Cf. CIC canon 1331; CCEO canones 1431. 1434.
[67] Cf. CIC canones 1354-1357; CCEO canon 1420.
[68] Cf. CIC canon 976; pro peccatorum vero absolutione, CCEO canon 725.
[69] Cf. CIC canon 986; CCEO canon 735; Concilium Vaticanum II, Decr. *Presbyterorum ordinis*, 13: AAS 58 (1966) 1012.
[70] Cf. Concilium Vaticanum II, Decr. *Presbyterorum ordinis*, 13: AAS 58 (1966) 1012.
[71] Cf. CIC canones 983-984. 1388, § 1; CCEO canon 1456.

circa poenitentium vitam. Hoc secretum, quod exceptiones non admittit, « sigillum sacramentale » appellatur, quia id quod poenitens sacerdoti manifestavit, manet a sacramento « sigillatum ».

IX. Effectus huius sacramenti

1468   « Poenitentiae itaque omnis in eo vis est, ut nos in Dei gratiam restituat, cum Eoque summa amicitia coniungat ».[72] Scopus igitur et effectus huius sacramenti est *reconciliatio cum Deo*. In illis qui Poenitentiae sacramentum accipiunt cum corde contrito et dispositione religiosa, « conscientiae pax ac serenitas cum vehementi spiritus consolatione consequi solet ».[73] Revera sacramentum Reconciliationis cum Deo veram « resurrectionem spiritualem » affert, restitutionem dignitatis et bonorum vitae filiorum Dei, quorum pretiosissimum est Dei amicitia.[74]

2305

1469   Hoc sacramentum nos *cum Ecclesia reconciliat*. Peccatum communionem fraternam attenuat vel frangit. Poenitentiae sacramentum illam reparat vel restaurat. Hoc sensu, non solum sanat eum qui in communionem restituitur ecclesialem, sed effectum etiam habet vivificantem super vitam Ecclesiae, quae peccatum unius e suis membris passa est.[75] Peccator, in communione sanctorum restitutus vel confirmatus, per bonorum spiritualium roboratur communicationem quae inter omnia viva corporis Christi habetur membra, sive adhuc in peregrinationis sint statu sive iam sint in patria coelesti.[76]

953

949

> « Necesse tamen est addere eiusmodi reconciliationem cum Deo quasi alias reconciliationes progignere, quae totidem aliis medeantur discidiis peccato effectis: paenitens, cui venia datur, reconciliat se sibi in intima parte eius quod est ipse, ubi veritatem suam interiorem recuperat; reconciliatur fratribus ab eo aliqua ratione offensis et laesis; reconciliatur Ecclesiae; reconciliatur universae creaturae ».[77]

1470   In hoc sacramento, peccator, se misericordi Dei tradens iudicio, quodammodo *anticipat iudicium* cui submittetur in huius vitae terrestris fine. Etenim nunc, in hac vita, nobis electio offertur inter vitam et mor-

678, 1039

---

[72] *Catechismus Romanus*, 2, 5, 18: ed. P. Rodríguez (Città del Vaticano-Pamplona 1989) p. 297.
[73] Concilium Tridentinum, Sess. 14ª, *Doctrina de sacramento Paenitentiae*, c. 3: DS 1674.
[74] Cf. *Lc* 15, 32.
[75] Cf. *1 Cor* 12, 26.
[76] Cf. Concilium Vaticanum II, Const. dogm. *Lumen gentium*, 48-50: AAS 57 (1965) 53-57.
[77] Ioannes Paulus II, Adh. ap. *Reconciliatio et paenitentia*, 31, § V: AAS 77 (1985) 265.

tem, et non nisi per viam conversionis possumus intrare in Regnum Dei a quo grave excludit peccatum.[78] Peccator, se Christo per poenitentiam et fidem convertens, a morte transit ad vitam «et in iudicium non venit» (*Io* 5, 24).

X. Indulgentiae

1471 Doctrina et praxis indulgentiarum in Ecclesia arcte cum effectibus coniunguntur sacramenti Poenitentiae.

QUID SUNT INDULGENTIAE?

«Indulgentia est remissio coram Deo poenae temporalis pro peccatis, ad culpam quod attinet iam deletis, quam christifidelis, apte dispositus et certis ac definitis condicionibus, consequitur ope Ecclesiae quae, ut ministra Redemptionis, thesaurum satisfactionum Christi et sanctorum auctoritative dispensat et applicat».[79]

«Indulgentia est partialis vel plenaria prout a poena temporali pro peccatis debita liberat ex parte aut ex toto».[80] «Quivis fidelis potest indulgentias [...] sibi ipsi lucrari, aut defunctis applicare».[81]

POENAE PECCATI

1472 Ad hanc doctrinam et hanc praxim Ecclesiae intelligendas, oportet per-
1861 spicere peccatum *duplicem consequentiam habere*. Peccatum grave nos communione privat cum Deo, et ideo nos incapaces reddit vitae aeternae, cuius privatio «poena aeterna» peccati appellatur. Ex alia parte, quodlibet peccatum, etiam veniale, morbidam ad creaturas secumfert affectionem, quae purifica-
1031 tione eget sive his in terris sive post mortem, in statu qui appellatur purgatorium. Haec purificatio liberat ab eo quod «poena temporalis» peccati appellatur. Hae duae poenae concipi non debent quasi vindicta quaedam a Deo ab extrinseco inflicta, sed potius quasi ex ipsa peccati natura profluentes. Conversio ex ferventi procedens caritate potest usque ad totalem peccatoris purificationem pervenire ita ut nulla poena subsistat.[82]

---

[78] Cf. *1 Cor* 5, 11; *Gal* 5, 19-21; *Apc* 22, 15.
[79] PAULUS VI, Const. ap. *Indulgentiarum doctrina*, Normae, 1: AAS 59 (1967) 21.
[80] PAULUS VI, Const. ap. *Indulgentiarum doctrina*, Normae, 2: AAS 59 (1967) 21.
[81] CIC canon 994.
[82] Cf. CONCILIUM TRIDENTINUM, Sess. 14ª, *Canones de sacramento Paenitentiae*, canones 12-13: DS 1712-1713; ID., Sess. 25ª, *Decretum de purgatorio*: DS 1820.

1473 Venia peccati et restauratio communionis cum Deo remissionem aeternarum poenarum peccati secumferunt. Sed poenae peccati permanent temporales. Christianus, passiones et probationes omnis generis patienter tolerans et, cum advenerit dies, mortem sereno respiciens animo, niti debet ut has peccati temporales poenas accipiat tamquam gratiam; per opera misericordiae et caritatis atque etiam per orationem et diversa poenitentiae exercitia, incumbere debet ad « veterem hominem » plene exuendum et ad « novum hominem » superinduendum.[83]   2447

In sanctorum communione

1474 Christianus qui conatur se a peccato purificare suo et se cum gratiae Dei   946-959
adiutorio sanctificare, solus non invenitur. « Vita singulorum filiorum Dei in Christo et per Christum cum vita omnium fratrum christianorum mirabili nexu coniungitur in supernaturali unitate corporis mystici Christi, quasi in una mystica persona ».[84]   795

1475 In sanctorum communione « inter fideles, vel caelesti patria potitos, vel admissa in purgatorio expiantes, vel adhuc in terra peregrinantes, profecto est perenne caritatis vinculum et bonorum omnium abundans permutatio ».[85] In hac permutatione admirabili, sanctitas unius multo magis proficit ceteris quam damnum quod unius peccatum potuit ceteris causare. Sic recursus ad sanctorum communionem contrito permittit peccatori se citius et efficacius a poenis peccati purificari.

1476 Haec spiritualia communionis sanctorum bona etiam *Ecclesiae thesaurum* appellamus, « qui quidem non est quasi summa bonorum ad instar materialium divitiarum, quae per saecula cumulantur, sed est infinitum et inexhaustum pretium, quod apud Deum habent expiationes et merita Christi Domini, oblata ut   617
humanitas tota a peccato liberetur et ad communionem cum Patre perveniat; est Ipse Christus Redemptor, in quo sunt et vigent satisfactiones et merita Redemptionis Eius ».[86]

1477 « Praeterea ad hunc thesaurum pertinet etiam pretium vere immensum et incommensurabile et semper novum, quod coram Deo habent orationes ac bona opera beatae Mariae Virginis et omnium sanctorum, qui, Christi Domini per   969
Ipsius gratiam vestigia secuti, semetipsos sanctificaverunt, et perfecerunt opus a Patre acceptum; ita ut, propriam salutem operantes, etiam ad salutem fratrum suorum in unitate corporis mystici contulerint ».[87]

---

[83] Cf. *Eph* 4, 24.
[84] Paulus VI, Const. ap. *Indulgentiarum doctrina*, 5: AAS 59 (1967) 11.
[85] Paulus VI, Const. ap. *Indulgentiarum doctrina*, 5: AAS 59 (1967) 12.
[86] Paulus VI, Const. ap. *Indulgentiarum doctrina*, 5: AAS 59 (1967) 11.
[87] Paulus VI, Const. ap. *Indulgentiarum doctrina*, 5: AAS 59 (1967) 11-12.

INDULGENTIAM DEI PER ECCLESIAM OBTINERE

981   1478   Indulgentia per Ecclesiam obtinetur, quae propter potestatem ligandi et solvendi quae illi a Iesu Christo concessa est, in favorem intervenit alicuius christiani eique thesaurum aperit meritorum Christi et sanctorum ad obtinendam a misericordiarum Patre remissionem poenarum temporalium quas eius peccata merentur. Sic Ecclesia non solum in adiutorium huius christiani vult venire, sed eum etiam ad opera pietatis, poenitentiae et caritatis excitare.[88]

1032   1479   Quia fideles in purificationis via defuncti membra sunt etiam eiusdem sanctorum communionis, eos possumus adiuvare, inter alia, indulgentias pro eis acquirendo, ita ut a poenis temporalibus debitis pro suis peccatis solvantur.

XI. Celebratio sacramenti Poenitentiae

1480   Poenitentia, sicut omnia sacramenta, actio est liturgica. Haec sunt ordinario elementa celebrationis: salutatio et benedictio sacerdotis, lectio Verbi Dei ad conscientiam illuminandam et contritionem suscitandam, et hortatio ad poenitentiam; confessio quae peccata agnoscit et sacerdoti manifestat; poenitentiae impositio et acceptatio; absolutio sacerdotis; laus actionis gratiarum et dimissio cum sacerdotis benedictione.

1449   1481   Liturgia Byzantina plures absolutionis cognoscit formulas, in forma deprecativa, quae mirabiliter mysterium exprimunt veniae: « Deus, qui per prophetam Nathan indulsit David, cum ipse sua propria peccata confessus est, et Petro cum amare flevit, et peccatrici cum suas lacrimas super pedes Eius effudit, et publicano et prodigo, Idem Deus vobis indulgeat, per me, peccatorem, in hac vita et in altera, et quin vos condemnet, faciat vos ante Eius tribunal manifestari terribile. Qui est benedictus in saecula saeculorum. Amen ».[89]

1482   Sacramentum Poenitentiae potest etiam confici intra *celebrationem communitariam*, in qua poenitentes simul ad confessionem praeparantur et simul gratias agunt de venia recepta. Hic confessio peccatorum personalis et absolutio individualis in liturgiam verbi Dei inseruntur cum lectionibus et homilia, examine conscientiae ducto in communi, imploratione veniae communitaria, oratione « Pater noster » et gratiarum actione in communi. Haec celebratio communitaria clarius exprimit ecclesialem poenitentiae indolem. Sacramentum Poenitentiae, quicumque est celebrationis eius modus, semper est, sua ipsa natura, actio liturgica, ideoque ecclesialis et publica.[90]

1140

---

[88] Cf. PAULUS VI, Const. ap. *Indulgentiarum doctrina*, 8: AAS 59 (1967) 16-17; CONCILIUM TRIDENTINUM, Sess. 25ª, *Decretum de indulgentiis*: DS 1835.

[89] Εὐχολόγιον τὸ μέγα (Athens 1992) p. 222.

[90] Cf. CONCILIUM VATICANUM II, Const. *Sacrosanctum Concilium*, 2627: AAS 56 (1964) 107.

1483 In casibus gravis necessitatis potest recursus fieri ad *celebrationem com-munitariam Reconciliationis cum confessione generali et absolutione generali*. Talis necessitas gravis contingere potest, cum imminens mortis habetur periculum quin sacerdos vel sacerdotes tempus habeant sufficiens ad audiendam confessionem uniuscuiusque poenitentis. Necessitas gravis potest etiam exsistere cum, ratione habita numeri poenitentium, sufficientes non adsunt confessarii ad confessiones individuales intra rationabile tempus debite audiendas, ita ut poenitentes, sine culpa sua, privati gratia sacramentali vel sancta Communione, longo tempore, permanerent. In tali casu, pro absolutionis validitate, fideles propositum habere debent individualiter sua gravia peccata confitendi debito tempore.[91] Episcopi dioecesani est iudicare utrum condiciones pro absolutione generali requisitae exsistant.[92] Magnus fidelium concursus occasione magnarum festivitatum vel peregrinationum casus talis gravis necessitatis non constituit.[93]

1484 « Individualis et integra confessio atque absolutio manent unicus modus ordinarius, quo fideles se cum Deo et Ecclesia reconciliant, nisi impossibilitas physica vel moralis ab huiusmodi confessione excuset ».[94] Hoc gravibus non caret rationibus. Christus in unoquoque agit sacramento. Personaliter ad unumquemque dirigitur peccatorem: « Fili, dimittuntur peccata tua » (*Mc* 2, 5); Ipse est medicus qui super singulos Se inclinat aegrotos qui Eo egent,[95] ut illos sanet; Ipse eos sublevat et in communionem redintegrat fraternam. Confessio personalis est igitur forma reconciliationis cum Deo et cum Ecclesia maxime significativa.

1401

878

Compendium

1485 *Paschatis vespera, Dominus Iesus Se Suis manifestavit Apostolis « et dicit eis: 'Accipite Spiritum Sanctum. Quorum remiseritis peccata, remissa sunt eis; quorum retinueritis, retenta sunt »* (*Io* 20, 22-23).

1486 *Remissio peccatorum post Baptismum commissorum per sacramentum conceditur proprium quod Conversionis, Confessionis, Poenitentiae vel Reconciliationis appellatur sacramentum.*

1487 *Ille qui peccat, honorem vulnerat Dei et amorem Eius, suam propriam dignitatem hominis vocati ut filius sit Dei et bonum statum spiritualem Ecclesiae cuius unusquisque christianus lapis esse debet vivus.*

---

[91] Cf. CIC canon 962, § 1.
[92] Cf. CIC canon 961, § 2.
[93] Cf. CIC canon 961, § 1, 2.
[94] *Ordo Paenitentiae*, Praenotanda, 31 (Typis Polyglottis Vaticanis 1974) p. 21.
[95] Cf. *Mc* 2, 17.

1488   *Iuxta fidei oculos, nullum malum est gravius peccato nihilque peiores habet consequentias pro ipsis peccatoribus, pro Ecclesia et pro universo mundo.*

1489   *Reditus ad communionem cum Deo, postquam per peccatum amissa est, est motus ortus a gratia Dei pleni misericordia et solliciti de salute hominum. Hoc donum pretiosum implorare oportet pro se ipsis et pro aliis.*

1490   *Motus reditus ad Deum, qui conversio et poenitentia appellatur, dolorem implicat et aversionem relate ad peccata commissa, et firmum propositum non amplius peccandi in futurum. Conversio igitur ad tempus praeteritum refertur et futurum; spe nutritur in misericordiam divinam.*

1491   *Poenitentiae sacramentum ex complexu trium actuum a poenitente peractorum et ex absolutione sacerdotis constituitur. Actus poenitentis sunt: poenitentia, confessio seu manifestatio peccatorum ad sacerdotem atque propositum reparationem adimplendi reparationisque opera.*

1492   *Poenitentia (etiam contritio appellata) debet a motivis inspirari quae a fide profluunt. Si poenitentia ex amore caritatis erga Deum concipitur, dicitur « perfecta »; si ipsa in aliis fundatur motivis, « imperfecta » appellatur.*

1493   *Qui reconciliationem cum Deo et cum Ecclesia vult obtinere, sacerdoti omnia peccata gravia confiteri debet quae nondum est confessus et quorum recordatur postquam suam accurate examinavit conscientiam. Defectuum venialium confessio, quin in se sit necessaria, vivide tamen ab Ecclesia commendatur.*

1494   *Confessarius poenitenti adimpletionem proponit quorumdam actuum « satisfactionis » seu « poenitentiae » ad damnum a peccato causatum reparandum et ad habitus restaurandos qui Christi discipulo sunt proprii.*

1495   *Solummodo sacerdotes qui ab Ecclesiae auctoritate facultatem absolvendi receperunt, possunt peccata in nomine Christi dimittere.*

1496   *Effectus spirituales sacramenti Poenitentiae sunt:*

       — reconciliatio cum Deo qua poenitens gratiam recuperat;
       — reconciliatio cum Ecclesia;
       — remissio poenae aeternae in quam quis per peccata incurrit mortalia;

— *remissio, saltem partialis, poenarum temporalium quae consequentiae sunt peccatorum;*

— *conscientiae pax et serenitas, atque consolatio spiritualis;*

— *augmentum virium spiritualium pro certamine christiano.*

1497 *Confessio peccatorum gravium individualis et integra, quam absolutio sequitur, unum medium permanet ordinarium pro reconciliatione cum Deo et cum Ecclesia.*

1498 *Per indulgentias, fideles pro se ipsis et etiam pro animabus purgatorii remissionem obtinere possunt poenarum temporalium, quae consequentiae sunt peccatorum.*

Articulus 5

UNCTIO INFIRMORUM

1499 « Sacra infirmorum Unctione atque oratione presbyterorum, Ecclesia tota aegrotantes Domino patienti et glorificato commendat ut eos alleviet et salvet, immo eos hortatur ut sese Christi passioni et morti libere sociantes, ad bonum populi Dei conferant ».[96]

I. Eius in Oeconomia salutis fundamenta

AEGRITUDO IN VITA HUMANA

1500 Aegritudo et dolor semper inter gravissima fuerunt problemata quae vitam afficiunt humanam. In aegritudine, homo suam experitur impotentiam, suos limites suamque finitatem. Omnis aegritudo efficere potest ut mortem prospiciamus.

1006

1501 Aegritudo ad angustiam ducere potest, ad recedendum in se ipsum, quandoque ad desperationem et ad rebellionem contra Deum. Potest etiam personam maturiorem efficere, eam adiuvare ad discernendum in vita sua quod essentiale non est, ut ipsa se vertat ad id quod est essentiale. Saepissime aegritudo quaesitionem provocat Dei, reditum ad Eum.

[96] CONCILIUM VATICANUM II, Const. dogm. *Lumen gentium*, 11: AAS 57 (1965) 15.

AEGROTUS CORAM DEO

1502   Homo Veteris Testamenti in aegritudine vivit coram Deo. Ante
Deum de sua lamentatur aegritudine [97] et ab Eo, vitae et mortis Domino, sanationem deprecatur.[98] Aegritudo fit conversionis via,[99] et Dei in-
164   dulgentia initiat sanationem.[100] Israel experitur, aegritudinem, arcano
376   modo, cum peccato coniungi et malo, et fidelitatem erga Deum, secundum Eius Legem, reddere vitam: « Ego enim Dominus sanator tuus »
(*Ex* 15, 26). Propheta introspicit dolorem sensum habere posse redemptorem pro aliorum peccatis.[101] Denique, Isaias annuntiat Deum esse pro
Sion tempus adducturum, quo omnem dimittet culpam omnemque
aegritudinem sanabit.[102]

CHRISTUS-MEDICUS

549   1503   Christi erga aegrotos compassio pluresque Eius sanationes aegrotorum omnis generis [103] perspicue significant Deum visitavisse plebem
Suam [104] Regnumque Dei omnino appropinquare. Iesus non solum sa-
nandi habet potentiam, sed etiam peccata dimittendi: [105] Ipse venit ut in-
1421   tegrum sanaret hominem, corpus et animam; Ipse est medicus quo aegroti indigent.[106] Eius compassio erga omnes qui patiuntur, eo procedit
ut Se cum illis efficiat unum: eram « infirmus, et visitastis me » (*Mt* 25,
36). Eius praedilectionis amor pro infirmis, saeculorum decursu, christianorum sollicitudinem omnino peculiarem excitare non desivit erga
2288   omnes illos qui in suo corpore patiuntur vel anima. Ab eo nisus oriuntur indefessi ad illos sublevandos.

1504   Saepe Iesus ab aegrotis postulat ut credant.[107] Signis utitur ad sanandum: saliva et manuum impositione,[108] luto et ablutione.[109] Aegroti

---

[97] Cf. *Ps* 38.
[98] Cf. *Ps* 6, 3; *Is* 38.
[99] Cf. *Ps* 38, 5; 39, 9. 12.
[100] Cf. *Ps* 32, 5; 107, 20; *Mc* 2, 5-12.
[101] Cf. *Is* 53, 11.
[102] Cf. *Is* 33, 24.
[103] Cf. *Mt* 4, 24.
[104] Cf. *Lc* 7, 16.
[105] Cf. *Mc* 2, 5-12.
[106] Cf. *Mc* 2, 17.
[107] Cf. *Mc* 5, 34. 36; 9, 23.
[108] Cf. *Mc* 7, 32-36; 8, 22-25.
[109] Cf. *Io* 9, 6-15.

Eum tangere quaerunt [110] « quia virtus de Illo exibat et sanabat omnes »   695
(*Lc* 6, 19). Ita, in sacramentis, Christus nos « tangere » pergit ad nos   1116
sanandos.

1505   Christus, tot doloribus commotus, non solum Se ab aegrotis tan-
gi permittit, sed miserias nostras facit Suas: « Ipse infirmitates nostras
accepit et aegrotationes portavit » (*Mt* 8, 17). [111] Ipse non omnes sanavit
aegrotos. Eius sanationes signa erant Adventus Regni Dei. Radicalio-
rem annuntiabant sanationem: victoriam de peccato et de morte per   440
Eius Pascha. Christus in cruce omne pondus mali super Se accepit [112] et
sustulit « peccatum mundi » (*Io* 1, 29), cuius aegritudo nonnisi consequentia est. Per Suam passionem et Mortem in cruce, Christus novum
sensum dedit dolori: hic iam nos Ei configurare Eiusque passioni   307
redemptrici potest coniungere.

« Infirmos curate... »

1506   Christus discipulos invitat Suos ut Eum sequantur, crucem, et ipsi, sumentes suam. [113] Eum sequentes, novam aegritudinis et aegrotorum
adquirunt visionem. Iesus illos Suae pauperi et servienti consociat vitae.   859
Eos Sui compassionis et sanationis ministerii efficit participes: « Et
exeuntes praedicaverunt, ut paenitentiam agerent; et daemonia multa ei-
ciebant et ungebant oleo multos aegrotos et sanabant » (*Mc* 6, 12-13).

1507   Dominus resuscitatus hanc renovat missionem (« In nomine meo
[...] super aegrotos manus imponent et bene habebunt »: *Mc* 16, 17-18)
eamque confirmat signis quae Ecclesia Nomen Ipsius invocans peragit. [114]
Haec signa speciatim manifestant Iesum vere esse « Deum qui salvat ». [115]   430

1508   Spiritus Sanctus quibusdam speciale sanationis donat charisma [116]   708
ad virtutem manifestandam gratiae Resuscitati. Tamen orationes maxime instantes non semper omnium aegritudinum obtinent sanationem.
Sic Paulus a Domino discere debet: « Sufficit tibi gratia mea, nam virtus in infirmitate perficitur » (*2 Cor* 12, 9); et dolores tolerandos hunc

---

[110] Cf. *Mc* 3, 10; 6, 56.
[111] Cf. *Is* 53, 4.
[112] Cf. *Is* 53, 4-6.
[113] Cf. *Mt* 10, 38.
[114] Cf. *Act* 9, 34; 14, 3.
[115] Cf. *Mt* 1, 21; *Act* 4, 12.
[116] Cf. *1 Cor* 12, 9. 28. 30.

618   sensum habere posse: « Adimpleo ea quae desunt passionum Christi in carne mea pro corpore Eius, quod est Ecclesia » (*Col* 1, 24).

1509   « Infirmos curate! » (*Mt* 10, 8). Ecclesia hoc a Domino munus accepit atque officium exsequendi illud tam per curas quas ipsa affert aegrotis quam per intercessionis orationem qua ipsa eosdem comitatur. Ipsa in vivificantem Christi credit praesentiam, animarum et corporum medici. Haec praesentia est peculiariter activa per sacramenta, et qui-

1405   dem modo prorsus singulari per Eucharistiam, panem qui vitam donat aeternam [117] et cuius vinculum cum corporali sanatione a sancto Paulo innuitur.[118]

1510   Ecclesia tamen apostolica proprium cognoscit pro aegrotis ritum, de quo sanctus Iacobus testatur: « Infirmatur quis in vobis? Advocet presbyteros Ecclesiae, et orent super eum, unguentes eum oleo in nomi-ne Domini. Et oratio fidei salvabit infirmum, et allevabit eum Dominus;

1117   et si peccata operatus fuerit, dimittentur ei » (*Iac* 5, 14-15). Traditio in hoc ritu unum e septem Ecclesiae agnovit sacramentis.[119]

SACRAMENTUM INFIRMORUM

1511   Ecclesia credit et confitetur, inter septem sacramenta, sacramen-tum haberi speciatim destinatum ad eos confortandos qui aegritudine probantur: Unctionem infirmorum:

        « Instituta est autem haec sacra Unctio infirmorum tamquam vere et proprie sacramentum Novi Testamenti a Christo Domino nostro, apud Marcum quidem insinuatum,[120] per Iacobum autem apostolum ac Domi-ni fratrem fidelibus commendatum ac promulgatum ».[121]

1512   In traditione liturgica tam in Oriente quam in Occidente, inde ab anti-quitate, habentur testimonia de unctionibus infirmorum oleo benedicto peractis. Saeculorum decursu, infirmorum Unctio, modo magis magisque exclusivo, est illis collata qui in extremo vitae discrimine versabantur. Propterea nomen

---

[117] Cf. *Io* 6, 54. 58.
[118] Cf. *1 Cor* 11, 30.
[119] Cf. SANCTUS INNOCENTIUS I, Epistula *Si instituta ecclesiastica*: DS 216; CONCILIUM FLORENTINUM, *Decretum pro Armenis*: DS 1324-1325; CONCILIUM TRIDENTINUM, Sess. 14ª, *Doctrina de sacramento extremae Unctionis*, c. 1-2: DS 1695-1696; ID., Sess. 14ª, *Canones de extrema Unctione*, canones 1-2: DS 1716-1717.
[120] Cf. *Mc* 6, 13.
[121] CONCILIUM TRIDENTINUM, Sess. 14ª, *Doctrina de sacramento extremae Unctionis*, c. 1: DS 1695. Cf. *Iac* 5, 14-15.

« Extremae Unctionis » receperat. Non obstante hac evolutione, liturgia nunquam Dominum orare desivit ut aegrotus valetudinem recuperaret, si id eius saluti esset conveniens.[122]

1513   Constitutio apostolica « Sacram Unctionem infirmorum » (30 novembris 1972), Concilium Vaticanum II sequens,[123] instituit ut in posterum, in ritu Romano, hoc servetur quod sequitur:

> « Sacramentum Unctionis infirmorum confertur infirmis periculose aegrotantibus, eos liniendo in fronte et in manibus oleo olivarum aut, pro opportunitate, alio oleo e plantis, rite benedicto, haec verba, una tantum vice, proferendo: 'Per istam sanctam Unctionem et suam piissimam misericordiam adiuvet te Dominus gratia Spiritus Sancti, ut a peccatis liberatum te salvet atque propitius allevet' ».[124]

II. Quis recipit et quis hoc confert sacramentum?

IN CASU GRAVIS INFIRMITATIS...

1514   Unctio infirmorum « non est sacramentum eorum tantum qui in extremo vitae discrimine versantur. Proinde tempus opportunum eam recipiendi iam certe habetur cum fidelis incipit esse in periculo mortis propter infirmitatem vel senium ».[125]

1515   Si aegrotus qui Unctionem recepit, valetudinem recuperat, potest, si nova accidat gravis aegritudo, iterum hoc recipere sacramentum. Eadem aegritudine perdurante, hoc sacramentum potest iterari, si aegritudo gravior efficiatur. Congruum est, infirmorum recipere Unctionem ante chirurgicam cuiusdam momenti sectionem. Idem valet pro personis senescentis aetatis quarum fragilitas fit acutior.

---

[122] CONCILIUM TRIDENTINUM, Sess. 14ª, *Doctrina de sacramento extremae Unctionis*, c. 2: DS 1696.

[123] Cf. CONCILIUM VATICANUM II, Const. *Sacrosanctum Concilium*, 73: AAS 54 (1964) 118-119.

[124] PAULUS VI, Const. ap. *Sacram Unctionem infirmorum*: AAS 65 (1973) 8. Cf. CIC 847, § 1.

[125] CONCILIUM VATICANUM II, Const. *Sacrosanctum Concilium*, 73: AAS 56 (1964) 118-119; cf. CIC canones 1004, § 1. 1005. 1007; CCEO, canon 738.

« ...ADVOCET PRESBYTEROS ECCLESIAE »

1516 Solummodo sacerdotes (Episcopi et presbyteri) ministri sunt Unctionis infirmorum.[126] Obligatio est Pastorum, fideles de huius sacramenti instruere beneficiis. Fideles hortentur aegrotos ut sacerdotem advocent ad hoc sacramentum recipiendum. Aegroti se praeparent ad hoc bonis dispositionibus recipiendum, cum Pastoris sui adiutorio et totius communitatis ecclesialis, quae invitatur ut aegrotos, modo prorsus peculiari, suis orationibus suisque fraternis circumdet curis.

III. Quomodo hoc celebratur sacramentum?

1517 Unctio infirmorum, sicut omnia sacramenta, celebratio est liturgica et communitaria,[127] sive locum habeat in familia, sive in nosocomio sive in ecclesia, pro uno tantum aegroto vel pro integro aegrotorum coetu. Valde conveniens est, eam intra Eucharistiam, memoriale Paschatis Domini, celebrari. Si adiuncta id suadent, celebrationem sacramenti potest Poenitentiae sacramentum praecedere et Eucharistiae sacramentum sequi. Eucharistia, quatenus sacramentum Paschatis Christi, semper ultimum peregrinationis terrestris deberet esse sacramentum, « viaticum » pro « transitu » ad vitam aeternam.

1518 Verbum et sacramentum unitatem efformant inseparabilem. Liturgia verbi, quam poenitentialis praecedit actus, celebrationem aperit. Christi verba, Apostolorum testimonium fidem aegroti et communitatis suscitant, ad petendam a Domino virtutem Spiritus Eius.

1519 Sacramenti celebratio praecipue elementa includit quae sequuntur: « presbyteri Ecclesiae »[128] manus aegrotis — silentio — imponunt; super aegrotis in fide orant Ecclesiae;[129] haec est Epiclesis huius sacramenti propria; tunc unctionem oleo peragunt benedicto, si possibile est, ab Episcopo.

Hae actiones liturgicae indicant, quam gratiam hoc sacramentum conferat aegrotis.

---

[126] Cf. CONCILIUM TRIDENTINUM, Sess. 14ª, *Doctrina de sacramento extremae Unctionis*, c. 3: DS 1697; ID., Sess. 14ª, *Canones de extrema Unctione*, canon 4: DS 1719; CIC canon 1003; CCEO canon 739, § 1.
[127] CONCILIUM VATICANUM II, Const. *Sacrosanctum Concilium*, 27: AAS 56 (1964) 107.
[128] Cf. *Iac* 5, 14.
[129] Cf. *Iac* 5, 15.

IV. Effectus celebrationis huius sacramenti

1520 *Peculiare Spiritus Sancti donum.* Prima huius sacramenti gratia est 733 confortationis gratia, pacis et vigoris animi ad difficultates superandas quae propriae sunt status aegritudinis gravis vel fragilitatis senectutis. Haec gratia est Spiritus Sancti donum quod fiduciam et fidem renovat in Deum atque contra Maligni roborat tentationes, tentationem nempe defectionis animi et angustiae coram morte.[130] Haec Domini assistentia per virtutem Spiritus Eius aegrotum ducere intendit ad animae sanationem, sed etiam ad illam corporis, si talis est Dei voluntas.[131] Praeterea, « si peccata operatus fuerit, dimittentur ei » (*Iac* 5, 15).[132]

1521 *Cum Christi passione coniunctio.* Per huius sacramenti gratiam, aegrotus virtutem recipit et donum se arctius cum Christi passione coniungendi: quodammodo *consecratur* ad fructum ferendum per configurationem ad redemptricem Salvatoris passionem. Dolor, peccati originalis sequela, novum recipit sensum: participatio fit salvifici operis Iesu. 1535 1499

1522 *Gratia ecclesialis.* Fideles qui hoc recipiunt sacramentum, « sese Christi passioni et morti libere sociantes, ad bonum populi Dei » conferunt.[133] Ecclesia, hoc in sanctorum communione celebrans sacramentum, 953 pro aegroti intercedit bono. E parte sua, aegrotus, per huius sacramenti gratiam, ad Ecclesiae confert sanctificationem et ad bonum omnium hominum, pro quibus Ecclesia patitur seseque ad Deum Patrem offert per Christum.

1523 *Ad ultimum transitum praeparatio.* Si sacramentum Unctionis in- 1020 firmorum omnibus confertur qui aegritudines et infirmitates patiuntur graves, potiore ratione illis, qui sunt « in exitu vitae constituti »,[134] ita ut illud etiam « *sacramentum exeuntium* » sit appellatum.[135] Infirmorum Unctio nostram perficit conformationem ad mortem et resurrectionem Christi, sicut Baptismus illam inceperat. Ipsa sanctas complet unctiones 1294 quae totam vitam signant christianam; illa Baptismi vitam novam in nobis sigillaverat; illa Confirmationis nos ad huius vitae proelium robo-

---

[130] Cf. *Heb* 2, 15.
[131] Concilium Florentinum, *Decretum pro Armenis*: DS 1325.
[132] Cf. Concilium Tridentinum, Sess. 14ᵃ, *Canones de extrema Unctione*, canon 2: DS 1717.
[133] Concilium Vaticanum II, Const. dogm. *Lumen gentium*, 11: AAS 57 (1965) 15.
[134] Concilium Tridentinum, Sess. 14ᵃ, *Doctrina de sacramento extremae Unctionis*, c. 3: DS 1698.
[135] *Ibid.*

1020   raverat. Haec ultima unctio finem munit nostrae vitae firmo praesidio
       pro ultimis ante ingressum in Domum Patris certaminibus.[136]

V. Viaticum, ultimum christiani sacramentum

1392   **1524**   Illis qui hanc vitam sunt relicturi, Ecclesia offert, praeter infir-
       morum Unctionem, Eucharistiam tamquam viaticum. Communio corpo-
       ris et sanguinis Christi, recepta hoc momento transitus ad Patrem, sen-
       sum habet et momentum peculiaria. Est semen vitae aeternae et virtus
       resurrectionis, secundum Domini verba: « Qui manducat meam carnem
       et bibit meum sanguinem, habet vitam aeternam; et ego resuscitabo
       eum in novissimo die » (*Io* 6, 54). Eucharistia, Christi mortui et resusci-
       tati sacramentum, tunc sacramentum transitus est de morte ad vitam,
       ex hoc mundo ad Patrem.[137]

1680   **1525**   Hoc modo, sicut Baptismi, Confirmationis et Eucharistiae sacra-
       menta constituunt unitatem quae « sacramenta initiationis christianae »
       appellatur, dici potest Poenitentiam, sanctam Unctionem et Eucharis-
       tiam, cum vita christiana suum attingit finem, constituere, quatenus
2299   viaticum praestant, « sacramenta quae praeparant ad Patriam » seu sa-
       cramenta quae peregrinationem complent.

Compendium

1526   « *Infirmatur quis in vobis? Advocet presbyteros Ecclesiae, et orent
       super eum, unguentes eum oleo in nomine Domini. Et oratio fidei
       salvabit infirmum, et allevabit eum Dominus; et si peccata operatus
       fuerit, dimittentur ei* » (*Iac* 5, 14-15).

1527   *Sacramentum Unctionis infirmorum habet, ut scopum, gratiam con-
       ferre specialem christiano qui difficultates experitur statui gravis
       aegritudinis vel senectutis inhaerentes.*

1528   *Opportunum ad sanctam Unctionem recipiendam tempus certo iam
       advenit, cum fidelis in mortis periculo propter aegritudinem vel
       senectutem incipit versari.*

1529   *Quoties christianus in gravem incidit morbum, sanctam Unctionem
       recipere potest, itemque cum, post illam receptam, gravescit aegritudo.*

---

[136] Cf. CONCILIUM TRIDENTINUM, Sess. 14ª, *Doctrina de sacramento extremae Unctionis*,
Prooemium: DS 1694.
[137] Cf. *Io* 13, 1.

1530   *Solummodo sacerdotes (presbyteri et Episcopi) Unctionis infirmo-*
       rum possunt conferre sacramentum; ad illud conferendum oleo utun-
       tur benedicto ab Episcopo, vel, si necessarium est, ab ipso presbyte-
       ro celebranti.

1531   *Id quod in huius sacramenti celebratione essentiale est, consistit ex*
       unctione super aegroti frontem et manus (in ritu Romano) vel
       super alias corporis partes (in Oriente), quam unctionem liturgica
       deprecatio celebrantis comitatur sacerdotis, qui specialem huius sa-
       cramenti postulat gratiam.

1532   *Specialis gratia sacramenti Unctionis infirmorum habet tamquam*
       effectus:

       — *infirmi coniunctionem cum passione Christi, pro eius et totius*
         Ecclesiae bono;
       — *solacium, pacem et virtutem ad dolores aegritudinis vel senec-*
         tutis christiano modo tolerandos;
       — *remissionem peccatorum, si aegrotus illam per Poenitentiae*
         sacramentum obtinere nequivit;
       — *valetudinis restitutionem, si id spirituali est saluti conveniens;*
       — *praeparationem ad transitum in vitam aeternam.*

CAPUT TERTIUM
SACRAMENTA IN SERVITIUM COMMUNIONIS

1212

1533 Baptismus, Confirmatio et Eucharistia sacramenta sunt christianae initiationis. Ipsa vocationem fundant communem omnium discipulorum Christi, vocationem ad sanctitatem et ad missionem evangelizationis mundi. Gratias conferunt necessarias ad vitam secundum Spiritum in hac peregrinorum vita qui procedunt versus patriam.

1534 Duo alia sacramenta, Ordo et Matrimonium, ad aliorum ordinantur salutem. Etiam ad salutem conferunt personalem, sed id efficiunt per aliorum servitium. Missionem particularem conferunt in Ecclesia et aedificationi inserviunt populi Dei.

784

1535 In his sacramentis, illi qui iam Baptismo et Confirmatione sunt *consecrati* [1] ad commune omnium fidelium sacerdotium, possunt *consecrationes* accipere particulares. Illi qui sacramentum Ordinis recipiunt, *consecrantur* « ad Ecclesiam verbo et gratia Dei pascendam » [2] in nomine Christi. Iuxta suam condicionem, « coniuges christiani ad sui status officia et dignitatem peculiari sacramento roborantur et veluti *consecrantur* ».[3]

Articulus 6

SACRAMENTUM ORDINIS

860

1536 Ordo est sacramentum per quod missio a Christo Ipsius Apostolis concredita exerceri pergit in Ecclesia usque ad finem temporum: est igitur ministerii apostolici sacramentum. Tres implicat gradus: Episcopatum, presbyteratum et diaconatum.

---

[1] Cf. Concilium Vaticanum II, Const. dogm. *Lumen gentium*, 10: AAS 57 (1965) 14.
[2] Concilium Vaticanum II, Const. dogm. *Lumen gentium*, 11: AAS 57 (1965) 15.
[3] Concilium Vaticanum II, Const. past. *Gaudium et spes*, 48: AAS 58 (1966) 1068.

[De institutione et missione ministerii apostolici a Christo cf. nn. 874-896. Hic solum agitur de via sacramentali per quam hoc transmittitur ministerium].

I. Cur hoc sacramenti Ordinis nomen?

1537 Verbum *Ordo*, in antiquitate Romana, corpora sensu civili constituta designabat, praesertim corpus eorum qui gubernant. *Ordinatio* acceptionem in quemdam designat *ordinem*. In Ecclesia corpora habentur constituta, quae Traditio, non sine fundamentis in sacra Scriptura,[4] inde ab antiquis temporibus nomine τάξεις (graece), *ordines* appellat: sic liturgia de *ordine Episcoporum* loquitur, de *ordine presbyterorum*, de *ordine diaconorum*. Alii etiam coetus hoc nomen *ordinis* accipiunt: catechumeni, virgines, coniugati, viduae... 922, 923, 1631

1538 Acceptio in quoddam ex his Ecclesiae corporibus fiebat per ritum qui *ordinatio* appellabatur, per actum nempe religiosum et liturgicum qui erat consecratio, benedictio vel sacramentum. Hodie verbum *ordinatio* reservatur actui sacramentali qui in Episcoporum, presbyterorum et diaconorum accipit ordinem et qui meram superat *electionem, designationem, delegationem* vel *institutionem* a communitate peractas, quia Spiritus Sancti confert donum quod *potestatem sacram*[5] exercere 875 sinit, et quod solum ab Ipso Christo, per Eius Ecclesiam, potest procedere. Ordinatio etiam *consecratio* appellatur, quia segregatio est et muneris collatio ab Ipso Christo pro Eius Ecclesia. *Impositio manuum* Episcopi, cum prece consecratoria, signum constituit visibile huius con- 699 secrationis.

II. Sacramentum Ordinis in Oeconomia salutis

Sacerdotium Veteris Foederis

1539 Populus electus a Deo constitutus est tamquam «regnum sacerdotum et gens sancta» (*Ex* 19, 6).[6] Sed, intra populum Israel, Deus unam ex duodecim tribubus elegit, illam Levi, pro servitio liturgico segregatam;[7] Ipse Deus pars est hereditatis eius.[8] Ritus proprius origines

[4] Cf. *Heb* 5, 6; 7, 11; *Ps* 110, 4.
[5] Cf. Concilium Vaticanum II, Const. dogm. *Lumen gentium*, 10: AAS 57 (1965) 14.
[6] Cf. *Is* 61, 6.
[7] Cf. *Nm* 1, 48-53.
[8] Cf. *Ios* 13, 33.

sacerdotii Veteris Foederis consecravit.[9] Sacerdotes in eo « pro hominibus constituuntur in his, quae sunt ad Deum, ut offerant dona et sacrificia pro peccatis ».[10]

2099   **1540**   At hoc sacerdotium, institutum ad verbum Dei annuntiandum [11]
et ad communionem cum Deo iterum stabiliendam per sacrificia et orationem, incapax manet salutem operandi, egens incessanter sacrificia ite-
rare, quin ad definitivam perveniat sanctificationem,[12] quam solummodo
sacrificium Christi operaturum erat.

1541   Ecclesiae tamen liturgia in sacerdotio Aaronis et in levitarum
servitio, sicut etiam in septuaginta « Senum » institutione,[13] praefigurationes perspicit ministerii ordinati Novi Foederis. Sic, in ritu latino,
Ecclesia orat in praefatione consecratoria ordinationis Episcoporum:

> « Deus et Pater Domini nostri Iesu Christi, [...] Tu qui dedisti in Eccle-
> sia Tua normas per verbum gratiae Tuae, qui praedestinasti ex princi-
> pio genus iustorum ab Abraham, qui constituisti principes et sacerdo-
> tes, et sanctuarium Tuum sine ministerio non dereliquisti... ».[14]

1542   In presbyterorum ordinatione, orat Ecclesia:

> « Domine, sancte Pater, [...] iam in Priore Testamento officia sacramen-
> tis mysticis instituta creverunt: ut cum Moysen et Aaron regendo et
> sanctificando populo praefecisses, ad eorum societatis et operis adiu-
> mentum sequentis ordinis et dignitatis viros eligeres. Sic in eremo, per
> septuaginta virorum prudentium mentes Moysi spiritum propagasti [...].
> Sic in filios Aaron paternae plenitudinis abundantiam transfudisti ».[15]

1543   Et in prece consecratoria pro diaconorum ordinatione, Ecclesia
confitetur:

> « Omnipotens Deus, [...] Ecclesiam Tuam [...] in augmentum templi novi
> crescere dilatarique largiris, sacris muneribus trinos gradus ministrorum

[9] Cf. *Ex* 29, 1-30; *Lv* 8.
[10] Cf. *Heb* 5, 1.
[11] Cf. *Mal* 2, 7-9.
[12] Cf. *Heb* 5, 3; 7, 27; 10, 1-4.
[13] Cf. *Nm* 11, 24-25.
[14] *Pontificale Romanum. De Ordinatione Episcopi, presbyterorum et diaconorum*, De
Ordinatione Episcopi. Prex ordinationis, 47, editio typica altera (Typis Polyglottis
Vaticanis 1990) p. 24.
[15] *Pontificale Romanum. De Ordinatione Episcopi, presbyterorum et diaconorum*, De
Ordinatione presbyterorum. Prex ordinationis, 159, editio typica altera (Typis
Polyglottis Vaticanis 1990) p. 91-92.

nomini Tuo servire constituens, sicut iam ab initio Levi filios elegisti, ad prioris tabernaculi ministerium explendum ».[16]

Unicum Christi sacerdotium

1544 Omnes praefigurationes sacerdotii Veteris Foederis suam inveniunt adimpletionem in Christo Iesu qui est « unicus [...] mediator Dei et hominum » (*1 Tim* 2, 5). Melchisedech, « sacerdos Dei altissimi » (*Gn* 14, 18), a Traditione christiana consideratur sicut praefiguratio sacerdotii Christi, qui unus est « pontifex iuxta ordinem Melchisedech » (*Heb* 5, 10; 6, 20), « sanctus, innocens, impollutus » (*Heb* 7, 26), quique « una   874 [...] oblatione consummavit in sempiternum eos, qui sanctificantur » (*Heb* 10, 14), id est, uno Suae crucis sacrificio.

1545 Sacrificium Christi redemptivum est unicum, semel pro semper   1367 peractum. Et tamen ipsum in Sacrificio eucharistico Ecclesiae fit praesens. Idem dicendum est de unico Christi sacerdotio: illud praesens fit   662 per sacerdotium ministeriale quin unicitas sacerdotii minuatur Christi: « Et ideo solus Christus est verus Sacerdos, alii autem ministri Eius ».[17]

Duae unius sacerdotii Christi participationes

1546 Christus, Summus Sacerdos et unus mediator, Ecclesiam fecit regnum sacerdotum Deo et Patri Suo.[18] Tota credentium communitas, qua talis, est sacerdotalis. Fideles suum baptismale exercent sacerdotium per   1268 suam participationem, unusquisque secundum suam propriam vocationem, missionis Christi, Sacerdotis, Prophetae et Regis. Per Baptismi et Confirmationis sacramenta, fideles « consecrantur in [...] sacerdotium sanctum ».[19]

1547 Episcoporum et presbyterorum sacerdotium ministeriale seu hie-   1142 rarchicum et commune omnium fidelium sacerdotium, quamquam « unum [...] et alterum suo peculiari modo de uno Christi sacerdotio

---

[16] *Pontificale Romanum. De Ordinatione Episcopi, presbyterorum et diaconorum*, De Ordinatione diaconorum. Prex ordinationis, 207, editio typica altera (Typis Polyglottis Vaticanis 1990) p. 121.

[17] Sanctus Thomas Aquinas, *Commentarium in epistolam ad Hebraeos*, c. 7, lect. 4: *Opera omnia*, v. 21 (Parisiis 1876) p. 647.

[18] Cf. *Apc* 1, 6; 5, 9-10; *1 Pe* 2, 5. 9.

[19] Concilium Vaticanum II, Const. dogm. *Lumen gentium*, 10: AAS 57 (1965) 14.

participant »,[20] differunt tamen essentia, quamquam « ad invicem [...] ordinantur ».[21] Quonam sensu? Dum commune fidelium sacerdotium in rem deducitur per incrementum gratiae baptismalis, vitae fidei, spei et caritatis, vitae secundum Spiritum, sacerdotium ministeriale in servitium est sacerdotii communis, ad incrementum gratiae baptismalis omnium christianorum refertur. Unum habetur ex *mediis* per quae Christus Suam Ecclesiam aedificare et ducere non desinit. Propterea per proprium transmittitur sacramentum, per Ordinis sacramentum.

1120

IN PERSONA CHRISTI-CAPITIS...

875
792

1548 In ecclesiali ministri ordinati servitio, Ipse Christus, Ecclesiae Suae est praesens, quatenus Caput Sui corporis, Pastor Sui gregis, Summus sacrificii redemptoris Sacerdos, veritatis Magister. Hoc est quod Ecclesia exprimit affirmans sacerdotem, virtute sacramenti Ordinis, *in persona Christi Capitis* agere: [22]

> « Idem itaque Sacerdos, Christus Iesus, cuius quidem sacram personam Eius administer gerit. Hic siquidem, ob consecrationem quam accepit sacerdotalem, Summo Sacerdoti assimulatur, ac potestate fruitur operandi virtute ac persona Ipsius Christi ».[23]
> « Christus autem est fons totius sacerdotii: nam sacerdos legalis erat figura Ipsius; sacerdos autem novae Legis in persona Ipsius operatur ».[24]

1549 Per ministerium ordinatum, praesertim Episcoporum et presbyterorum, praesentia Christi, tamquam Capitis Ecclesiae, in communitate credentium, visibilis fit.[25] Secundum pulchram sancti Ignatii Antiocheni locutionem, Episcopus est τύπος τοῦ Πατρός, quasi vivens imago Dei Patris.[26]

1142

1550 Haec Christi praesentia in ministro non sic debet intelligi ac si hic contra omnes humanas debilitates esset praemunitus, contra spiri-

896

---

[20] CONCILIUM VATICANUM II, Const. dogm. *Lumen gentium*, 10: AAS 57 (1965) 14.

[21] CONCILIUM VATICANUM II, Const. dogm. *Lumen gentium*, 10: AAS 57 (1965) 14.

[22] Cf. CONCILIUM VATICANUM II, Const. dogm. *Lumen gentium*, 10: AAS 57 (1965) 14; *Ibid.*, 28: AAS 57 (1965) 34; ID., Const. *Sacrosanctum Concilium*, 33: AAS 56 (1964) 108; Id., Decr. *Christus Dominus*, 11: AAS 58 (1966) 677; ID., Decr. *Presbyterorum ordinis*, 2: AAS 58 (1966) 992; *Ibid.*, 6: AAS 58 (1966) 999.

[23] PIUS XII, Litt. enc. *Mediator Dei*: AAS 14 (1947) 548.

[24] SANCTUS THOMAS AQUINAS, *Summa theologiae* 3, q. 22, a. 4, c: Ed. Leon. 11, 260.

[25] Cf. CONCILIUM VATICANUM II, Const. dogm. *Lumen gentium*, 21: AAS 57 (1965) 24.

[26] Cf. SANCTUS IGNATIUS ANTIOCHENUS, *Epistula ad Trallianos* 3, 1: SC 10bis, 96 (FUNK 1, 244); ID., *Epistula ad Magnesios* 6, 1: SC 10bis, 84 (FUNK 1, 234).

tum dominationis, contra errores, id est contra peccatum. Spiritus Sancti virtus non omnibus ministri actibus eodem modo suam dat cautionem. Dum in sacramentis, haec datur cautio, ita ut ipsum ministri peccatum fructum gratiae impedire nequeat, multi alii habentur actus in quibus humanum ministri sigillum relinquit vestigia quae non semper signum sunt fidelitatis erga Evangelium, et quae consequenter apostolicae Ecclesiae fecunditati nocere possunt.

1128
1584

1551 Hoc sacerdotium est *ministeriale*. « Munus [...] illud, quod Dominus Pastoribus populi Sui commisit, verum est *servitium* ».[27] Ad Christum et ad homines plene refertur. Plene a Christo et ab Eius dependet unico sacerdotio, et pro hominibus et Ecclesiae constitutum est communitate. Sacramentum Ordinis « sacram potestatem » communicat, quae alia non est ac illa Christi. Huius auctoritatis exercitium debet igitur secundum exemplar mensurari Christi, qui propter amorem ultimus et omnium factus est servus.[28] « Iure itaque Dominus curam gregis amoris erga Se argumentum esse dixit ».[29]

876
1538
608

...« Nomine totius Ecclesiae »

1552 Sacerdotium ministeriale non solum habet munus repraesentandi Christum — Ecclesiae Caput — coram fidelium congregatione, agit etiam totius Ecclesiae nomine, cum Deo orationem praesentat Ecclesiae[30] et maxime cum eucharisticum offert Sacrificium.[31]

1553 « Nomine *totius* Ecclesiae », hoc non significat sacerdotes delegatos esse communitatis. Ecclesiae oratio et oblatio ab oratione et oblatione Christi, Capitis eius, sunt inseparabiles. Semper est cultus Christi in Ecclesia Sua et per ipsam. Tota Ecclesia, corpus Christi, orat et se offert « per Ipsum et cum Ipso et in Ipso », in unitate Spiritus Sancti, Deo Patri. Totum corpus, *caput et membra*, orat et se offert, et propterea illi qui, in corpore, speciatim eius sunt ministri, appellantur ministri non solum Christi, sed etiam Ecclesiae. Quia sacerdotium ministeriale Christum repraesentat, potest Ecclesiam repraesentare.

795

---

[27] Concilium Vaticanum II, Const. dogm. *Lumen gentium*, 24: AAS 57 (1965) 29.
[28] Cf. *Mc* 10, 43-45; *1 Pe* 5, 3.
[29] Sanctus Ioannes Chrysostomus, *De sacerdotio* 2, 4: SC 272, 118 (PG 48, 635); cf. *Io* 21, 15-17.
[30] Cf. Concilium Vaticanum II, Const. *Sacrosanctum Concilium*, 33: AAS 56 (1964) 108.
[31] Cf. Concilium Vaticanum II, Const. dogm. *Lumen gentium*, 10: AAS 57 (1965) 14.

III. Tres sacramenti Ordinis gradus

1536
1554 « Ministerium ecclesiasticum divinitus institutum diversis ordinibus exercetur ab illis qui iam ab antiquo Episcopi, presbyteri et diaconi vocantur ».[32] Doctrina catholica, in liturgia, Magisterio et constanti Ecclesiae explicita praxi, agnoscit, duos gradus participationis ministerialis exsistere sacerdotii Christi: Episcopatum et presbyteratum. Diaconatus ad illos adiuvandos atque ad illis serviendum destinatur. Propterea verbum *sacerdos* designat, in usu hodierno, Episcopos et presbyteros, sed non diaconos. Tamen doctrina catholica docet, gradus participationis sacerdotalis (Episcopatum et presbyteratum) et gradum servitii (diaconatum) conferri, hos omnes tres, actu sacramentali qui « ordinatio »

1538
appellatur, id est, sacramento Ordinis:

> « Cuncti revereantur diaconos ut Iesum Christum, sicut et Episcopum, qui est typus Patris, presbyteros autem ut senatum Dei et concilium Apostolorum. Sine his Ecclesia non vocatur ».[33]

ORDINATIO EPISCOPALIS – PLENITUDO SACRAMENTI ORDINIS

861
1555 « Inter varia illa ministeria quae inde a primis temporibus in Ecclesia exercentur, teste traditione, praecipuum locum tenet munus illorum qui, in Episcopatum constituti, per successionem ab initio decurrentem, apostolici seminis traduces habent ».[34]

862
1556 Ad suam altam adimplendam missionem, « Apostoli speciali effusione supervenientis Spiritus Sancti a Christo ditati sunt, et ipsi adiutoribus suis per impositionem manuum donum spirituale tradiderunt, quod usque ad nos in episcopali consecratione transmissum est ».[35]

1557 Concilium Vaticanum II docet « episcopali consecratione *plenitudinem* conferri *sacramenti Ordinis*, quae nimirum et liturgica Ecclesiae consuetudine et voce sanctorum Patrum summum sacerdotium, sacri ministerii *summa* nuncupatur ».[36]

895
1558 « Episcopalis autem consecratio, cum munere sanctificandi, munera quoque confert docendi et regendi [...]. Perspicuum est manuum

---

[32] CONCILIUM VATICANUM II, Const. dogm. *Lumen gentium*, 28: AAS 57 (1965) 33-34.
[33] SANCTUS IGNATIUS ANTIOCHENUS, *Epistula ad Trallianos* 3, 1: SC 10bis, 96 (FUNK 1, 244).
[34] CONCILIUM VATICANUM II, Const. dogm. *Lumen gentium*, 20: AAS 57 (1965) 23.
[35] CONCILIUM VATICANUM II, Const. dogm. *Lumen gentium*, 21: AAS 57 (1965) 24.
[36] CONCILIUM VATICANUM II, Const. dogm. *Lumen gentium*, 21: AAS 57 (1965) 25.

impositione et verbis consecrationis gratiam Spiritus Sancti ita conferri et sacrum characterem ita imprimi, ut Episcopi, eminenti ac adspectabili modo, Ipsius Christi Magistri, Pastoris et Pontificis partes sustineant et in Eius persona agant ».[37] « Episcopi itaque, per Spiritum Sanctum qui datus est eis, veri et authentici effecti sunt fidei Magistri, Pontifices ac Pastores ».[38]

1121

1559 « Membrum Corporis episcopalis aliquis constituitur vi sacramentalis consecrationis et hierarchica communione cum Collegii capite atque membris ».[39] Indoles et *natura collegiales* ordinis episcopalis manifestantur, inter alia, vetere Ecclesiae praxi quae pro novi Episcopi consecratione vult ut plures Episcopi participent in sacro.[40] Pro legitima Episcopi ordinatione, hodie specialis Episcopi Romani requiritur interventus, ratione suae qualitatis supremi visibilis vinculi communionis Ecclesiarum particularium in una Ecclesia et sponsoris earum libertatis.

877
882

1560 Unusquisque Episcopus, tamquam Christi vicarius, pastorale habet munus Ecclesiae particularis quae ipsi est concredita, sed simul *pro* omnibus Ecclesiis sollicitudinem cum omnibus suis in Episcopatu fratribus gestat collegialiter: « Quodsi unusquisque Episcopus portionis tantum gregis sibi commissae sacer Pastor est, tamen qua legitimus Apostolorum successor ex Dei institutione et praecepto apostolici muneris Ecclesiae una cum ceteris Episcopis sponsor fit ».[41]

833
886

1561 Quidquid nunc dictum est, explicat cur Eucharistia ab Episcopo celebrata prorsus specialem habeat significationem tamquam expressionem Ecclesiae circa altare congregatae sub praesidentia illius qui visibiliter repraesentat Christum, bonum Pastorem et Caput Ecclesiae Eius.[42]

1369

[37] Concilium Vaticanum II, Const. dogm. *Lumen gentium*, 21: AAS 57 (1965) 25.

[38] Concilium Vaticanum II, Decr. *Christus Dominus*, 2: AAS 58 (1966) 674.

[39] Concilium Vaticanum II, Const. dogm. *Lumen gentium*, 22: AAS 57 (1965) 26.

[40] Cf. Concilium Vaticanum II, Const. dogm. *Lumen gentium*, 22: AAS 57 (1965) 26.

[41] Pius XII, Litt. enc. *Fidei donum*: AAS 49 (1957) 237; cf. Concilium Vaticanum II, Const. dogm. *Lumen gentium*, 23: AAS 57 (1965) 27-28; Id., Decr. *Christus Dominus*, 4: AAS 58 (1966) 674-675; *Ibid.*, 36: AAS 58 (1966) 692; *Ibid.*, 37: AAS 58 (1966) 693; Id., Decr. *Ad gentes*, 5: AAS 58 (1966) 951-952; *Ibid.*, 6: AAS 58 (1966) 952-953; *Ibid.*, 38: AAS 58 (1966) 984-986.

[42] Cf. Concilium Vaticanum II, Const. *Sacrosanctum Concilium*, 41: AAS 56 (1964) 111; Id., Const. dogm. *Lumen gentium*, 26: AAS 57 (1965) 31-32.

ORDINATIO PRESBYTERORUM – COOPERATORUM EPISCOPORUM

1562 « Christus, quem Pater sanctificavit et misit in mundum, consecrationis missionisque Suae per Apostolos Suos, eorum successores, videlicet Episcopos participes effecit, qui munus ministerii sui, vario gradu, variis subiectis in Ecclesia legitime tradiderunt ».[43] Eorum « munus ministerii, subordinato gradu, presbyteris traditum est, ut in Ordine presbyteratus constituti, ad rite explendam missionem apostolicam a Christo concreditam, *ordinis episcopalis* essent *cooperatores* ».[44]

1563 « Officium presbyterorum, utpote ordini episcopali coniunctum, participat auctoritatem qua Christus Ipse corpus Suum extruit, sanctificat et regit. Quare sacerdotium presbyterorum initiationis christianae sacramenta supponit, peculiari tamen illo sacramento confertur, quo presbyteri, unctione Spiritus Sancti, speciali charactere signantur et sic Christo Sacerdoti configurantur, ita ut in persona Christi Capitis agere valeant ».[45]

1121

1564 « Presbyteri, quamvis pontificatus apicem non habeant et in exercenda sua potestate ab Episcopis pendeant, cum eis tamen sacerdotali honore coniuncti sunt et vi sacramenti Ordinis, ad imaginem Christi, Summi atque aeterni Sacerdotis,[46] ad Evangelium praedicandum fidelesque pascendos et ad divinum cultum celebrandum consecrantur, *ut veri sacerdotes Novi Testamenti* ».[47]

611

1565 Sacerdotes, virtute sacramenti Ordinis, universalitatem participant missionis Apostolis a Christo concreditae. Donum spirituale quod in ordinatione receperunt, eos praeparat, non ad missionem quamdam limitatam et restrictam, sed ad missionem salutis amplitudinis universalis, « usque ad ultimum terrae » (*Act* 1, 8),[48] ita ut sint « animo parati ad Evangelium ubique praedicandum ».[49]

849

1566 « Suum vero munus sacrum maxime exercent in eucharistico cultu vel *synaxi*, qua in persona Christi agentes Eiusque mysterium proclamantes, vota fidelium sacrificio Capitis ipsorum coniungunt, et unicum sacrificium Novi Testamenti, Christi scilicet Sese Patri immaculatam

1369

611

[43] CONCILIUM VATICANUM II, Const. dogm. *Lumen gentium*, 28: AAS 57 (1965) 33.
[44] CONCILIUM VATICANUM II, Decr. *Presbyterorum ordinis*, 2: AAS 58 (1966) 992.
[45] CONCILIUM VATICANUM II, Decr. *Presbyterorum ordinis*, 2: AAS 58 (1966) 992.
[46] Cf. *Heb* 5, 1-10; 7, 24; 9, 11-28.
[47] CONCILIUM VATICANUM II, Const. dogm. *Lumen gentium*, 28: AAS 57 (1965) 34.
[48] CONCILIUM VATICANUM II, Decr. *Presbyterorum ordinis*, 10: AAS 558 (1966) 1007.
[49] CONCILIUM VATICANUM II, Decr. *Optatam totius*, 20: AAS 58 (1966) 726.

hostiam semel offerentis, in Sacrificio Missae usque ad Adventum Domini repraesentant et applicant ».[50] Ex hoc unico sacrificio, totum eorum sacerdotale ministerium suam haurit vim.[51]

1567 « Presbyteri, ordinis episcopalis providi cooperatores eiusque adiutorium et organum, ad populo Dei inserviendum vocati, unum *presbyterium* cum suo Episcopo constituunt, diversis quidem officiis mancipatum. In singulis localibus fidelium congregationibus Episcopum, quocum fidenti et magno animo sociantur, quodammodo praesentem reddunt eiusque munera et sollicitudinem pro parte suscipiunt et cura cotidiana exercent ».[52] Presbyteri ministerium suum exercere non possunt nisi dependentes ab Episcopo et in communione cum ipso. Oboedientiae promissio quam Episcopo in ordinationis faciunt momento et osculum pacis Episcopi ad finem liturgiae ordinationis significant, Episcopum eos tamquam suos collaboratores, suos filios, suos fratres suosque amicos considerare, eosque vicissim illi amorem debere et oboedientiam.

1462

2179

1568 « Presbyteri, per ordinationem in Ordine presbyteratus constituti, omnes inter se intima fraternitate sacramentali nectuntur; specialiter autem in dioecesi cuius servitio sub Episcopo proprio addicuntur unum presbyterium efformant ».[53] Presbyterii unitas expressionem invenit liturgicam in consuetudine, secundum quam presbyteri, in ritu ordinationis, post Episcopum, et ipsi manus imponunt.

1537

ORDINATIO DIACONORUM — « AD MINISTERIUM »

1569 « In gradu inferiori hierarchiae sistunt diaconi, quibus 'non ad sacerdotium, sed ad ministerium' manus imponuntur ».[54] Pro diacono ordinando, solus Episcopus manus imponit, ita significans diaconum in muneribus suae « diaconiae » Episcopo speciatim annecti.[55]

1570 Diaconi missionem et gratiam Christi, modo speciali, participant.[56] Ordinis sacramentum eos signat *sigillo* (« charactere ») quod ne-

1121

---

[50] CONCILIUM VATICANUM II, Const. dogm. *Lumen gentium*, 28: AAS 57 (1965) 34.

[51] Cf. CONCILIUM VATICANUM II, Decr. *Presbyterorum ordinis*, 2: AAS 58 (1966) 993.

[52] CONCILIUM VATICANUM II, Const. dogm. *Lumen gentium*, 28: AAS 57 (1965) 35.

[53] CONCILIUM VATICANUM II. Decr. *Presbyterorum ordinis*, 8: AAS 58 (1966) 1003.

[54] CONCILIUM VATICANUM II, Const. dogm. *Lumen gentium*, 29: AAS 57 (1965) 36; cf. ID., Decr. *Christus Dominus*, 15: AAS 58 (1966) 679.

[55] Cf. SANCTUS HIPPOLYTUS ROMANUS, *Traditio apostolica*, 8: ed. B. BOTTE (Münster i.W. 1989) p. 22-24.

[56] Cf. CONCILIUM VATICANUM II, Const. dogm. *Lumen gentium*, 41: AAS 57 (1965) 46; ID., Decr. *Ad gentes*, 16: AAS 58 (1966) 967.

mo delere potest et quod eos configurat Christo qui factus est « diaconus », id est, omnium minister.[57] Ad diaconos pertinent, inter alia, Episcopo et presbyteris in mysteriorum divinorum celebratione assistere, maxime Eucharistiae, eamque distribuere, Matrimonio assistere idque benedicere, Evangelium proclamare et praedicare, exsequiis praesidere atque se diversis caritatis consecrare servitiis.[58]

1579

1571 Post Concilium Vaticanum II, ab Ecclesia latina diaconatus « tamquam proprius ac permanens gradus hierarchiae »[59] est iterum stabilitus, dum Ecclesiae Orientales illum semper servaverant. Hic *diaconatus permanens*, qui viris coniugatis conferri potest, Ecclesiam multum ad eius ditavit missionem. Re vera, aptum est et utile, viros qui in Ecclesia ministerium vere diaconale explent sive in vita liturgica et pastorali sive in operibus socialibus et caritativis « per impositionem manuum inde ab Apostolis traditam corroborari et altari arctius coniungi, ut ministerium suum per gratiam sacramentalem diaconatus efficacius expleant ».[60]

IV. Huius sacramenti celebratio

1572 Celebratio ordinationis Episcopi, presbyterorum vel diaconorum, propter suum pro vita Ecclesiae particularis momentum, fidelium postulat concursum quam maximum sit possibile. Die Dominica et in cathedrali ecclesia potissimum peragetur cum sollemnitate adiunctis accommodata. Tres ordinationes, Episcopi nempe, presbyteri et diaconi, idem sequuntur schema. Earum locus intra eucharisticam est liturgiam.

699

1585

1573 *Ritus essentialis* sacramenti Ordinis, pro tribus gradibus, impositione manuum ab Episcopo super caput ordinandi peracta constituitur atque prece consecratoria specifica quae a Deo effusionem postulat Spiritus Sancti Eiusque dona ministerio, ad quod candidatus ordinatur, accommodata.[61]

1574 Sicut in omnibus sacramentis, ritus quidam annexi celebrationem circumdant. In diversis traditionibus liturgicis magnopere variantes, in communi ha-

---

[57] Cf. *Mc* 10, 45; *Lc* 22, 27; Sanctus Polycarpus Smyrnensis, *Epistula ad Philippenses* 5, 2: SC 10bis 182 (Funk 1, 300).
[58] Cf. Concilium Vaticanum II, Const. dogm. *Lumen gentium*, 29: AAS 57 (1965) 36; Id., Const. *Sacrosanctum Concilium*, 35, 4: AAS 56 (1964) 109; Id., Decr. *Ad gentes*, 16: AAS 58 (1966) 967.
[59] Concilium Vaticanum II, Const. dogm. *Lumen gentium*, 29: AAS 57 (1965) 36.
[60] Concilium Vaticanum II, Decr. *Ad gentes*, 16: AAS 58 (1966) 967.
[61] Cf. Pius XII, Const. ap. *Sacramentum ordinis*: DS 3858.

bent, eos multiplices exprimere gratiae sacramentalis rationes. Sic, in ritu latino, ritus initiales — ordinandi presentatio et electio, Episcopi allocutio, ordinandi interrogatorium, sanctorum litaniae — testantur candidati electionem secundum usum Ecclesiae esse factam actumque sollemnem praeparant consecrationis, post quam plures sequuntur ritus ut mysterium adimpletum exprimant et symbolice perficiant: pro Episcopo et presbytero unctio sancto chrismate, signum specialis **1294** unctionis Spiritus Sancti qui fecundum eorum reddit ministerium; libri Evangeliorum, anuli, mitrae et baculi traditio Episcopo tamquam signum eius missionis apostolicae annuntiandi verbum Dei, eius fidelitatis erga Ecclesiam, Sponsam **796** Christi, eius muneris pastoris gregis Domini; presbytero traditio patenae et calicis, oblationis plebis sanctae,[62] ad quam Deo praesentandam vocatur; traditio libri Evangeliorum diacono qui missionem iam accepit Evangelium Christi nuntiandi.

V. Quis potest hoc sacramentum conferre?

1575 Christus Apostolos elegit eisque in Sua missione Suaque auctoritate dedit participationem. Ad dexteram Patris elevatus, gregem Suum non deserit, sed eum per Apostolos sub continua Sua custodit protec- **857** tione et adhuc per hos eosdem dirigit Pastores qui hodie Eius opus prosequuntur.[63] Christus igitur quosdam « dat » esse Apostolos, alios autem Pastores.[64] Ipse per Episcopos agere pergit.[65]

1576 Quia sacramentum Ordinis est ministerii apostolici sacramentum, **1536** ad Episcopos, quatenus Apostolorum successores, pertinet « donum spirituale »,[66] « apostolici seminis traduces » [67] transmittere. Episcopi valide ordinati, id est, illi qui in successione sunt apostolica, valide tres sacramenti Ordinis conferunt gradus.[68]

---

[62] Cf. *Pontificale Romanum. De Ordinatione Episcopi, presbyterorum et diaconorum,* De Ordinatione presbyterorum. Traditio panis et vini, 163, editio typica altera (Typis Polyglottis Vaticanis 1990) p. 95.

[63] Cf. *Praefatio de Apostolis I: Missale Romanum,* editio typica (Typis Polyglottis Vaticanis 1970) p. 426.

[64] Cf. *Eph* 4, 11.

[65] Cf. Concilium Vaticanum II, Const. dogm. *Lumen gentium,* 21: AAS 57 (1965) 24.

[66] Concilium Vaticanum II, Const. dogm. *Lumen gentium,* 21: AAS 57 (1965) 24.

[67] Concilium Vaticanum II, Const. dogm. *Lumen gentium,* 20: AAS 57 (1965) 23.

[68] Cf. Innocentius III, *Professio fidei Waldensibus praescripta*: DS 794; Concilium Lateranense IV, Cap. 1, *De fide catholica*: DS 802; CIC canon 1012; CCEO, canones 744. 747.

VI. Quis potest hoc recipere sacramentum?

1577   « Sacram ordinationem valide recipit solus vir baptizatus ».[69] Dominus Iesus viros elegit ad efformandum duodecim Apostolorum collegium,[70] atque idem fecerunt Apostoli cum elegerunt collaboratores,[71] qui
eis in eorum succederent munere.[72] Episcoporum collegium cum quo
presbyteri in sacerdotio sunt coniuncti, praesens, usque ad Christi reditum, reddit et actuale efficit Duodecim collegium. Ecclesia se agnoscit
huius electionis Ipsius Domini vinculo alligatam. Hac de causa, mulierum ordinatio possibilis non est.[73]

1578   Nemo habet *ius* sacramentum Ordinis recipiendi. Re vera, nemo
sibi hoc sumit munus. Ad illud fit a Deo vocatio.[74] Qui signa vocationis
Dei ad ministerium ordinatum agnoscere putat, suum optatum humiliter
submittere debet Ecclesiae auctoritati, ad quam pertinent responsabilitas
et ius aliquem vocandi ad ordines recipiendos. Sicut omnis gratia, hoc
sacramentum *recipi* non potest nisi tamquam donum immeritum.

1579   Omnes Ecclesiae latinae ministri ordinati, praeter diaconos permanentes, modo normali inter fideles viros eliguntur qui ut coelibes vivunt et voluntatem habent *coelibatum* servandi « propter Regnum caelorum » (*Mt* 19, 12). Vocati ut sine divisione Domino consecrentur et illis
quae sunt Eius,[75] se totos Deo et hominibus tradunt. Coelibatus signum
est huius novae vitae in cuius servitium minister consecratur Ecclesiae;
laeto acceptus corde, modo splendenti Regnum annuntiat Dei.[76]

1580   In Ecclesiis Orientalibus, inde a saeculis, disciplina viget diversa:
dum Episcopi solum inter coelibes eliguntur, viri coniugati possunt diaconi et presbyteri ordinari. Haec praxis, a longo tempore, legitima habetur; hi presbyteri ministerium in suis communitatibus exercent fruc-

---

[69] CIC canon 1024.
[70] Cf. *Mc* 3, 14-19; *Lc* 6, 12-16.
[71] Cf. *1 Tim* 3, 1-13; *2 Tim* 1, 6; *Tit* 1, 5-9.
[72] Cf. SANCTUS CLEMENS ROMANUS, *Epistula ad Corinthios* 42, 4: SC 167, 168-170
(FUNK 1, 152); *Ibid.*, 44, 3: SC 167, 172 (FUNK 1, 156).
[73] Cf. IOANNES PAULUS II, Ep. ap. *Mulieris dignitatem*, 26-27: AAS 80 (1988) 1715-
1720; ID., Ep. ap. *Ordinatio sacerdotalis*: AAS 86 (1994) 545-548; SACRA CONGRE-
GATIO PRO DOCTRINA FIDEI, Decl. *Inter insigniores*: AAS 69 (1977) 98-116; Id.,
*Responsum ad dubium circa doctrinam in Epist. Ap. « Ordinatio Sacerdotalis » tradi-
tam*: AAS 87 (1995) 1114.
[74] Cf. *Heb* 5, 4.
[75] Cf. *1 Cor* 7, 32.
[76] Cf. CONCILIUM VATICANUM II, Decr. *Presbyterorum ordinis*, 16: AAS 58 (1966)
1015-1016.

tuosum.[77] Ceterum, coelibatus presbyterorum in Ecclesiis Orientalibus valde est in honore, et plures presbyteri illum propter Regnum Dei libere elegerunt. In Oriente, sicut in Occidente, qui sacramentum recepit Ordinis, non potest iam matrimonium contrahere.

VII. Effectus sacramenti Ordinis

CHARACTER INDELEBILIS

1581 Hoc sacramentum ordinandum Christo per gratiam Spiritus Sancti configurat specialem, ut sit instrumentum Christi pro Eius Ecclesia. Per ordinationem recipitur capacitas agendi tamquam Christi legatus, Capitis Ecclesiae, in Eius triplici munere sacerdotis, prophetae et regis.   *1548*

1582 Sicut in Baptismo et Confirmatione, haec participatio muneris Christi semel pro semper praebetur. Sacramentum Ordinis confert, et ipsum, *characterem spiritualem indelebilem* et iterari non potest nec ad tempus conferri.[78]   *1121*

1583 Valide ordinatus potest certe, gravibus de causis, ab obligationibus et muneribus exonerari ordinationi coniunctis vel prohiberi ne ea exerceat,[79] sed non potest, sensu stricto, laicus rursus fieri quia impressus ordinatione character manet semper.[80] Vocatio et missio receptae die eius ordinationis eum permanenti modo signant.

1584 Quia Christus est qui ultimo agit et operatur salutem per ministrum ordinatum, huius indignitas non impedit quominus Christus agat.[81] Sanctus Augustinus id firmiter asserit: *1128*

> « Qui vero fuerit superbus minister, cum zabulo computatur; sed non contaminatur donum Christi, quod per illum fluit purum, quod per illum transit liquidum venit ad fertilem terram. [...] Spiritalis enim virtus   *1550*

---

[77] Cf. CONCILIUM VATICANUM II, Decr. *Presbyterorum ordinis*, 16: AAS 58 (1966) 1015.
[78] Cf. CONCILIUM TRIDENTINUM, Sess. 23ᵃ, *Doctrina de sacramento Ordinis*, c. 4: DS 1767; CONCILIUM VATICANUM II, Const. dogm. *Lumen gentium*, 21: AAS 57 (1965) 25; *Ibid.*, 28: AAS 57 (1965) 34; *Ibid.*, 29: AAS 57 (1965) 36; ID., Decr. *Presbyterorum ordinis*, 2: 58 (1966) 992.
[79] CIC canones 290-293. 1336, § 1, 3 et 5. 1338, § 2.
[80] Cf. CONCILIUM TRIDENTINUM, Sess. 23ᵃ, *Canones de sacramento Ordinis*, canon 4: DS 1774.
[81] Cf. CONCILIUM TRIDENTINUM, Sess. 7ᵃ, *Canones de sacramentis in genere*, canon 12: DS 1612; CONCILIUM CONSTANTIENSE, *Errores Iohannis Wyclif*, 4: DS 1154.

sacramenti ita est ut lux: et ab illuminandis pura excipitur, et si per immundos transeat, non inquinatur ».[82]

GRATIA SPIRITUS SANCTI

1585   Spiritus Sancti gratia huic sacramento propria est illa configurationis ad Christum Sacerdotem, Magistrum et Pastorem, cuius ordinatus constituitur minister.

1586   Pro Episcopo est imprimis gratia roboris (« Spiritum principalem » seu Spiritum qui principes constituit, petit oratio consecrationis Episcopi in ritu latino[83]): illa ducendi suam Ecclesiam eamque defendendi fortiter et prudenter sicut pater et pastor, cum amore erga omnes gratuito et praedilectione erga pauperes, infirmos et egenos.[84] Haec gratia illum impellit ut Evangelium omnibus nuntiet, ut gregi suo sit exemplar, ut illum in via sanctificationis praecedat, se in Eucharistia cum Christo Sacerdote et Victima unum efficiens, quin timeat pro ovibus suis dare vitam:

2448

1558

« Da, cordis cognitor Pater, super hunc servum Tuum, quem elegisti ad Episcopatum, pascere gregem sanctum Tuum, et primatum sacerdotii Tibi exhibere sine reprehensione, servientem noctu et die, incessanter repropitiari vultum Tuum et offerre dona sanctae Ecclesiae Tuae, spiritu primatus sacerdotii habere potestatem dimittere peccata secundum mandatum Tuum, dare sortes secundum praeceptum Tuum, solvere etiam omnem colligationem secundum potestatem quam dedisti Apostolis, placere autem Tibi in mansuetudine et mundo corde, offerentem Tibi odorem suavitatis, per Puerum Tuum Iesum Christum... ».[85]

1564

1587   Donum spirituale, quod ordinatio confert presbyteralis, hac oratione ritui Byzantino propria exprimitur. Episcopus, manus imponens, dicit inter alia:

« Ipse Domine, etiam et istum quem Tibi presbyteri gradum subire complacuit, dono Sancti Tui Spiritus adimple, ut inculpate sancto Tuo

---

[82] SANCTUS AUGUSTINUS, *In Iohannis evangelium tractatus* 5, 15: CCL 36, 50 (PL 35, 1422).

[83] *Pontificale Romanum. De Ordinatione Episcopi, presbyterorum et diaconorum*, De Ordinatione Episcopi. Prex ordinationis, 47, editio typica altera (Typis Polyglottis Vaticanis 1990) p. 24.

[84] CONCILIUM VATICANUM II, Decr. *Christus Dominus*, 13: AAS 58 (1966) 678-679; *Ibid.*, 16: AAS 58 (1966) 680-681.

[85] SANCTUS HIPPOLYTUS ROMANUS, *Traditio apostolica*, 3: ed. B. Botte (Münster i.W. 1989) p. 8-10.

altari assistere dignus fiat, Regni Tui Evangelium annuntiare, veritatis Tuae verbum sanctificare, dona et hostias spirituales Tibi offerre, populumque Tuum per lavacrum regenerationis innovare; ut et ipse in secundo magni Dei et Salvatoris nostri Iesu Christi Filii Tui unigeniti Adventu occurrens, rectae administrationis proprii nimirum sibi ordinis, in multitudine bonitatis Tuae, mercedem accipiat ».[86]

1588   Diaconi vero « gratia [...] sacramentali roborati, in diaconia liturgiae, verbi et caritatis populo Dei, in communione cum Episcopo eiusque presbyterio, inserviunt ».[87]   1569

1589   Coram gratiae et muneris sacerdotalium magnitudine, sancti doctores urgentem ad conversionem sunt experti vocationem ut tota vita sua corresponderent Ei, cuius sacramentum illos constituit ministros. Sic sanctus Gregorius Nazianzenus, tunc admodum iuvenis presbyter, exclamat:

« Purgari prius oportet, deinde purgare; sapientia instrui, atque ita demum alios sapientia instruere; lux fieri, et alios illuminare; ad Deum appropinquare, et ita alios adducere; sanctificari, et postea sanctificare; cum manibus ducere, cum prudentia consilium dare ».[88] « Scio, cuius ministri sumus, et ubi iacentes, et quo mittentes. Scio, quae Dei sublimitas, quae humana infirmitas, ac rursum potentia sit ».[89] [Quis est ergo sacerdos? Est] veritatis propugnator, qui cum angelis stabit, cum archangelis glorificabit, ad supernum altare sacrificia transmittet, cum Christo sacerdotio fungetur, figmentum instaurabit, imaginem exhibebit, superno mundo opificem aget, et, ut, quod maius est, dicam, *deus erit,* aliosque deos efficiet ».[90]   460

Et sanctus Parochus pagi Ars: « Sacerdos opus Redemptionis hic in terris prosequitur ». [...] « Si quis hic in terris bene intelligeret sacerdotem, moreretur non ex metu, sed ex amore ». [...] « Sacerdotium est cordis Iesu amor ».[91]   1551

Compendium

1590   *Sanctus Paulus suo discipulo Timotheo dicit: « Admoneo te, ut resuscites donationem Dei, quae est in te per impositionem manuum*

---

[86] *Liturgia Byzantina. 2 oratio chirotoniae presbyteralis*: Εὐχολόγιον τὸ μέγα (Roma 1873) p. 136.
[87] Concilium Vaticanum II, Const. dogm. *Lumen gentium*, 29: AAS 57 (1965) 36.
[88] Sanctus Gregorius Nazianzenus, *Oratio* 2, 71: SC 247, 184 (PG 35, 480).
[89] Sanctus Gregorius Nazianzenus, *Oratio* 2, 74: SC 247, 186 (PG 35, 481).
[90] Sanctus Gregorius Nazianzenus, *Oratio* 2, 73: SC 247, 186 (PG 35, 481).
[91] B. Nodet, *Le Curé d'Ars. Sa pensée-son coeur* (Le Puy 1966) p. 98.

mearum» (*2 Tim* 1, 6), *et* «*si quis Episcopatum appetit, bonum opus desiderat*» (*1 Tim* 3, 1). *Ad Titum dicebat:* «*Huius rei gratia reliqui te Cretae, ut ea, quae desunt, corrigas et constituas per civitates presbyteros, sicut ego tibi disposui*» (*Tit* 1, 5).

1591   *Tota Ecclesia populus est sacerdotalis. Propter Baptismum, omnes fideles sacerdotium participant Christi. Haec participatio* «*sacerdotium commune fidelium*» *appellatur. Super eius fundamento et in eius servitium alia exsistit missionis Christi participatio, illa ministerii collati sacramento Ordinis, cuius munus est, nomine et in persona Christi Capitis, in communitate servire.*

1592   *Sacerdotium ministeriale essentialiter a sacerdotio fidelium differt communi propterea quod sacram potestatem in fidelium confert servitium. Ministri ordinati suum erga populum Dei servitium exercent per doctrinam* (munus docendi), *cultum divinum* (munus liturgicum) *et per pastoralem gubernationem* (munus regendi).

1593   *Inde ab originibus, ministerium ordinatum in tribus gradibus collatum est et exercitum: in illo Episcoporum, in illo presbyterorum et in illo diaconorum. Ministeria per ordinationem collata pro organica Ecclesiae structura non possunt substitui: sine Episcopo, presbyteris et diaconis de Ecclesia sermo esse nequit.*[92]

1594   *Episcopus sacramenti Ordinis recipit plenitudinem quae eum in Collegium inserit episcopale eumque efficit visibile caput Ecclesiae particularis quae ei concredita est. Episcopi, quatenus Apostolorum successores et Collegii membra, responsabilitatem apostolicam participant et missionem totius Ecclesiae sub auctoritate Romani Pontificis, Successoris sancti Petri.*

1595   *Presbyteri in dignitate sacerdotali cum Episcopis coniunguntur simulque ab illis dependent in suorum munerum pastoralium exercitio; vocati sunt ut providi Episcoporum sint cooperatores; circa suum Episcopum* presbyterium *constituunt, quod cum illo responsabilitatem sustinet Ecclesiae particularis. Ab Episcopo officium communitatis accipiunt paroecialis vel munus ecclesiale concretum.*

1596   *Diaconi sunt ministri ordinati ad munera servitii Ecclesiae; sacerdotium non accipiunt ministeriale, sed ordinatio illis confert munera*

[92] Cf. Sanctus Ignatius Antiochenus, *Epistula ad Trallianos* 3, 1: SC 10bis, 96 (Funk 1, 244).

magni momenti in ministerio verbi, cultus divini, pastoralis guberna-
tionis et servitii caritatis, quae quidem munera sub auctoritate
pastorali sui Episcopi debent explere.

1597 *Sacramentum Ordinis per manuum impositionem confertur quam*
oratio sollemnis sequitur consecratoria quae a Deo pro ordinando
postulat gratias Spiritus Sancti ad eius ministerium requisitas. Ordi-
natio characterem sacramentalem imprimit indelebilem.

1598 *Ecclesia sacramentum Ordinis solummodo baptizatis confert viris,*
quorum aptitudines ad ministerii exercitium rite recognitae sunt. Ad
Ecclesiae auctoritatem pertinent responsabilitas et ius aliquem
vocandi ad ordines recipiendos.

1599 *In Ecclesia latina, sacramentum Ordinis pro presbyteratu normali*
modo nonnisi candidatis confertur qui dispositi sunt ad coelibatum
libere amplectendum et publice suam manifestant voluntatem eum
servandi propter Regni Dei et servitii hominum amorem.

1600 *Ad Episcopos pertinet Ordinis sacramentum in tribus conferre gra-*
dibus.

Articulus 7

SACRAMENTUM MATRIMONII

1601 « Matrimoniale foedus, quo vir et mulier inter se totius vitae
consortium constituunt, indole sua naturali ad bonum coniugum atque
ad prolis generationem et educationem ordinatum, a Christo Domino
ad sacramenti dignitatem inter baptizatos evectum est ».[93]

I. Matrimonium in consilio Dei

1602 Sacra Scriptura creatione viri et mulieris ad imaginem et similitu-   369
dinem Dei incipit[94] et visione « nuptiarum Agni » (*Apc* 19, 9)[95] conclu-   796
ditur. Ab initio usque ad finem, Scriptura de Matrimonio atque de eius
loquitur mysterio, de eius institutione et de sensu quem Deus illi dedit,

---

[93] CIC canon 1055, § 1.
[94] Cf. *Gn* 1, 26-27.
[95] Cf. *Apc* 19, 7.

de eius origine et fine, de eius diversis adimpletionibus per decursum historiae salutis, de eius difficultatibus e peccato ortis et de eius renovatione « in Domino » (*1 Cor* 7, 39), in Novo Christi et Ecclesiae Foedere.[96]

MATRIMONIUM IN CREATIONIS ORDINE

1603   « Intima communitas vitae et amoris coniugalis, a Creatore condita [est] suisque legibus instructa [...]. Ipse [...] Deus est auctor matrimonii ».[97] Vocatio ad matrimonium in ipsa natura viri et mulieris est inscripta, quales e manu Creatoris orti sunt. Matrimonium institutio mere humana non est, non obstantibus variationibus non paucis quas ipsum passum est per saeculorum decursum in diversis culturis, structuris socialibus et spiritualibus habitibus. Hae diversitates efficere non debent ut lineamenta communia et permanentia oblivioni mandentur. Licet non ubique huius institutionis dignitas eadem claritate illucescat,[98] in omnibus tamen culturis quidam de magnitudine unionis matrimonialis est sensus. « Salus personae et societatis humanae ac christianae arcte cum fausta condicione communitatis coniugalis et familiaris connectitur ».[99]

371

2331

2210

1604   Deus qui hominem ex amore creavit, eum etiam vocavit ad amorem, qui fundamentalis et innata omnis humanae personae est vocatio. Homo etenim ad imaginem et similitudinem Dei est creatus [100] qui Ipse « Caritas est » (*1 Io* 4, 8. 16). Cum Deus eum virum et mulierem creaverit, eorum mutuus amor imago fit amoris absoluti et indefectibilis quo Deus amat hominem. Hic est bonus, immo valde bonus, ante Creatoris oculos.[101] Et hic amor, quem Deus benedicit, destinatur ut fecundus sit atque ut in opere communi custodiae creationis deducatur in rem: « Benedixitque illis Deus et ait illis: 'Crescite et multiplicamini et replete terram et subicite eam' » (*Gn* 1, 28).

355

372   1605   Virum et mulierem alterum pro altero creatos esse sacra asserit Scriptura: « Non est bonum esse hominem solum » (*Gn* 2, 18). Mulier, « caro de carne » eius,[102] id est, ei par, ei omnino proxima, illi a Deo do-

---

[96] Cf. *Eph* 5, 31-32.
[97] CONCILIUM VATICANUM II, Const. past. *Gaudium et spes*, 48: AAS 58 (1966) 1067.
[98] Cf. CONCILIUM VATICANUM II, Const. past. *Gaudium et spes*, 47: AAS 58 (1966) 1067.
[99] CONCILIUM VATICANUM II, Const. past. *Gaudium et spes*, 47: AAS 58 (1966) 1067.
[100] Cf. *Gn* 1, 27.
[101] Cf. *Gn* 1, 31.
[102] Cf. *Gn* 2, 23.

natur tamquam « adiutorium »,[103] Deum sic repraesentans, a quo nostrum est auxilium.[104] « Quam ob rem relinquet vir patrem suum et matrem et adhaerebit uxori suae; et erunt in carnem unam » (*Gn* 2, 24). Ipse Dominus ostendit hoc significare unitatem utriusque vitae indefectibilem, in memoriam revocans quale « ab initio » fuerit Creatoris consilium: [105] « Itaque iam non sunt duo sed una caro » (*Mt* 19, 6).

1614

Matrimonium sub peccati regimine

1606 Omnis homo circa se et in se ipso mali habet experientiam. Haec experientia in relationibus etiam percipitur inter virum et mulierem. Omni tempore, eorum unionem discordia, dominationis spiritus, infidelitas, invidia et conflictus minantur qui usque ad odium et rupturam possunt pervenire. Haec inordinatio modo plus minusve acuto manifestari potest atque plus minusve potest superari secundum culturas, aetates, individua, sed indolem universalem videtur certo habere.

1607 Secundum fidem, haec inordinatio, quam modo doloroso percipimus, e viri et mulieris non provenit *natura* neque ex natura relationum eorum, sed ex *peccato*. Primum peccatum, abruptio a Deo, tamquam primam habet consequentiam abruptionem originalis communionis viri et mulieris. Eorum necessitudines mutuis detorquentur obiurgationibus; [106] eorum mutua attractio, proprium Creatoris donum,[107] in dominationis et cupiditatis mutatur relationes; [108] pulchra vocatio viri et mulieris ut fecundi sint, multiplicentur et terram subiiciant,[109] poenis gravatur partus et laboris ad panem obtinendum.[110]

1849

400

1608 Creationis tamen subsistit ordo, quamquam graviter perturbatus. Ad vulnera peccati sananda, vir et mulier egent adiutorio gratiae quam Deus, in Sua infinita misericordia, nunquam eis recusavit.[111] Sine hoc adiumento, vir et mulier pervenire non possunt ad vitarum suarum efficiendam unionem, ad quam « ab initio » Deus eos creavit.

55

---

[103] Cf. *Gn* 2, 18.
[104] Cf. *Ps* 121, 2.
[105] Cf. *Mt* 19, 4.
[106] Cf. *Gn* 3, 12.
[107] Cf. *Gn* 2, 22.
[108] Cf. *Gn* 3, 16.
[109] Cf. *Gn* 1, 28.
[110] Cf. *Gn* 3, 16-19.
[111] Cf. *Gn* 3, 21.

Matrimonium sub Legis paedagogia

410   1609   Deus in Sua misericordia hominem peccatorem non dereliquit. Poenae quae peccatum sunt secutae, dolores partus,[112] labor « in sudore vultus tui » (*Gn* 3, 19) remedia etiam constituunt quae peccati minuunt damna. Post lapsum, matrimonium adiuvat ad superandum recessum in se ipsum, « egoismum » sui amorem, conquisitionem propriae voluptatis, atque ad se alteri aperiendum, ad mutuum adiutorium, ad sui donum.

1963, 2387   1610   Conscientia moralis relate ad matrimonii unitatem et indissolubilitatem sub Legis veteris paedagogia est aucta. Patriarcharum et regum polygamia nondum expresse reiicitur. Tamen Lex Moysi tradita tendit ad mulierem contra arbitrium dominatus viri defendendam, quamvis et ipsa etiam secum ferat, iuxta Domini verbum, vestigia « duritiae cordis » viri, propter quam Moyses mulieris permisit repudium.[113]

219, 2380   1611   Prophetae, Foedus Dei cum Israel sub coniugalis amoris exclusivi et fidelis perspicientes imagine,[114] populi electi praeparaverunt conscientiam ad profundiorem unicitatis et indissolubilitatis matrimonii intelligentiam.[115] Libri Ruth atque Thobis testimonia commoventia prae2361   bent de alto matrimonii sensu, de fidelitate et teneritudine coniugum. Traditio in Cantico Canticorum expressionem semper vidit singularem amoris humani, quatenus hic repercussio est amoris Dei, amoris qui « fortis est ut mors » et quem « aquae multae non potuerunt exstinguere » (*Ct* 8, 6-7).

Matrimonium in Domino

521   1612   Nuptiale Foedus inter Deum et Eius populum Israel Novum et aeternum praeparaverat Foedus, in quo Filius Dei, Se incarnans Suamque donans vitam, totum genus humanum ab Ipso salvatum quodammodo Sibi coniunxit,[116] sic « nuptias Agni » praeparans.[117]

1613   Iesus, in Suae vitae publicae limine, Suum primum signum — ob matris Suae petitionem — in quodam matrimonii festo est operatus.[118]

---

[112] Cf. *Gn* 3, 16.
[113] Cf. *Mt* 19, 8; *Dt* 24, 1.
[114] Cf. *Os* 1-3; *Is* 54; 62; *Ier* 2-3; 31; *Ez* 16; 23.
[115] Cf. *Mal* 2, 13-17.
[116] Cf. Concilium Vaticanum II, Const. past. *Gaudium et spes*, 22: AAS 58 (1966) 1042.
[117] Cf. *Apc* 19, 7 et 9.
[118] Cf. *Io* 2, 1-11.

Ecclesia magni fecit Iesu praesentiam in nuptiis Canae. Ibi confirmationem perspicit bonitatis matrimonii ibique annuntiari matrimonium exinde signum efficax praesentiae Christi esse futurum.

1614   Iesus, in praedicatione Sua, sine ambiguitate docuit originalem sensum unionis viri et mulieris, qualem ab initio eam voluit Creator: permissio, a Moyse concessa, propriam repudiandi uxorem, cordis duritiae erat concessio; [119] matrimonialis viri et mulieris coniunctio indissolubilis est: Deus Ipse eam perfecit: « Quod ergo Deus coniunxit, homo non separet » (*Mt* 19, 6). 2336
2382

1615   Haec haud ambigua in vinculi matrimonialis indissolubilitate instantia perplexitatem inducere potuit et quasi exigentia videri quae effici nequit.[120] Tamen Iesus coniugibus non imposuit pondus quod ferri non possit et nimis grave,[121] Lege Moysis onerosius. Veniens ad initialem creationis ordinem, peccato perturbatum, restaurandum, Ipse vim praebet et gratiam ad vivendum in matrimonio secundum novam Regni Dei rationem. Coniuges, Christum sequentes, sibi ipsis abrenuntiantes, suam crucem super se tollentes,[122] « capere » [123] poterunt originalem matrimonii sensum et cum Christi adiutorio vivere iuxta illum. Haec Matrimonii christiani gratia fructus est crucis Christi, quae totius vitae christianae est fons. 2364

1642

1616   Apostolus Paulus hoc praebet intelligendum dicens: « Viri, diligite uxores, sicut et Christus dilexit Ecclesiam et Seipsum tradidit pro ea, ut illam sanctificaret » (*Eph* 5, 25-26), statim adiungens: « 'Propter hoc relinquet homo patrem et matrem et adhaerebit uxori suae, et erunt duo in carne una'. Mysterium hoc magnum est; ego autem dico de Christo et Ecclesia! » (*Eph* 5, 31-32).

1617   Tota vita christiana signum amoris sponsalis fert Christi et Ecclesiae. Iam Baptismus, in populum Dei ingressus, mysterium est nuptiale: est quasi nuptiarum lavacrum [124] quod nuptiarum praecedit convivium, Eucharistiam. Matrimonium christianum, e parte sua, signum fit efficax, sacramentum Foederis Christi et Ecclesiae. Quia eius significat 796

---

[119] Cf. *Mt* 19, 8.
[120] Cf. *Mt* 19, 10.
[121] Cf. *Mt* 11, 29-30.
[122] Cf. *Mc* 8, 34.
[123] Cf. *Mt* 19, 11.
[124] Cf. *Eph* 5, 26-27.

et communicat gratiam, Matrimonium inter baptizatos verum est Novi Foederis sacramentum.[125]

VIRGINITAS PROPTER REGNUM

2232   1618   Christus totius vitae christianae est centrum. Vinculum cum Ipso primum locum obtinet relate ad omnia alia vincula familiaria vel socialia.[126] Ab Ecclesiae initio, viri exstiterunt et mulieres qui magno matri-
1579   monii abrenuntiaverunt bono ut Agnum sequerentur quocumque iret,[127] ut de rebus Domini haberent curam, ut Ei studerent placere,[128] ut irent obviam Sponso qui venit.[129] Ipse Christus quosdam invitavit ut Eum in hoc sequerentur vitae genere, cuius Ipse permanet exemplar:

> « Sunt enim eunuchi, qui de matris utero sic nati sunt; et sunt eunuchi, qui facti sunt ab hominibus; et sunt eunuchi, qui seipsos castraverunt propter Regnum caelorum. Qui potest capere, capiat » (*Mt* 19, 12).

922-924   1619   Virginitas propter Regnum caelorum est gratiae baptismalis explicatio, signum potens praeeminentiae vinculi cum Christo atque ardentis exspectationis reditus Eius, signum quod etiam revocat in memoriam matrimonium realitatem esse praesentis saeculi quod praeterit.[130]

1620   Utrumque, Matrimonii sacramentum et virginitas propter Regnum Dei, ab Ipso Domino provenit. Ipse illis significationem praebet et
2349   gratiam tribuit necessariam ad vivendum in eis secundum voluntatem Eius.[131] Virginitatis propter Regnum aestimatio[132] et christiana Matrimonii significatio inseparabiles sunt et sibi mutuo favent:

> « Qui matrimonium damnat, is virginitatis etiam gloriam carpit; qui laudat, is virginitatem admirabiliorem [...] reddit. Nam quod deterioris

---

[125] Cf. CONCILIUM TRIDENTINUM, Sess. 24ª, *Doctrina de sacramento Matrimonii*: DS 1800; CIC canon 1055, § 1.
[126] Cf. *Lc* 14, 26; *Mc* 10, 28-31.
[127] Cf. *Apc* 14, 4.
[128] Cf. *1 Cor* 7, 32.
[129] Cf. *Mt* 25, 6.
[130] Cf. *Mc* 12, 25; *1 Cor* 7, 31.
[131] Cf. *Mt* 19, 3-12.
[132] Cf. CONCILIUM VATICANUM II, Const. dogm. *Lumen gentium*, 42: AAS 57 (1965) 48; ID., Decr. *Perfectae caritatis*, 12: AAS 58 (1966) 707; ID., Decr. *Optatam totius*, 10: AAS 58 (1966) 720-721.

comparatione bonum videtur, id haud sane admodum bonum est; quod autem omnium sententia bonis melius, id excellens bonum est ».[133]

II. Matrimonii celebratio

1621   In ritu latino, Matrimonii celebratio inter duos fideles catholicos plerumque intra sanctam Missam fit propter omnium sacramentorum vinculum cum Paschali Christi mysterio.[134] In Eucharistia memoriale efficitur Novi Foederis, in quo Christus Se Ecclesiae Sponsae Suae dilectae in perpetuum coniunxit pro qua Seipsum tradidit.[135] Oportet igitur sponsos suum sigillare consensum ad se mutuo donandos vitarum suarum oblatione, illum coniungentes cum Christi oblatione pro Eius Ecclesia praesenti effecta in Sacrificio eucharistico, et Eucharistiam accipientes, ut, idem corpus et eumdem sanguinem Christi communicantes, « unum corpus » efforment in Christo.[136]

1323

1368

1622   « Ut *sacramentalis actio sanctificationis,* Matrimonii celebratio — liturgiae [...] illigata — oportet per se sit valida, digna, frugifera ».[137] Oportet igitur ut futuri sponsi se ad sui Matrimonii celebrationem disponantur, Poenitentiae recipientes sacramentum.

1422

1623   Secundum traditionem latinam, sponsi, tamquam ministri gratiae Christi, sibi mutuo Matrimonii conferunt sacramentum, suum consensum coram Ecclesia significantes. In traditionibus Ecclesiarum Orientalium, sacerdotes — Episcopi vel presbyteri — testes sunt consensus mutuo ab sponsis praestiti,[138] sed etiam eorum benedictio ad validitatem sacramenti est necessaria.[139]

1624   Diversae liturgiae divites sunt in precibus benedictionis et Epiclesis quae a Deo Eius postulant gratiam et super novos coniuges benedictionem, speciatim super sponsam. In huius sacramenti Epiclesi, coniuges Spiritum Sanctum accipiunt tamquam communionem amoris Christi et

736

---

[133] Sanctus Ioannes Chrysostomus, *De virginitate* 10, 1: SC 125, 122 (PG 48, 540); cf. Ioannes Paulus II, Adh. ap. *Familiaris consortio*, 16: AAS 74 (1982) 98.
[134] Cf. Concilium Vaticanum II, Const. *Sacrosanctum Concilium*, 61: AAS 56 (1964) 116-117.
[135] Cf. Concilium Vaticanum II, Const. dogm. *Lumen gentium*, 6: AAS 57 (1965) 9.
[136] Cf. *1 Cor* 10, 17.
[137] Ioannes Paulus II, Adh. ap. *Familiaris consortio*, 67: AAS 74 (1982) 162.
[138] Cf. CCEO canon 817.
[139] Cf. CCEO canon 828.

Ecclesiae.[140] Ipse eorum foederis est sigillum, fons semper oblatus eorum amoris, vis qua eorum renovabitur fidelitas.

III. Consensus matrimonialis

1734

1625   In foedere matrimoniali primas agentes partes sunt vir et mulier, baptizati, liberi ad matrimonium contrahendum et qui suum consensum libere exprimunt. « Liberum esse » significat:

— coactiones non subire;

— legis naturalis vel ecclesiasticae non habere impedimentum.

2201

1626   Ecclesia considerat consensuum commutationem inter sponsos tamquam elementum necessarium quod « matrimonium facit ».[141] Si consensus deest, matrimonium non habetur.

1627   Consensus consistit in « actu humano, quo coniuges sese mutuo tradunt et accipiunt ».[142] « Ego accipio te in uxorem meam... »; « Ego accipio te in maritum meum... ».[143] Hic consensus qui sponsos coniungit inter se, suam invenit consummationem in eo quod uterque « una caro » fit.[144]

1735

1628   Consensus esse debet actus voluntatis uniuscuiusque contrahentium a violentia vel a gravi metu externo liber.[145] Nulla humana potestas hunc consensum potest supplere.[146] Si haec libertas deest, Matrimonium est invalidum.

1629   Propter hanc rationem (vel propter alias rationes quae Matrimonium nullum reddunt et infectum [147]) Ecclesia, post examen condicionum a tribunali ecclesiastico competenti peractum, potest declarare « nullitatem Matrimonii », id est, Matrimonium nunquam exstitisse. In hoc casu, contrahentes liberi sunt ad nuptias ineundas, sed naturalibus tenentur obligationibus ex unione praecedenti.[148]

---

[140] Cf. *Eph* 5, 32.

[141] CIC canon 1057, § 1.

[142] Concilium Vaticanum II, Const. past. *Gaudium et spes*, 48: AAS 58 (1966) 1067; CIC canon 1057, § 2.

[143] *Ordo celebrandi Matrimonium*, 62, Editio typica altera (Typis Polyglottis Vaticanis 1991) p. 17.

[144] Cf. *Gn* 2, 24; *Mc* 10, 8; *Eph* 5, 31.

[145] Cf. CIC canon 1103.

[146] Cf. CIC canon 1057, § 1.

[147] Cf. CIC canones 1083-1108.

[148] Cf. CIC canon 1071, § 1, 3.

1630   Sacerdos (vel diaconus) qui Matrimonii assistit celebrationi, sponsorum accipit consensum nomine Ecclesiae eisque impertitur Ecclesiae benedictionem. Praesentia ministri Ecclesiae (et etiam testium) visibiliter exprimit, Matrimonium ecclesialem esse realitatem.

1631   Hac de causa, Ecclesia modo normali a suis fidelibus *formam ecclesiasticam* postulat ad contrahendum Matrimonium.[149] Plures rationes ad hanc determinationem explicandam concurrunt:

— Matrimonium sacramentale actus est *liturgicus*. Exinde convenit illud in publica Ecclesiae celebrari liturgia;   1069
— Matrimonium in *ordinem* introducit ecclesialem, iura gignit et obligationes in Ecclesia inter coniuges et relate ad filios;   1537
— quia Matrimonium status vitae est in Ecclesia, necessarium est certitudinem haberi de matrimonio (unde obligatio ut habeantur testes);
— indoles publica consensus hunc protegit, postquam praestitus est, et adiuvat ut fidelitas erga eum servetur.   2365

1632   Ut consensus coniugum actus liber sit et responsabilis, et ut matrimoniale foedus humana et christiana fundamenta solida habeat et mansura, *praeparatio ad Matrimonium* maximi est momenti.

Exemplum et instructio a parentibus et a familiis donata huius praeparationis praeclara permanent via.   2206

Munus Pastorum et communitatis christianae quatenus « familiae Dei » necessarium est ad valores humanos et christianos matrimonii et familiae tradendos,[150] eo magis quod nostris temporibus plures iuvenes experientiam norunt familiarum dissociatarum quae amplius hanc initiationem sufficienter non praestant:

« Iuvenes de amoris coniugalis dignitate, munere et opere, potissimum in sinu ipsius familiae, apte et tempestive instruendi sunt, ut, castitatis cultu instituti, convenienti aetate ab honestis sponsalibus ad nuptias transire possint ».[151]   2350

Matrimonia mixta et disparitas cultus

1633   In pluribus regionibus, condicio *matrimonii mixti* (inter catholicum et baptizatum non catholicum) sat frequenter accidit. Ipsa attentionem coniugum et Pastorum exigit particularem; casus matrimoniorum cum *disparitate cultus* (inter catholicum et non baptizatum) maiorem adhuc postulat circumspectionem.

---

[149] Cf. Concilium Tridentinum, Sess. 24ª, *Decretum "Tametsi"*: DS 1813-1816; CIC canon 1108.
[150] Cf. CIC canon 1063.
[151] Concilium Vaticanum II, Const. past. *Gaudium et spes*, 49: AAS 58 (1966) 1070.

1634 Confessionis diversitas inter coniuges obstaculum insuperabile non constituit pro matrimonio, cum ipsi valent id in commune afferre quod unusquisque eorum in sua recepit communitate et mutuo discere quomodo unusquisque in sua vivat erga Christum fidelitate. Sed difficultates matrimoniorum mixtorum spernendae non sunt. Illae oriuntur ex eo quod christianorum separatio nondum superata est. Coniuges in periculo sunt ne, intra propriam domum, christianorum disiunctionem modo experiantur tragico. Disparitas cultus has difficultates potest graviores adhuc efficere. Diversitates relate ad fidem, ipsa matrimonii notio, sed etiam modi religiose cogitandi differentes, constituere possunt contentionum fontem in matrimonio, praesertim quoad filiorum educationem. Tunc quaedam potest praesentari tentatio: religiosa indifferentia.

817

1635 Secundum ius in Ecclesia latina vigens, matrimonium mixtum pro sua liceitate eget *explicita permissione* auctoritatis ecclesiasticae.[152] In casu disparitatis cultus *explicita dispensatio* ab impedimento requiritur ut validum sit Matrimonium.[153] Haec permissio vel haec dispensatio supponunt utramque partem fines et proprietates essentiales Matrimonii cognoscere et non excludere; atque etiam partem catholicam obligationes confirmare, parti non catholicae communicatas ut eas ipsa cognoscat, servandi propriam fidem et praestandi Baptismum et educationem filiorum in Ecclesia catholica.[154]

821

1636 Multis in regionibus, propter dialogum oecumenicum, communitates christianae, quas id afficit, *actionem pastoralem pro matrimoniis mixtis communem* instruxerunt. Eius munus est, hos adiuvare coniuges ut in sua condicione particulari sub fidei vivant lumine. Talis actio eos etiam debet adiuvare, ut contentiones superent inter obligationes coniugum mutuas et quas erga suas communitates habent ecclesiales. Ea debet incrementum fovere illorum quae illis in fide sunt communia, et observantiam illorum quae eos separant.

1637 In matrimoniis cum disparitate cultus, coniux catholicus munus habet particulare: «Sanctificatus est enim vir infidelis in muliere, et sanctificata est mulier infidelis in fratre» (*1 Cor* 7, 14). Pro coniuge christiano et pro Ecclesia magnum est gaudium, si haec «sanctificatio» ad liberam conducat alterius coniugis conversionem ad fidem christianam.[155] Sincerus amor coniugalis, humile et patiens virtutum familiarium exercitium et perseverans oratio coniugem non credentem possunt praeparare ad conversionis gratiam accipiendam.

IV. Effectus sacramenti Matrimonii

1638 «Ex valido Matrimonio enascitur inter coniuges *vinculum* natura sua perpetuum et exclusivum; in Matrimonio praeterea christiano coniu-

---

[152] Cf. CIC canon 1124.
[153] Cf. CIC canon 1086.
[154] Cf. CIC canon 1125.
[155] Cf. *1 Cor* 7, 16.

ges ad sui status officia et dignitatem *peculiari sacramento* roborantur et veluti consecrantur ».[156]

Vinculum matrimoniale

1639 Consensus quo coniuges sese mutuo dant et accipiunt, a Deo Ipso sigillatur.[157] Ex eorum foedere, « institutum ordinatione divina firmum oritur, etiam coram societate ».[158] Sponsorum foedus in Dei cum hominibus inseritur Foedus: « Germanus amor coniugalis in divinum amorem assumitur ».[159]

1640 *Vinculum matrimoniale* propterea a Deo Ipso stabilitur, ita ut Matrimonium ratum et consummatum inter baptizatos nunquam possit dissolvi. Hoc vinculum quod ex actu humano sponsorum libero et ex matrimonii sequitur consummatione, realitas est iam irrevocabilis et originem praebet foederi a Dei fidelitate praestito. Ad Ecclesiae non pertinet potestatem, se contra hanc sapientiae divinae dispositionem pronuntiare.[160]

2365

Gratia sacramenti Matrimonii

1641 Coniuges christiani « in suo vitae statu et ordine proprium suum in populo Dei donum habent ».[161] Haec gratia sacramenti Matrimonii propria ad perficiendum destinatur coniugum amorem, ad eorum unitatem indissolubilem roborandam. Illi hac gratia « se invicem in vita coniugali necnon prolis susceptione et educatione ad sanctitatem adiuvant ».[162]

1642 *Christus est huius gratiae fons*. « Sicut enim Deus olim Foedere dilectionis et fidelitatis populo Suo occurrit, ita nunc hominum Salvator Ecclesiaeque Sponsus, per sacramentum Matrimonii christifidelibus coniugibus obviam venit ».[163] Ipse cum eis manet, eis vim praebet ut Ipsum sequantur suam crucem super se sumentes, ut iterum post lapsus sur-

1615

796

---

[156] CIC canon 1134.
[157] Cf. *Mc* 10, 9.
[158] Concilium Vaticanum II, Const. past. *Gaudium et spes*, 48: AAS 58 (1966) 1067.
[159] Concilium Vaticanum II, Const. past. *Gaudium et spes*, 48: AAS 58 (1966) 1068.
[160] Cf. CIC canon 1141.
[161] Concilium Vaticanum II, Const. dogm. *Lumen gentium*, 11: AAS 57 (1965) 16.
[162] Concilium Vaticanum II, Const. dogm. *Lumen gentium*, 11: AAS 57 (1965) 15-16; cf. *Ibid.*, 41: AAS 57 (1965) 47.
[163] Concilium Vaticanum II, Const. past. *Gaudium et spes*, 48: AAS 58 (1966) 1068.

gant, ut sibi mutuo indulgeant, ut alii aliorum portent onera,[164] ut sint « subiecti invicem in timore Christi » (*Eph* 5, 21), et se mutuo ament amore supernaturali, tenero et fecundo. Ipse illis praebet, iam hic in terris, in gaudiis eorum amoris et eorum vitae familiaris, ut nuptiarum Agni praegustent convivium:

> « Unde vero sufficiamus ad enarrandam felicitatem eius matrimonii, quod Ecclesia conciliat et confirmat oblatio et obsignat benedictio, angeli renuntiant, Pater rato habet? [...] Quale iugum fidelium duorum unius spei, unius voti, unius disciplinae, eiusdem servitutis! Ambo fratres, ambo conservi; nulla spiritus carnisve discretio, atquin vere duo in carne una. Ubi caro una, unus est spiritus ».[165]

V. Amoris coniugalis bona et exigentiae

2361   1643   « Coniugalis amor secum infert universalitatem, in quam ingrediuntur omnes partes ipsius personae — postulationes corporis et instinctus, vires sensuum et affectuum, desideria spiritus et voluntatis —; spectat ille ad unitatem quam maxime personalem, quae videlicet ultra communionem in una carne sola nihil aliud efficit nisi cor unum et animam unam; poscit vero *indissolubilitatem* ac *fidelitatem* extremae illius donationis mutuae et patet *fecunditati*. Paucis verbis de communibus agitur proprietatibus naturalis cuiuslibet amoris coniugalis, atqui nova cum significatione, quae non tantum purificat eas et confirmat, sed etiam tantopere extollit ut fiant declaratio bonorum proprie christianorum ».[166]

Matrimonii unitas et indissolubilitas

1644   Coniugum amor, sua ipsa natura, unitatem et indissolubilitatem exigit eorum communitatis personalis quae totam eorum amplectitur vitam: « Quod ergo Deus coniunxit, homo non separet » (*Mt* 19, 6).[167] Coniuges « adiguntur ad crescendum continenter in communione sua per cotidianam fidelitatem erga matrimoniale promissum mutuae plenae donationis ».[168] Haec humana communio confirmatur, purificatur et perfici-

---

[164] Cf. *Gal* 6, 2.
[165] Tertullianus, *Ad uxorem* 2, 8, 6-7: CCL 1, 393 (PL 1, 1415-1416); cf. Ioannes Paulus II, Adh. ap. *Familiaris consortio*, 13: AAS 74 (1982) 94.
[166] Ioannes Paulus II, Adh. ap. *Familiaris consortio*, 13: AAS 74 (1982) 96.
[167] Cf. *Gn* 2, 24.
[168] Ioannes Paulus II, Adh. ap. *Familiaris consortio*, 19: AAS 74 (1982) 101.

tur communione in Iesu Christo, a Matrimonii sacramento donata. Ipsa per fidei communis vitam et per Eucharistiam in communi receptam profundior fit.

1645 « Aequali etiam dignitate personali cum mulieris tum viri agnoscenda in mutua atque plena dilectione, unitas Matrimonii a Domino confirmata luculenter apparet ».[169] *Polygamia* huic aequali dignitati est contraria atque coniugali amori qui unicus est et exclusivus.[170]

369

AMORIS CONIUGALIS FIDELITAS

2364-2365

1646 Amor coniugalis, sua ipsa natura, inviolabilem exigit fidelitatem. Hoc ex eorum ipsorum consequitur dono quod sibi mutuo impertiunt coniuges. Amor definitivus esse vult. Ipse « usque ad novam decisionem » esse non potest. Haec « intima unio, utpote mutua duarum personarum donatio, sicut et bonum liberorum, plenam coniugum fidem exigunt atque indissolubilem eorum unitatem urgent ».[171]

1647 Profundissimum motivum in fidelitate Dei ad Eius Foedus invenitur, Christi ad Ecclesiam. Per Matrimonii sacramentum, coniuges apti fiunt qui hanc repraesentent fidelitatem eamque testentur. Per sacramentum, indissolubilitas Matrimonii novum et profundiorem accipit sensum.

1648 Videri potest difficile, immo impossibile, se pro tota vita personae ligare humanae. Eo ipso maximi est momenti Bonum Nuntium proclamare: Deum nos amore definitivo amare et irrevocabili, coniuges hunc participare amorem qui eos ducit et sustinet, eosque per suam fidelitatem testes esse posse Dei fidelis amoris. Coniuges qui, cum Dei gratia, hoc dant testimonium, saepe in valde difficilibus condicionibus, gratitudinem communitatis ecclesialis merentur et fulcimentum.[172]

1649 Condiciones tamen exstant in quibus matrimonialis cohabitatio, valde diversis e causis, practice impossibilis fit. In talibus casibus, Ecclesia physicam coniugum admittit *separationem* et finem cohabitationis. Coniuges maritus et uxor coram Deo esse non desinunt; liberi non sunt ad novam contrahendam unionem. In tali difficili condicione, reconciliatio, si possibilis sit, optima esset solutio. Communitas christiana vocatur ad has personas adiuvandas ut in sua

2383

[169] CONCILIUM VATICANUM II, Const. past. *Gaudium et spes*, 49: AAS 58 (1966) 1070.
[170] IOANNES PAULUS II, Adh. ap. *Familiaris consortio*, 19: AAS 74 (1982) 102.
[171] CONCILIUM VATICANUM II, Const. past. *Gaudium et spes*, 48: AAS 58 (1966) 1068.
[172] Cf. IOANNES PAULUS II, Adh. ap. *Familiaris consortio*, 20: AAS 74 (1982) 104.

condicione christiane vivant, in fidelitate ad sui matrimonii vinculum quod indissolubile permanet.[173]

2384 1650 Plures sunt catholici, in non paucis regionibus, qui, secundum leges civiles, ad *divortium* recurrunt et novam civilem contrahunt unionem. Ecclesia, propter fidelitatem ad Iesu Christi verbum (« Quicumque dimiserit uxorem suam et aliam duxerit, adulterium committit in eam; et si ipsa dimiserit virum suum et alii nupserit, moechatur »: *Mc* 10, 11-12), tenet se non posse hanc novam unionem ut validam agnoscere, si primum matrimonium validum erat. Si divortio seiuncti novas civiliter inierunt nuptias, in condicione inveniuntur quae obiective Dei Legem transgreditur. Exinde ad eucharisticam Communionem accedere non possunt, dum haec condicio permaneat. Eadem ex causa, quasdam responsabilitates ecclesiales non possunt exercere. Reconciliatio per Poenitentiae sacramentum nonnisi illis concedi potest, quos poenitet, se Foederis signum et fidelitatis erga Christum esse transgressos, et se ad vivendum in completa continentia obligant.

1651 Relate ad christianos qui in hac condicione vivunt et qui saepe fidem servant et suos filios christiane exoptant educare, sacerdotes et tota communitas attentam ostendere debent sollicitudinem, ne illi se tamquam separatos ab Ecclesia considerent, cuius vitam ut baptizati possunt et debent participare:

« Hortandi praeterea sunt ut Verbum Dei exaudiant, Sacrificio Missae intersint, preces fundere perseverent, opera caritatis necnon incepta communitatis pro iustitia adiuvent, filios in christiana fide instituant, spiritum et opera paenitentiae colant ut cotidie sic Dei gratiam implorent ».[174]

MENS AD FECUNDITATEM APERTA

372 1652 « Indole autem sua naturali, ipsum institutum matrimonii amorque coniugalis ad procreationem et educationem prolis ordinantur iisque veluti suo fastigio coronantur »:[175]

« Filii sane sunt praestantissimum matrimonii donum et ad ipsorum parentum bonum maxime conferunt. Ipse Deus qui dixit: 'non est bonum hominem esse solum' (*Gn* 2, 18) et 'qui hominem ab initio masculum et feminam... fecit' (*Mt* 19, 4), volens ei participationem specialem quamdam in Suiipsius opere creativo communicare, viro et mulieri benedixit dicens: 'crescite et multiplicamini' (*Gn* 1, 28). Unde verus amoris coniugalis cultus totaque vitae familiaris ratio inde oriens, non posthabitis

---

[173] Cf. IOANNES PAULUS II, Adh. ap. *Familiaris consortio*, 83: AAS 74 (1982) 184; CIC canones 1151-1155.
[174] IOANNES PAULUS II, Adh. ap. *Familiaris consortio*, 84: AAS 74 (1982) 185.
[175] CONCILIUM VATICANUM II, Const. past. *Gaudium et spes*, 48: AAS 58 (1966) 1068.

ceteris matrimonii finibus, eo tendunt ut coniuges forti animo dispositi sint ad cooperandum cum amore Creatoris atque Salvatoris, qui per eos Suam familiam in dies dilatat et ditat ».[176]

1653 Amoris coniugalis fecunditas ad vitae moralis, spiritualis et supernaturalis extenditur fructus quos parentes per educationem suis tradunt filiis. Parentes praecipui sunt et primi suorum filiorum educatores.[177] Hoc sensu, fundamentale matrimonii et familiae officium est in vitae esse ministerium.[178]

2231

1654 Coniuges quibus Deus habere filios non concessit, possunt tamen vitam coniugalem degere plenam sensu sub ratione humana et christiana. Eorum matrimonium potest caritatis, acceptionis et sacrificii fecunditate elucescere.

VI. Ecclesia domestica

1655 Christus in sinu sanctae Familiae Ioseph et Mariae nasci et crescere voluit. Ecclesia aliud non est nisi « familia Dei ». Inde ab eius originibus, Ecclesiae nucleus saepe ex illis constabat qui « cum tota domo sua » effecti erant credentes.[179] Cum convertebantur, cupiebant « totam domum suam » etiam salvari.[180] Hae familiae, credentes effectae, parvae erant vitae christianae insulae in mundo non credenti.

759

1656 Nostris diebus, in mundo saepe fidei alieno et etiam hostili, familiae credentes maximi sunt momenti tamquam viventis et elucentis fidei foci. Hac de causa, Concilium Vaticanum II familiam, cum vetere quadam expressione, *Ecclesiam domesticam* appellat.[181] In familiae sinu, parentes sunt « verbo et exemplo [...] pro filiis suis primi fidei praecones, et vocationem unicuique propriam, sacram vero peculiari cura, fovant oportet ».[182]

2204

1657 Hic, modo praeclaro, *sacerdotium baptismale* exercetur patris familias, matris, filiorum, omnium familiae membrorum « in sacramentis

1268

---

[176] Concilium Vaticanum II, Const. past. *Gaudium et spes*, 50: AAS 58 (1966) 1070-1071.
[177] Cf. Concilium Vaticanum II, Decl. *Gravissimum educationis*, 3: AAS 58 (1966) 731.
[178] Ioannes Paulus II, Adh. ap. *Familiaris consortio*, 28: AAS 74 (1982) 114.
[179] Cf. *Act* 18, 8.
[180] Cf. *Act* 16, 31; 11, 14.
[181] Concilium Vaticanum II, Const. dogm. *Lumen gentium*, 11: AAS 57 (1965) 16; cf. Ioannes Paulus II, Adh. ap. *Familiaris consortio*, 21: AAS 74 (1982) 105.
[182] Concilium Vaticanum II, Const. dogm. *Lumen gentium*, 11: AAS 57 (1965) 16.

suscipiendis, in oratione et gratiarum actione, testimonio vitae sanctae, abnegatione et actuosa caritate ».[183] Familia, hoc modo, prima schola vitae christianae et « schola quaedam uberioris humanitatis est ».[184] Ibi patientia et laetitia laboris, amor fraternus, indulgentia generosa, etiam iterata, et praecipue divinus per orationem et propriae vitae oblationem cultus discuntur.

2214-2231

1658 Oportet adhuc quasdam commemorare personas quae, propter condiciones concretas in quibus debent vivere — et saepe quin id voluerint — peculiariter cordi Iesu sunt proximae quaeque affectum et sollicitudinem Ecclesiae et praesertim Pastorum merentur diligentem: magnum *personarum coelibum* numerum. Plures ex illis *sine familia humana* manent, saepe propter paupertatis condiciones. Sunt quae in sua condicione vivunt secundum beatitudinum spiritum, Deo et proximo modo exemplari servientes. Omnibus illis portas aperire oportet familiarum, « Ecclesiarum domesticarum », et magnae familiae quae est Ecclesia: « Nemo hoc in mundo familia privatur: omnibus enim Ecclesia est domus atque familia, iis potissimum, qui 'laborant et onerati sunt' (*Mt* 11, 28) ».[185]

2231

2233

Compendium

1659 *Sanctus Paulus dicit*: « *Viri, diligite uxores, sicut et Christus dilexit Ecclesiam [...]. Mysterium hoc magnum est; ego autem dico de Christo et Ecclesia!* » (*Eph* 5, 25. 32).

1660 *Matrimoniale foedus, quo vir et mulier inter se intimam vitae et amoris constituunt communitatem, a Creatore est fundatum et suis propriis legibus praeditum. Natura sua ad coniugum ordinatur bonum, sicut etiam ad filiorum generationem et educationem. Inter baptizatos ad sacramenti dignitatem a Christo Domino est evectum.*[186]

1661 *Matrimonii sacramentum unionem Christi significat et Ecclesiae. Coniugibus confert gratiam sese amandi amore quo Christus Suam dilexit Ecclesiam; sic sacramenti gratia amorem coniugum perficit*

---

[183] Concilium Vaticanum II, Const. dogm. *Lumen gentium*, 10: AAS 57 (1965) 15.
[184] Concilium Vaticanum II, Const. past. *Gaudium et spes*, 52: AAS 58 (1966) 1073.
[185] Ioannes Paulus II, Adh. ap. *Familiaris consortio*, 85: AAS 74 (1982) 187.
[186] Cf. Concilium Vaticanum II, Const. past. *Gaudium et spes*, 48: AAS 58 (1966) 1067-1068; CIC canon 1055, § 1.

humanum, indissolubilem eorum confirmat unitatem eosque in via ad vitam aeternam sanctificat.[187]

1662 *Matrimonium consensu fundatur coniugum, id est, voluntate sese mutuo et definitive donandi ad vivendum in fidelis et fecundi amoris foedere.*

1663 *Quia matrimonium coniuges in publicum vitae statum stabilit in Ecclesia, oportet eius celebrationem publicam esse intra celebrationem liturgicam, coram sacerdote (vel Ecclesiae qualificato teste), testibus et fidelium congregatione.*

1664 *Unitas, indissolubilitas et mens ad fecunditatem aperta matrimonio sunt essentiales. Polygamia est matrimonii unitati repugnans; divortium id separat quod Deus coniunxit; fecunditatis reiectio vitam disiungit coniugalem ab eius « praestantissimo dono », a filio.*[188]

1665 *Novae nuptiae divortio seiunctorum, vivente coniuge legitimo, Dei consilium et Legem transgrediuntur quae Christus edocuit. Ipsi ab Ecclesia non sunt separati, sed ad Communionem eucharisticam non possunt accedere. Suam vitam christianam praecipue ducent, filios in fide educantes suos.*

1666 *Domus christiana locus est in quo filii primum fidei recipiunt nuntium. Propterea domus familiaris iure « Ecclesia domestica » appellatur, gratiae et orationis communitas, virtutum humanarum et caritatis christianae schola.*

---

[187] Cf. Concilium Tridentinum, Sess. 24ª, *Doctrina de sacramento Matrimonii*: DS 1799.
[188] Cf. Concilium Vaticanum II, Const. past. *Gaudium et spes*, 50: AAS 58 (1966) 1070.

CAPUT QUARTUM
CETERAE LITURGICAE CELEBRATIONES

Articulus 1
SACRAMENTALIA

1667 « Sacramentalia praeterea sancta Mater Ecclesia instituit. Quae sacra sunt signa quibus, in aliquam sacramentorum imitationem, effectus praesertim spirituales significantur et ex Ecclesiae impetratione obtinentur. Per ea homines ad praecipuum sacramentorum effectum suscipiendum disponuntur et varia vitae adiuncta sanctificantur ».[1]

LINEAMENTA SACRAMENTALIUM CHARACTERISTICA

1668 Ipsa ab Ecclesia sunt instituta ad sanctificationem quorumdam Ecclesiae ministeriorum, quorumdam vitae statuum, adiunctorum vitae christianae valde diversorum, atque etiam usus rerum homini utilium. Secundum determinationes pastorales Episcoporum etiam respondere possunt necessitatibus, culturae et historiae populi christiani cuiusdam regionis vel aetatis propriis. Semper precationem complectuntur quam 699, 2157 saepe signum comitatur concretum, sicut manuum impositio, signum crucis, aspersio aquae benedictae (quae Baptismum revocat in memoriam).

784   1669 A sacerdotio oriuntur baptismali: omnis baptizatus vocatur ut sit benedictio[2] et benedicat.[3] Hac de causa, laici quibusdam benedictioni-
2626   bus praesidere possunt;[4] quo magis quaedam benedictio ad vitam

---

[1] CONCILIUM VATICANUM II, Const. *Sacrosanctum Concilium*, 60: AAS 56 (1964) 116; cf. CIC canon 1166; CCEO canon 867.
[2] Cf. *Gn* 12, 2.
[3] Cf. *Lc* 6, 28; *Rom* 12, 14; *1 Pe* 3, 9.
[4] Cf. CONCILIUM VATICANUM II, Const. *Sacrosanctum Concilium*, 79: AAS 56 (1964) 120; cf. CIC canon 1168.

ecclesialem attinet et sacramentalem, eo magis eiusdem praesidentia ministro reservatur ordinato (Episcopo, presbyteris vel diaconis).[5]

1670 Sacramentalia gratiam Spiritus Sancti ad modum sacramentorum non conferunt, sed per Ecclesiae orationem praeparant ad gratiam recipiendam et disponunt ad cooperandum cum illa. « Fidelibus bene dispositis omnis fere eventus vitae [...] [sanctificatur] gratia divina manante ex mysterio Paschali passionis, mortis et resurrectionis Christi, a quo omnia sacramenta et sacramentalia suam virtutem derivant; nullusque paene rerum materialium usus honestus ad finem hominem sanctificandi Deumque laudandi dirigi non » potest.[6]

1128
2001

Sacramentalium formae diversae

1671 Inter sacramentalia inveniuntur imprimis *benedictiones* (personarum, mensae, rerum, locorum). Omnis benedictio laus est Dei et oratio ad Eius dona obtinenda. In Christo, christiani a Deo Patre benedicuntur « in omni benedictione spiritali » (*Eph* 1, 3). Hac de causa, Ecclesia benedictionem impertit Nomen Iesu invocans et plerumque sanctum crucis Christi faciens signum.

1078

1672 Quaedam benedictiones scopum habent mansurum: earum effectus est, personas Deo *consecrare* et res atque loca ad usum reservare liturgicum. Inter illas quae personis destinantur — non confundendae cum ordinatione sacramentali — numerantur benedictio abbatis et abbatissae monasterii, consecratio virginum et viduarum, ritus professionis religiosae et benedictiones pro quibusdam Ecclesiae ministeriis (lectoribus, acolythis, catechistis, etc.). Sicut exemplum earum quae ad res referuntur, possunt recenseri dedicatio vel benedictio ecclesiae aut altaris, benedictio sanctorum oleorum, vasorum et vestium sacrarum, campanarum, etc.

923
925, 903

1673 Cum Ecclesia publice et cum auctoritate, Iesu Christi nomine, petit ut quaedam persona vel res contra Maligni protegatur influxum et ab eius subtrahatur dominatu, id dicitur *exorcismus*. Iesus illum exercuit,[7] et ab Eodem Ecclesia exorcizandi potestatem habet et munus.[8] Forma simplici, exorcismus fit in Baptismi celebratione. Sollemnis exorcismus, « magnus exorcismus » appellatus, non potest fieri nisi a presbytero cum Episcopi permissione. Hac in re, oportet prudenter procedere, normas ab Ecclesia stabilitas stricte observando.[9] Exorcismus intendit demonia expellere vel ab influxu demoniaco liberare et quidem auctoritate spirituali quam Iesus Suae concredidit Ecclesiae. Valde diversus

395
550

1237

---

[5] Cf. *De Benedictionibus*, Praenotanda generalia, 16 et 18, Editio typica (Typis Polyglottis Vaticanis 1984) p. 13. 14-15.
[6] Concilium Vaticanum II, Const. *Sacrosanctum Concilium*, 61: AAS 56 (1964) 116-117.
[7] Cf. *Mc* 1, 25-26.
[8] Cf. *Mc* 3, 15; 6, 7. 13; 16, 17.
[9] Cf. CIC canon 1172.

est casus aegritudinum, praecipue psychicarum, quarum cura ad scientiam medicam pertinet. Magni igitur momenti est, antequam exorcismus celebretur, certiorem fieri, de praesentia Maligni agi et non de quadam aegritudine.

RELIGIOSITAS POPULARIS

2688

2669, 2678

1674 Praeter liturgiam sacramentalem et sacramentalia, catechesis attendere debet ad formas pietatis fidelium et religiositatis popularis. Populi christiani sensus religiosus semper suam invenit expressionem in variis pietatis formis quae vitam Ecclesiae circumdant sacramentalem, sicut reliquiarum veneratio, sanctuariorum visitationes, peregrinationes, processiones, via crucis, religiosae saltationes, Rosarium, numismata etc.[10]

1675 Hae expressiones vitam liturgicam protrahunt Ecclesiae, sed eam non supplent: «Ita vero, ratione habita temporum liturgicorum, eadem exercitia ordinentur oportet, ut sacrae liturgiae congruant, ab ea quodammodo deriventur, ad eam populum manuducant, utpote quae natura sua iisdem longe antecellat».[11]

426

1676 Pastoralis discretio necessaria est ad religiositatem popularem sustinendam et fulciendam, et, si casus id ferat, ad religiosum purificandum et corrigendum sensum qui his subest devotionibus et ad efficiendum ut in cognitione mysterii Christi progressus fiat. Earum exercitium curae et iudicio submittitur Episcoporum atque generalibus Ecclesiae normis.[12]

«Populi religiositas, in suo nucleo, valorum est complexus qui, cum sapientia christiana, magnis exsistentiae respondet quaestionibus. Sapientia popularis catholica capacitatem habet synthesis vitalis; sic, modo creativo, divina et humana simul fert; Christum et Mariam, spiritum et corpus; communionem et institutionem; personam et communitatem; fidem et patriam, intelligentiam et affectum. Haec sapientia christianus est humanismus qui dignitatem radicaliter affirmat omnis personae humanae tamquam filii Dei, fraternitatem stabilit fundamentalem, naturam invenire et laborem intelligere docet et rationes affert ad laetanter et hilariter vivendum, etiam in vita valde dura. Haec sapientia est etiam pro populo discretionis principium, evangelicus instinctus quo spontaneo percipit modo quandonam servitium in Ecclesia praestetur Evangelio, et quandonam illud aliis commodis evacuetur et suffocetur».[13]

---

[10] Cf. CONCILIUM NICAENUM II, *Definitio de sacris imaginibus*: DS 601; *Ibid.*: DS 603; CONCILIUM TRIDENTINUM, Sess. 25ª, *Decretum de invocatione, veneratione et reliquiis sanctorum, et sacris imaginibus*: DS 1822.

[11] CONCILIUM VATICANUM II, Const. *Sacrosanctum Concilium*, 13: AAS 56 (1964) 103.

[12] Cf. IOANNES PAULUS II, Adh. ap. *Catechesi tradendae*, 54: AAS 71 (1979) 1321-1322.

[13] III CONFERENCIA GENERAL DEL EPISCOPADO LATINOAMERICANO, *Puebla. La Evangelización en el presente y en el futuro de América Latina*, 448 (Bogotá 1979) p. 131; cf. PAULUS VI, Adh. ap. *Evangelii nuntiandi*, 48: AAS 68 (1976) 37-38.

Compendium

1677 *Sacramentalia appellantur signa sacra ab Ecclesia instituta, cuius scopus est homines ad sacramentorum recipiendum fructum praeparare et diversa vitae sanctificare adiuncta.*

1678 *Inter sacramentalia, benedictiones locum magni momenti occupant. Ipsae simul Dei implicant laudem propter Eius opera Eiusque dona, et Ecclesiae intercessionem ut homines donis Dei uti possint secundum Evangelii spiritum.*

1679 *Praeter liturgiam, vita christiana formis variis pietatis popularis nutritur, quae in diversis radicantur culturis. Ecclesia religiositatis popularis favet formis, quae instinctum evangelicum et sapientiam exprimunt humanam quaeque vitam christianam ditant, simul tamen curans ut per fidei lumen eas illustret.*

Articulus 2

EXSEQUIAE CHRISTIANAE

1680 Omnia sacramenta, et praesertim illa christianae initiationis, habent, ut scopum, filii Dei ultimum Pascha, illud quod, per mortem, eum in Regni vitam intrare facit. Tunc adimpletur id quod ipse in fide et spe profitebatur: « Exspecto resurrectionem mortuorum, et vitam venturi saeculi ».[14]   1525

I. Christiani ultimum Pascha

1681 Christianus mortis sensus lumine revelatur *mysterii Paschalis* mortis et resurrectionis Christi, in quo nostra spes unica considit. Christianus qui in Christo Iesu moritur, peregrinatur a corpore et praesens est ad Dominum.[15]   1010-1014

1682 Dies mortis pro christiano, in *fine eius vitae sacramentalis*, consummationem inaugurat eius novae nativitatis in Baptismo inceptae, « similitudinem » definitivam ad « imaginem Filii » unctione Spiritus Sancti collatam et participationem convivii Regni, quae in Eucharistia

---

[14] *Symbolum Nicaenum-Constantinopolitanum*: DS 150.
[15] Cf. *2 Cor* 5, 8.

anticipabatur, etiamsi ultimae purificationes ei sint adhuc necessariae ad vestem nuptialem superinduendam.

1683 Ecclesia quae, sicut Mater, christianum, terrestri eius peregrinatione perdurante, sacramentaliter in suo portavit sinu, eum comitatur ad finem itineris eius, ut eum tradat « in manus Patris ». Ipsa Patri offert in Christo filium Eius gratiae, et in terram deponit, in spe, semen corporis quod in gloria resurget.[16] Haec oblatio plene Sacrificio celebratur eucharistico; benedictiones quae illud praecedunt vel consequuntur, sunt sacramentalia.

1020

627

II. Exsequiarum celebratio

1684 Exsequiae christianae sunt liturgica Ecclesiae celebratio. Ecclesiae ministerium hic intendit tam ut communionem cum *defuncto* exprimat efficacem quam ut eiusdem participem efficiat *communitatem* pro obsequiis congregatam ipsique aeternam nuntiet vitam.

1685 Diversi exsequiarum ritus *indolem Paschalem* christianae exprimunt mortis atque condicionibus et traditionibus respondent uniuscuiusque regionis, etiam in eo quod ad colorem refertur liturgicum.[17]

1686 *Ordo exsequiarum* liturgiae Romanae tres celebrationis exsequiarum proponit typos, qui tribus locis correspondent, in quibus ipsae evolvuntur (in domo, ecclesia, coemeterio), et secundum momentum quod illis tribuunt familia, mores loci, cultura et pietas popularis. Ceterum modus quo evolvuntur, omnibus traditionibus liturgicis est communis et quattuor praecipua continet momenta:

1687 *Communitatis acceptio.* Fidei salutatio celebrationem aperit. Defuncto propinqui verbo accipiuntur « consolationis » (sensu Novi Testamenti: roboris Spiritus Sancti in spe [18]). Communitas orans quae congregatur, etiam « verba vitae aeternae » exspectat. Alicuius membri communitatis mors (vel dies anniversarius, dies septimus vel trigesimus) eventus est qui efficere debet ut « huius mundi » superentur perspectivae et fideles ad veras perspectivas trahantur fidei in Christum resuscitatum.

1688 *Verbi liturgia*, in exsequiis, praeparationem exigit eo magis accuratam quod communitas tunc praesens fideles includere potest liturgiae parum assiduos et amicos defuncti qui christiani non sint. Homilia, speciatim, debet genus

---

[16] Cf. *1 Cor* 15, 42-44.
[17] Cf. Concilium Vaticanum II, Const. *Sacrosanctum Concilium*, 81: AAS 56 (1964) 120.
[18] Cf. *1 Thess* 4, 18.

elogii funebris secludere [19] et mortis christianae mysterium illuminare Christi resuscitati luce.

1689 *Sacrificium eucharisticum.* Cum celebratio in ecclesia fit, Eucharistia cor est realitatis Paschalis mortis christianae.[20] Tunc Ecclesia suam cum defuncto exprimit efficacem communionem: ipsa, Patri, in Spiritu Sancto, sacrificium offerens mortis et resurrectionis Christi, supplicat ut filius suus a suis peccatis eorumque consequentiis purificetur et ad Paschalem mensae Regni admittatur plenitudinem.[21] Per Eucharistiam sic celebratam, fidelium communitas, speciatim familia defuncti, discit in communione vivere cum illo qui « in Domino dormivit », communicando Christi corpus, cuius ille membrum est vivum, et deinde pro illo et cum illo orando.

1371

958

1690 *Valedictio* defuncto (in pluribus linguis latinis « adieu », « addio », « adiós » = ad Deum) est eius « commendatio ad Deum » per Ecclesiam. Est « extrema [...] valedictio, qua communitas christiana membrum suum consalutat, antequam corpus efferatur vel sepeliatur ».[22] Traditio Byzantina id exprimit per valedictionis osculum defuncto:

2300

> Hac finali salutatione « cantatur propter ex hac vita migrationem et amandationem, necnon quoniam adest communio et adunatio, quatenus mortui nequaquam ab invicem separabimur; omnes enim eamdem teremus viam et in eodem loco collocabimur, neque separabimur unquam, nam Christo vivemus, et nunc Christo adunamur, ad Eum progredientes [...] universi simul fideles cum Christo erimus ».[23]

---

[19] Cf. *Ordo exsequiarum*, De primo typo exsequiarum, 41, Editio typica (Typis Polyglottis Vaticanis 1969) p. 21.

[20] Cf. *Ordo exsequiarum*, Praenotanda, 1, Editio typica (Typis Polyglottis Vaticanis 1969) p. 7.

[21] Cf. *Ordo exsequiarum*, De primo typo exsequiarum, 56, Editio typica (Typis Polyglottis Vaticanis 1969) p. 26.

[22] Cf. *Ordo exsequiarum*, Praenotanda, 10, Editio typica (Typis Polyglottis Vaticanis 1969) p. 9.

[23] Sanctus Simeon Thessalonicensis, *De ordine sepulturae*, 367: PG 155, 685.

Centralis pars sarcophagi Iunii Bassi, inventi sub Confessione Basilicae sancti Petri Romae atque anno 359 adscripti.

Christus in gloria, prorsus iuvenis depictus (signum Eius divinitatis) sedet in throno caelesti, super paganum deum caeli, Uranum, habens pedes. Ab apostolis Petro et Paulo circumdatur qui a Christo, ad quem se vertunt, duo rotunda recipiunt volumina: novam Legem.

Sicut Moyses Legem veterem super montem Sinai acceperat a Deo, nunc Apostoli, per duos principes repraesentati suos, Legem novam accipiunt a Christo, Filio Dei, Domino caeli et terrae, non amplius super tabulis lapideis scriptam, sed in fidelium corde a Spiritu Sancto sculptam. Christus virtutem largitur vivendi secundum « vitam novam » (§ 1697). Ipse venit ut in nobis adimpleat quod ad nostrum praecepit bonum (cf. § 2074).

PARS TERTIA

VITA IN CHRISTO

1691 « Agnosce, o christiane, dignitatem tuam, et divinae consors factus naturae, noli in veterem vilitatem degeneri conversatione recidere. Memento cuius Capitis et cuius sis corporis membrum. Reminiscere quia erutus de potestate tenebrarum, traslatus es in Dei lumen et Regnum ».[1]

790

1692 Symbolum fidei magnitudinem est professum donorum quae Deus homini largitus est in Suae creationis opere et adhuc magis per Redemptionem et sanctificationem. Quod fides confitetur, sacramenta communicant: christiani per sacramenta quae efficiunt ut ipsi renascantur, facti sunt « filii Dei » (*1 Io* 3, 1),[2] « divinae consortes naturae » (*2 Pe* 1, 4). Christiani, suam novam dignitatem fide agnoscentes, vocantur ut posthac digne Evangelio Christi conversentur.[3] Per sacramenta et orationem, gratiam Christi accipiunt et Eius Spiritus dona quae eos ad hoc efficiunt capaces.

1693 Christus Iesus semper fecit id quod *Patri* placebat.[4] Semper in perfecta communione vixit cum Illo. Eodem modo, discipuli Eius invitantur ad vivendum ante conspectum Patris « qui videt in abscondito » (*Mt* 6, 6), ut « perfecti, sicut Pater [...] caelestis perfectus est » (*Mt* 5, 47) efficiantur.

1694 Christiani, *Christo* per Baptismum incorporati,[5] mortui sunt peccato, viventes autem Deo in Christo Iesu,[6] vitam sic Resuscitati participantes.[7] Christum sequentes Eique coniuncti,[8] christiani conari possunt imitatores esse Dei, sicut filii carissimi et ambulare in dilectione,[9] suas cogitationes, sua verba suasque actiones sic conformantes, ut hoc sentiant in se, quod et in Christo Iesu[10] Eiusque sectentur exempla.[11]

1267

[1] Sanctus Leo Magnus, *Sermo* 21, 3: CCL 138, 88 (PL 54, 192-193).
[2] Cf. *Io* 1, 12.
[3] Cf. *Philp* 1, 27.
[4] Cf. *Io* 8, 29.
[5] Cf. *Rom* 6, 5.
[6] Cf. *Rom* 6, 11.
[7] Cf. *Col* 2, 12.
[8] Cf. *Io* 15, 5.
[9] Cf. *Eph* 5, 1-2.
[10] Cf. *Philp* 2, 5.
[11] Cf. *Io* 13, 12-16.

1695 Christiani, « iustificati [...] in nomine Domini Iesu Christi et in Spiritu Dei nostri » (*1 Cor* 6, 11), sanctificati et vocati sancti,[12] « templum [...] Spiritus Sancti » (*1 Cor* 6, 19) sunt effecti. Hic « Spiritus Filii » eos Patrem docet orare[13] et, vita factus eorum, eos agere facit,[14] ut fructus Spiritus ferant[15] per actuosam caritatem. Spiritus Sanctus, peccati sanans vulnera, nos spirituali transformatione renovat interius,[16] Ipse nos illuminat et roborat ut tamquam « filii lucis » (*Eph* 5, 8) vivamus « in omni bonitate et iustitia et sanctitate » (*Eph* 5, 9).

1970   1696 Via Christi « ducit ad vitam » (*Mt* 7, 14), contraria autem via « ducit ad perditionem » (*Mt* 7, 13).[17] Evangelica *duplicis viae* parabola in Ecclesiae catechesi semper manet praesens. Ipsa decisionum moralium momentum pro nostra salute significat. « Duae viae sunt, altera vitae et altera mortis, sed multum interest inter duas vias ».[18]

1697 In catechesi oportet tota claritate gaudium et exigentias viae ostendere Christi.[19] Catechesis de « novitate vitae » (*Rom* 6, 4) in Illo erit:

737ss   — *catechesis de Spiritu Sancto*, Magistro interiore vitae secundum Christum, dulci hospite et amico qui hanc vitam inspirat, ducit, corrigit et roborat;

1938ss   — *catechesis de gratia*, quia gratia salvati sumus et etiam gratia possunt opera nostra fructum ferre in vitam aeternam;

1716ss   — *catechesis de beatitudinibus*, quia Christi via summatim in beatitudinibus comprehenditur, unico itinere ad aeternam felicitatem quam cor appetit hominis;

1846ss   — *catechesis de peccato et venia*, quia homo, quin se peccatorem agnoscat, de se ipso cognoscere nequit veritatem, quae ad iuste operandum est condicio, atque, quin ei offerretur venia, hanc veritatem tolerare nequiret;

1803ss   — *catechesis de humanis virtutibus*, quae faciat ut pulchritudo et allectatio percipiantur rectarum ad bonum dispositionum;

1812ss   — *catechesis de christianis virtutibus* fidei, spei et caritatis, quae summopere sanctorum inspiratur exemplo;

---

[12] Cf. *1 Cor* 1, 2.
[13] Cf. *Gal* 4, 6.
[14] Cf. *Gal* 5, 25.
[15] Cf. *Gal* 5, 22.
[16] Cf. *Eph* 4, 23.
[17] Cf. *Dt* 30, 15-20.
[18] *Didaché* 1, 1: SC 248, 140 (FUNK 1, 2).
[19] Cf. IOANNES PAULUS II, Adh. ap. *Catechesi tradendae*, 29: AAS 71 (1979) 1301.

— *catechesis de duplici caritatis praecepto* in Decalogo explicato;   2067

— *catechesis ecclesialis*, quia vita christiana solum in multiplici « bono-   946ss
rum spiritualium » commutatione in « communione sanctorum » cre-
scere, expandi et communicari potest.

1698   Primus et ultimus talis catechesis respectus semper Ipse erit Iesus   426
Christus qui est « via et veritas et vita » (*Io* 14, 6). Christifideles, in
Eum fide respicientes, sperare possunt Ipsum in eis Suas impleturum
esse promissiones, atque Eum amantes amore quo Ipse illos amavit,
opera esse facturos quae eorum correspondent dignitati:

> « Te rogo ut cogites [...] Dominum nostrum Iesum Christum tuum esse
> verum Caput, et te unum ex Eius membris. [...] Ipse tibi est sicut mem-
> bris caput; omnia Sua, tua sunt: Eius spiritus, cor, corpus, anima om-
> nesque facultates [...], quibus omnibus tibi utendum est quasi tibi pro-
> pria sint ut Deo servias, Deum laudes, ames et glorifices. Tu autem Ipsi
> es sicut membrum capiti, quapropter vehementer Ipse optat omnibus
> tuis facultatibus uti, quasi Eius sint, ad Patri Suo serviendum Eumque
> glorificandum ».[20]

> « Mihi [...] vivere Christus est » (*Philp* 1, 21).

---

[20] Sanctus Ioannes Eudes, *Le Coeur admirable de la Très Sacrée Mère de Dieu*, 1, 5:
Oeuvres completes, v. 6 (Paris 1908) p. 113-114.

SECTIO PRIMA

VOCATIO HOMINIS: VITA IN SPIRITU

1699 Vita in Spiritu Sancto vocationem adimplet hominis (*caput primum*). Ea in caritate divina et solidarietate consistit humana (*caput secundum*). Ipsa ut salus conceditur gratuito (*caput tertium*).

CAPUT PRIMUM

PERSONAE HUMANAE DIGNITAS

1700 Personae humanae dignitas in eius radicatur creatione ad imagi-   356
nem et similitudinem Dei (*articulus primus*); ipsa in sua ad divinam beatitudinem vocatione adimpletur (*articulus secundus*). Hominis est ad talem adimpletionem se libere dirigere (*articulus tertius*). Persona humana,
per suos actus deliberatos (*articulus quartus*), ad bonum conformatur vel
non conformatur, quod Deus promisit quodque conscientia testatur moralis (*articulus quintus*). Homines se ipsos aedificant et intus crescunt: e
tota sua vita sensibili et spirituali materiam faciunt sui incrementi (*articulus sextus*). Cum gratiae adiutorio crescunt in virtute (*articulus septimus*), peccatum vitant et, si illud commiserunt, se, sicut filius prodigus,[1]   1439
Patris nostri coelestis misericordiae committunt (*articulus octavus*). Sic
ad perfectionem accedunt caritatis.

Articulus 1

HOMO IMAGO DEI

1701 « Christus, [...] in ipsa revelatione mysterii Patris Eiusque amoris,   359
hominem ipsi homini plenissime manifestat eique altissimam eius vocationem patefacit ».[2] In Christo, « qui est imago Dei invisibilis » (*Col* 1, 15),[3]
homo « ad imaginem et similitudinem » Creatoris creatus est. In Christo,
Redemptore et Salvatore, imago divina, in homine deformata primo peccato, in sua originali pulchritudine est restaurata et gratia Dei nobilitata.[4]

1702 Imago divina in unoquoque homine est praesens. In personarum   1878
communione resplendet, ad similitudinem unitatis Personarum divinarum inter Se (cf. *Caput secundum*).

---

[1] Cf. *Lc* 15, 11-31.
[2] CONCILIUM VATICANUM II, Const. past. *Gaudium et spes*, 22: AAS 58 (1966) 1042.
[3] Cf. *2 Cor* 4, 4.
[4] Cf. CONCILIUM VATICANUM II, Const. past. *Gaudium et spes*, 22: AAS 58 (1966) 1042.

363   1703   Persona humana, dotata anima spirituali et immortali,[5] « in ter-
       ris sola creatura est quam Deus propter seipsam voluerit ».[6] Inde a
2258   conceptione sua ad aeternam destinatur beatitudinem.

       1704   Persona humana lucem et robur Spiritus divini participat. Ratio-
339   ne capax est ordinem rerum a Creatore stabilitum intelligendi. Sua
       voluntate capax est se ipsam dirigendi ad suum verum bonum. Suam
30   invenit perfectionem vera bonaque inquirendo et diligendo.[7]

       1705   Homo, propter suam animam suasque spirituales intellectus et
1730   voluntatis potentias, dotatus est libertate quae « eximium est divinae
       imaginis [...] signum ».[8]

       1706   Ratione sua, homo vocem cognoscit Dei quae eum urget « ad
       bonum [...] faciendum ac malum vitandum ».[9] Unusquisque tenetur
1776   hanc sequi legem quae in conscientia resonat et quae in amore Dei et
       proximi impletur. Vitae moralis exercitium personae humanae dignita-
       tem testatur.

397   1707   « Homo tamen, suadente Maligno, inde ab exordio historiae, li-
       bertate sua abusus est ».[10] Tentationi occubuit et malum commisit. Boni
       conservat desiderium, sed eius natura vulnus peccati originalis fert. Fac-
       tus est ad malum proclivis et errori subiectus:

       « Ideo in seipso divisus est homo. Quapropter tota vita hominum, sive
       singularis sive collectiva, ut luctationem et quidem dramaticam se exhi-
       bet inter bonum et malum, inter lucem et tenebras ».[11]

617   1708   Passione Sua, Christus nos a Satana et a peccato liberavit. Nobis
       vitam novam in Spiritu Sancto promeruit. Eius gratia id restaurat quod
       peccatum in nobis detriverat.

1265   1709   Qui in Christum credit, filius Dei fit. Haec filialis adoptio eum
       transformat, ei conferens ut Christi exemplum sequatur. Ipsa eum capa-
       cem reddit recte agendi et bonum exercendi. Discipulus, suo unitus Sal-
       vatori, caritatis assequitur perfectionem, nempe sanctitatem. Vita mora-
1050   lis, maturata in gratia, in vitam expanditur aeternam in coeli gloria.

---

[5] Cf. Concilium Vaticanum II, Const. past. *Gaudium et spes*, 14: AAS 58 (1966) 1036.
[6] Concilium Vaticanum II, Const. past. *Gaudium et spes*, 24: AAS 58 (1966) 1045.
[7] Cf. Concilium Vaticanum II, Const. past. *Gaudium et spes*, 15: AAS 58 (1966) 1036.
[8] Concilium Vaticanum II, Const. past. *Gaudium et spes*, 17: AAS 58 (1966) 1037.
[9] Concilium Vaticanum II, Const. past. *Gaudium et spes*, 16: AAS 58 (1966) 1037.
[10] Concilium Vaticanum II, Const. past. *Gaudium et spes*, 13: AAS 58 (1966) 1034.
[11] Concilium Vaticanum II, Const. past. *Gaudium et spes*, 13: AAS 58 (1966) 1035.

Compendium

1710 « *Christus* [...] *hominem ipsi homini plenissime manifestat eique altissimam eius vocationem patefacit* ».[12]

1711 *Persona humana, dotata anima spirituali, intellectu et voluntate, inde a sua conceptione, ad Deum ordinatur et ad beatitudinem destinatur aeternam. Suam persequitur perfectionem, vera bonaque inquirendo et diligendo.*[13]

1712 « *Vera* [...] *libertas eximium est divinae imaginis in homine signum* ».[14]

1713 *Homo legem moralem sequi tenetur, quae illum* « *ad bonum* [...] *faciendum ac malum vitandum* »[15] *urget. Haec lex in eius conscientia resonat.*

1714 *Homo in natura sua a peccato originali vulneratus, errori est subiectus et ad malum in suae libertatis exercitio inclinatus.*

1715 *Qui in Christum credit, novam in Spiritu Sancto habet vitam. Vita moralis quae in gratia crescit et maturescit, in coeli gloria perfici debet.*

Articulus 2

NOSTRA AD BEATITUDINEM VOCATIO

I. Beatitudines

1716 Beatitudines in corde sunt praedicationis Iesu. Earum annuntia 2546
tio promissiones populo electo inde ab Abraham factas assumit iterum. Ipsa eas perficit, illas ordinando non amplius ad mere quadam fruendum terra, sed ad Regnum coelorum:

> « Beati pauperes spiritu, quoniam ipsorum est Regnum caelorum.
> Beati, qui lugent, quoniam ipsi consolabuntur.
> Beati mites, quoniam ipsi possidebunt terram.

---

[12] CONCILIUM VATICANUM II, Const. past. *Gaudium et spes*, 22: AAS 58 (1966) 1042.
[13] Cf. CONCILIUM VATICANUM II, Const. past. *Gaudium et spes*, 15: AAS 58 (1966) 1036.
[14] CONCILIUM VATICANUM II, Const. past. *Gaudium et spes*, 17: AAS 58 (1966) 1037.
[15] CONCILIUM VATICANUM II, Const. past. *Gaudium et spes*, 16: AAS 58 (1966) 1037.

Beati, qui esuriunt et sitiunt iustitiam, quoniam ipsi saturabuntur.
Beati misericordes, quia ipsi misericordiam consequentur.
Beati mundo corde, quoniam ipsi Deum videbunt.
Beati pacifici, quoniam filii Dei vocabuntur.
Beati, qui persecutionem patiuntur propter iustitiam, quoniam ipsorum
est Regnum caelorum.
Beati estis cum maledixerint vobis et persecuti vos fuerint et dixerint
omne malum adversum vos, mentientes, propter me. Gaudete et exsulta-
te, quoniam merces vestra copiosa est in caelis» (*Mt* 5, 3-12).

459   **1717** Beatitudines vultum depingunt Iesu Christi Eiusque caritatem
describunt; vocationem exprimunt fidelium gloriae passionis Eius et Resurrectionis consociatorum; actiones et habitudines vitae christianae
1820   peculiares illustrant; inopinabiles sunt promissiones quae spem in tribu-
lationibus sustinent; discipulis benedictiones annuntiant et retributiones
iam subobscure asseveratas; in Virginis Mariae et omnium sanctorum
vita inaugurantur.

II. Felicitatis desiderium

27   **1718** Beatitudines naturali felicitati respondent desiderio. Hoc deside-
1024   rium originis est divinae; Deus illud in hominis posuit corde ut illum
attrahat ad Se qui solus illud potest implere:

> «Beate certe omnes vivere volumus neque quisquam est in hominum
> genere, qui non huic sententiae, antequam plane sit emissa, consentiat».[16]

2541   «Quomodo ergo Te quaero, Domine? Cum enim Te, Deum meum,
quaero, vitam beatam quaero. Quaeram Te, ut vivat anima mea. Vivit
enim corpus meum de anima mea et vivit anima mea de Te».[17]

> «Deus enim solus satiat».[18]

1950   **1719** Beatitudines scopum detegunt exsistentiae humanae, ultimum actuum humanorum finem: Deus nos ad Suam propriam vocat beatitudinem. Haec vocatio ad unumquemque dirigitur personaliter, sed etiam
ad totam Ecclesiam, novum populum eorum qui Promissionem acceperunt et in eius fide vivunt.

---

[16] Sanctus Augustinus, *De moribus Ecclesiae catholicae,* 1, 3, 4: CSEL 90, 6 (PL 32, 1312).

[17] Sanctus Augustinus, *Confessiones,* 10, 20, 29: CCL 27, 170 (PL 32, 791).

[18] Sanctus Thomas Aquinas, *In Symbolum Apostolorum scilicet «Credo in Deum» expositio,* c. 15: *Opera omnia,* v. 27 (Parisiis 1875) p. 228.

III. Beatitudo christiana

1720 Novum Testamentum, ut beatitudinem insigniat, ad quam Deus   1027
hominem vocat, pluribus utitur expressionibus: Adventu Regni Dei; [19]
visione Dei: « Beati mundo corde, quoniam ipsi Deum videbunt »
(*Mt* 5, 8); [20] ingressu in gaudium Domini; [21] ingressu in requiem Dei: [22]

> « Ibi vacabimus et videbimus, videbimus et amabimus, amabimus et
> laudabimus. Ecce quod erit in fine sine fine. Nam quis alius noster est
> finis nisi pervenire ad Regnum, cuius nullus est finis? ». [23]

1721 Deus enim nos posuit in mundo ut Ipsum cognoscamus, Ipsi
serviamus Ipsumque amemus atque ut sic ad paradisum perveniamus.
Beatitudo nos efficit « divinae consortes naturae » (*2 Pe* 1, 4) et vitae
aeternae. [24] Cum ea homo gloriam ingreditur Christi [25] et fruitionem vitae
trinitariae.   260

1722 Talis beatitudo intelligentiam superat et solas vires humanas. E   1028
dono Dei oritur gratuito. Propterea supernaturalis dicitur, sicut gratia
quae hominem disponit ad divinam ingrediendam fruitionem.

> « 'Beati mundo corde, quoniam ipsi Deum videbunt'. Sed secundum
> magnitudinem quidem Eius et inenarrabilem gloriam 'nemo videbit
> Deum et vivet', incapabilis enim Pater, secundum autem dilectionem et
> humanitatem et quod omnia possit, etiam hoc concedit his qui Se dili-
> gunt, id est videre Deum [...]: quoniam 'quae impossibilia sunt apud   294
> homines possibilia apud Deum' ». [26]

1723 Promissa beatitudo nos collocat ante electiones morales decisivas.
Nos invitat ad cor nostrum a malis purificandum instinctibus et ad   2519
amorem Dei super omnia quaerendum. Nos docet veram felicitatem in
divitiis vel commoditate non residere neque in gloria humana vel potentia, neque in ullo humano opere, etiamsi perutile sit, sicut scientiae,

---

[19] Cf. *Mt* 4, 17.
[20] Cf. *1 Io* 3, 2; *1 Cor* 13, 12.
[21] Cf. *Mt* 25, 21. 23.
[22] Cf. *Heb* 4, 7-11.
[23] Sanctus Augustinus, *De civitate Dei,* 22, 30: CSEL 40/2, 670 (PL 41, 804).
[24] Cf. *Io* 17, 3.
[25] Cf. *Rom* 8, 18.
[26] Sanctus Irenaeus Lugdunensis, *Adversus haereses,* 4, 20, 5: SC 100, 638.

227 technicae et artes, neque in ulla creatura, sed in solo Deo, omnis boni et omnis amoris fonte:

> « Divitiae magna divinitas sunt hodierna; illis multitudo, tota hominum massa, obsequium tribuit spontaneum. Beatitudinem metiuntur secundum fortunam, et secundum fortunam etiam honorabilitatem metiuntur. [...] Hoc oritur e nostra convictione [...] iuxta quam omnia sunt cum divitiis possibilia. Divitiae sunt igitur unum ex hodiernis idolis famaque aliud est. [...] Fama, cognosci et in mundo rumorem facere ad id pervenit ut bonum in se ipsa consideretur, bonum excelsum, obiectum, et ipsa, verae venerationis. [...] Id appellari posset ephemeridum fama ».[27]

1724 Decalogus, sermo montanus et catechesis apostolica nobis describunt vias quae ad Regnum ducunt coelorum. Eis pedetentim per actus implicamur quotidianos, gratia Spiritus Sancti sustentos. Christi verbo fecundati, lente fructus ferimus in Ecclesia ad gloriam Dei.[28]

Compendium

1725 *Beatitudines promissiones Dei inde ab Abraham factas assumunt et perficiunt, eas ad Regnum coelorum ordinando. Felicitatis respondent desiderio quod Deus in hominis posuit corde.*

1726 *Beatitudines nos finem ultimum docent ad quem Deus nos vocat: Regnum, visionem Dei, participationem divinae naturae, vitam aeternam, filiationem et in Deo requiem.*

1727 *Vitae aeternae beatitudo donum Dei est gratuitum; ipsa est supernaturalis sicut gratia quae ad illam ducit.*

1728 *Beatitudines nos ante decisivas relate ad bona terrestria collocant electiones; ipsae nostrum purificant cor ad nos docendum Deum amare super omnia.*

1729 *Coeli beatitudo determinat criteria ad usum bonorum terrestrium discernendum secundum Legem Dei.*

[27] IOANNES HENRICUS NEWMAN, *Discourses addressed to Mixed Congregations*, 5 [*Saintliness the Standard of Christian Principle*] (Westminster 1966) p. 89-91.
[28] Cf. parabola seminatoris: *Mt* 13, 3-23.

Articulus 3

HOMINIS LIBERTAS

1730   Deus hominem creavit rationabilem, ei dignitatem conferens personae quae capax est suos incipiendi et dominandi actus. « Voluit enim Deus hominem 'relinquere in manu consilii sui' (*Eccli* 15, 14), ita ut Creatorem suum sponte quaerat et libere ad plenam et beatam perfectionem Ei inhaerendo perveniat »:[29]   30

> « Homo vero rationabilis, et secundum hoc similis Deo, liber in arbitrio factus et suae potestatis ».[30]

I. Libertas et responsabilitas

1731   Libertas est potestas, in ratione et voluntate radicata, agendi vel non agendi, hoc vel illud faciendi, actiones deliberatas sic per se ipsum ponendi. Per liberum arbitrium unusquisque de se ipso disponit. Libertas est in homine vis incrementi et maturationis in veritate et bonitate. Libertas suam attingit perfectionem, cum ad Deum, beatitudinem nostram, ordinatur.   1721

1732   Quamdiu libertas definitive fixa non est in suo ultimo bono, quod est Deus, possibilitatem implicat *inter bonum et malum eligendi*, illam igitur in perfectione crescendi vel deficiendi atque peccandi. Ipsa actus proprie humanos distinguit. Fons fit laudis vel vituperationis, meriti vel demeriti.   396   1849   2006

1733   Quo magis quis bonum facit, eo liberior fit. Vera non habetur libertas nisi in boni et iustitiae servitium. Inoboedientiae et mali electio est libertatis abusus et ducit ad servitutem peccati[31]   1803

1734   Libertas hominem suorum facit *responsabilem* actuum quatenus ipsi voluntarii sunt. Progressus in virtute, boni cognitio et ascesis dominium augent voluntatis super eius actus.   1036   1804

1735   *Imputabilitas* et responsabilitas cuiusdam actionis minui possunt atque adeo supprimi propter ignorantiam, inadvertentiam, violentiam, metum, consuetudines, affectiones immoderatas et alias psychicas vel sociales causas.   597

---

[29] Concilium Vaticanum II, Const. past. *Gaudium et spes*, 17: AAS 58 (1966) 1037.
[30] Sanctus Irenaeus Lugdunensis, *Adversus haereses* 4, 4, 3: SC 100, 424 (PG 7, 983).
[31] Cf. *Rom* 6, 17.

1736   Omnis actus directe volitus auctori suo imputabilis est:

2568   Sic Dominus post peccatum in paradiso quaerit ab Adam: « Quid hoc fecisti? »
(*Gn* 3, 13). Eodem modo, Cain interrogat.[32] Sic etiam propheta Nathan loquitur
ad regem David post adulterium cum uxore Uriae huiusque necem.[33]

Actio quaedam potest indirecte voluntaria esse, cum ipsa e negligentia provenit
relate ad id quod cognosci vel fieri debuisset, sicut infortunium ex ignorantia
proveniens codicis vehiculorum transitum regentis.

2263   1737   Effectus quidam, quin ab agente sit volitus, potest tolerari, exempli gratia extrema matris ad lectum filii aegrotantis defatigatio. Effectus malus imputabilis non est, si non est volitus nec ut finis nec ut medium actionis, sic mors accepta dum cuidam personae versanti in periculo fertur auxilium. Ut effectus
malus sit imputabilis, requiritur ut ille possit praevideri et ut agens possibilitatem habeat illum evitandi, exempli gratia in casu homicidii ab eo commissi qui
vehiculum in statu ducit ebrietatis.

1738   Libertas in relationibus inter homines exercetur. Unaquaeque
persona humana, ad imaginem Dei creata, ius habet naturale ut tamquam ens liberum et responsabile agnoscatur. Omnes unicuique hoc debent observantiae officium. *Ius ad exercitium libertatis* exigentia est inse-
2106   parabilis a personae humanae dignitate, praesertim in re morali et
210   religiosa.[34] Hoc ius debet civiliter agnosci et protegi intra boni communis et ordinis publici limites.[35]

II. Libertas humana in Oeconomia salutis

1739   *Libertas et peccatum.* Libertas humana finita est et fallibilis. De
387   facto, homo defecit. Ipse libere peccavit. Amoris Dei consilium reiiciens, se ipsum decepit; servus factus est peccati. Haec prima alienatio
401   multas alias genuit. Historia generis humani, inde a suis originibus, ae-
rumnas testatur et oppressiones e corde hominis natas, ut consequentiam mali libertatis usus.

2108   1740   *Pericula quae libertati minantur.* Libertatis exercitium ius non implicat omnia dicendi et omnia faciendi. Falsa praesumptio est « notio
subiecti huiusmodi libertatis, quod ut individua persona habetur sibi
sufficiens finemque habens satisfaciendi suis commodis fruitione bono-

---

[32] Cf. *Gn* 4, 10.
[33] Cf. *2 Sam* 12, 7-15.
[34] Cf. Concilium Vaticanum II, Decl. *Dignitatis humanae*, 2: AAS 58 (1966) 930-931.
[35] Cf. Concilium Vaticanum II, Decl. *Dignitatis humanae*, 7: AAS 58 (1966) 934-935.

rum terrestrium ».[36] Ceterum, condiciones ordinis oeconomici et socialis, politici et culturalis pro iusto libertatis exercitio requisitae nimis frequenter ignorantur et violantur. Hi caecitatis et iniustitiae status vitam moralem onerant et tam fortes quam debiles in tentationem ducunt contra caritatem peccandi. Homo, se a lege separans morali, suae propriae libertati infert detrimentum, se ipsum vinculis alligat, sui similium rumpit fraternitatem et contra divinam rebellat veritatem.

1887

1741 *Liberatio et salus.* Christus, per Suam crucem gloriosam, omnium hominum obtinuit salutem. Ipse eos a peccato redemit, quod eos in servitute detinebat. « Hac libertate nos Christus liberavit » (*Gal* 5, 1). In Ipso cum veritate, quae nos liberat,[37] communionem habemus. Spiritus Sanctus nobis est datus, et sicut Apostolus docet, « ubi [...] Spiritus Domini, ibi libertas » (*2 Cor* 3, 17). Iam nunc gloriamur libertate filiorum Dei.[38]

782

1742 *Libertas et gratia.* Gratia Christi nullo modo apparet ut aemulatrix nostrae libertatis, cum haec veritatis et boni correspondet sensui quem Deus in hominis corde posuit. E contra, sicut christiana experientia id testatur praesertim in oratione, quo dociliores impulsibus sumus gratiae, eo magis augentur nostra intima libertas atque nostra in probationibus securitas, sicut etiam coram mundi exterioris pressuris et coactionibus. Operatione gratiae, Spiritus Sanctus nos ad libertatem educat spiritualem, ut nos Sui operis in Ecclesia et in mundo liberos efficiat collaboratores:

2002

1784

> « Omnipotens et misericors Deus, universa nobis adversantia propitiatus exclude, ut, mente et corpore pariter expediti, quae Tua sunt liberis mentibus exsequamur ».[39]

Compendium

1743 « *Deus* [...] *hominem* [...] *reliquit* [...] *in manu consilii sui* » (*Eccli* 15, 14) *ut possit libere Creatori adhaerere suo et sic ad perfectam beatitudinem pervenire.*[40]

---

[36] Congregatio pro Doctrina Fidei, Instr. *Libertatis conscientia*, 13: AAS 79 (1987) 559.

[37] Cf. *Io* 8, 32.

[38] Cf. *Rom* 8, 21.

[39] *Dominica XXXII « Per annum »*, Collecta: *Missale Romanum*, editio typica (Typis Polyglottis Vaticanis 1970) p. 371.

[40] Cf. Concilium Vaticanum II, Const. past. *Gaudium et spes*, 17: AAS 58 (1966) 1037.

1744   *Libertas est facultas agendi vel non agendi et sic per se ipsum actiones deliberatas ponendi. Ipsa perfectionem attingit sui actus, cum ad Deum, excelsum Bonum, ordinatur.*

1745   *Libertas actus proprie humanos distinguit. Hominem reddit responsabilem actuum, quorum ipse voluntarie est auctor. Eius deliberata operatio ad eum pertinet tamquam propria.*

1746   *Cuiusdam actionis imputabilitas vel responsabilitas possunt propter ignorantiam, violentiam, metum et alias psychicas vel sociales causas minui aut supprimi.*

1747   *Ius ad exercitium libertatis exigentia est ab hominis dignitate inseparabilis, praesertim in re religiosa et morali. Sed exercitium libertatis non implicat praesumptum ius ad omnia facienda vel ad omnia dicenda.*

1748   « *Hac libertate nos Christus liberavit* » (*Gal* 5, 1).

Articulus 4

ACTUUM HUMANORUM MORALITAS

1749   Libertas hominem subiectum efficit morale. Homo, cum modo agit deliberato, est, ut ita dicamus, *pater suorum actuum*. Actus humani, id est, libere post conscientiae iudicium electi, sunt moraliter aestimabiles. Sunt boni aut mali.

1732

I. Fontes moralitatis

1750   Actuum humanorum moralitas dependet:
— ex obiecto electo;
— ex fine intento seu ex intentione;
— ex circumstantiis actionis.

Obiectum, intentio et circumstantiae « fontes » constituunt, seu elementa constitutiva, moralitatis actuum humanorum.

1751   *Obiectum* electum est bonum in quod voluntas deliberate tendit. Est materia actus humani. Obiectum electum actum voluntatis moraliter specificat, prout ratio illud agnoscat et iudicet conforme vel non cum vero bono. Obiectivae normae moralitatis rationalem boni et mali enuntiant ordinem, quem conscientia testatur.   1794

1752   Coram obiecto, *intentio* se collocat e parte subiecti agentis. Intentio, quippe quae ex fonte voluntario est actionis eamque per finem determinat, elementum est essentiale in morali aestimatione actionis. Finis est primus terminus intentionis et scopum indicat quem actio prosequitur. Intentio motus est voluntatis in finem; terminum respicit actionis.   2520 Ipsa est propositum boni quod ab actione incepta exspectatur. Ad actiones singulares non reducitur dirigendas, sed in eumdem scopum potest plures actiones ordinare; totam vitam potest ad finem ultimum   1731 disponere. Exempli gratia, servitium praestitum habet ut finem adiuvare proximum, sed potest simul amore Dei inspirari tamquam finis ultimi omnium nostrarum actionum. Eadem actio potest etiam pluribus inspirari intentionibus, sicut servitium praestare ad favorem obtinendum vel ad vanitatem exinde educendam.

1753   Intentio bona (exempli gratia: proximum adiuvare) nec bonum nec iustum reddit modum agendi qui in se ipso esset deordinatus (sicut   2479 mendacium et maledicentia). Finis media non iustificat. Sic innocentis damnatio iustificari non potest tamquam medium legitimum ad populum salvandum. E contra, mala intentio superaddita (sicut gloria vana)   596 malum reddit actum qui in se potest bonus esse (sicut eleemosyna [41]).

1754   *Circumstantiae*, in quibus consequentiae includuntur, elementa sunt secundaria actus moralis. Conferunt ad actuum humanorum bonitatem vel malitiam moralem aggravandam aut minuendam (exempli gratia, summa cuiusdam furti). Possunt etiam agentis attenuare vel augere responsabilitatem (sic propter mortis metum agere). Circumstantiae ex   1735 se qualitatem moralem ipsorum actuum mutare non possunt; nec bonam reddere possunt nec iustam actionem in se ipsa malam.

II. Actus boni et actus mali

1755   Actus *moraliter bonus* simul bonitatem praesupponit obiecti, finis et circumstantiarum. Finis malus actionem corrumpit, etiamsi eius obiectum in se bonum sit (sicut orare et ieiunare ut quis ab hominibus videatur).

    Obiectum electionis potest per se solum totum agendi modum vitiare. Sunt concreti agendi modi — sicut fornicatio — quos eligere semper

---

[41] Cf. *Mt* 6, 2-4.

erroneum est, quia eorum electio deordinationem implicat voluntatis, id est, malum morale.

1756 Erroneum ergo est de actuum humanorum moralitate iudicare, solummodo intentionem quae illos inspirat, vel circumstantias considerando (rerum ambitum, socialem pressionem, coactionem vel necessitatem agendi) quae quasi eorum sunt scaena. Actus sunt qui per se ipsos et in se ipsis, independenter a circumstantiis et ab intentionibus, ratione sui obiecti semper sunt graviter illiciti; sic blasphemia et periurium, homicidium et adulterium. Non licet malum facere ut exinde bonum proveniat.

1789

Compendium

1757 *Obiectum, intentio et circumstantiae tres constituunt «fontes» moralitatis actuum humanorum.*

1758 *Obiectum electum actum voluntatis moraliter specificat prout ratio illud agnoscit et iudicat bonum vel malum.*

1759 *« Nullum malum bona intentione factum excusatur ».⁴² Finis non iustificat media.*

1760 *Actus moraliter bonus simul obiecti, finis et circumstantiarum praesupponit bonitatem.*

1761 *Sunt rationes agendi concretae quas eligere semper erroneum est, quia earum electio inordinationem implicat voluntatis, id est, malum morale. Non licet malum facere ut exinde bonum proveniat.*

Articulus 5

PASSIONUM MORALITAS

1762 Persona humana per suos actus deliberatos ordinatur ad beatitudinem: passiones vel affectiones quas experitur, illam possunt ad hanc disponere atque ad hanc conferre.

---

⁴² Sanctus Thomas Aquinas, *In duo praecepta caritatis et in decem Legis praecepta expositio*, c. 6: *Opera omnia*, v. 27 (Parisiis 1875) p. 149.

I. Passiones

1763   Vox « passiones » ad patrimonium pertinet christianum. Affectiones vel passiones designant sensibilitatis commotiones vel motus qui ad agendum inclinant vel ad non agendum in ordine ad id quod ut bonum vel ut malum sentitur vel fingitur.

1764   Passiones elementa humanae psychologiae sunt naturalia, ipsae efformant locum transitus et fulciunt vinculum inter vitam sensibilem et vitam spiritus. Dominus noster cor hominis designat tamquam fontem   368
unde motus oritur passionum.[43]

1765   Passiones multae sunt. Passio maxime fundamentalis est amor attractione boni provocatus. Amor desiderium causat boni absentis et spem illud obtinendi. Hic motus in fruitione boni possessi et in gaudio de illo expletur. Mali apprehensio odium, aversionem causat et metum mali futuri. Hic motus expletur in tristitia mali praesentis et in ira quae illi opponitur.

1766   « Amare est velle alicui bonum ».[44] Omnes aliae affectiones suum habent fontem in hoc motu originali cordis hominis in bonum. Nihil   1704
aliud amatur nisi bonum.[45] « Proinde mala sunt ista, si malus amor est; bona, si bonus ».[46]

II. Passiones et vita moralis

1767   Passiones, in se ipsis, nec bonae sunt nec malae. Moralem non recipiunt qualificationem nisi quatenus a ratione vel a voluntate revera pendent. Passiones dicuntur voluntariae « vel ex eo quod a voluntate   1860
imperantur, vel ex eo quod a voluntate non prohibentur ».[47] Ad boni moralis vel humani perfectionem pertinet, passiones ratione regulari.[48]

1768   Magni animi sensus neque moralitatem neque sanctitatem decidunt personarum; receptaculum sunt inexhaustibile imaginum et affectionum in quibus exprimitur vita moralis. Passiones sunt moraliter bonae cum ad actionem conferunt bonam, et malae in casu contrario.

---

[43] Cf. *Mc* 7, 21.
[44] Sanctus Thomas Aquinas, *Summa theologiae,* 1-2, q. 26, a. 4, c: Ed. Leon. 6, 190.
[45] Cf. Sanctus Augustinus, *De Trinitate,* 8, 3, 4: CCL 50, 271-272 (PL 42, 949).
[46] Sanctus Augustinus, *De civitate Dei,* 14, 7: CSEL 40/2, 13 (PL 41, 410).
[47] Sanctus Thomas Aquinas, *Summa theologiae,* 1-2, q. 24, a. 1, c: Ed. Leon. 6, 179.
[48] Cf. Sanctus Thomas Aquinas, *Summa theologiae,* 1-2, q. 24, a. 3, c: Ed. Leon. 6, 181.

Recta voluntas ad bonum et ad beatitudinem sensibiles ordinat motus quos ipsa assumit; mala voluntas passionibus succumbit deordinatis easque exacerbat. Commotiones et sensus possunt in *virtutes* assumi, vel in *vitiis* perverti.

1803
1865

1769 In vita christiana, Ipse Spiritus Sanctus opus perficit Suum, totam movens personam, eius doloribus, timoribus et tristitiis inclusis, sicut in Domini agonia apparet et passione. In Christo, humanae affectiones possunt suam recipere consummationem in caritate et beatitudine divina.

30   1770 Perfectio moralis implicat ut homo ad bonum non solum sua voluntate, sed etiam suo sensibili appetitu moveatur secundum haec psalmi verba: «Cor meum et caro mea exsultaverunt in Deum vivum» (*Ps* 84, 3).

Compendium

1771   *Vox «passiones» affectiones designat vel sensus. Per suas commotiones homo bonum praesentit vel malum suspicatur.*

1772   *Praecipuae passiones sunt amor et odium, desiderium et metus, gaudium, tristitia et ira.*

1773   *In passionibus quatenus sensibilitatis motibus nec bonum habetur morale nec malum. Sed in illis bonum morale vel malum habetur prout illae pendent vel non pendent a ratione et a voluntate.*

1774   *Commotiones et affectiones possunt in virtutes assumi, vel in vitiis perverti.*

1775   *Boni moralis perfectio est hominem ad bonum non solum sua voluntate, sed etiam suo «corde» moveri.*

Articulus 6

CONSCIENTIA MORALIS

1954   1776 «In imo conscientiae legem homo detegit, quam ipse sibi non dat, sed cui oboedire debet, et cuius vox, semper ad bonum amandum et faciendum ac malum vitandum eum advocans, ubi oportet, auribus cordis sonat [...]. Nam homo legem in corde suo a Deo inscriptam habet [...]. Conscientia est nucleus secretissimus atque sacrarium hominis, in quo solus est cum Deo, cuius vox resonat in intimo eius ».[49]

I. Iudicium conscientiae

1777 Conscientia moralis,[50] praesens in personae corde, ei iniungit, tempore opportuno, bonum peragere malumque evitare. Electiones etiam iudicat concretas, eas approbans quae bonae sunt, illas denuntians quae sunt malae.[51] Veritatis testatur auctoritatem relate ad Bonum supremum, cuius attractionem persona humana experitur et cuius praecepta recipit. Homo prudens, cum conscientiam moralem exaudit, Deum loquentem potest audire.

1766, 2071

1778 Conscientia moralis est rationis iudicium quo persona humana qualitatem moralem actus agnoscit concreti quem illa factura est, quem efficit vel quem perfecit. Homo in omnibus quae dicit vel facit, fideliter sequi tenetur quod ipse iustum et rectum esse scit. Homo, per suae conscientiae iudicium, praescripta Legis divinae percipit et agnoscit:

1749

> Conscientia « est nostri spiritus lex, sed quae nostrum superat spiritum, quae nobis praescriptiones facit, quae responsabilitatem et officium, timorem significat et spem. [...] Ipsa est nuntia Illius qui, in ordine naturae sicut in illo gratiae, nobis per velamentum loquitur, nos instruit et gubernat. Conscientia est omnium Christi vicariorum primus ».[52]

1779 Oportet unumquemque adeo sibimetipsi esse praesentem ut suae conscientiae vocem audiat et sequatur. Haec *interioritatis* exigentia eo magis est necessaria quod vita nobis saepe adducit periculum ut ab omni reflexione, examine vel reditu in nos substrahamur:

1886

> « Redi ad conscientiam tuam, ipsam interroga. [...] Redite ergo intro, fratres; et in omnibus quaecumque facitis, intuemini testem Deum ».[53]

1780 Dignitas personae humanae *rectitudinem conscientiae moralis* implicat et exigit. Conscientia moralis perceptionem complectitur principiorum moralitatis (synderesim), eorum applicationem in occurrentibus circumstantiis per practicam rationum et bonorum discretionem et

---

[49] Concilium Vaticanum II, Const. past. *Gaudium et spes*, 16: AAS 58 (1966) 1037.
[50] Cf. *Rom* 2, 14-16.
[51] Cf. *Rom* 1, 32.
[52] Ioannes Henricus Newman, *A Letter to the Duke of Norfolk*, 5: *Certain Difficulties felt by Anglicans in Catholic Teaching*, v. 2 (Westminster 1969) p. 248.
[53] Sanctus Augustinus, *In epistulam Ioannis ad Parthos tractatus* 8, 9: PL 35, 2041.

proinde iudicium de actibus concretis conficiendis vel iam confectis latum. Veritas de bono morali, declarata in lege rationis, practice et concrete per *prudens iudicium* conscientiae agnoscitur. Homo, qui secundum hoc iudicium eligit, prudens appellatur.

1806

1731　**1781** Conscientia *responsabilitatem* actuum effectorum permittit assumere. Si homo malum committit, iustum conscientiae iudicium potest in eo testis manere de universali veritate boni, simul ac de malitia eius electionis singularis. Sententia iudicii conscientiae pignus manet spei et misericordiae. Illa, culpam testans commissam, in memoriam revocat, veniam esse petendam, bonum adhuc faciendum et virtutem incessanter gratia Dei colendam:

> « In conspectu Eius placabimus corda nostra, quoniam si reprehenderit nos cor, maior est Deus corde nostro et cognoscit omnia » (*1 Io* 3, 19-20).

1782 Homo ius habet secundum conscientiam et libere agendi, ut decisiones morales personaliter assumere possit. Homo « non est ergo cogendus, ut contra suam conscientiam agat. Sed neque impediendus est, quominus iuxta suam conscientiam operetur, praesertim in re religiosa ».[54]

2106

II. Conscientiae efformatio

1783 Conscientia certior fieri et iudicium morale illustrari debent. Conscientia bene efformata recta est et verax. Sua enuntiat iudicia rationem sequens, secundum verum bonum a Creatoris sapientia volitum. Conscientiae educatio est necessaria hominibus qui influxibus negativis sunt subiecti et a peccato tentati ut suum iudicium praeferant proprium et auctoritate praeditas reiiciant doctrinas.

2039

1784 Conscientiae educatio munus est totius vitae. A prioribus annis, ipsa puerum suscitat ad cognitionem et praxim interioris legis a morali conscientia agnitae. Prudens educatio virtutem docet; ipsa a metu, a caeco sui amore (« egoismo ») et a superbia, a culpabilitatis exacerbationibus et complacentiae motibus praeservat, quae ex debilitate et humanis oriuntur culpis, vel ea sanat. Conscientiae educatio libertatem praestat et pacem cordis gignit.

1742

1785 In conscientiae efformanda, Verbum Dei lux itineris est nostri; illud in fide et oratione proprium facere oportet atque in praxim adducere. Debemus quoque nostram examinare conscientiam respiciendo ad

---

[54] Concilium Vaticanum II, Decl. *Dignitatis humanae*, 3: AAS 58 (1966) 932.

crucem Domini. Dona Spiritus Sancti succurrunt nobis, qui aliorum testimonio et consiliis adiuvamur atque Ecclesiae doctrina auctoritate   890
praedita ducimur.[55]

III. Secundum conscientiam eligere

1786   Conscientia, coram electione morali posita, potest sive iudicium
rectum rationi et Legi divinae conforme ferre sive, e contra, iudicium
erroneum quod ab eis discedit.

1787   Homo quandoque in condicionibus invenitur quae iudicium morale minus certum et decisionem efficiunt difficilem. Ipse tamen semper
quaerere debet quod iustum est et bonum, atque voluntatem Dei in
Lege divina expressam discernere.   1955

1788   Ad hoc, homo conatur facta experientiae et signa temporum per
prudentiae virtutem, per personarum prudentium consilia et per Spiritus   1806
Sancti Eiusque donorum adiutorium interpretari.

1789   In omnibus casibus quaedam applicantur regulae:

— Nunquam licet malum facere ut ex eo bonum proveniat.   1756

— « Regula aurea »: « Omnia [...], quaecumque vultis ut faciant vobis   1970
   homines, ita et vos facite eis » (*Mt* 7, 12).[56]

— Caritas semper proximi et eius conscientiae continet observantiam.   1827
   « Peccantes in fratres et percutientes conscientiam eorum infirmam,   1971
   in Christum peccatis » (*1 Cor* 8, 12). « Bonum est non [...] [facere]
   id, in quo frater tuus offendit aut scandalizatur aut infirmatur »
   (*Rom* 14, 21 vulg.).

IV. Iudicium erroneum

1790   Homo semper certo suae conscientiae debet oboedire iudicio. Si
contra hoc deliberate ageret, se ipsum damnaret. Sed evenit conscientiam moralem in ignorantia versari et erronea ferre iudicia de actibus
ponendis vel iam commissis.

1791   Haec ignorantia saepe responsabilitati personali potest imputari.
Hoc evenit, « cum homo de vero ac bono inquirendo parum curat, et   1704

---

[55] Cf. Concilium Vaticanum II, Decl. *Dignitatis humanae*, 14: AAS 58 (1966) 940.
[56] Cf. *Lc* 6, 31; *Tb* 4, 15.

conscientia ex peccati consuetudine paulatim fere obcaecatur».[57] His in casibus, persona, mali quod committit, est culpabilis.

133   1792 Ignorantia Christi et Eius Evangelii, mala exempla ab aliis praebita, passionum servitus, postulatio male intellectae autonomiae conscientiae, reiectio auctoritatis Ecclesiae eiusque doctrinae, defectus conversionis et caritatis origo esse possunt deflexionum iudicii in modo morali agendi.

1860   1793 Si — e contra — ignorantia est invincibilis, vel iudicium erroneum sine subiecti moralis responsabilitate, malum a persona commissum non potest ei imputari. Ipsum nihilominus manet malum, privatio, deordinatio. Est ergo necessarium operam dare ut conscientia moralis a suis erroribus corrigatur.

1794 Conscientia bona et pura illuminatur fide vera. Nam caritas simul procedit « de corde puro et conscientia bona et fide non ficta » (*1 Tim* 1, 5): [58]

1751   « Quo magis ergo conscientia recta praevalet, eo magis personae et coetus a caeco arbitrio recedunt et normis obiectivis moralitatis conformari satagunt ».[59]

Compendium

1795 « *Conscientia est nucleus secretissimus atque sacrarium hominis, in quo solus est cum Deo, cuius vox resonat in intimo eius* ».[60]

1796 *Conscientia moralis est iudicium rationis quo persona humana moralem actus concreti agnoscit qualitatem.*

1797 *Pro homine qui malum commiserit, iudicium conscientiae eius pignus manet conversionis et spei.*

1798 *Conscientia bene efformata recta est et verax. Sua enuntiat iudicia rationem sequens, secundum verum bonum a Creatoris sapientia volitum. Unusquisque media assumere debet ad suam conscientiam efformandam.*

---

[57] Concilium Vaticanum II, Const. past. *Gaudium et spes*, 16: AAS 58 (1966) 1037.
[58] Cf. *1 Tim* 3, 9; *2 Tim* 1, 3; *1 Pe* 3, 21; *Act* 24, 16.
[59] Concilium Vaticanum II, Const. past. *Gaudium et spes*, 16: AAS 58 (1966) 1037.
[60] Concilium Vaticanum II, Const. past. *Gaudium et spes*, 16: AAS 58 (1966) 1037.

1799 *Conscientia, ante electionem moralem posita, potest ferre sive iudicium rectum rationi et Legi divinae conforme sive, e contra, iudicium erroneum quod ab eis discedit.*

1800 *Homo iudicio certo conscientiae suae semper debet oboedire.*

1801 *Conscientia moralis potest in ignorantia manere vel erronea ferre
iudicia. Hae ignorantiae et hi errores non semper a culpabilitate
sunt exempti.*

1802 *Verbum Dei gressibus nostris est lumen. Oportet illud in fide et
oratione proprium facere, et in praxim ducere. Sic conscientia moralis efformatur.*

Articulus 7

VIRTUTES

1803 « Quaecumque sunt vera, quaecumque pudica, quaecumque iusta,
quaecumque casta, quaecumque amabilia, quaecumque bonae famae, si
qua virtus et si qua laus, haec cogitate » (*Philp* 4, 8).

Virtus est habitualis et firma dispositio ad bonum faciendum. Ipsa   1733
non solum personae permittit actus peragere bonos, sed etiam optima sui
ipsius donare. Persona virtuosa omnibus suis viribus sensibilibus et spiri-   1768
tualibus ad bonum tendit; id prosequitur et eligit in suis concretis actionibus:

« Sit finis vitae cum virtute degendae, ut quis Numini divino assimiletur ».[61]

I. Virtutes humanae

1804 *Virtutes humanae* habitus sunt firmi, dispositiones stabiles, habi-
tuales intellectus et voluntatis perfectiones, quae nostros regulant actus,
nostras ordinant passiones et nostrum agendi modum ducunt secundum
rationem et fidem. Ipsae facilitatem, dominium comparant et gaudium   2500
ad vitam moraliter bonam ducendam. Homo virtuosus ille est qui bonum libere exercet.

Virtutes morales humano acquiruntur modo. Fructus sunt et germina actuum moraliter bonorum; omnes hominis potentias disponunt ad
communicandum cum amore divino.   1827

---

[61] Sanctus Gregorius Nyssenus, *De beatitudinibus*, oratio 1: *Gregorii Nysseni opera*,
ed. W. Jaeger, v. 7/2 (Leiden 1992) p. 82 (PG 44, 1200).

CARDINALIUM VIRTUTUM DISTINCTIO

1805 Quattuor virtutes munere funguntur «cardinis». Propterea appellantur «cardinales»; ceterae omnes circum eas ordinantur. Illae sunt prudentia, iustitia, fortitudo et temperantia. «Si iustitiam quis diligit, labores huius sunt virtutes: sobrietatem enim et prudentiam docet, iustitiam et fortitudinem» (*Sap* 8, 7). Aliis nominibus hae virtutes in pluribus Scripturae laudantur locis.

1806 *Prudentia* est virtus quae practicam disponit rationem ad nostrum verum bonum in omnibus discernendum adiunctis et ad iusta seligenda media ad illud efficiendum. Homo «astutus considerat gressus suos» (*Prv* 14, 15). «Estote itaque prudentes et vigilate in orationibus» (*1 Pe* 4, 7). Prudentia est «recta ratio agibilium», scribit sanctus Thomas[62] post Aristotelem. Ipsa nec cum timiditate vel metu confunditur nec cum duplicitate vel simulatione. *Auriga virtutum* appellatur: alias enim regit virtutes illis regulam indicans et mensuram. Prudentia immediate iudicium ducit conscientiae. Homo prudens suum agendi modum decidit et ordinat hoc sequendo iudicium. Hac virtute, principia moralia sine errore casibus applicamus particularibus et dubia superamus de bono peragendo et malo vitando.

1807 *Iustitia* virtus est moralis quae in constanti et firma consistit voluntate Deo et proximo tribuendi id, quod illis debetur. Iustitia erga Deum «virtus religionis» appellatur. Erga homines disponit ad uniuscuiusque observanda iura et ad stabiliendam in relationibus humanis harmoniam quae aequitatem respectu personarum et boni communis promovet. Homo iustus, saepe in Libris Sacris commemoratus, rectitudine distinguitur habituali suarum cogitationum et rectitudine sui agendi modi erga proximum. «Non consideres personam pauperis nec honores vultum potentis. Iuste iudica proximo tuo» (*Lv* 19, 15). «Domini, quod iustum est et aequum servis praestate, scientes quoniam et vos Dominum habetis in caelo» (*Col* 4, 1).

1808 *Fortitudo* virtus est moralis quae firmitatem in difficultatibus praestat et constantiam in bono prosequendo. Propositum roborat tentationibus resistendi et obstacula in vita morali superandi. Fortitudinis virtus capacitatem praebet metum, etiam mortis, vincendi, aggrediendi probationem et persecutiones. Disponit ad progrediendum usque ad abrenuntiationem et propriae vitae sacrificium pro iusta defendenda

---

[62] SANCTUS THOMAS AQUINAS, *Summa theologiae*, 2-2, q. 47, a. 2, sed contra: Ed. Leon. 8, 349.

causa. « Fortitudo mea et laus mea, Dominus » (*Ps* 118, 14). « In mundo pressuram habetis, sed confidite, ego vici mundum » (*Io* 16, 33).

1809   *Temperantia* est virtus moralis quae voluptatum moderatur allectationem atque in bonorum creatorum usu praebet aequilibrium. Dominium roborat voluntatis in instinctus et desideria inter honestatis continet limites. Persona temperans ordinat suos sensibiles ad bonum appetitus, sanam servat discretionem et non sequitur fortitudinem suam ut ambulet in concupiscentiis cordis sui.[63] Temperantia in Vetere Testamento saepe laudatur: « Post concupiscentias tuas non eas et a voluptatibus tuis te contine » (*Eccli* 18, 30). In Novo Testamento, ipsa « moderatio » appellatur vel « sobrietas ». Oportet ut « sobrie et iuste et pie vivamus in hoc saeculo » (*Tt* 2, 12).

2341

2517

> « Nihil sit aliud bene vivere, quam toto corde, tota anima, tota mente diligere Deum, [...], ut incorruptus in eo amor atque integer custodiatur, quod est temperantiae, ut nullis frangatur incommodis, quod est fortitudinis, nulli alii serviat, quod est iustitiae, vigilet in discernendis rebus, ne fallacia paulatim dolusve subrepat, quod est prudentiae ».[64]

Virtutes et gratia

1810   Virtutes humanae, educatione, deliberatis actibus et renovata semper in conatu perseverantia adquisitae, divina purificantur et elevantur gratia. Dei adiutorio, ipsae excudunt indolem et in bono exercendo facilitatem praebent. Virtuosus homo in illis exercendis felix est.

1266

1811   Homini vulnerato a peccato facile non est morale servare aequilibrium. Donum salutis per Christum gratiam nobis tribuit necessariam ad perseverandum in virtutibus quaerendis. Unusquisque hanc lucis et roboris gratiam semper postulare debet, ad sacramenta recurrere, cum Sancto Spiritu cooperari, Eius vocationes sequi ad bonum amandum et se a malo servandum.

2015

2086-2094
2656-2658

II. Virtutes theologales

1812   Virtutes humanae in virtutibus radicantur theologalibus quae hominis facultates ad naturae divinae accommodant participationem.[65] Virtutes enim theologales directe ad Deum referuntur. Christianos dispo-

---

[63] Cf. *Eccli* 5, 2; 37, 27-31.
[64] Sanctus Augustinus, *De moribus Ecclesiae catholicae,* 1, 25, 46: CSEL 90, 51 (PL 32, 1330-1331).
[65] Cf. *2 Pe* 1, 4.

1266 nunt ut in consuetudine cum Sanctissima Trinitate vivant. Deum Unum et Trinum habent tamquam originem, motivum et obiectum.

1813 Virtutes theologales moralem agendi modum christiani proprium fundant, animant et distinguunt. Ipsae omnes virtutes morales informant et vivificant. A Deo in animas infunduntur fidelium ad eos efficiendos capaces qui tamquam filii Eius agant et vitam mereantur aeter-

2008 nam. Ipsae praesentiae et actionis Spiritus Sancti in hominis facultatibus sunt pignus. Tres sunt virtutes theologales: fides, spes et caritas.[66]

142-175 FIDES

1814 Fides virtus est theologalis qua in Deum credimus atque omnia quae Ipse nobis dixit et revelavit quaeque Ecclesia nobis credenda pro-

506 ponit, quia Ille est ipsa veritas. Fide « homo se totum libere Deo committit ».[67] Propterea qui credit, voluntatem Dei cognoscere conatur et facere. « Iustus [...] ex fide vivet » (*Rom* 1, 17). Fides viva « per caritatem operatur » (*Gal* 5, 6).

1815 Fidei donum in eo permanet qui contra eamdem non peccavit.[68] Sed « fides sine operibus mortua est » (*Iac* 2, 26). Fides, spe et amore privata, fidelem Christo plene non unit neque eum vivens Eius corporis efficit membrum.

1816 Christi discipulus non solum debet fidem servare ex eaque vivere,

2471 sed illam praeterea profiteri, cum securitate testari et propagare: « Omnes [...] parati sint oportet, Christum coram hominibus confiteri, Eumque inter persecutiones, quae Ecclesiae nunquam desunt, in via crucis subsequi ».[69] Fidei servitium et testimonium ad salutem requiruntur: « Omnis [...] qui confitebitur me coram hominibus, confitebor et ego eum coram Patre meo, qui est in caelis; qui autem negaverit me coram hominibus, negabo et ego eum coram Patre meo qui est in caelis » (*Mt* 10, 32-33).

SPES

1817 Spes est virtus theologalis qua, tamquam nostram felicitatem,

1024 Regnum caelorum et vitam appetimus aeternam, nostram fiduciam in

---

[66] Cf. *1 Cor* 13, 13.
[67] CONCILIUM VATICANUM II, Const. dogm. *Dei Verbum*, 5: AAS 58 (1966) 819.
[68] Cf. CONCILIUM TRIDENTINUM, Sess. 6ª, *Decretum de iustificatione*, c. 15: DS 1544.
[69] CONCILIUM VATICANUM II, Const. dogm. *Lumen gentium*, 42: AAS 57 (1965) 48; cf. ID., Decl. *Dignitatis humanae*, 14: AAS 58 (1966) 940.

Christi collocantes promissionibus et nitentes non nostris viribus, sed auxilio gratiae Spiritus Sancti. « Teneamus spei confessionem indeclinabilem, fidelis enim est, qui repromisit » (*Heb* 10, 23). Is Hunc Spiritum « effudit super nos abunde per Iesum Christum Salvatorem nostrum, ut iustificati gratia Ipsius heredes simus secundum spem vitae aeternae » (*Tit* 3, 6-7).

1818 Virtus spei appetitioni respondet ad felicitatem a Deo in corde   27
uniuscuiusque hominis positae; exspectationes assumit quae activitates inspirant hominum; eas purificat ut easdem ad Regnum caelorum ordinet; ab animi protegit defectione; in omni sustinet derelictione; in beatitudinis aeternae exspectatione dilatat cor. Spei impulsus a caeco sui amore (« egoismo ») praeservat et ad felicitatem ducit caritatis.

1819 Spes christiana spem populi electi iterum assumit et perficit, quae suam originem suumque invenit exemplar in *spe Abrahae* promis-   146
sionibus Dei in Isaac repleti et per sacrificii probationem purificati.[70] « Contra spem in spe credidit, ut fieret pater multarum gentium » (*Rom* 4, 18).

1820 Inde ab initio praedicationis Iesu, spes christiana in nuntio explicatur beatitudinum. *Beatitudines*, caelum versus, tamquam in novam   1716
Terram promissam, nostram elevant spem; huic delineant viam per probationes quae Iesu manent discipulis. Sed per Iesu Christi Eiusque passionis merita, Deus nos in spe servat quae « non confundit » (*Rom* 5, 5). Spem « sicut ancoram habemus animae, tutam ac firmam », eo usque incedentem « ubi praecursor pro nobis introivit Iesus » (*Heb* 6, 19-20). Ipsa est etiam armatura quae nos in colluctatione protegit salutis: « induti loricam fidei et caritatis et galeam spem salutis » (*1 Thess* 5, 8). Illa nobis in ipsa probatione procurat gaudium: « Spe gaudentes, in tribulatione patientes » (*Rom* 12, 12). In oratione exprimitur et nutritur, praesertim in Oratione dominica, compendio omnium quae spes efficit   2772
ut appetamus.

1821 Sperare igitur possumus caeli gloriam a Deo illis promissam qui Eum diligunt[71] et Eius faciunt voluntatem.[72] In quibuslibet adiunctis, unusquisque debet sperare, cum gratia Dei, perseverare in finem[73] et   2016

---

[70] Cf. *Gn* 17, 4-8; 22, 1-18.
[71] Cf. *Rom* 8, 28-30.
[72] Cf. *Mt* 7, 21.
[73] Cf. *Mt* 10, 22; CONCILIUM TRIDENTINUM, Sess. 6ª, *Decretum de iustificatione*, c. 13: DS 1541.

caeli obtinere gaudium tamquam aeternam Dei pro bonis operibus gra-
1037   tia Christi peractis retributionem. Spe orat Ecclesia « omnes homines
[...] salvos fieri » (*1 Tim* 2, 4). Ipsa, in gloria caeli, Christo, Sponso suo,
unita esse cupit:

> « Spera, spera, tu quae nescis quandonam veniet dies et hora. Diligenter
> vigila, quoniam breviter omnia transeunt, quamvis desiderium tuum in
> incertum vertat certum, et in longum vertat breve tempus. Animadverte
> te, quo magis certabis, eo magis amorem, quem in Deum habes tuum,
> esse monstraturam et magis, Dilecto tuo fruituram cum gaudio et delec-
> tatione, quae finem habere non potest ».[74]

CARITAS

1723   **1822**   Caritas est virtus theologalis qua Deum super omnia propter Se
Ipsum et proximum nostrum tamquam nosmetipsos propter Dei diligimus amorem.

1970   **1823**   Iesus ex caritate *mandatum novum* efficit.[75] Suos diligens « in finem » (*Io* 13, 1), Patris manifestat amorem quem Ipse recipit. Discipuli
se mutuo diligentes Iesu imitantur amorem quem etiam in se recipiunt.
Propterea dicit Iesus: « Sicut dilexit me Pater, et ego dilexi vos; manete
in dilectione mea » (*Io* 15, 9). Et etiam: « Hoc est praeceptum meum, ut
diligatis invicem, sicut dilexi vos » (*Io* 15, 12).

735   **1824**   Caritas, fructus Spiritus et plenitudo Legis, Dei et Eius Christi
servat *mandata*. « Manete in dilectione mea. Si praecepta mea servaveri-
tis, manebitis in dilectione mea » (*Io* 15, 9-10).[76]

604   **1825**   Christus amore erga nos mortuus est, cum adhuc eramus « inimici » (*Rom* 5, 10). Dominus a nobis postulat ut amemus sicut Ipse etiam
nostros *inimicos*,[77] ut nos remotissimo faciamus proximos,[78] ut sicut
Ipsum amemus parvulos[79] et pauperes.[80]

> Sanctus apostolus Paulus incomparabilem caritatis effecit descriptionem:
> « Caritas patiens est, benigna est caritas, non aemulatur, non agit su-

---

[74] SANCTA THERESIA A IESU, *Exclamaciones del alma a Dios*, 15, 3: *Biblioteca Mística Carmelitana*, v. 4 (Burgos 1917) p. 290.
[75] Cf. *Io* 13, 34.
[76] Cf. *Mt* 22, 40; *Rom* 13, 8-10.
[77] Cf. *Mt* 5, 44.
[78] Cf. *Lc* 10, 27-37.
[79] Cf. *Mc* 9, 37.
[80] Cf. *Mt* 25, 40. 45.

perbe, non inflatur, non est ambitiosa, non quaerit, quae sua sunt, non irritatur, non cogitat malum, non gaudet super iniquitatem, congaudet autem veritati; omnia suffert, omnia credit, omnia sperat, omnia sustinet » (*1 Cor* 13, 4-7).

1826 Sine caritate, dicit etiam Apostolus, « nihil sum ». Et quidquid est privilegium, servitium, etiam virtus... si caritatem non habuero, « nihil mihi prodest ».[81] Caritas est omnibus superior virtutibus. Virtutum theologalium est prima: « Nunc autem manet fides, spes, caritas, tria haec: *maior autem ex his est caritas* » (*1 Cor* 13, 13).

1827 Omnium virtutum exercitium caritate animatur et inspiratur. Ipsa est « vinculum perfectionis » (*Col* 3, 14); ipsa est *forma virtutum*; eas connectit et inter se ordinat; fons est et terminus earum christianae praxis. Caritas roborat et purificat nostram humanam amandi facultatem. Eam ad supernaturalem amoris divini perfectionem elevat.

815
826

1828 Praxis vitae moralis caritate animata spiritualem filiorum Dei libertatem praebet christiano. Hic non amplius sistit coram Deo tamquam servus in timore servili neque tamquam mercennarius salarium quaerens, sed tamquam filius qui amori respondet Illius qui « prior dilexit nos » (*1 Io* 4, 19):

1972

« Aut enim supplicii metu a malo declinamus, versamurque in affectu servili; aut mercedis fructus requirentes, ob nostram ipsorum utilitatem mandata explemus, et hoc pacto mercennariis efficimur similes; aut ob ipsum honestum caritatemque erga Legislatorem nostrum [...], et ita demum ut filii afficimur ».[82]

1829 Caritas habet, ut *fructus*, gaudium, pacem et misericordiam; beneficentiam exigit et correctionem fraternam; benevola est; reciprocationem suscitat, manet quin quaerat quae sua sunt, et est liberalis; amicitia est et communio:

2540

« Ipsa est consummatio omnium operum nostrorum, dilectio. Ibi est finis: propter hoc currimus; ad ipsum currimus; cum venerimus ad eam, requiescemus ».[83]

---

[81] Cf. *1 Cor* 13, 1-3.
[82] Sanctus Basilius Magnus, *Regulae fusius tractatae*, prol. 3: PG 31, 896.
[83] Sanctus Augustinus, *In epistulam Ioannis ad Parthos tractatus*, 10, 4: PL 35, 2056-2057.

III. Spiritus Sancti dona et fructus

1830 Vita moralis christianorum Spiritus Sancti donis sustinetur. Haec dispositiones sunt permanentes quae hominem docilem reddunt ut Spiritus Sancti sequatur impulsus.

1299

1266

1831 Septem Spiritus Sancti *dona* sunt sapientia, intellectus, consilium, fortitudo, scientia, pietas et timor Dei. Eadem in sua plenitudine ad Christum pertinent Filium David.[84] Illorum qui ea recipiunt, virtutes complent et ducunt ad earumdem perfectionem. Fideles dociles reddunt ad prompte inspirationibus divinis oboediendum.

> « Spiritus Tuus bonus deducet me in terram rectam » (*Ps* 143, 10).

> « Quicumque enim Spiritu Dei aguntur, hi filii Dei sunt. [...] Si autem filii, et heredes; heredes quidem Dei, coheredes autem Christi » (*Rom* 8, 14. 17).

736

1832 *Fructus* Spiritus sunt perfectiones quas Spiritus Sanctus, ut gloriae aeternae primitias, in nobis efformat. Ecclesiae traditio duodecim enumerat: « fructus [...] est caritas, gaudium, pax, patientia, benignitas, bonitas, longanimitas, mansuetudo, fides, modestia, continentia, castitas » (*Gal* 5, 22-23 vulg.).

Compendium

1833 *Virtus dispositio est habitualis et firma ad bonum faciendum.*

1834 *Humanae virtutes dispositiones intellectus et voluntatis sunt stabiles, quae nostros regulant actus, nostras ordinant passiones et nostrum agendi modum ducunt secundum rationem et fidem. Eaedem possunt circum quattuor virtutes cardinales ordinari: prudentiam, iustitiam, fortitudinem et temperantiam.*

1835 *Prudentia practicam disponit rationem ad nostrum verum bonum discernendum in omnibus adiunctis et ad iusta seligenda media ad illud adimplendum.*

1836 *Iustitia in constanti et firma consistit voluntate Deo et proximo tribuendi id, quod illis debetur.*

1837 *Fortitudo firmitatem in difficultatibus praebet et constantiam in bono prosequendo.*

---

[84] Cf. *Is* 11, 1-2.

1838 *Temperantia allectationem moderatur voluptatum sensibilium atque in bonorum creatorum usu praebet aequilibrium.*

1839 *Virtutes morales educatione, actibus deliberatis et perseverantia in conatu crescunt. Gratia divina eas purificat et elevat.*

1840 *Virtutes theologales christianos disponunt ut in consuetudine cum Sanctissima Trinitate vivant. Ipsae, tamquam originem, motivum et obiectum, habent Deum, Deum nempe fide cognitum, speratum et propter Se Ipsum amatum.*

1841 *Tres sunt virtutes theologales: fides, spes et caritas.*[85] *Ipsae omnes morales virtutes informant et vivificant.*

1842 *Fide credimus in Deum atque omnia credimus quae Ipse nobis revelavit quaeque Ecclesia nobis proponit credenda.*

1843 *Spe cupimus et a Deo exspectamus, cum firma fiducia, vitam aeternam et gratias ad illam merendam.*

1844 *Caritate Deum super omnia et nostrum proximum tamquam nosmetipsos proter amorem diligimus Dei. Ipsa est « vinculum perfectionis »* (*Col* 3, 14) *et omnium virtutum forma.*

1845 *Septem Spiritus Sancti dona christianis concessa sunt sapientia, intellectus, consilium, fortitudo, scientia, pietas et timor Dei.*

Articulus 8
PECCATUM

I. Misericordia et peccatum

1846 Evangelium est revelatio, in Iesu Christo, misericordiae Dei erga peccatores.[86] Angelus id nuntiat Ioseph: « Vocabis nomen Eius Iesum: Ipse enim salvum faciet populum Suum a peccatis eorum » (*Mt* 1, 21). Idem valet de Eucharistia, sacramento Redemptionis: « Hic est enim sanguis meus Novi Testamenti, qui pro multis effunditur in remissionem peccatorum » (*Mt* 26, 28).

430

1365

---

[85] Cf. *1 Cor* 13, 13.
[86] Cf. *Lc* 15.

387, 1455

1847 Deus, « qui [...] te fecit sine te, non te iustificat sine te ».[87] Eius misericordiae acceptatio a nobis postulat culparum nostrarum confessionem: « Si dixerimus quoniam peccatum non habemus, nosmetipsos seducimus, et veritas in nobis non est. Si confiteamur peccata nostra, fidelis est et iustus, ut remittat nobis peccata et emundet nos ab omni iniustitia » (*1 Io* 1, 8-9).

385

1848 Sicut sanctus Paulus id affirmat: « ubi [...] abundavit peccatum, superabundavit gratia » (*Rom* 5, 20). Sed gratia ut opus efficiat suum, peccatum debet detegere ad nostrum convertendum cor et ad nobis conferendam « iustitiam in vitam aeternam per Iesum Christum Dominum nostrum » (*Rom* 5, 21). Deus, sicut medicus qui vulnus inspicit antequam illud sanet, per Suum Verbum Suumque Spiritum, lucem in peccatum emittit vivam:

> « Conversio enim *postulat persuasionem de peccato*, iudicium in se interius continet ipsius conscientiae idque, cum comprobatio sit actionis Spiritus veritatis in hominis intimo, simul novum evadit principium largitionis gratiae amorisque: 'Accipite Spiritum Sanctum'. Itaque, in illo 'arguere de peccato' reperimus *duplicem largitionem*: donum veritatis ipsius conscientiae necnon donum certitudinis de Redemptione. Spiritus veritatis est Paraclitus ».[88]

1433

II. Peccati definitio

311

1849 Peccatum contra rationem, veritatem, rectam conscientiam est culpa; a vero amore erga Deum et erga proximum, propter perversam ad quaedam bona affectionem, est defectio. Hominis vulnerat naturam et humanam attentat solidarietatem. Definitum est tamquam « factum vel dictum vel concupitum aliquid contra aeternam Legem ».[89]

1952

1440

1850 Peccatum est in Deum offensa: « Tibi, Tibi soli peccavi et malum coram Te feci » (*Ps* 51, 6). Peccatum se contra Dei amorem erga nos extollit et ab eo nostra amovet corda. Idem, sicut primum peccatum, inoboedientia est, contra Deum rebellio, propter voluntatem essendi « sicut Deus » (*Gn* 3, 5), bonum et malum cognoscendo et determinan-

397

---

[87] SANCTUS AUGUSTINUS, *Sermo* 169, 11, 13: PL 38, 923.
[88] IOANNES PAULUS II, Litt. enc. *Dominum et vivificantem*, 31: AAS 78 (1986) 843.
[89] SANCTUS AUGUSTINUS, *Contra Faustum manichaeum*, 22, 27: CSEL 25, 621 (PL 42, 418); cf. SANCTUS THOMAS AQUINAS, *Summa theologiae*, 1-2, q. 71, a. 6: Ed. Leon. 7, 8-9.

do. Sic peccatum est «amor sui usque ad contemptum Dei».[90] Propter hanc sui ipsius superbam exaltationem, peccatum oboedientiae Iesu quae salutem perfecit,[91] per diametrum est oppositum.

615

1851   In passione praecise, in qua Christi misericordia illud est victura, peccatum suam violentiam suamque multiplicitatem optime manifestat: incredulitatem, mortiferum odium, reiectionem et ludibria principum et populi, Pilati debilitatem, militum crudelitatem, Iudae proditionem Iesu tam acerbam, Petri negationem ac discipulorum derelictionem. In ipsa tamen tenebrarum et Principis huius mundi hora,[92] Christi sacrificium secreto fit fons ex quo nostrorum peccatorum inexhauste profluet venia.

598

2746, 616

III. Peccatorum diversitas

1852   Magna est peccatorum varietas. Plures eorum catalogos affert Scriptura. Epistula ad Galatas opera carnis fructui opponit Spiritus: «Manifesta autem sunt opera carnis, quae sunt fornicatio, immunditia, luxuria, idolorum servitus, veneficia, inimicitiae, contentiones, aemulationes, irae, rixae, dissensiones, sectae, invidiae, ebrietates, comissationes, et his similia, quae praedico vobis, sicut praedixi, quoniam, qui talia agunt, Regnum Dei non consequentur» (*Gal* 5, 19-21).[93]

1853   Peccata secundum suum obiectum possunt distingui, sicut pro omni actu humano fit, vel secundum virtutes quibus per excessum vel defectum opponuntur, vel secundum praecepta quibus adversantur. Ordinari etiam possunt prout ad Deum, ad proximum vel ad se ipsum referantur; dividi possunt in spiritualia et carnalia peccata, vel etiam in peccata cogitationis, verbi, per actionem vel per omissionem. Peccati radix est in hominis corde, in eius libera voluntate, secundum Domini doctrinam: «De corde [...] exeunt cogitationes malae, homicidia, adulteria, fornicationes, furta, falsa testimonia, blasphemiae. Haec sunt, quae coinquinant hominem» (*Mt* 15, 19-20). In corde etiam caritas residet, bonorum operum et purorum principium, quam peccatum vulnerat.

1751

2067

368

IV. Gravitas peccati: peccatum mortale et veniale

1854   Peccata secundum eorum gravitatem oportet aestimare. Distinctio inter peccatum mortale et peccatum veniale, quae iam in Scriptura per-

---

[90] SANCTUS AUGUSTINUS, *De civitate Dei,* 14, 28: CSEL 40/2, 56 (PL 41, 436).
[91] Cf. *Philp* 2, 6-9.
[92] Cf. *Io* 14, 30.
[93] Cf. *Rom* 1, 28-32; *1 Cor* 6, 9-10; *Eph* 5, 3-5; *Col* 3, 5-9; *1 Tim* 1, 9-10; *2 Tim* 3, 2-5.

cipitur,[94] in Ecclesiae praevaluit Traditione. Eam experientia hominum confirmat.

1395 1855 *Peccatum mortale*, per gravem Legis Dei infractionem, in corde hominis destruit caritatem; hominem avertit a Deo qui finis eius est ultimus eiusque beatitudo, Illi bonum praeferens inferius.

Peccatum veniale caritatem subsistere sinit, etiamsi eam offendat et vulneret.

1446 1856 Peccatum mortale, principium vitale, quod est caritas, oppugnans in nobis, novo misericordiae Dei eget incepto et cordis conversione, quae normali modo intra sacramentum Reconciliationis perficitur:

> « Cum [...] voluntas fertur in aliquid quod secundum se repugnat caritati, per quam homo ordinatur in ultimum finem, peccatum ex suo obiecto habet quod sit mortale [...] sive sit contra dilectionem Dei, sicut blasphemia, periurium et huiusmodi; sive contra dilectionem proximi, sicut homicidium, adulterium et similia. [...] Quandoque vero voluntas peccantis fertur in id quod in se continet quandam inordinationem, non tamen contrariatur dilectioni Dei et proximi: sicut verbum otiosum, risus superfluus, et alia huiusmodi. Et talia sunt peccata venialia ».[95]

1857 Ut *peccatum* sit *mortale* tres condiciones simul requiruntur: est peccatum mortale quodvis peccatum « cuius obiectum est materia gravis et, insuper, quod plena conscientia et deliberato consensu admittitur ».[96]

2072 1858 *Materia gravis* decem determinatur mandatis secundum Iesu responsum ad iuvenem divitem: « Ne occidas, ne adulteres, ne fureris, ne falsum testimonium dixeris, ne fraudem feceris, honora patrem tuum et matrem » (*Mc* 10, 19). Gravitas peccatorum maior vel minor est: homicidium gravius est furto. Qualitas personarum laesarum etiam est per-
2214 pendenda: violentia contra cognatos exercita per se gravior est quam illa contra alienum.

1734 1859 Peccatum mortale *plenam cognitionem* requirit *plenumque consensum*. Cognitionem praesupponit indolis peccatoriae actus, eius oppositionis ad Legem Dei. Consensum etiam implicat sufficienter deliberatum ut electio sit personalis. Ignorantia affectata et cordis induratio [97] indolem voluntariam peccati non minuunt, sed augent.

---

[94] Cf. *1 Io* 5, 16-17.
[95] Sanctus Thomas Aquinas, *Summa theologiae,* 1-2, q. 88, a. 2, c: Ed. Leon. 7, 135.
[96] Ioannes Paulus II, Adh. ap. *Reconciliatio et paenitentia*, 17: AAS 77 (1985) 221.
[97] Cf. *Mc* 3, 5-6; *Lc* 16, 19-31.

1860 *Ignorantia involuntaria* potest imputabilitatem culpae gravis minuere, atque adeo excusare. Sed nemo legis moralis putatur ignorare principia quae in conscientia cuiuslibet hominis sunt inscripta. Sensibilitatis impulsus, passiones indolem voluntariam et liberam culpae possunt pariter minuere, sicut etiam externae pressiones vel perturbationes pathologicae. Peccatum ex malitia, ex deliberata mali electione, gravissimum est.

1735
1767

1861 Peccatum mortale radicalis est possibilitas libertatis humanae, sicut ipse amor. Caritatis amissionem secum fert et privationem gratiae sanctificantis, id est, status gratiae. Nisi poenitentia redimatur et Dei venia, a Regno Dei exclusionem producit et aeternam inferni mortem, cum nostra libertas potestatem habeat electiones faciendi definitivas, sine reditu. Nihilominus, quamquam iudicare possumus actum quemdam in se culpam esse gravem, iudicium de personis iustitiae et misericordiae Dei debemus concredere.

1742
1033

1862 *Peccatum veniale* committitur, cum mensura a lege morali praescripta non servatur in materia levi, vel etiam cum legi morali in materia gravi non praestatur oboedientia, sed sine plena cognitione vel sine pleno consensu.

1863 Peccatum veniale caritatem debilitat; deordinatam erga bona creata exprimit affectionem; animae progressum impedit in virtutum exercitio et in boni moralis praxi; poenas meretur temporales. Peccatum veniale deliberatum et sine poenitentia permanens nos paulatim disponit ad peccatum committendum mortale. Tamen peccatum veniale Foedus non disrumpit cum Deo. Cum gratia Dei est humanitus reparabile. « Non privat gratia sanctificante, amicitia cum Deo, caritate neque aeterna beatitudine »: [98]

1394
1472

« Non potest homo, quamdiu carnem portat, nisi habere vel levia peccata. Sed ista levia quae dicimus, noli contemnere. Si contemmnis quando appendis; expavesce, quando numeras. Levia multa faciunt unum grande: multae guttae implent flumen; multa grana faciunt massam. Et quae spes est? Ante omnia, Confessio... ».[99]

1864 « Omne peccatum et blasphemia remittetur hominibus, Spiritus autem blasphemia non remittetur » (*Mt* 12, 31).[100] Misericordia divina limitibus caret, sed qui deliberate misericordiam Dei per poenitentiam

---

[98] Ioannes Paulus II, Adh. ap. *Reconciliatio et paenitentia*, 17: AAS 77 (1985) 221.
[99] Sanctus Augustinus, *In epistulam Iohannis ad Parthos tractatus* 1, 6: PL 35, 1982.
[100] Cf. *Mc* 3, 29; *Lc* 12, 10.

2091
1037
accipere respuit, suorum peccatorum veniam reiicit et salutem per Spiritum Sanctum oblatam.[101] Talis induratio ad impoenitentiam finalem potest conducere et ad aeternam damnationem.

V. Peccati multiplicatio

401

1768
1865 Peccatum exercitationem constituit ad peccatum; per eorumdem actuum repetitionem vitium generat. Inde perversae procedunt inclinationes quae conscientiam obscurant et concretam de bono et malo corrumpunt aestimationem. Sic peccatum ad se multiplicandum tendit et ad se roborandum, sed sensum moralem radicitus destruere nequit.

2539
1866 Vitia possunt statui secundum virtutes quibus adversantur, vel etiam ad *peccata capitalia* reduci quae experientia christiana, sanctum Ioannem Cassianum [102] et sanctum Gregorium Magnum secuta,[103] distinxit. Capitalia appellantur quia alia peccata, alia vitia generant. Sunt superbia, avaritia, invidia, ira, luxuria, gula, pigritia seu acedia.

2268
1867 Traditio catechetica in memoriam etiam revocat exsistere « *peccata quae ad coelum clamant* ». Ad coelum clamant: sanguis Abel; [104] peccatum Sodomitarum; [105] clamor populi in Aegyto oppressi; [106] gemitus advenae, viduae et orphani; [107] iniustitia in mercennarium.[108]

1736
1868 Peccatum actus est personalis. Praeterea, in peccatis ab aliis commissis habemus responsabilitatem, cum *eisdem cooperamur*:

— in illis directe et voluntarie participantes;
— ea praecipientes, suadentes, laudantes vel approbantes;
— ea non revelantes vel non impedientes, cum ad id tenemur;
— illos protegentes qui malum faciunt.

1869 Sic peccatum homines invicem complices reddit, inter eos concupiscentiam, violentiam et iniustitiam facit regnare. Peccata condiciones sociales et institutiones provocant bonitati divinae contrarias. « Structu-

---

[101] Cf. Ioannes Paulus II, Litt. enc. *Dominum et vivificantem*, 46: AAS 78 (1986) 864-865.
[102] Cf. Sanctus Ioannes Cassianus, *Conlatio*, 5, 2: CSEL 13, 121 (PL 49, 611).
[103] Cf. Sanctus Gregorius Magnus, *Moralia in Iob*, 31, 45, 87: CCL 143B, 1610 (PL 76, 621).
[104] Cf. *Gn* 4, 10.
[105] Cf. *Gn* 18, 20; 19, 13.
[106] Cf. *Ex* 3, 7-10.
[107] Cf. *Ex* 22, 20-22.
[108] Cf. *Dt* 24, 14-15; *Iac* 5, 4.

rae peccati» expressio sunt et effectus peccatorum personalium. Ipsae 408
ad malum vicissim committendum suas inducunt victimas. Sensu analo- 1887
gico, «peccatum sociale» constituunt.[109]

Compendium

1870 «*Conclusit* [...] *Deus omnes in incredulitatem, ut omnium miserea-*
tur» (*Rom* 11, 32).

1871 *Peccatum est «factum vel dictum vel concupitum aliquid contra*
aeternam Legem».[110] *Offensa est in Deum. Idem se contra Deum*
per inoboedientiam extollit oboedientiae Christi contrariam.

1872 *Peccatum actus est rationi contrarius. Naturam vulnerat et huma-*
nam attentat solidarietatem.

1873 *Omnium peccatorum radix est in corde hominis. Eorum species*
eorumque gravitas secundum eorum obiecta praecipue mensurantur.

1874 *Deliberate eligere, id est, scienter et voluntario, rem Legi divinae et*
fini hominis ultimo graviter contrariam idem est ac peccatum mor-
tale committere. Id destruit in nobis caritatem, sine qua beatitudo
aeterna est impossibilis. Sine poenitentia mortem aeternam secum fert.

1875 *Peccatum veniale moralem deordinationem constituit reparabilem*
per caritatem quam illud in nobis sinit subsistere.

1876 *Peccatorum, etiam venialium, repetitio vitia generat, inter quae*
peccata capitalia sunt praecipua.

---

[109] Cf. IOANNES PAULUS II, Adh. ap. *Reconciliatio et paenitentia*, 16: AAS 77 (1985) 216.
[110] SANCTUS AUGUSTINUS, *Contra Faustum manichaeum*, 22, 27: CSEL 25, 621 (PL 42,
418).

CAPUT SECUNDUM
COMMUNITAS HUMANA

355   1877 Generis humani vocatio est imaginem Dei manifestare et ad unius Filii Patris imaginem transformari. Haec vocatio formam induit personalem, quia unusquisque ad beatitudinem divinam vocatur ingrediendam; ipsa etiam ad communitatis humanae refertur summam.

Articulus 1
PERSONA ET SOCIETAS

I. Indoles communitaria vocationis humanae

1702   1878 Omnes homines ad eumdem vocantur finem, ad Ipsum Deum. Quaedam exsistit similitudo inter Personarum divinarum unitatem et fraternitatem quam homines inter se debent instaurare in veritate et amore.[1] Amor proximi ab amore in Deum est inseparabilis.

1936   1879 Persona humana sociali eget vita. Haec pro illa aliquid adventicium non constituit, sed eius naturae exigentiam. Homo, commercio cum aliis, mutuis officiis et colloquio cum fratribus, omnes suas excolit facultates; sic suae respondet vocationi.[2]

771   1880 *Societas* quaedam est personarum summa organice religatarum quodam unitatis principio quod unamquamque earum superat. Societas, coetus simul visibilis et spiritualis, in tempore perdurat: praeteritum assumit et futurum praeparat. Per illam, unusquisque homo « heres » constituitur, « talenta » recipit quae suam ditant identitatem et quorum fructus ipse augere debet.[3] Iusta ratione, unusquisque se devovere debet

---

[1] Cf. Concilium Vaticanum II, Const. past. *Gaudium et spes*, 24: AAS 58 (1966) 1045.
[2] Cf. Concilium Vaticanum II, Const. past. *Gaudium et spes*, 25: AAS 58 (1966) 1045.
[3] Cf. *Lc* 19, 13. 15.

communitatibus quarum est particeps et auctoritates revereri quae pro bono communi habent officium.

1881 Unaquaeque communitas suo scopo definitur et consequenter regulis oboedit specificis, sed « principium, subiectum et finis omnium institutorum socialium est et esse debet *humana persona* ».[4]

1929

1882 Quaedam societates, sicut familia et civitas, naturae hominis immediatius correspondent. Ei sunt necessariae. Ut quam plurimorum participatio in vita sociali foveatur, oportet creationi favere associationum et institutionum liberae electionis « ad res oeconomicas atque sociales, ad animi cultum atque relaxationem, ad res gymnicas, ad variarum artium professionem, ad rationes politicas; quae sive ad unam tantum nationem, sive ad universas [...] [attineant] gentes ».[5] Haec « *socializatio* » simul tendentiam exprimit naturalem quae homines impellit ad se consociandos, ut consequantur scopos qui individuales superant capacitates. Eadem qualitates auget personae, praesertim eius sensum aggrediendi incepta et responsabilitatis. Adiuvat ad eius tuenda iura.[6]

1913

1883 Socializatio pericula etiam exhibet. Nimis protractus interventus Status potest libertati et inceptis minari personalibus. Doctrina Ecclesiae principium sic dictum *subsidiarietatis* elaboravit. Secundum illud asseritur « superioris ordinis societatem invadere non debere societatis ordinis inferioris in interiorem vitam et eam propriis officiis exuere, quae ex contrario est potius in necessitatibus sustinenda et adiuvanda, ut eius actio cum reliquis sodalibus partibus componatur, videlicet in bonum commune conversa ».[7]

2431

1884 Deus exercitium omnium potestatum Sibi soli retinere noluit. Unicuique creaturae munera remittit quae ipsa capax est exercendi, secundum capacitates suae propriae naturae. Hic gubernationis modus in vita sociali est imitandus. Modus quo Deus agit in mundo gubernando, qui tantam considerationem erga humanam testatur libertatem, sapientiam deberet inspirare eorum qui communitates gubernant humanas. Hi se tamquam divinae providentiae ministri gerere debent.

307

302

---

[4] Concilium Vaticanum II, Const. past. *Gaudium et spes*, 25: AAS 58 (1966) 1045.
[5] Ioannes XXIII, Litt. enc. *Mater et magistra*, 60: AAS 53 (1961) 416.
[6] Cf. Concilium Vaticanum II, Const. past. *Gaudium et spes*, 25: AAS 58 (1966) 1045-1046; Ioannes Paulus II, Litt. enc. *Centesimus annus*, 16: AAS 83 (1991) 813.
[7] Ioannes Paulus II, Litt. enc. *Centesimus annus*, 48: AAS 83 (1991) 854; cf. Pius XI, Litt. enc. *Quadragesimo anno*: AAS 23 (1931) 184-186.

1885 Subsidiarietatis principium omnibus collectivismi opponitur formis. Limites signat interventui Status. Relationes inter individua et societates in harmoniam ducere quaerit. Tendit ad verum ordinem instaurandum internationalem.

II. Conversio et societas

1886 Societas prorsus est necessaria ut vocatio humana ad effectum adducatur. Ad hunc obtinendum scopum, oportet iustam valorum observari hierarchiam quae « materialia ac naturalia interioribus et spiritalibus subiciat »: [8]

1779

> « Hominum igitur societas [...] primum omnium tamquam res quaedam ad animum praesertim pertinens est habenda; per quam homines, veritatis lumine collustrante, rerum cognitiones inter se communicent; iura sua vindicare et officia exsequi possint; ad bona animi appetenda incitentur; e qualibet re decora, cuicuimodi ipsa est, iustam voluptatem mutuo capiant; perpetua voluntate inclinent ad optima ipsorum quaeque in alios transfundenda; studiose spectent ad aliorum animi bona in animum suum convertenda. Quae quidem bona simul afficiunt, simul omnia dirigunt, quae ad doctrinas, ad rem oeconomicam, ad civium coniunctionem, ad rei publicae progressus et disciplinam, ad legum praecepta, ad reliquas denique partes pertinent, quae extrinsecus hominum communitatem constituunt continenterque explicant ».[9]

2500

1887 Mediorum et finium inversio [10] quae pervenit usque ad valorem finis ultimi tribuendum ei quod solum medium est in illum concurrens, vel ad personas considerandas tamquam mera media relate ad finem, iniustas generat structuras quae « arduam vel fere impossibilem reddunt vitae rationem christianam, praeceptis summi Legislatoris congruentem ».[11]

909

1869

1888 Oportet igitur ad spirituales et morales capacitates personae accurrere et ad permanentem exigentiam *interioris conversionis* eius, ut sociales obtineantur mutationes quae revera in eius sint servitium. Prioritas conversioni cordis agnita nullo modo eliminat, sed e contra imponit obligationem afferendi institutis et vitae condicionibus, cum ipsae ad

407

1430

---

[8] Ioannes Paulus II, Litt. enc. *Centesimus annus*, 36: AAS 83 (1991) 838.
[9] Ioannes XXIII, Litt. enc. *Pacem in terris*, 36: AAS 55 (1963) 266.
[10] Cf. Ioannes Paulus II, Litt. enc. *Centesimus annus*, 41: AAS 83 (1991) 844.
[11] Pius XII, Nuntius radiophonicus (1 iunii 1941): AAS 33 (1941) 197.

peccatum incitant, sanationes convenientes ut ad iustitiae normas conformentur, ne bono obsint, sed illi faveant.[12]

1889 Sine gratiae auxilio, homines nescirent « semitam saepius angustam dispicere inter animum pusillum malis cedentem hinc et illinc vim quae mala illa duplicat cum sese decipiat eadem vincere posse ».[13] Ea caritatis est via, scilicet, amoris Dei et proximi. Caritas maximum constituit praeceptum sociale. Alium reveretur eiusque iura. Praxim exigit iustitiae et solummodo ipsa nos eius reddit capaces. Vitam inspirat donationis sui: « Quicumque quaesierit animam suam salvam facere, perdet illam; et, quicumque perdiderit illam, vivificabit eam » (*Lc* 17, 33).

1825

Compendium

1890   *Quaedam exsistit similitudo inter Personarum divinarum unitatem et fraternitatem quam homines inter se debent instaurare.*

1891   *Persona humana, ut sese secundum suam excolat naturam, vita eget sociali. Quaedam societates, sicut familia et civitas, naturae hominis immediatius correspondent.*

1892   *« Principium, subiectum et finis omnium institutorum socialium est et esse debet humana persona ».[14]*

1893   *Ampla in associationibus et institutionibus liberae electionis fovenda est participatio.*

1894   *Secundum subsidiarietatis principium, neque Status neque ulla amplior societas inceptum et responsabilitatem personarum et corporum intermediorum debent substituere.*

1895   *Societas exercitio virtutum favere debet, non illi obesse. Iusta valorum hierarchia eam inspirare debet.*

1896   *Ubi peccatum atmospheram pervertit socialem, oportet ad cordium conversionem et ad Dei gratiam accurrere. Caritas ad iustas impellit reformationes. Quaestionis socialis solutio extra Evangelium non habetur.[15]*

---

[12] Cf. Concilium Vaticanum II, Const. dogm. *Lumen gentium*, 36: AAS 57 (1965) 42.
[13] Ioannes Paulus II, Litt. enc. *Centesimus annus*, 25: AAS 83 (1991) 823.
[14] Concilium Vaticanum II, Const. past. *Gaudium et spes*, 25: AAS 58 (1966) 1045.
[15] Cf. Ioannes Paulus II, Litt. enc. *Centesimus annus*, 5: AAS 83 (1991) 800.

Articulus 2
IN VITA SOCIALI PARTICIPATIO

I. Auctoritas

2234
1897 « Hominum societas neque bene composita, neque bonorum fecunda esse potest, nisi ei adsint qui, auctoritate legitima decorati, instituta servent et, quantum est satis, in omnium commoda operam curam-
que impendant suam ».[16]

« Auctoritas » appellatur qualitas propter quam personae vel instituta hominibus leges ferunt atque mandata, et ex parte eorum oboedientiam exspectant.

1898 Omnis humana communitas auctoritate eget, quae eam regat.[17]
Haec in natura humana suum invenit fundamentum. Ad civitatis unitatem est necessaria. Eius munus consistit in bono communi societatis, in
quantum fieri potest, tuendo.

2235
1899 Auctoritas, quae ab ordine morali postulatur, a Deo procedit:
« Omnis anima potestatibus subdita sit. Non est enim potestas nisi a
Deo; quae autem sunt, a Deo ordinatae sunt. Itaque, qui resistit potestati, Dei ordinationi resistit; qui autem resistunt Ipsi, sibi damnationem
acquirent » (*Rom* 13, 1-2).[18]

2238
1900 Oboedientiae officium omnibus iniungit ut auctoritati honores
tribuantur, quae illi debentur, atque ut personae quae eius munus exercent, observantia et, pro earum meritis, gratitudine et benevolentia
circumdentur.

2240
Apud sanctum Clementem Romanum Papam invenitur oratio, omnium
antiquissima, pro auctoritate politica: [19]

Eis « da, Domine, sanitatem, pacem, concordiam, firmitatem, ut
imperium, quod Tu iis dedisti, sine offendiculo administrent. Tu enim,
Domine, caelestis rex saeculorum, filiis hominum das gloriam et honorem et potestatem eorum, quae in terra sunt; Tu, Domine, dirige consilium eorum secundum id, quod bonum et beneplacitum est in conspectu

---

[16] IOANNES XXIII, Litt. enc. *Pacem in terris*, 46: AAS 55 (1963) 269.
[17] Cf. LEO XIII, Litt. enc. *Diuturnum illud*: Leonis XIII Acta 2, 271; ID., Litt. enc.
Immortale Dei: Leonis XIII Acta 5, 120.
[18] Cf. *1 Pe* 2, 13-17.
[19] Cf. iam *1 Tim* 2, 1-2.

Tuo, ut potestatem a Te datam in pace et mansuetudine pie administrantes propitium Te habeant ».[20]

1901   Dum auctoritas ad ordinem a Deo determinatum pertinet, oportet ut « regiminis determinatio et moderatorum designatio liberae civium voluntati relinquantur ».[21]

Politicorum regiminum diversitas moraliter admitti potest, dummodo ad bonum legitimum concurrant communitatis quae ea assumit. Regimina, quorum natura legi naturali, ordini publico et personarum iuribus fundamentalibus contraria est, bonum commune nationum, quibus illa imponuntur, nequeunt revera consequi.   2242

1902   Auctoritas suam legitimitatem moralem ex seipsa non elicit.   1930
Tyrannice se gerere non debet, sed pro bono operari communi « ut vis moralis, quae libertate et suscepti officii onerisque conscientia nititur »: [22]

« Lex humana intantum habet rationem legis, inquantum est secundum   1951
rationem rectam: et secundum hoc manifestum est quod a Lege aeterna derivatur. Inquantum vero a ratione recedit, sic dicitur lex iniqua: et sic non habet rationem legis, sed magis violentiae cuiusdam ».[23]

1903   Auctoritas legitime exercetur solummodo si bonum quaerit commune coetus, de quo agitur, et ad illud consequendum media adhibet moraliter licita. Si eveniat ut rectores leges edicant iniustas vel consilia ordini morali capiant contraria, talia mandata conscientias obligare non   2242
possent. « Tunc auctoritas ipsa plane corruit, et foeda sequitur iniuria ».[24]

1904   « Idcirco satius est compensari omnem potestatem cum aliis muneribus imperiisque quae eiusdem servent fines. Hoc est 'Civitatis iuris' principium, in qua non arbitrariae voluntates hominum, at leges potissimum dominantur ».[25]

II. Bonum commune

1905   Secundum socialem hominis naturam, bonum uniuscuiusque necessario conexum est cum bono communi. Hoc definiri nequit nisi   801
in relatione ad personam humanam: 1881

---

[20] Sanctus Clemens Romanus, *Epistula ad Corinthios,* 61, 1-2: SC 167, 198-200 (Funk 1, 178-180).
[21] Concilium Vaticanum II, Const. past. *Gaudium et spes,* 74: AAS 58 (1966) 1096.
[22] Concilium Vaticanum II, Const. past. *Gaudium et spes,* 74: AAS 58 (1966) 1096.
[23] Sanctus Thomas Aquinas, *Summa theologiae,* 1-2, q. 93, a. 3, ad 2: Ed. Leon. 7, 164.
[24] Ioannes XXIII, Litt. enc. *Pacem in terris,* 51: AAS 55 (1963) 271.
[25] Ioannes Paulus II, Litt. enc. *Centesimus annus,* 44: AAS 83 (1991) 848.

« Ne in vobismet ipsis involuti vobis solis vivatis tanquam iam iustificati, sed in unum convenientes conquiratis id, quod omnibus prodest ».[26]

1906 Ut bonum commune oportet intelligere « summam earum vitae socialis condicionum, quae tum coetibus, tum singulis membris permittunt ut propriam perfectionem plenius atque expeditius consequantur ».[27] Bonum commune interest ad omnium vitam. Ex parte uniuscuiusque prudentiam exigit, et adhuc magis ex parte eorum qui auctoritatis exercent munus. *Tria elementa essentialia* implicat:

1929   1907 Imprimis *observantiam personae* qua talis supponit. Propter bonum commune, publicae potestates iura personae humanae fundamentalia et non alienabilia observare tenentur. Societas unicuique ex suis membris permittere debet, suam vocationem in rem perducere. Singulatim, bonum commune in condicionibus exstat libertates naturales exercendi quae necessariae sunt ut vocatio excolatur humana: ut ius « ad agendum iuxta rectam suae conscientiae normam, ad vitae privatae pro-

2106   tectionem atque ad iustam libertatem etiam in re religiosa ».[28]

     1908 Secundo, bonum commune ipsius coetus *prosperitatem socialem*

2441   exigit et *incrementum*. Incrementum est omnium officiorum socialium compendium. Utique ad auctoritatem pertinet, propter bonum commune, inter varia particularia commoda decernere. Sed unicuique debet accessibile reddere id quo ille ad vitam vere humanam ducendam eget: victum, vestitum, sanitatem, laborem, educationem et culturam, congruam informationem, ius ad familiam condendam,[29] etc.

2304   1909 Bonum commune denique *pacem* implicat, id est, iusti ordinis stabilitatem et securitatem. Supponit igitur auctoritatem, honestis me-

2310   diis, *securitatem* praestare societatis atque illam membrorum eius. Stabilit ius ad legitimam personalem defensionem et collectivam.

     1910 Si unaquaeque humana communitas bonum possidet commune

2244   quod ei permittit se qua talem agnoscere, in *communitate politica* impletio talis boni invenitur plenissima. Ad Statum pertinet commune societatis civilis, civium et corporum intermediorum bonum defendere et promovere.

---

[26] *Epistula Pseudo Barnabae*, 4. 10: SC 172, 100-102 (FUNK 1, 48).

[27] CONCILIUM VATICANUM II, Const. past. *Gaudium et spes*, 26: AAS 58 (1966) 1046; cf. *Ibid.*, 74: AAS 58 (1966) 1096.

[28] CONCILIUM VATICANUM II, Const. past. *Gaudium et spes*, 26: AAS 58 (1966) 1046.

[29] Cf. CONCILIUM VATICANUM II, Const. past. *Gaudium et spes*, 26: AAS 58 (1966) 1046.

1911 Humanae dependentiae arctiores fiunt. Ad universum mundum paulatim extenduntur. Familiae humanae unitas, membra congregans quae eadem naturali fruuntur dignitate, *bonum commune universale* implicat. Hoc organizationem communitatis nationum exigit capacem « variis hominum necessitatibus pro sua parte [...] [providendi] tam in vitae socialis campis ad quos pertinent victus, sanitas, educatio [...], quam in nonnullis condicionibus particularibus quae alicubi oriri possunt, ut sunt necessitas [...] aerumnis profugorum per universum mundum dispersorum occurrendi, vel etiam migrantes eorumque familias adiuvandi ».[30]   2438

1912 Bonum commune ad personarum semper ordinatur progressum: « Rerum ordinatio ordini personarum subiicienda est et non e converso ».[31] Hic ordo in veritate fundatur, super iustitiam aedificatur, amore vivificatur.   1881

III. Responsabilitas et participatio

1913 Participatio est voluntaria et generosa obligatio personae in socialibus commerciis. Necessarium est, omnes, unumquemque pro loco quem aliquis occupat et munere quo fungitur, in bono communi promovendo participare. Hoc officium dignitati inhaeret personae humanae.

1914 Participatio imprimis fit per susceptionem oneris in partibus quarum *responsabilitas personalis* assumitur: homo per curam educationi familiae suae impensam, per conscientiam in labore suo, aliorum et societatis bonum participat.[32]   1734

1915 Cives debent, quantum possibile est, activam in *vita publica* sumere partem. Huius participationis modi ab alia in aliam nationem vel ab alia in aliam culturam diversi esse possunt. « Laudanda est autem ratio agendi nationum, in quibus pars quam maxima civium in vera libertate rerum publicarum particeps fit ».[33]   2239

1916 Omnium participatio in labore pro bono communi, sicut omne ethicum officium, sociorum socialium *conversionem* implicat incessanter renovatam. Fraus vel alia effugia, quibus a legis obligationibus et a socialis officii praescriptis quidam sese evadunt, firmiter damnanda sunt,   1888

[30] Concilium Vaticanum II, Const. past. *Gaudium et spes*, 84: AAS 58 (1966) 1107.
[31] Concilium Vaticanum II, Const. past. *Gaudium et spes*, 26: AAS 58 (1966) 1047.
[32] Cf. Ioannes Paulus II, Litt. enc. *Centesimus annus*, 43: AAS 83 (1991) 847.
[33] Concilium Vaticanum II, Const. past. *Gaudium et spes*, 31: AAS 58 (1966) 1050.

2409   quia cum exigentiis iustitiae componi nequeunt. Oportet progressum cu-
       rare institutionum quae condiciones vitae humanae efficiunt meliores.[34]

       1917 Ad eos, qui munus auctoritatis exercent, pertinet affirmare
       valores, qui membrorum coetus fiduciam alliciunt illaque incitant ut in
       servitium suorum parium se ponant. Participatio ab educatione incipit
       atque cultura. « Iure arbitrari possumus futuram humanitatis sortem in
1818   illorum manibus reponi, qui posteris generationibus vivendi et sperandi
       rationes tradere valent ».[35]

Compendium

1918   « *Non est* [...] *potestas nisi a Deo; quae autem sunt, a Deo ordina-
       tae sunt* » (*Rom* 13, 1).

1919   *Omnis humana communitas auctoritate eget ut conservetur et augeatur.*

1920   « *Patet* [...] *communitatem politicam et auctoritatem publicam in
       natura humana fundari ideoque ad ordinem a Deo praefinitum perti-
       nere* ».[36]

1921   *Auctoritas legitime exercetur, si ad bonum commune societatis per-
       sequendum applicatur. Ad illud obtinendum, media debet adhibere,
       quae moraliter admitti possint.*

1922   *Regiminum politicorum diversitas legitima est, dummodo ad commu-
       nitatis bonum concurrant.*

1923   *Auctoritas politica intra ordinis moralis limites debet protendi et
       condiciones tueri ad libertatis exercitium.*

1924   *Bonum commune complectitur* « *summam earum vitae socialis condi-
       cionum, quae tum coetibus, tum singulis membris permittunt ut pro-
       priam perfectionem plenius atque expeditius consequantur* ».[37]

1925   *Bonum commune tria elementa implicat essentialia: iurium funda-
       mentalium personae observantiam et promotionem; prosperitatem
       seu bonorum spiritualium et temporalium societatis incrementum;
       pacem et securitatem coetus eiusque membrorum.*

---

[34] Cf. CONCILIUM VATICANUM II, Const. past. *Gaudium et spes*, 30: AAS 58 (1966) 1049.
[35] CONCILIUM VATICANUM II, Const. past. *Gaudium et spes*, 31: AAS 58 (1966) 1050.
[36] CONCILIUM VATICANUM II, Const. past. *Gaudium et spes*, 74: AAS 58 (1966) 1096.
[37] CONCILIUM VATICANUM II, Const. past. *Gaudium et spes*, 26: AAS 58 (1966) 1046.

1926 *Personae humanae dignitas inquisitionem implicat boni communis. Unusquisque curare debet ut instituta suscitentur et sustineantur, quae vitae humanae condiciones meliores efficiant.*

1927 *Ad Statum pertinet civilis societatis bonum commune defendere et promovere. Commune totius familiae humanae bonum requirit quamdam societatis internationalis organizationem.*

Articulus 3

IUSTITIA SOCIALIS

1928 Societas iustitiam praestat socialem, cum condiciones adimplet quae associationibus et singulis individuis id obtinere permittunt quod illis secundum eorum naturam eorumque vocationem debetur. Iustitia socialis cum bono communi et cum auctoritatis conectitur exercitio. 2832

I. Personae humanae observantia

1929 Iustitia socialis non nisi in observantia transcendentis dignitatis hominis obtineri potest. Persona ultimus est scopus societatis quae ad illam ordinatur: 1881

> Personae humanae dignitas «defensio et provectio a Creatore nobis sunt commissae, et [...] [illius] proprie debitores sunt viri et mulieres, pro suscepto munere, quovis historiae tempore».[38]

1930 Personae humanae observantia observantiam implicat iurium quae ab eius, tamquam creaturae, procedunt dignitate. Haec iura sunt praevia societati eique imponuntur. Legitimitatem fundant moralem omnis auctoritatis: societas, illa irridens vel illa in sua legislatione positiva agnoscere renuens, suam propriam moralem legitimitatem labefacit.[39] Sine tali observantia, auctoritas solummodo vi vel violentiae potest inniti, ad suorum subditorum obtinendam oboedientiam. Ad Ecclesiam pertinet haec iura in memoriam hominum bonae voluntatis revocare, eaque ab abusivis vel falsis distinguere vindicationibus. 1700 1902

1931 Personae humanae observantia observantiam huius supponit principii: «ut singuli proximum, nullo excepto, tamquam 'alterum seip- 2212

---

[38] Ioannes Paulus II, Litt. enc. *Sollicitudo rei socialis*, 47: AAS 80 (1988) 581.
[39] Cf. Ioannes XXIII, Litt. enc. *Pacem in terris*, 61: AAS 55 (1963) 274.

sum' considerare debeant, de eius vita et de mediis ad illam degendam necessariis rationem imprimis habentes».[40] Nulla legislatio timores, praeiudicia, superbiae et caeci sui amoris («egoismi») habitus, qui institutioni adversantur societatum vere fraternarum, per se ipsam posset
1825   eliminare. Hi agendi modi solum caritate cessant quae in unoquoque homine «proximum», fratrem invenit.

1932   Officium se efficiendi proximum alius eique active serviendi adhuc urgentius fit, quo ille est indigentior, in quacumque id sit ratio-
2449   ne. «Quamdiu fecistis uni de his fratribus meis minimis, mihi fecistis» (*Mt* 25, 40).

1933   Idem officium extenditur ad illos qui aliter ac nos cogitant vel agunt. Christi doctrina eo usque pervenit ut offensarum requirat veniam. Eadem praeceptum amoris, quod proprium est novae Legis, ad omnes extendit inimicos.[41] Liberatio in Evangelii spiritu cum odio inimi-
2303   ci tamquam personae incompossibilis est, non tamen cum odio mali quod ille tamquam inimicus peragit.

II. Aequalitas et differentiae inter homines

1934   Omnes homines, ad unius Dei imaginem creati, eadem anima rationali praediti, eamdem habent naturam eamdemque originem. Sacrificio Christi redempti, omnes appellantur ad eamdem beatitudinem divi-
225   nam participandam: omnes ergo eadem gaudent dignitate.

357   1935   Aequalitas inter homines essentialiter eorum dignitati personali innititur iuribusque quae ex ea manant:

> «Omnis [...] discriminandi modus in iuribus personae fundamentalibus, sive socialis sive culturalis, ob sexum, stirpem, colorem, socialem condicionem, linguam aut religionem, superandus et removendus est, utpote Dei proposito contrarius».[42]

1879   1936   Homo, cum in mundum venit, non omnibus gaudet quae ad vitae suae, corporalis et spiritualis, progressionem sunt necessaria. Ipse aliis eget. Differentiae apparent quae cum aetate, cum capacitatibus physicis, cum habilitatibus intellectualibus et moralibus, cum commer-

---

[40] CONCILIUM VATICANUM II, Const. past. *Gaudium et spes*, 27: AAS 58 (1966) 1047.
[41] Cf. *Mt* 5, 43-44.
[42] CONCILIUM VATICANUM II, Const. past. *Gaudium et spes*, 29: AAS 58 (1966) 1048-1049.

ciis quibus quisque potuit perfrui, cum distributione divitiarum sunt co-
nexae.[43] « Talenta » non aequaliter distribuuntur.[44]

1937 Hae differentiae ad propositum pertinent Dei qui vult alium ab   340
alio ea recipere quibus eget, illosque, quibus « talenta » praesto sunt
particularia, ea illis communicare qui eisdem egent. Differentiae perso-   791
nas ad generositatem, ad benevolentiam et ad communicationem excitant et saepe obligant; culturas stimulant ut aliae alias locupletent: 1202

> « Cur tam diversas posui [virtutes] ut uni non omnes praebeam, sed
> huic aliam istique aliam particularem? [...] Alii caritatem praecipue da-
> bo; alii, iustitiam; huic, humilitatem; isti, fidem vivam. [...] Atque ita
> multa dona et gratias virtutis aliarumque rerum spiritualium et corpora-
> lium [...] ego cum maxima inaequalitate omnia distribui qui in uno non
> omnia posui, ut necessario habeatis occasionem exercendi caritatem, alii
> relate ad alios; [...] volui alium alio egere et meos esse ministros pro
> administratione gratiarum atque donorum quae a me receperunt ».[45]

1938 Etiam *iniquae inaequalitates* exsistunt quae millia millium virorum   2437
et mulierum percutiunt. Ipsae Evangelio aperte contradicunt:

> « Aequalis personarum dignitas postulat ut ad humaniorem et aequam
> vitae condicionem deveniatur. Etenim nimiae inter membra vel populos
> unius familiae humanae inaequalitates oeconomicae et sociales scanda-   2317
> lum movent, atque iustitiae sociali, aequitati, personae humanae digni-
> tati, necnon paci sociali et internationali adversantur ».[46]

III. Humana solidarietas

1939 Solidarietatis principium, quod etiam « amicitiae » vel « caritatis   2213
socialis » nomine enuntiatur, exigentia est directa humanae et christianae fraternitatis:[47]

> Erroris caput « primum, tam late in praesens pernicioseque vulgatum,
> oblivione continetur mutuae illius hominum necessitudinis caritatisque,
> quam quidem cum communis origo postulat, ac rationabilis omnium   360
> hominum naturae aequalitas, ad quaslibet iidem gentes pertineant, tum

[43] Cf. Concilium Vaticanum II, Const. past. *Gaudium et spes*, 29: AAS 58 (1966) 1048.
[44] Cf. *Mt* 25, 14-30; *Lc* 19, 11-27.
[45] Sancta Catharina Senensis, *Il dialogo della Divina provvidenza*, 7: ed. G. Cavallini (Roma 1995) p. 23-24.
[46] Concilium Vaticanum II, Const. past. *Gaudium et spes*, 29: AAS 58 (1966) 1049.
[47] Cf. Ioannes Paulus II, Litt. enc. *Sollicitudo rei socialis*, 38-40: AAS 80 (1988) 564-569; Id., Litt. enc. *Centesimus annus*, 10: AAS 83 (1991) 805-806.

Redemptionis sacrificium praecipit, quod Christus Dominus expiandis animis Aeterno Patri in ara crucis obtulit ».[48]

2402 **1940** Solidarietas imprimis in bonorum manifestatur distributione et in remuneratione laboris. Conatum etiam implicat pro ordine sociali iustiore in quo tensiones melius possint resolvi et in quo ipsae exitum conciliatum possint facilius invenire.

2317 **1941** Problemata socialia et oeconomica solvi nequeunt nisi cum omnium solidarietatis formarum adiutorio: solidarietatis pauperum inter se, divitum et pauperum, operariorum inter se, eorum qui in negotio laborem locant et eorum qui in eo illum recipiunt, solidarietatis inter nationes et inter populos. Internationalis solidarietas est ordinis moralis exigentia. Mundi pax partim ex ea pendet.

1942 Solidarietatis virtus bonorum materialium ambitum excedit. Ec-
1887 clesia spiritualia fidei distribuens bona, bonorum temporalium progressionem insuper adiuvit, cui saepe novas aperuit vias. Sic, per saeculorum decursum, verbum Domini ad effectum est deductum: « Quaerite
2632 autem primum Regnum Dei et iustitiam eius, et haec omnia adiicientur vobis » (*Mt* 6, 33):

> « Ac si, abhinc duo millia annorum, in anima Ecclesiae, sensus responsabilitatis collectivae omnium pro omnibus non vivat et perseveret, ex quo usque ad heroicam caritatem moti sunt et moventur spiritus, nempe monachi agricolae, servorum liberatores, infirmorum sanatores, fidem, civilem cultum et scientiam omnibus aetatibus omnibusque gentibus afferentes, ad condiciones sociales creandas quae solae sunt capaces vitam homine et christiano dignam efficiendi possibilem et facilem ».[49]

Compendium

1943 *Societas iustitiam praestat socialem, cum condiciones adimplet quae associationibus et singulis individuis id obtinere permittunt quod illis debetur.*

1944 *Personae humanae observantia alterum tamquam 'alterum seipsum' considerat. Eadem observantiam supponit iurium fundamentalium, quae ex intrinseca personae profluunt dignitate.*

1945 *Aequalitas inter homines eorum dignitati personali innititur iuribusque quae ex ea derivantur.*

[48] Pius XII, Litt. enc. *Summi Pontificatus*: AAS 31 (1939) 426.
[49] Pius XII, Nuntius radiophonicus (1 iunii 1941): AAS 33 (1941) 204.

1946   *Differentiae inter personas ad consilium pertinent Dei qui vult nos mutuo aliis egere. Illae caritatem debent excitare.*

1947   *Aequalis personarum humanarum dignitas conatum exigit ad nimias inaequalitates sociales et oeconomicas reducendas. Eadem ad iniquarum inaequalitatum impellit suppressionem.*

1948   *Solidarietas virtus est eminenter christiana. Bonorum spiritualium adhuc magis quam materialium exercet participationem.*

CAPUT TERTIUM
SALUS DEI: LEX ET GRATIA

1949 Homo, ad beatitudinem vocatus, sed peccato vulneratus, Dei eget salute. Auxilium divinum ei in Christo pervenit per Legem, quae eum dirigit atque in gratia quae eum sustinet:

> « Cum metu et tremore vestram salutem operamini; Deus est enim, qui operatur in vobis et velle et perficere pro Suo beneplacito » (*Philp* 2, 12-13).

Articulus 1
LEX MORALIS

1950 Lex moralis est Sapientiae divinae opus. Sensu biblico, definiri potest tamquam instructio paterna, Dei paedagogia. Homini praescribit vias, agendi regulas quae ad promissam ducunt beatitudinem; mali vetat vias quae a Deo Eiusque avertunt amore. Eadem simul in suis praeceptis firma et in suis promissis est amabilis.

1951 Lex regula est agendi ab auctoritate competenti propter bonum commune promulgata. Lex moralis ordinem rationalem praesupponit inter creaturas pro earum bono et propter earum finem a potentia, sapientia et bonitate Creatoris stabilitum. Omnis lex in Lege aeterna suam primam et ultimam invenit veritatem. Lex, tamquam participatio providentiae Dei vivi, Creatoris et Redemptoris omnium, a ratione declaratur et stabilitur. « *Ordinatio rationis* lex nominatur »: [1]

> « Ut solus homo gloriaretur, quod solus dignus fuisset, qui Legem a Deo sumeret, utque animal rationale, intellectus et scientiae capax, ipsa quoque libertate rationali contineretur, Ei subiectus, qui subiecerat illi omnia ». [2]

---

[1] Leo XIII, Litt. enc. *Libertas praestantissimum*: Leonis XIII Acta 8, 218; cf. Sanctus Thomas Aquinas, *Summa theologiae*, 1-2, q. 90, a. 1: Ed. Leon. 7, 149-150.

[2] Tertullianus, *Adversus Marcionem*, 2, 4, 5: CCL 1, 479 (PL 2, 315).

53
1719

295

306

301

1952 Diversae sunt legis moralis expressiones, et quidem omnes inter se cohaerent: Lex aeterna, fons omnium legum in Deo; lex naturalis; Lex revelata Legem veterem Legemque continens novam seu evangelicam; tandem leges civiles et ecclesiasticae.

1953 Lex moralis suam plenitudinem suamque unitatem invenit in Christo. Ipse Iesus Christus est perfectionis via. Ipse finis est Legis, quia solus Ipse docet et praebet iustitiam Dei: « Finis enim Legis Christus ad iustitiam omni credenti » (*Rom* 10, 4). 578

I. Lex moralis naturalis

1954 Homo sapientiam et bonitatem participat Creatoris, qui ei dominium contulit eius actuum et facultatem se gubernandi iuxta veritatem et bonum. Lex naturalis sensum moralem exprimit originalem qui homini permittit ratione discernere quid bonum sit et malum, veritas et mendacium: 307 1776

> « Lex naturalis [...] scripta est et insculpta in hominum animis singulorum, quia ipsa est humana ratio recte facere iubens et peccare vetans. Ista vero humanae rationis praescriptio vim habere legis non potest, nisi quia altioris est vox atque interpres rationis, cui mentem libertatemque nostram subiectam esse oporteat ».[3]

1955 Lex divina et naturalis[4] homini ostendit viam sequendam ut bonum exerceat atque finem consequatur suum. Lex naturalis prima et essentialia enuntiat praecepta quae vitam regunt moralem. Tamquam fundamentum habet appetitionem Dei et submissionem Ei, qui fons est et iudex omnis boni, atque etiam sensum alterius tamquam aequalis sibimet ipsi. Quoad sua praecipua praecepta exprimitur in Decalogo. Haec lex dicitur naturalis non per relationem ad entia irrationabilia, sed quia ratio, quae illam promulgat, ad naturam humanam proprie pertinet: 1787 396 2070

> « Ubi ergo scriptae sunt [istae regulae], nisi in libro lucis illius quae veritas dicitur unde omnis lex iusta describitur et in cor hominis qui operatur iustitiam non migrando sed tamquam imprimendo transfertur, sicut imago ex anulo et in ceram transit et anulum non relinquit? ».[5]

---

[3] Leo XIII, Litt. enc. *Libertas praestantissimum*: Leonis XIII Acta 8, 219.
[4] Cf. Concilium Vaticanum II, Const. past. *Gaudium et spes*, 89: AAS 58 (1966) 1111-1112.
[5] Sanctus Augustinus, *De Trinitate,* 14, 15, 21: CCL 50A, 451 (PL 42, 1052).

> Lex naturae «non aliud est nisi lumen intellectus insitum nobis a Deo, per quod cognoscimus quid agendum et quid vitandum. Hoc lumen et hanc legem dedit Deus homini in creatione».[6]

2261
1956 Lex naturalis, in uniuscuiusque hominis corde praesens et ratione stabilita, in suis praeceptis est *universalis* et eius auctoritas ad omnes extenditur homines. Dignitatem exprimit personae atque eius iurium eiusque officiorum fundamentalium basim determinat:

> «Est quidem vera lex recta ratio, naturae congruens, diffusa in omnes, constans, sempiterna, quae vocet ad officium iubendo, vetando a fraude deterreat. [...] Huic legi nec obrogari fas est, neque derogari aliquid ex hac licet, neque tota abrogari potest».[7]

1957 Legis naturalis applicatio valde diversa est; accommodatam multiplicitati condicionum vitae, secundum loca, aetates et circumstantias, potest requirere deliberationem. Attamen lex naturalis, in culturarum diversitate, tamquam regula permanet homines coniungens inter se eisque, praeter inevitabiles differentias, communia imponens principia.

2072
1958 Lex naturalis est *immutabilis*[8] et, per historiae mutationes, permanens; sub fluxu subsistit idearum et morum eorumque sustinet progressum. Regulae, quae illam exprimunt, substantialiter perseverant validae. Etiamsi eius principia pernegentur, ipsa destrui non potest neque ex hominis corde auferri. In individuorum et societatum vita semper ipsa resurgit:

> «Furtum certe punit Lex Tua, Domine, et lex scripta in cordibus hominum, quam ne ipsa quidem delet iniquitas».[9]

1879
1959 Lex naturalis, optimum Creatoris opus, fundamenta praebet solida, super quae homo aedificium construere potest moralium regularum quae eius dirigant electiones. Etiam basim moralem statuit pernecessariam ad communitatem hominum aedificandam. Ea denique necessariam basim providet legi civili, quae ad eam refertur, sive per deliberationem quae conclusiones ex eiusdem deducit principiis, sive per positivae et iuridicae naturae additiones.

---

[6] Sanctus Thomas Aquinas, *In duo praecepta caritatis et in decem Legis praecepta expositio*, c. 1: *Opera omnia*, v. 27 (Parisiis 1875) p. 144.

[7] Marcus Tullius Cicero, *De re publica*, 3, 22, 33: *Scripta quae manserunt omnia*, Bibliotheca Teubneriana fasc. 39, ed. K. Ziegler, (Leipzig 1969) p. 96.

[8] Cf. Concilium Vaticanum II, Const. past. *Gaudium et spes*, 10: AAS 58 (1966) 1033.

[9] Sanctus Augustinus, *Confessiones*, 2, 4, 9: CCL 27, 21 (PL 32, 678).

1960 Legis naturalis praecepta clare et immediate ab omnibus non percipiuntur. In praesenti condicione, gratia et Revelatio sunt homini peccatori necessariae, ut religiosae et morales veritates « ab omnibus expedite, firma certitudine et nullo admixto errore cognosci possint ». [10] Lex naturalis Legi revelatae et gratiae fundamentum praebet a Deo praeparatum et Spiritus operi congruens. 2071 37

II. Lex vetus

1961 Deus, noster Creator nosterque Redemptor, Sibi Israel tamquam populum elegit Suum eique Suam revelavit Legem, Adventum Christi sic praeparans. Lex Moysis plures exprimit veritates quae naturaliter rationi sunt perviae. Hae intra salutis Foedus inveniuntur declaratae et authentice confirmatae. 62

1962 Lex vetus primus Legis revelatae est status. Eius praescriptiones morales in decem compendiantur praeceptis. Decalogi praecepta vocationi hominis, ad Dei imaginem formati, iaciunt fundamenta; id vetant quod Dei et proximi contrarium est amori, et id praescribunt quod ei est essentiale. Decalogus lux est conscientiae omnis hominis oblata ad Dei vocationem et vias eidem manifestandas, eumque protegendum contra malum: 2058

A Deo « scriptum est et in tabulis quod in cordibus non legebant ». [11]

1963 Secundum christianam traditionem, Lex sancta, [12] spiritalis [13] et bona [14] adhuc est imperfecta. Tamquam paedagogus, [15] id ostendit quod facere oportet, sed ex se vim, gratiam Spiritus non praebet, ad illam adimplendam. Illa, propter peccatum, quod tollere nequit, lex manet servitutis. Iuxta sanctum Paulum, munus habet praesertim denuntiandi et *manifestandi peccatum* quod « legem concupiscentiae » [16] in hominis corde constituit. Tamen Lex primus permanet gressus in Regni via. Populum electum et unumquemque christianum praeparat et disponit ad conversionem et ad fidem in Deum Salvatorem. Doctrinam praebet quae in perpetuum tamquam verbum Dei subsistit. 1610 2542 2515

---

[10] Concilium Vaticanum I, Const. dogm. *Dei Filius*, c. 2: DS 3005; Pius XII, Litt. enc. *Humani generis*: DS 3876.
[11] Sanctus Augustinus, *Enarratio in Psalmum* 57, 1: CCL 39, 708 (PL 36, 673).
[12] Cf. *Rom* 7, 12.
[13] Cf. *Rom* 7, 14.
[14] Cf. *Rom* 7, 16.
[15] Cf. *Gal* 3, 24.
[16] Cf. *Rom* 7.

122   1964   Lex vetus quaedam est *praeparatio ad Evangelium*. «Lex et disciplina erat illis et prophetia futurorum».[17] A peccato vaticinatur et prae-
annuntiat liberationis opus quod adimplebitur cum Christo, eadem Novo Testamento imagines, «typos», symbola praebet ad vitam secundum
Spiritum exprimendam. Lex denique doctrina librorum sapientialium
perficitur et Prophetarum qui eam ad Novum Foedus et caelorum
Regnum dirigunt:

> «Fuerunt [...] aliqui in statu Veteris Testamenti habentes caritatem et
> gratiam Spiritus Sancti, qui principaliter exspectabant promissiones
> spirituales, et aeternas. Et secundum hoc pertinebant ad Legem novam.
> Similiter etiam in Novo Testamento sunt aliqui carnales nondum
> pertingentes ad perfectionem novae Legis, quos oportuit etiam in Novo

1828

> Testamento induci ad virtutis opera per timorem poenarum, et per
> aliqua temporalia promissa. Lex autem vetus etsi praecepta caritatis
> daret, non tamen per eam dabatur Spiritus Sanctus, per quem
> 'diffunditur caritas in cordibus nostris', ut dicitur Rom 5, 5».[18]

III. Lex nova seu Lex evangelica

1965   Lex nova seu Lex evangelica in terris perfectio est Legis divinae,
459   naturalis et revelatae. Ea opus est Christi et in sermone montano prae-
581   sertim exprimitur. Ea Spiritus Sancti est etiam opus et, per Illum, caritatis lex efficitur interior: «Consummabo super domum Israel et super
domum Iudae Testamentum Novum [...] dando leges meas in mentem
eorum, et in corde eorum superscribam eas; et ero eis in Deum, et ipsi
715   erunt mihi in populum» (*Heb* 8, 8 et 10).[19]

1999   1966   Lex nova est *Spiritus Sancti gratia* fidelibus per fidem in Christum donata. Per caritatem operatur, et Domini utitur sermone ut nos
doceat quid facere oporteat, atque sacramentis ut nobis gratiam communicet ad id agendum:

> «Sermonem quem locutus est Dominus noster Iesus Christus in monte,
> sicut in evangelio secundum Matthaeum legimus, si quis pie sobrieque
> consideraverit, puto quod inveniet in eo, quantum ad mores optimos
> pertinet, perfectum vitae christianae modum [...]. Hoc dixi, ut appareat
> istum sermonem omnibus praeceptis quibus christiana vita informatur,
> esse perfectum».[20]

---

[17] Sanctus Irenaeus Lugdunensis, *Adversus haereses,* 4, 15, 1: SC 100, 548 (PG 7, 1012).
[18] Sanctus Thomas Aquinas, *Summa theologiae,* 1-2, q. 107, a. 1, ad 2: Ed. Leon. 7, 279.
[19] Cf. *Ier* 31, 31-34.
[20] Sanctus Augustinus, *De sermone Domini in monte,* 1, 1, 1: CCL 35, 1-2 (PL 34, 1229-1231).

1967 Lex evangelica Legem veterem adimplet,[21] perpolit, superat et perficit. In beatitudinibus divinas *adimplet promissiones* eas elevans easque ad « Regnum caelorum » ordinans. Ad eos se dirigit qui ad hanc novam spem accipiendam cum fide sunt dispositi: ad pauperes, humiles, afflictos, corda habentes pura, persecutionem propter Christum patientes, sic inopinatas Regni delineans vias.

577

1968 Lex evangelica Legis *adimplet praecepta.* Sermo Domini praescriptiones morales veteris Legis non solvit nec earum minuit valorem, sed earum occultas deducit virtutes et efficit ut ex eis novae oriantur exigentiae: totam earum revelat divinam et humanam veritatem. Nova praecepta non addit externa, sed pervenit usque ad actuum reformandam radicem, cor, ubi homo inter purum eligit et impurum,[22] ubi fides, spes et caritas et, cum illis, aliae efformantur virtutes. Evangelium sic Legem ducit ad suam plenitudinem per imitationem perfectionis Patris caelestis,[23] per inimicorum veniam et orationem pro persecutoribus, generositatis divinae ad instar.[24]

129

582

1969 Lex nova *actus exercet religionis*: eleemosynam, orationem et ieiunium, eos ordinans ad « Patrem [...] qui videt in abscondito », aliter ac qui cupiunt « ut videantur ab hominibus ».[25] Eius oratio est « Pater noster ».[26]

1434

1970 Lex evangelica electionem implicat decretoriam inter « duas vias »[27] et Domini verborum effectionem;[28] ea in *regula aurea* compendiatur: « Omnia ergo, quaecumque vultis ut faciant vobis homines, ita et vos facite eis; haec est enim Lex et Prophetae » (*Mt* 7, 12).[29]

1696
1789

Tota Lex evangelica in Iesu *mandato novo*[30] continetur, ut nos invicem diligamus sicut Ipse dilexit nos.[31]

1823

1971 Sermoni Domini catechesim moralem doctrinarum apostolicarum addere oportet, sicut *Rom* 12-15; *1 Cor* 12-13; *Col* 3-4; *Eph* 4-6; etc.

---

[21] Cf. *Mt* 5, 17-19.
[22] Cf. *Mt* 15, 18-19.
[23] Cf. *Mt* 5, 48.
[24] Cf. *Mt* 5, 44.
[25] Cf. *Mt* 6, 1-6; 16-18.
[26] Cf. *Mt* 6, 9-13.
[27] Cf. *Mt* 7, 13-14.
[28] Cf. *Mt* 7, 21-27.
[29] Cf. *Lc* 6, 31.
[30] Cf. *Io* 13, 34.
[31] Cf. *Io* 15, 12.

Haec institutio doctrinam Domini cum Apostolorum transmittit auctoritate, praesertim per expositionem virtutum quae ex fide in Christum procedunt et quas caritas, praecipuum Spiritus Sancti donum, animat: « Dilectio sine simulatione. [...] Caritate fraternitatis invicem diligentes [...] spe gaudentes, in tribulatione patientes, orationi instantes, necessitatibus sanctorum communicantes, hospitalitatem sectantes » (*Rom* 12, 1789 9-13). Haec catechesis nos etiam docet conscientiae casus tractare sub lumine nostrae ad Christum et ad Ecclesiam relationis.[32]

782 1972 Lex nova appellatur *lex amoris*, quia ipsa movet ad agendum amore quem Spiritus Sanctus infundit, potius quam timore; *lex gratiae*, quia virtutem confert gratiae ad agendum per fidem et sacramenta; *lex libertatis*,[33] quia nos a ritualibus et iuridicis Legis veteris liberat observantiis, nos inclinat ad sponte agendum sub caritatis impulsu, et nos 1828 denique transire facit e condicione servi qui « nescit quid facit dominus eius », ad illam amici Christi « quia omnia quae audivi a Patre meo, nota feci vobis » (*Io* 15, 15) vel adhuc ad filii heredis condicionem.[34]

2053 1973 Lex nova, praeter sua praecepta, etiam implicat *consilia evangelica*. Traditionalis distinctio inter praecepta Dei et consilia evangelica sta- 915 bilitur relate ad caritatem, perfectionem vitae christianae. Praecepta destinantur ad id vitandum quod cum caritate componi nequit. Consilia habent, ut scopum, id vitare quod, etiamsi ipsi non sit contrarium, potest impedimento esse caritatis progressioni.[35]

1974 Consilia evangelica vivam plenitudinem manifestant caritatis nunquam contentae non amplius donandi. Eiusdem testantur impulsum et 2013 nostram spiritualem sollicitant promptitudinem. Novae Legis perfectio essentialiter in praeceptis consistit amoris Dei et proximi. Consilia magis directas indicant vias, faciliora media, et exerceri debent secundum uniuscuiusque vocationem:

> « Deus non vult unumquemque omnia observare consilia, sed solummodo illa quae secundum personarum, temporum, occasionum et virium diversitatem conveniunt, prout requirit caritas; ipsa enim est, quae,

---

[32] Cf. *Rom* 14; *1 Cor* 5-10.
[33] Cf. *Iac* 1, 25; 2, 12.
[34] Cf. *Gal* 4, 1-7; 21-31; *Rom* 8, 15-17.
[35] Cf. SANCTUS THOMAS AQUINAS, *Summa theologiae,* 2-2, q. 184, a. 3: Ed. Leon. 10, 453-454.

sicut omnium regina virtutum, omnium mandatorum, omnium consiliorum, et denique omnium legum omniumque actionum christianarum,
omnibus suum locum, ordinem, tempus praebet et valorem ».[36]

Compendium

1975   *Secundum Scripturam, Lex est paterna Dei instructio, homini praescri-
bens vias quae ad promissam ducunt beatitudinem et mali vetans vias.*

1976   *Lex est « quaedam rationis ordinatio ad bonum commune, ab eo qui
curam communitatis habet, promulgata ».[37]*

1977   *Christus finis est Legis.[38] Solus Ipse docet et praebet iustitiam Dei.*

1978   *Lex naturalis participatio est sapientiae et bonitatis Dei ab homine
ad imaginem Creatoris eius formato. Personae humanae exprimit
dignitatem et basim constituit eius iurium eiusque officiorum fundamentalium.*

1979   *Lex naturalis est immutabilis, et permanens per historiae decursum.
Regulae, quae eam exprimunt, substantialiter validae perseverant.
Fundamentum est necessarium pro regularum moralium aedificatione
et pro lege civili.*

1980   *Lex vetus primus Legis revelatae est status. Eius morales praescriptiones in decem compendiantur praeceptis.*

1981   *Lex Moysis plures continet veritates quae rationi naturaliter sunt perviae. Deus illas revelavit quia homines in corde suo eas non legebant.*

1982   *Lex vetus quaedam est ad Evangelium praeparatio.*

1983   *Lex nova est gratia Spiritus Sancti per fidem in Christum recepta,
per caritatem operans. Illa praesertim in sermone Domini exprimitur montano et sacramentis utitur ad nobis gratiam communicandam.*

1984   *Lex evangelica Legem veterem adimplet, eam superat eamque ad
eius ducit perfectionem: eius promissiones per Regni caelorum beatitudines, eius praecepta radicem reformando actuum, nempe cor.*

---

[36] Sanctus Franciscus de Sales, *Traité de l'amour de Dieu*, 8, 6: *Oeuvres*, v. 5 (An-
necy 1894) p. 75.
[37] Sanctus Thomas Aquinas, *Summa theologiae*, 1-2, q. 90, a. 4, c: Ed. Leon. 7, 152.
[38] Cf. *Rom* 10, 4.

1985   *Lex nova est lex amoris, lex gratiae, lex libertatis.*

1986   *Praeter praecepta, Lex nova consilia continet evangelica.* « *Sancti-*
        tas Ecclesiae item speciali modo fovetur multiplicibus consiliis, quae
        Dominus in Evangelio discipulis Suis observanda proponit ».[39]

Articulus 2
GRATIA ET IUSTIFICATIO

I. Iustificatio

1987   Spiritus Sancti gratia vim habet nos iustificandi, id est, nos a
734   nostris lavandi peccatis nobisque communicandi iustitiam Dei per fidem
        Iesu Christi [40] et per Baptismum: [41]

> « Si autem mortui sumus cum Christo, credimus quia simul etiam vive-
> mus cum Eo; scientes quod Christus suscitatus ex mortuis iam non mo-
> ritur, mors Illi ultra non dominatur. Quod enim mortuus est, peccato
> mortuus est semel; quod autem vivit, vivit Deo. Ita et vos existimate
> vos mortuos quidem esse peccato, viventes autem Deo in Christo Iesu »
> (*Rom* 6, 8-11).

1988   Per Spiritus Sancti potentiam, passionem participamus Christi,
654   peccato morientes, et Eius Resurrectionem, nascentes ad vitam novam;
        membra sumus Eius corporis quod est Ecclesia,[42] palmites inserti Viti
        quae Ipse est: [43]

460   > « Per Spiritum Dei participes dicimur. [...] Spiritus communicatione di-
        > vinae naturae consortes efficimur [...]. Nec enim alia de causa, hi in
        > quibus Ille est, deificantur » [44]

1427   1989   Primum gratiae Spiritus Sancti opus est *conversio* quae iustifica-
        tionem operatur secundum Iesu nuntium in Evangelii initio: « Paeniten-
        tiam agite; appropinquavit enim Regnum caelorum » (*Mt* 4, 17). Sub
        gratiae motione, homo ad Deum se vertit et a peccato se avertit, ve-

---

[39] Concilium Vaticanum II, Const. dogm. *Lumen gentium*, 42: AAS 57 (1965) 48.
[40] Cf. *Rom* 3, 22.
[41] Cf. *Rom* 6, 3-4.
[42] Cf. *1 Cor* 12.
[43] Cf. *Io* 15, 1-4.
[44] Sanctus Athanasius Alexandrinus, *Epistula ad Serapionem*, 1, 24: PG 26, 585-588.

niam et iustitiam sic accipiens ex alto. « Iustificatio [...] non est sola peccatorum remissio, sed et sanctificatio et renovatio interioris hominis ».[45]

1990   Iustificatio *hominem solvit a peccato* quod Dei contradicit amori et eius cor a peccato purificat. Iustificatio inceptum sequitur misericordiae Dei qui veniam offert. Ipsa hominem reconciliat cum Deo. A servitute peccati liberat et sanat.   1446

                                                                                    1733

1991   Iustificatio est simul *iustitiae Dei acceptio* per fidem in Iesum Christum. Iustitia rectitudinem amoris divini hic denotat. Una cum iustificatione, fides, spes et caritas in corda infunduntur nostra, et oboedientia voluntati divinae nobis conceditur.   1812

1992   Iustificatio nobis est *merita per passionem Christi* qui Se tamquam hostiam vivam, sanctam et Deo placitam in cruce obtulit et cuius sanguis instrumentum propitiationis pro omnium hominum peccatis est effectus. Iustificatio per Baptismum, sacramentum fidei, praebetur. Ipsa nos ad iustitiam conformat Dei, qui nos interne per Suae misericordiae potentiam iustos efficit. Tamquam scopum gloriam Dei habet et Christi, et vitae aeternae donum: [46]   617

                                                                                    1266

                                                                                    294

> « Nunc autem sine lege iustitia Dei manifestata est, testificata a Lege et Prophetis, iustitia autem Dei per fidem Iesu Christi, in omnes qui credunt. Non enim est distinctio: omnes enim peccaverunt et egent gloria Dei, iustificati gratis per gratiam Ipsius per Redemptionem, quae est in Christo Iesu; quem proposuit Deus propitiatorium per fidem in sanguine Ipsius ad ostensionem iustitiae Suae, cum praetermisisset praecedentia delicta in sustentatione Dei, ad ostensionem iustitiae Eius in hoc tempore, ut sit Ipse iustus et iustificans eum, qui ex fide est Iesu » (*Rom* 3, 21-26).

1993   Iustificatio *inter gratiam Dei et libertatem hominis cooperationem* stabilit. Haec, ex parte hominis, exprimitur in fidei assensu ad verbum Dei qui eumdem ad conversionem invitat, et in caritatis cooperatione impulsui Spiritus Sancti qui assensum praevenit et servat: 2000

> « Ita ut tangente Deo cor hominis per Spiritus Sancti illuminationem, neque homo ipse nihil omnino agat, inspirationem illam recipiens, quippe qui illam et abicere potest, neque tamen sine gratia Dei movere se ad iustitiam coram Illo libera sua voluntate possit ».[47]   2068

---

[45] Concilium Tridentinum, Sess. 6ª, *Decretum de iustificatione*, c. 7: DS 1528.
[46] Cf. Concilium Tridentinum, Sess. 6ª, *Decretum de iustificatione*, c. 7: DS 1529.
[47] Concilium Tridentinum, Sess. 6ª, *Decretum de iustificatione*, c. 5: DS 1525.

312
412

1994 Iustificatio est *amoris Dei excellentissimum opus* in Christo Iesu manifestatum et per Spiritum Sanctum concessum. Sanctus Augustinus impii iustificationem putat opus « prorsus maius [...] esse [...], quam est caelum et terra [...]. Et caelum enim et terra transibit; praedestinatorum autem [...] salus et iustificatio permanebit ».[48] Etiam opinatur peccatorum iustificationem superare angelorum in iustitia creationem quatenus misericordiam testatur maiorem.

741

1995 Spiritus Sanctus magister est interior. Iustificatio, efficiens ut « interior homo »[49] nascatur, *sanctificationem* implicat totius hominis:

> « Sicut enim exhibuistis membra vestra servientia immunditiae et iniquitati ad iniquitatem, ita nunc exhibete membra vestra servientia iustitiae ad sanctificationem. [...] Nunc vero liberati a peccato, servi autem facti Deo, habetis fructum vestrum in sanctificationem, finem vero vitam aeternam! » (*Rom* 6, 19. 22).

II. Gratia

153

1996 Nostra iustificatio a gratia venit Dei. Gratia est *favor, auxilium gratuitum* quod Deus nobis praebet ut Eius vocationi respondeamus: filios Dei fieri,[50] filios adoptivos,[51] divinae naturae participes[52] et vitae aeternae.[53]

375, 260

1997 Gratia est *vitae Dei participatio*, ea nos in vitae trinitariae introducit intimitatem: per Baptismum, christianus gratiam participat Christi, Capitis corporis Eius. Tamquam « filius adoptivus », deinceps Deum potest « Patrem », in unione cum Filio unico, appellare. Vitam recipit Spiritus, qui ei caritatem inspirat et qui Ecclesiam format.

1719

1998 Haec vocatio ad vitam aeternam est *supernaturalis*. Prorsus a gratuito Dei dependet incepto, quia Ipse solus Seipsum revelare potest atque donare. Ea facultates superat intelligentiae et vires voluntatis humanae, sicut et omnis creaturae.[54]

---

[48] SANCTUS AUGUSTINUS, *In Iohannis evangelium tractatus,* 72, 3: CCL 36, 508 (PL 35, 1823).
[49] Cf. *Rom* 7, 22; *Eph* 3, 16.
[50] Cf. *Io* 1, 12-18.
[51] Cf. *Rom* 8, 14-17.
[52] Cf. *2 Pe* 1, 3-4.
[53] Cf. *Io* 17, 3.
[54] Cf. *1 Cor* 2, 7-9.

1999 Christi gratia donum est gratuitum, quod Deus nobis praebet, vitae Eius per Spiritum Sanctum in animam nostram infusae ad eidem   1966
medendum a peccato eamque sanctificandam: illa est *gratia sanctificans*
seu *deificans*, in Baptismo recepta. Ipsa est in nobis operis sanctificationis fons: [55]

> « Si quis ergo in Christo nova creatura; vetera transierunt, ecce, facta
> sunt nova. Omnia autem ex Deo, qui reconciliavit nos Sibi per Chris-
> tum » (*2 Cor* 5, 17-18).

2000 Gratia sanctificans donum est habituale, dispositio stabilis et supernaturalis ipsam perficiens animam ut eam capacem efficiat vivendi
cum Deo et propter Eius amorem agendi. Distinguendae sunt *gratia habitualis*, dispositio permanens ad vivendum et agendum secundum divinam vocationem, et *gratiae actuales* quae interventus designant divinos
sive in conversionis initio sive in operis sanctificationis decursu.

2001 *Praeparatio hominis* ad gratiam accipiendam iam opus est gratiae.   490
Haec necessaria est ut nostra suscitetur et sustineatur cooperatio ad iustificationem per fidem et ad sanctificationem per caritatem. Deus id in
nobis perficit quod incepit, « quoniam Ipse ut velimus operatur inci-
piens, qui volentibus cooperatur perficiens »: [56]

> « Ubi quidem operamur et nos, sed Illo operante cooperamur, quia mi-
> sericordia Eius praevenit nos. Praevenit autem, ut sanemur, quia et sub-
> sequetur ut etiam sanati vegetemur; praevenit, ut vocemur, subsequetur
> ut glorificemur; praevenit, ut pie vivamus, subsequetur ut cum Illo sem-
> per vivamus, quia sine Illo nihil facere possumus ».[57]

2002 Liberum Dei inceptum *liberam hominis responsionem* exigit, quia   1742
Deus hominem ad Suam creavit imaginem, ei, cum libertate, conferens
potestatem Ipsum cognoscendi et amandi. Anima solummodo libere
communionem ingreditur amoris. Deus immediate tangit et directe movet cor hominis. In homine posuit appetitionem ad veritatem et bonum
quam solum Ipse complere potest. « Vitae aeternae » promissiones respondent, ultra omnem spem, huic appetitioni:

> « Ut id, quod Tu post opera Tua bona valde, quamvis ea quietus fece-
> ris, requievisti septimo die, hoc praeloquatur nobis vox Libri Tui, quod

---

[55] Cf *Io* 4, 14; 7, 38-39.
[56] Sanctus Augustinus, *De gratia et libero arbitrio,* 17, 33: PL 44, 901.
[57] Sanctus Augustinus, *De natura et gratia,* 31, 35: CSEL 49, 258-259 (PL 44, 264).

2550

et nos post opera nostra ideo bona valde, quia Tu nobis ea donasti, Sabbato vitae aeternae requiescamus in Te».[58]

1108

2003 Gratia imprimis et praesertim donum est Spiritus qui nos iustificat et sanctificat. Sed gratia etiam illa dona includit quae Spiritus nobis largitur ad nos Suo operi sociandos, ad nos efficiendos capaces qui aliorum saluti et corporis Christi, Ecclesiae, collaboremus incremento.

1127

Haec sunt *gratiae sacramentales*, dona diversis sacramentis propria. Praeterea *gratiae speciales* habentur, quae etiam *charismata* appellantur secundum verbum graecum a sancto Paulo adhibitum, quod favorem, donum gratuitum, beneficium significat.[59] Quaecumque earum est indoles, quandoque extraordinaria, sicut miraculorum vel linguarum donum,

799-801

charismata ad gratiam ordinantur sanctificantem, et ut scopum commune bonum habent Ecclesiae. Ad servitium sunt caritatis quae Ecclesiam aedificat.[60]

2004 Inter gratias speciales, oportet mentionem facere *gratiarum status* quae responsabilitatum vitae christianae et ministeriorum in Ecclesia comitantur exercitium:

« Habentes autem donationes secundum gratiam, quae data est nobis differentes; sive prophetiam secundum rationem fidei; sive ministerium, in ministrando; sive qui docet, in doctrina; sive qui exhortatur, in exhortatione; qui tribuit in simplicitate; qui praeest, in sollicitudine; qui miseretur, in hilaritate » (*Rom* 12, 6-8).

2005 Gratia, supernaturalis cum sit, *nostrae se subducit experientiae* et non nisi per fidem potest cognosci. Non possumus igitur nostris animi sensibus vel nostris operibus inniti ut exinde deducamus nos iustificatos esse vel salvatos.[61] Tamen secundum Domini verbum: « Ex operibus eorum cognoscetis eos » (*Mt* 7, 20), consideratio beneficiorum Dei in vita nostra et in sanctorum vita nobis pignus offert gratiam in nobis operari nosque incitat ad fidem semper maiorem et ad habitum fretae paupertatis.

Quaedam ex pulcherrimis huius habitus illustrationibus in responsione sanctae Ioannae de Arco invenitur ad captiosam eius iudicum ecclesiasticorum quaestionem « Interrogata an sciat quod ipsa sit in gratia Dei: Respondit: 'Si ego non sim, Deus ponat me; si ego sim, Deus me teneat in illa' ».[62]

---

[58] Sanctus Augustinus, *Confessiones,* 13, 36, 51: CCL 27, 272 (PL 32, 868).
[59] Cf. Concilium Vaticanum II, Const. dogm. *Lumen gentium,* 12: AAS 57 (1965) 16-17.
[60] Cf. *1 Cor* 12.
[61] Cf. Concilium Tridentinum, Sess. 6ª, *Decretum de iustificatione,* c. 9: DS 1533-1534.
[62] Sancta Ioanna de Arco, *Dictum: Procès de condamnation,* ed. P. Tisset (Paris 1960) p. 62.

III. Meritum

« In sanctorum concilio celebraris,
et eorum coronando merita Tua dona coronas ».[63]

2006 Verbum « meritum » generatim designat *retributionem quam debet* 1723
communitas vel societas propter cuiusdam ex suis membris actionem
quae, tamquam bonum vel malum factum, mercede vel sanctione percipitur digna. Meritum ad virtutem pertinet iustitiae iuxta aequalitatis 1807
principium, quod illam regit.

2007 Coram Deo, in sensu stricti iuris, meritum ex parte hominis non
habetur. Inter Eum et nos inaequalitas mensura caret, quia omnia ab 42
Eo, nostro accepimus Creatore.

2008 Hominis meritum coram Deo in vita christiana ex eo provenit
quod *Deus hominem operi gratiae Suae sociare libere disposuit.* Dei actio 306
paterna per suum impulsum prima est, et operatio hominis libera in sua
cooperatione est secunda, ita ut bonorum operum merita gratiae Dei 155, 970
imprimis sint tribuenda, deinde fideli. Ceterum, ipsum hominis meritum
in Deum revertit, quia eius bona opera in Christo procedunt a Spiritus
Sancti inceptis et auxiliis.

2009 Adoptio filialis, nos, per gratiam, reddens naturae divinae participes, secundum iustitiam Dei gratuitam, *verum meritum* nobis potest
conferre. Ibi ius habetur per gratiam, ius amoris plenum, quod nos
« coheredes » facit Christi et dignos qui vitae aeternae hereditatem promissam obtineamus.[64] Nostrorum bonorum operum merita dona sunt
bonitatis divinae.[65] « Ante gratia donabatur, modo debitum redditur. [...] 604
Dona Ipsius sunt merita tua ».[66]

2010 Cum inceptum in ordine gratiae ad Deum pertineat in conversionis, veniae et iustificationis origine, *nemo primam gratiam mereri potest.* 1998
Sub Spiritus Sancti et caritatis motione, *possumus exinde mereri* pro nobismet ipsis et pro aliis gratias pro nostra sanctificatione, pro augmento
gratiae et caritatis, sicut pro vita aeterna obtinenda utiles. Ipsa bona
temporalia, sicut valetudinem, amicitiam, secundum Dei sapientiam me-

---

[63] *Praefatio de sanctis, I: Missale Romanum,* editio typica (Typis Polyglottis Vaticanis
1970) p. 428; cf. « Doctor gratiae », Sanctus Augustinus, *Enarratio in Psalmum*
102, 7: CCL 40, 1457 (PL 37, 1321).
[64] Cf. Concilium Tridentinum, Sess. 6ª, *Decretum de iustificatione,* c. 16: DS 1546.
[65] Cf. Concilium Tridentinum, Sess. 6ª, *Decretum de iustificatione,* c. 16: DS 1548.
[66] Sanctus Augustinus, *Sermo* 298, 4-5: SPM 1, 98-99 (PL 38, 1367).

reri possumus. Hae gratiae et haec dona obiectum sunt orationis christianae. Haec nostrae providet indigentiae gratiae ad actiones meritorias.

492 **2011** *Christi caritas est in nobis omnium nostrorum meritorum fons* coram Deo. Gratia, nos cum Christo amore coniungens activo, qualitatem nostrorum actuum praestat supernaturalem et, consequenter, eorum meritum coram Deo sicut coram hominibus. Sancti semper vivam habuerunt conscientiam merita eorum pura esse gratiam:

1460
> « Post terrae exilium, spero me esse profecturam ad Te in Patria fruendum, sed nolo ad caelum congerere merita, volo propter Tuum *solum* amorem laborare [...]. Vespere huius vitae coram Te vacuis apparebo manibus, non enim a Te peto, Domine, ut mea aestimes opera. Omnes iustitiae nostrae ante oculos Tuos habent maculas. Volo igitur Tua propria revestiri *iustitia* et a Tuo *amore* possessionem *Tui Ipsius* recipere aeternam... ».[67]

IV. Sanctitas christiana

459 **2012** « Diligentibus Deum omnia cooperantur in bonum [...]. Nam, quos praescivit, et praedestinavit conformes fieri imaginis Filii Eius, ut sit Ipse primogenitus in multis fratribus; quos autem praedestinavit, hos et vocavit; et quos vocavit, hos et iustificavit; quos autem iustificavit, illos et glorificavit » (*Rom* 8, 28-30).

915, 2545 **2013** « Omnes christifideles cuiuscumque status vel ordinis ad vitae christianae plenitudinem et caritatis perfectionem » vocantur.[68] Omnes
825 vocantur ad sanctitatem: « Estote ergo vos perfecti, sicut Pater vester caelestis perfectus est » (*Mt* 5, 48):

> « Ad quam perfectionem adipiscendam fideles vires secundum mensuram donationis Christi acceptas adhibeant, ut [...] voluntatem Patris in omnibus obsequentes, gloriae Dei et servitio proximi toto animo sese devoveant. Ita sanctitas populi Dei in abundantes fructus excrescet, sicut in Ecclesiae historia per tot sanctorum vitam luculenter commostratur ».[69]

774 **2014** Spiritualis progressus ad semper arctiorem cum Christo tendit unionem. Haec unio appellatur « mystica », quia mysterium Christi per

[67] Sancta Theresia a Iesu Infante, *Acte d'offrande à l'Amour miséricordieux*: *Récréations pieuses - Prières* (Paris 1992) p. 514-515.
[68] Concilium Vaticanum II, Const. dogm. *Lumen gentium*, 40: AAS 57 (1965) 45.
[69] Concilium Vaticanum II, Const. dogm. *Lumen gentium*, 40: AAS 57 (1965) 45.

sacramenta — « sancta mysteria » — participat et, in Ipso, Sanctissimae Trinitatis mysterium. Deus nos omnes ad hanc intimam cum Eo vocat unionem, etiamsi gratiae speciales vel signa extraordinaria huius vitae mysticae solum quibusdam concedantur ad donum gratuitum omnibus factum manifestandum.

2015 Perfectionis iter transit per crucem. Sanctitas non habetur sine abrenuntiatione et sine spirituali certamine.[70] Spiritualis progressus ascesim implicat et mortificationem quae gradatim ducunt ad vivendum in beatitudinum pace et gaudio:

407, 2725, 1438

> « Neque unquam se sistit ascendens, ex principio sumens principium, neque in se perficitur eorum quae sunt semper maiora, principium. In iis enim quae sunt cognita, nunquam ascendentis sistitur desiderium ».[71]

2016 Nostrae Matris sanctae Ecclesiae filii recte *gratiam perseverantiae finalis et retributionem* a Deo sperant Patre suo propter bona opera cum Eius gratia peracta in communione cum Iesu.[72] Credentes, eamdem vitae servantes regulam, participant « beatam spem » eorum quos misericordia divina congregat in « Civitatem sanctam Ierusalem novam [...] descendentem de caelo a Deo, paratam sicut sponsam ornatam viro suo » (*Apc* 21, 2).

162, 1821

1274

Compendium

2017 *Spiritus Sancti gratia nobis Dei iustitiam confert. Spiritus nos per fidem et Baptismum passioni et resurrectioni Christi coniungens, vitae Ipsius facit participes.*

2018 *Iustificatio, sicut conversio, duos exhibet aspectus. Sub gratiae motione, homo se ad Deum vertit et a peccato se avertit, sic veniam et iustitiam accipiens ex alto.*

2019 *Iustificatio remissionem peccatorum, sanctificationem et renovationem implicat interioris hominis.*

2020 *Iustificatio nobis per Christi passionem est merita. Nobis per Baptismum conceditur. Nos ad iustitiam conformat Dei qui nos iustos facit. Tamquam scopum habet gloriam Dei et Christi, et vitae aeternae donum. Ea excellentissimum est misericordiae Dei opus.*

---

[70] Cf. *2 Tim* 4.
[71] SANCTUS GREGORIUS NYSSENUS, *In Canticum* homilia 8: *Gregorii Nysseni opera*, ed. W. JAEGER-H. LANGERBECK, v. 6 (Leiden 1960) p. 247 (PG 44, 941).
[72] Cf. CONCILIUM TRIDENTINUM, Sess. 6ª, *Decretum de iustificatione*, canon 26: DS 1576.

2021   *Gratia est auxilium quod Deus nobis praebet ad nostrae responden-*
dum vocationi ut Eius filii efficiamur adoptivi. Ea nos in intimita-
tem vitae trinitariae introducit.

2022   *Divinum in opere gratiae inceptum liberam hominis responsionem*
praevenit, praeparat et suscitat. Gratia profundis libertatis humanae
respondet aspirationibus; eam appellat ad secum cooperandum eam-
que perficit.

2023   *Gratia sanctificans donum est gratuitum, quod Deus nobis praebet,*
vitae Eius, a Spiritu Sancto in nostram animam infusae ad eidem
medendum a peccato eamque sanctificandam.

2024   *Gratia sanctificans nos « Deo gratos » reddit. Charismata, gratiae*
speciales Spiritus Sancti, ad gratiam sanctificantem ordinantur et
tamquam scopum bonum Ecclesiae habent commune. Deus etiam
per multiplices gratias actuales agit quae a gratia habituali, in nobis
permanenti, distinguuntur.

2025   *Pro nobis coram Deo meritum non est nisi quod liberum Dei conse-*
quitur consilium, hominem sociandi operi Suae gratiae. Meritum im-
primis pertinet ad Dei gratiam, secundo loco ad hominis cooperatio-
nem. Hominis meritum ad Deum revertit.

2026   *Spiritus Sancti gratia, propter nostram adoptivam filiationem, po-*
test nobis verum conferre meritum secundum iustitiam Dei gratui-
tam. Caritas est in nobis praecipuus meriti coram Deo fons.

2027   *Nemo primam potest mereri gratiam quae conversionis est origo.*
Sub Spiritus Sancti motione, pro nobismet ipsis et pro aliis gratias
omnes possumus mereri utiles ad perveniendum in vitam aeternam,
sicut etiam bona temporalia necessaria.

2028   *« Omnes christifideles [...] ad vitae christianae plenitudinem et caritatis*
perfectionem » vocantur.[73] *« In virtute vero hunc ab Apostolo perfectio-*
nis terminum esse didicimus, quod nullus in ipsa sit terminus ».[74]

2029   *« Si quis vult post me venire, abneget semetipsum et tollat crucem*
suam et sequatur me ». (Mt 16, 24).

---

[73] Cf. CONCILIUM VATICANUM II, Const. dogm. *Lumen gentium*, 40: AAS 57 (1965).
[74] SANCTUS GREGORIUS NYSSENUS, *De vita Moysis*, 1, 5: ed. M. SIMONETTI (Vicenza 1984) p. 10 (PG 44, 300).

Articulus 3

ECCLESIA, MATER ET MAGISTRA

2030   In Ecclesia, in communione cum omnibus baptizatis, christianus suam adimplet vocationem. Ab Ecclesia, Dei accipit Verbum quod doctrinas continet « Legis Christi ».[75] Ab Ecclesia, sacramentorum recipit gratiam quae illum in « via » sustinet. Ab Ecclesia, *exemplum sanctitatis* discit; cuius figuram et fontem in sanctissima Virgine Maria agnoscit; eam in authentico discernit testimonio eorum qui secundum eam vivunt; eam in traditione detegit spirituali et in longa historia sanctorum qui illum praecesserunt et quos liturgia celebrat in calendarii sanctorum decursu.

828

1172

2031   *Moralis vita cultus est spiritualis.* « Exhibemus corpora nostra hostiam viventem, sanctam, Deo placentem »,[76] in Christi corpore quod efformamus et in communione cum Eucharistiae Eius oblatione. In liturgia et in sacramentorum celebratione, oratio et doctrina coniunguntur cum gratia Christi ad modum agendi christianum illustrandum et nutriendum. Sicut vitae christianae complexus, vita moralis suum fontem et culmen in Sacrificio invenit eucharistico.

1368

I. Vita moralis et Magisterium Ecclesiae

85-87
888-892

2032   Ecclesia, « columna et firmamentum veritatis » (*1 Tim* 3, 15), « solemne Christi mandatum annuntiandi veritatem salutarem [...] ab Apostolis recepit ».[77] « Ecclesiae competit semper et ubique principia moralia etiam de ordine sociali annuntiare, necnon iudicium ferre de quibuslibet rebus humanis, quatenus personae humanae iura fundamentalia aut animarum salus id exigant ».[78]

2246

2420

2033   *Magisterium Pastorum Ecclesiae* in re morali ordinarie in catechesi et in praedicatione exercetur, cum adiutorio operum theologorum et auctorum spiritualium. Sic a generatione in generationem, sub Pastorum ductu et vigilantia, doctrinae moralis christianae transmissum est « depositum », compositum ex summa peculiari regularum, praeceptorum et virtutum a fide in Christum procedentium et a caritate vivificatorum. Haec catechesis traditionaliter sumpsit tamquam fundamentum, una

84

---

[75] Cf. *Gal* 6, 2.
[76] Cf. *Rom* 12, 1.
[77] Concilium Vaticanum II, Const. dogm. *Lumen gentium*, 17: AAS 57 (1965) 21.
[78] CIC canon 747, § 2.

cum Symbolo fidei et Oratione dominica, Decalogum qui vitae moralis enuntiat principia pro omnibus hominibus valida.

2034 Romanus Pontifex et Episcopi, tamquam «doctores authentici seu auctoritate Christi praediti, [...] populo sibi commisso fidem credendam et moribus applicandam praedicant».⁷⁹ *Magisterium ordinarium* et universale Romani Pontificis et Episcoporum in communione cum ipso fideles docet veritatem credendam, caritatem exercendam, beatitudinem sperandam.

2035 Gradus supremus participationis in auctoritate Christi a charismate praestatur *infallibilitatis*. Hoc «tantum patet quantum divinae Revelationis patet depositum»; ⁸⁰ ad omnia etiam doctrinae, doctrina morali ibi inclusa, extenditur elementa, sine quibus veritates fidei salutares nequeunt custodiri, exponi vel observari.⁸¹

1960 2036 Magisterii auctoritas etiam ad specifica *legis naturalis* extenditur praecepta, quia eorum observantia, a Creatore postulata, necessaria est ad salutem. Ecclesiae Magisterium, in memoriam revocans legis naturalis praescripta, essentialem exercet partem sui prophetici muneris, hominibus nuntiandi quid ipsi vere sint eisque commemorandi quid ipsi coram Deo esse debeant.⁸²

2037 Lex Dei, Ecclesiae concredita, tamquam via vitae et veritatis, fidelibus traditur. Fideles igitur habent *ius* ⁸³ ut de salutaribus instruantur divinis praeceptis, quae iudicium purificant et rationi humanae vulneratae medentur per gratiam. *Officium* habent constitutiones et decreta observandi proclamata a legitima Ecclesiae auctoritate. Hae determinationes, quamvis disciplinares sint, docilitatem requirunt in caritate.

2041

2038 Ecclesia, in opere docendi et applicandi doctrinam moralem christianam, eget Pastorum sedulitate, theologorum scientia, omnium christianorum hominumque bonae voluntatis adiumento. Fides et Evangelium ductum in rem unicuique experientiam praebent vitae «in Christo», quae eum illuminat et capacem reddit realitates divinas

2442

⁷⁹ CONCILIUM VATICANUM II, Const. dogm. *Lumen gentium*, 25: AAS 57 (1965) 29.
⁸⁰ CONCILIUM VATICANUM II, Const. dogm. *Lumen gentium*, 25: AAS 57 (1965) 30.
⁸¹ Cf. SACRA CONGREGATIO PRO DOCTRINA FIDEI, Decl. *Mysterium Ecclesiae*, 3: AAS 65 (1973) 401.
⁸² Cf. CONCILIUM VATICANUM II, Decl. *Dignitatis humanae*, 14: AAS 58 (1966) 940.
⁸³ Cf. CIC canon 213.

aestimandi et humanas secundum Spiritum Dei.[84] Sic Spiritus Sanctus potest humillimis uti ad sapientes et dignitate altiores illustrandos.

2039 Ministeria in spiritu servitii fraterni et obsequii erga Ecclesiam debent exerceri, in nomine Domini.[85] Conscientia insimul singulorum, in suo iudicio morali de suis actibus personalibus, vitare debet ne in consideratione individuali sit clausa. Quam optime potest, conari debet ut ad considerationem boni omnium se aperiat, prout in lege morali exprimitur naturali et revelata, et consequenter in lege Ecclesiae et in doctrina authentica Magisterii de quaestionibus moralibus. Opponere non oportet conscientiam   1783
personalem et rationem legi morali vel Ecclesiae Magisterio.

2040 Sic potest inter christianos verus *spiritus filialis erga Ecclesiam* augescere. Ipse est normalis expansio gratiae baptismalis, quae nos in Ecclesiae genuit sinu et membra reddidit corporis Christi. Ecclesia, sua materna sollicitudine, nobis tribuit Dei misericordiam quae omnia nostra superat peccata et in Reconciliationis speciatim agit sacramento. Ipsa, sicut praevidens mater, etiam in sua liturgia, alimentum   167
Verbi et Eucharistiae Domini nobis largitur per dies.

II. Praecepta Ecclesiae

2041 Praecepta Ecclesiae in hac linea vitae moralis cum vita liturgica coniunctae et ab illa nutritae collocantur. Indoles obligatoria harum legum positivarum ab auctoritatibus pastoralibus promulgatarum, pro scopo habet fidelibus providere minimum pernecessarium in orationis spiritu et in morali nisu, in incremento amoris Dei et proximi.

2042 Primum praeceptum (« Diebus Dominicis ceterisque festis de praecepto   1389
Missam audire et ab operibus servilibus vacare ») a fidelibus exigit diem in quo
resurrectio Domini commemoratur, necnon praecipuas liturgicas festivitates   2180
quae Domini, beatae Virginis Mariae et sanctorum honorant mysteria, sanctificare, imprimis eucharisticam participando celebrationem, in qua communitas   2177
congregatur christiana, atque ab illis requiescere laboribus et negotiis quae talem horum dierum sanctificationem possint impedire.[86]

Secundum praeceptum (« Peccata saltem semel in anno confiteri ») ad Eucharistiam praestat praeparationem per receptionem sacramenti Reconciliationis,   1457
quod opus conversionis et veniae prosequitur Baptismi.[87]

---

[84] Cf. *1 Cor* 2, 10-15.
[85] Cf. *Rom* 12, 8. 11.
[86] Cf. CIC canones 1246-1248; CCEO canones 880, § 3. 881, §§ 1. 2. 4.
[87] Cf. CIC canon 989; CCEO canon 719.

1389   Tertium praeceptum (« Eucharistiae sacramentum saltem in Paschate recipere ») minimum praestat in corporis et sanguinis Domini receptione in conexione cum festis Paschalibus, origine et centro liturgiae christianae.[88]

1387   2043 Quartum praeceptum (« Diebus ab Ecclesia statutis ab esu carnium absti-
1438   nere et ieiunium servare ») tempora tuetur asceseos et paenitentiae quae nos ad festa praeparant liturgica et ad acquirendum in nostros instinctus dominium et cordis libertatem.[89]

1351   Quintum praeceptum (« Ecclesiae necessitatibus subvenire ») enuntiat, fideles praeterea obligari ad subveniendum, singulos secundum suam facultatem, materialibus Ecclesiae necessitatibus.[90]

III. Vita moralis et testimonium missionarium

          2044 Baptizatorum fidelitas condicio est primaria pro Evangelii an-
852, 905 nuntiatione et *pro Ecclesiae missione in mundo*. Salutis nuntius, ut suam veritatis et splendoris vim coram hominibus ostendat, vitae christianorum consignari debet testimonio. « Ipsum testimonium vitae christianae et opera bona spiritu supernaturali exercita, vim habent attrahendi homines ad fidem et ad Deum ».[91]

753   2045 Christiani, quia membra sunt corporis cuius Christus est Caput,[92] suarum persuasionum et suorum morum constantia, ad *aedificationem Ecclesiae* conferunt. Ecclesia augetur, crescit et expanditur suorum fide-
828   lium sanctitate,[93] donec ipsi constituantur « in virum perfectum in mensuram aetatis plenitudinis Christi » (*Eph* 4, 13).

671, 2819 2046 Christiani, sua secundum Christum vita, *accelerant Adventum Regni Dei*, quod est « Regnum iustitiae, amoris et pacis ».[94] Non ideo sua terrena neglegunt munera; ipsi, suo Magistro fideles, rectitudine, patientia et amore, illa adimplent.

---

[88] Cf. CIC canon 920; CCEO canones 708. 881, § 3.
[89] Cf. CIC canones 1249-1251; CCEO canon 882.
[90] Cf. CIC canon 222; CCEO canon 25. Conferentiae Episcopales possunt praeterea quaedam alia ecclesiastica statuere praecepta pro proprio territorio; cf. CIC canon 455.
[91] Concilium Vaticanum II, Decr. *Apostolicam actuositatem*, 6: AAS 58 (1966) 842.
[92] Cf. *Eph* 1, 22.
[93] Cf. Concilium Vaticanum II, Const. dogm. *Lumen gentium*, 39: AAS 57 (1965) 44.
[94] *Domini Nostri Iesu Christi universorum Regis sollemnitas, Praefatio*: *Missale Romanum*, editio typica (Typis Polyglottis Vaticanis 1970) p. 381.

Compendium

2047 *Moralis vita cultus est spiritualis. Christianus agendi modus in liturgia et in sacramentorum celebratione suum invenit nutrimentum.*

2048 *Ecclesiae praecepta ad moralem et christianam attinent vitam, liturgiae unitam et ab illa nutritam.*

2049 *Magisterium Pastorum Ecclesiae in re morali generatim in catechesi exercetur et in praedicatione, super fundamentum Decalogi qui vitae moralis enuntiat principia pro omni homine valida.*

2050 *Romanus Pontifex et Episcopi, tamquam doctores authentici, populo Dei fidem credendam et moribus applicandam praedicant. Ad eos etiam pertinet iudicium de moralibus ferre quaestionibus quae ad legem naturalem pertinent et ad rationem.*

2051 *Infallibilitas Magisterii Pastorum ad omnia doctrinae extenditur elementa, doctrina morali in illis inclusa, sine quibus veritates fidei salutares nequeunt custodiri, exponi vel observari.*

DECEM PRAECEPTA

Exodus 20, 2-17	Deuteronomium 5, 6-21	Formula catechetica [1]
« Ego sum Dominus Deus tuus, qui eduxi te de terra Aegypti, de domo servitutis.	« Ego Dominus Deus tuus, qui eduxi te de terra Aegypti, de domo servitutis	« Ego sum Dominus Deus tuus:
Non habebis deos alienos coram me. Non facies tibi sculptile neque omnem similitudinem eorum, quae sunt in caelo desuper et quae in terra deorsum et quae in aquis sub terra. Non adorabis ea neque coles, quia ego sum Dominus Deus tuus. Deus zelotes, visitans iniquitatem patrum in filiis in tertiam et quartam generationem eorum, qui oderunt me, et faciens misericordiam in milia his, qui diligunt me et custodiunt praecepta mea.	Non habebis deos alienos in conspectu meo.	Non habebis deos alios coram me;
Non assumes Nomen Domini Dei tui in vanum, nec enim habebit insontem Dominus eum, qui assumpserit Nomen Domini Dei sui frustra.	Non usurpabis Nomen Domini Dei tui frustra...	Non assumes Nomen Domini Dei tui in vanum

---

[1] *Catechismus Catholicus*, cura et studio P. Card. GASPARRI concinnatus (Typis Polyglottis Vaticanis 1933) p. 23-24.

Memento ut diem sabbati sanctifices. Sex diebus operaberis et facies omnia opera tua; septimus autem dies sabbatum Domino Deo tuo est; non facies omne opus tu et filius tuus et filia tua, servus tuus et ancilla tua, iumentum tuum et advena, qui est intra portas tuas. Sex enim diebus fecit Dominus caelum et terram et mare et omnia, quae in eis sunt, et requievit in die septimo; idcirco benedixit Dominus diei sabbati et sanctificavit eum.	Observa diem sabbati ut sanctifices eum.	Memento ut dies festos sanctifices;
Honora patrem tuum et matrem tuam, ut sis longaevus super terram quam Dominus Deus tuus dabit tibi.	Honora patrem tuum et matrem.	Honora patrem tuum et matrem tuam;
Non occides.	Non occide.	Non occides;
Non moechaberis.	Neque moechaberis	Non moechaberis;
Non furtum facies.	Furtumque non facies.	Non furtum facies;
Non loqueris contra proximum tuum falsum testimonium.	Nec loqueris contra proximum tuum falsum testimonium	Non loqueris contra proximum tuum falsum testimonium;
Non concupisces domum proximi tui: non desiderabis uxorem eius, non servum, non ancillam, non bovem, non asinum nec omnia, quae illius sunt ».	Nec concupisces uxorem proximi tui. Nec desiderabis... universa, quae illius sunt ».	Non desiderabis uxorem eius; Non concupisces eius bona ».

SECTIO SECUNDA

DECEM PRAECEPTA

« Magister, quid [...] faciam...? »

2052 « Magister, quid boni faciam, ut habeam vitam aeternam? ». Adulescenti hanc Ei quaestionem proponenti, Iesus imprimis respondet necessitatem asseverans agnoscendi Deum tamquam Illum qui « unus est Bonus », tamquam Bonum per excellentiam et tamquam omnis boni fontem. Iesus deinde ei declarat: « Si autem vis ad vitam ingredi, serva mandata ». Et collocutori Suo praecepta memorat quae amorem proximi respiciunt: « Non homicidium facies, non adulterabis, non facies furtum, non falsum testimonium dices, honora patrem et matrem ». Iesus denique haec mandata modo compendiat positivo: « Diliges proximum tuum sicut teipsum » (*Mt* 19, 16-19).

1858

2053 Huic primae responsioni adiungitur altera: « Si vis perfectus esse, vade, vende, quae habes, et da pauperibus, et habebis thesaurum in caelo; et veni, sequere me » (*Mt* 19, 21). Haec priorem non abrogat. Christi sequela mandatorum includit impletionem. Lex non aboletur,[1] sed homo invitatur ad eam reperiendam in persona Magistri sui, qui eius adimpletio est perfecta. In tribus Evangeliis synopticis, vocatio Iesu iuveni diviti directa, ut Eum per oboedientia discipuli sequatur et praeceptorum observantiam, vocationi ad paupertatem et castitatem est proxima.[2] Consilia evangelica a mandatis sunt inseparabilia.

1968

1973

2054 Iesus iterum decem sumpsit mandata, sed vim Spiritus manifestavit in eorum littera operantem; praedicavit iustitiam quae illam scribarum superat et Pharisaeorum [3] sicut etiam illam paganorum.[4] Omnes mandatorum explicuit exigentias: « Audistis quia dictum est antiquis. Non occides [...]. Ego autem dico vobis: Omnis, qui irascitur fratri suo, reus erit iudicio » (*Mt* 5, 2122).

581

2055 Cum Ei ponitur quaestio: « Quod est mandatum magnum in Lege? » (*Mt* 22, 36), Iesus respondet: « Diliges Dominum Deum tuum in toto corde tuo et in tota anima tua et in tota mente tua: hoc est magnum et primum mandatum. Secundum autem simile est huic: Diliges

129

---

[1] Cf. *Mt* 5, 17.
[2] Cf. *Mt* 19, 6-12. 21. 23-29.
[3] Cf. *Mt* 5, 20.
[4] Cf. *Mt* 5, 46-47.

proximum tuum sicut teipsum. In his duobus mandatis universa Lex pendet et Prophetae » (*Mt* 22, 37-40).[5] Decalogus est interpretandus luce huius duplicis et unici mandati caritatis, quae Legis est plenitudo:

> « Nam: Non adulterabis, Non occides, Non furaberis, Non concupisces, et quod est aliud mandatum, in hoc verbo recapitulatur: Diliges proximum tuum tamquam teipsum. Dilectio proximo malum non operatur; plenitudo ergo Legis est dilectio » (*Rom* 13, 9-10).

DECALOGUS IN SACRA SCRIPTURA

2056 Verbum « Decalogus » litteraliter significat « decem verba » (*Ex* 34, 28; *Dt* 4, 13; 10, 4). Deus populo Suo super monte sancto haec « decem verba » revelavit. Ea scripsit « Digito Suo »,[6] aliter ac alia praecepta a Moyse scripta.[7] Eadem, sensu eminenti, Dei constituunt verba. Nobis in libro Exodi transmittuntur[8] et in illo Deuteronomii.[9] Inde a Vetere Testamento, Libri Sancti ad « decem verba » referuntur,[10] sed in Novo Testamento in Iesu Christo eorum plenus revelabitur sensus.

2057 Decalogus imprimis in contextu intelligitur Exodi qui, in Veteris Foederis centro, magnus liberans est Dei eventus. « Decem verba » sive tamquam praecepta negativa, prohibitiones, redigantur sive tamquam mandata positiva (sicut « Honora patrem tuum et matrem tuam »), condiciones indicant pro vita a servitute peccati liberata. Decalogus est via vitae:

> « Si [...] diligas Dominum Deum tuum et ambules in viis Eius et custodias mandata Illius et praecepta atque iudicia, vives; ac multiplicabit te » (*Dt* 30, 16).

Haec liberatrix Decalogi vis apparet exempli gratia in mandato de requie sabbati, quod pariter advenis destinatur et servis:

> « Memento quod et ipse servieris in Aegypto, et eduxerit te inde Dominus Deus tuus in manu forti et brachio extento » (*Dt* 5, 15).

2058 « Decem verba » Legem Dei compendiant et proclamant: « Haec verba locutus est Dominus ad omnem multitudinem vestram in monte,

---

[5] Cf. *Dt* 6, 5; *Lv* 19, 18.
[6] Cf. *Ex* 31, 18; *Dt* 5, 22.
[7] Cf. *Dt* 31, 9. 24.
[8] Cf. *Ex* 20, 1-17.
[9] Cf. *Dt* 5, 6-22.
[10] Cf., exempli gratia, *Os* 4, 2; *Ier* 7, 9; *Ez* 18, 5-9.

de medio ignis et nubis et caliginis voce magna nihil addens amplius; et scripsit ea in duabus tabulis lapideis, quas tradidit mihi» (*Dt* 5, 22). Hac de causa, hae duae tabulae appellantur «Testimonium» (*Ex* 25, 16). Eaedem etenim continent Foederis condiciones inter Deum et Eius populum sanciti. Has «tabulas testimonii» (*Ex* 31, 18; 32, 15; 34, 29) in «arca» opus erat deponere (*Ex* 25, 16; 40, 1-3).

2059 «Decem verba» a Deo intra theophaniam proferuntur («Facie 707 ad faciem locutus est vobis in monte de medio ignis»: *Dt* 5, 4). Ad Revelationem pertinent quam Deus de Se Ipso deque Sua gloria facit. Mandatorum donum est donum Ipsius Dei atque sanctae Eius voluntatis. Deus, cognitas reddens Suas voluntates, populo Suo Se revelat. 2823

2060 Mandatorum et Legis donum partem constituit Foederis a Deo cum Eius populo sanciti. Secundum librum Exodi, revelatio «decem verborum» conceditur inter Foederis propositionem [11] et eius conclusionem [12] — postquam populus se obligavit ad «faciendum» quidquid Dominus dixerat eique «oboediendum».[13] Decalogus nunquam transmittitur nisi post Foederis commemorationem («Dominus Deus noster pepi- 62 git nobiscum Foedus in Horeb»: *Dt* 5, 2).

2061 Praecepta suam plenam significationem recipiunt intra Foedus. Secundum Scripturam, moralis modus agendi hominis totum suum sumit sensum in Foedere et per illud. Primum ex «decem verbis» priorem commemorat amorem Dei erga populum Eius:

«Et quoniam de paradiso libertatis pro poena peccati ad huius mundi ventum fuerat servitutem, idcirco primus sermo Decalogi, id est prima mandatorum Dei vox de libertate profertur dicens: 'Ego sum Dominus 2086 Deus tuus, qui eduxi te de terra Aegypti, de domo servitutis' (*Ex* 20, 2; *Dt* 5, 6)».[14]

2062 Mandata stricte dicta secundo veniunt loco; implicationes exprimunt condiciones pertinendi ad Deum per Foedus institutae. Moralis exsistentia *responsio* est ad inceptum Domini plenum amore. Est agni- 142 tio, obsequium Deo et cultus actionis gratiarum. Est cooperatio proposi- 2002 to quod Deus in historia prosequitur.

2063 Foedus et dialogus inter Deum et hominem testimonium etiam accipiunt ex eo quod omnia officia in prima enuntiantur persona («Ego

---

[11] Cf. *Ex* 19.
[12] Cf. *Ex* 24.
[13] Cf. *Ex* 24, 7.
[14] ORIGENES, *In Exodum* homilia 8, 1: SC 321, 242 (PG 12, 350).

sum Dominus...») et ad aliud diriguntur subiectum (« Tu...»). In omni-
878   bus Dei mandatis, pronomen personale habetur *singulare* quod eum designat ad quem diriguntur. Deus, simul ac omni populo, unicuique singillatim Suam voluntatem praebet cognoscendam:

> « Et erga Deum dilectionem praecipiebat et eam quae ad proximum est
> iustitiam insinuabat, ut neque iniustus neque indignus sit Deo, prae-
> struens hominem per Decalogum in Suam amicitiam et eam quae circa
> proximum est concordiam [...]. Et ideo similiter [Decalogi verba] perma-
> nent apud nos [christianos], extensionem et augmentum, sed non disso-
> lutionem accipientia per carnalem Eius Adventum ».[15]

DECALOGUS IN TRADITIONE ECCLESIAE

2064   Ecclesiae Traditio, Scripturae fidelis et secundum Iesu exemplum,
Decalogo momentum agnovit et significationem primi ordinis.

2065   Inde a sancto Augustino, « decem mandata » in catechesi baptizandorum
et fidelium locum habent praevalentem. Saeculo XV, mos incepit Decalogi praecepta exprimendi formulis similiter cadentibus, quae facile memoria retineren-
tur, et positivis. Tales adhuc hodie adhibentur. Ecclesiae catechismi saepe doctrinam moralem christianam exposuerunt secundum « decem mandatorum »
ordinem.

2066   Mandatorum divisio et enumeratio in historiae decursu variae fuerunt.
Hic catechismus divisionem mandatorum sequitur a sancto Augustino stabilitam
et in Ecclesia catholica traditionalem effectam. Haec est pariter illa confessio-
num lutheranarum. Patres Graeci aliquantulum differentem peregerunt divisionem quae in Ecclesiis orthodoxis et in communitatibus invenitur reformatis.

2067   Decem praecepta exigentias enuntiant amoris Dei et proximi.
1853   Tria priora magis ad amorem Dei referuntur et alia septem ad amorem
proximi.

> « Nam sicut duo sunt praecepta dilectionis, ex quibus Dominus dicit
> totam Legem Prophetasque pendere, [...] ita ipsa decem praecepta in
> duabus tabulis data sunt. Tria quippe dicuntur in una tabula esse con-
> scripta, et septem in altera ».[16]

---

[15] SANCTUS IRENAEUS LUGDUNENSIS, *Adversus haereses,* 4, 16, 3-4: SC 100, 566-570
(PG 7, 1017-1018).
[16] SANCTUS AUGUSTINUS, *Sermo* 33, 2: CCL 41, 414 (PL 38, 208).

2068   Concilium Tridentinum docet decem praecepta christianos obligare et hominem iustificatum ad ea observanda adhuc teneri.[17] Concilium Vaticanum II affirmat: « Episcopi, utpote Apostolorum successores, a Domino [...] missionem accipiunt docendi omnes gentes et praedicandi Evangelium omni creaturae, ut homines universi, per fidem, Baptismum et adimpletionem mandatorum salutem consequantur ».[18]

1993

888

UNITAS DECALOGI

2069   Decalogus summam efformat inseparabilem. Singula « verba », alia ad alia, referuntur et ad omnia; reciproce se afficiunt. Duae tabulae sese mutuo illuminant; unitatem efformant organicam. Unum transgredi mandatum est cetera infringere omnia.[19] Alius honorari nequit quin Deus benedicatur Creator eius. Deus adorari non posset quin omnes homines amarentur Eius creaturae. Decalogus vitam adunat theologalem vitamque socialem hominis.

2534

DECALOGUS ET LEX NATURALIS

2070   Decem mandata ad Dei Revelationem pertinent. Ea nos simul veram hominis docent humanitatem. In lucem ponunt officia essentialia et exinde, indirecte, iura fundamentalia naturae personae humanae inhaerentia. Decalogus praeclaram continet expressionem « legis naturalis »:

1955

> « Nam Deus primo quidem per naturalia praecepta quae ab initio infixa dedit hominibus admonens eos, hoc est per Decalogum — quae si quis non fecerit, non habet salutem —, et nihil plus ab eis exquisivit ».[20]

2071   Decalogi praecepta, quamvis soli rationi sint pervia, revelata sunt. Ad completam et certam cognitionem obtinendam exigentiarum legis naturalis, peccator genus humanum hac egebat revelatione:

1960

> « Explicatio enim plenaria mandatorum Decalogi opportuna fuit secundum statum peccati propter obscurationem luminis rationis et propter obliquationem voluntatis ». [21]

---

[17] Cf. CONCILIUM TRIDENTINUM, Sess. 6ª, *Decretum de iustificatione*, canones 19-20: DS 1569-1570.
[18] CONCILIUM VATICANUM II, Const. dogm. *Lumen gentium*, 24: AAS 57 (1965).
[19] Cf. *Iac* 2, 10-11.
[20] SANCTUS IRENAEUS LUGDUNENSIS, *Adversus haereses*, 4, 15, 1: SC 100, 548 (PG 7, 1012).
[21] SANCTUS BONAVENTURA, *In quattuor libros Sententiarum*, 3, 37, 1, 3: *Opera omnia*, v. 3 (Ad Claras Aquas 1887) p. 819-820.

1777 Mandata Dei cognoscimus per Revelationem divinam quae nobis in Ecclesia proponitur, et per conscientiae moralis vocem.

Decalogi obligatio

1858

1958

2072 Decem praecepta, quippe quae officia hominis erga Deum et erga proximum eius exprimunt fundamentalia, revelant in iis, quae primario continent, obligationes *graves*. Ea fundamentaliter sunt immutabilia et eorum obligationes semper et ubique valent. Nemo ab eis posset dispensare. Decem mandata in corde hominis sunt a Deo inscripta.

2073 Oboedientia erga praecepta implicat etiam obligationes, quarum materia in se ipsa est levis. Sic iniuria verbis a quinto prohibetur mandato, sed culpa gravis esse non posset nisi ratione adiunctorum vel intentionis illius qui eam profert.

« Sine me nihil potestis facere »

2732

521

2074 Iesus dicit: « Ego sum vitis, vos palmites. Qui manet in me, et ego in eo, hic fert fructum multum, quia sine me nihil potestis facere » (*Io* 15, 5). Fructus hoc verbo commemoratus est sanctitas vitae per unionem cum Christo fecundatae. Cum in Iesum Christum credimus, mysteria Eius communicamus et Eius servamus mandata, Ipse Salvator venit ad Patrem Suum fratresque Suos, Patrem nostrum atque nostros fratres in nobis amandos. Eius persona fit, propter Spiritum, regula viva et interior nostri agendi modi. « Hoc est praeceptum meum, ut diligatis invicem, sicut dilexi vos » (*Io* 15, 12).

Compendium

2075 « *Quid boni faciam, ut habeam vitam aeternam* » – « *Si* [...] *vis ad vitam ingredi, serva mandata* » (*Mt* 19, 16-17).

2076 *Iesus, Suo agendi modo Suaque praedicatione, perennitatem Decalogi testatus est.*

2077 *Decalogi donum est concessum intra Foedus a Deo cum Eius populo conclusum. Praecepta Dei suam veram accipiunt significationem in hoc Foedere et per hoc Foedus.*

2078 *Ecclesiae Traditio, Scripturae fidelis et secundum Iesu exemplum, Decalogo agnovit primi ordinis et momentum et significationem.*

2079   *Decalogus unitatem efformat organicam in qua unumquodque « verbum » vel « mandatum » ad totum remittit complexum. Unum mandatum transgredi est totam infringere Legem.*[22]

2080   *Decalogus praeclaram legis naturalis continet expressionem. A nobis per divinam Revelationem et per humanam cognoscitur rationem.*

2081   *Decem praecepta in iis, quae primario continent, obligationes enuntiant graves. Tamen oboedientia ad haec praecepta etiam implicat obligationes, quarum materia in se ipsa est levis.*

2082   *Quod Deus praecipit, per Suam gratiam possibile reddit.*

[22] Cf. *Iac* 2, 10-11.

CAPUT PRIMUM

« DILIGES DOMINUM DEUM TUUM IN TOTO CORDE TUO ET IN TOTA ANIMA TUA ET IN TOTA MENTE TUA »

2083 Iesus officia hominis erga Deum hoc compendiavit mandato: « Diliges Dominum Deum tuum in toto corde tuo et in tota anima tua et in tota mente tua » (*Mt* 22, 37).[1] In illis immediate resonat sollemnis appellatio: « Audi, Israel: Dominus Deus noster Dominus Unus est » (*Dt* 6, 4).

367

Deus prior dilexit. Amor Unius Dei in primo ex « decem verbis » recolitur. Praecepta deinde responsionem enodant amoris ad quam Deo suo praebendam vocatur homo.

199

Articulus 1

PRIMUM PRAECEPTUM

« Ego sum Dominus Deus tuus, qui eduxi te de terra Aegypti, de domo servitutis. Non habebis deos alienos coram me. Non facies tibi sculptile neque omnem similitudinem eorum, quae sunt in caelo desuper et quae in terra deorsum et quae in aquis sub terra. Non adorabis ea neque coles » (*Ex* 20, 2-5).[2]

« Scriptum est enim: Dominum Deum tuum adorabis et Illi soli servies » (*Mt* 4, 10).

I. « Dominum Deum tuum adorabis et Ipsi servies »

2084 Deus Se cognoscendum praebet, Suam omnipotentem, benevolam et liberatricem commemorans actionem in historia illius ad quem Ipse dirigitur: « Ego [...], qui eduxi te de terra Aegypti, de domo servitutis »

2057

---

[1] Cf. *Lc* 10, 27: « ...ex omnibus viribus tuis ».
[2] Cf. *Dt* 5, 6-9.

(*Dt* 5, 6). Primum verbum mandatum Legis continet primum: « Dominum Deum tuum timebis, et Ipsi servies [...]. Non ibitis post deos alienos » (*Dt* 6, 13-14). Prima Dei appellatio et iusta exigentia est, hominem Ipsum accipere et adorare.   398

2085 Deus unus et verus Suam gloriam imprimis revelat Israel.[3] Revelatio vocationis et veritatis hominis cum Dei Revelatione coniungitur. Homo vocationem habet Deum manifestandi per suum agendi modum congruentem cum sua creatione « ad imaginem et similitudinem » Dei (*Gn* 1, 26):   200   1701

> « Neque alius unquam erit Deus, Trypho, neque alius a saeculo exstitit [...] praeter Eum qui hoc universum fecit et disposuit. Neque alium nobis, alium vobis Deum esse putamus, sed Ipsum Illum qui patres vestros eduxit ex terra Aegypti manu potenti et brachio excelso; neque in alium quemquam speramus (non enim exstat), sed in Eum in quem etiam vos, Deum Abrahami et Isaaci et Iacobi ».[4]

2086 « In priori autem [mandato] continetur praeceptum fidei, spei et charitatis. Nam cum Deum dicimus, immobilem, incommutabilem, perpetuo eundem manentem, fidelem, recte sine ulla iniquitate confitemur; ex quo Eius oraculis assentientes, omnem Ipsi fidem et auctoritatem tribuamus necesse est. Qui vero omnipotentiam, clementiam et ad bene faciendum facilitatem ac propensionem Illius considerat, poteritne spes omnes suas non in Illo collocare? At si bonitatis ac dilectionis Ipsius effusas in nos divitias contempletur, Illumne poterit non amare? Hinc est illud prooemium, hinc illa conclusio, qua in praecipiendo mandandoque in Scriptura utitur Deus: *Ego Dominus* ».[5]   212   2061

Fides   1814-1816

2087 Nostra moralis vita suum invenit fontem in fide in Deum qui nobis Suum revelat amorem. Sanctus Paulus loquitur de oboeditione fidei[6] tamquam de prima obligatione. Ipse efficit ut in « ignorantia Dei » principium et explicatio omnium moralium deflexionum perspiciantur.[7] Nostrum erga Deum officium est in Eum credere Eique testimonium reddere.   143

---

[3] Cf. *Ex* 19, 16-25; 24, 15-18.
[4] Sanctus Iustinus, *Dialogus cum Tryphone Iudaeo,* 11, 1: CA 2, 40 (PG 6, 497).
[5] *Catechismus Romanus*, 3, 2, 4: ed. P. Rodríguez (Città del Vaticano-Pamplona 1989) p. 408-409.
[6] Cf. *Rom* 1, 5; 16, 26.
[7] Cf. *Rom* 1, 18-32.

2088   Primum mandatum a nobis postulat ut prudenter et vigilanter nostram nutriamus et custodiamus fidem atque reiiciamus quidquid illi opponitur. Diversi sunt modi contra fidem peccandi:

157   *Dubium voluntarium* circa fidem negligit vel reiicit tamquam verum id aestimare quod Deus revelavit et Ecclesia proponit credendum. *Dubium involuntarium* indicat haesitationem in credendo, difficultatem obiectiones superandi cum fide coniunctas vel etiam anxietatem ab obscuritate fidei suscitatam. Dubium, si deliberate fovetur, ad spiritus potest ducere caecitatem.

162   **2089**   *Incredulitas* est veritatis revelatae negligentia vel voluntaria recu-
817   satio illi assensum praebendi. « Dicitur *haeresis*, pertinax, post receptum Baptismum, alicuius veritatis fide divina et catholica credendae denegatio, aut de eadem pertinax dubitatio; *apostasia*, fidei christianae ex toto repudiatio; *schisma*, subiectionis Summo Pontifici aut communionis cum Ecclesiae membris eidem subditis detrectatio ».[8]

817-821   SPES

2090   Cum Deus Se revelat hominemque vocat, hic amori divino suis propriis viribus non potest plene respondere. Sperare debet, Deum ei
1996   capacitatem esse daturum redamandi atque secundum caritatis mandata agendi. Spes est fiducialis exspectatio benedictionis divinae et beatae visionis Dei; ipsa etiam timor est amorem Dei offendendi et punitionem provocandi.

2091   Primum praeceptum ad peccata etiam contra spem refertur, quae desperatio sunt et praesumptio:

Desperatione, homo a Deo suam salutem personalem, auxilia ut ad
1864   eam perveniat, vel suorum peccatorum veniam desinit sperare. Eadem bonitati opponitur Dei, iustitiae Eius — quia Deus Suis promissionibus est fidelis — et Eius misericordiae.

2732   **2092**   Duae *praesumptionis* habentur species. Vel homo de suis praesumit capacitatibus (sperans se sine adiutorio ex alto posse salvari) vel praesumit de omnipotentia et misericordia divinis (sperans Eius veniam sine conversione obtinere et gloriam sine merito).

---

[8] CIC canon 751.

CARITAS   1822-1829

2093 Fides in amorem Dei vocationem involvit et obligationem respondendi caritati divinae amore sincero. Primum mandatum nos Deum super omnia iubet amare[9] omnesque creaturas per Eum et propter Eum.

2094 Diversis modis possibile est contra Dei amorem peccare: *indifferentia* considerationem caritatis divinae negligit vel reiicit; eam ignorat praevenire eiusque negat vim. *Ingratitudo* caritatem divinam omittit vel recusat agnoscere eique amorem reddere pro amore. *Tepiditas* est haesitatio vel negligentia ad amori divino respondendum, potest reiectionem implicare se motui caritatis tradendi. *Acedia* seu spiritualis pigritia pervenit usque ad reiiciendum gaudium, quod a Deo procedit, et ad bonum abhorrendum divinum. *Odium erga Deum* a superbia provenit. Amori opponitur Dei cuius bonitatem negat et cui maledicere intendit tamquam Ei qui peccata prohibet et poenas infligit.

     2733

     2303

II. « Illi soli servies »

2095 Virtutes theologales fidei, spei et caritatis morales informant et vivificant virtutes. Sic caritas nos ducit ad id Deo reddendum quod Ei, quatenus creaturae, ex plena iustitia debemus. *Virtus religionis* nos ad hanc disponit habitudinem.

     1807

ADORATIO   2628

2096 Adoratio primus est virtutis religionis actus. Deum adorare est Eum agnoscere tamquam Deum, tamquam Creatorem et Salvatorem, Dominum et Dominatorem omnium quae exsistunt, Amorem infinitum et misericordem. « Dominum tuum adorabis et Illi soli servies » (*Lc* 4, 8), dicit Iesus afferens Deuteronomium (*Dt* 6, 13).

2097 Deum adorare est observantia et submissione absoluta agnoscere « nihilum creaturae », quae nonnisi a Deo est. Deum adorare est Eum, sicut Maria in « Magnificat », laudare, Eum extollere et se humiliare, cum gratitudine confitens Ipsum magna fecisse et sanctum esse Nomen Eius.[10] Adoratio unius Dei hominem liberat a reclusione in se ipso, a peccati servitute et ab idololatria mundi.

     2807

---

[9] Cf. *Dt* 6, 4-5.
[10] Cf. *Lc* 1, 46-49.

2558   ORATIO

2098   Actus fidei, spei et caritatis, quos primum iubet mandatum, in
oratione fiunt. Spiritus ad Deum elevatio expressio est nostrae adorationis Dei: oratio laudis et gratiarum actionis, intercessionis et petitionis.
Oratio condicio est pernecessaria ut quis praeceptis Dei oboedire possit.
2742   « Oportet semper orare et non deficere » (*Lc* 18, 1).

SACRIFICIUM

2099   Iustum est Deo sacrificia offerre tamquam signum adorationis et
grati animi, supplicationis et communionis: « Verum sacrificium est omne opus, quod agitur ut sancta societate inhaereamus Deo, relatum sci-
613   licet ad illum finem boni, quo veraciter beati esse possimus ».[11]

2100   Sacrificium externum, ut verum sit, sacrificii spiritualis expressio
2711   esse debet: « Sacrificium Deo spiritus contribulatus... » (*Ps* 51, 19). Prophetae Veteris Foederis saepe effecta sine interna participatione accusa-
verunt sacrificia [12] vel sine coniunctione cum amore proximi.[13] Iesus verbum prophetae Oseae commemorat: « Misericordiam volo et non sacri-
614   ficium » (*Mt* 9, 13; 12, 7).[14] Unum sacrificium perfectum est illud quod
Iesus, totali oblatione amori Patris et pro nostra salute, obtulit in cru-
618   ce.[15] Coniungentes nos cum Eius sacrificio, nostram vitam sacrificium
possumus efficere Deo.

PROMISSIONES ET VOTA

2101   Christianus, multis in adiunctis, vocatur ad *promissiones* Deo fa-
1237   ciendas. Baptismus et Confirmatio, Matrimonium et Ordinatio eas semper implicant. Christianus, devotione personali, etiam promittere potest
Deo quemdam actum, quamdam orationem, quamdam eleemosynam,
1064   quamdam peregrinationem, etc. Fidelitas ad promissiones Deo factas est
observantia debita divinae maiestati et amori erga Deum fidelem.

---

[11] SANCTUS AUGUSTINUS, *De civitate Dei,* 10, 6: CSEL 40/1, 454-455 (PL 41, 283).
[12] Cf. *Am* 5, 21-25.
[13] Cf. *Is* 1, 10-20.
[14] Cf. *Os* 6, 6.
[15] Cf. *Heb* 9, 13-14.

2102 « *Votum*, idest promissio deliberata ac libera Deo facta de bono possibili et meliore, ex virtute religionis impleri debet ».[16] Votum est *devotionis* actus quo christianus se ipsum devovet Deo vel opus bonum Ei promittit. Ipse igitur, suorum votorum adimpletione, Deo id reddit quod Ei promissum et consecratum est. Actus Apostolorum nobis ostendunt sanctum Paulum sollicitum de adimplendis votis quae ipse fecit.[17]

2103 Ecclesia votis ad *consilia evangelica* exsequenda valorem agnoscit exemplarem: [18]   1973

> « Gaudet Mater Ecclesia plures in sinu suo inveniri viros ac mulieres, qui exinanitionem Salvatoris pressius sequuntur et clarius demonstrant, paupertatem in filiorum Dei libertate suscipientes et propriis voluntatibus abrenuntiantes: illi scilicet sese homini propter Deum in re perfectionis ultra mensuram praecepti subiiciunt, ut Christo oboedienti sese plenius conforment ».[19]   914

Quibusdam in casibus, Ecclesia, propter rationes proportionatas, a votis et promissionibus potest dispensare.[20]

SOCIALE RELIGIONIS OFFICIUM
ET IUS AD RELIGIOSAM LIBERTATEM

2104 « Homines [...] cuncti tenentur veritatem, praesertim in iis quae Deum Eiusque Ecclesiam respiciunt quaerere eamque cognitam amplecti ac servare ».[21] Hoc officium ab ipsa hominum procedit natura.[22] Sincerae observantiae non contradicit diversarum religionum quae « haud raro referunt [...] radium illius veritatis, quae illuminat omnes homines »,[23] neque exigentiae caritatis quae christianos urget « ut amanter, prudenter, patienter aga[n]t cum hominibus, qui in errore vel ignorantia circa fidem versantur ».[24]   2467   851

2105 Officium Deo cultum authenticum tribuendi hominem individualiter et socialiter respicit. Hoc constituit « traditionalem doctrinam ca-

[16] CIC canon 1191, § 1.
[17] Cf. *Act* 18, 18; 21, 23-24.
[18] Cf. CIC canon 654.
[19] CONCILIUM VATICANUM II, Const. dogm. *Lumen gentium*, 42: AAS 57 (1965) 48-49.
[20] Cf. CIC canones 692. 1196-1197.
[21] CONCILIUM VATICANUM II, Decl. *Dignitatis humanae*, 1: AAS 58 (1966) 930.
[22] Cf. CONCILIUM VATICANUM II, Decl. *Dignitatis humanae*, 2: AAS 58 (1966) 931.
[23] CONCILIUM VATICANUM II, Decl. *Nostra aetate*, 2: AAS 58 (1966) 741.
[24] CONCILIUM VATICANUM II, Decl. *Dignitatis humanae*, 14: AAS 58 (1966) 940.

854
898
tholicam de morali hominum ac societatum officio erga veram religionem et unicam Christi Ecclesiam».[25] Ecclesia, homines incessanter evangelizans, laborat ut ipsi possint informare « mentem et mores, leges et structuras communitatis »,[26] in qua vivunt. Christianorum sociale officium est in unoquoque homine observare et suscitare amorem veri et boni. Ab illis petit ut cognoscendum praebeant cultum unicae verae religionis quae in catholica et apostolica Ecclesia subsistit.[27] Christiani vocantur ut lux mundi efficiantur.[28] Sic Ecclesia regalitatem manifestat Christi super totam creationem et speciatim super humanas societates.[29]

160
1782
2106 « In re religiosa neque aliquis cogatur ad agendum contra suam conscientiam neque impediatur, quominus iuxta suam conscientiam agat privatim vel publice, vel solus vel aliis sociatus, intra debitos limites ».[30]

1738
Hoc ius super natura ipsa humanae fundatur personae cuius dignitas efficit ut ipsa libere divinae adhaereat veritati quae ordinem temporalem transcendit. Quamobrem hoc ius « perseverat etiam in iis qui obligationi quaerendi veritatem eique adhaerendi non satisfaciunt ».[31]

2107 « Si attentis populorum circumstantiis peculiaribus uni communitati religiosae specialis civilis agnitio in iuridica civitatis ordinatione tribuitur, necesse est ut simul omnibus civibus et communitatibus religiosis ius ad libertatem in re religiosa agnoscatur et observetur ».[32]

1740
2108 Ius ad libertatem religiosam neque moralis est permissio adhaerendi errori[33] neque praesumptum ad errorem ius,[34] sed naturale ius personae humanae ad libertatem civilem, id est, ad immunitatem a coactione externa, intra iustos limites, in re religiosa, ex parte politicae potestatis. Hoc ius naturale in ordine iuridico societatis agnosci debet ita ut ius civile constituat.[35]

---

[25] CONCILIUM VATICANUM II, Decl. *Dignitatis humanae*, 1: AAS 58 (1966) 930.
[26] CONCILIUM VATICANUM II, Decr. *Apostolicam actuositatem*, 13: AAS 58 (1966) 849.
[27] Cf. CONCILIUM VATICANUM II, Decl. *Dignitatis humanae*, 1: AAS 58 (1966) 930.
[28] Cf. CONCILIUM VATICANUM II, Decr. *Apostolicam actuositatem*, 13: AAS 58 (1966) 850.
[29] Cf. LEO XIII, Litt. enc. *Immortale Dei*: Leonis XIII Acta 5, 118-150; PIUS XI, Litt enc. *Quas primas*: AAS 17 (1925) 593-610.
[30] CONCILIUM VATICANUM II, Decl. *Dignitatis humanae*, 2: AAS 58 (1966) 930; cf. ID., Const. past. *Gaudium et spes*, 26: AAS 58 (1966) 1046.
[31] CONCILIUM VATICANUM II, Decl. *Dignitatis humanae*, 2: AAS 58 (1966) 931.
[32] CONCILIUM VATICANUM II, Decl. *Dignitatis humanae*, 6: AAS 58 (1966) 934.
[33] Cf. LEO XIII, Litt. enc. *Libertas praestantissimum*: Leonis XIII Acta 8, 229-230.
[34] Cf. PIUS XII, *Allocutio iis qui interfuerunt Conventui quinto nationali Italico Unionis Iurisconsultorum catholicorum* (6 decembris 1953): AAS 45 (1953) 799.
[35] Cf. CONCILIUM VATICANUM II, Decl. *Dignitatis humanae*, 2: AAS 58 (1966) 930-931.

2109 Ius ad libertatem religiosam neque potest, natura sua, esse illimitatum[36] neque limitatum solummodo ordine publico qui modo « positivistico » vel « naturalistico » concipiatur.[37] « Iusti limites » qui ei sunt inhaerentes pro unaquaque sociali rerum condicione debent prudentia politica determinari secundum exigentias boni communis atque auctoritate civili haberi rati « secundum normas iuridicas, ordini morali obiectivo conformes ».[38]

2244

1906

III. « Non habebis deos alienos coram me »

2110 Primum praeceptum alios deos honorare vetat praeter Unum Dominum qui Se Suo populo revelavit. Superstitionem et irreligionem prohibet. Superstitio quodammodo excessum perversum repraesentat religionis; irreligio vitium est virtuti religioni per defectum oppositum.

Superstitio

2111 Superstitio est sensus religiosi aberratio et exercitiorum quae ille imponit. Ea potest etiam afficere cultum quem vero tribuimus Deo, exempli gratia cum momentum quodammodo magicum quibusdam adscribitur exercitiis quae ceterum legitima sunt vel necessaria. Orationum vel signorum sacramentalium efficacitatem soli eorum materiali rationi assignare, praeter dispositiones interiores quas eadem exigunt, est in superstitionem decidere.[39]

Idololatria

2112 Primum praeceptum *polytheismum* damnat. Ab homine exigit ne in alios credat deos praeter Deum, neque alias veneretur divinitates nisi Unicam. Scriptura in mentem constanter revocat hanc reiectionem relate ad « simulacra [...] argentum et aurum, opera manuum hominum », quae « os habent et non loquentur, oculos habent et non videbunt... ». Haec vana idola hominem efficiunt vanum: « Similes illis erunt, qui faciunt ea, et omnes qui confidunt in eis » (*Ps* 115, 4-5. 8).[40] E contra,

210

---

[36] Cf. Pius VI, Breve *Quod aliquantum* (10 martii 1791): *Collectio Brevium atque Instructionum SS. D. N. Pii Papae VI, quae ad praesentes Ecclesiae Catholicae in Gallia [...] calamitates pertinent* (Romae 1800) p. 54-55.

[37] Cf. Pius IX, Litt. enc. *Quanta cura*: DS 2890.

[38] Concilium Vaticanum II, Decl. *Dignitatis humanae*, 7: AAS 58 (1966) 935.

[39] Cf. *Mt* 23, 16-22.

[40] Cf. *Is* 44, 9-20; *Ier* 10, 1-16; *Dn* 14, 1-30; *Bar* 6; *Sap* 13, 1-15, 19.

Deus est « Deus vivens » (*Ios* 3, 10),[41] qui vivere facit et in historia intervenit.

2113   Idololatria non refertur solummodo ad falsos paganismi cultus.
398   Permanet constans fidei tentatio. Consistit in deificando id quod Deus
2534   non est. Idololatria habetur semper cum homo creaturam loco Dei honorat et reveretur, sive de diis agatur vel de daemonibus (exempli gratia satanismus), de potestate, de voluptate, de stirpe, de atavis, de Statu, de
2289   pecunia, etc. « Non potestis Deo servire et mammonae », dicit Iesus (*Mt*
2473   6, 24). Complures martyres occubuerunt ne adorarent « Bestiam »,[42] eius cultus etiam reiicientes simulationem. Idololatria unicum Dei recusat Dominatum; ideo cum communione divina nequit componi.[43]

2114   Vita humana in Unici adunatur adoratione. Mandatum solum Dominum adorandi hominem simplificat et ab illimitata salvat dispersione. Idololatria depravatio est sensus religiosi homini innati. Idololatrae sunt illi qui « ad quaecumque alia quam ad Deum firme impressam animo de Illo notionem accommodant ».[44]

DIVINATIO ET MAGIA

2115   Deus Suis Prophetis vel aliis sanctis futurum potest revelare. Iusta tamen christiana habitudo consistit in committendo se fiducialiter in
305   providentiae manus relate ad id quod ad futurum spectat et in relinquendo omnem de hac re insanam curiositatem. Inconsideratio defectum responsabilitatis potest constituere.

2116   Omnes *divinationis* formae reiiciendae sunt: recursus ad Satanam vel ad daemonia, mortuorum evocatio vel alia exercitia quae erronee supponuntur futurum « detegere ».[45] Horoscopiorum consultatio, astrologia, chiromantia, auguriorum et sortium interpretatio, praevisionis phaenomena, recursus ad pythones (*mediums*) voluntatem manifestant dominii in tempus, in historiam et tandem in homines, atque simul optatum occultas potentias sibi conciliandi. Illae sunt in contradictione cum honore et observantia, cum timore amanti coniunctis, quae soli debemus Deo.

---

[41] Cf. *Ps* 42, 3; etc.
[42] Cf. *Apc* 13-14.
[43] Cf. *Gal* 5, 20; *Eph* 5, 5.
[44] ORIGENES, *Contra Celsum*, 2, 40: SC 132, 378 (PG 11, 861).
[45] Cf. *Dt* 18, 10; *Ier* 29, 8.

2117 Omnia *magiae* vel *veneficii* exercitia, quibus intenditur in occultas vires dominari ad eas in proprium servitium subiiciendas et ad potestatem supernaturalem obtinendam in proximum — quamvis ea sit ad illi sanitatem comparandam —, graviter sunt virtuti religionis contraria. Haec exercitia adhuc damnabiliora sunt, cum intentio aliis nocendi eadem comitatur vel ipsa ad interventum recurrunt daemonum. Actio amuleta gestandi est etiam reprehensibilis. *Spiritismus* saepe exercitia implicat divinationis vel magiae. Ecclesia fideles etiam monet ut ab eo abstineant. Recursus ad artes medicas, quae traditionales dicuntur, nec invocationem malarum potestatum nec ex aliorum credulitate profectum reddit legitima.

IRRELIGIO

2118 Primum mandatum Dei praecipua irreligionis reprobat peccata: actionem tentandi Deum, verbis vel operibus, sacrilegium et simoniam.

2119 Actio *tentandi Deum* consistit in Eius bonitate et Eius omnipotentia, verbo vel opere, subiiciendis experimento. Sic Satan a Iesu obtinere volebat, ut Se e Templo proiiceret et, tali gestu, Deum ad agendum subigeret.[46] Iesus ei verbum Dei opponit: « Non tentabitis Dominum Deum vestrum » (*Dt* 6, 16). Provocatio, quam talis Dei tentatio continet, observantiam vulnerat et fiduciam quas nostro Creatori debemus et Domino. Dubium semper continet de Eius amore, Eius providentia Eiusque potentia.[47]   394   2088

2120 *Sacrilegium* in sacramentis et ceteris actionibus liturgicis, et etiam personis, rebus et locis Deo consecratis profanandis vel indigne pertractandis consistit. Sacrilegium peccatum est grave praecipue cum contra Eucharistiam committitur, quia, in hoc sacramento, ipsum corpus Christi nobis substantialiter praesens fit.[48]   1374

2121 *Simonia*[49] definitur sicut rerum spiritualium emptio vel venditio. Simoni mago, qui spiritualem volebat emere potestatem quam in Apostolis perspiciebat operari, respondet Petrus: « Argentum tuum tecum sit in perditionem, quoniam donum Dei existimasti pecunia possideri! » (*Act* 8, 20). Ipse se ad verbum conformabat Iesu: « Gratis accepistis,

[46] Cf. *Lc* 4, 9.
[47] Cf. *1 Cor* 10, 9; *Ex* 17, 2-7; *Ps* 95, 9.
[48] Cf. CIC canones 1367. 1376.
[49] Cf. *Act* 8, 9-24.

1578 gratis date » (*Mt* 10, 8).[50] Impossibile est sibi bona appropriari spiritualia seseque gerere tamquam possidentem et dominum relate ad illa, quippe quae suum in Deo habent fontem. Solum gratis possunt ab Eo accipi.

2122 « Minister, praeter oblationes a competenti auctoritate definitas, pro sacramentorum administratione nihil petat, cauto semper ne egentes priventur auxilio sacramentorum ratione paupertatis ».[51] Competens auctoritas has « oblationes » determinat ratione principii iuxta quod populus christianus sustentationi ministrorum Ecclesiae debet subvenire: « Dignus enim est operarius cibo suo » (*Mt* 10, 10).[52]

ATHEISMUS

29 2123 « Multi [...] ex coaevis nostris hanc intimam ac vitalem cum Deo coniunctionem nequaquam perspiciunt aut explicite reiiciunt, ita ut atheismus inter gravissimas huius temporis res adnumerandus sit ».[53]

2124 Atheismi nomen ad phaenomena extenditur valde diversa. Frequens eius forma practicus est materialismus qui ad spatium et tempus suas necessitates limitat suasque ambitiones. Humanismus atheus false considerat hominem talem esse qui « sibi ipsi sit finis, propriae suae historiae solus artifex et demiurgus ».[54] Alia atheismi hodierni forma liberationem exspectat hominis a liberatione oeconomica et sociali, cui « religionem natura sua obstare contendit, quatenus, in futuram fallacemque vitam spem hominis erigens, ipsum a civitatis terrestris aedificatione deterreret ».[55]

1535 2125 Atheismus, quatenus Dei exsistentiam reiicit vel recusat, peccatum est contra virtutem religionis.[56] Huius culpae imputatio potest ample minui propter intentiones et adiuncta. In genesi et diffusione atheismi, « partem non parvam habere possunt credentes, quatenus, neglecta fidei educatione, vel fallaci doctrinae expositione, vel etiam vitae suae

---

[50] Cf. iam *Is* 55, 1.
[51] CIC canon 848.
[52] Cf. *Lc* 10, 7; *1 Cor* 9, 4-18; *1 Tim* 5, 17-18.
[53] CONCILIUM VATICANUM II, Const. past. *Gaudium et spes*, 19: AAS 58 (1966) 1039.
[54] CONCILIUM VATICANUM II, Const. past. *Gaudium et spes*, 20: AAS 58 (1966) 1040.
[55] CONCILIUM VATICANUM II, Const. past. *Gaudium et spes*, 20: AAS 58 (1966) 1040.
[56] Cf. *Rom* 1, 18.

religiosae, moralis ac socialis defectibus, Dei et religionis genuinum vultum potius velare quam revelare dicendi sunt ».[57]

2126 Atheismus saepe falsa autonomiae humanae fundatur conceptione, eo perducta usque ad reiectionem omnis dependentiae a Deo.[58] Tamen agnitio Dei dignitati hominis nequaquam opponitur, « cum huiusmodi dignitas in Ipso Deo fundetur et perficiatur ».[59] Ecclesia scit « nuntium suum cum secretissimis humani cordis desideriis concordare ».[60]

396

154

Agnosticismus

2127 Agnosticismus complures induit formas. Quibusdam in casibus, agnosticus Deum negare respuit; e contra, exsistentiam postulat entis transcendentis quod se revelare nequiret et de quo nemo quidquam dicere posset. In aliis casibus, agnosticus circa exsistentiam Dei non decidit, impossibile esse declarans illam probare vel etiam illam affirmare aut negare.

36

2128 Agnosticismus potest quandoque indagationem Dei continere aliquam, sed pariter indifferentismum, fugam coram ultima exsistentiae quaestione, et conscientiae moralis pigritiam potest significare. Agnosticismus nimis saepe atheismo aequivalet practico.

1036

IV. « Non facies tibi sculptile... »

1159-1162

2129 Iniunctio divina prohibitionem implicabat omnis repraesentationis Dei per manum hominis. Deuteronomium explicat: « Non vidistis aliquam similitudinem in die, qua locutus est vobis Dominus in Horeb de medio ignis; ne forte corrupti faciatis vobis sculptam similitudinem, imaginem » (*Dt* 4, 15-16) cuiuslibet rei. Deus, absolute Transcendens, Se Israel revelavit. « Ipse est omnia », sed simul est « Magnus super omnia opera Sua » (*Eccli* 43, 29-30). « Speciei enim principium et auctor » (*Sap* 13, 3) est.

300

2500

2130 In Vetere tamen Testamento, Deus iniunxit vel permisit institutionem imaginum, quae symbolice ducerent ad salutem per Verbum incarnatum: sic serpens aeneus,[61] Arca Foederis et cherubim.[62]

---

[57] Concilium Vaticanum II, Const. past. *Gaudium et spes*, 19: AAS 58 (1966) 1039.
[58] Cf. Concilium Vaticanum II, Const. past. *Gaudium et spes*, 20: AAS 58 (1966) 1040.
[59] Concilium Vaticanum II, Const. past. *Gaudium et spes*, 21: AAS 58 (1966) 1040.
[60] Concilium Vaticanum II, Const. past. *Gaudium et spes*, 21: AAS 58 (1966) 1042.
[61] Cf. *Nm* 21, 4-9; *Sap* 16, 5-14; *Io* 3, 14-15.
[62] Cf. *Ex* 25, 10-22; *1 Reg* 6, 23-28; 7, 23-26.

476   **2131**   Septimum Concilium Oecumenicum, Nicaeae (anno 787), Verbi incarnati nisum mysterio, contra iconoclastas, cultum iustificavit iconum: illarum Christi, sed etiam illarum Dei Genetricis, angelorum et sanctorum omnium. Per Suam Incarnationem, Filius Dei novam imaginum inauguravit « oeconomiam ».

2132   Cultus christianus imaginum contrarius non est primo praecepto quod idola prohibet. Re vera, « imaginis honor ad exemplar transit »,[63] et « qui adorat imaginem, adorat in ea depicti subsistentiam ».[64] Honor sanctis imaginibus tributus est reverens veneratio, non adoratio quae soli Deo convenit:

> « Imaginibus non exhibetur religionis cultus secundum quod in seipsis considerantur, quasi res quaedam: sed secundum quod sunt imagines ducentes in Deum incarnatum. Motus autem qui est in imaginem prout est imago, non sistit in ipsa, sed tendit in id cuius est imago ».[65]

Compendium

2133   « *Diliges Dominum Deum tuum ex toto corde tuo et ex tota anima tua et ex tota fortitudine tua* » (*Dt* 6, 5).

2134   *Primum mandatum hominem vocat ad credendum in Deum, ad sperandum in Eo et ad Eum amandum super omnia.*

2135   « *Dominum Deum tuum adorabis* » (*Mt* 4, 10). *Deum adorare, Eum orare, Ei offerre cultum qui ad Eum pertinet, promissiones et vota implere Ei facta, virtutis religionis sunt actus, qui ab oboedientia primo mandato procedunt.*

2136   *Officium cultum authenticum Deo tribuendi hominem individualiter respicit et socialiter.*

2137   *Homo debet potestatem habere privatim publiceque religionem libere profitendi.*[66]

---

[63] Sanctus Basilius Magnus, *Liber de Spiritu Sancto*, 18, 45: SC 17bis, 406 (PG 32, 149).

[64] Concilium Nicaenum II, *Definitio de sacris imaginibus*: DS 601; cf. Concilium Tridentinum, Sess. 25ª, *Decretum de invocatione, veneratione et reliquiis sanctorum, et sacris imaginibus*: DS 1821-1825; Concilium Vaticanum II, Const. *Sacrosanctum Concilium*, 125: AAS 56 (1964) 132; Id., Const. dogm. *Lumen gentium*, 67: AAS 57 (1965) 65-66.

[65] Sanctus Thomas Aquinas, *Summa theologiae*, 2-2, q. 81, a. 3, ad 3: Ed. Leon. 9, 180.

[66] Cf. Concilium Vaticanum II, Decl. *Dignitatis humanae*, 15: AAS 58 (1966) 940.

2138 *Superstitio est aberratio cultus quem vero tribuimus Deo. In idololatria manifestatur, sicut etiam in diversis formis divinationis et magiae.*

2139 *Actio Deum tentandi, verbis vel actibus, sacrilegium, simonia peccata sunt irreligionis a primo mandato prohibita.*

2140 *Atheismus, quatenus exsistentiam Dei reiicit vel recusat, contra primum praeceptum est peccatum.*

2141 *Sanctarum imaginum cultus mysterio nititur Incarnationis Verbi Dei. Primo praecepto contrarius non est.*

Articulus 2

SECUNDUM PRAECEPTUM

« Non assumes Nomen Domini Dei tui in vanum » (*Ex* 20, 7).[67]

« Dictum est antiquis: 'Non periurabis' [...]. Ego autem dico vobis: Non iurare omnino » (*Mt* 5, 33-34).

I. Sanctum est Nomen Domini

2807-2815

2142 Secundum praeceptum *Nomen Domini praescribit observare*. Ex virtute religionis, sicut primum mandatum, promanat et, modo magis particulari, nostrum verbi usum regulat in rebus sanctis.

2143 Inter omnia Revelationis verba, unum est singulare, quod Eius Nominis est revelatio. Deus Suum concredit Nomen illis qui in Eum credunt; Ipse eis Se revelat in Suo mysterio personali. Nominis donum ad ordinem fiduciae et intimitatis pertinet. « Sanctum est Nomen Domini ». Propterea homo eo abuti non potest. Id debet conservare memoria in silentio amantis adorationis.[68] Id in sua propria verba non inseret nisi ad ei benedicendum, id laudandum idque glorificandum.[69]

203

435

2144 Obsequium in Eius Nomen exprimit illud quod Ipsius Dei debetur mysterio et toti realitati sacrae quam hoc suggerit. *Sensus sacri* ad virtutem pertinet religionis:

[67] Cf. *Dt* 5, 11.
[68] Cf. *Zach* 2, 17.
[69] Cf. *Ps* 29, 2; 96, 2; 113, 1-2.

« Suntne sensus timoris et sacri sensus christiani an non? [...] Nemo de hac re potest rationabiliter dubitare. Sunt sensus quos haberemus, gradu quidem intenso, si excelsi Dei haberemus visionem. Sunt sensus quos haberemus, si Eius praesentiae essemus 'conscii'. In mensura in qua credimus Eum esse praesentem, eos debemus habere. Eos non habere est huius rei conscios non esse, non credere Eum esse praesentem ».[70]

2472
427

2145 Fidelis Nomen Domini debet testari, suam fidem profitens quin timori succumbat.[71] Actus praedicationis et actus catechesis debent adoratione penetrari et observantia erga Nomen Domini nostri Iesu Christi.

2146 Secundum praeceptum *abusum prohibet Nominis Dei*, id est, omnem inconvenientem usum Nominis Dei, Iesu Christi, beatae Virginis Mariae et omnium sanctorum.

2101

2147 *Promissiones,* Dei Nomine, aliis factae honorem, fidelitatem, veracitatem et auctoritatem obligant divinas. Observandae sunt ex iustitia. Illis infidelem esse est Dei abuti Nomine et, quodammodo, Deum facere mendacem.[72]

2148 *Blasphemia* secundo praecepto directe opponitur. Consistit in verbis proferendis odii, exprobationis, provocationis — interius vel exterius — contra Deum, in male loquendo de Deo, in irreverentia erga Eum expressionibus habenda, in abusu Nominis Dei. Sanctus Iacobus eos reprobat qui « blasphemant bonum Nomen [Iesu], quod invocatum est super [...] [eos] » (*Iac* 2, 7). Blasphemiae interdictio ad verba extenditur contra Christi Ecclesiam, sanctos, res sacras. Blasphemum etiam est ad Nomen Dei recurrere ad exercitia tegenda criminosa, ad populos redigendos in servitutem, ad cruciandum vel occidendum. Nominis Dei abusus ad crimen committendum reiectionem provocat religionis.

1756

Blasphemia est observantiae Deo debitae Eiusque sancto Nomini contraria. Suapte natura peccatum est grave.[73]

2149 *Imprecationes,* in quas Nomen Dei inseritur, sine blasphemiae intentione, irreverentia sunt erga Dominum. Secundum mandatum etiam *usum magicum* Nominis divini prohibet:

---

[70] Ioannes Henricus Newman, *Parochial and Plain Sermons*, v. 5, Sermon 2 [*Reverence, a Belief in God's Presence*] (Westminster 1967) p. 21-22.
[71] Cf. *Mt* 10, 32; *1 Tim* 6, 12.
[72] Cf. *1 Io* 1, 10.
[73] Cf. CIC canon 1369.

« Ibi magnum est Nomen Eius, ubi pro Suae maiestatis magnitudine nominatur. Ita ibi dicitur sanctum Nomen Eius, ubi cum veneratione et offensionis timore nominatur ».[74]

II. Nomen Domini falso pronuntiatum

2150　Secundum praeceptum *falsum proscribit iusiurandum.* Iurare est Deum tamquam testem sumere rei quae affirmatur. Est veracitatem invocare divinam tamquam pignus propriae veracitatis. Iusiurandum Nomen obligat Domini. « Dominum Deum tuum timebis et Ipsi servies ac per Nomen Illius iurabis » (*Dt* 6, 13).

2151　Falsi iurisiurandi reprobatio officium est erga Deum. Deus, tamquam Creator et Dominus, omnis veritatis est regula. Verbum humanum consentit vel dissentit Deo qui ipsa est veritas. Iusiurandum, cum verax est et legitimum, relationem illustrat verbi humani cum veritate Dei. Falsum iusiurandum Deum vocat ut mendacium testetur.

2476

1756

215

2152　Qui, sub iureiurando, promissionem facit, de cuius impletione intentionem non habet, vel qui postquam sub iureiurando promiserit, promissionem non tenet, *periurus* est. Periurium gravem constituit observantiae culpam erga Dominum omnis verbi. Se ad opus malum iureiurando obligare contrarium est sanctitati Nominis divini.

2153　Iesus secundum exposuit praeceptum in sermone montano: « Audistis quia dictum est antiquis: 'Non periurabis; reddes autem Domino iuramenta tua'. Ego autem dico vobis: Non iurare omnino [...]. Sit autem sermo vester: 'Est, est', 'Non, non'; quod autem his abundantius est, a Malo est » (*Mt* 5, 33-34. 37).[75] Iesus docet omne iusiurandum relationem implicare ad Deum atque praesentiam Dei Eiusque veritatis in omni verbo esse honorandam. Moderationem recursus ad Deum in sermone attentio observans Eius praesentiae comitatur, quam in singulis nostris affirmationibus testamur vel despicimus.

2466

2154　Ecclesiae Traditio, sanctum Paulum secuta,[76] intellexit Iesu verbum non opponi iuriiurando cum hoc gravi et iusta fit de causa (exempli gratia, coram tribunali). « Iusiurandum, idest invocatio Nominis di-

---

[74] Sanctus Augustinus, *De sermone Domini in monte,* 2, 5, 19: CCL 35, 109 (PL 34, 1278).
[75] Cf. *Iac* 5, 12.
[76] Cf. *2 Cor* 1, 23; *Gal* 1, 20.

vini in testem veritatis, praestari nequit, nisi in veritate, in iudicio et in iustitia ».[77]

2155   Nominis divini sanctitas exigit ne ad illud pro rebus futilibus fiat recursus neque iusiurandum praestetur in adiunctis quae illud permitterent interpretari tamquam approbationem potestatis quae id iniuste exigit. Cum iusiurandum ab auctoritatibus civilibus exigitur illegitimis, potest recusari. Ipsum recusari debet cum postulatur ad fines dignitati personarum vel communioni Ecclesiae contrarios.

1903

III. Nomen christianum

232

1267

2156   Sacramentum Baptismi confertur « in nomine Patris et Filii et Spiritus Sancti » (*Mt* 28, 19). Nomen Domini in Baptismo sanctificat hominem, et christianus suum in Ecclesia recipit nomen. Hoc potest esse illud cuiusdam sancti, id est, discipuli qui vixit vita exemplaris fidelitatis Domino suo. Huius sancti patrocinium exemplar offert caritatis et suam praestat intercessionem. « Nomen Baptismi » potest etiam quoddam mysterium christianum vel quamdam virtutem christianam exprimere. « Curent parentes, patrini et parochus ne imponatur nomen a sensu christiano alienum ».[78]

1235

1668

2157   Christianus suum diem, suas orationes suasque incipit actiones signo crucis « in nomine Patris et Filii et Spiritus Sancti. Amen ». Baptizatus diem suum gloriae Dei consecrat et Salvatoris invocat gratiam quae eumdem agere sinat in Spiritu ut Patris filium. Signum crucis nos in tentationibus roborat et in difficultatibus.

2158   Deus unumquemque eius vocat nomine.[79] Omnis hominis nomen est sacrum. Nomen est personae icon. Observantiam exigit, tamquam signum dignitatis illius qui illud fert.

2159   Nomen acceptum est nomen aeternitatis. In Regno, indoles arcana et unica uniuscuiusque personae Nomine Dei signatae pleno resplendebit lumine. « Vincenti [...] dabo illi calculum candidum, et in calculo nomen novum scriptum, quod nemo scit, nisi qui accipit » (*Apc* 2, 17). « Et vidi: et ecce Agnus stans supra montem Sion, et cum Illo centum quadraginta quattuor milia, habentes Nomen Eius et Nomen Patris Eius scriptum in frontibus suis » (*Apc* 14, 1).

---

[77] CIC canon 1199, § 1.
[78] CIC canon 855.
[79] Cf. *Is* 43, 1; *Io* 10, 3.

Compendium

2160 « *Domine, Dominus noster, quam admirabile est Nomen Tuum in universa terra* » (*Ps* 8, 2).

2161 *Secundum praeceptum Nomen Domini observare praescribit. Nomen Domini sanctum est.*

2162 *Secundum praeceptum omnem usum Nominis Dei prohibet inconvenientem. Blasphemia consistit in usu Nominis Dei, Iesu Christi, Virginis Mariae et sanctorum modo iniurioso.*

2163 *Falsum iusiurandum Deum vocat ut mendacium testetur. Periurium gravis culpa est erga Dominum, semper Eius promissionibus fidelem.*

2164 « *Iurandum non est, neque per Creatorem, neque per creaturas ullas, nisi concurrentibus his tribus: veritate, necessitate ac reverentia* ».[80]

2165 *Christianus in Baptismo suum nomen accipit in Ecclesia. Parentes, patrini et parochus curabunt ut ei praenomen imponatur christianum. Cuiusdam sancti patrocinium exemplar offert caritatis et eius orationem praestat.*

2166 *Christianus suas orationes incipit et actiones signo crucis « in nomine Patris et Filii et Spiritus Sancti. Amen ».*

2167 *Deus unumquemque nomine appellat eius.*[81]

Articulus 3

TERTIUM PRAECEPTUM

« Memento, ut diem sabbati sanctifices. Sex diebus operaberis et facies omnia opera tua; septimus autem dies sabbatum Domino Deo tuo est; non facies omne opus » (*Ex* 20, 8-10).[82]

« Sabbatum propter hominem factum est, et non homo propter sabbatum; itaque dominus est Filius hominis etiam sabbati » (*Mc* 2, 27-28).

---

[80] Sanctus Ignatius de Loyola, *Exercitia spiritualia*, 38: MHSI 100, 174.
[81] Cf. *Is* 43, 1.
[82] Cf. *Dt* 5, 12-15.

346-348   **I. Dies sabbati**

2168   Tertium Decalogi praeceptum in memoriam revocat sanctitatem sabbati: « In die septimo sabbatum est, requies sancta Domino » (*Ex* 31, 15).

2057   2169   Hac occasione, Scriptura *creationem commemorat*: « Sex enim diebus fecit Dominus caelum et terram et mare et omnia, quae in eis sunt,
et requievit in die septimo; idcirco benedixit Dominus diei sabbati et
sanctificavit eum » (*Ex* 20, 11).

2170   Scriptura in die Domini ostendit etiam *memoriale liberationis
Israelis* a servitute Aegypti: « Memento quod et ipse servieris in Aegypto, et eduxerit te inde Dominus Deus tuus in manu forti et brachio
extento: idcirco praecepit tibi, ut observares diem sabbati » (*Dt* 5, 15).

2171   Deus sabbatum concredidit Israeli ut illud servet *in signum Foederis*
quod frangi nequit.[83] Sabbatum pro Domino est, sancte reservatum ad Dei
laudem, Eius creationis operum et Eius actionum salvificarum pro Israel.

2184   2172   Modus agendi Dei exemplar est humani modi agendi. Si Deus
septimo die « respiravit » (*Ex* 31, 17), etiam homo debet a labore « ces-
sare » et permittere ut alii, praesertim pauperes, « refrigerentur ».[84] Sabbatum efficit ut labores cessent quotidiani et quamdam concedit dilatio-
nem. Dies est protestationis contra laboris servitutes et pecuniae cultum.[85]

582   2173   Evangelium plures refert casus in quibus Iesus accusatur de lege
sabbati violata. Sed Iesus nunquam huius diei offendit sanctitatem.[86]
Huic cum auctoritate interpretationem praebet authenticam: « Sabbatum
propter hominem factum est, et non homo propter sabbatum » (*Mc* 2,
27). Christus cum compassione Sibi auctoritatem tribuit sabbato bene
faciendi et non male, animam salvam faciendi et non perdendi.[87] Sabbatum dies est Domini misericordiarum et honoris Dei.[88] « Dominus est
Filius hominis etiam sabbati » (*Mc* 2, 28).

---

[83] Cf. *Ex* 31, 16.
[84] Cf. *Ex* 23, 12.
[85] Cf. *Ne* 13, 15-22; *2 Par* 36, 21.
[86] Cf. *Mc* 1, 21; *Io* 9, 16.
[87] Cf. *Mc* 3, 4.
[88] Cf. *Mt* 12, 5; *Io* 7, 23.

II. Dies Domini

« Haec est dies, quam fecit Dominus: exsultemus et laetemur in ea »
(*Ps* 118, 24).

DIES RESURRECTIONIS: NOVA CREATIO

2174   Iesus a mortuis surrexit « prima sabbatorum » (*Mc* 16, 2).[89] Qua   638
tenus « prima dies », dies resurrectionis Christi in memoriam revocat
primam creationem. Quatenus « octava dies », quae sabbatum sequitur,[90]   349
novam significat creationem resurrectione Christi inauguratam. Christianis prima omnium dierum effecta est, prima omnium festivitatum, dies
Domini (ἡ κυριακὴ ἡμέρα, dies Dominica), « Dominica »:

« Solis autem die communiter omnes convenimus, quia is primus dies
est [post sabbatum Iudaicum, sed etiam primus dies], quo Deus, cum
tenebras et materiam vertisset, mundum creavit, et quia Iesus Christus
Salvator noster eodem die ex mortuis resurrexit ».[91]

DIES DOMINICA – IMPLETIO SABBATI

2175   Dominica expresse distinguitur a sabbato, cui chronologice, unaqua   1166
que hebdomada, succedit, et cuius praescriptionem caeremonialem substituit pro christianis. Ipsa, in Paschate Christi, veritatem spiritualem adimplet sabbati Iudaici et aeternam annuntiat requiem hominis in Deo. Etenim cultus Legis mysterium praeparabat Christi et quod in eo reapse
fiebat, quoddam lineamentum figurabat quod ad Christum referebatur:[92]

« Qui in veteri rerum ordine degerunt, ad novam spem pervenerunt,
non amplius sabbatum colentes, sed iuxta Dominicam viventes, in qua
et vita nostra exorta est per Ipsum et per mortem Ipsius ».[93]

2176   Celebratio Dominicae praescriptionem moralem observat naturaliter in corde hominis inscriptam qua « praecipitur exterior Dei cultus
sub signo communis beneficii quod pertinet ad omnes ».[94] Dominicalis
cultus morale Veteris Foederis adimplet praeceptum, cuius ordinem assumit et spiritum, unaquaque hebdomada Creatorem et Redemptorem
Eius populi celebrando.

[89] Cf. *Mt* 28, 1; *Lc* 24, 1; *Io* 20, 1.
[90] Cf. *Mc* 16, 1; *Mt* 28, 1.
[91] SANCTUS IUSTINUS, *Apologia,* 1, 67: CA 1, 188 (PG 6, 429-432).
[92] Cf. *1 Cor* 10, 11.
[93] SANCTUS IGNATIUS ANTIOCHENUS, *Epistula ad Magnesios,* 9, 1: SC 10bis, 88 (FUNK
1, 236-238).
[94] SANCTUS THOMAS AQUINAS, *Summa theologiae,* 2-2, q. 122, a. 4, c: Ed. Leon. 9, 478.

EUCHARISTIA DOMINICALIS

1167   2177   Dominicalis celebratio Diei et Eucharistiae Domini in corde est vitae Ecclesiae. «Dies Dominica in qua mysterium Paschale celebratur ex apostolica Traditione, in universa Ecclesia uti primordialis festus de praecepto servanda est».[95]

2043   «Item servari debent dies Nativitatis Domini nostri Iesu Christi, Epiphaniae, Ascensionis et sanctissimi corporis et sanguinis Christi, sanctae Dei Genetricis Mariae, eiusdem Immaculatae Conceptionis et Assumptionis, sancti Ioseph, sanctorum Petri et Pauli apostolorum, omnium denique sanctorum».[96]

1343   2178   Haec praxis christianae congregationis inde ab initiis aetatis apostolicae procedit.[97] Epistula ad Hebraeos commemorat: «Non deserentes congregationem nostram, sicut est consuetudinis quibusdam, sed exhortantes» (*Heb* 10, 25).

> Traditio memoriam servat cuiusdam adhortationis semper actualis: «Mane igitur in ecclesia Dei compare, accede ad Dominum, confitere Ipsi peccata tua, poenitentiam age precibus [...], permane in divina et sacra liturgia, absolve preces tuas et nequaquam ante dimissam concionem egredere [...]. Haec enim dies, ut saepe diximus, ad preces et requiem tibi data est. Haec igitur illa est, quam fecit Dominus, gaudeamus et exsultemus in illa».[98]

1567   2179   «Paroecia est certa communitas christifidelium in Ecclesia particulari stabiliter constituta, cuius cura pastoralis, sub auctoritate Episcopi dioecesani, committitur parocho, qua proprio eiusdem pastori».[99] Ipsa
2691   locus est in quem omnes fideles possunt congregari ad Eucharistiae do-
2226   minicalem celebrationem. Paroecia populum christianum initiat ordinariae expressioni vitae liturgicae, illum in hanc congregat celebrationem; doctrinam Christi docet salvificam; caritatem exercet Domini in bonis et fraternis operibus: [100]

> «Precari etiam domi potes; ita vero precari ut in ecclesia non potes, ubi tanta patrum frequentia, ubi clamor unanimiter ad Deum emissus. [...] Hic aliquid amplius est, nempe concordia et consensus, caritatis vinculum et sacerdotum orationes».[101]

---

[95] CIC canon 1246, § 1.
[96] CIC canon 1246, § 1.
[97] Cf. *Act* 2, 42-46; *1 Cor* 11, 17.
[98] PSEUDO-EUSEBIUS ALEXANDRINUS, *Sermo de die Dominica*: PG 86/1, 416 et 421.
[99] CIC canon 515, § 1.
[100] Cf. IOANNES PAULUS II, Adh. ap. *Christifideles laici*, 26: AAS 81 (1989) 437-440.
[101] SANCTUS IOANNES CHRYSOSTOMUS, *De incomprehensibili Dei natura seu contra Anomoeos*, 3, 6: SC 28bis, 218 (PL 48, 725).

Diei Dominicae obligatio

2180 Praeceptum Ecclesiae Legem Domini determinat et concrete defi-   2042
nit. « Die Dominica aliisque diebus festis de praecepto fideles obligatio-   1389
ne tenentur Missam participandi ».[102] « Praecepto de Missa participanda
satisfacit qui Missae assistit ubicumque celebratur ritu catholico vel ipso die festo vel vespere diei praecedentis ».[103]

2181 Eucharistia dominicalis totum christianum fundat et confirmat
exercitium. Hac de causa, fideles obligantur ut Eucharistiam participent
diebus de praecepto, nisi seria excusentur ratione (exempli gratia, aegritudine, infantium cura) vel a suo proprio dispensentur pastore.[104] Qui
deliberate hanc obligationem transgrediuntur, grave committunt peccatum.

2182 Participatio in celebratione communi Eucharistiae dominicalis te-   815
stimonium est coniunctionis et fidelitatis Christo et Eius Ecclesiae. Sic
fideles suam communionem testantur in fide et caritate. Simul testificantur Dei sanctitatem et suam salutis spem. Spiritus Sancti ductu
mutuo confortantur.

2183 « Si deficiente ministro sacro aliave gravi de causa participatio eucharisticae celebrationis impossibilis evadat, valde commendatur ut fideles in liturgia
verbi, si quae sit in ecclesia paroeciali aliove sacro loco, iuxta Episcopi dioecesani praescripta celebrata, partem habeant, aut orationi per debitum tempus
personaliter aut in familia vel pro opportunitate in familiarum coetibus vacent ».[105]

Dies gratiae et cessationis a labore

2184 Sicut Deus « requievit die septimo ab universo opere, quod pa-   2172
trarat » (*Gn* 2, 2), vita humana vicissitudine laboris et requiei signatur.
Institutio diei Domini ad id confert ut omnes sufficienti fruantur requiei et otii tempore quod eis suam familiarem, culturalem, socialem et
religiosam permittat colere vitam.[106]

2185 Fideles, Dominica aliisque festivis diebus de praecepto, abstine-
bunt quominus se laboribus tradant vel activitatibus quae cultum Deo   2428

---

[102] CIC canon 1247.
[103] CIC canon 1248, § 1.
[104] Cf. CIC canon 1245.
[105] CIC canon 1248, § 2.
[106] Cf. Concilium Vaticanum II, Const. past. *Gaudium et spes*, 67: AAS 58 (1966) 1089.

impediunt debitum, gaudium diei Domini proprium, exercitium operum misericordiae et convenientem spiritus corporisque relaxationem.[107] Necessitates familiares vel magna socialis utilitas excusationes quoad praeceptum dominicalis requiei constituunt legitimas. Fideles curabunt ne hae legitimae excusationes habitudines religioni, vitae familiae vel valetudini introducant damnosas.

> « Otium sanctum quaerit caritas veritatis; negotium iustum suscipit necessitas caritatis ».[108]

2186 Oportet ut christiani, quibus praesto sunt otia, suos recordentur fratres, qui easdem habent necessitates eademque iura et propter paupertatem et miseriam quiescere nequeunt. Dominica traditionaliter a pietate christiana bonis operibus dedicatur et humilibus aegrotorum, infirmorum, senum servitiis. Christiani Dominicam etiam sanctificabunt suis familiis suisque proximis tempus et curas praebentes, quae difficulter reliquis hebdomadae diebus concedi possunt. Dominica tempus est considerationis, silentii, culturae et meditationis, quae vitae interioris et christianae favent incremento.

(2447)

2187 Dominicas diesque sanctificare festivos communem exigit nisum. Unusquisque christianus debet vitare ne aliis sine necessitate imponat id quod eos impediat quominus diem Domini servent. Cum mores (ludi, popinae, etc.) et sociales necessitates (publica servitia, etc.) a quibusdam laborem requirunt dominicalem, singulis manet responsabilitas temporis sufficientis pro otio. Fideles curabunt ut, cum temperantia et caritate, excessus vitent et violentias quas quandoque otia generant multitudinis. Non obstantibus oeconomicis exigentiis, publicae potestates curabunt civibus tempus praestare requiei et cultui divino destinatum. Laboris locatores analogum habent officium erga suos conductos operarios.

(2289)

2188 Christiani, libertatem religiosam et bonum omnium commune observantes, debent operam dare ut Dominicae et dies festivi Ecclesiae tamquam feriarum legalium agnoscantur dies. Ii omnibus publicum praebere debent exemplum orationis, observantiae et gaudii, et suas traditiones defendere tamquam egregiam contributionem ad vitam spiritualem humanae societatis. Si legislatio regionis vel aliae rationes obligant ad laborandum die Dominica, in hac tamen die sic vita est ducenda ut in die nostrae liberationis quae nos efficit participare « frequentiam et Ecclesiam primogenitorum, qui conscripti sunt in caelis » (*Heb* 12, 22-23).

(2105)

---

[107] Cf. CIC canon 1247.
[108] Sanctus Augustinus, *De civitate Dei,* 19, 19: CSEL 40/2, 407 (PL 41, 647).

Compendium

2189   « *Observa diem sabbati, ut sanctifices eum* » (*Dt* 5, 12). « *In die septimo sabbatum est, requies sancta Domino* » (*Ex* 31, 15).

2190   *Sabbatum, quod primae creationis repraesentabat impletionem, substituitur a Dominica, quae creationem commemorat novam, resurrectione Christi inauguratam.*

2191   *Ecclesia diem resurrectionis Christi octava celebrat die, quae merito dies Domini seu Dominica nuncupatur.*[109]

2192   « *Dies Dominica* [...] *in universa Ecclesia uti primordialis dies festus de praecepto servanda est* ».[110] « *Die Dominica aliisque diebus festis de praecepto fideles obligatione tenentur Missam participandi* ».[111]

2193   « *Die Dominica aliisque diebus festis de praecepto fideles* [...] *abstineant insuper ab illis operibus et negotiis quae cultum Deo reddendum, laetitiam diei Domini propriam, aut debitam mentis ac corporis relaxationem impediant* ».[112]

2194   *Institutio Dominicae confert ut* « *ad vitam familiarem, culturalem, socialem et religiosam colendam etiam sufficiente quiete et otio omnes gaudeant* ».[113]

2195   *Unusquisque christianus vitare debet id aliis sine necessitate imponere quod eos impediret quominus diem Domini servent.*

---

[109] Cf. Concilium Vaticanum II, Const. *Sacrosanctum Concilium*, 106: AAS 56 (1964) 126.
[110] CIC canon 1246, § 1.
[111] CIC canon 1247.
[112] CIC canon 1247.
[113] Concilium Vaticanum II, Const. past. *Gaudium et spes*, 67: AAS 58 (1966) 1089.

CAPUT SECUNDUM
« DILIGES PROXIMUM TUUM TAMQUAM TEIPSUM »

Iesus dixit discipulis Suis: « Sicut dilexi vos, ut et vos diligatis invicem » (*Io* 13, 34).

2196 Iesus, respondens quaestioni positae circa primum ex mandatis, dixit: « Primum est: 'Audi, Israel: Dominus Deus noster Dominus Unus est, et diliges Dominum Deum tuum ex toto corde tuo et ex tota anima tua et ex tota mente tua et ex tota virtute tua'. Secundum est illud: 'Diliges proximum tuum tamquam teipsum'. Maius horum aliud mandatum non est » (*Mc* 12, 29-31).

2822 Sanctus apostolus Paulus id in memoriam revocat: « Qui [...] diligit proximum, Legem implevit. Nam: *Non adulterabis, Non occides, Non furaberis, Non concupisces*, et si quod est aliud mandatum, in hoc verbo recapitulatur: *Diliges proximum tuum tamquam teipsum*. Dilectio proximo malum non operatur; plenitudo ergo Legis est dilectio » (*Rom* 13, 8-10).

Articulus 4
QUARTUM PRAECEPTUM

« Honora patrem tuum et matrem tuam, ut sis longaevus super terram, quam Dominus Deus tuus dabit tibi » (*Ex* 20, 12).

« Et erat subditus illis » (*Lc* 2, 51).

Ipse Dominus Iesus vim commemoravit « mandati Dei ».[1] Apostolus docet: « Filii, oboedite parentibus vestris in Domino, hoc enim est iustum. *Honora patrem tuum et matrem tuam*, quod est mandatum primum cum promissione, *ut bene sit tibi et sis longaevus super terram* » (*Eph* 6, 1-3).[2]

---

[1] Cf. *Mc* 7, 8-13.
[2] Cf. *Dt* 5, 16.

2197   Quartum praeceptum secundam aperit tabulam. Caritatis indicat ordinem. Deus voluit ut, post Eum, nostros honoremus parentes quibus vitam debemus et qui nobis Dei transmiserunt cognitionem. Honorare et revereri tenemur omnes quos Deus, pro nostro bono, Sua induit auctoritate.   1897

2198   Hoc praeceptum in positiva officiorum adimplendorum exprimitur forma. Praecepta annuntiat quae illud sequuntur et quae ad particularem vitae, matrimonii, bonorum terrestrium, verbi referuntur observantiam. Unum constituit ex fundamentis doctrinae socialis Ecclesiae.   2419

2199   Quartum praeceptum ad filios expresse dirigitur in eorum cum patre et matre relationibus, quia haec relatio omnium est universalissima. Eodem modo ad relationes refertur propinquitatis cum membris familiaris coetus. Postulat honorem, affectum et gratitudinem avis et maioribus tribuere. Extenditur denique ad alumnorum officia erga magistrum, operariorum conductorum erga laboris locatores, subordinatorum erga eorum praefectos, civium erga eorum patriam et illos qui illam administrant et gubernant.
   Hoc praeceptum implicat et subintelligit officia parentum, tutorum, magistrorum, moderatorum, magistratuum, gubernatorum et omnium eorum qui auctoritatem in alium vel in communitatem exercent personarum.

2200   Quarti praecepti oboedientia suam retributionem secum fert: « Honora patrem tuum et matrem tuam, ut sis longaevus super terram, quam Dominus Deus tuus dabit tibi » (*Ex* 20, 12).[3] Observantia huius mandati, cum fructibus spiritualibus, fructus praebet temporales pacis et prosperitatis. E contra, huius mandati inobservantia damna infert magna communitatibus et personis humanis.   2304

I. Familia in Dei consilio

FAMILIAE NATURA

2201   Coniugalis communitas consensu stabilitur coniugum. Matrimonium et familia ad bonum coniugum ordinantur, ad procreationem et ad filiorum educationem. Coniugum amor et filiorum generatio inter eiusdem familiae membra relationes personales et primordiales instituunt responsabilitates.   1625

---

[3] Cf. *Dt* 5, 16.

1882 2202 Vir et mulier matrimonio coniuncti cum suis filiis familiam constituunt. Haec institutio omnem praecedit agnitionem a publica auctoritate; insuper eam imponitur. Tamquam normalis considerabitur respectus iuxta quem diversae formae cognationis debent aestimari.

369 2203 Deus, virum et mulierem creans, humanam instituit familiam eamque eius fundamentali dotavit constitutione. Eius membra personae sunt aequalis dignitatis. Familia, ad commune membrorum suorum et societatis bonum, diversitatem implicat responsabilitatum, iurium et officiorum.

1655-1658 FAMILIA CHRISTIANA

533 2204 « Communionis ecclesialis ostensionem et effectionem christiana familia exhibet, quae hac quoque de causa *'Ecclesia domestica'* appellari [...] debet ».[4] Ipsa est communitas fidei, spei et caritatis; momentum in Ecclesia induit singulare, sicut in Novo Testamento apparet.[5]

1702 2205 Christiana familia communio est personarum, vestigium et imago communionis Patris et Filii in Spiritu Sancto. Eius procreatrix et educatrix activitas repercussio est operis creatoris Patris. Vocatur ad orationem et sacrificium Christi participandum. Quotidiana oratio et Verbi Dei lectio eam in caritate roborant. Familia christiana evangelizatrix est et missionaria.

2206 Relationes intra familiam affinitatem inferunt sensuum, affectuum et consortionum, quae praecipue e mutua personarum provenit observantia. Familia est *communitas praestans* vocata ad commune coniugum consilium necnon sedulam parentum cooperationem in filiorum educatione conferendum.[6]

II. Familia et societas

1880 2207 Familia est *vitae socialis cellula originalis*. Societas est naturalis in 372 qua vir et mulier ad donum vocantur sui in amore et in vitae dono. Auctoritas, stabilitas et vita relationum intra familiam fundamenta con-1603 stituunt libertatis, securitatis, fraternitatis intra societatem. Familia est communitas in qua, inde ab infantia, valores morales disci possunt, in-

---

[4] IOANNES PAULUS II, Adh. ap. *Familiaris consortio*, 21: AAS 74 (1982) 105; cf. CONCILIUM VATICANUM II, Const. dogm. *Lumen gentium*, 11: AAS 57 (1965) 16.
[5] Cf. *Eph* 5, 21-6, 4; *Col* 3, 18-21; *1 Pe* 3, 1-7.
[6] Cf. CONCILIUM VATICANUM II, Const. past. *Gaudium et spes*, 52: AAS 58 (1966) 1073.

cipitur Deum honorare et libertate bene uti. Familiae vita initiatio est vitae in societate.

2208   Familia sic vivere debet ut eius membra sollicitudinem discant et susceptionem curae erga iuvenes et senes, personas aegrotas vel incapacitate (*handicap*) laborantes et pauperes. Plures sunt familiae quae, quibusdam temporibus, in condicionibus non inveniuntur hoc adiutorium praestandi. Tunc ad alias personas pertinet, ad alias familias et, subsidiaria ratione, ad societatem, his providere necessitatibus: « Religio munda et immaculata apud Deum et Patrem haec est: visitare pupillos et viduas in tribulatione eorum, immaculatum se custodire ab hoc saeculo » (*Iac* 1, 27).

2209   Familia idoneis socialibus provisionibus adiuvari et defendi debet. Ubi familiae in condicionibus non sunt sua implendi munera, alia socialia corpora officium habent eas adiuvandi et institutionem sustinendi familiarem. Secundum subsidiarietatis principium, communitates ampliores curabunt ne earum usurpent potestates neve se in earum immisceant vita.

1883

2210   Momentum familiae pro vita et salute societatis[7] implicat huius peculiarem in matrimonio et familia sustinendis et affirmandis responsabilitatem. Potestas civilis consideret oportet, tamquam grave officium, « veram eorumdem indolem agnoscere, protegere et provehere, moralitatem publicam tueri atque prosperitati domesticae favere ».[8]

2211   Communitas politica officium habet familiam honorandi, ei assistendi eique praecipue praestandi:

— libertatem familiam fundandi, filios habendi eosque educandi secundum proprias morales et religiosas persuasiones;
— protectionem stabilitatis vinculi coniugalis et institutionis familiaris;
— libertatem fidem profitendi, eam transmittendi, filios in ea educandi mediis et institutionibus necessariis;
— ius privatae proprietatis, libertatem coeptandi, obtinendi laborem, habitationem, ius emigrandi;
— secundum nationis institutiones, ius ad curas medicas, ad opitulationem senibus, ad familiaria subsidia;
— protectionem securitatis et salubritatis, praesertim relate ad pericula sicut stupefactiva medicamenta, pornographiam, alcoholismum, etc.
— libertatem ut consociationes cum aliis familiis creent et ut sic apud auctoritates civiles repraesententur.[9]

---

[7] Cf. Concilium Vaticanum II, Const. past. *Gaudium et spes*, 47: AAS 58 (1966) 1067.
[8] Concilium Vaticanum II, Const. past. *Gaudium et spes*, 52: AAS 58 (1966) 1073.
[9] Cf. Ioannes Paulus II, Adh. ap. *Familiaris consortio*, 46: AAS 74 (1982) 137-138.

2212 Quartum praeceptum *ceteras illustrat relationes in societate.* In nostris fratribus et sororibus filios perspicimus nostrorum parentum; in nostris patruelibus, prognatos e nostris avis; in nostris concivibus, filios nostrae patriae; in baptizatis, filios nostrae Matris, Ecclesiae; in omni persona humana, filium vel filiam Illius qui « Pater noster » appellari vult. Hac de causa, nostrae relationes cum proximo nostro agnoscuntur ut ordinis personalis relationes. Proximus non est aliquod « individuum » humanae consortionis; ipse est « aliquis » qui, ob suas notas origines, attentionem et observantiam meretur singulares.

2213 Humanae communitates *personis componuntur.* Earum bona gubernatio iurium non circumscribitur cautione et officiorum impletione, neque etiam fidelitate ad pacta. Iustae relationes inter laboris locatores et operarios conductos, gubernantes et cives, naturalem supponunt benevolentiam congruentem cum dignitate personarum humanarum, quae de iustitia et fraternitate sunt sollicitae.

III. Officia membrorum familiae

OFFICIA FILIORUM

2214 Paternitas divina humanae paternitatis est fons;[10] ipsa honorem fundat parentum. Filiorum, minorum vel adultorum, observantia erga eorum patrem et matrem[11] naturali alitur affectu qui oritur e vinculo quod eos coniungit. Illa praecepto postulatur divino.[12]

2215 Parentum observantia (*pietas filialis*) in *gratitudine* constat erga eos qui, dono vitae, suo amore suoque labore, suos filios huic genuerunt mundo eisque effecerunt possibile ut aetate, sapientia crescerent et gratia. « In toto corde tuo honora patrem tuum et gemitus matris tuae ne obliviscaris. Memento quoniam, nisi per illos, natus non fuisses; et quid retribues illis, quomodo et illi tibi? » (*Eccli* 7, 28-30).

2216 Filialis observantia vera docilitate veraque ostenditur *oboedientia.* « Conserva, fili mi, praecepta patris tui et ne reiicias legem matris tuae [...]. Cum ambulaveris, dirigent te, cum dormieris, custodient te et, cum vigilaveris, colloquentur tecum » (*Prv* 6, 20-22). « Filius sapiens disciplina patris; qui autem illusor est, non audit, cum arguitur » (*Prv* 13, 1).

[10] Cf. *Eph* 3, 15.
[11] Cf. *Prv* 1, 8; *Tb* 4, 3-4.
[12] Cf. *Ex* 20, 12.

2217 Quamdiu filius in parentum habitat domicilio, omni parentum debet oboedire postulationi quae suum bonum vel illud familiae quaerit. « Filii, oboedite parentibus per omnia, hoc enim placitum est in Domino » (*Col* 3, 20).[13] Filii etiam rationabilibus praescriptionibus suorum educatorum oboedire tenentur atque illorum omnium quibus parentes eos concrediderunt. Sed si filius est in conscientia persuasus, moraliter malum esse tali oboedire praecepto, ne illud sequatur.

Filii, cum crescunt, suos parentes observare pergent. Eorum praevenient optata, eorum consilia libenter postulabunt eorumque iustificatas accipient animadversiones. Oboedientia erga parentes filiorum desinit emancipatione, non tamen observantia quae semper manet debita. Re quidem vera, haec suam radicem in Dei invenit timore qui inter dona est Spiritus Sancti. 1831

2218 Quartum praeceptum filiis, cum adultae fiunt aetatis, revocat in memoriam, suas *erga parentes responsabilitates*. Eis, annis senectutis vel perdurante tempore aegritudinis, solitudinis vel indigentiae, adiutorium materiale et morale praestare debent, quatenus ipsis est possibile. Iesus hoc gratitudinis commemorat officium.[14]

« Deus enim honoravit patrem in filiis et iudicium matris firmavit in filios. Qui honorat patrem, exorabit pro peccatis et continebit se ab illis et in oratione dierum exaudietur. Et, sicut qui thesaurizat, ita et qui honorificat matrem suam. Qui honorat patrem suum, iucundabitur in filiis et in die orationis suae exaudietur; qui honorat patrem suum, vita vivet longiore, et, qui oboedit Patri, refrigerabit matrem » (*Eccli* 3, 3-7).

« Fili, suscipe senectam patris tui et non contristes eum in vita illius et si defecerit sensu, veniam da et ne spernas eum omnibus diebus vitae eius. [...] Quam malae famae est, qui derelinquit patrem; et maledictus a Deo, qui exasperat matrem » (*Eccli* 3, 14-15. 18).

2219 Filialis observantia favet totius vitae familiaris harmoniae, *ad relationes inter fratres et sorores* etiam refertur. Observantia erga parentes totum familiae irradiat ambitum. « Corona senum filii filiorum, et gloria filiorum patres eorum » (*Prv* 17, 6). « Cum omni humilitate et mansuetudine, cum longanimitate, [...] [supportate] invicem in caritate » (*Eph* 4, 2).

2220 Christiani specialem debent gratitudinem illis a quibus donum fidei, gratiam Baptismi et vitam in Ecclesia acceperunt. Potest de parentibus, de aliis familiae membris, de avis, de Pastoribus, de catechistis, de aliis magistris agi vel amicis. « Recordationem [...] [accipio] eius fidei,

---

[13] Cf. *Eph* 6, 1.
[14] Cf. *Mc* 7, 10-12.

quae est in te non ficta, quae et habitavit primum in avia tua Loide et
matre tua Eunice, certus sum quod et in te » (*2 Tim* 1, 5).

OFFICIA PARENTUM

2221 Coniugalis amoris fecunditas ad solam filiorum procreationem
non circumscribitur, sed ad eorum moralem educationem extendi debet
1653 atque ad eorum spiritualem formationem. *Parentum « munus educationis*
tanti ponderis est ut, ubi desit, aegre suppleri potest ».[15] Educationis ius
et officium primordialia sunt pro parentibus et non alienanda.[16]

2222 Parentes suos filios tamquam *filios Dei* respicere debent eosque
tamquam *personas humanas* observare. Suos filios educent ut Legem Dei
494 impleant, se ipsos ostendendo voluntati Patris coelestis oboedientes.

2223 Parentes educationis suorum filiorum primi sunt responsabiles.
Hanc testantur responsabilitatem imprimis *creatione familiae*, in qua teneritudo, indulgentia, observantia, fidelitas et servitium gratuitum sint
1804 normalia. Familia est locus *ad virtutum educationem* idoneus. Haec requirit tirocinium abnegationis, sani iudicii, dominii sui ipsius, quae omnis verae libertatis sunt condiciones. Parentes filios docebunt subordina-
re « materialia et naturalia interioribus et spiritualibus ».[17] Gravis est
parentibus responsabilitas, suis filiis bona praebere exempla. Ipsi, suos
proprios defectus coram eis agnoscere scientes, eos etiam melius regere
et corrigere poterunt:

> « Qui diligit filium suum, assiduat illi flagella [...]. Qui docet filium
> suum, fructum habebit in illo » (*Eccli* 30, 12). « Et, patres, nolite ad ira-
> cundiam provocare filios vestros, sed educate illos in disciplina et cor-
> reptione Domini » (*Eph* 6, 4).

2224 Familia ambitum constituit naturalem ad initiationem personae
1939 humanae in solidarietatem et in communitarias responsabilitates. Parentes filios docebunt se a periculis custodire et abiectionibus quae societatibus minantur humanis.

2225 Parentes, per sacramenti Matrimonii gratiam, responsabilitatem
1656 receperunt et privilegium *suos filios evangelizandi*. Eos, inde a prima aetate, mysteriis initiabunt fidei, cuius ipsi pro suis filiis sunt « primi [...]

---

[15] CONCILIUM VATICANUM II, Decl. *Gravissimum educationis*, 3: AAS 58 (1966) 731.
[16] Cf. IOANNES PAULUS II, Adh. ap. *Familiaris consortio*, 36: AAS 74 (1982) 126.
[17] IOANNES PAULUS II, Litt. enc. *Centesimus annus*, 36: AAS 83 (1991) 838.

praecones ».[18] Eos, ab eorum tenerrima infantia, vitae sociabunt Ecclesiae. Modi familiares vivendi affectivas nutrire possunt dispositiones, quae per totam vitam authentica fidei viventis permanent praeambula et firmamenta.

2226 *Educatio ad fidem*, ex parte parentum, inde a tenerrima incipere debet aetate. Iam praebetur, cum familiae membra ad crescendum in fide se adiuvant testimonio vitae christianae secundum Evangelium. Familiaris catechesis alias formas instructionis in fide praecedit, comitatur et ditat. Parentes missionem habent suos filios docendi orare et suam detegere vocationem filiorum Dei.[19] Paroecia communitas est eucharistica et cor vitae liturgicae familiarum christianarum; locus est privilegiatus catechesis filiorum et parentum.

2179

2227 Filii, e parte sua, ad eorum parentum conferunt *augmentum in sanctitate*.[20] Omnes et singuli sibi generose et indefesse veniam concedent mutuam quae ab offensis, litibus, iniustitiis et derelictionibus exigitur. Mutua affectio id suggerit. Christi caritas id postulat.[21]

2013

2228 Pueritiae tempore, parentum observantia et affectio imprimis manifestantur cura et attentione, quas iidem dedicant ut filios suos educent, ut *eorum necessitatibus physicis provideant et spiritualibus*. Dum crescunt, eadem observantia et eadem dedicatio parentes movent ad filios educandos suos ut recte sua ratione utantur suaque libertate.

2229 Parentes, ut primi responsabiles educationis suorum filiorum, ius habent *eligendi pro illis scholam* quae eorum propriis correspondeat persuasionibus. Hoc ius fundamentale est. Parentes habent officium, in quantum possibile est, eligendi scholas quae eis, in eorum munere educatorum christianorum, quam optime assistent.[22] Publicae potestates officium habent hoc parentum ius praestandi et condiciones reales eius exercitii faciendi ratas.

2230 Filii, cum adulti fiunt, officium habent et ius *suam eligendi professionem suumque vitae statum*. Has novas responsabilitates in fiduciali relatione ad parentes assument suos, a quibus ipsi libenter petent et accipient opiniones atque consilia. Parentes curam habebunt ne filios

---

[18] Concilium Vaticanum II, Const. dogm. *Lumen gentium*, 11: AAS 57 (1965) 16; cf. CIC canon 1136.
[19] Cf. Concilium Vaticanum II, Const. dogm. *Lumen gentium*, 11: AAS 57 (1965) 16.
[20] Cf. Concilium Vaticanum II, Const. past. *Gaudium et spes*, 48: AAS 58 (1966) 1069.
[21] Cf. *Mt* 18, 21-22; *Lc* 17, 4.
[22] Cf. Concilium Vaticanum II, Decl. *Gravissimum educationis*, 6: AAS 58 (1966) 733.

1625 cogant suos in professione vel coniuge eligendis. Hoc moderationis officium eos non impedit, immo e contra, quominus prudentibus illos adiuvent consiliis, praesertim cum illi intendunt fundare familiam.

2231 Quidam matrimonium non contrahunt ut de suis parentibus vel de suis fratribus et sororibus curam assumant, ut se modo magis exclusivo cuidam dedicent professioni vel aliis ex honestis motivis. Ipsi magnopere ad familiae humanae bonum possunt conferre.

IV. Familia et Regnum

2232 Vincula familiaria magni sunt momenti, sed non absoluta. Sicut infans in suam crescit maturitatem in suamque autonomiam humanas et spirituales, sic eius singularis vocatio, quae a Deo venit, clarius et fortius comprobatur. Parentes hanc observabunt vocationem et suorum filiorum favebunt responsioni ad illam sequendam. Oportet persuaderi

1618 primam christiani vocationem esse *Iesu sequelam*:[23] « Qui amat patrem aut matrem plus quam me, non est me dignus; et, qui amat filium aut filiam super me, non est me dignus » (*Mt* 10, 37).

542 2233 Discipulum fieri Iesu est invitationem accipere ad *Dei familiam* pertinendi, vivendi secundum Eius vivendi modum: « Quicumque enim fecerit voluntatem Patris mei, qui in caelis est, ipse meus frater et soror et mater est » (*Mt* 12, 50).

Parentes accipient et cum gaudio observabunt atque gratiarum actione vocationem Domini ad quemdam ex suis filiis ut Eum in virginitate sequantur propter Regnum, in vita consecrata vel in sacerdotali ministerio.

V. Auctoritates in societate civili

2234 Quartum praeceptum nobis etiam iubet ut omnes illos honore-
1897 mus qui, ad bonum nostrum, auctoritatem in societate acceperunt a Deo. Ipsum officia illuminat eorum qui auctoritatem exercent, sicut etiam eorum qui eius beneficio fruuntur.

Civilium auctoritatum officia

2235 Qui quamdam exercent auctoritatem, eam tamquam servitium debent exercere. « Quicumque voluerit inter vos magnus fieri, erit vester
1899 minister » (*Mt* 20, 26). Auctoritatis exercitium eius origine divina, eius

---

[23] Cf. *Mt* 16, 25.

natura rationabili et eius obiecto specifico moraliter regulatur. Nemo potest id praecipere vel instituere, quod personarum dignitati et legi naturali est contrarium.

2236 Auctoritatis exercitium tendit ad iustam manifestandam valorum hierarchiam ut libertatis et responsabilitatis omnium exercitium facilius reddatur. Superiores iustitiam distributivam sapienter exercent, rationem habentes necessitatum et collatae operae uniuscuiusque, et concordiam atque pacem quaerentes. Vigilabunt ne normae et dispositiones quas statuunt, in tentationem inducant, commodum personale illi communitatis opponendo.[24]

    2411

2237 *Politicae potestates* tenentur iura observare fundamentalia personae humanae. Cum humanitate iustitiam impertient, uniuscuiusque, praesertim familiarum et opibus destitutorum, observantes ius.

    357

Iura politica civitati inhaerentia tribui possunt et debent secundum boni communis exigentias. A publicis potestatibus non possunt suspendi sine legitimo et proportionato motivo. Iurium politicorum exercitium ad commune nationis et communitatis humanae bonum destinatur.

Civium officia

2238 Illi, qui auctoritati sunt subiecti, suos aspicient superiores tamquam repraesentantes Dei qui eos ministros Suorum instituit donorum:[25] « Subiecti estote omni humanae creaturae propter Deum [...], quasi liberi, et non quasi velamen habentes malitiae libertatem, sed sicut servi Dei » (*1 Pe* 2, 13. 16). Eorum fidelis cooperatio implicat ius, quandoque officium iustam exercendi exprobrationem circa id quod ipsis dignitati personarum et bono communi videretur nocivum.

    1900

2239 *Civium officium* est cum potestatibus civilibus ad bonum societatis collaborare spiritu veritatis, iustitiae, solidarietatis et libertatis. Amor et servitium *patriae* ex officio oriuntur gratitudinis et ex ordine caritatis. Submissio auctoritatibus legitimis et servitium boni communis exigunt a civibus ut suum in communitatis politicae vita exerceant munus.

    1915

    2310

2240 Submissio auctoritati et corresponsabilitas boni communis moraliter exigunt tributorum solutionem, exercitium iuris suffragii, defensionem nationis:

    2265

---

[24] Cf Ioannes Paulus II, Litt. enc. *Centesimus annus*, 25: AAS 83 (1991) 823.
[25] Cf. *Rom* 13, 1-2.

« Reddite omnibus debita: cui tributum tributum, cui vectigal vectigal, cui timorem timorem, cui honorem honorem » (*Rom* 13, 7).

Christiani « patrias habitant proprias, sed tamquam inquilini; omnia cum aliis habent communia, tamquam cives, et omnia patiuntur tamquam peregrini [...]. Obsequuntur legibus constitutis, et suo vitae genere superant leges. [...] In tanta eos statione posuit Deus, quam nefas est iis defugere ».[26]

1900 Apostolus nos hortatur ut orationes et gratiarum actiones faciamus pro regibus et pro omnibus qui auctoritatem exercent, « ut quietam et tranquillam vitam agamus in omni pietate et castitate » (*1 Tim* 2, 2).

2241 Nationes ditiores accipere tenentur, in quantum fieri potest, *alienigenam*, qui securitatem quaerit et opes necessarias pro vita, quas in sua originis regione nequit invenire. Publicae potestates observantiam curabunt iuris naturalis quod hospitem ponit sub protectionem eorum qui eum accipiunt.

Politicae auctoritates possunt ratione boni communis, cuius suscipiunt munus, exercitium iuris emigrationis diversis condicionibus subiicere iuridicis, praesertim observantiae officiorum emigrantis erga nationem adoptionis. Immigrans tenetur cum gratitudine patrimonium observare materiale et spirituale nationis eum accipientis, eius oboedire legibus et ad eius conferre onera.

1903

2313

450

2242 Civis conscientia tenetur ne praescriptiones auctoritatum civilium sequatur, cum haec praecepta exigentiis ordinis moralis, iuribus fundamentalibus personarum vel doctrinis Evangelii contraria sunt. *Recusatio oboedientiae* auctoritatibus civilibus, cum earum exigentiae illis rectae conscientiae sunt contrariae, suam invenit iustificationem in distinctione inter servitium Dei et servitium politicae communitatis. « Reddite [...], quae sunt Caesaris, Caesari et, quae sunt Dei, Deo » (*Mt* 22, 21). « Oboedire oportet Deo magis quam hominibus » (*Act* 5, 29):

1901 « Ubi autem a publica auctoritate, suam competentiam excedente, cives premuntur, ipsi, quae a bono communi obiective postulantur, ne recusent; fas vero sit eis contra abusum huius auctoritatis sua conciviumque suorum iura defendere, illis servatis limitibus, quos Lex naturalis et evangelica delineat ».[27]

2309 2243 *Actio resistendi* oppressioni potestatis politicae ad arma legitime non recurret, nisi simul inveniantur condiciones quae sequuntur: 1 - in casu in quo certo, graviter et continuo iura violantur fundamentalia; 2 -

---

[26] *Epistula ad Diognetum*, 5, 5; 5, 10; 6, 10: SC 33, 62-66 (Funk 1, 398-400).
[27] Concilium Vaticanum II, Const. past. *Gaudium et spes*, 74: AAS 58 (1966) 1096.

postquam omnes alii recursus exhausti sunt; 3 - dummodo ne peiores provocentur inordinationes; 4 - cum spes fundata habetur prosperi exitus; 5 - si impossibile est meliores solutiones rationabiliter praevidere.

Communitas politica et Ecclesia

2244 Omnis institutio inspiratur, saltem implicite, quadam hominis eiusque destinationis visione ex qua illa suas iudicii trahit relationes, suam valorum hierarchiam, suam agendi normam. Pleraeque societates suas institutiones ad quamdam retulerunt praeeminentiam hominis super res. Sola divinitus revelata Religio in Deo, Creatore et Redemptore, originem et destinationem hominis clare agnovit. Ecclesia politicas invitat potestates ut sua iudicia suasque decisiones huic referant inspirationi veritatis de Deo et de homine.

1910

1881

2109

> Societates quae hanc inspirationem ignorant vel eam, nomine suae independentiae relate ad Deum, reiiciunt, ducuntur ad quaerendam in se ipsis vel commodato assumendam ideologiam suarum relationum et suae destinationis et, non admittentes ut criterium boni et mali defendatur obiectivum, sibi totalitariam tribuunt potestatem super hominem et eius destinationem, modo manifesto vel occulto, sicut historia id ostendit.[28]

2245 « Ecclesia, quae, ratione sui muneris et competentiae, nullo modo cum communitate politica confunditur, [...] simul signum est et tutamentum transcendentiae personae humanae ».[29] Ecclesia « politicam civium libertatem et responsabilitatem reveretur atque promovet ».[30]

912

2246 Ad missionem pertinet Ecclesiae « iudicium morale ferre, etiam de rebus quae ad ordinem politicum respiciunt, quando personae iura fundamentalia aut animarum salus id exigant, omnia et sola subsidia adhibens, quae Evangelio et omnium bono secundum temporum et condicionum diversitatem congruant ».[31]

2032

2420

---

[28] Cf. Ioannes Paulus II, 13, 1997 Litt. enc. *Centesimus annus*, 45-46: AAS 83 (1991) 849-851.
[29] Concilium Vaticanum II, Const. past. *Gaudium et spes*, 76: AAS 58 (1966) 1099.
[30] Concilium Vaticanum II, Const. past. *Gaudium et spes*, 76: AAS 58 (1966) 1099.
[31] Concilium Vaticanum II, Const. past. *Gaudium et spes*, 76: AAS 58 (1966) 1100.

Compendium

2247 « *Honora patrem tuum et matrem* » (*Dt* 5, 16; *Mc* 7, 10).

2248 *Iuxta quartum praeceptum, voluit Deus, ut post Ipsum nostros honoremus parentes illosque quos Ipse, pro nostro bono, induit auctoritate.*

2249 *Coniugalis communitas super foedus et consensum stabilitur coniugum. Matrimonium et familia ad coniugum ordinantur bonum, ad filiorum procreationem et educationem.*

2250 « *Salus personae et societatis humanae ac christianae arcte cum fausta condicione communitatis coniugalis et familiaris connectitur* ».[32]

2251 *Filii suis parentibus reverentiam debent, gratitudinem, iustam oboedientiam et adiutorium. Filialis reverentia harmoniam fovet totius vitae familiaris.*

2252 *Parentes primi sunt responsabiles educationis suorum filiorum in fide, in orationibus atque in omnibus virtutibus. Officium habent providendi, quoad possunt, necessitatibus physicis et spiritualibus suorum filiorum.*

2253 *Parentes suorum filiorum observare debent vocationem eique favere. Memores erunt atque docebunt, Iesum sequi, primam christiani esse vocationem.*

2254 *Publica auctoritas iura fundamentalia personae humanae et condiciones exercitii eius libertatis observare tenetur.*

2255 *Civium est officium cum potestatibus civilibus in societate aedificanda adlaborare spiritu veritatis, iustitiae, solidarietatis et libertatis.*

2256 *Civis conscientia obligatur ad praescriptiones auctoritatum civilium non sequendas, cum haec praecepta postulatis ordinis moralis sunt contraria.* « *Oboedire oportet Deo magis quam hominibus* » (*Act* 5, 29).

2257 *Omnis societas sua iudicia et suum agendi modum ad quamdam hominis eiusque finis refert visionem. Extra Evangelii lumen de Deo et de homine, societates facile efficiuntur* « *totalitariae* ».

---

[32] CONCILIUM VATICANUM II, Const. past. *Gaudium et spes*, 47: AAS 58 (1966) 1067.

Articulus 5

QUINTUM PRAECEPTUM

« Non occides » (*Ex* 20, 13).

« Audistis quia dictum est antiquis: 'Non occides; qui autem occiderit, reus erit iudicio'. Ego autem dico vobis: Omnis, qui irascitur fratri suo, reus erit iudicio » (*Mt* 5, 21-22).

2258 « *Humana vita pro re sacra habenda est*, quippe quae inde a suo exordio 'Creatoris actionem postulet' ac semper peculiari necessitudine cum Creatore, unico fine suo, perstet conexa. Solus Deus vitae Dominus est ab exordio usque ad exitum: nemo in nullis rerum adiunctis, sibi vindicare potest ius mortem humanae creaturae innocenti directe afferendi ».[33]   356

I. Vitae humanae observantia

Historiae sacrae testimonium

2259 Scriptura, in narratione occisionis Abel per Cain fratrem eius,[34] revelat, inde ab historiae humanae initiis, praesentiam, in homine, irae et cupiditatis, quae peccati originalis sunt consequentiae. Homo sui paris factus est inimicus. Deus declarat huius fratricidii nequitiam: « Quid fecisti? Vox sanguinis fratris tui clamat ad me de agro. Nunc igitur maledictus eris procul ab agro, qui aperuit os suum et suscepit sanguinem fratris tui de manu tua! » (*Gn* 4, 10-11).   401

2260 Foedus inter Deum et humanitatem iteratis doni divini vitae humanae et mortiferae violentiae hominis recordationibus est intextum:

« Sanguinem enim animarum vestrarum requiram [...]. Quicumque effuderit humanum sanguinem, per hominem fundetur sanguis illius; ad imaginem quippe Dei factus est homo » (*Gn* 9, 5-6).

Vetus Testamentum semper sanguinem habuit tamquam sacrum vitae signum.[35] Huius doctrinae necessitas pro omnibus est temporibus.

[33] Congregatio pro Doctrina Fidei, Instr. *Donum vitae*, Introductio, 5: AAS 80 (1988) 76-77.
[34] Cf. *Gn* 4, 8-12.
[35] Cf. *Lv* 17, 14.

2261 Scriptura prohibitionem determinat quinti praecepti: « Insontem
et iustum non occides » (*Ex* 23, 7). Innocentis occisio voluntaria dignitati creaturae humanae, regulae aureae et Creatoris sanctitati est graviter contraria. Lex quae illam proscribit, universaliter est valida: omnes
et singulos, semper obligat et ubique.

2262 Dominus, in sermone montano, praeceptum recolit: « Non occides » (*Mt* 5, 21), eique proscriptionem addit irae, odii et vindictae. Immo etiam Christus a Suo discipulo etiam postulat ut alteram praebeat
maxillam,[36] suos diligat inimicos.[37] Ipse Se non defendit dixitque Petro
ut gladium suum relinqueret in vagina.[38]

DEFENSIO LEGITIMA

2263 Personarum et societatum legitima defensio exceptio non est
prohibitionis occisionis innocentis quae homicidium constituit voluntarium. « Ex actu [...] alicuius seipsum defendentis duplex effectus sequi
potest: unus quidem conservatio propriae vitae; alius autem occisio in-
vadentis ».[39] « Nihil prohibet unius actus esse duos effectus, quorum
alter solum sit in intentione, alius vero sit praeter intentionem ».[40]

2264 Amor erga se ipsum fundamentale moralitatis permanet principium. Est igitur legitimum efficere ut proprium ad vitam observetur ius.
Qui suam vitam defendit, homicidii non est reus etiamsi cogatur aggres-
sori suo ictum ferre mortalem:

> « Si aliquis ad defendendum propriam vitam utatur maiori violentia
> quam oporteat, erit illicitum. Si vero moderate violentiam repellat, erit
> licita defensio [...]. Nec est necessarium ad salutem ut homo actum mo-
> deratae tutelae praetermittat ad evitandum occisionem alterius: quia
> plus tenetur homo vitae suae providere quam vitae alienae ».[41]

2265 Legitima defensio potest esse non solum ius, sed grave officium ei,
qui vitam aliorum praestare debet. Defendere commune bonum poscit
ut iniustus aggressor extra possibilitatem nocendi collocetur. Hoc titulo,
qui legitime auctoritatem detinent, ius habent etiam armis utendi ad re-

---

[36] Cf. *Mt* 5, 22-26. 38-39.
[37] Cf. *Mt* 5, 44.
[38] Cf. *Mt* 26, 52.
[39] SANCTUS THOMAS AQUINAS, *Summa theologiae,* 2-2, q. 64, a. 7, c: Ed. Leon. 9, 74.
[40] SANCTUS THOMAS AQUINAS, *Summa theologiae,* 2-2, q. 64, a. 7, c: Ed. Leon. 9, 74.
[41] SANCTUS THOMAS AQUINAS, *Summa theologiae,* 2-2, q. 64, a. 7, c: Ed. Leon. 9, 74.

pellendos aggressores civilis communitatis concreditae ipsorum responsabilitati.

2266   Exigentiae bonum commune tuendi correspondet nixus Status ut
propagationem coerceat modorum agendi qui hominis iura atque civilis
commercii normas fundamentales laedunt. Legitimae publicae auctorita-   1897-1899
tis ius est et officium ut poenas gravitati delicti proportionatas infligat.
Poena tamquam primum habet scopum inordinationem a culpa intro-
ductam reparare. Cum poena voluntarie a culpabili accipitur, valorem   1449
acquirit expiationis. Poena deinde, praeter ordinis publici defensionem
atque securitatis personarum tutelam, scopum intendit medicinalem,
ipsa debet, quantum fieri potest, ad culpabilis emendationem conferre.

2267   Traditionalis doctrina Ecclesiae, supposita plena determinatione
identitatis et responsabilitatis illius qui culpabilis est, recursum ad poenam mortis non excludit, si haec una sit possibilis via ad vitas humanas
ab iniusto aggressore efficaciter defendendas.

   Si autem instrumenta incruenta sufficiunt ad personarum securita-   2306
tem ab aggressore defendendam atque protegendam, auctoritas his solummodo utatur instrumentis, utpote quae melius respondeant concretis
boni communis condicionibus et sint dignitati personae humanae magis
consentanea.

   Revera nostris diebus, consequenter ad possibilitates quae Statui
praesto sunt ut crimen efficaciter reprimatur, illum qui hoc commisit,
innoxium efficiendo, quin illi definitive possibilitas substrahatur ut sese
redimat, casus in quibus absolute necessarium sit ut reus supprimatur,
« admodum raro [...] intercidunt [...], si qui omnino iam reapse accidunt ».[42]

HOMICIDIUM VOLUNTARIUM

2268   Quintum praeceptum tamquam peccato graviter obnoxium proscribit *homicidium directum et voluntarium*. Homicida illique qui voluntarie cooperantur occisioni, committunt peccatum quod ad coelum clamat   1867
vindictam postulans.[43]

   Infanticidium,[44] fratricidium, parricidium et coniugis occisio crimina
sunt speciatim gravia, propter naturalia vincula quae rumpunt. Sollici-

---

[42] IOANNES PAULUS II, Litt. enc. *Evangelium vitae*, 56: AAS 87 (1995) 464.
[43] Cf. *Gn* 4, 10.
[44] Cf. CONCILIUM VATICANUM II, Const. past. *Gaudium et spes*, 51: AAS 58 (1966) 1072.

tudo pro eugenismo vel pro curanda publica valetudine nullam possunt iustificare occisionem, licet haec a publicis praecipiatur potestatibus.

2269 Quintum praeceptum prohibet aliquid facere cum intentione mortem cuiusdam personae *indirecte* provocandi. Lex moralis vetat quemdam periculo mortis exponere sine causa gravi, et etiam auxilium recusare personae in discrimine constitutae.

A societate humana condiciones famis tolerari, quae mortem afferunt, quin nisus fiat ut eisdem remedium afferatur, scandalosa est iniustitia et gravis culpa. Negotiatores, quorum usurarii et mercatorii usus, suorum in humanitate fratrum famem et mortem provocant, indirecte committunt homicidium. Hoc illis est imputabile.[45]

2290 Homicidium *involuntarium* moraliter imputabile non est. Sed si quis, sine rationibus proportionatis, ita agit ut mortem adducat, etiam sine intentione illam apportandi, de gravi non excusatur culpa.

ABORTUS

1703 2270 Vita humana, a momento conceptionis, debet absolute observari et protegi. Creaturae humanae, inde a primo eius exsistentiae momento, agnosci debent personae iura, inter quae ius inviolabile omnis creaturae innocentis ad vitam.[46]

357

« Priusquam te formarem in utero, novi te et, antequam exires de vulva, sanctificavi te » (*Ier* 1, 5).

« Non sunt abscondita ossa mea a Te, cum factus sum in occulto, contextus in inferioribus terrae » (*Ps* 139, 15).

2271 Ecclesia, a saeculo primo, moralem affirmavit malitiam omnis abortus provocati. Haec doctrina mutata non est. Permanet immutabilis. Abortus directus, id est, tamquam finis vel tamquam medium volitus, legi morali est graviter contrarius:

« Non interficies foetum in abortione neque interimes infantem natum ».[47]

« Deus [...], Dominus vitae, praecellens servandi vitam ministerium hominibus commisit, modo homine digno adimplendum. Vita igitur in-

---

[45] Cf. *Am* 8, 4-10.
[46] Cf. CONGREGATIO PRO DOCTRINA FIDEI, Instr. *Donum vitae*, 1, 1: AAS 80 (1988) 79.
[47] *Didaché* 2, 2: SC 248, 148 (FUNK 1, 8); cf. *Epistula Pseudo Barnabae* 19, 5: SC 172, 202 (FUNK 1, 90); *Epistula ad Diognetum* 5, 6: SC 33, 62 (FUNK 1, 398); TERTULLIANUS, *Apologeticum*, 9, 8: CCL 1, 103 (PL 1, 371-372).

de a conceptione, maxima cura tuenda est; abortus necnon infanticidium nefanda sunt crimina ».[48]

2272 Formalis cooperatio ad abortum culpam constituit gravem. Ecclesia hoc contra vitam humanam delictum poena canonica punit excommunicationis. « Qui abortum procurat, effectu secuto, in excommunicationem latae sententiae incurrit »,[49] « ipso facto commissi delicti »,[50] condicionibus a iure praevisis.[51] Ecclesia sic misericordiae campum restringere non intendit. Commissi criminis manifestat gravitatem, damnum irreparabile innocenti, qui morte afficitur, illatum, eius parentibus totique societati.

1463

2273 Ius inalienabile ad vitam uniuscuiusque hominis innocentis est *elementum societatis civilis et eius legislationis constitutivum*:

1930

« Inalienabilia personae iura agnosci atque observari debent a civili societate et a publicis auctoritatibus. Quae iura neque a singulis hominibus pendent, neque a parentibus, ac ne sunt quidem concessio a societate et a Civitate facta: verum ea pertinent ad humanam naturam, atque personae inhaerent vi creatricis actionis, a qua persona ipsa originem duxit. Inter haec fundamentalia iura, ad rem quod attinet, recolere oportet: ius ad vitam et ad corporis integritatem, quo unaquaeque creatura humana gaudet a conceptionis momento usque ad mortem ».[52]

« Cum lex civilis cuidam hominum coetui praesidium aufert, quod lex praebere debet, eo ipso tunc respublica negat omnium civium aequalitatem coram lege. Cum respublica vim suam non adhibet ad iura uniuscuiusque tuenda, maxime debiliorum, tunc labefiunt ipsa fundamenta Civitatis legitime constitutae. [...] Ex observantia atque tutela quae nascituro debentur, inde a conceptionis momento, consequitur ut lex congruas poenas praevideat contra quamlibet deliberatam violationem iurium ipsius ».[53]

2274 Embryo, quippe qui tamquam persona, inde a conceptione, est tractandus, in sua integritate est defendendus, curandus et sanandus, quantum fieri potest, sicut quaelibet alia humana creatura.

Praenatalis diagnosis est moraliter licita, si « tuetur vitam et integritatem embryonis et fetus humani atque spectat ad singulum embryonem servandum et curandum [...]. Ea tamen graviter legi morali adversatur, si, prout erit eius exi-

---

[48] CONCILIUM VATICANUM II, Const. past. *Gaudium et spes*, 51: AAS 58 (1966) 1072.
[49] CIC canon 1398.
[50] CIC canon 1314.
[51] Cf. CIC canones 1323-1324.
[52] CONGREGATIO PRO DOCTRINA FIDEI, Instr. *Donum vitae*, 3: AAS 80 (1988) 9899.
[53] CONGREGATIO PRO DOCTRINA FIDEI, Instr. *Donum vitae*, 3: AAS 80 (1988) 99.

tus, admittat abortum fieri posse: diagnosis [...] aequiparanda non est damnationi ad mortem ».[54]

2275 « Interventus in humano embryone liciti habendi sunt hac condicione, ut embryonis vitam integritatemque observent, ne secumferant pericula haud proportionata sed spectent ad morbi curationem, ad salutis statum in melius mutandum et ad ipsius singularis fetus superstitem vitam in tuto ponendam ».[55]

« Morum [...] honestati contrarium est embryones humanos gignere ad abutendum, scilicet ut efficiantur 'materia biologica', quae praesto sit ad usum ».[56]

« Nonnulli conatus interveniendi in patrimonio cromosomico vel generativo non sunt therapeutici, sed spectant ad viventes humanos gignendos, selectos secundum sexum vel alias proprietates iam antea praestitutas. Huiusmodi artificiosae tractationes adversantur personali humanae creaturae dignitati eiusque integritati atque identitati »[57] unicae, non iterabili.

EUTHANASIA

1503   2276 Illi, quorum vita impedita est vel infirmata, specialem postulant observantiam. Personae aegrotae vel aliqua incapacitate (*handicap*) laborantes sustineri debent ut vitam degant ita normalem, quantum fieri potest.

2277 Euthanasia directa, quaecumque sunt eius motiva vel media, consistit in fine imponendo vitae personarum aliqua incapacitate (*handicap*) laborantium, aegrotarum vel morientium. Moraliter inacceptabilis est.

Sic actio vel omissio quae, ex se vel in intentione, mortem causat ad dolorem supprimendum, occisionem constituit dignitati personae humanae et observantiae erga Deum viventem, eius Creatorem, contrariam. Iudicii error, in quem quis bona fide incidere potest, naturam non mutat huius interficientis actus qui semper proscribendus est et excludendus.[58]

1007   2278 Cessatio a mediis medicinalibus, onerosis, periculosis, extraordinariis vel talibus quae cum effectibus obtentis proportionata non sunt, legitima esse potest. Haec est recusatio « saevitiae therapeuticae ». Hoc modo, non intenditur mortem inferre; accipitur non posse eam impedire. Decisiones suscipiendae sunt ab aegroto, si ad id competentiam habeat et capacitatem, secus autem ab illis

[54] CONGREGATIO PRO DOCTRINA FIDEI, Instr. *Donum vitae*, 1, 2: AAS 80 (1988) 79-80.
[55] CONGREGATIO PRO DOCTRINA FIDEI, Instr. *Donum vitae*, 1, 3: AAS 80 (1988) 80-81.
[56] CONGREGATIO PRO DOCTRINA FIDEI, Instr. *Donum vitae*, 1, 5: AAS 80 (1988) 83.
[57] CONGREGATIO PRO DOCTRINA FIDEI, Instr. *Donum vitae*, 1, 6: AAS 80 (1988) 85.
[58] Cf. SACRA CONGREGATIO PRO DOCTRINA FIDEI, Decl. *Iura et bona*: AAS 72 (1980) 542-552.

qui ad id, secundum legem, habent iura, rationabilem aegroti voluntatem et legitimum commodum semper observantes.

2279   Etiamsi mors imminere consideretur, curae, quae ordinario personae aegrotae debentur, nequeunt legitime interrumpi. Analgesicorum medicamentorum usus ad moribundi dolores sublevandos, etiam cum periculo eius dies breviandi, potest esse dignitati humanae moraliter conformis, si mors neque ut finis neque ut medium est volita, sed solummodo praevisa et, tamquam inevitabilis, tolerata. Curae lenientes formam constituunt excellentem caritatis gratuitae. Hac ratione foveri debent.

SUICIDIUM

2280   Unusquisque suae vitae est responsabilis coram Deo qui illam ei donavit. Ipse eius Dominus permanet summus. Tenemur eam cum gratitudine accipere et ad Ipsius honorem praeservare atque ad animarum nostrarum salutem. Vitae, quam Deus nobis concredidit, administratores sumus et non domini. De illa non disponimus.   2258

2281   Suicidium naturali creaturae humanae contradicit inclinationi ad eius vitam conservandam et perpetuandam. Graviter iusto sui ipsius amori contrarium est. Pariter amorem offendit proximi, quia iniuste solidarietatis frangit vincula cum societatibus familiari, nationali et humanae, erga quas obligati permanemus. Suicidium amori Dei viventis est contrarium.   2212

2282   Suicidium, si intentione committitur ut exemplo sit, praesertim iuvenibus, gravitatem etiam sumit scandali. Cooperatio voluntaria ad suicidium est legi morali contraria.

Graves perturbationes psychicae, angustia vel gravis timor probationis, doloris vel cruciatus responsabilitatem se ipsum interficientis possunt imminuere.   1735

2283   De salute aeterna personarum, quae sibi ipsis mortem intulerunt, desperari non debet. Deus potest, viis, quas solus Ipse noscit, occasionem illis praebere salutaris poenitentiae. Ecclesia orat pro personis quae vitae suae intulerunt vim.   1037

II. Observantia dignitatis personarum

OBSERVANTIA ANIMAE ALIUS: SCANDALUM

2284   Scandalum habitudo est vel agendi modus qui alium ducunt ad malum faciendum. Qui scandalizat, proximi sui fit tentator. Virtuti et rectitudini damnum affert; fratrem suum in mortem potest trahere spiri-   2847 tualem. Scandalum culpam constituit gravem si actione vel omissione alium deliberate ad culpam gravem trahit.

1903   2285 Scandalum particularem induit gravitatem ratione auctoritatis eorum qui illud causant vel debilitatis eorum qui illud patiuntur. Id Domino nostro hanc suggessit maledictionem: « Qui autem scandalizaverit unum de pusillis istis, [...] expedit ei, ut suspendatur mola asinaria in collo eius et demergatur in profundum maris » (*Mt* 18, 6).[59] Grave est scandalum, cum ab illis efficitur qui, natura vel munere, tenentur ad alios docendos et educandos. Iesus de eo scribas obiurgat et Phariseos: eos cum lupis agnos specie simulantibus comparat.[60]

2286 Scandalum potest lege vel institutionibus provocari, usu vel opinione.

1887   Sic scandali efficiuntur culpabiles illi qui leges instituunt vel sociales structuras quae ducunt ad mores pervertendos et ad vitam religiosam corrumpendam, vel ad « sociales condiciones quae, voluntarie vel non, arduam vel fere impossibilem reddunt vitae rationem christianam, praeceptis summi Legislatoris congruentem ».[61] Idem valet de societatum ad bona gignenda moderatoribus qui dispositiones efferunt ad fraudem incitantes, de magistris qui suos pueros
2498   « exasperant »[62] vel de illis qui publicam opinionem arte mutant, eam a valoribus moralibus avertentes.

2287 Ille, qui potestatibus, quibus gaudet, utitur in condicionibus quae ad male agendum inducunt, culpabilis est scandali et responsabilis mali cui directe vel indirecte favit. « Impossibile est ut non veniant scandala; vae autem illi, per quem veniunt » (*Lc* 17, 1).

Valetudinis observantia

1503   2288 Vita et physica valetudo bona sunt magni pretii, concredita a Deo. Earum curam rationabiliter sumere debemus, ratione habita necessitatum aliorum et boni communis.

1509   *Cura valetudinis* civium requirit adiutorium societatis ad exsistentiae obtinendas condiciones quae permittunt crescere et ad maturitatem pervenire: alimentum et vestitum, habitationem, valetudinis curas, fundamentalem institutionem, occupationem, socialem assistentiam.

---

[59] Cf. *1 Cor* 8, 10-13.
[60] Cf. *Mt* 7, 15.
[61] Pius XII, Nuntius radiophonicus (1 iunii 1941): AAS 33 (1941) 197.
[62] Cf. *Eph* 6, 4; *Col* 3, 21.

2289 Etsi doctrina moralis ad observantiam appellet vitae corporalis, huic non tribuit valorem absolutum. Contra mentalitatem neo-paganam insurgit, quae tendit ad *cultum corporis* promovendum, ad omnia ei sacrificanda, ad idololatriam perfectionis physicae et victoriae in ludicris exercitationibus. Talis mentalitas, propter electionem selectivam, quam inter fortes facit et debiles, ad relationum humanarum potest ducere perversionem. 364

2113

2290 Temperantiae virtus ad *omne genus excessuum vitandum* disponit, abusum mensae, vinolentiae, tabaci et medicamentorum. Qui in ebrietatis statu vel propter immoderatam velocitatis voluptatem, securitati aliorum vel suae propriae periculum afferunt in viis, in mari vel in aere, graviter fiunt culpabiles. 1809

2291 *Stupefactivorum medicamentorum usus* gravissimas infligit valetudini et vitae humanae destructiones. Extra indicationes stricte therapeuticas, gravis est culpa. Clandestina stupefactivorum medicamentorum productio et mercatura operationes sunt scandalosae; cooperationem constituunt directam, quoniam ad usus legi morali incitant graviter contrarios.

Observantia personae et scientifica investigatio

2292 Scientifica, medicinalia vel psychologica in personis vel coetibus humanis experimenta conferre possunt ad aegrotorum sanationem et ad publicae valetudinis progressum.

2293 Investigatio scientifica fundamentalis et etiam investigatio applicata expressionem constituunt significativam dominatus hominis in creationem. Scientia et technica ars subsidia sunt magni pretii, cum in servitium adhibentur hominis et eius integralem promovent progressum in omnium beneficium; ipsae tamen, per se solas, exsistentiae et progressus humani nequeunt indicare sensum. Scientia et technica ars homini ordinantur, a quo ipsae originem sumunt et incrementum; in persona igitur et in eius valoribus moralibus indicatio finalitatis earum et conscientia earum limitum inveniuntur. 159

1703

2294 Fallax est moralem investigationis scientificae et eius applicationum neutralitatem vindicare. Altera ex parte, criteria viam indicantia neque ex mera technica efficacia possunt deduci neque ex utilitate quae inde quibusdam in aliorum detrimentum possunt provenire, neque, id quod esset peius, ex ideologiis praevalentibus. Scientia et technica ars requirunt, e sua propria intrinseca significatione, absolutam criteriorum moralitatis fundamentalium observantiam; illae esse debent in servitium personae humanae, eius iurium non alienabilium, eius boni veri et integralis, secundum Dei propositum et voluntatem. 2375

1753

2295 Investigationes vel experimenta in creatura humana non possunt legitimos reddere actus qui in se ipsis dignitati personarum et legi morali sunt contrarii. Subiectorum consensus, si forte detur, tales actus non iustificat. Experimentum in creatura humana moraliter legitimum non est, si vitam vel physicam et psychicam integritatem subiecti subire facit discrimina non proportionata vel evitabilia. Experimentum in hominibus dignitati personae conforme non est, si, praeterea, fit sine conscio consensu subiecti vel eorum qui ius in ipsum habent.

2301

2296 *Organorum transplantatio* legi morali est conformis, si pericula et discrimina physica atque psychica quae donans subit, bono sunt proportionata quod pro eo quaeritur cui illa destinatur. Donatio organorum post mortem est actus nobilis et meritorius atque alliciendus tamquam generosae solidarietatis manifestatio. Moraliter acceptabilis non est, si donans vel eius propinqui ius ad id habentes suum explicitum non dederint consensum. Praeterea nequit moraliter admitti, mutilationem, quae invalidum reddit, vel mortem directe provocare, etiamsi id fiat pro aliarum personarum retardanda morte.

Observantia integritatis corporalis

2297 *Violenta retentio* et *obsidum captus* spargunt terrorem atque, minis, intolerabiles in victimas exercent coactiones. Ipsa moraliter sunt illegitima. *Terrorismus* indiscriminatim minatur, vulnerat et interficit; ipse graviter iustitiae et caritati est contrarius. *Cruciatus*, qui physica vel morali utitur violentia ad confessiones extorquendas, ad culpabiles puniendos, ad adversarios terrendos, ad odium satiandum, observantiae personae et dignitati humanae est contrarius. Nisi praescriptiones habeantur medicae ordinis stricte therapeutici, *amputationes, mutilationes vel sterilizationes* directe voluntariae personarum innocentium legi morali sunt contrariae.[63]

2267

2298 Temporibus anteactis, crudeles usus a gubernationibus legitimis sunt communiter exerciti, ad legem et ordinem servandum, saepe sine protestatione Pastorum Ecclesiae, qui et ipsi in suis propriis tribunalibus praescriptiones iuris Romani assumpserunt de cruciatu. Praeter haec dolenda facta, Ecclesia semper docuit clementiae officium et misericordiae; clericos prohibuit ne sanguinem funderent. Temporibus recentioribus, evidens est effectum, hos crudeles usus ordini publico necessarios non esse neque legitimis personae humanae iuribus esse conformes. E contra, hi usus ad pessimas ducunt depravationes. Oportet contendere ad eas abolendas. Pro victimis et eorum carnificibus orandum est.

[63] Cf. Pius XI, Litt. enc. *Casti connubii*: DS 3722-3723.

Mortuorum observantia

2299 Attentio et cura morientibus tribuentur ad eos adiuvandos ut in suis ultimis momentis dignitate vivant et pace. Oratione adiuvabuntur suorum propinquorum. Hi curabunt ut aegroti tempore opportuno recipiant sacramenta quae ad occursum praeparant cum Deo viventi. 1525

2300 Defunctorum corpora cum observantia et caritate tractanda sunt in resurrectionis fide et spe. Mortuorum sepultura misericordiae corporalis est opus;[64] eadem Dei honorat filios, Spiritus Sancti templa. 1681-1690

2301 Cadaverum sectio et inspectio (autopsia) moraliter potest admitti legalis indagationis et scientificae investigationis causa. Gratuita organorum post mortem donatio legitima est et potest esse meritoria. 2296

Ecclesia cremationem permittit nisi haec dubium fidei in corporum resurrectionem manifestet.[65]

III. Pacis tutela

Pax

2302 Dominus noster, praeceptum commemorans: « Non occides » (*Mt* 5, 21), cordis postulat pacem et irae interfectricis atque odii immoralitatem denuntiat: 1765

Ira est vindictae optatum. « Appetere vindictam propter malum eius qui puniendus est, illicitum est »: sed est laudabile reparationem imponere « propter vitiorum correctionem et bonum iustitiae conservandum ».[66] Si ira usque ad deliberatum perveniat optatum proximum occidendi vel serio vulnerandi, graviter contra caritatem offendit; peccatum est mortale. Dominus dicit: « Omnis qui irascitur fratri suo, reus erit iudicio » (*Mt* 5, 22).

2303 *Odium* voluntarium caritati est contrarium. Odium proximi peccatum est, cum homo illi malum vult deliberate. Odium proximi grave est peccatum, cum quis illi damnum grave deliberate exoptat. « Ego autem dico vobis: Diligite inimicos vestros et orate pro persequentibus vos; ut sitis filii Patris vestri, qui in caelis est... » (*Mt* 5, 44-45). 2094 1933

---

[64] Cf. *Tb* 1, 16-18.
[65] Cf. CIC canon 1176, § 3.
[66] Sanctus Thomas Aquinas, *Summa theologiae*, 2-2, q. 158, a. 1, ad 3: Ed. Leon. 10, 273.

1909   2304   Vitae humanae observantia et progressus *pacem* postulant. Pax
non est tantum belli absentia et ad virium adversarum servandum aequilibrium non reducitur. Pax nequit super terram obtineri sine tutela
bonorum personarum, libera inter homines communicatione, observantia dignitatis personarum et populorum, assiduo fraternitatis exercitio.
1807   Eadem est « tranquillitas ordinis ».[67] Ea « opus iustitiae » (*Is* 32, 17) est
et caritatis effectus.[68]

2305   Terrena pax imago et fructus est *pacis Christi*, qui est « Princeps
pacis » (*Is* 9, 5) messianicae. Per sanguinem crucis Suae interfecit inimi-
1468   citiam in Semetipso,[69] homines reconciliavit cum Deo et Ecclesiam Suam
sacramentum effecit unitatis generis humani eiusque unionis cum Deo.[70]
« Ipse est enim pax nostra » (*Eph* 2, 14). Et declarat: « Beati pacifici »
(*Mt* 5, 9).

2306   Qui actioni violentae renuntiant et cruentae, et pro iurium homi-
2267   nis tutela ad defensionis recurrunt media quae debilioribus praesto sunt,
caritati evangelicae reddunt testimonium, dummodo hoc sine iurium atque officiorum aliorum hominum et societatum fiat detrimento. Legitime gravitatem testantur periculorum physicorum et moralium recursus
ad violentiam cum eius ruinis et eius mortuis.[71]

Bellum vitare

2307   Quintum praeceptum voluntariam vitae humanae prohibet destructionem. Ecclesia, propter mala et iniustitias quae omne bellum secum fert, singulos instanter adhortatur ad orandum et operandum, ut
bonitas divina nos ab antiqua belli liberet servitute.[72]

2308   Singuli cives et gubernantes agere tenentur ad bella vitanda.

« Quamdiu autem periculum belli aderit, auctoritasque internationalis competens congruisque viribus munita defuerit, tamdiu, exhaustis

---

[67] Sanctus Augustinus, *De civitate Dei*, 19, 13: CSEL 40/2, 395 (PL 41, 640).
[68] Cf. Concilium Vaticanum II, Const. past. *Gaudium et spes*, 78: AAS 58 (1966) 1101.
[69] Cf. *Eph* 2, 16; *Col* 1, 20-22.
[70] Cf. Concilium Vaticanum II, Const. dogm. *Lumen gentium*, 1: AAS 57 (1965) 5.
[71] Cf. Concilium Vaticanum II, Const. past. *Gaudium et spes*, 78: AAS 58 (1966)
1101-1102.
[72] Cf. Concilium Vaticanum II, Const. past. *Gaudium et spes*, 81: AAS 58 (1966) 1105.

quidem omnibus pacificae tractationis subsidiis, ius legitimae defensio-   2266
nis guberniis denegari non poterit ».[73]

2309   Strictas condiciones *legitimae defensionis vi militari* oportet severe   2243
considerare. Talis decisionis gravitas eam condicionibus legitimitatis
moralis subigit rigorosis. Requiritur simul:

— damnum ab aggressore nationi vel nationum communitati inflictum
    esse diuturnum, grave et certum;
— omnia alia media ad illi imponendum finem manifestata esse impos-
    sibilia vel inefficacia;
— serias ad exitum prosperum simul haberi condiciones;
— armorum usum mala non implicare et perturbationes graviora quam
    malum supprimendum. Modernorum destructionis mediorum poten-
    tia in hac condicione aestimanda gravissimum habet pondus.

Haec sunt elementa traditionalia quae enumerantur in doctrina « belli iusti »
appellata.

Aestimatio harum condicionum pro morali legitimitate ad prudens pertinet iudicium eorum qui boni communis habent officium.   1897

2310   Publicae potestates hoc in casu habent ius et officium civibus im-
ponendi *necessaria officia ad nationem defendendam.*

    Qui sese, in vita militari, patriae dedunt servitio, securitatis et li-   2239, 1909
bertatis populorum sunt ministri. Si suum munus recte peragunt, vere
ad bonum commune conferunt et ad pacem servandam.[74]

2311   Publicae potestates cum aequitate casibus providebunt eorum
qui, ob conscientiae motiva, armorum recusant usum, dum humanae   1782, 1790
communitati servire alia forma teneantur.[75]

2312   Ecclesia et humana ratio permanentem declarant validitatem *legis
moralis, perdurantibus armatis conflictionibus.* « Nec bello infeliciter iam
exorto, eo ipso omnia inter partes adversas licita fiunt ».[76]

2313   Non-praeliantes, vulneratos milites et bello captos oportet observare et humaniter tractare.

---

[73] Concilium Vaticanum II, Const. past. *Gaudium et spes*, 79: AAS 58 (1966) 1103.
[74] Cf. Concilium Vaticanum II, Const. past. *Gaudium et spes*, 79: AAS 58 (1966) 1103.
[75] Cf. Concilium Vaticanum II, Const. past. *Gaudium et spes*, 79: AAS 58 (1966) 1103.
[76] Concilium Vaticanum II, Const. past. *Gaudium et spes*, 79: AAS 58 (1966) 1103.

Actiones iuri gentium et eius universalibus principiis deliberate contrariae, et etiam iussiones quae illas praecipiunt, sunt crimina. Caeca quaedam oboedientia non sufficit ut ii, qui se illis submittunt, excusentur. Sic cuiusdam populi, nationis vel minoris ethnicae partis exterminium tamquam peccatum mortale damnandum est. Moralis adest obligatio iussionibus resistendi quae praecipiunt « genocidium ».

2242

2314   « Omnis actio bellica quae in urbium integrarum vel amplarum regionum cum earum incolis destructionem indiscriminatim tendit, est crimen contra Deum et ipsum hominem, quod firmiter et incunctanter damnandum est ».[77] Periculum belli moderni est ne illis, qui arma possident scientifica, praesertim atomica, biologica vel chimica, praebeatur occasio, talia committendi crimina.

2315   *Armorum accumulatio* multis quasi modus videtur inopinatus ad possibiles adversarios a bello dissuadendos. In illa medium perspiciunt efficacissimum capax praestandi pacem inter nationes. Hic dissuassionis modus graves morales exigit exceptiones. *Ad congerenda arma certatio* pacem non confirmat. Illa non solum belli non excludit causas, sed in discrimine est ne eas aggravet. Ingentium divitiarum dispendium in armis semper novis praeparandis impedit quominus indigentibus incolis afferatur remedium;[78] populorum progressioni obstaculum imponit. *Armis sese excessivo modo munire* rationes multiplicat conflictuum et periculum auget propagationis eorum.

1906   2316   *Armorum productio et commercium* bonum nationum et communitatis internationalis afficiunt commune. Proinde publicae auctoritates ius habent et officium ea ordinandi. Commodorum privatorum vel publicorum brevi tempore quaestus legitima non efficit incepta quae violentiam et conflictiones excitant inter nationes quaeque ordinem iuridicum internationalem in discrimen adducunt.

1938
2538   2317   Iniustitiae et excessivae in re oeconomica et sociali inaequalitates, invidia, diffidentia et superbia quae inter homines pullulant et nationes, constanter paci minantur bellaque causant. Quidquid fit ad has perturbationes superandas, confert ad pacem aedificandam et ad bellum vitandum:
1941

« Quatenus homines peccatores sunt, eis imminet periculum belli, et usque ad Adventum Christi imminebit; quatenus autem, caritate coniuncti, peccatum superant, superabuntur et violentiae, donec impleatur verbum: 'Conflabunt gladios suos in vomeres et lanceas suas in falces.

---

[77] Concilium Vaticanum II, Const. past. *Gaudium et spes*, 80: AAS 58 (1966) 1104.
[78] Cf. Paulus VI, Litt. enc. *Populorum progressio*, 53: AAS 59 (1967) 283.

Non levabit gens contra gentem gladium, nec exercebuntur ultra ad praelium' (*Is* 2, 4) ».[79]

Compendium

2318   « *In* [...] *[Dei] manu anima omnis viventis et spiritus universae carnis hominis* » (*Iob* 12, 10).

2319   *Omnis vita humana, inde a conceptionis momento usque ad mortem, sacra est, quia persona humana est propter se ipsam volitam ad imaginem et similitudinem Dei vivi et sancti.*

2320   *Creaturae humanae occisio dignitati personae et sanctitati Creatoris graviter est contraria.*

2321   *Occisionis prohibitio ius non abrogat ut iniustus aggressor extra nocendi possibilitatem ponatur. Legitima defensio grave est officium illi qui aliorum vitae vel boni communis est responsabilis.*

2322   *Infans, inde a conceptione sua, ius habet ad vitam. Abortus directus, id est, tamquam finis vel tamquam medium volitus, est « probrum »[80] legi morali graviter contrarium. Ecclesia poena canonica excommunicationis hoc contra vitam humanam punit delictum.*

2323   *Embryo, quippe qui tamquam persona, inde a sua conceptione, est tractandus, in sua integritate est defendendus, curandus et sanandus, sicut quaelibet alia humana creatura.*

2324   *Euthanasia voluntaria, quaecumque eius sunt formae et motiva, occisionem constituit. Ipsa est dignitati personae humanae et observantiae erga Deum viventem, Creatorem eius, graviter contraria.*

2325   *Suicidium iustitiae, spei et caritati graviter est contrarium. Quinto praecepto prohibetur.*

2326   *Scandalum culpam constituit gravem cum alium, actione vel omissione, deliberate inducit ad graviter peccandum.*

2327   *Propter mala et iniustitias, quae omne bellum secum fert, debemus facere quidquid rationabiliter possibile est, ad illud vitandum. Ecclesia orat: « A peste, fame et bello, libera nos Domine ».*

---

[79] CONCILIUM VATICANUM II, Const. past. *Gaudium et spes*, 78: AAS 58 (1966) 1102.
[80] Cf. CONCILIUM VATICANUM II, Const. past. *Gaudium et spes*, 27: AAS 58 (1966) 1048.

2328   *Ecclesia et humana ratio permanentem legis moralis declarant vali-
        ditatem, perdurantibus armatis conflictionibus. Actiones iuri gentium
        et eius universalibus principiis deliberate contrariae sunt crimina.*

2329   *Cursus ad arma apparanda gravissima plaga humanitatis est, ac
        pauperes intolerabiliter laedit.*[81]

2330   « *Beati pacifici, quoniam filii Dei vocabuntur* » (*Mt* 5, 9).

Articulus 6

SEXTUM PRAECEPTUM

« Non moechaberis » (*Ex* 20, 14).[82]

« Audistis quia dictum est: 'Non moechaberis'. Ego autem dico vobis:
Omnis, qui viderit mulierem ad concupiscendum eam, iam moechatus
est eam in corde suo » (*Mt* 5, 27-28).

369-373   ## I. « Masculum et feminam creavit eos... »

2331   « Deus est amor in Seque vivit Ipse ex mysterio personalis amo-
        ris communionis. Ad Suam imaginem creans [...] humanam naturam viri
        et mulieris, Deus indidit ei *vocationem* ac propterea potestatem et offi-
1604   cium, cum conscientia coniunctum, *amoris* atque communionis ».[83]

        « Et creavit Deus hominem ad imaginem Suam; [...] masculum et
        feminam creavit eos » (*Gn* 1, 27); « Crescite et multiplicamini » (*Gn* 1,
        28); « In die qua creavit Deus hominem, ad similitudinem Dei fecit
        illum. Masculum et feminam creavit eos et benedixit illis; et vocavit
        nomen eorum Adam in die, quo creati sunt » (*Gn* 5, 1-2).

2332   *Sexualitas* omnes personae humanae afficit rationes, in unitate
362   corporis eius eiusque animae. Speciatim ad vim affectivam spectat, ad
        capacitatem amandi et procreandi et, generaliore modo, ad aptitudinem
        vincula communionis cum alio nectendi.

2333   Ad unumquemque, virum et mulierem, pertinet suam sexualem
        identitatem agnoscere et accipere. *Differentia* et *complementaritas* physi-

---

[81] Cf. Concilium Vaticanum II, Const. past. *Gaudium et spes*, 81: AAS 58 (1966) 1105.
[82] Cf. *Dt* 5, 18.
[83] Ioannes Paulus II, Adh. ap. *Familiaris consortio*, 11: AAS 74 (1982) 91-92.

cae, morales et spirituales ad bona matrimonii ordinantur et ad vitae familiaris progressum. Utriusque coniugis et societatis harmonia partim dependet e modo quo complementaritas inter sexus, necessitas mutua et mutuum adiutorium deducuntur in vitam.   1603

2334 « Deus, homines creans 'masculum et feminam', pari donavit personali dignitate virum et mulierem ».[84] « Homo persona est, pariter vir et mulier: ambo namque ad imaginem et similitudinem Dei personalis creati sunt ».[85]   357

2335 Uterque sexus, pari dignitate, licet modo diverso, imago est potentiae et teneritatis Dei. *Viri et mulieris unio* in matrimonio quidam est modus, in carne, imitandi generositatem et fecunditatem Creatoris: « Relinquet vir patrem suum et matrem et adhaerebit uxori suae; et erunt in carnem unam » (*Gn* 2, 24). Ab hac unione omnes humanae generationes procedunt.[86]   2205

2336 Iesus venit ut creationem in puritate eius originis restauraret. In sermone montano, propositum Dei modo interpretatur rigoroso: « Audistis quia dictum est: 'Non moechaberis'. Ego autem dico vobis: Omnis, qui viderit mulierem ad concupiscendum eam, iam moechatus est eam in corde suo » (*Mt* 5, 27-28). Homo non debet separare quod Deus coniunxit.[87]   1614

Ecclesiae Traditio sextum intellexit praeceptum sicut sexualitatis humanae comprehendens complexum.

II. Vocatio ad castitatem

2337 Castitas integrationem sexualitatis in persona significat obtentam atque ideo interiorem hominis unitatem in eius corporali et spirituali realitate. Sexualitas, in qua exprimitur hominem ad mundum corporalem et biologicum pertinere, personalis et vere humana fit, cum in relatione inseritur personae ad personam, in dono mutuo integro et temporaliter illimitato viri et mulieris.   2520, 2349

Castitatis igitur virtus integritatem implicat personae et totalitatem doni.

---

[84] Ioannes Paulus II, Adh. ap. *Familiaris consortio*, 22: AAS 74 (1982) 107; cf. Concilium Vaticanum II, Const. past. *Gaudium et spes*, 49: AAS 58 (1966) 1070.
[85] Ioannes Paulus II, Ep. ap. *Mulieris dignitatem*, 6: AAS 80 (1988) 1663.
[86] Cf. *Gn* 4, 1-2. 25-26; 5, 1.
[87] Cf. *Mt* 19, 6.

PERSONAE INTEGRITAS

2338 Persona casta integritatem servat virium vitae et amoris, quae in ea sunt positae. Haec integritas unitatem personae praestat, ea omni procedendi opponitur modo qui illam vulneraret. Nec duplicem vitam nec duplicem tolerat sermonem.[88]

2339 Castitas implicat *dominii sui tirocinium*, quod libertatis humanae est paedagogia. Optio est clara: homo aut suas regit passiones et pacem obtinet, aut se in servitutem redigi permittit per eas et miser fit.[89] « Dignitas igitur hominis requirit ut secundum consciam et liberam electionem agat, personaliter scilicet ab intra motus et inductus, et non sub caeco impulsu interno vel sub mera externa coactione. Talem vero dignitatem obtinet homo cum, sese ab omni passionum captivitate liberans, finem suum in boni libera electione persequitur et apta subsidia efficaciter ac sollerti industria sibi procurat ».[90]

1767

2340 Qui sui Baptismi promissionibus fidelis vult permanere et tentationibus resistere, incumbet ut ad id adhibeat *media*: sui cognitionem, exercitium ascesis aptatae condicionibus in quibus versatur, oboedientiam praeceptis divinis, virtutum moralium operationem et fidelitatem orationi. « Per continentiam quippe colligimur et redigimur in unum, a quo in multa defluximus ».[91]

2015

2341 Virtus castitatis dependent ex virtute cardinali *temperantiae*, quae sensibilitatis humanae passiones et appetitus intendit ratione imbuere.

1809

2342 Dominium sui est *longae constantiae opus*. Numquam considerandum est tamquam in perpetuum iam adquisitum. Nisum implicat in omnibus vitae aetatibus iterum atque iterum suscipiendum.[92] Requisitus nisus quibusdam temporibus potest esse intensior, ut cum personalitas formatur, in pueritia et adulescentia.

407

2343 Castitas cognoscit *incrementi leges*, quae per gradus procedunt imperfectione signatos et nimis frequenter peccato. Homo castus et virtutis studiosus « de die in diem quasi exstruitur pluribus cum suis op-

2223

---

[88] Cf. *Mt* 5, 37.
[89] Cf. *Eccli* 1, 22.
[90] CONCILIUM VATICANUM II, Const. past. *Gaudium et spes*, 17: AAS 58 (1966) 1037-1038.
[91] SANCTUS AUGUSTINUS, *Confessiones*, 10, 29, 40: CCL 27, 176 (PL 32, 796).
[92] Cf. *Tit* 2, 1-6.

tionibus: ergo cognoscit, diligit, perficit morale bonum secundum incrementi eius gradus ».[93]

2344 Castitas laborem constituit quam maxime personalem, ea *nisum* culturalem etiam implicat, quia revera « apparet humanae personae profectum et ipsius societatis incrementum ab invicem pendere ».[94] Castitas observantiam praesupponit iurium personae, praesertim iuris ad informationem et educationem recipiendas, quae morales et spirituales vitae humanae observent rationes.

2525

2345 Castitas virtus moralis est. Est etiam donum Dei, *gratia*, fructus operis spiritualis.[95] Spiritus Sanctus puritatem Christi ei concedit imitari[96] quem Baptismi regeneravit aqua.

1810

TOTALITAS DONI SUI IPSIUS

2346 Caritas est omnium virtutum forma. Sub eius influxu, castitas tamquam schola apparet doni personae. Dominium sui ad sui ordinatur donum. Castitas ducit eum, qui eam exercitat, ut coram proximo testis fiat fidelitatis et teneritatis Dei.

1827

210

2347 Castitatis virtus in *amicitia* expanditur. Discipulo indicat quomodo sequatur et imitetur Illum qui nos tamquam Suos proprios elegit amicos,[97] Se nobis totaliter donavit nosque participes effecit Suae divinae condicionis. Castitas immortalitatis est promissio.

374

Castitas praesertim *in amicitia erga proximum* exprimitur. Amicitia, inter personas eiusdem sexus vel diversorum sexuum exculta, magnum pro omnibus bonum constituit. Ad spiritualem perducit communionem.

DIVERSA CASTITATIS GENERA

2348 Omnis baptizatus ad castitatem vocatur. Christianus Christum induit,[98] omnis castitatis exemplar. Omnes christifideles vocantur ut vitam castam ducant secundum suum peculiarem vitae statum. Christianus, in

---

[93] IOANNES PAULUS II, Adh. ap. *Familiaris consortio*, 34: AAS 74 (1982) 123.
[94] CONCILIUM VATICANUM II, Const. past. *Gaudium et spes*, 25: AAS 58 (1966) 1045.
[95] Cf. *Gal* 5, 22-23.
[96] Cf. *1 Io* 3, 3.
[97] Cf. *Io* 15, 15.
[98] Cf. *Gal* 3, 27.

sui Baptismi momento, se obligavit ad suam affectivam vim in castitate regendam.

1620   2349 Castitate « pro variis vitae suae statibus homines ornari debent: alteri virginitatem aut coelibatum Deo sacrum profitentes, qua quidem eminenti ratione ipsi facilius uni Deo vacare indiviso corde possunt; alteri vero vitam agentes ea forma, quae omnibus lege morali statuitur, prout matrimonio iunguntur aut sunt caelibes ».[99] Personae matrimonio coniunctae vocantur ut in castitate coniugali vivant; ceterae castitatem colunt in continentia:

> « Docemur itaque triplicem castitatis esse virtutem: unam coniugalem, aliam viduitatis, tertiam virginitatis; non enim sic aliam praedicamus, ut excludamus alias. [...] In hoc Ecclesiae est opulens disciplina ».[100]

1632   2350 *Sponsi* vocantur ut castitatem colant in continentia. In hac subiectione ad probationem videbunt detegi mutuam observantiam, tirocinium fidelitatis et spei se a Deo mutuo recipiendi. Ad matrimonii tempus servabunt manifestationes teneritudinis, quae amoris coniugalis sunt specificae. Se mutuo adiuvabunt ut in castitate crescant.

CONTRA CASTITATEM OFFENSAE

2528   2351 *Luxuria* est inordinata cupiditas vel intemperans delectatio voluptatis venereae. Voluptas sexualis moraliter est inordinata, cum per se ipsam quaeritur, a procreationis et unionis dissociata finibus.

2352 *Masturbationis* nomine intelligere oportet voluntariam organorum genitalium excitationem, ad obtinendam ex ea veneream voluptatem. « Revera tum Ecclesiae Magisterium — per decursum constantis traditionis — tum moralis christifidelium sensus sine dubitatione firmiter tenent masturbationem esse actum intrinsece graviterque inordinatum ». « Quaecumque est ipsa agendi causa, deliberatus usus facultatis sexualis extra rectum coniugale commercium essentialiter eius fini contradicit ». Delectatio sexualis tunc quaeritur extra relationem sexualem, « quae ordine morali postulatur, quae nempe ad effectum deducit integrum sensum mutuae donationis ac humanae procreationis in contextu veri amoris ».[101]

[99] SACRA CONGREGATIO PRO DOCTRINA FIDEI, Decl. *Persona humana*, 11: AAS 68 (1976) 90-91.
[100] SANCTUS AMBROSIUS, *De viduis* 23: *Sancti Ambrosii Episcopi Mediolanensis opera*, v. 14/1 (Milano-Roma 1989) p. 266 (PL 16, 241-242).
[101] SACRA CONGREGATIO PRO DOCTRINA FIDEI, Decl. *Persona humana*, 9: AAS 68 (1976) 86.

Ad aequum iudicium de responsabilitate morali subiectorum efformandum et ad pastoralem actionem recte ducendam, perpendentur immaturitas affectiva, vis habituum contractorum, angustiae status vel alia elementa psychica vel socialia, quae possunt moralem minuere, fortasse etiam ad minimum reducere, culpabilitatem.

1735

2353 *Fornicatio* unio est carnalis extra matrimonium inter virum et mulierem liberos. Ea est personarum dignitati graviter contraria atque sexualitati humanae ad bonum coniugum et ad filiorum generationem et educationem naturaliter ordinatae. Est praeterea grave scandalum, cum iuvenum habetur corruptio.

2354 *Pornographia* consistit in actibus sexualibus, realibus vel simulatis, ab agentium intimitate substrahendis, ad eosdem deliberate aliis personis exhibendos. Castitatem offendit quia actum coniugalem, intimum coniugum mutuum donum, pervertit. Graviter dignitatem attentat eorum qui se ei tradunt (actores, negotiatores, spectatores), siquidem alius pro alio obiectum efficitur vulgaris voluptatis et illiciti lucri. Alios et alios in illusionem submergit mundi fictitii. Culpa gravis est. Auctoritates civiles debent productionem et distributionem prohibere rerum pornographicarum.

2523

2355 *Prostitutio* attentat personae, quae prostituitur, dignitatem, redactam ad voluptatem veneream, quae ab illa obtinetur. Qui pecunia retribuit, graviter contra se ipsum peccat: castitatem frangit, ad quam eius Baptismus obligat, et corpus inquinat suum, Spiritus Sancti templum.[102] Prostitutio sociale constituit flagellum. Generatim mulieres afficit, sed etiam viros, pueros vel adulescentes (in his duobus ultimis casibus, peccatum scandalo duplicatur). Etsi semper graviter peccato obnoxium sit se tradere prostitutioni, miseria, minaciae et socialis sollicitatio imputabilitatem culpae attenuare possunt.

1735

2356 *Stuprum* ingressum indicat per vim, cum violentia, in sexualem alicuius personae intimitatem. Iustitiam attentat et caritatem. Stuprum profunde uniuscuiusque violat ius ad observantiam, ad libertatem, ad physicam et moralem integritatem. Damnum causat grave, quod victimam per totam eius vitam potest signare. Actus est semper intrinsece malus. Adhuc gravius est stuprum a propinquis commissum (cf. incestus) vel ab educatoribus erga pueros ipsis concreditos.

2297
1756
2388

---

[102] Cf. *1 Cor* 6, 15-20.

CASTITAS ET HOMOSEXUALITAS

2357 Homosexualitas relationes designat inter viros vel mulieres qui sexualem experiuntur allectationem exclusive vel praevalenter erga eiusdem sexus personas. Per saecula et culturas, formas induit valde diversas. Eius psychica origo manet magna ex parte non explicata. Traditio, sacra nitens Scriptura, quae eos tamquam graves depravationes praesentat,[103] semper declaravit « actus homosexualitatis suapte intrinseca natura esse inordinatos ».[104] Legi naturali sunt contrarii. Actum sexualem dono vitae praecludunt. E vera complementaritate affectiva et sexuali non procedunt. Nullo in casu possent accipere approbationem.

2333

2358 Virorum et mulierum numerus non exiguus tendentias homosexuales praesentat profunde radicatas. Haec propensio, obiective inordinata, pro maiore eorum parte constituit probationem. Excipiendi sunt observantia, compassione et suavitate. Relate ad eos vitandum est quodlibet iniustae discriminationis signum. Hae personae vocantur ad voluntatem Dei in sua vita efficiendam, et, si ipsae christianae sunt, ad coniungendas cum Sacrificio crucis Domini difficultates quas in facto suae condicionis possunt invenire.

2359 Personae homosexuales ad castitatem vocantur. Ipsae, dominii virtutibus quae libertatem educant interiorem, quandoque amicitiae gratuitae auxilio, oratione et gratia sacramentali, possunt et debent ad perfectionem christianam gradatim et obfirmate appropinquare.

2347

III. Coniugum amor

2360 Sexualitas ad coniugalem ordinatur amorem viri et mulieris. In matrimonio, corporalis coniugum intimitas signum et pignus fit spiritualis communionis. Inter baptizatos, matrimonii vincula sacramento sanctificantur.

1601

2361 « Sexualitas [...], per quam vir ac femina se dedunt vicissim actibus coniugum propriis sibi ac peculiaribus, minime quiddam est dumtaxat biologicum, sed tangit personae humanae ut talis veluti nucleum intimum. Sexualitas modo vere humano expletur tantummodo, si est pars

1643, 2332

---

[103] Cf. *Gn* 19, 1-29; *Rom* 1, 24-27; *1 Cor* 6, 9-10; *1 Tim* 1, 10.
[104] SACRA CONGREGATIO PRO DOCTRINA FIDEI, Decl. *Persona humana*, 8: ASS 68 (1976) 85.

complens amoris, quo vir et femina sese totos mutuo usque ad mortem obstringunt »: [105]

> « Exsurrexit Thobias de lecto et dixit [...] [Sarae]: 'Surge, soror! Oremus et deprecemur Dominum nostrum, ut faciat super nos misericordiam et sanitatem'. Et surrexit, et coeperunt orare et deprecari Dominum, ut daretur illis sanitas. Et coeperunt dicere: 'Benedictus es, Deus patrum nostrorum [...]. Tu fecisti Adam et dedisti illi adiutorium firmum Evam, et ex ambobus factum est semen hominum. Et dixisti non esse bonum hominem solum: "Faciamus ei adiutorium simile sibi". Et nunc non luxuriae causa accipio hanc sororem meam, sed in veritate. Praecipe, ut miserearis mei et illius, et consenescamus pariter sani'. Et dixerunt: 'Amen, amen!'. Et dormierunt per noctem » (*Tb* 8, 4-9). | 1611

2362 « Actus [...], quibus coniuges intime et caste inter se uniuntur, honesti ac digni sunt et, modo vere humano exerciti, donationem mutuam significant et fovent, qua sese invicem laeto gratoque animo locupletant ».[106] Sexualitas fons est gaudii et delectationis:

> « Idem Creator [...] etiam disposuit coniuges, pro hoc munere [generationis], in corpore et in spiritu delectationem invenire et felicitatem. Coniuges igitur, hanc delectationem quaerentes istaque fruentes, nihil operantur mali. Ipsi id accipiunt quod Creator eis destinavit. Tamen etiam coniuges scire debent, se intra limites iustae moderationis tenere ».[107]

2363 Coniugum unione, duplex matrimonii finis ducitur in rem: ipsorum coniugum bonum et vitae transmissio. Hae duae significationes seu valores matrimonii separari non possunt, quin vita spiritualis coniugum alteretur et matrimonii bona atque familiae futurum in discrimen adducantur.

Sic amor coniugalis viri et mulieris sub duplici exigentia fidelitatis et fecunditatis est positus.

Coniugalis fidelitas

1646-1648

2364 Ab utroque coniugum constituitur « intima communitas vitae et amoris coniugalis, [quae] a Creatore condita suisque legibus instructa, foedere coniugii seu irrevocabili consensu personali instauratur ».[108] Uter-   1603

---

[105] Ioannes Paulus II, Adh. ap. *Familiaris consortio*, 11: AAS 74 (1982) 92.

[106] Concilium Vaticanum II, Const. past. *Gaudium et spes*, 49: AAS 58 (1966) 1070.

[107] Pius XII, *Allocutio iis quae interfuerunt Conventui Unionis Catholicae Italicae inter Ostetrices*, (29 octobris 1951): AAS 43 (1951) 851.

[108] Concilium Vaticanum II, Const. past. *Gaudium et spes*, 48: AAS 58 (1966) 1067.

que, alter alteri, se donat definitive et totaliter. Amplius duo non sunt, sed unam iam constituunt carnem. Foedus libere a coniugibus contractum eis imponit obligationem illud unum et indissolubile conservandi.[109] « Quod [...] Deus coniunxit, homo non separet » (*Mc* 10, 9).[110]

1615

2365 Fidelitas constantiam exprimit in verbo dato servando. Deus fidelis est. Matrimonii sacramentum virum et mulierem introducit in fidelitatem Christi erga Eius Ecclesiam. Castitate coniugali coram mundo testimonium praebent huius mysterii.

1640

> Sanctus Ioannes Chrysostomus iuvenibus uxoratis suggerit ut suis uxoribus hos proferant sermones: « Te sum amplexus et te diligo, et meae etiam animae praefero. Nihil est enim vita praesens, oroque et hortor et omnia facio, ut nos ita digni habeamur qui praesentem agamus vitam, ut illic etiam possimus in futuro saeculo cum magna securitate simul versari. [...] Ego dilectionem tuam praefero omnibus; neque est quidquam mihi aeque molestum quam a te umquam dissidere ».[111]

1652-1653   MATRIMONII FECUNDITAS

2366 Fecunditas quoddam est donum, *quidam matrimonii finis*, quia amor coniugalis naturaliter ad id tendit ut fecundus sit. Filius mutuo coniugum amori extrinsece addendus non accedit; surgit in ipso corde huius mutui doni, cuius ipse fructus est et adimpletio. Sic Ecclesia, quae « a vitae parte consistit »,[112] docet « necessarium esse, ut *quilibet matrimonii usus* ad vitam humanam procreandam per se destinatus permaneat ».[113] « Huiusmodi doctrina, quae ab Ecclesiae Magisterio saepe exposita est, in nexu indissolubili nititur, a Deo statuto, quem homini sua sponte infringere non licet, inter significationem unitatis et significationem procreationis, quae ambae in actu coniugali insunt ».[114]

2205   **2367** Coniuges, ad vitam dandam vocati, potentiam creatricem et paternitatem participant Dei.[115] « In officio humanam vitam transmittendi atque educandi, quod tamquam propria eorum missio considerandum

---

[109] Cf. CIC canon 1056.
[110] Cf. *Mt* 19, 1-12; *1 Cor* 7, 10-11.
[111] SANCTUS IOANNES CHRYSOSTOMUS, *In epistulam ad Ephesios,* homilia 20, 8: PG 62, 146-147.
[112] IOANNES PAULUS II, Adh. ap. *Familiaris consortio,* 30: AAS 74 (1982) 116.
[113] PAULUS VI, Litt. enc. *Humanae vitae,* 11: AAS 60 (1968) 488.
[114] PAULUS VI, Litt. enc. *Humanae vitae,* 12: AAS 60 (1968) 488; cf. PIUS XI, Litt. enc. *Casti connubii*: DS 3717.
[115] Cf. *Eph* 3, 14-15; *Mt* 23, 9.

est, coniuges sciunt se cooperatores esse amoris Dei Eiusque veluti interpretes. Ideo humana et christiana responsabilitate suum munus adimplebunt ».[116]

2368   Peculiaris huius responsabilitatis ratio ad *procreationem regulandam* refertur. Coniuges, iustis de causis,[117] possunt suorum filiorum procreationes intervallis separare velle. Ad eos pertinet comprobare eorum optatum ex caeco sui amore (ex « egoismo ») non promanare, sed illud iustae generositati paternitatis responsabilis esse conformem. Praeterea suum agendi modum secundum criteria moralitatis regulabunt obiectiva:

> « Moralis [...] indoles rationis agendi, ubi de componendo amore coniugali cum responsabili vitae transmissione agitur, non a sola sincera intentione et aestimatione motivorum pendet, sed obiectivis criteriis, ex personae eiusdemque actuum natura desumptis, determinari debet, quae integrum sensum mutuae donationis ac humanae procreationis in contextu veri amoris observant; quod fieri nequit nisi virtus castitatis coniugalis sincero animo colatur ».[118]

2369   « Quodsi utraque eiusmodi essentialis ratio, unitatis videlicet et procreationis, servatur, usus matrimonii sensum mutui verique amoris suumque ordinem ad celsissimum paternitatis munus omnino retinet ».[119]

2370   Continentia periodica, methodi ad procreationem regulandam fundatae super auto-observationem et recursum ad periodos infecundas,[120] sunt criteriis obiectivis moralitatis conformes. Hae methodi corpus verentur coniugum, teneritudinem promovent inter eos et educationi favent authenticae libertatis. E contra, est intrinsece malus quivis « actus qui, cum coniugale commercium vel praevidetur vel efficitur vel ad suos naturales exitus ducit, id tamquam finem obtinendum aut viam adhibendam intendat, ut procreatio impediatur »: [121]

> « Naturali verbo, quod reciprocam plenamque coniugum donationem declarat, conceptuum impeditio verbum opponit obiectivae contradictionis, videlicet nullius plenae sui donationis alteri factae: hinc procedit non sola recusatio certa ac definita mentis ad vitam apertae, verum simulatio etiam interioris veritatis ipsius amoris coniugalis, qui secundum totam personam dirigitur ad sese donandum. [...] Discrimen anthropolo-

---

[116] Concilium Vaticanum II, Const. past. *Gaudium et spes*, 50: AAS 58 (1966) 1071.
[117] Cf. Concilium Vaticanum II, Const. past. *Gaudium et spes*, 50: AAS 58 (1966) 1071.
[118] Concilium Vaticanum II, Const. past. *Gaudium et spes*, 51: AAS 58 (1966) 1072.
[119] Paulus VI, Litt. enc. *Humanae vitae*, 12: AAS 60 (1968) 489.
[120] Cf. Paulus VI, Litt. enc. *Humanae vitae*, 16: AAS 60 (1968) 491-492.
[121] Paulus VI, Litt. enc. *Humanae vitae*, 14: AAS 60 (1968) 490.

gicum simulque morale, quod inter conceptuum impeditionem et observationem intervallorum temporis intercedit [...], implicat duas personae ac sexualitatis species, quae inter se nequeunt conciliari ».[122]

2371 « Omnibus vero compertum sit vitam hominum et munus eam transmittendi non ad hoc saeculum tantum restringi neque eo tantum commensurari et intelligi posse, sed ad *aeternam hominum destinationem* semper respicere ».[123]

1703

2372 Status responsabilis est prosperitatis civium. Hoc titulo, legitimum est eum intervenire ad incolarum incrementum ordinandum. Id obiectiva et observanti informatione facere potest, sed nequaquam via imperiosa et constringenti. Legitime non potest se substituere pro incepto coniugum, qui primi sunt responsabiles procreationis et educationis suorum filiorum.[124] In hoc dominio, auctoritate caret ut mediis interveniat quae legi morali sunt contraria.

2209

Donum filii

2373 Sacra Scriptura et traditionalis praxis Ecclesiae in *familiis numerosis* signum vident benedictionis divinae et generositatis parentum.[125]

2374 Magnus est dolor matrimonio coniunctorum qui se steriles detegunt. « Quid dabis mihi? », quaerit Abram a Deo. « Ego vadam absque liberis... » (*Gn* 15, 2). « Da mihi liberos, alioquin moriar », clamat Rachel ad suum maritum Iacob (*Gn* 30, 1).

1654

2375 Investigationes quae humanam minuere intendunt sterilitatem, fovendae sunt, si deserviant « personae humanae, eius iuribus inalienabilibus eiusque vero atque integro bono, secundum Dei consilium ac voluntatem ».[126]

2293

2376 Technicae artes, quae parentum provocant dissociationem per interventum personae a matrimonio alienae (spermatis vel ovocyti donum, uteri commodatum) graviter sunt inhonestae. Hae technicae artes (inseminatio vel fecundatio artificiales heterologae) filii laedunt ius nascendi e patre et matre ab ipso cogni-

[122] Ioannes Paulus II, Adh. ap. *Familiaris consortio*, 32: AAS 74 (1982) 119-120.
[123] Concilium Vaticanum II, Const. past. *Gaudium et spes*, 51: AAS 58 (1966) 1073.
[124] Cf. Paulus VI, Litt. enc. *Populorum progressio*, 37: AAS 59 (1967) 275-276; Id., Litt. enc. *Humanae vitae*, 23: AAS 60 (1968) 497-498.
[125] Cf. Concilium Vaticanum II, Const. past. *Gaudium et spes*, 50: AAS 58 (1966) 1071.
[126] Congregatio pro Doctrina Fidei, Instr. *Donum vitae*, Introductio, 2: AAS 80 (1988) 73.

tis et inter se matrimonio coniunctis. Ius produnt « ad hoc ut alter pater aut mater fiat solummodo per alterum ».[127]

2377 Hae technicae artes intra matrimonium exercitae (inseminatio et fecundatio artificiales homologae) fortasse minus sunt damnosae, sed moraliter manent inacceptabiles. Actum sexualem ab actu dissociant procreativo. Actus, filii fundans exsistentiam, iam non est actus quo duae personae se mutuo donant, ipse « vitam identitatemque embryonum humanorum in potestatem redegit medicorum atque biologorum, sicque rei technicae dominatum quemdam in personae humanae originem et sortem instaurat. Huiusmodi dominatus suapte natura contradicit dignitati et aequalitati, quae parentibus et filiis communes esse debent ».[128] « Eadem vero procreatio tunc debita sua perfectione destituitur sub aspectu morali, cum animo non intenditur ut fructus coniugalis actus seu illius gestus qui est proprius unionis coniugum. [...] Praeterea solummodo observantia erga vinculum quod inter significationes actus coniugalis intercedit, et observantia erga viventis humani unitatem id efficiunt, ut procreatio habeatur, quae congruat cum humanae personae dignitate ».[129]

2378 Filius non est quid *debitum*, sed *donum*. « Donum [...] praestantissimum [...] matrimonii » est persona humana. Filius nequit considerari quasi proprietatis obiectum, ad quod induceret agnoscere ambitum « ius ad filium ». In hoc campo, solummodo filius vera possidet iura: illud « ad exsistendum tamquam fructus proveniens ex actu coniugalis amoris proprio suorum parentum, idemque ius habet ad observantiam sibi tamquam personae tribuendam inde a momento conceptionis ».[130]

2379 Evangelium ostendit physicam sterilitatem malum absolutum non esse. Coniuges, qui, exhaustis legitimis ad medicinam recursibus, infecunditatem patiuntur, se Domini sociabunt cruci, quae omnis fecunditatis spiritualis est fons. Suam significare possunt generositatem, filios relictos adoptando et aspera pro aliis adimplendo servitia.

IV. Offensae contra matrimonii dignitatem

2380 *Adulterium.* Hoc verbum infidelitatem designat coniugalem. Cum duo, quorum saltem alter est matrimonio coniunctus, relationem sexualem, etiam fugacem, nectunt inter se, adulterium committunt. Christus adulterium damnat, etiam illud simplicis optati.[131] Sextum praeceptum et

---

[127] Congregatio pro Doctrina Fidei, Instr. *Donum vitae*, 2, 1: AAS 80 (1988) 87.
[128] Congregatio pro Doctrina Fidei, Instr. *Donum vitae*, 2, 5: AAS 80 (1988) 93.
[129] Congregatio pro Doctrina Fidei, Instr. *Donum vitae*, 2, 4: AAS 80 (1988) 91.
[130] Congregatio pro Doctrina Fidei, Instr. *Donum vitae*, 2, 8: AAS 80 (1988) 97.
[131] Cf. *Mt* 5, 27-28.

1611 Novum Testamentum absolute adulterium proscribunt.[132] Prophetae eius denuntiant gravitatem. In adulterio perspiciunt figuram peccati idololatriae.[133]

1640 2381 Adulterium quaedam est iniustitia. Qui illud committit, a suis deficit obligationibus. Foederis frangit signum quod vinculum est matrimoniale, alterius coniugis laedit ius et matrimonii attentat institutionem, contractum violans qui illam fundat. Bonum generationis humanae adducit in discrimen atque filiorum qui unione parentum egent stabili.

Divortium

1614 2382 Dominus Iesus originali institit intentioni Creatoris qui matrimonium volebat indissolubile.[134] Abrogat tolerantias quae in Legem veterem irrepserant.[135]

Inter baptizatos, « Matrimonium ratum et consummatum nulla humana potestate nullaque causa, praeterquam morte, dissolvi potest ».[136]

1649 2383 Coniugum *separatio*, vinculo matrimoniali permanente, quibusdam in casibus iure canonico praevisis, potest esse legitima.[137]

Si divortium civile unus restat modus ad quaedam iura legitima praestanda, filiorum curam vel patrimonii defensionem, potest tolerari quin culpam constituat moralem.

1650 2384 *Divortium* gravis est contra legem naturalem offensa. Contractum simul usque ad mortem vivendi, libere a coniugibus initum, frangere conatur. Divortium iniuriam infert salutis Foederi, cuius sacramentale Matrimonium est signum. Novam contrahere unionem, etiamsi haec a lege civili agnoscatur, rupturae addit gravitatem: coniux iterum matrimonio iunctus tunc in statu versatur publici et permanentis adulterii:

« Non licet viro, uxore dimissa, aliam ducere: neque fas est repudiatam a marito, ab alio duci uxorem ».[138]

2385 Divortium suam indolem pravam etiam habet ex inordinatione quam in familiarem cellulam introducit et in societatem. Haec inordina-

---

[132] Cf. *Mt* 5, 32; 19, 6; *Mc* 10, 11-12; *1 Cor* 6, 9-10.
[133] Cf. *Os* 2, 7; *Ier* 5, 7; 13, 27.
[134] Cf. *Mt* 5, 31-32; 19, 3-9; *Mc* 10, 9; *Lc* 16, 18; *1 Cor* 7, 10-11.
[135] Cf. *Mt* 19, 7-9.
[136] CIC canon 1141.
[137] Cf. CIC canones 1151-1155.
[138] Sanctus Basilius Magnus, *Moralia*, regula 73: PG 31, 852.

tio damna gravia secum fert: pro coniuge, qui se derelictum invenit; pro filiis, parentum separatione profunde vulneratis, et saepe subiectis contentione inter eosdem; propter suum contagionis effectum, qui ex eo veram plagam efficit socialem.

2386 Fieri potest ut alter ex coniugibus victima sit innocens divortii lege civili declarati; hic tunc praeceptum morale non infringit. Notabilis est differentia inter coniugem qui cum sinceritate nisus est ut Matrimonii sacramento esset fidelis et se iniuste videt derelictum, et illum qui, gravi culpa e parte sua, canonice validum destruit Matrimonium.[139]

1640

Aliae contra dignitatem matrimonii offensae

2387 Tragoedia intelligitur illius qui, ad Evangelium volens converti, se perspicit obligatum ad unam vel plures repudiandas mulieres, cum quibus vitae coniugalis particeps fuit per annos. Attamen *polygamia* cum lege morali non concordat. Coniugali « communioni funditus polygamia adversatur: haec enim directe recusat Dei propositum, sicut ipsis initiis revelatur, quoniam pari personalique dignitati viri et mulieris repugnat, qui in matrimonio alter alteri se dant amore integro ideoque ex se unico et exclusorio ».[140] Christianus, qui prius fuit polygamus, graviter iustitia tenetur ad obligationes relate ad suas antiquas uxores et suos filios contractas honorandas.

1610

2388 *Incestus* relationes indicat intimas inter consanguineos et propinquos, in gradu qui matrimonium vetat inter illos.[141] Sanctus Paulus huic culpae speciatim gravi inurit notam: « Omnino auditur inter vos fornicatio et talis fornicatio [...] ut uxorem patris aliquis habeat. [...] Iam iudicavi [...], in nomine Domini nostri Iesu, [...] tradere huiusmodi Satanae in interitionem carnis. » (*I Cor* 5, 1. 3 5). Incestus relationes corrumpit familiares et ad animalitatem obsignat regressionem.

2356

2207

2389 Ad incestum referri possunt abusus sexuales ab adultis patrati in pueros et adulescentes eorum custodiae concreditos. Culpa tunc duplicatur scandaloso facinore peracto contra psychicam et moralem integritatem iuvenum, qui illo, sua vita perdurante, manebunt signati, et violatione responsabilitatis educativae.

2285

---

[139] Cf. Ioannes Paulus II, Adh. ap. *Familiaris consortio*, 84: AAS 74 (1982) 185.
[140] Ioannes Paulus II, Adh. ap. *Familiaris consortio*, 19: AAS 74 (1982) 102; cf. Concilium Vaticanum II, Const. past. *Gaudium et spes*, 47: AAS 58 (1966) 1067.
[141] Cf. *Lv* 18, 7-20.

2390 *Libera iunctio* habetur, cum vir et mulier recusant iuridicam et publicam dare formam relationi intimitatem sexualem implicanti.

1631

Locutio fallax est: quidnam potest significare iunctio in qua personae invicem non obligantur et sic defectum testantur fiduciae in alteram, in se ipsam vel in futurum?

Locutio ad diversas extenditur condiciones: concubinatum, reiectionem matrimonii qua talis, incapacitatem se obligationibus vinculandi ad longum tempus.[142] Omnes hae condiciones dignitatem offendunt matrimonii; ipsam familiae destruunt ideam; sensum fidelitatis debilitant. Eaedem contrariae sunt legi morali: actus sexualis locum habere debet solummodo in matrimonio; extra illud, grave semper constituit peccatum et a communione excludit sacramentali.

2353

1385

2391 Plures hodie speciem quamdam «*iuris ad experimentum*» tunc postulant, cum intentio habetur matrimonium contrahendi. Quaecumque est propositi firmitas eorum qui se his praematuris vinciuntur relationibus sexualibus, «hae iunctiones non sinunt, ut sinceritas ac fidelitas mutuae necessitudinis inter viri et mulieris personas in tuto ponantur, nec praesertim ut haec necessitudo a cupiditatum et arbitrii mobilitate protegatur».[143] Unio carnalis moraliter est solummodo legitima, cum vitae definitivae inter virum et mulierem instaurata est communitas. Amor humanus «experimentum» non tolerat. Totale et definitivum exigit donum personarum inter se.[144]

2364

Compendium

2392 «*Amor est princeps et naturalis cuiusque hominis vocatio*».[145]

2393 *Deus, creaturam humanam virum creans et mulierem, utrumque pari donavit personali dignitate. Ad unumquemque pertinet, ad virum et mulierem, suam sexualem agnoscere et acceptare identitatem.*

2394 *Christus est castitatis exemplar. Omnis baptizatus vocatur ad vitam castam ducendam, unusquisque secundum suum proprium vitae statum.*

---

[142] Cf. Ioannes Paulus II, Adh. ap. *Familiaris consortio*, 81: AAS 74 (1982) 181-182.
[143] Sacra Congregatio pro Doctrina Fidei, Decl. *Persona humana*, 7: AAS 68 (1976) 82.
[144] Cf. Ioannes Paulus II, Adh. ap. *Familiaris consortio*, 80: AAS 74 (1982) 180-181.
[145] Ioannes Paulus II, Adh. ap. *Familiaris consortio*, 11: AAS 74 (1982) 92.

2395 *Castitas integrationem sexualitatis significat in persona. Dominii personalis secum fert tirocinium.*

2396 *Inter peccata graviter castitati contraria, notare oportet masturbationem, fornicationem, pornographiam et homosexuales usus.*

2397 *Foedus, quod coniuges libere contraxerunt, amorem implicat fidelem. Ipsum eis obligationem infert matrimonium suum custodire indissolubile.*

2398 *Fecunditas quoddam est matrimonii bonum, donum, finis. Coniuges, vitam donantes, Dei participant paternitatem.*

2399 *Nativitatum regulatio quemdam responsabilium paternitatis et maternitatis repraesentat aspectum. Legitimitas intentionum coniugum recursum non iustificat ad media moraliter inacceptabilia (exempli gratia ad sterilizationem directam vel ad contraconceptionem).*

2400 *Adulterium et divortium, polygamia et libera iunctio graves sunt offensae contra matrimonii dignitatem.*

Articulus 7

SEPTIMUM PRAECEPTUM

« Non furtum facies » (*Ex* 20, 15).[146]

« Non facies furtum » (*Mt* 19, 18).

2401 Septimum praeceptum vetat bonum proximi iniuste sumere vel retinere atque proximo damnum in suis bonis inferre, quocumque modo id fiat. In bonis terrestribus fructibusque laboris hominum gerendis iustitiam praescribit et caritatem. Propter bonum commune, observantiam et destinationem universalem postulat bonorum atque ius ad proprietatem privatam. Vita christiana nititur ut huius mundi bona ad Deum et ad caritatem dirigat fraternam.

1807

952

I. Destinatio universalis et proprietas privata bonorum

2402 Initio, Deus terram eiusque opes concredidit humano generi communiter gerendas ut ipsum de ea adhiberet curam, ei per suum labo-

---

[146] Cf. *Dt* 5, 19.

226
1939
rem dominaretur et eius frueretur fructibus.[147] Creationis bona toti generi destinantur humano. Tamen terra inter homines distribuitur ad praestandam eorum vitae securitatem, positae in discrimen penuriae et minis subiectae per violentiam. Bonorum appropriatio legitima est ad libertatem praestandam et dignitatem personarum, ad iuvandos singulos ut suis necessitatibus subveniant fundamentalibus et necessitatibus eorum erga quos habent officium. Illa permittere debet ut solidarietas inter homines manifestetur naturalis.

2403 *Ius ad proprietatem privatam*, aequo modo acquisitam aut acceptam, originalem terrae donationem ad generis humani complexum non abolet. *Bonorum universalis destinatio* permanet primordialis, licet boni communis promotio observantiam exigat proprietatis privatae, iuris ad eam atque exercitii eiusdem.

307
2404 « Homo, illis bonis utens, res exteriores quas legitime possidet non tantum tamquam sibi proprias, sed etiam tamquam communes habere debet, eo sensu ut non sibi tantum sed etiam aliis prodesse queant ».[148] Proprietas cuiusdam boni possessorem eius efficit providentiae administratorem ut id fructificare faciat et eius beneficia communicet aliis, imprimis suis proximis.

2405 Productionis bona — materialia vel immaterialia — sicut agri vel fabricae, competentiae vel artes, curas requirunt suorum possessorum ut eorum fecunditas quam plurimis proficiat. Qui usus et consumptionis possident bona, illis cum temperantia uti debent, optimam partem hospiti, aegroto vel pauperi reservantes.

1903
2406 *Auctoritas politica* ius habet et officium moderandi, bonum commune perspiciendo, legitimum exercitium iuris proprietatis.[149]

II. Personarum et earum bonorum observantia

1809
1807
2407 In re oeconomica, dignitatis humanae observantia exercitium exigit virtutis *temperantiae*, ad studium bonorum huius mundi moderandum; virtutis *iustitiae*, ad iura praeservanda proximi ipsique tribuendum

---

[147] Cf. *Gn* 1, 26-29.
[148] Concilium Vaticanum II, Const. past. *Gaudium et spes*, 69: AAS 58 (1966) 1090.
[149] Cf. Concilium Vaticanum II, Const. past. *Gaudium et spes*, 71: AAS 58 (1966) 1093; Ioannes Paulus II, Litt. enc. *Sollicitudo rei socialis*, 42: AAS 80 (1988) 572-574; Id., Litt. enc. *Centesimus annus*, 40: AAS 83 (1991) 843; *Ibid.*, 48: AAS 83 (1991) 852-854.

quod ei debetur; et *solidarietatis*, secundum regulam auream et secundum liberalitatem Domini qui propter nos egenus factus est, cum esset dives, ut Illius inopia nos divites essemus.[150]   1839

Observantia bonorum alienorum

2408   Septimum praeceptum prohibet *furtum*, id est, usurpationem boni alieni contra rationabilem domini voluntatem. Furtum non habetur, si consensus potest praesumi vel si recusatio est rationi contraria et universali bonorum destinationi. Talis est casus evidentis et urgentis necessitatis in qua solum medium necessitatibus subveniendi immediatis et essentialibus (nutrimento, habitationi, indumento...) est de bonis alienis decernere eisque uti.[151]

2409   Omnis modus iniuste sumendi vel retinendi bonum alienum, licet legis civilis non contradicat dispositionibus, septimo praecepto est contrarius. Sic bona commodata deliberate retinere vel res amissas; in commercio fraudare;[152] iniusta solvere salaria;[153] pretia augere ex ignorantia vel indigentia alienis lucra faciendo.[154]   1867

Moraliter illicita sunt etiam: lucrosa negotiatio qua quis agit ad aestimationem bonorum modo artificiali mutandam, ut commodum obtineat in alius detrimentum; corruptio qua iudicium amovetur eorum qui iuxta ius decisiones sumere debent; appropriatio et usus privatus bonorum socialium cuiusdam negotii; opera male peracta, fiscalis fraus, mandatorum nummariorum et rationum mercium adulteratio, immodica dispendia, nimius sumptus. Proprietatibus privatis vel publicis voluntarie damnum infligere est legi morali contrarium et reparationem exigit.

2410   *Promissiones* sunt tenendae et *contractus* stricte servandi quatenus obligatio sumpta est moraliter iusta. Magna vitae socialis et oeconomicae pars a contractuum inter physicas et morales personas dependet valore. Sic mercatorii contractus venditionis et emptionis; contractus locationis et laboris. Omnis contractus bona fide est contrahendus et exsequendus.   2101

2411   Contractus submittuntur *iustitiae commutativae* quae commercia regulat inter personas et inter institutiones, exacta eorum iurium observantia.   1807

---

[150] Cf. *2 Cor* 8, 9.
[151] Cf. Concilium Vaticanum II, Const. past. *Gaudium et spes*, 69: AAS 58 (1966) 1090-1091.
[152] Cf. *Dt* 25, 13-16.
[153] Cf. *Dt* 24, 14-15; *Iac* 5, 4.
[154] Cf. *Am* 8, 4-6.

Iustitia commutativa stricte obligat; tutelam exigit iurium proprietatis, solutionis debitorum et praestationis obligationum libere contractarum. Sine iustitia commutativa, nulla alia iustitiae forma possibilis est.

Iustitia *commutativa* a iustitia distinguitur *legali* quae ad id refertur quod civis communitati aequitative debet, et a iustitia *distributiva* quae id regulat quod communitas civibus debet proportionaliter ad eorum contributiones et ad eorum necessitates.

1459   **2412** Propter iustitiam commutativam, commissae *iniustitiae reparatio* restitutionem exigit boni surrepti ad eius proprietarium:

2487   Iesus Zacchaeo propter eius decisionem benedicit: « Si quid aliquem defraudavi, reddo quadruplum » (*Lc* 19, 8). Illi, qui modo directo vel indirecto potiti sunt alieno bono, id restituere tenentur, aut aliud aequivalens in natura vel specie reddere, si res disparuit, et etiam fructus et commoda quae dominus eius legitime ex eo obtinuisset. Pariter restituere tenentur, proportionaliter ad suam responsabilitatem et ad suum lucrum, omnes qui furtum quolibet participaverunt modo aut ex eo conscienter utilitatem perceperunt; exempli gratia, illi qui id mandaverint, vel ad id adiuvaverint, vel id celaverint.

2413 *Fortunae ludi* (chartularum ludus, etc.) vel *sponsiones* in se ipsis iustitiae non sunt contrariae. Moraliter efficiuntur non accipiendae, cum personam eo privant quod ipsi est necessarium ad eius necessitatibus subveniendum atque illis aliorum. Lusionis passio in discrimine versatur ne gravis efficiatur servitus. Iniuste facere sponsionem vel in ludis fraudare materiam constituit gravem, nisi damnum inflictum ita leve sit ut is qui illud subit, illud tamquam magni ponderis non possit rationabiliter considerare.

2297   **2414** Septimum praeceptum actus vetat et incepta quae, quacumque ex causa, a caeco sui amore mota (« egoistica ») vel ideologica, mercatoria vel totalitaria, *ad creaturas humanas subiiciendas* ducunt, ad earum dignitatem personalem non agnoscendam, ad illas emendas, vendendas et permutandas sicut mercimonia. Easdem per violentiam ad valorem usus vel ad fontem lucri reducere peccatum est contra personarum dignitatem earumque iura fundamentalia. Sanctus Paulus cuidam domino christiano mandabat ut suum christianum servum tractaret « iam non ut servum sed [...] carissimum fratrem [...] et in carne et in Domino » (*Philm* 16).

OBSERVANTIA INTEGRITATIS CREATIONIS

226, 358   **2415** Septimum praeceptum observantiam postulat integritatis creationis. Animalia, et etiam plantae atque entia inanimata bono communi

destinantur generis humani praeteriti, praesentis et futuri.[155] Opum mineralium, vegetalium et animalium mundi universi usus ab exigentiarum
moralium observantia nequit disiungi. Concessus homini a Creatore dominatus super entia inanimata et alia viventia absolutus non est; is a   373
cura qualitatis vitae proximi, generationibus futuris inclusis, debet mensurari; integritatis creationis religiosam postulat observantiam.[156]   378

2416   *Animalia* creaturae sunt Dei. Ipse ea Sua providentiali amplectitur sollicitudine.[157] Ea, sua mera exsistentia, Illi benedicunt Illumque
glorificant.[158] Etiam homines eis debent benevolentiam. In memoriam
revocare oportet qua accurata consideratione sancti, sicut sanctus Fran-   344
ciscus Assisiensis vel sanctus Philippus Neri, animalia tractabant.

2417   Deus animalia procurationi concredidit illius quem Ipse ad Suam
creavit imaginem.[159] Legitimum igitur est animalibus uti ad nutrimentum
vel ad vestes conficiendas. Ea mansuefacere licet ut homini in eius laboribus vel in eius otiis assistant. Medica et scientifica experimenta in animalibus sunt exercitia moraliter acceptabilia, si intra rationabiles permaneant limites et ad vitas humanas curandas conferant vel salvandas.   2234

2418   Humanae dignitati est contrarium animalibus inutiliter dolores
inferre et eorum dilapidare vitas. Indignum pariter est pro illis pecuniae
expendere summas quae potius hominum miserias deberent sublevare.   2446
Animalia amare licet; affectio solis personis debita ad ea averti non deberet.

III. Socialis doctrina Ecclesiae

2419   « Revelatio christiana [...] ad altiorem vitae socialis legum intelli-   1960
gontiam nos peiducit ».[160] Ecclesia ab Evangelio plenam accipit revelationem veritatis de homine. Ipsa, cum suam implet missionem nuntiandi   359
Evangelium, homini, nomine Christi, eius propriam testatur dignitatem
eiusque vocationem ad personarum communionem; eum docet exigentias iustitiae et pacis, secundum divinam sapientiam.

---

[155] Cf. *Gn* 1, 28-31.
[156] Cf. Ioannes Paulus II, Litt. enc. *Centesimus annus*, 37-38: AAS 83 (1991) 840-841.
[157] Cf. *Mt* 6, 26.
[158] Cf. *Dn* 3, 79-81.
[159] Cf. *Gn* 2, 19-20; 9, 1-4.
[160] Concilium Vaticanum II, Const. past. *Gaudium et spes*, 23: AAS 58 (1966) 1044.

2032   2420   Ecclesia iudicium fert morale in re oeconomica et sociali, « quando personae iura fundamentalia aut animarum salus id exigant ».[161] Ipsa in ordine moralitatis e missione agit diversa ab illa auctoritatum politicarum: Ecclesia curam habet de boni communis aspectibus temporalibus 2246   ratione eorum ordinationis ad Bonum excelsum, nostrum ultimum finem. Ipsa nititur habitudines inspirare iustas relate ad bona terrestria et in relationibus socialibus-oeconomicis.

2421   Socialis doctrina Ecclesiae saeculo XIX est explicata in occursu Evangelii cum societate moderna machinalis industriae, cum eius novis structuris pro productione bonorum consumendorum, cum eius novo societatis, Status et auctoritatis conceptu, cum eius novis formis laboris et proprietatis. Explicatio doctrinae Ecclesiae, in re oeconomica et sociali, valorem permanentem doctrinae testatur Ecclesiae, insimul sensum verum eius Traditionis semper vivae et activae.[162]

2422   Socialis doctrina Ecclesiae implicat doctrinae corpus quod contexitur prout Ecclesia eventus decursu historiae interpretatur, sub lumine totius verbi a Christo Iesu revelati, cum assistentia Spiritus Sancti.[163] Haec doctrina eo acceptabilior pro bonae voluntatis fit hominibus, quo 2044   magis modum agendi inspirat fidelium.

2423   Socialis doctrina Ecclesiae principia proponit reflexionis; deducit criteria pro iudicio; consilia praebet pro actione:

Omne systema, secundum quod relationes sociales elementis oeconomicis prorsus determinarentur, naturae personae humanae et eius actuum est contrarium.[164]

2424   Theoria quae e lucro regulam efficit exclusivam et finem ultimum activitatis oeconomicae, moraliter acceptabilis non est. Inordinatus pecuniae appe-2317   titus suos effectus perversos producere non desinit. Ipse est una inter causas plurimorum conflictuum qui ordinem socialem perturbant.[165]

Systema quod « iura fundamentalia personarum singularum et coetuum organizationi productionis collectivae » postponit [166] dignitati hominis est contrarium. Omnis actio quae personas reducit ita ut pura sint media ad lucrum obtinen-

---

[161] Concilium Vaticanum II, Const. past. *Gaudium et spes*, 76: AAS 58 (1966) 1100.
[162] Cf. Ioannes Paulus II, Litt. enc. *Centesimus annus*, 3: AAS 83 (1991) 794-796.
[163] Cf. Ioannes Paulus II, Litt. enc. *Sollicitudo rei socialis*, 1: AAS 80 (1988) 513-514; *Ibid.*, 41: AAS 80 (1988) 570-572.
[164] Cf. Ioannes Paulus II, Litt. enc. *Centesimus annus*, 24: AAS 83 (1991) 821-822.
[165] Cf. Concilium Vaticanum II, Const. past. *Gaudium et spes*, 63: AAS 58 (1966) 1085; Ioannes Paulus II, Litt. enc. *Laborem exercens*, 7: AAS 73 (1981) 592-594; Id., Litt. enc. *Centesimus annus*, 35: AAS83 (1991) 836-838.
[166] Concilium Vaticanum II, Const. past. *Gaudium et spes*, 65: AAS 58 (1966) 1087.

dum, hominem subiicit, ducit ad pecuniae idololatriam et confert ad atheismum propagandum. «Non potestis Deo servire et mammonae» (*Mt* 6, 24; *Lc* 16, 13).

2425 Ecclesia ideologias totalitarias reiecit et atheas, temporibus modernis, «communismo» vel «socialismo» sociatas. Ceterum, in «capitalismi» exercitio individualismum recusavit et absolutum primatum legis mercatus super laborem humanum.[167] Oeconomiae moderatio per solam praestitutam ordinationem in unum conglobatam fundamentum pervertit vinculorum socialium; eius moderatio per solam mercatus legem iustitiam offendit socialem, quia «quaedam exsistunt postulata humana quae ad mercaturam non attinent».[168] Moderationem mercatus rationabilem et incepta oeconomica, secundum iustam valorum hierarchiam atque ad bonum commune attendendo, oportet propugnare.

676

1886

IV. Activitas oeconomica et iustitia socialis

2426 Activitatum oeconomicarum progressus et productionis augmentum destinantur ad creaturarum humanarum subveniendum necessitatibus. Vita oeconomica non dirigitur solummodo ad bona producta multiplicanda et ad lucrum augendum vel potentiam; ea imprimis ad servitium ordinatur personarum, totius integri hominis et totius communitatis humanae. Navitas oeconomica, secundum methodos et leges proprias ducenda, intra limites ordinis moralis, iustitiam socialem sequendo, debet exerceri, ut consilio Dei de homine correspondeat.[169]

1928

2427 *Labor humanus* immediate provenit a personis, quae ad imaginem Dei sunt creatae quaeque vocantur ut aliae cum aliis et pro aliis opus creationis prorogent terrae dominando.[170] Labor igitur est officium: «Si quis non vult operari, nec manducet» (*2 Thess* 3, 10).[171] Labor dona honorat Creatoris et accepta talenta. Potest etiam redemptivus esse. Homo, poenam sustinens[172] laboris in unione cum Iesu, operario ex Nazareth et crucifixo in Calvario, quodammodo cum Filio Dei collaborat in Eius opere redemptivo. Sese Christi manifestat discipulum, crucem quotidie gestans in activitate ad quam vocatur adimplendam.[173] Labor

307

378

531

---

[167] Cf. IOANNES PAULUS II, Litt. enc. *Centesimus annus*, 10: AAS 83 (1991) 804-806; *Ibid.*, 13: AAS 83 (1991) 809-810; *Ibid.*, 44: AAS 83 (1991) 848-849.
[168] IOANNES PAULUS II, Litt. enc. *Centesimus annus*, 34: AAS 83 (1991) 836.
[169] Cf. CONCILIUM VATICANUM II, Const. past. *Gaudium et spes*, 64: AAS 58 (1966) 1086.
[170] Cf. *Gn* 1, 28; CONCILIUM VATICANUM II, Const. past. *Gaudium et spes*, 34: AAS 58 (1966) 1052-1053; IOANNES PAULUS II, Litt. enc. *Centesimus annus*, 31: AAS 83 (1991) 831-832.
[171] Cf. *1 Thess* 4, 11.
[172] Cf. *Gn* 3, 14-19.
[173] Cf. IOANNES PAULUS II, Litt. enc. *Laborem exercens*, 27: AAS 73 (1981) 644-647.

esse potest sanctificationis medium et realitatum terrestrium animatio in Christi Spiritu.

2834

2185
2428 Persona, in labore, exercet et perficit partem facultatum in sua natura inscriptarum. Valor primordialis laboris pertinet ad hominem, qui eius auctor est et scopus. Labor est pro homine, non homo pro labore.[174]

Unusquisque in labore debet media haurire posse ad subveniendum suae vitae eique suorum, et ad reddendum communitati humanae servitium.

2429 Unusquisque *ius ad oeconomicum inceptum* habet, unusquisque suis legitime utetur talentis ut conferat ad abundantiam omnibus proficuam et ut suorum nisuum iustos fructus colligat. Curabit ut se conformet ordinationibus prolatis ab auctoritatibus legitimis propter bonum commune.[175]

2430 *Vita oeconomica* diversas movet utilitates, saepe oppositas inter se. Ex hoc intelligitur enasci dimicationes quae eius sunt propriae.[176] Niti oportet ut hae dimicationes reducantur per negotiationem quae iura observet et officia uniuscuiusque partis socialis: illorum qui sunt officinarum responsabiles, illorum qui mercede conductos repraesentant, exempli gratia consociationes operariorum et, si res ferat, publicae potestates.

2431 *Responsabilitas Status.* « Oeconomica [...] actio, potissimum quae mercatum respicit, deficientibus institutionum legibus ac iudicialibus normis et politicis, explicari non potest. Contra ipsa fiduciam praeponit de libertate singulorum et rerum possessione praeter rem nummariam

1908
stabilem et publica ministeria valida. Itaque Civitatis praecipuum munus in securitate ponitur ita praestanda ut opifex aeque ac rerum confector sui fructibus operis frui possint atque inde ad opus efficaciter honesteque faciendum concitentur. [...] Civitas porro vigilare debet et exercitium humanorum iurium in oeconomica provincia moderari; sed

1883
primum munus hac de re non ad Civitatem spectat, verum ad singulos variasque consociationes et numeros, quibus coagmentatur societas ».[177]

---

[174] Cf. Ioannes Paulus II, Litt. enc. *Laborem exercens*, 6: AAS 73 (1981) 589-592.
[175] Cf. Ioannes Paulus II, Litt. enc. *Centesimus annus*, 32: AAS 83 (1991) 832-833; *Ibid.*, 34: AAS 83 (1991) 835-836.
[176] Cf. Ioannes Paulus II, Litt. enc. *Laborem exercens*, 11: AAS 73 (1981) 602-605.
[177] Ioannes Paulus II, Litt. enc. *Centesimus annus*, 48: AAS 83 (1991) 852-853.

2432 *Officinae responsabiles* oeconomicam et oecologicam suarum ope- rationum coram societate sustinent responsabilitatem.[178] Tenentur bonum personarum considerare et non solum incrementum *lucrorum*. Haec ta- men necessaria sunt. Ipsa permittunt impendere pecuniam quae officina- rum futurum spondet. Ipsa occupationem praestant.

2415

2433 *Accessus ad laborem* et ad muneris professionem sine iniusta dis- criminatione esse debet omnibus apertus, viris et mulieribus, sanis et in- firmitate laborantibus, autochthonibus et advenis.[179] Societas, e parte sua, cives, secundum adiuncta, debet adiuvare ut laborem sibi et offi- cium comparent.[180]

2434 *Iustum salarium* legitimus laboris est fructus. Illud recusare vel retinere gravem potest iniustitiam constituere.[181] Ut remuneratio iuste ae- stimetur, simul attendendum est ad necessitates et ad contributiones uniuscuiusque. « Ita remunerandus est labor ut homini facultates prae- beantur suam suorumque vitam materialem, socialem, culturalem spiri- tualemque digne excolendi, spectatis uniuscuiusque munere et producti- vitate necnon officinae condicionibus et bono communi ».[182] Partium consensio non sufficit ad salarii summam moraliter iustificandam.

1867

2435 *Ab opere cessatio* moraliter est legitima, cum tamquam recursus praesentatur inevitabilis, vel etiam necessarius, propter beneficium pro- portionatum. Moraliter fit non acceptabilis cum eam violentiae comi- tantur vel etiam si ei adscribuntur scopi non directe cum condicionibus laboris coniuncti vel bono communi contrarii.

2436 Iniustum est organismis securitatis socialis *stipes* non solvere ab auctoritatibus legitimis statutas.

Occupationis privatio propter laboris carentiam fere semper, pro illo qui eius est victima, est eius dignitati vulnus et vitae aequilibrio minuta- tio. Praeter damnum personaliter toleratum, plura pericula ex ea pro eius promanant familia.[183]

---

[178] Cf. Ioannes Paulus II, Litt. enc. *Centesimus annus*, 37: AAS 83 (1991) 840.
[179] Cf. Ioannes Paulus II, Litt. enc. *Laborem exercens*, 19: AAS 73 (1981) 625-629; *Ibid.*, 22-23: AAS 73 (1981) 634-637.
[180] Cf. Ioannes Paulus II, Litt. enc. *Centesimus annus*, 48: ASS 83 (1991) 852-854.
[181] Cf. *Lv* 19, 13; *Dt* 24, 14-15; *Iac* 5, 4.
[182] Concilium Vaticanum II, Const. past. *Gaudium et spes*, 67: AAS 58 (1966) 1088-1089.
[183] Cf. Ioannes Paulus II, Litt. enc. *Laborem exercens*, 18: AAS 73 (1981) 622-625.

V. Iustitia et solidarietas inter populos

1938   **2437**   In ambitu internationali, inaequalitas subsidiorum et mediorum oeconomicorum talis est ut ipsa inter populos verum provocet « hiatum ».[184] Ex altera parte sunt illi qui progressionis media retinent et augent, ex alia vero illi qui debita accumulant.

2438   Causae diversae indolis religiosae, politicae, oeconomicae et
1911   nummariae efficiunt « socialem quaestionem nunc ad universam coniunctionem inter homines [...] pertinere ».[185] Solidarietas necessaria est inter populos, quorum actiones politicae iam inter se dependentes sunt. Eadem fit etiam pernecessaria cum agitur de « machinationibus perversis » intercludendis qui progressionem obstruunt populorum qui minus sunt promoti.[186] Opus est systemata nummaria abusiva vel etiam usuraria,[187]
2315   iniquas commercii relationes inter populos, cursum ad arma apparanda, substituere nisu communi ad subsidia impellenda versus scopos moralis, culturalis et oeconomicae progressionis « illustratis prius potioribus rebus necnon bonorum gradibus secundum quos [...] capienda sunt consilia ».[188]

2439   *Nationes divites* gravem habent moralem responsabilitatem erga illas quae per se ipsas suam progressionem nequeunt praestare vel ab ea tragicis historicis eventibus sunt impeditae. Officium est solidarietatis et caritatis; est etiam iustitiae obligatio si prosper nationum divitum status ex subsidiis provenit quae aequo modo soluta non sunt.

2440   *Directum adiutorium* apta est responsio necessitatibus immediatis, extraordinariis, causatis exempli gratia naturalibus ruinis, pestilentiis etc. Sed ipsum non sufficit ad gravia reparanda damna quae a statibus procedunt indigentiae neque ad providendum necessitatibus modo durabili. Oportet etiam *reformare institutiones* oeconomicas et nummarias internationales ut ipsae aequas relationes melius promoveant cum populis qui minus sunt progressi.[189] Nisus sustinendus est pauperum populorum qui ad suum incrementum et ad suam adlaborant liberationem.[190] Haec doctrina postulat ut applicetur modo valde particulari in ambitu laboris

---

[184] Cf. Ioannes Paulus II, Litt. enc. *Sollicitudo rei socialis*, 14: AAS 80 (1988) 526-528.

[185] Ioannes Paulus II, Litt. enc. *Sollicitudo rei socialis*, 9: AAS 80 (1988) 520-521.

[186] Cf. Ioannes Paulus II, Litt. enc. *Sollicitudo rei socialis*, 17: AAS 80 (1988) 532-533; *Ibid.*, 45: AAS 80 (1988) 577-578.

[187] Cf. Ioannes Paulus II, Litt. enc. *Centesimus annus*, 35: AAS 83 (1991) 836-838.

[188] Ioannes Paulus II, Litt. enc. *Centesimus annus*, 28: AAS 83 (1991) 828.

[189] Cf. Ioannes Paulus II, Litt. enc. *Sollicitudo rei socialis*, 16: AAS 80 (1988) 531.

[190] Cf. Ioannes Paulus II, Litt. enc. *Centesimus annus*, 26: AAS 83 (1991) 824-826.

agricolarum. Agricolae, maxime in tertio mundo, pauperum praevalentem constituunt multitudinem.

2441 Dei augere sensum et sui ipsius cognitionem ad fundamentum pertinet totius *integrae progressionis societatis humanae.* Haec progressio bona multiplicat materialia eaque ad servitium collocat personae eiusque libertatis. Miseriam minuit et oeconomicum abusum. Facit ut identitatum culturalium et apertionis ad transcendentiam crescat observantia.[191]

1908

2442 Ad Ecclesiae Pastores non pertinet in constructione politica et in vita sociali organizanda directe intervenire. Hoc munus pars est vocationis *fidelium laicorum,* qui suo proprio incepto cum suis concivibus agunt. Actio socialis pluralitatem viarum concretarum potest implicare. Illa semper ad bonum commune ordinata esse debet et nuntio evangelico conformis atque Ecclesiae doctrinae. Ad fideles laicos pertinet « cum christiani officii diligentia res temporales veluti animare in iisque ostendere se testes esse et operatores pacis atque iustitiae ».[192]

899

VI. Amor pauperum

2544-2547

2443 Deus benedicit illis qui in pauperum veniunt adiutorium reprobatque illos qui ab hoc avertuntur: « Qui petit a te, da ei; et volenti mutuari a te, ne avertaris » (*Mt* 5, 42). « Gratis accepistis, gratis date » (*Mt* 10, 8). Iesus Christus Suos agnoscet electos in eo quod pro pauperibus fecerint.[193] Cum « pauperes evangelizantur » (*Mt* 11, 5),[194] signum est praesentiae Christi.

786, 525
544, 853

2444 « Ecclesiae in pauperes studium [...] in eiusdem translaticiis consuetudinibus usque continuatur ».[195] Idem inspiratur beatitudinum Evangelio,[196] Iesu paupertate[197] et Eius erga pauperes sollicitudine.[198] Pauperum studium inter motiva etiam est officii laborandi ad habendum unde tribuatur neces-

1716

---

[191] Cf. IOANNES PAULUS II, Litt. enc. *Sollicitudo rei socialis,* 32: AAS 80 (1988) 556-557; ID., Litt. enc. *Centesimus annus,* 51: AAS 83 (1991) 856-857.
[192] IOANNES PAULUS II, Litt. enc. *Sollicitudo rei socialis,* 47: AAS 80 (1988) 582; cf. *Ibid.,* 42: AAS 80 (1988) 572-574.
[193] Cf. *Mt* 25, 31-36.
[194] Cf. *Lc* 4, 18.
[195] IOANNES PAULUS II, Litt. enc. *Centesimus annus,* 57: AAS 83 (1991) 862-863.
[196] Cf. *Lc* 6, 20-22.
[197] Cf. *Mt* 8, 20.
[198] Cf. *Mc* 12, 41-44.

sitatem patienti.[199] Illud ad paupertatem materialem non extenditur solummodo, sed etiam ad plures paupertatis culturalis et religiosae formas.[200]

2536   2445   Pauperum amor cum immoderato amore divitiarum vel cum earum usu ad se solum spectanti (« egoistico ») componi nequit:

2547   « Age nunc, divites, plorate ululantes in miseriis, quae advenient vobis. Divitiae vestrae putrefactae sunt, et vestimenta vestra a tineis comesta sunt, aurum et argentum vestrum aeruginavit, et aerugo eorum in testimonium vobis erit et manducabit carnes vestras sicut ignis: thesaurizastis in novissimis diebus. Ecce merces operariorum, qui messuerunt regiones vestras, quae fraudata est a vobis, clamat et clamores eorum, qui messuerunt, in aures Domini Sabaoth introierunt. Epulati estis super terram et in luxuriis fuistis, enutristis corda vestra in die occisionis. Addixistis, occidistis iustum. Non resistit vobis » (*Iac* 5, 1-6).

            2446   Sanctus Ioannes Chrysostomus id fortiter commemorat: « Non erogare pauperibus, est rapinam in illos exercere, illorumque fraudare vitam; [...] non nostras, sed illorum res detinemus ».[201] « Exigentiis iustitiae praeprimis satisfiat, ne tamquam caritatis dona offerantur quae iustitiae titulo iam debentur »:[202]

2402

                 « Cum quaelibet necessaria indigentibus ministramus, sua illis reddimus, non nostra largimur; iustitiae potius debitum solvimus, quam misericordiae opera implemus ».[203]

1460   2447   *Opera misericordiae* actiones sunt caritativae per quas in auxilium nostri proximi venimus in eius necessitatibus corporalibus et spiritualibus.[204] Instruere, consilia dare, consolari, confortare opera sunt spiritualis misericordiae, sicut dimittere et cum patientia tolerare. Opera corporalis misericordiae speciatim consistunt in esurientibus nutriendis, in hospitio carentibus hospitandis, in pannosis vestiendis, in aegrotis et

1038, 1969   captivis visitandis, in mortuis sepeliendis.[205] Inter haec opera, eleemosyna pauperibus facta[206] unum ex praecipuis testimoniis est fraternae caritatis: eadem est etiam iustitiae exercitium quod Deo placet:[207]

---

[199] Cf. *Eph* 4, 28.
[200] Cf. IOANNES PAULUS II, Litt. enc. *Centesimus annus*, 57: AAS 83 (1991) 863.
[201] SANCTUS IOANNES CHRYSOSTOMUS, *In Lazarum,* concio 2, 6: PG 48, 992.
[202] CONCILIUM VATICANUM II, Decr. *Apostolicam actuositatem*, 8: AAS 58 (1966) 845.
[203] SANCTUS GREGORIUS MAGNUS, *Regula pastoralis*, 3, 21, 45: SC 382, 394 (PL 77, 87).
[204] Cf. *Is* 58, 6-7; *Heb* 13, 3.
[205] Cf. *Mt* 25, 31-46.
[206] Cf. *Tb* 4, 5-11; *Eccli* 17, 18.
[207] Cf. *Mt* 6, 2-4.

« Qui habet duas tunicas, det non habenti; et qui habet escas, similiter faciat » (*Lc* 3, 11). « Verumtamen, quae insunt, date eleemosynam, et ecce omnia munda sunt vobis » (*Lc* 11, 41). « Si frater aut soror nudi sunt et indigent victu cotidiano, dicat autem aliquis de vobis illis: 'Ite in pace, calefacimini et saturamini', non dederit autem eis, quae necessaria sunt corporis, quid proderit? » (*Iac* 2, 15-16).[208] 1004

2448 « Extrema inopia bonorum materialium, iniusta oppressio, physicae et psychicae aegritudines, demum mors, *humanae* nempe *miseriae* omnes signum sunt manifestum originalis condicionis infirmitatis qua, post primum Adae peccatum, homo versatur, itemque sunt signum necessitatis salutis; quae miseriae ideo misericordiam Christi Salvatoris attraxerunt, qui voluit eas portare, Seipsum assimulans 'fratribus Suis minimis' (*Mt* 25, 40. 45). Propterea, in eos quos percutit miseria, *potiore dilectione* fertur Ecclesia quae iam ab initio, non obstantibus peccatis multorum membrorum, nunquam ab officio suo destitit eos consolandi, defendendi et liberandi. Id fecit quidem innumeris beneficentiae subsidiis, quae semper et ubique sunt necessaria ».[209] 386 / 1586

2449 Inde a Vetere Testamento, iuridicae omnis generis ordinationes (annus remissionis, prohibitio fenerandi et retinendi pignus, obligatio decimam dandi, quotidiana solutio stipendii mercenario, ius racemationis et spicilegii) adhortationi respondent Deuteronomii: « Non deerunt pauperes in terra habitationis tuae; idcirco ego praecipio tibi, ut aperias manum fratri tuo egeno et pauperi, qui tecum versatur in terra tua » (*Dt* 15, 11). Iesus hoc verbum facit Suum: « Pauperes enim semper habetis vobiscum, me autem non semper habetis » (*Io* 12, 8). Ipse vehementiam veterum oraculorum non ideo reddit caducam: « ut possideamus in argento egenos et pauperem pro calceamentis [...] vendamus...? » (*Am* 8, 6), sed nos invitat ad Eius praesentiam agnoscendam in pauperibus qui Eius sunt fratres: [210] 1397

Sancta Rosa de Lima, die qua eius mater eam reprendit quia pauperes et aegrotos domum accipiebat, illi respondit: « Christi bonus odor sumus dum ministramus infirmis ».[211] 786

---

[208] Cf. *1 Io* 3, 17.
[209] Congregatio pro Doctrina Fidei, Instr. *Libertatis conscientia*, 68: AAS 79 (1987) 583.
[210] Cf. *Mt* 25, 40.
[211] P. Hansen, *Vita mirabilis* [...] *venerabilis sororis Rosae de sancta Maria Limensis* (Romae 1664) p. 200.

Compendium

2450   « *Furtum non facies* » (*Dt* 5, 19). « *Neque fures neque avari* [...] *non rapaces Regnum Dei possidebunt* » (*1 Cor* 6, 10).

2451   *Septimum praeceptum iustitiae et caritatis praescribit exercitium in bonis terrestribus et fructibus laboris hominum gerendis.*

2452   *Bona creationis generi humano destinantur universo. Ius ad privatam proprietatem destinationem bonorum universalem non abolet.*

2453   *Septimum praeceptum furtum vetat. Furtum est usurpatio boni alieni contra rationabilem domini voluntatem.*

2454   *Omnis modus iniuste sumendi bonum alienum vel eo utendi est septimo praecepto contrarius. Iniustitia commissa reparationem exigit. Iustitia commutativa restitutionem exigit boni subrepti.*

2455   *Lex moralis actus vetat qui, propter mercatorios vel totalitarios fines, ad creaturas humanas in servitutem redigendas ducunt, ad illas emendas, vendendas et permutandas sicut mercimonia.*

2456   *Dominatus subsidiorum mineralium, vegetalium et animalium universi mundi a Creatore concessus ab observantia separari nequit moralium obligationum, illis inclusis erga futuras generationes.*

2457   *Animalia curae concreduntur hominis, qui eis benevolentiam debet. Illa iustae satisfactioni necessitatum hominis inservire possunt.*

2458   *Ecclesia in re oeconomica et sociali fert iudicium, cum iura fundamentalia personae vel salus animarum id exigunt. Ipsa de hominum bono communi temporali adhibet curam propter eius ordinationem ad supremum Bonum, nostrum ultimum finem.*

2459   *Ipse homo auctor, centrum est et scopus totius vitae oeconomicae et socialis. Caput maximi momenti in quaestione sociali est ut bona a Deo pro omnibus creata ad omnes revera perveniant, secundum iustitiam et cum caritatis adiutorio.*

2460   *Valor primordialis laboris pendet ab homine, qui eius auctor est et scopus. Homo per suum laborem opus creationis participat. Labor, Christo coniunctus, potest esse redemptivus.*

2461 *Vera progressio est illa totius hominis integri. Agitur de augenda uniuscuiusque personae capacitate respondendi vocationi eius, nempe Deo vocanti.*[212]

2462 *Eleemosyna pauperibus facta caritatis christianae est testimonium: ea est etiam iustitiae exercitium quod Deo placet.*

2463 *Quomodo, in multitudine creaturarum humanarum sine pane, sine tecto, sine loco, Lazarus parabolae mendicus esuriens non agnoscatur?*[213] *Quomodo Iesus non audiatur: « Nec mihi fecistis »* (Mt 25, 45)?

Articulus 8

OCTAVUM PRAECEPTUM

« Non loqueris contra proximum tuum falsum testimonium » (*Ex* 20, 16).

« Dictum est antiquis: 'Non periurabis; reddes autem Domino iuramenta tua' » (*Mt* 5, 33).

2464 Octavum praeceptum veritatem in relationibus cum aliis prohibet deturpare. Haec moralis praescriptio ex vocatione provenit populi sancti, ut testis sit Dei sui qui est veritas et qui veritatem vult. Offensae contra veritatem exprimunt, verbis vel actibus, reiectionem se in rectitudine morali obligandi: fundamentales sunt infidelitates Deo et, hoc sensu, Foederis suffodiunt fundamenta.

I. Vivere in veritate

2465 Vetus Testamentum testatur: *Deus est omnis veritatis fons. Eius Verbum est veritas.*[214] Eius Lex est veritas.[215] « In generationem et generationem veritas Tua » (*Ps* 119, 90).[216] Quia Deus est « Verax » (*Rom* 3, 4), membra populi Eius vocantur ut in veritate vivant.[217]

215

---

[212] Cf. IOANNES PAULUS II, Litt. enc. *Centesimus annus*, 29: AAS 83 (1991) 828-830.
[213] Cf. *Lc* 16, 19-31.
[214] Cf. *Prv* 8, 7; *2 Sam* 7, 28.
[215] Cf. *Ps* 119, 142.
[216] Cf. *Lc* 1, 50.
[217] Cf. *Ps* 119, 30.

2153

2466   Veritas Dei in Iesu Christo est integre manifestata. Ipse, plenus gratiae et veritatis,[218] est « lux mundi » (*Io* 8, 12). Ipse *est veritas.*[219] Omnis qui credit in Eum, in tenebris non manet.[220] Iesu discipulus manet in sermone Eius, ut cognoscat veritatem quae liberat[221] et sanctificat.[222] Iesum sequi est de Spiritu veritatis vivere[223] quem Pater mittit in nomine Eius[224] et qui deducit « in omnem veritatem » (*Io* 16, 13). Iesus Suos discipulos docet amorem absolutum veritatis: « Sit autem sermo vester: 'Est, est' 'Non, non' » (*Mt* 5, 37).

2104

2467   Homo naturaliter ad veritatem tendit. Illam honorare et testari tenetur. « Secundum dignitatem suam homines cuncti, quia personae sunt, [...] sua ipsorum natura impelluntur necnon morali tenentur obligatione ad veritatem quaerendam, illam imprimis quae religionem spectat. Tenentur quoque veritati cognitae adhaerere atque totam vitam suam iuxta exigentias veritatis ordinare ».[225]

1458

2468   Veritas, tamquam rectitudo in modo agendi et in sermone humano nomen habet *veracitatis*, sinceritatis vel aperti animi. Veritas seu veracitas virtus est quae in eo consistit ut quis se verum suis actibus ostendat et verum suis dicat verbis, duplicitatem, simulationem et hypocrisim vitando.

1807

2469   « Non [...] possent homines ad invicem convivere nisi sibi invicem *crederent*, tamquam sibi invicem veritatem manifestantibus ».[226] Virtus veritatis alteri iuste reddit quod ei debetur. Veritas iustum medium tenet inter id quod exprimi debet, et secretum quod servandum est: honestatem implicat et discretionem. In iustitia, « ex honestate unus homo alteri debet veritatis manifestationem ».[227]

2470   Christi discipulus « vivere in veritate » acceptat, id est, in simplicitate vitae conformis exemplo Domini et permanentis in Eius veritate. « Si dixerimus quoniam communionem habemus cum Eo et in tenebris ambulamus, mentimur et non facimus veritatem » (*1 Io* 1, 6).

---

[218] Cf. *Io* 1, 14.
[219] Cf. *Io* 14, 6.
[220] Cf. *Io* 12, 46.
[221] Cf. *Io* 8, 31-32.
[222] Cf. *Io* 17, 17.
[223] Cf. *Io* 14, 17.
[224] Cf. *Io* 14, 26.
[225] Concilium Vaticanum II, Decl. *Dignitatis humanae*, 2: AAS 58 (1966) 931.
[226] Sanctus Thomas Aquinas, *Summa theologiae,* 2-2, q. 109, a. 3, ad 1: Ed. Leon. 9, 418.
[227] Sanctus Thomas Aquinas, *Summa theologiae,* 2-2, q. 109, a. 3, c: Ed. Leon. 9, 418.

II. « Testimonium perhibere veritati »

2471   Christus, coram Pilato, proclamat Se ad hoc venisse in mundum, ut testimonium perhibeat veritati.[228] Christianus non debet « erubescere testimonium Domini » (*2 Tim* 1, 8). Christianus, in casibus qui testimonium exigunt fidei, illam debet sine ambiguitate profiteri, secundum exemplum sancti Pauli coram iudicibus. Oportet eum « sine offendiculo conscientiam habere ad Deum et ad homines » (*Act* 24, 16).

1816

2472   Officium christianorum vitam Ecclesiae participandi, eo impellit ut agant tamquam *testes Evangelii* atque obligationum quae ex hoc proveniunt. Hoc testimonium transmissio fidei est verbis et actibus. Testimonium actus est iustitiae qui stabilit veritatem vel efficit ut ipsa cognoscatur:[229]

863, 905
1807

> « Omnes [...] christifideles ubicumque vivunt, exemplo vitae et testimonio verbi novum hominem, quem per Baptismum induerunt, et virtutem Spiritus Sancti, a quo per Confirmationem roborati sunt, [...] manifestare tenentur ».[230]

2473   *Martyrium* testimonium est supremum veritati fidei perhibitum; ipsum denotat testimonium quod usque ad mortem procedit. Martyr testimonium perhibet Christo, mortuo et resuscitato, cui ipse caritate est coniunctus. Testimonium perhibet veritati fidei et doctrinae christianae. Mortem tolerat per fortitudinis actum. « Sinite me ferarum cibum esse, per quas Deum consequi licet ».[231]

852
1808
1258

2474   Ecclesia, maxima cura, memorias collegit eorum qui usque ad finem ad suam fidem testandam processerunt. Haec sunt martyrum acta. Veritatis constituunt archiva litteris scripta sanguinis:

> « Nihil mihi proderunt mundi fines neque huius saeculi regna. Praestat mihi in Christo Iesu mori, quam finibus terrae imperare. Illum quaero, qui pro nobis mortuus est; Illum volo, qui propter nos resurrexit. Partus mihi instat... ».[232]

1011

> « Benedico Tibi, quoniam me hac die et hac hora dignatus es, ut in numero martyrum acciperem partem [...]. Adimplevisti, Deus, mendacii

---

[228] Cf. *Io* 18, 37.
[229] Cf. *Mt* 18, 16.
[230] CONCILIUM VATICANUM II, Decr. *Ad gentes*, 11: AAS 58 (1966) 959.
[231] SANCTUS IGNATIUS ANTIOCHENUS, *Epistula ad Romanos,* 4, 1: SC 10bis, p. 110 (FUNK 1, 256).
[232] SANCTUS IGNATIUS ANTIOCHENUS, *Epistula ad Romanos,* 6, 1: SC 10bis, p. 114 (FUNK 1, 258-260).

nescius ac verax. Quapropter de omnibus Te laudo, Tibi benedico, Te glorifico per sempiternum et caelestem Pontificem Iesum Christum, dilectum Tuum Filium, per quem Tibi cum Ipso et in Spiritu Sancto gloria et nunc et in futura saecula. Amen ».[233]

III. Contra veritatem offensae

2475 Discipuli Christi induerunt « novum hominem, qui secundum Deum creatus est in iustitia et sanctitate veritatis » (*Eph* 4, 24). « Deponentes mendacium » (*Eph* 4, 25), reiicere debent « omnem malitiam et omnem dolum et simulationes et invidias et omnes detractiones » (*1 Pe* 2, 1).

2152 2476 *Falsum testimonium et periurium*. Assertio veritati contraria, cum publice emittitur, peculiarem induit gravitatem. Id, coram tribunali, falsum testimonium fit.[234] Cum id iureiurando fit, agitur de periurio. Hi agendi modi conferunt sive ad innocentem damnandum sive ad culpabilem excusandum sive ad augendam sanctionem quam accusatus incurrit.[235] Graviter in discrimen ducunt exercitium iustitiae et aequitatem sententiae a iudicibus prolatae.

2477 *Observantia existimationis personarum* omnem vetat habitudinem omneque verbum quae iniustum damnum possunt illis inferre.[236] Culpabilis fit:

— *iudicii temerarii*, qui, etiam tacite, defectum moralem in proximo, tamquam verum, sine sufficienti admittit fundamento;
— *detractionis*, qui sine ratione obiective valida defectus aliorum vel culpas personis ea ignorantibus manifestat; [237]
— *calumniae*, qui assertionibus veritati contrariis existimationi nocet aliorum et occasionem praebet falsis iudiciis de illis.

2478 Ad iudicium vitandum temerarium, unusquisque, quantum fieri potest, sensu favorabili, cogitationes, verba et actiones proximi sui curabit interpretari:

« Supponendum est, christianum unumquemque pium debere promptiore animo sententiam seu propositionem obscuram alterius in bonam

---

[233] *Martyrium Polycarpi,* 14, 2-3: SC 10bis, p. 228 (FUNK 1, 330-332).
[234] Cf. *Prv* 19, 9.
[235] Cf. *Prv* 18, 5.
[236] Cf. CIC canon 220.
[237] Cf. *Eccli* 21, 28.

trahere partem, quam damnare. Si vero nulla eam ratione tutari possit, exquirat dicentis mentem; et si minus recte sentiat vel intelligat, corripiat benigne; hoc nisi sufficit, vias omnes opportunas tentet, quibus illum sanum intellectu, ac securum reddat ab errore ».[238]

2479	Detractio et calumnia *existimationem et honorem proximi* destruunt. Honor autem est sociale testimonium dignitati humanae praestitum, et unusquisque iure gaudet naturali ad sui nominis honorem, ad suam existimationem et ad observantiam. Sic detractio et calumnia virtutes laedunt iustitiae et caritatis.					1753

2480	Omne verbum omnisque habitudo sunt vetanda quae, *assentatione, adulatione vel obsequentia* alium excitant et confirmant in malitia actuum eius et in perversitate eius agendi modi. Adulatio culpa est gravis, si complex vitiorum et peccatorum gravium efficiatur. Optatum reddendi servitium vel amicitia duplicitatem sermonis non iustificant. Adulatio peccatum est veniale cum ipsa solummodo intendit ut grata sit, ut malum vitet, ut cuidam occurrat necessitati, ut commoda obtineat legitima.

2481	*Iactantia* vel venditatio culpam constituunt contra veritatem. Idem dicendum est de *ironia* quae tendit ad aliquem detrectandum, depingendo ridicule, modo malevolo, aliquem aspectum eius agendi modi.

2482	« Enuntiationem falsam cum voluntate ad fallendum prolatam manifestum est esse *mendacium* ».[239] Dominus opus diabolicum denuntiat in medacio: « Vos ex patre Diabolo estis [...]. Non est veritas in eo. Cum loquitur mendacium, ex propriis loquitur, quia mendax est et pater eius » (*Io* 8, 44).					392

2483	Mendacium est directissima contra veritatem offensa. Mentiri est contra veritatem loqui vel agere ad inducendum in errorem. Mendacium, relationem hominis ad veritatem et ad proximum laedens, fundamentali nocet relationi hominis eiusque verbi ad Dominum.

2484	*Mendacii gravitas* mensuratur secundum naturam veritatis quam deformat, secundum circumstantias, intentiones illius qui id committit, et damna quae ii patiuntur qui eius sunt victimae. Si mendacium in se peccatum constituit solummodo veniale, efficitur mortale, cum graviter iustitiae et caritatis laedit virtutes.					1750

2485	Mendacium sua natura est damnabile. Profanatio est verbi quod habet tamquam scopum aliis cognitam communicare veritatem. Proposi-					1756

---

[238] Sanctus Ignatius de Loyola, *Exercitia spiritualia*, 22: MHSI 100, 164.
[239] Sanctus Augustinus, *De mendacio*, 4, 5: CSEL 41, 419 (PL 40, 491).

tum deliberatum, assertis veritati contrariis, proximum inducendi in errorem constituit iustitiae et caritatis defectum. Maior est culpabilitas, cum intentio decipiendi in periculo versatur ne funestas habeat consequentias illis qui avertuntur a vero.

2486   Mendacium (quia violatio est virtutis veracitatis) est vera violentia alii illata. Illum vulnerat in eius cognoscendi capacitate quae condicio est omnis iudicii omnisque decisionis. In germine continet spirituum
1607   divisionem omniaque mala quae illa suscitat. Mendacium funestum est omni societati; inter homines suffodit fiduciam et relationum socialium scindit intextum.

2487   Quaelibet culpa contra iustitiam et veritatem commissa postulat
1459   *reparationis officium*, etiamsi eius auctori tributa sit venia. Cum impossibile est culpam publice reparare, id secreto facere opus est; si illi, qui damnum subiit, id directe non potest rependi, opus est illi moraliter sa-
2412   tisfacere, ratione caritatis. Hoc reparationis officium etiam refertur ad culpas contra alius existimationem commissas. Haec moralis et quandoque materialis reparatio aestimanda est secundum mensuram damni quod illatum est. Illa in conscientia obligat.

IV. Veritatis observantia

1740   2488   *Ius ad communicationem* veritatis absolutum non est. Unusquisque suam vitam ad praeceptum evangelicum amoris fraterni debet conformare. Hoc, in casibus concretis, postulat perpendere utrum oporteat veritatem revelare poscenti illam necne.

2489   Caritas et veritatis observantia debent responsum determinare omni *postulationi informationis vel communicationis*. Bonum et securitas aliorum, observantia vitae privatae, bonum commune rationes sunt sufficientes ad id tacendum quod non debet cognosci vel ad sermone
2284   utendum prudenti. Officium vitandi scandalum saepe strictum ordinat silentium. Nemo tenetur ad veritatem revelandam ei qui ius ad illam cognoscendam non habet.[240]

1467   2490   *Secretum sacramenti Reconciliationis* sacrum est, nec sub ullo potest prodi praetextu. « Sacramentale sigillum inviolabile est; quare nefas

---

[240] Cf. *Eccli* 27, 17; *Prv* 25, 9-10.

est confessario verbis vel alio quovis modo et quavis de causa aliquatenus prodere paenitentem ».[241]

2491   *Secreta officiosa* — illa quae, exempli gratia, ab hominibus politicis, militaribus, medicis, iuristis retinentur — vel quae sub secreti sigillo amicaliter committuntur, servanda sunt, praeter casus exceptionales in quibus secreti custodia damna causaret gravissima ei qui illud concredidit, ei qui illud recepit vel tertiae personae, quaeque solum per veritatis evulgationem possint vitari. Informationes privatae, etiam si sub secreti sigillo non committantur, aliis damnosae evulgari non debent sine motivo gravi et proportionato.

2492   Unusquisque iustam tenere debet circumspectionem quoad vitam privatam personarum. Responsabiles communicationis debent iustam servare proportionem inter boni communis exigentias et iurium particularium observantiam. Informationis invasio in vitam privatam personarum activitati politicae vel publicae deditarum damnabilis est quatenus earum intimitati et libertati insidiatur.   2522

V. Usus mediorum communicationis socialis

2493   In moderna societate, media communicationis socialis maiores habent partes in informatione, in promotione culturali et in formatione. Hae partes augentur propter technicae artis progressiones, propter amplitudinem et diversitatem nuntiorum evulgatorum, propter influxum in opinionem publicam exercitum.

2494   Informatio per media est in servitium boni communis.[242] Societas ius habet ad informationem fundatam in veritate, libertate, iustitia et solidarietate: 1906

> « Huius tamen rectum iuris exercitium expostulat ut, quoad suum obiectum communicatio sit semper vera atque, iustitia et caritate servatis, integra; praeterea quoad modum, sit honesta et conveniens, scilicet leges morales hominisque legitima iura et dignitatem, cum in nuntiis quaeritandis tum in evulgandis, sancte servet ».[243]

2495   « Necesse est ut omnia societatis membra sua iustitiae et caritatis officia, hac quoque in provincia, adimpleant; itaque, istorum etiam instrumentorum   906

---

[241] CIC canon 983, § 1.
[242] Cf. CONCILIUM VATICANUM II, Decr. *Inter mirifica*, 11: AAS 56 (1984) 148-149.
[243] CONCILIUM VATICANUM II, Decr. *Inter mirifica*, 5: AAS 56 (1964) 147.

ope, contendant ad rectas publicas opiniones efformandas atque pandendas ».[244]
Solidarietas apparet tamquam consequentia verae et iustae communicationis,
atque liberi cursus idearum, quae aliorum cognitioni favent et observantiae.

2525

2496   Communicationis socialis media (praesertim media pro hominum massa)
quemdam animum passivum possunt generare in usuariis, eosdem parum vigilantes consumptores efficiendo nuntiorum vel spectaculorum. Usuarii sibi moderationem et disciplinam imponere debent relate ad media pro hominum massa.
Conscientiam sibi debent efformare illustratam et rectam quo facilius influxibus
minus honestis resistant.

2497   Responsabiles ephemeridum, ratione sui ipsius muneris, obligationem habent, in informatione evulganda, veritati serviendi et caritatem non laedendi.
Eadem cura, observare nitentur naturam factorum et limites iudicii critici de
personis. Vitare debent diffamationi succumbere.

2237

2286

2498   « *Civilis auctoritas* hac in re peculiaribus officiis obstringitur ratione boni
communis [...]. Eiusdem enim auctoritatis est, pro suo munere, informationis
veram iustamque libertatem [...] defendere ac tutari ».[245] Publicae potestates, leges
promulgando et earum applicationi vigilando, praestabunt « ne ex horum instrumentorum pravo usu gravia discrimina publicis moribus et societatis progressui obveniant ».[246] Violationem punient iurium uniuscuiusque ad existimationem et ad vitae privatae secretum. Opportune et honeste informationes praebe-
bunt quae bonum respiciunt generale vel iustis respondent incolarum inquietu-
dinibus. Nihil potest iustificare recursum ad falsas informationes ut publica opinio artificiose deformetur per media. Hi interventus libertati individuorum et
coetuum inferre non debent vulnus.

1903

2499   Sensus moralis plagam denuntiat Statuum totalitariorum qui systematice
veritatem adulterant, politicum opinionis exercent dominatum per media, « artificiose deformant » accusatos et testes publicorum processuum et suam tyranni-
dem firmare arbitrantur praecidendo et reprimendo quidquid ipsi tamquam
« opinionis delicta » considerant.

VI.   Veritas, pulchritudo et ars sacra

1804

2500   Gratuita spiritualis delectatio et pulchritudo moralis exercitium
comitantur boni. Pariter, veritas secum fert gaudium et splendorem pulchritudinis spiritualis. Veritas est per se ipsam pulchra. Verbi veritas,
rationalis expressio cognitionis realitatis creatae et increatae, homini intelligentia praedito est necessaria, sed veritas alias etiam formas potest

---

[244] Concilium Vaticanum II, Decr. *Inter mirifica*, 8: AAS 56 (1964) 148.
[245] Concilium Vaticanum II, Decr. *Inter mirifica*, 12: AAS 56 (1964) 149.
[246] Concilium Vaticanum II, Decr. *Inter mirifica*, 12: AAS 56 (1964) 149.

invenire expressionis humanae, ut complementum, maxime cum agitur de suggerendo id quod illa ineffabile implicat, cordis humani profunditates, animae elevationes, Dei mysterium. Deus, etiam priusquam Se homini verbis revelet veritatis, eidem revelatur per universalem sermonem creationis, operis Verbi Sui, Sapientiae Suae: a mundi universi ordine et harmonia — quae et puer et homo scientificus detegunt —, « a magnitudine [...] et pulchritudine creaturarum cognoscibiliter potest Creator horum videri » (*Sap* 13, 5), « speciei enim principium et auctor constituit ea » (*Sap* 13, 3).

> « Halitus est enim [Sapientia] virtutis Dei et emanatio claritatis Omnipotentis sincera; ideo nihil inquinatum in eam incurrit: candor est enim lucis aeternae et speculum sine macula Dei potentiae et imago bonitatis Illius » (*Sap* 7, 25-26). « Est enim haec speciosior sole et super omnem dispositionem stellarum; luci comparata invenitur splendidior: illi enim succedit nox, Sapientiam autem non vincit malitia » (*Sap* 7, 29-30). « Amator factus sum formae illius » (*Sap* 18, 2).

2501 Homo « ad imaginem Dei creatus »,[247] veritatem suae relationis ad Deum Creatorem per suorum artificiosorum operum etiam exprimit pulchritudinem. *Ars*, re vera, expressionis proprie humanae est forma; ultra conatum necessitatibus vitalibus satisfaciendi, qui omnibus creaturis viventibus est communis, ipsa est superabundantia gratuita interiorum divitiarum creaturae humanae. Ars, e talento praestito a Creatore et ex ipsius hominis nisu orta, forma est sapientiae practicae, cognitionem et industriam coniungens[248] ad formam praebendam veritati realitatis in sermone pervio ad visum et ad auditum. Sic ars quamdam implicat similitudinem cum activitate Dei in creatione, quatenus rerum veritate inspiratur et amore. Ars, sicut quaelibet alia humana activitas, finis in se ipsa non est absolutus, sed ultimo hominis ordinatur fini eoque nobilitatur.[249]

2502 *Ars sacra* vera est et pulchra, cum per suam formam suae propriae correspondet vocationi: in fide et adoratione, suggerere et glorificare transcendens mysterium Dei, supereminentis invisibilis pulchritudinis veritatis et amoris, quae apparuit in Christo qui est « splendor gloriae et figura substantiae Eius » (*Heb* 1, 3), in quo « inhabitat omnis plenitudo divinitatis corporaliter » (*Col* 2, 9), qui pulchritudo est spiri-

247 Cf. *Gn* 1, 26.
248 Cf. *Sap* 7, 17.
249 Cf. Pius XII, *Nuntius radiophonicus* (24 decembris 1955): AAS 48 (1956) 26-41; Id., *Nuntius radiophonicus sociis sodalitatis iuvenum operariorum christianorum (J.O.C.)* (3 septembris 1950): AAS 42 (1950) 639-642.

tualis in beatissima Virgine Maria, angelis et sanctis resplendens. Vera ars sacra hominem ad adorationem ducit, ad orationem et ad amorem Dei Creatoris et Salvatoris, Sancti et Sanctificatoris.

2503   Hac de causa, debent Episcopi, per se ipsos vel per delegatos, vigilare ut ars sacra, antiqua et nova, in omnibus suis promoveatur formis, et, cum eadem cura religiosa, ut a liturgia et a cultus aedificiis removeatur omne quod veritati fidei et authenticae pulchritudini artis *sacrae* conforme non est.[250]

Compendium

2504   «*Non loqueris contra proximum tuum falsum testimonium*» (*Ex* 20, 16). *Christi discipuli induerunt* «*novum hominem, qui secundum Deum creatus est in iustitia et sanctitate veritatis*» (*Eph* 4, 24).

2505   *Veritas seu veracitas virtus est quae in eo consistit ut quis se verum suis actibus ostendat et verum suis dicat verbis, duplicitatem, simulationem et hypocrisim vitando.*

2506   *Christianus non debet* «*erubescere testimonium Domini*» (*2 Tim* 1, 8) *opere et verbo. Martyrium supremum est testimonium veritati fidei perhibitum.*

2507   *Observantia existimationis et honoris personarum omnem habitudinem omneque vetat verbum detractionis vel calumniae.*

2508   *Mendacium est falsum dicere cum intentione fallendi proximum.*

2509   *Culpa contra veritatem commissa reparationem postulat.*

2510   *Regula aurea, in casibus concretis, adiuvat ad discernendum utrum oporteat veritatem revelare poscenti illam necne.*

2511   «*Sacramentale sigillum inviolabile est*».[251] *Secreta officiosa servanda sunt. Informationes secretae aliis damnosae evulgari non debent.*

2512   *Societas ad informationem fundatam in veritate, libertate, iustitia habet ius. Oportet sibi moderationem imponere et disciplinam in usu mediorum communicationis socialis.*

---

[250] Cf. CONCILIUM VATICANUM II, Const. *Sacrosanctum Concilium*, 122-127: AAS 56 (1964) 130-132.
[251] CIC canon 983, § 1.

2513   *Pulchrae artes, sed praecipue ars sacra* « *natura sua ad infinitam puchritudinem divinam spectant, humanis operibus aliquomodo exprimendam, et Deo Eiusdemque laudi et gloriae provehendae eo magis addicuntur, quo nihil aliud eis propositum est, quam ut operibus suis ad hominum mentes pie in Deum convertendas maxime conferant* ».[252]

Articulus 9

NONUM PRAECEPTUM

« Non concupisces domum proximi tui: non desiderabis uxorem eius, non servum, non ancillam, non bovem, non asinum nec omnia, quae illius sunt » (*Ex* 20, 17).

« Omnis, qui viderit mulierem ad concupiscendum eam, iam moechatus est eam in corde suo » (*Mt* 5, 28).

2514   Sanctus Ioannes tres cupiditatis seu concupiscentiae distinguit species: concupiscentiam carnis, concupiscentiam oculorum et superbiam vitae.[253] Secundum catholicam catecheticam traditionem, nonum praeceptum concupiscentiam vetat carnalem; decimum concupiscentiam prohibet boni alieni.   377, 400

2515   Sensu etymologico, « concupiscentia » omnem formam potest indicare humani optati. Theologia christiana eidem sensum particularem tribuit motus appetitus sensibilis qui operi rationis humanae adversatur. Sanctus Paulus eam rebellioni comparat quam « caro » ducit adversus « spiritum ».[254] Illa ab inoboedientia procedit primi peccati.[255] Eadem facultates morales perturbat hominis et, quin culpa sit in se ipsa, hunc ad peccata inclinat committenda.[256]   405

2516   Iam in homine, quia ipse *ens compositum* est, *spiritus et corpus*, quaedam inest contentio, quaedam tendentiarum initur pugna inter « spiritum » et « carnem ». Sed, revera, haec lucta ad hereditatem perti-   362

---

[252] Concilium Vaticanum II, Const. *Sacrosanctum Concilium*, 122: AAS 56 (1964) 130-131.
[253] Cf. *1 Io* 2, 16 (Vulgata).
[254] Cf. *Gal* 5, 16. 17. 24; *Eph* 2, 3.
[255] Cf. *Gn* 3, 11.
[256] Cf. Concilium Tridentinum, Sess. 5ª, *Decretum de peccato originali*, canon 5: DS 1515.

407   net peccati, eius est consequentia et insimul confirmatio. Ipsa ad quotidianam experientiam dimicationis spiritualis pertinet:

> « Liquet Apostolum nec discriminare nec condemnare corpus, quod cum anima spirituali efficit naturam hominis eiusque subiectivam indolem personalem; sed contra tractare de *operibus* vel potius de stabilibus habitibus — virtutibus et vitiis — moraliter *bonis aut malis*, quae sunt *fructus oboedientiae* (in priore casu) *aut renisus* (in altero casu) *quoad actionem salvificam Spiritus Sancti.* Quare Apostolus scribit: 'Si vivimus Spiritu, Spiritu et ambulemus' (*Gal* 5, 25) ».[257]

I. Purificatio cordis

368   2517 Cor sedes est personalitatis moralis: « De corde enim exeunt cogitationes malae, homicidia, adulteria, fornicationes » (*Mt* 15, 19). Pugna contra concupiscentiam carnalem purificationem implicat cordis et
1809   exercitium temperantiae:

> « Simplicitatem tene et innocens esto et eris sicut infantes, qui ignorant nequitiam vitam hominum perdentem ».[258]

2518 Sexta beatitudo proclamat: « Beati mundo corde, quoniam ipsi Deum videbunt » (*Mt* 5, 8). « Munda corda » illos indicant qui suum intellectum suamque voluntatem sanctitatis Dei conformant exigentiis, praecipue in tribus ambitibus: in caritate,[259] in castitate seu sexuali recti-
94   tudine,[260] in amore veritatis et orthodoxiae fidei.[261] Vinculum est inter puritatem cordis, corporis et fidei:

> Fideles Symboli credere debent articulos, « ut credendo subiugentur Deo, subiugati recte vivant, recte vivendo cor mundent, corde mundato
158   quod credunt intellegant ».[262]

2548   2519 « Mundis cordibus » promittitur videre Deum facie ad faciem Eique esse similes.[263] Cordis puritas condicio est praevia visioni. Hinc iam
2819   nobis praebet ut *secundum* Deum videamus, alterum accipiamus tamquam « proximum »; nobis permittit ut corpus humanum percipiamus,

---

[257] Ioannes Paulus II, 13,1997 Litt. enc. *Dominum et vivificantem,* 55: AAS 78 (1986) 877-878.
[258] Hermas, *Pastor* 27, 1 (*mandatum* 2, 1): SC 53, 146 (Funk 1, 70).
[259] Cf. *1 Thess* 4, 3-9; *2 Tim* 2, 22.
[260] Cf. *1 Thess* 4, 7; *Col* 3, 5; *Eph* 4, 19.
[261] Cf. *Tit* 1, 15; *1 Tim* 1, 3-4; *2 Tim* 2, 23-26.
[262] Sanctus Augustinus, *De fide et Symbolo,* 10, 25: CSEL 25, 32 (PL 40, 196).
[263] Cf. *1 Cor* 13, 12; *1 Io* 3, 2.

nostrum et illud proximi, tamquam templum Spiritus Sancti, manifestationem divinae pulchritudinis. 2501

II. Pro puritate dimicatio

2520 Baptismus ei, qui illum recipit, confert gratiam purificationis om- 1264
nium peccatorum. Sed baptizatus pergere debet contra carnis concupiscentiam et cupiditates inordinatas certare. Cum gratia Dei ad id pervenit:

— *virtute et dono castitatis*, quia castitas corde recto et sine divisione 2337
amare permittit;
— *intentionis puritate*, quae consistit in intendendo ad verum hominis 1752
finem: baptizatus, oculo simplici, in omnibus voluntatem Dei invenire et adimplere nititur; [264]
— *puritate intuitus*, exterioris et interioris; disciplina sensuum et imagi- 1762
nationis; reiectione omnis obsequentiae in impuris cogitationibus
quae inclinant ad se avertendum a mandatorum divinorum via:
« Aspectus insensatis in concupiscentiam venit » (*Sap* 15, 5);
— *oratione*: 2846

« Propriarum virium credebam esse continentiam, quarum mihi non
eram conscius, cum tam stultus essem, ut nescirem [...] neminem posse
esse continentem, nisi Tu dederis. Utique dares, si gemitu interno pulsa-
rem aures Tuas et fide solida in Te iactarem curam meam ».[265]

2521 Puritas postulat *pudorem*. Hic temperantiae est pars integralis.
Pudor intimitatem praeservat personae. Indicat reiectionem develandi id
quod occultum debet manere. Ad castitatem ordinatur, cuius etiam testatur circumspectionem. Intuitus et gestus dirigit dignitati personarum
unionisque earum conformes.

2522 Pudor mysterium protegit personarum et amoris earum. Ad pa- 2492
tientiam invitat et ad moderationem in amoris relatione; postulat ut
condiciones serventur doni et definitivae obligationis viri et mulieris inter se. Pudor est modestia. Vestium inspirat electionem. Silentium vel
circumspectionem tenet, cum morbidae curiositatis pellucet periculum.
Ipsa fit discretio.

2523 Sensuum exstat pudor sicut etiam corporis. Ipse insurgit, exempli gratia, 2354
contra corporis humani exhibitiones quae illud ad insanam curiositatem foven-

---

[264] Cf. *Rom* 12, 2; *Col* 1, 10.
[265] SANCTUS AUGUSTINUS, *Confessiones*, 6, 11, 20: CCL 27, 87 (PL 32, 729-730).

dam in quibusdam pervulgationibus ostentant vel contra sollicitationem quorumdam mediorum communicationis ad nimis longe progrediendum in intimis secretis amicaliter commissis revelandis. Pudor quemdam vivendi modum inspirat qui permittit resistere sollicitationibus hodierni moris et impulsibus ideologiarum dominantium.

2524 Formae, quas pudor induit, ab alia in aliam culturam variant. Ubique tamen ipse dignitatis spiritualis homini propriae permanet praesensio. Nascitur expergefactione conscientiae subiecti. Pueros et adulescentes docere pudorem est personae humanae suscitare observantiam.

2344   2525 Puritas christiana *purificationem socialis atmospherae* postulat. A communicationis socialis mediis informationem exigit quae observantiae et discretionis habeant curam. Cordis puritas ab erotismo liberat grassante et spectacula amovet quae insanae curiositati et indecoris imaginibus favent.

1740   2526 Id, quod *morum permissivus animus* appellatur, super erroneum sistit conceptum humanae libertatis; haec, ad se aedificandam, eget ut prius se lege morali educari permittat. Oportet ab educationis responsabilibus postulare ut iuvenibus tribuant institutionem, quae veritatem, qualitates cordis et dignitatem moralem et spiritualem hominis observet.

1204   2527 « Bonum Christi nuntium hominis lapsi vitam et cultum continenter renovat, et errores ac mala, ex semper minaci peccati seductione manantia, impugnat et removet. Mores populorum indesinenter purificat et elevat. Animi ornamenta dotesque cuiuscumque populi vel aetatis supernis divitiis velut ab intra fecundat, communit, complet atque in Christo restaurat ».[266]

Compendium

2528 « *Omnis, qui viderit mulierem ad concupiscendum eam, iam moechatus est eam in corde suo* » (*Mt* 5, 28).

2529 *Nonum praeceptum contra cupiditatem seu concupiscentiam carnalem ad vigilantiam excitat.*

2530 *Pugna contra concupiscentiam carnalem purificationem implicat cordis et exercitium temperantiae.*

2531 *Puritas cordis nobis Deum videre praebebit: eadem hinc iam nobis praebet ut omnia secundum Deum videamus.*

[266] Concilium Vaticanum II, Const. past. *Gaudium et spes*, 58: AAS 58 (1966) 1079.

2532   *Cordis purificatio orationem exigit, castitatis exercitium, puritatem intentionis et intuitus.*

2533   *Puritas cordis postulat pudorem, qui patientia est, modestia et discretio. Pudor intimitatem praeservat personae.*

Articulus 10

DECIMUM PRAECEPTUM

« Non concupisces [...] omnia, quae [...] [proximi tui] sunt » (*Ex* 20, 17). « Nec desiderabis domum proximi tui, non agrum, non servum, non ancillam, non bovem, non asinum et universa, quae illius sunt » (*Dt* 5, 21).

« Ubi [...] est thesaurus tuus, ibi erit et cor tuum » (*Mt* 6, 21).

2534   Decimum praeceptum explicat et complet nonum, quod ad carnis refertur concupiscentiam. Hoc boni alieni prohibet cupiditatem, radicem furti, rapinae et fraudis, quae septimum vetat praeceptum. « Concupiscentia oculorum » (*1 Io* 2, 16) ad violentiam ducit et ad iniustitiam a quinto praecepto vetitas.[267] Cupiditas, sicut fornicatio, suam invenit originem in idololatria tribus primis praescriptionibus Legis prohibita.[268] Decimum praeceptum ad intentionem refertur cordis; ipsum, cum nono, omnia Legis praecepta compendiat.

2112
2069

I. Cupiditatum inordinatio

2535   Appetitus sensibilis nos ducit ad gratas desiderandas res, quas non habemus. Sic desiderare edere, cum quis fame laborat vel calefieri, cum quis alget. Haec desideria in se ipsis sunt bona; attamen saepe rationis non servant moderationem nosque impellunt ad iniuste cupiendum quod nobis non correspondet quodque ad alios pertinet vel eis debetur.

1767

2536   Decimum praeceptum *aviditatem* vetat et desiderium appropriationis bonorum terrestrium sine mensura; inordinatam prohibet *cupiditatem* natam ab immoderata passione divitiarum earumque potentiae. Etiam desiderium interdicit committendi iniustitiam per quam proximo damnum in eius bonis inferretur temporalibus:

2445

[267] Cf. *Mich* 2, 2.
[268] Cf. *Sap* 14, 12.

> « Cum Lege ita caveatur: *Non concupisces*, haec verba ad eum sensum referuntur, ut nostras cupiditates a rebus alienis cohibeamus. Alienarum enim rerum cupiditatis sitis immensa est atque infinita, neque unquam satiatur, ut scriptum est: *Avarus non implebitur pecunia* (*Eccle* 5, 9) ».[269]

2537 Hoc praeceptum non violatur desiderando res obtinere quae ad proximum pertinent, dummodo id iustis sit mediis. Traditionalis catechesis cum sensu realitatis indicat illos « qui prae ceteris hoc cupiditatis vitio laborant » et quos proinde oportet « ad colendum hoc praeceptum diligentius cohortari »:

> « illi sunt [...] mercatores [...], qui rerum penuriam annonaeque caritatem expetunt, atque id aegre ferunt, ut alii praeter ipsos sint qui vendant aut emant, quo carius vendere aut vilius emere ipsi possint; qua in re item peccant, qui alios egere cupiunt, ut aut vendendo aut emendo ipsi lucrentur. [...] Medici item qui morbos desiderant; iure consulti qui causarum litiumque vim copiamque concupiscunt... ».[270]

2317   2538 Decimum praeceptum *invidiam* ex corde humano exigit expellere. Cum propheta Nathan poenitentiam regis David stimulare cupiebat, ei historiam enarravit pauperis, qui nihil habebat praeter unam ovem tamquam suam propriam filiam tractatam, et divitis, qui, non obstante suorum gregum multitudine, ei invidebat suamque ovem est denique

391   furatus.[271] Invidia ad pessima ducere potest facinora.[272] « Invidia autem Diaboli mors introivit in orbem terrarum » (*Sap* 2, 24):

> « Nosque adversus nos ipsos mutuo stamus, livore nimirum arma porrigente. [...] Cum omnes id agimus ut diruamus [corpus Christi], quis tandem finis erit? [...] Christi [...] corpus mortuum reddidimus. [...] Cumque membra omnes vocemus, ferarum tamen ritu inter nos dissidemus ».[273]

1866   2539 Invidia vitium est capitale. Indicat tristitiam, quam quis experitur coram bono alieno, et immoderatum desiderium illud faciendi suum, etiam modo indebito. Cum eadem malum grave proximo exoptat, peccatum est mortale:

---

[269] *Catechismus Romanus*, 3, 10, 13: ed. P. Rodríguez (Città del Vaticano-Pamplona 1989) p. 518.
[270] *Catechismus Romanus*, 3, 10, 23: ed. P. Rodríguez (Città del Vaticano-Pamplona 1989) p. 523.
[271] Cf. *2 Sam* 12, 1-4.
[272] Cf. *Gn* 4, 3-8; *1 Reg* 21, 1-29.
[273] Sanctus Ioannes Chrysostomus, *In epistulam II ad Corinthios*, homilia 27, 3-4: PG 61, 588.

Sanctus Augustinus in invidia perspiciebat « diabolicum vitium ».[274]

« De invidia, odium, susurratio, detractio, exsultatio in adversis proximi, afflictio autem in prosperis nascitur ».[275]

2540 Invidia est quaedam tristitiae forma et propterea caritatis reiectio; baptizatus adversus illam pugnabit benevolentia. Invidia saepe a superbia provenit; baptizatus se exercebit ad vivendum in humilitate: 1829

« Per me vellem Deum gloria affici. Ergo gaude florente fratre, et per te Deus glorificabitur, omnesque dicent 'Benedictus Deus' qui tales habet famulos, invidia omni liberos, qui de aliorum bonis mutuo gaudent ».[276]

II. Spiritus desideria

2541 Legis et gratiae Oeconomia a cupiditate et invidia cor hominum avertit; illud excelsi Boni initiat desiderio; illud instruit desideriis Spiritus Sancti qui hominis satiat cor.   1718, 2764

Deus promissionum semper hominem commonefecit contra seductionem illius quod, inde ab originibus, apparet « bonum [...] ad vescendum et pulchrum oculis et desiderabile [...] ad intelligendum » (*Gn* 3, 6).   397

2542 Lex Israel collata nunquam sufficiens fuit ad iustificandos eos qui illi erant subiecti; ipsa est etiam « concupiscentiae » instrumentum effecta.[277] Adaequationis defectus inter velle et facere [278] conflictionem indicat inter Legem Dei, quae est lex mentis, et alteram legem « captivantem me in lege peccati, quae est in membris meis » (*Rom* 7, 23).   1963

2543 « Nunc autem sine Lege iustitia Dei manifestata est, testificata a Lege et Prophetis, iustitia autem Dei per fidem Iesu Christi, in omnes qui credunt » (*Rom* 3, 21-22). Exinde christifideles « carnem crucifixerunt cum vitiis et concupiscentiis » (*Gal* 5, 24); ipsi a Spiritu ducuntur [279] et Spiritus desideria sequuntur.[280]   1992

---

[274] Sanctus Augustinus, *De disciplina christiana*, 7, 7: CCL 46, 214 (PL 40, 673); Id., *Epistula* 108, 3, 8: CSEL 34, 620 (PL 33, 410).

[275] Sanctus Gregorius Magnus, *Moralia in Iob*, 31, 45, 88: CCL 143b, 1610 (PL 76, 621).

[276] Sanctus Ioannes Chrysostomus, *In epistulam ad Romanos*, homilia 7, 5: PG 60, 448.

[277] Cf. *Rom* 7, 7.

[278] Cf. *Rom* 7, 15.

[279] Cf. *Rom* 8, 14.

[280] Cf. *Rom* 8, 27.

2443-2449 **III. Cordis paupertas**

2544 Iesus Suis praecipit discipulis ut Eum omni rei omnibusque prae-ferant personis et illis proponit ut abrenuntient omnibus quae possi-dent[281] propter Eum et propter Evangelium.[282] Paulo ante Suam passio-nem, illis, tamquam exemplum, pauperem Hierosolymorum proposuit viduam, quae, in sua indigentia, dedit quidquid habebat ad vivendum.[283] Praeceptum libertatis cordis coram divitiis obligatorium est ad intran-dum in Regnum coelorum.

544

2545 Omnes christifideles curare debent « ut affectus suos recte diri-gant, ne usu rerum mundanarum et adhaesione ad divitias contra spiri-tum paupertatis evangelicae a caritate perfecta prosequenda impedian-tur ».[284]

2013

2546 « Beati pauperes spiritu » (*Mt* 5, 3). Beatitudines ordinem reve-lant felicitatis et gratiae, pulchritudinis et pacis. Iesus gaudium celebrat pauperum, quorum iam est Regnum:[285]

1716

> « Videtur mihi Verbum paupertatem spiritus nominare voluntariam ani-mi humilitatem, atque huius exemplum Apostolus nobis Dei pauperta-tem proponit, dum dicit: Qui cum dives sit, propter nos pauper factus est (*2 Cor* 8, 9) ».[286]

2547 Dominus de divitibus lamentatur, quia ipsi in bonorum abundan-tia suam inveniunt consolationem.[287] « Superbi ergo appetant et diligant regna terrarum: Beati autem pauperes spiritu, quoniam ipsorum est Re-gnum coelorum ».[288] Se providentiae Patris coeli committere ab inquietu-dine liberat diei crastini. Fiducia in Deum ad beatitudinem disponit pauperum.[289] Ipsi Deum videbunt.

305

---

[281] Cf. *Lc* 14, 33.
[282] Cf. *Mc* 8, 35.
[283] Cf. *Lc* 21, 4.
[284] Concilium Vaticanum II, Const. dogm. *Lumen gentium*, 42: AAS 57 (1965) 49.
[285] Cf. *Lc* 6, 20.
[286] Sanctus Gregorius Nyssenus, *De beatitudinibus,* oratio 1: *Gregorii Nysseni opera,* ed. W. Jaeger, v. 7/2 (Leiden 1992) p. 83 (PG 44, 1200).
[287] Cf. *Lc* 6, 24.
[288] Sanctus Augustinus, *De sermone Domini in monte,* 1, 1, 3: CCL 35, 4 (PL 34, 1232).
[289] Cf. *Mt* 6, 25-34.

IV. « Deum videre cupio »

2548 Verae beatitudinis desiderium hominem separat ab immoderata affectione ad bona huius mundi, ut in visione et beatitudine impleatur Dei. « Promissio quidem [videndi Deum] tanta est, ut superet extremum terminum beatitudinis. [...] Nam videre in usu Scripturae, idem significat quod habere [...]. Ergo qui Deum vidit, quidquid in bonis numeratur, per hoc quod vidit, adeptus est ».[290]   2519

2549 Populo sancto restat, ut pugnet ad obtinenda, cum gratia ex alto, bona quae Deus promittit. Christifideles, ut Deum possideant et contemplentur, suas mortificant cupiditates et, cum gratia Dei, superant seductiones delectationis et potentiae.   2015

2550 In hac perfectionis via, Spiritus et Sponsa vocant eos, qui illos audiunt,[291] ad perfectam cum Deo communionem:

> « Vera ibi gloria erit, ubi laudantis nec errore quisquam nec adulatione laudabitur; verus honor, qui nulli negabitur digno, nulli deferetur indigno; sed nec ad eum ambiet ullus indignus, ubi nullus permittetur esse nisi dignus; vera pax, ubi nihil adversi nec a se ipso nec ab aliquo quisque patietur. Praemium virtutis erit Ipse, qui virtutem dedit eique Se Ipsum, quo melius et maius nihil possit esse, promisit. [...] 'Ero illorum Deus, et ipsi erunt mihi plebs' (*Lv* 26, 12) [...]. Sic enim et illud recte intellegitur, quod ait Apostolus: 'Ut sit Deus omnia in omnibus' (*1 Cor* 15, 28). Ipse finis erit desideriorum nostrorum, qui sine fine videbitur, sine fastidio amabitur, sine fatigatione laudabitur. Hoc munus, hic adfectus, hic actus profecto erit omnibus, sicut ipsa vita aeterna communis ».[292]   314

Compendium

2551 « *Ubi* [...] *est thesaurus tuus, ibi erit et cor tuum* » (*Mt* 6, 21).

2552 *Decimum praeceptum inordinatam prohibet cupiditatem, ab immoderata passione divitiarum earumque potentiae natam.*

2553 *Invidia tristitia est quam quis experitur coram bono alieno et desiderium immoderatum illud faciendi suum. Ipsa vitium est capitale.*

---

[290] Sanctus Gregorius Nyssenus, *De beatitudinibus,* oratio 6: *Gregorii Nysseni opera,* ed. W. Jaeger, v. 7/2 (Leiden 1992) p. 138 (PG 44, 1265).

[291] Cf. *Apc* 22, 17.

[292] Sanctus Augustinus, *De civitate Dei,* 22, 30: CSEL 40/2, 665-666 (PL 41, 801-802).

2554 *Baptizatus invidiam oppugnat benevolentia, humilitate atque se Dei providentiae committendo.*

2555 *Christifideles « carnem crucifixerunt cum vitiis et concupiscentiis » (Gal 5, 24); ipsi a Spiritu ducuntur et Eius sequuntur desideria.*

2556 *Superatio affectionis ad divitias est necessaria ad intrandum in Regnum coelorum. « Beati pauperes spiritu » (Mt 5, 3).*

2557 *Homo desiderii dicit: « Deum videre cupio ». Dei sitis aqua vitae aeternae satiatur.*[293]

---

[293] Cf. *Io* 4, 14.

PARS QUARTA

ORATIO CHRISTIANA

Minuta pictura Monasterii Dionysii, in monte Athos (codex 587), Constantinopoli depicta circa annum 1059.

Christus in oratione Se vertit ad Patrem (cf. § 2599). Ipse in loco deserto orat solus. Eius discipuli Eum observanti respiciunt distantia. Sanctus Petrus, Apostolorum princeps, ad ceteros se vertit Apostolos eisque indicat Illum qui Magister est et Via christianae orationis (cf. § 2607): « Domine, doce nos orare » (*Lc* 11, 1).

ORATIO IN VITA CHRISTIANA

2558 « Magnum est mysterium fidei ». Ecclesia illud in Symbolo Apostolorum profitetur (*pars prima*) et in liturgia celebrat sacramentali (*pars secunda*), ut fidelium vita Christo fiat in Spiritu Sancto conformis ad gloriam Dei Patris (*pars tertia*). Hoc igitur mysterium exigit ut fideles illud credant, illud celebrent et ex illo vivant in relatione viva et personali cum Deo vivo et vero. Haec relatio est oratio.

QUID EST ORATIO?

« Pro me *oratio* est impetus cordis, est simplex intuitus ad caelum missus, clamor est gratitudinis et amoris tam in probatione quam in gaudio ».[1]

ORATIO TAMQUAM DONUM DEI

2559 « Oratio est ascensus mentis in Deum: aut eorum quae consentanea sunt postulatio a Deo ».[2] Unde loquimur orantes? Utrum de nostrae superbiae et nostrae propriae voluntatis altitudine an « de profundis » (*Ps* 130, 1) cordis humilis et contriti? Qui humiliatur, exaltatur.[3] *Humilitas* est orationis fundamentum. « Quid oremus, sicut oportet, nescimus » (*Rom* 8, 26). Humilitas est dispositio ad orationis donum gratuito accipiendum: homo est mendicus Dei.[4]

2613, 2736

2560 « Si scires donum Dei! » (*Io* 4, 10). Orationis mirabile ibi praecise revelatur, iuxta puteos ad quos venimus ad nostram quaerendam aquam: ibi Christus in occursum venit omnis creaturae humanae, Ipse primus est qui nos quaerat et bibere petat. Iesus sitit, Eius petitio e profunditatibus venit Dei qui nos desiderat. Oratio, sive id scimus sive nescimus, occursus est sitis Dei et sitis nostrae. Deus sitit nos Ipsum sitire.[5]

2561 « Tu forsitan petisses ab Eo et dedisset tibi aquam vivam » (*Io* 4, 10). Nostra petitionis oratio, ad paradoxi modum, responsio est. Responsio ad Dei viventis querelam: « Me dereliquerunt fontem aquae vivae, ut foderent sibi cisternas, cisternas dissipatas » (*Ier* 2, 13), fidei

---

[1] SANCTA THERESIA A IESU INFANTE, *Manuscrit C*, 25r: *Manuscrits autobiographiques* (Paris 1992) p. 389-390.

[2] SANCTUS IOANNES DAMASCENUS, *Expositio fidei*, 68 [*De fide orthodoxa* 3, 24]: PTS 12, 167 (PG 94, 1089).

[3] Cf. *Lc* 18, 9-14.

[4] Cf. SANCTUS AUGUSTINUS, *Sermo* 56, 6, 9: ed. P. VERBRAKEN: Revue Bénédictine 68 (1958) 31 (PL 38, 381).

[5] Cf. SANCTUS AUGUSTINUS, *De diversis quaestionibus octoginta tribus,* 64, 4: CCL 44A, 140 (PL 40, 56).

responsio ad gratuitam salutis Promissionem,[6] responsio amoris ad unici Filii sitim.[7]

Oratio tamquam Foedus

2562 Unde hominis venit oratio? Quicumque est orationis sermo (gestus et verba), totus orat homo. Sed ad locum indicandum unde oratio oritur, Scripturae de anima vel de spiritu quandoque loquuntur, saepissime de corde (plus quam millies). *Cor* orat. Si idem longe est a Deo, vana est orationis expressio.

368

2563 Cor mansio est ubi sum, ubi habito (secundum semiticam seu biblicam expressionem: quo « descendo »). Nostrum est occultum centrum, incomprehensibile nostrae vel aliorum rationi; solus Spiritus Dei potest illud perscrutari et cognoscere. Locus est decisionis, in profundissimis nostrarum psychicarum tendentiarum. Veritatis est locus, ubi

2699, 1696   vitam eligimus vel mortem. Idem locus est occursus, propterea quod, ad Dei imaginem cum simus, in relatione vivimus: locus est Foederis.

2564 Oratio christiana est relatio Foederis inter Deum et hominem in Christo. Dei et hominis est actio; a Spiritu Sancto et a nobis oritur, prorsus ad Patrem directa, in unione cum voluntate humana Filii Dei hominis facti.

Oratio tamquam communio

2565 In Novo Foedere, oratio est viva relatio filiorum Dei cum eorum Patre infinite bono, cum Eius Filio Iesu Christo et cum Spiritu Sancto.

260   Gratia Regni est « Sanctae regiaeque Trinitatis [...] totamque Se cum tota mente miscentis, contemplatio »[8] Sic orationis vita est habitualiter esse in Dei ter Sancti praesentia et in communione cum Eodem. Haec vitae communio semper possibilis est, quia, per Baptismum, unum sumus effecti cum Christo.[9] Oratio est *christiana* quatenus communio est

792   cum Christo et dilatatur in Ecclesia quae Eius est corpus. Eius dimensiones illae sunt amoris Christi. [10]

---

[6] Cf. *Io* 7, 37-39; *Is* 12, 3; 51, 1.
[7] Cf. *Io* 19, 28; *Zach* 12, 10; 13, 1.
[8] Sanctus Gregorius Nazianzenus, *Oratio* 16, 9: PG 35, 945.
[9] Cf. *Rom* 6, 5.
[10] *Eph* 3, 18-21.

CAPUT PRIMUM
ORATIONIS REVELATIO

VOCATIO UNIVERSALIS AD ORATIONEM

2566 *Homo in Dei est indagatione*. Deus omne ens per creationem ex nihilo vocat ad exsistentiam. Homo, gloria et honore coronatus,[1] post angelos, capax est agnoscendi quam magnum sit Nomen Domini in universa terra.[2] Homo, etiam postquam suam similitudinem cum Deo perdidit per peccatum, ad imaginem permanet Creatoris sui. Desiderium conservat Illius qui eum vocat ad exsistentiam. Omnes religiones hanc hominum indagationem testantur essentialem.[3]

296

355
28

2567 *Prior Deus hominem vocat*. Sive homo Creatoris obliviscitur sui sive longe ab Eius absconditur vultu, sive ad sua currit idola sive divinitatem accusat quod eum dereliquerit, Deus vivus et verus infatigabiliter unamquamque personam ad arcanum orationis vocat occursum. Hic gressus amoris Dei fidelis semper est in oratione primus, gressus hominis semper responsio est. Prout Deus revelatur et hominem sibimetipsi revelat, oratio apparet tamquam vocatio reciproca, tamquam Foederis drama. Per verba et actus, hoc drama cor obligat. Illud per totam salutis develatur historiam.

30

142

Articulus 1
IN VETERE TESTAMENTO

2568 Orationis revelatio in Vetere Testamento inter lapsum inscribitur et hominis allevationem, inter dolorosam Dei primis Eius filiis vocationem: « Ubi es? [...] Quid hoc fecisti? » (*Gn* 3, 9. 13), et responsionem unici Filii mundum ingredientis (« Ecce venio, [...] ut faciam, Deus

410

1736

---

[1] Cf. *Ps* 8, 6.
[2] Cf. *Ps* 8, 2.
[3] Cf. *Act* 17, 27.

voluntatem Tuam »: *Heb* 10, 7).[4] Sic oratio coniungitur cum hominum
2738   historia, eadem est ad Deum in historiae eventibus relatio.

CREATIO — ORATIONIS FONS

288   2569   Oratio in vitam ducitur imprimis a *creationis* realitatibus procedendo. Novem priora Genesis capita hanc ad Deum describunt relationem tamquam oblationem primorum natorum gregis ab Abel,[5] tamquam Nominis divini invocationem ab Enos,[6] tamquam « ambulationem
58   cum Deo ».[7] Oblatio Noe « grata » est Deo qui ei benedicit, et per eum
omni creaturae benedicit,[8] quia cor eius iustum est et integrum; etiam
ipse « cum Deo ambulavit » (*Gn* 6, 9). Haec orationis qualitas in vitam
ducitur a iustorum multitudine in omnibus religionibus.

         Deus, in Suo indefectibili Foedere cum omnibus animabus viventi-
59   bus,[9] homines semper vocat ut Eum orent. Sed praecipue inde a nostro
patre Abraham in Vetere Testamento oratio revelatur.

PROMISSIO ET ORATIO FIDEI

2570   Abraham, statim ac Deus eum vocat, proficiscitur « sicut praece-
perat ei Dominus » (*Gn* 12, 4): eius cor est plene « verbo subiectum »,
145   oboedit. Auscultatio cordis, quod se secundum Deum determinat, orationi est essentialis, verba ei sunt relativa. Sed oratio Abrahae imprimis
exprimitur actibus: silentii homo, singulis stationibus, Domino construit
altare. Solummodo serius eius prima verbalis apparet oratio: tecta lamentatio quae Deo Eius commemorat promissiones quae non videntur
effici.[10] Sic, inde ab initio, quaedam apparet ratio dramatis orationis:
probatio fidei in Dei fidelitatem.

2571   Patriarcha, cum Deo credidisset,[11] coram Eo ambulans et in Foedere cum Eo,[12] paratus est ut suum arcanum accipiat Hospitem sub ten-
494   torium suum: haec est mira in Mambre hospitalitas, praeludium Annun-

---

[4] Cf. *Heb* 10, 5-7.
[5] Cf. *Gn* 4, 4.
[6] Cf. *Gn* 4, 26.
[7] Cf. *Gn* 5, 24.
[8] Cf. *Gn* 8, 20-9, 17.
[9] Cf. *Gn* 9, 8-16.
[10] Cf. *Gn* 15, 2-3.
[11] Cf. *Gn* 15, 6.
[12] Cf. *Gn* 17, 1-2.

tiationis veri Filii Promissionis.[13] Exinde cor Abrahae, cum Deus ei Suum crediderit consilium, compassioni Domini sui erga homines conformatur et audet pro illis intercedere cum audaci fiducia.[14] 2635

2572 Tamquam ultima purificatio fidei eius, petitur ab eo « qui susceperat promissiones » (*Heb* 11, 17), ut sacrificet filium quem Deus ei donaverat. Eius fides non infirmatur: « Deus providebit Sibi victimam holocausti » (*Gn* 22, 8), propterea quod ipse est « arbitratus quia et a mortuis suscitare potens est Deus » (*Heb* 11, 19). Sic credentium pater conformatus est similitudini Patris qui Suo proprio Filio non parcet, sed pro nobis omnibus tradet Illum.[15] Oratio hominem ad similitudinem restaurat Dei et participem efficit potentiae amoris Dei qui multitudinem salvat.[16] 603

2573 Deus Suam Promissionem renovat Iacob, duodecim tribuum Israel patri.[17] Priusquam fratrem Esau aggrediatur suum, tota nocte, luctatur cum « quodam » arcano, qui nomen suum recusat revelare, sed qui ei benedicit antequam eum relinquat ad auroram. Spiritualis traditio Ecclesiae in hac narratione symbolum perspexit orationis tamquam dimicationis fidei et victoriae perseverantiae.[18] 162

MOYSES ET ORATIO MEDIATORIS

2574 Cum Promissio impleri incipit (Paschate, Exodo, Legis dono et Foederis conclusione), Moysis oratio est figura commovens orationis intercessionis quae perficietur in Eo qui est « unus et mediator Dei et hominum, homo Christus Iesus » (*1 Tim* 2, 5). 62

2575 Etiam hic, Deus venit prior. Moysen vocat de medio rubi ardentis.[19] Hic eventus, in traditione spirituali Iudaica et christiana, inter primordiales permanebit figuras orationis. Re vera, si « Deus Abraham, Deus Isaac et Deus Iacob » Moysen servum Suum vocat, Ipse est Deus vivus qui hominum vult vitam. Se revelat ut illos salvet, sed non Ipse prorsus solus neque illis invitis: Ipse Moysen vocat ad illum mittendum, ad illum Suae sociandum compassioni, Suae salutis operi. Quasi implo- 205

---

[13] Cf. *Gn* 18, 1-15; *Lc* 1, 26-38.
[14] Cf. *Gn* 18, 16-33.
[15] Cf. *Rom* 8, 32.
[16] Cf. *Rom* 4, 16-21.
[17] Cf. *Gn* 28, 10-22.
[18] Cf. *Gn* 32, 25-31; *Lc* 18, 1-8.
[19] Cf. *Ex* 3, 1-10.

ratio divina in hac inest missione et Moyses, post longam contentionem, suam voluntatem ad illam accommodabit Dei Salvatoris. Sed in hoc dialogo, in quo Deus Se committit, Moyses etiam orare discit: ipse se substrahit, obiicit, praesertim interrogat, et in responsione ad eius interrogationem Dominus ei Suum ineffabile concredit Nomen quod in Suis revelabitur magnalibus.

555   2576   « Loquebatur autem Dominus ad Moysen facie ad faciem, sicut solet loqui homo ad amicum suum » (*Ex* 33, 11). Moysis oratio typus est orationis contemplativae, propter quam servus Dei suae missioni est fidelis. Moyses saepe et longe cum Domino « conversatur », montem scandens ad Eum auscultandum et implorandum, descendens ad populum ut ei verba Dei sui repetat eumque ducat. « In omni domo mea fidelissimus est! Ore enim ad os loquor ei, et palam » (*Nm* 12, 7-8), « erat enim Moyses vir humillimus super omnes homines, qui morabantur in terra » (*Nm* 12, 3).

210
2635

214

2577   In hac intimitate cum Deo fideli, lento ad iram et amoris pleno,[20] Moyses vim hausit et tenacitatem suae intercessionis. Non pro se orat, sed pro populo quem Deus Sibi acquisivit. Iam in proelio contra Amalec[21] vel ad obtinendam sanationem Mariae,[22] Moyses intercedit. Sed praesertim post populi apostasiam « stetit in confractione » in conspectu Dei (*Ps* 106, 23) ad populum salvandum.[23] Eius orationis argumenta (intercessio est etiam arcana dimicatio) audaciam inspirabunt magnorum orantium populi Iudaici, sicut etiam Ecclesiae: Deus amor est, iustus igitur est et fidelis; Ipse Sibi contradicere nequit, mirabilium Suorum debet recordari, de Eius agitur gloria, hunc nequit derelinquere populum qui Eius fert Nomen.

DAVID ET ORATIO REGIS

2578   Oratio populi Dei sub umbra dilatabitur tabernaculi Dei, Foederis Arcae et posterius Templi. Imprimis populi duces — Pastores et Prophetae — eum docebunt orare. Puer Samuel a matre sua utique didicit quomodo « ante Dominum sisteret »[24] et ab Heli sacerdote quomodo Eius auscultaret verbum: « Loquere, Domine, quia audit servus

---

[20] Cf. *Ex* 34, 6.
[21] Cf. *Ex* 17, 8-13.
[22] Cf. *Nm* 12, 13-14.
[23] Cf. *Ex* 32, 1-34, 9.
[24] Cf. *1 Sam* 1, 9-18.

Tuus » (*1 Sam* 3, 9-10). Posterius ipse etiam intercessionis cognoscet valorem et momentum: « Absit a me hoc peccatum in Dominum, ut cessem orare pro vobis et docere vos viam bonam et rectam » (*1 Sam* 12, 23).

2579   David est per excellentiam rex « secundum cor Dei », pastor qui   709
pro populo orat suo et in eius nomine, ille cuius submissio voluntati
Dei, laus et poenitentia exemplar erunt orationis populi. Oratio eius, sicut Dei uncti, est fidelis adhaesio Promissioni divinae,[25] fiducia amans   436
et gaudens in Eum qui solus est Rex et Dominus. In psalmis, David, a
Spiritu Sancto inspiratus, primus est Propheta Iudaicae et christianae
orationis. Oratio Christi, veri Messiae et Filii David, huius orationis
sensum revelabit et adimplebit.

2580   Templum Ierusalem, orationis domus, quam David struere vole-   583
bat, Salomonis, filii eius, erit opera. Oratio Dedicationis Templi[26] in
Promissione nititur Dei et in Eius Foedere, in actuosa Eius Nominis in
medio Eius populi praesentia et in memoria magnalium Exodi. Rex
tunc manus elevat in coelum et Dominum pro se precatur, pro toto populo, pro generationibus venturis, pro peccatorum eorum remissione et
eorum quotidianis necessitatibus, ut omnes sciant nationes, Eum esse
solum Deum et cor Eius populi ad Eum plene pertinere.

Elias, Prophetae et conversio cordis

2581   Templum pro populo Dei locus esse debebat eius ad orationem
educationis: peregrinationes, festa, sacrificia, oblatio vespertina, incensum, panes « propositionis », omnia haec sanctitatis et gloriae Dei Altis-   1150
simi et omnino Propinqui signa, vocationes erant et orationis viae. Sed
ritualismus populum saepe ad cultum trahebat nimis externum. Fidei
educatio et cordis conversio erant necessariae. Haec Prophetarum fuit
missio ante et post Exilium.

2582   Elias est Prophetarum pater, e generatione quaerentium Eum,
quaerentium faciem Eius.[27] Eius nomen, « Dominus est Deus meus »,
clamorem annuntiat populi respondentem eius orationi super monte

---

[25] Cf. *2 Sam* 7, 18-29.
[26] Cf. *1 Reg* 8, 10-61.
[27] Cf. *Ps* 24, 6.

Carmelo.[28] Iacobus nos ad eum remittit, ut nos ad orationem stimulet: « Multum enim valet deprecatio iusti operans » (*Iac* 5, 16).[29]

2583   Postquam misericordiam didicit in recessu suo ad torrentem Charith, viduam Sareptae in verbum Dei docet fidem, quam sua instante confirmat oratione: Deus efficit ut filius viduae redeat in vitam.[30]

696   Tempore sacrificii super monte Carmelo, probationis definitivae pro fide populi Dei, ad eius supplicationem, ignis Domini holocaustum consumit, « cum [...] iam tempus esset, ut offerretur sacrificium » vespertinum: « Exaudi me, Domine, exaudi me », eadem Eliae sunt verba quae liturgiae orientales in Epiclesi eucharistica iterum adhibent.[31]

555   Denique, Elias, viam deserti iterum faciens ad locum ubi Deus vivus et verus populo Suo est revelatus, se colligit, sicut Moyses, « in spelunca » donec praesentia Dei « transit » arcana.[32] Sed solummodo in Transfigurationis monte develabitur Ille, cuius isti faciem sequebantur:[33] cognitio gloriae Dei in facie est Christi crucifixi et resuscitati.[34]

2709   2584   Prophetae, in « solitudine cum Deo », lumen hauriunt et vim pro sua missione. Eorum oratio fuga mundi infidelis non est, sed verbi Dei auscultatio, quandoque certatio vel lamentatio, semper intercessio quae interventum exspectat et praeparat Dei Salvatoris, Domini historiae.[35]

Psalmi, oratio coetus

1093   2585   A David usque ad Messiae Adventum, Libri Sacri orationis continent textus qui profundius perceptam testantur orationem, pro semetipsis et pro aliis.[36] Psalmi paulatim in quinque librorum sunt collectionem coniuncti: Psalmi (seu « Laudes ») opus orationis in Vetere Testamento sunt praestantissimum.

2586   Psalmi nutriunt et exprimunt orationem populi Dei tamquam congregationis, occasione magnorum festorum in Ierusalem et uniuscuiusque sabbati in synagogis. Haec oratio inseparabiliter personalis est

[28] Cf. *1 Reg* 18, 39.
[29] Cf. *Iac* 5, 16-18.
[30] Cf. *1 Reg* 17, 7-24.
[31] Cf. *1 Reg* 18, 20-39.
[32] Cf. *1 Reg* 19, 1-14; *Ex* 33, 19-23.
[33] Cf. *Lc* 9, 30-35.
[34] Cf. *2 Cor* 4, 6.
[35] Cf. *Am* 7, 2. 5; *Is* 6, 5. 8. 11; *Ier* 1, 6; 15, 15-18; 20, 7-18.
[36] Cf. *Esd* 9, 6-15; *Ne* 1, 4-11; *Ion* 2, 3-10; *Tb* 3, 11-16; *Idt* 9, 2-14.

et communitaria, ad eos attinet, qui orant, et ad omnes homines; e Terra sancta ascendit et e Dispersionis communitatibus, sed totam amplectitur creationem; eventus salvificos commemorat praeteritos et usque ad consummationem extenditur historiae; promissionum Dei iam adimpletarum memor est et Messiam exspectat qui eas definitive adimplebit. Psalmi, recitati a Christo et adimpleti in Eo, essentiales permanent pro Eius Ecclesiae oratione.[37]

1177

2587 Psalterium liber est in quo Dei verbum oratio fit hominis. In ceteris libris Veteris Testamenti accidit ut « verba [...] opera proclament [a Deo pro hominibus patrata] et mysterium in eis contentum elucident ».[38] In Psalterio, verba Psalmistae exprimunt opera salutis Dei, illa Ei cantando. Idem Spiritus opus inspirat Dei et responsionem hominis. Christus utrumque coniunget. In Eo, psalmi nos orare docere non desinunt.

2641

2588 Multiformes orationis psalmorum expressiones formam simul suscipiunt in liturgia Templi et in corde hominis. Psalmi sive de hymno agitur, de oratione angustiae vel de gratiarum actione, de supplicatione individuali vel communitaria, de regio cantico vel de cantico peregrinationis, de meditatione sapientiali, speculum sunt magnalium Dei in historia populi Eius et condicionum humanarum quas Psalmista experitur in vita. Psalmus imaginem potest reddere eventus praeteriti, sed talis est sobrietatis ut possit in veritate recitari ab hominibus omnis condicionis omnisque temporis.

2589 Quaedam lineamenta psalmos constanter percurrunt: orationis simplicitas et spontaneus motus, desiderium Ipsius Dei per omnia et cum omnibus quae in Eius creatione sunt bona, incommoda condicio credentis qui, in suo amore praeferentiali erga Dominum, in discrimine versatur multitudinis inimicorum et tentationum, et, exspectando quod Deus fidelis est facturus, certus est de Eius amore et Eius committitur voluntati. Oratio psalmorum semper laude movetur et propterea huius collectionis titulus ad id bene correspondet quod eadem nobis tradit: « Laudes ». Cum ipsa pro congregationis cultu sit collecta, efficit ut ad orationem audiamus vocationem et responsionem canamus ad eam: « *Hallelu-Ia!* » (Alleluia), « Laudate Dominum! ».

304

> « Quid igitur psalmo gratius? Unde pulchre ipse David: 'Laudate, inquit, Dominum, quoniam bonus est psalmus; Deo nostro sit iocunda

---

[37] Cf. *Institutio generalis de liturgia Horarum*, 100-109: *Liturgia Horarum*, editio typica, v. 1 (Typis Polyglottis Vaticanis 1973) p. 52-56.

[38] Concilium Vaticanum II, Const. dogm. *Dei Verbum*, 2: AAS 58 (1966) 818.

decoraque laudatio'. Et vere; psalmus enim benedictio populi est, Dei laus, plebis laudatio, plausus omnium, sermo universorum, vox Ecclesiae, fidei canora confessio... ».[39]

Compendium

2590   « *Oratio est ascensus mentis in Deum: aut eorum quae consentanea sunt postulatio a Deo* ».[40]

2591   *Deus infatigabiliter unamquamque personam ad arcanum orationis vocat occursum cum Eo. Oratio totam historiam salutis comitatur tamquam mutua inter Deum et hominem vocatio.*

2592   *Abrahae et Iacob oratio tamquam dimicatio praesentatur fidei quae in fidelitatem Dei confidit et quae certa est de victoria perseverantiae promissa.*

2593   *Moysis oratio incepto respondet Dei vivi pro populi Eius salute. Eadem orationem praefigurat intercessionis unius mediatoris, Christi Iesu.*

2594   *Oratio populi Dei sub umbra dilatatur tabernaculi Dei, Arcae nempe Foederis et Templi, Pastorum, praesertim regis David, et Prophetarum ductu.*

2595   *Prophetae ad cordis vocant conversionem et, ardenter, sicut Elias, Dei faciem quaerentes, pro populo intercedunt.*

2596   *Psalmi opus orationis in Vetere Testamento constituunt praestantissimum. Duo inseparabilia exhibent elementa: personale et communitarium. Ad omnes historiae extenduntur dimensiones, Dei commemorant promissiones iam impletas et Messiae sperant Adventum.*

2597   *Psalmi, recitati a Christo et adimpleti in Eo, essentiale et permanens orationis Ecclesiae Eius sunt elementum. Ipsi hominibus omnis condicionis omnisque temporis sunt aptati.*

---

[39] Sanctus Ambrosius, *Enarrationes in Psalmos,* 1, 9: CSEL 64, 7 (PL 14, 968).
[40] Sanctus Ioannes Damascenus, *Expositio fidei,* 68 [*De fide orthodoxa* 3, 24]: PTS 12, 167 (PG 94, 1089).

Articulus 2

IN PLENITUDINE TEMPORIS

2598 Orationis drama plene nobis revelatur in Verbo quod caro factum est et quod nobiscum manet. Eius orationem intelligere niti per id quod Eius testes nobis in Evangelio de illa annuntiant, est ad sanctum Dominum Iesum nos accedere sicut ad rubum ardentem: Ipsum imprimis in oratione contemplari, deinde auscultare quomodo Ille nos orare doceat, ad cognoscendum, denique, quomodo Ille nostram exaudiat orationem.

Iesus orat

2599 Filius Dei, Filius Virginis effectus, secundum Suum hominis cor, 470-473
orare etiam didicit. Orationis formulas discit a matre Sua quae « magna » Omnipotentis conservabat omnia et in corde meditabatur suo.[41] Ipse verbis orat et rhythmis orationis populi Sui, in synagoga Nazareth
et in Templo. Sed Eius oratio ex secretiore oritur fonte, sicut Ipse id, 584
aetate duodecim annorum, praesentire sinit: « In his, quae Patris mei sunt, oportet me esse » (*Lc* 2, 49). Hic revelari incipit novitas orationis
in temporum plenitudine: *filialis oratio*, quam Pater e filiis exspectabat 534
Suis, denique ducetur in vitam ab Ipso Filio unico in Eius humanitate cum hominibus et pro hominibus.

2600 Evangelium secundum sanctum Lucam actionem effert Spiritus Sancti et sensum orationis in Christi ministerio. Iesus orat *ante* missionis Suae definitiva momenta: priusquam Pater de Eo testimonium praebeat in Eius Baptismo[42] atque in Eius Transfiguratione,[43] et priusquam 535, 554
per Suam passionem consilium amoris Patris adimpleat.[44] Orat etiam 612
ante momenta definitiva quae Apostolorum Eius devincient missionem:
antequam Duodecim eligat et vocet,[45] antequam Petrus Eum tamquam 858, 443
« Christum Dei » confiteatur[46] atque ne principis Apostolorum fides deficiat in tentatione.[47] Iesu oratio ante salutis eventus, quos Pater ab Eo

[41] Cf. *Lc* 1, 49; 2, 19; 2, 51.
[42] Cf. *Lc* 3, 21.
[43] Cf. *Lc* 9, 28.
[44] Cf. *Lc* 22, 41-44.
[45] Cf. *Lc* 6, 12.
[46] Cf. *Lc* 9, 18-20.
[47] Cf. *Lc* 22, 32.

petit adimplendos, humilis et confidens est deditio Eius humanae voluntatis in voluntatem Patris amore plenam.

2765

2601　« Cum esset [Iesus] in loco quodam orans, ut cessavit, dixit unus e discipulis Eius ad Eum: 'Domine, doce nos orare' » (*Lc* 11, 1). Nonne Christi discipulus, suum Magistrum prius contemplans orantem, cupit orare? Tunc potest id discere ab orationis Magistro. *Contemplantes* et auscultantes Filium, filii discunt Patrem orare.

616

2602　Iesus saepe *in solitudinem* discedit, in montem, potissimum noctu, ad orandum.[48] In oratione Sua *homines portat*, propterea quod Ipse humanitatem in Sua utique sumit Incarnatione, eosque Patri offert Se Ipsum offerendo. Ipse, Verbum quod « carnem assumpsit », in Sua oratione humana totum id participat quod « fratres Eius »[49] experiuntur in vita; eorum compatitur infirmitatibus ut eos ab illis liberet.[50] Ad hoc Pater Eum misit. Eius verba Eiusque opera tunc apparent tamquam visibilis manifestatio Eius orationis « in abscondito ».

2637

2546

494

2603　Evangelistae duas Christi, perdurante Eius ministerio, orationes retinuerunt explicitiores. Utraque autem earum incipit gratiarum actione. In priore,[51] Iesus Patrem confitetur, Eum agnoscit Eique benedicit quia Ipse Regni mysteria illis abscondit qui se sapientes putabant atque ea prorsus « parvulis » revelavit (pauperibus beatitudinum). Eius commotio « Ita, Pater! » intimum exprimit Eius cordis, Eius adhaesionis « beneplacito » Patris, quasi echo illius « *Fiat* » Matris Eius in Ipsius conceptione et quasi prolusio illius quem Ipse Patri in Sua dicet agonia. Tota Iesu oratio in hac amore plena est adhaesione Eius cordis humani « mysterio voluntatis » Patris.[52]

2604　Altera oratio a sancto Ioanne refertur[53] ante Lazari resurrectionem. Gratiarum actio eventum praecedit: « Pater, gratias ago Tibi quoniam audisti me », quod implicat Patrem Suam petitionem semper exaudire; atque Iesus statim addit: « Ego autem sciebam quia semper me audis », quod implicat Iesum, e parte Sua, constanter *petere*. Sic Iesu oratio ducta a gratiarum actione nobis revelat quomodo sit petendum: *priusquam* donetur donum, Iesus Ei adhaeret qui donat quique in donis Suis Se donat. Donator

---

[48] Cf. *Mc* 1, 35; 6, 46; *Lc* 5, 16.
[49] Cf. *Heb* 2, 12.
[50] Cf. *Heb* 2, 15; 4, 15.
[51] Cf. *Mt* 11, 25-27 et *Lc* 10, 21-22.
[52] Cf. *Eph* 1, 9.
[53] Cf. *Io* 11, 41-42.

dono largito est pretiosior, Ipse est « Thesaurus » et in Eo est cor Filii   478
Eius; donum donatur « per additionem ».[54]

Iesu « sacerdotalis » oratio [55] in Oeconomia salutis locum obtinet singularem.   2746
Eadem considerabitur in fine primae sectionis. Ipsa utique semper actualem
nostri Summi Sacerdotis revelat orationem atque simul continet quod Ipse nos
docet in nostra ad Patrem oratione, quae in secunda explicabitur sectione.

2605   Iesus, cum Hora venit in qua Ipse amoris Patris adimplet consilium, inscrutabilem Suae orationis filialis prospicere sinit profunditatem,
non solum priusquam Se libere tradat (« *Pater...* non mea voluntas, sed
Tua »: *Lc* 22, 42), sed usque ad *Sua ultima verba* in cruce, ubi orare Seseque donare nonnisi unum sunt: « Pater, dimitte illis, non enim sciunt   614
quid faciunt » (*Lc* 23, 34); « Amen dico tibi: Hodie mecum eris in paradiso » (*Lc* 23, 43); « Mulier, ecce filius tuus. [...] Ecce mater tua » (*Io*
19, 26-27); « Sitio » (*Io* 19, 28); « Deus meus, ut quid dereliquisti me? »
(*Mc* 15, 34); [56] « Consummatum est » (*Io* 19, 30); « Pater, in manus Tuas
commendo spiritum meum » (*Lc* 23, 46), usque ad illam « vocem magnam » qua tradens spiritum exspiravit.[57]

2606   Omnes angustiae humanitatis omnium temporum, servae peccati   403
et mortis, omnes petitiones et intercessiones historiae salutis in hoc Verbi incarnati colliguntur clamore. Ecce Pater illas accipit et, ultra omnem spem, illas exaudit Suum resuscitans Filium. Sic drama orationis in   653
creationis et salutis Oeconomia adimpletur et consummatur. Psalterium   2587
nobis clavem huius dramatis praebet in Christo. In hodie Resurrectionis, Pater dicit: « Filius meus es tu; ego hodie genui te. *Postula* a me,
et *dabo* tibi gentes hereditatem tuam et possessionem tuam terminos
terrae » (*Ps* 2, 7-8).[58]

> Epistula ad Hebraeos locutionibus exprimit dramaticis quomodo Iesu
> oratio victoriam operetur salutis: « Qui in diebus carnis Suae, preces
> supplicationesque ad Eum, qui possit salvum Illum a morte facere, cum
> clamore valido et lacrimis offerens et exauditus pro Sua reverentia, et
> quidem cum esset Filius, didicit ex his quae passus est, oboedientiam;
> et, consummatus, factus est omnibus oboedientibus Sibi auctor salutis
> aeternae » (*Heb* 5, 7-9).

[54] Cf. *Mt* 6, 21. 33.
[55] Cf. *Io* 17.
[56] Cf. *Ps* 22, 2.
[57] Cf. *Mc* 15, 37; *Io* 19, 30.
[58] Cf. *Act* 13, 33.

Iesus orare docet

520   **2607** Cum Iesus orat, nos iam orare docet. Theologalis via nostrae orationis oratio Eius est ad Eius Patrem. Sed Evangelium explicitam Iesu doctrinam nobis tradit de oratione. Tamquam paedagogus, nos ibi assumit, ubi sumus, et modo progressivo nos ad Patrem ducit. Iesus, Se dirigens ad turbas quae Eum sequuntur, ab illo procedit quod eaedem iam de oratione secundum Vetus noscunt Foedus et eas ad Regni venientis aperit novitatem. Deinde illis hanc novitatem revelat parabolis. Denique discipulis, qui orationis in Eius Ecclesia esse debebunt paedagogi, aperte de Patre loquetur et de Spiritu Sancto.

541, 1430   **2608** Inde a *sermone montano*, Iesus de *cordis conversione* insistit: de reconciliatione cum fratre priusquam oblatio super altare praesentetur,[59] de amore inimicorum et oratione pro persequentibus,[60] de orando Patrem « in abscondito » (*Mt* 6, 6), de non repetendo saepius in multiloquio,[61] de parcendo ex imo corde in oratione,[62] de cordis puritate et Regni inquisitione.[63] Haec conversio tota ad Patrem dirigitur, ipsa filialis est.

153   **2609** Cor, sic ad se convertendum paratum, orare discit in *fide*. Fides adhaesio Deo est filialis, ultra id quod sentimus et intelligimus. Eadem
1814   possibilis est effecta quia Filius dilectus nobis ad Patrem aperit accessum. Ipse a nobis petere potest ut « quaeramus » et « pulsemus », quia Ipse porta est et via.[64]

2610 Sicut Iesus Patrem orat et gratias agit antequam Eius recipiat dona, ita nos hanc docet *audaciam filialem*: « Omnia quaecumque orantes petitis, credite quia iam accepistis » (*Mc* 11, 24). Talis est orationis
165   vis, « omnia possibilia credenti » (*Mc* 9, 23), fide quae non haesitat.[65] Quo Iesus tristitia afficitur « propter incredulitatem » Suorum propinquorum (*Mc* 6, 6) et propter modicam fidem Suorum discipulorum,[66] eo etiam admiratione capitur coram magna fide centurionis romani [67] et mulieris Chananaeae.[68]

---

[59] Cf. *Mt* 5, 23-24.
[60] Cf. *Mt* 5, 44-45.
[61] Cf. *Mt* 6, 7.
[62] Cf. *Mt* 6, 14-15.
[63] Cf. *Mt* 6, 21. 25. 33.
[64] Cf. *Mt* 7, 7-11. 13-14.
[65] Cf. *Mt* 21, 21.
[66] Cf. *Mt* 8, 26.
[67] Cf. *Mt* 8, 10.
[68] Cf. *Mt* 15, 28.

2611   Fidei oratio non in eo solummodo consistit ut dicatur « Domine, Domine », sed in corde componendo ad faciendam *voluntatem Patris*.[69] Iesus Suos vocat discipulos ut hanc cooperandi cum consilio divino sollicitudinem in oratione ferant.[70]

2827

2612   In Iesu « appropinquavit Regnum Dei » (*Mc* 1, 15), Ipse ad conversionem vocat et ad fidem, sed etiam ad *vigilantiam*. Discipulus in oratione attentus vigilat in Eum qui est et qui venit in memoria Ipsius primi Adventus in humilitate carnis et in spe Ipsius secundi reditus in gloria.[71] Oratio discipulorum, in communione cum eorum Magistro, est dimicatio, atque in oratione vigilando ingressus in tentationem non fit.[72]

672

2725

2613   Tres praecipuae *parabolae* de oratione nobis a sancto Luca traduntur:

546

Prima, « amicus importunus »,[73] ad instantem invitat orationem: « Pulsate, et aperietur vobis ». Sic oranti Pater de caelo dabit, quidquid ille necessarium habet, et maxime Spiritum Sanctum qui omnia continet dona.

Secunda, « vidua importuna »,[74] ut centrum habet unam e qualitatibus orationis: « oportet semper orare et non deficere », cum fidei *patientia*. « Verumtamen Filius hominis veniens, putas, inveniet fidem in terra? ».

Tertia, « Pharisaeus et publicanus »,[75] ad cordis orantis respicit *humilitatem*. « Deus, propitius esto mihi peccatori ». Ecclesia non desinit hanc orationem facere suam: « *Kyrie eleison!* ».

2559

2614   Cum mysterium orationis ad Patrem Suis discipulis aperte concredit, eis detegit id quod eorum oratio atque nostra esse debebit, cum Ipse in Sua humanitate glorificata ad Patrem redierit. Nunc novum est « petere *in nomine Eius* ».[76] Fides in Eum discipulos in cognitionem Patris introducit, quia Iesus est « Via et Veritas et Vita » (*Io* 14, 6). Fides suum fert fructum in amore: Eius verbum servare, Eius praecepta, cum Ipso manere in Patre qui nos in Ipso diligit usque ad manendum in nobis. In hoc Novo Foedere, certitudo nos in nostris exaudiri petitionibus, super Iesu fundatur orationem.[77]

434

---

[69] Cf. *Mt* 7, 21.
[70] Cf. *Mt* 9, 38; *Lc* 10, 2; *Io* 4, 34.
[71] Cf. *Mc* 13; *Lc* 21, 34-36.
[72] Cf. *Lc* 22, 40. 46.
[73] Cf. *Lc* 11, 5-13.
[74] Cf. *Lc* 18, 1-8.
[75] Cf. *Lc* 18, 9-14.
[76] Cf. *Io* 14, 13.
[77] Cf. *Io* 14, 13-14.

728   2615   Immo, cum nostra oratio cum illa Iesu coniungitur, Pater nobis
praebet « alium Paraclitum [...], ut maneat vobiscum in aeternum, Spiritum veritatis » (*Io* 14, 16-17). Haec orationis eiusque condicionum
novitas apparet per discessus salutationem.[78] In Spiritu Sancto, oratio
christiana est amoris communio cum Patre, non solum per Christum,
sed etiam *in Ipso*: « Usque modo non petistis quidquam in nomine meo.
Petite et accipietis, ut gaudium vestrum sit plenum » (*Io* 16, 24).

IESUS ORATIONEM EXAUDIT

2616   *Ad Iesum* oratio iam a Iesu est tempore Eius ministerii exaudita
per signa quae Eius Mortis Eiusque Resurrectionis anticipant vim: Iesus
548   exaudit fidei orationem, verbis expressam (a leproso;[79] a Iairo;[80] a Cha-
nanaea;[81] a bono latrone[82]) vel silentio (a ferentibus paralyticum;[83] ab
haemorrhoissa quae Eius tangit vestimentum;[84] lacrimis et unguento
mulieris peccatricis[85]). Instans caecorum petitio: « Miserere nostri, fili
David » (*Mt* 9, 27) vel « Fili David Iesu, miserere mei » (*Mc* 10, 47) ite-
2667   rum in traditione sumitur *Orationis ad Iesum*: « Iesu, Christe, Fili Dei,
Domine, miserere mei, peccatoris! ». Aegritudines sanando vel peccata
remittendo, Iesus semper respondet orationi quae Eum cum fide deprecatur: « Vade in pace; fides tua te salvum fecit! ».

> Sanctus Augustinus tres orationis Iesu dimensiones mirabiliter compen-
> diat: « Orat pro nobis, ut Sacerdos noster; orat in nobis, ut Caput
> nostrum; oratur a nobis, ut Deus noster. Agnoscamus ergo et in Illo
> voces nostras, et voces Eius in nobis ».[86]

ORATIO VIRGINIS MARIAE

148   2617   Oratio Mariae nobis in aurora revelatur plenitudinis temporum.
Ante Incarnationem Filii Dei et ante effusionem Spiritus Sancti, eius

---

[78] Cf. *Io* 14, 23-26; 15, 7. 16; 16, 13-15. 23-27.
[79] Cf. *Mc* 1, 40-41.
[80] Cf. *Mc* 5, 36.
[81] Cf. *Mc* 7, 29.
[82] Cf. *Lc* 23, 39-43.
[83] Cf. *Mc* 2, 5.
[84] Cf. *Mc* 5, 28.
[85] Cf. *Lc* 7, 37-38.
[86] SANCTUS AUGUSTINUS, *Enarratio in Psalmum* 85, 1: CCL 39, 1176 (PL 36, 1081);
cf. *Institutio generalis de liturgia Horarum*, 7: *Liturgia Horarum*, editio typica, v. 1
(Typis Polyglottis Vaticanis 1973) p. 24.

oratio, modo singulari, Patris consilio benevolenti cooperatur, in Annuntiatione pro Christi conceptione,[87] in Pentecoste pro formatione Ecclesiae, corporis Christi.[88] Donum Dei, in fide Eius humilis ancillae invenit acceptionem quam Ipse a temporum initio exspectabat. Illa, quam Omnipotens « gratia plenam » effecit, respondet totali sui ipsius oblatione: « Ecce ancilla Domini; fiat mihi secundum verbum tuum ». « *Fiat* » christiana est oratio: esse totaliter Eius quia Ipse totaliter noster est.

494

490

2618 Evangelium nobis revelat quomodo Maria orat et intercedit in fide: in Cana,[89] Mater Iesu orat Filium pro necessitatibus convivii nuptiarum, signi alius Convivii, illius nuptiarum Agni qui petitioni Ecclesiae, Sponsae Suae, Suum corpus Suumque donat sanguinem. In Novi Foederis hora, iuxta crucem,[90] exauditur Maria, tamquam Mulier, Nova Eva, vera « Mater viventium ».

2674

726

2619 Hac de causa, Mariae canticum,[91] « *Magnificat* » latinum, Μεγαλυνάριον Byzantinum, simul est canticum Matris Dei et illud Ecclesiae, canticum Filiae Sion et novi populi Dei, canticum actionis gratiarum ob plenitudinem gratiarum in Oeconomia salutis diffusarum, canticum « pauperum » quorum spes impleta est per adimpletionem promissionum factarum nostris patribus « Abraham et semini eius in saecula ».

724

Compendium

2620 *In Novo Testamento, perfectum orationis exemplar in filiali Iesu residet oratione. Effecta saepe in solitudine, in abscondito, Iesu oratio plenam amore implicat adhaesionem voluntati Patris usque ad crucem et absolutam fiduciam ut exaudiatur.*

2621 *Iesus in Sua doctrina discipulos Suos docet orare corde purificato, fide viva et perseveranti, audacia filiali. Illos ad vigilantiam vocat atque invitat ut suas petitiones Deo in Eius praesentent nomine. Ipse Iesus Christus orationes exaudit quae Ei diriguntur.*

2622 *Virginis Mariae oratio, in eius « Fiat » et in eius Magnificat, generosa insignitur sui ipsius totali oblatione in fide.*

---

[87] Cf. *Lc* 1, 38.
[88] Cf. *Act* 1, 14.
[89] Cf. *Io* 2, 1-12.
[90] Cf. *Io* 19, 25-27.
[91] Cf. *Lc* 1, 46-55.

Articulus 3

IN TEMPORE ECCLESIAE

731   2623 Pentecostes die, Spiritus Promissionis effusus est in discipulos qui « erant omnes pariter in eodem loco » (*Act* 2, 1), Eum exspectantes « omnes [...] perseverantes unanimiter in oratione » (*Act* 1, 14). Spiritus qui docet Ecclesiam eique omnia suggerit quae Iesus dixit,[92] eam etiam ad orationis vitam est formaturus.

1342   2624 In prima Hierosolymitana communitate, credentes « erant [...] perseverantes in doctrina Apostolorum et communicatione, in fractione panis et orationibus » (*Act* 2, 42). Colligatio characteristica est orationis Ecclesiae: fundata in fide apostolica et consignata caritate, ipsa in Eucharistia nutritur.

2625 Hae orationes illae sunt imprimis quas fideles audiunt et legunt in Scripturis, sed eas ad praesentia accommodant, illas praesertim psal-
1092   morum, ab earum adimpletione in Christo [93] procedentes. Spiritus Sanctus, qui sic Christum Eius Ecclesiae commemorat oranti, illam etiam deducit in omnem veritatem novasque suscitat formulas quae inscrutabile Christi expriment mysterium, quod in vita, in sacramentis et in Eius Ecclesiae missione operatur. Hae formulae in magnis traditionibus litur-
1200   gicis et spiritualibus explicabuntur. *Orationis formae*, quales Scripturae apostolicae revelant canonicae, normativae permanebunt pro oratione christiana.

I. Benedictio et adoratio

1078   2626 *Benedictio* imum orationis christianae exprimit motum: eadem Dei et hominis est occursus; in ea Dei donum et hominis acceptio sese vocant seseque coniungunt. Benedictionis oratio est hominis responsum donis Dei: quia Deus benedicit, potest cor hominis retribuendo benedicere Ei qui omnis benedictionis est fons.

1083   2627 Duae formae fundamentales hunc exprimunt motum: tum benedictio ascendit a Spiritu Sancto ducta per Christum ad Patrem (benedi-

---

[92] Cf. *Io* 14, 26.
[93] Cf. *Lc* 24, 27. 44.

cimus Ei quippe qui nobis benedixit);[94] tum gratiam supplicat Spiritus Sancti qui per Christum a Patre descendit (Ipse nobis benedicit).[95]

2628 *Adoratio* est prima habitudo hominis qui se creaturam coram Creatore agnoscit suo. Magnitudinem extollit Domini qui nos fecit [96] et omnipotentiam Salvatoris qui nos a malo liberat. Eadem est spiritus prosternatio coram « Rege gloriae » [97] et silentium obsequiosum coram Deo qui « semper [...] maior est ».[98] Adoratio Dei ter Sancti et sublimiter amabilis confundit humilitate atque securitatem supplicationibus nostris praebet.

2096-2097

2559

II. Oratio petitionis

2629 Supplicationis lexicon in Novo Testamento dives est in coloris diversitate: petere, expostulare, instanter appellare, invocare, clamare, conclamare et etiam « in oratione concertare ».[99] Sed forma frequentissima, quippe quae maxime spontanea, est petitio. Per petitionis orationem conscientiam patefacimus nostrae relationis cum Deo: ut creaturae, nostra non sumus origo, neque adversitatum domini, neque noster ultimus finis, sed etiam ut peccatores, scimus, utpote christiani, nos a Patre nostro averti. Petitio est iam quidam ad Eum reditus.

396

2630 Novum Testamentum fere non continet orationes lamentationum quae in Vetere Testamento frequentes erant. Iam in Christo resuscitato, Ecclesiae oratio fertur spe, etiamsi adhuc in exspectatione simus et quotidie convertere nos oporteat. Petitio christiana ab alia oritur profunditate, ab illa quam sanctus Paulus appellat *gemitum*: est ille creaturae quae « congemiscit et comparturit » (*Rom* 8, 22), est etiam noster qui exspectat « redemptionem corporis nostri. Spe enim salvi facti sumus » (*Rom* 8, 23-24), sunt denique gemitus inenarrabiles Ipsius Spiritus Sancti qui « adiuvat infirmitatem nostram; nam quid oremus, sicut oportet, nescimus » (*Rom* 8, 26).

2090

2631 *Veniae petitio* primus est orationis petitionis motus (cf. publicanus: « Deus, propitius esto mihi peccatori », *Lc* 18, 13). Ipsa est orationi iustae et purae praevia. Fidens humilitas nos in lumen remittit com-

2838

---

[94] Cf. *Eph* 1, 3-14; *2 Cor* 1, 3-7; *1 Pe* 1, 3-9.
[95] Cf. *2 Cor* 13, 13; *Rom* 15, 5-6. 13; *Eph* 6, 23-24.
[96] Cf. *Ps* 95, 1-6.
[97] Cf. *Ps* 24, 9-10.
[98] Sanctus Augustinus, *Enarratio in Psalmum* 62, 16: CCL 39, 804 (PL 36, 758).
[99] Cf. *Rom* 15, 30; *Col* 4, 12.

munionis cum Patre et Eius Filio Iesu Christo et ad invicem: [100] tunc « quodcumque petierimus, accipimus ab Eo » (*1 Io* 3, 22). Veniae petitio praevia est liturgiae eucharisticae, sicut etiam orationi personali.

2816

1942

2854

2632 Petitio christiana habet, ut centrum, optatum et *quaesitionem Regni* quod venit, secundum Iesu doctrinam.[101] Hierarchia in petitionibus habetur: imprimis Regnum, deinde quod necessarium est ad illud accipiendum et ad cooperandum Adventui eius. Haec cum Christi et Spiritus Sancti missione cooperatio, quae nunc est illa Ecclesiae, obiectum est orationis communitatis apostolicae.[102] Oratio Pauli, apostoli per excellentiam, nobis revelat quomodo divina omnium Ecclesiarum sollicitudo orationem christianam debeat animare.[103] Oratione, omnis baptizatus adlaborat ad Regni Adventum.

2830

2633 Cum Dei amor salutaris sic participatur, intelligitur *omnem necessitatem* obiectum petitionis effici posse. Christus qui omnia assumpsit, ut omnia redimeret, glorificatur petitionibus quas Patri in Eius offerimus Nomine.[104] Hac securitate, Iacobus[105] et Paulus nos hortantur ad orandum *in omni occasione*.[106]

III. Oratio intercessionis

432

2634 Intercessio oratio est petitionis quae nos orationi Iesu prope conformat. Ipse unus est intercessor apud Patrem pro omnibus hominibus, peculiariter pro peccatoribus.[107] Ipse « salvare in perpetuum potest accedentes per Semetipsum ad Deum, semper vivens ad interpellandum pro eis » (*Heb* 7, 25). Ipse Spiritus Sanctus « interpellat [...], quia secundum Deum postulat pro sanctis » (*Rom* 8, 26-27).

2571

2577

2635 Intercedere, petere pro aliis, proprium est, inde ab Abraham, cordis misericordiae Dei conformati. In Ecclesiae tempore, intercessio christiana illam Christi participat: expressio est communionis sanctorum. In intercessione, qui orat, non considerat « quae sua sunt, [...] sed

---

[100] Cf. *1 Io* 1, 7-2, 2.
[101] Cf. *Mt* 6, 10. 33; *Lc* 11, 2. 13.
[102] Cf. *Act* 6, 6; 13, 3.
[103] Cf. *Rom* 10, 1; *Eph* 1, 16-23; *Philp* 1, 9-11; *Col* 1, 3-6; 4, 3-4. 12.
[104] Cf. *Io* 14, 13.
[105] Cf. *Iac* 1, 5-8.
[106] Cf. *Eph* 5, 20; *Philp* 4, 6-7; *Col* 3, 16-17; *1 Thess* 5, 17-18.
[107] Cf. *Rom* 8, 34; *1 Io* 2, 1; *1 Tim* 2, 5-8.

et ea, quae aliorum» (*Philp* 2, 4) usque ad orandum pro eis qui illi malum faciunt.[108]

2636   Priores christianae communitates intense secundum hanc partitio-
nis vixerunt formam.[109] Apostolus Paulus eas hoc modo suum Evangelii
ministerium participare facit,[110] sed etiam pro eis intercedit.[111] Christianorum intercessio limites non agnoscit: « pro omnibus hominibus, pro [...]
omnibus, qui in sublimitate sunt» (*1 Tim* 2, 1), pro persecutoribus,[112]   1900
pro salute illorum qui Evangelium reiiciunt.[113]   1037

IV. Oratio actionis gratiarum

2637   Gratiarum actio orationem insignit Ecclesiae, quae, Eucharistiam   224, 1328
celebrans, id manifestat idque magis efficitur quod ipsa est. Revera, in
salutis opere, Christus creaturam liberat a peccato et a morte ad illam
iterum consecrandam et ad efficiendum ut ad Patrem redeat ad Eius
gloriam. Actio gratiarum membrorum Christi illam participat eorum
Capitis.   2603

2638   Sicut in oratione petitionis, quilibet eventus et quaelibet necessitas possunt oblatio actionis gratiarum effici. Epistulae sancti Pauli saepe incipiunt et concluduntur actione gratiarum, et Dominus Iesus semper est praesens in illa. « In omnibus gratias agite; haec enim voluntas
Dei est in Christo Iesu erga vos » (*1 Thess* 5, 18). « Orationi instate,
vigilantes in ea in gratiarum actione » (*Col* 4, 2).

V. Laudis oratio

2639   Laus forma est orationis quae omnino immediate agnoscit Deum   213
esse Deum. Ipsa Ei canit propter Se Ipsum, Ei gloriam reddit, non ob
id quod facit, sed quia IPSE EST. Beatitudinem participat purorum
cordium quae Eum in fide diligunt, priusquam Eum in gloria videant.
Per eam, Spiritus cum nostro coniungitur spiritu ut testetur nos filios

[108] Cf. Sanctus Stephanus pro suis orans tortoribus sicut Iesus: cf. *Act* 7, 60; *Lc* 23, 28. 34.
[109] Cf. *Act* 12, 5; 20, 36; 21, 5; *2 Cor* 9, 14.
[110] Cf. *Eph* 6, 18-20; *Col* 4, 3-4; *1 Thess* 5, 25.
[111] Cf. *2 Thess* 1, 11; *Col* 1, 3; *Philp* 1, 3-4.
[112] Cf. *Rom* 12, 14.
[113] Cf. *Rom* 10, 1.

esse Dei,[114] testimonium reddit uni Filio, in quo adoptati sumus et per quem Patrem glorificamus. Laus alias orationis formas componit et eas ducit ad Eum qui earum fons est atque terminus: « Unus Deus Pater, ex quo omnia et nos in Illum » (*1 Cor* 8, 6).

2640 Sanctus Lucas in suo evangelio saepe coram mirabilibus Christi commemorat admirationem et laudem, eas etiam effert propter Spiritus Sancti actiones, quae sunt Actus Apostolorum: communitatis Hierosolymitanae,[115] claudi a Petro et Ioanne sanati,[116] turbae quae Deum propterea glorificat,[117] gentilium Pisidiae qui « gaudebant et glorificabant verbum Domini » (*Act* 13, 48).

2641 « Loquentes vobismetipsis in psalmis et hymnis et canticis spiritalibus, cantantes et psallentes in cordibus vestris Domino » (*Eph* 5, 19).[118] Sicut Novi Testamenti inspirati scriptores, primae communitates christianae librum relegunt Psalmorum in eis Christi canentes mysterium. In novitate Spiritus, hymnos etiam componunt et cantica ab eventu, procedentes inaudito quem Deus in Filio adimplevit Suo: Eius Incarnationem, Eius Mortem de morte victricem, Eius Resurrectionem Eiusque Ascensionem ad dexteram Suam.[119] Ab his « mirabilibus » totius Oeconomiae salutis doxologia ascendit, Dei laus.[120]

2587

2642 Revelatio eorum « quae oportet fieri cito », Apocalypsis, canticis fertur liturgiae caelestis,[121] sed etiam intercessione « testium » (martyrum).[122] Prophetae et sancti, omnes qui in terra propter Iesu testimonium interfecti sunt,[123] turba immensa eorum qui de magna venerunt tribulatione et nos praecesserunt in Regno, laudem canunt gloriae Illius qui sedet super Thronum et Agni.[124] In communione cum eis, Ecclesia terrestris etiam haec canit cantica, in fide et tribulatione. In petitione et intercessione, fides sperat contra omnem spem et gratias agit Patri luminum a quo omne donum perfectum descendit.[125] Sic fides est pura laus.

1137

2643 Eucharistia omnes orationis continet et exprimit formas: eadem est « oblatio munda » totius corporis Christi in gloriam Nominis Eius; [126] eadem, secundum Orientis et Occidentis traditiones, est « sacrificium laudis ».

1330

---

[114] Cf. *Rom* 8, 16.
[115] Cf. *Act* 2, 47.
[116] Cf. *Act* 3, 9.
[117] Cf. *Act* 4, 21.
[118] Cf. *Col* 3, 16.
[119] Cf. *Philp* 2, 6-11; *Col* 1, 15-20; *Eph* 5, 14; *1 Tim* 3, 16; 6, 15-16; *2 Tim* 2, 11-13.
[120] Cf. *Eph* 1, 3-14; 3, 20-21; *Rom* 16, 25-27; *Ids* 24-25.
[121] Cf. *Apc* 4, 8-11; 5, 9-14; 7, 10-12.
[122] Cf. *Apc* 6, 10.
[123] Cf. *Apc* 18, 24.
[124] Cf. *Apc* 19, 1-8.
[125] Cf. *Iac* 1, 17.
[126] Cf. *Mal* 1, 11.

Compendium

2644   *Spiritus Sanctus qui docet Ecclesiam eique omnia suggerit quae Iesus dixit, eam etiam ad orationis vitam educat, suscitans expressiones quae renovantur intra formas permanentes: benedictionem, petitionem, intercessionem, gratiarum actionem et laudem.*

2645   *Quia Deus ei benedicit, potest cor hominis retribuendo benedicere Illi qui omnis benedictionis est fons.*

2646   *Oratio petitionis habet, ut obiectum, veniam, Regni quaesitionem, sicut etiam omnem veram necessitatem.*

2647   *Intercessionis oratio in petitione consistit pro aliis. Limites non cognoscit et usque ad inimicos extenditur.*

2648   *Quodlibet gaudium et quilibet dolor, quilibet eventus et quaelibet necessitas possunt materiam esse actionis gratiarum, quae illam Christi participans, totam implere debet vitam: « In omnibus gratias agite » (1 Thess 5, 18).*

2649   *Oratio laudis, prorsus gratuita, fertur in Deum; Ei canit propter Se Ipsum, Eidem gloriam reddit, non ob id quod Ipse facit, sed quia IPSE EST.*

CAPUT SECUNDUM

ORATIONIS TRADITIO

2650 Oratio ad ortum spontaneum interioris impulsus non reducitur: ad orandum, oportet id velle. Scire non sufficit quod Scriptura de oratione revelat: discere oportet etiam orare. Nunc vero, Spiritus Sanctus, 75 per transmissionem vivam (sanctam Traditionem), Dei filios in credenti et oranti Ecclesia [1] orare docet.

94 2651 Orationis christianae traditio quaedam e formis est incrementi Traditionis fidei, praesertim contemplatione et studio credentium qui eventus et verba Oeconomiae salutis in corde conservant suo, atque profunda penetratione realitatum spiritualium quas experiuntur.[2]

Articulus 1

AD ORATIONIS FONTES

694 2652 Spiritus Sanctus est « aqua viva » quae, in corde orantis, « salit in vitam aeternam ».[3] Idem nos docet eam accipere in ipso fonte: Christo. In vita autem christiana, fontis habentur canales, in quibus Christus nos exspectat ut nos Spiritu Sancto adaquet:

VERBUM DEI

133 2653 Ecclesia « christifideles omnes [...] vehementer peculiariterque exhortatur, ut frequenti divinarum Scripturarum lectione 'eminentem scientiam Iesu Christi' (*Philp* 3, 8) ediscant [...]. Meminerint autem ora-
1100 tionem concomitari debere sacrae Scripturae lectionem, ut fiat collo-

---

[1] Cf. CONCILIUM VATICANUM II, Const. dogm. *Dei Verbum*, 8: AAS 58 (1966) 821.
[2] Cf. CONCILIUM VATICANUM II, Const. dogm. *Dei Verbum*, 8: AAS 58 (1966) 821.
[3] Cf. *Io* 4, 14.

quium inter Deum et hominem; nam 'Illum alloquimur, cum oramus; Illum audimus, cum divina legimus oracula' ».[4]

2654 Patres spirituales, paraphrasi *Mt* 7, 7 interpretantes, sic cordis a Verbo Dei in oratione enutriti compendiant dispositiones: « Quaerite legendo, et invenietis meditando: pulsate orando, et aperietur vobis contemplando ».[5]

LITURGIA ECCLESIAE

2655 Missio Christi et Spiritus Sancti, qui, in sacramentali Ecclesiae liturgia, salutis mysterium annuntiat, efficit actuale et communicat, in corde prosequitur oranti. Patres spirituales quandoque cor altari comparant. Oratio liturgiam reddit interiorem et sibi propriam, eius perdurante celebratione et post eius celebrationem. Oratio, etiam cum in vitam ducitur « in abscondito » (*Mt* 6, 6), semper est *Ecclesiae* oratio, eadem communio est cum Sanctissima Trinitate.[6]

1073
368

VIRTUTES THEOLOGALES

1812-1829

2656 Ingressus fit in orationem sicut in liturgiam: per portam angustam *fidei*. Vultum Domini, per Eius praesentiae signa, quaerimus et exoptamus, Eius verbum audire volumus et custodire.

2657 Spiritus Sanctus, qui nos liturgiam celebrare docet in exspectatione reditus Christi, nos instituit ut in *spe* oremus. Vicissim, oratio Ecclesiae et oratio personalis nostram alunt spem. Psalmi omnino peculiariter, suo sermone concreto et vario, nos docent in Deo spem nostram defigere: « Exspectans exspectavi Dominum, et intendit mihi » (*Ps* 40, 2). « Deus autem spei repleat vos omni gaudio et pace in credendo, ut abundetis in spe in virtute Spiritus Sancti » (*Rom* 15, 13).

2658 « Spes autem non confundit, quia *caritas* Dei diffusa est in cordibus nostris per Spiritum Sanctum, qui datus est nobis » (*Rom* 5, 5).

---

[4] CONCILIUM VATICANUM II, Const. dogm. *Dei Verbum*, 25: AAS 58 (1966) 829; cf. SANCTUS AMBROSIUS, *De officiis ministrorum*, 1, 88: ed. N. TESTARD (Paris 1984) p. 138 (PL 16, 50).

[5] GUIGO II CARTUSIENSIS, *Scala claustralium*, 2, 2: PL 184, 476. Haec tamen verba non accipiuntur in textu editionis criticae SC 163, 84; vide ibi apparatum criticum.

[6] *Institutio generalis de liturgia Horarum*, 9: *Liturgia Horarum*, editio typica, v. 1 (Typis Polyglottis Vaticanis 1973) p. 25.

826 Oratio, formata a vita liturgica, omnia haurit in amore quo in Christo diligimur et qui nobis concedit ut Eidem respondeamus diligendo sicut nos Ipse dilexit. Amor *unus* est orationis fons: qui ab eo haurit, orationis culmen attingit:

> « Ego Te diligo, Deus meus, et meum unicum desiderium est Te usque ad extremum vitae meae halitum diligere. Te diligo, Deus infinite amabilis, et malo mori Te diligendo, quam vivere quin Te diligam. Te diligo, Domine, et sola gratia, quam a Te postulo, est Te aeterne diligere. [...] Deus meus, etsi lingua mea singulis momentis nequit dicere, me Te amare, volo ut cor meum Tibi id repetat quoties respiro ».[7]

« HODIE »

1165
2837
305
2659 Quibusdam momentis orare discimus Domini Verbum audiendo et Eius Paschale participando mysterium, sed semper, in *uniuscuiusque* diei eventibus, Eius Spiritus nobis offertur qui efficiat ut oriatur oratio. Iesu doctrina de oratione in eadem habetur linea ac illa de providentia:[8] tempus in manibus est Patris; in praesenti Illum invenimus, neque heri neque cras, sed hodie: « Utinam hodie vocem Eius audiatis: Nolite obdurare corda vestra » (*Ps* 95, 8).

2546
2632
2660 In uniuscuiusque diei et uniuscuiusque momenti eventibus orare unum est ex Regni secretis quae revelata sunt « parvulis », Christi servis, pauperibus beatitudinum. Iustum et bonum est orare ut Adventus Regni iustitiae et pacis influxum exerceat in historiae progressu, sed magni momenti etiam est massam humilium quotidianarum condicionum oratione subigere. Omnes orationis formae illud possunt esse fermentum cui Dominus Regnum comparavit.[9]

Compendium

2661 *Per viventem transmissionem, per Traditionem, Spiritus Sanctus filios Dei, in Ecclesia, docet orare.*

2662 *Dei Verbum, Ecclesiae liturgia, fidei, spei et caritatis virtutes fontes sunt orationis.*

---

[7] SANCTUS IOANNES MARIA VIANNEY, *Oratio*, apud B. NODET, *Le Curé d'Ars. Sa pensée-son coeur* (Le Puy 1966) p. 45.
[8] Cf. *Mt* 6, 11. 34.
[9] Cf. *Lc* 13, 20-21.

Articulus 2

ORATIONIS VIA

2663 In orationis viventi traditione, unaquaeque Ecclesia suis fideli- 1201
bus, secundum historicum, socialem et culturalem contextum, eorum
orationis proponit sermonem: verba, melodias, gestus, iconographiam.
Ad Magisterium pertinet [10] harum orationis viarum discernere fidelitatem ad fidei apostolicae Traditionem, atque Pastorum et catechistarum
est explicare earum sensum, qui semper ad Iesum Christum refertur.

Oratio ad Patrem

2664 Nulla alia orationis christianae est via quam Christus. Sive oratio nostra communitaria est sive personalis, vocalis, vel interior, accessus ad Patrem non habetur nisi « in nomine » Iesu oremus. Sancta Iesu 2780
humanitas est igitur via per quam Spiritus Sanctus nos docet Deum
orare Patrem nostrum.

Oratio ad Iesum

2665 Ecclesiae oratio, Verbo Dei et celebratione liturgiae nutrita, nos
docet Dominum Iesum orare. Etiamsi eadem praesertim ad Patrem diri- 451
gatur, in omnibus traditionibus liturgicis formas implicat orationis ad
Christum directas. Quidam psalmi, secundum eorum ad praesentes rerum condiciones accommodationem in oratione Ecclesiae, et Novum
Testamentum in labiis nostris collocant et in cordibus inscribunt nostris
invocationes huius orationis ad Christum: Fili Dei, Verbum Dei, Domine, Salvator, Agnus Dei, Rex, Fili dilecte, Fili Virginis, bone Pastor,
Vita nostra, Lumen nostrum, Spes nostra, Resurrectio nostra, hominum
Amice...

2666 Sed Nomen, quod totum continet, est illud quod Filius Dei in
Sua recipit Incarnatione: IESUS. Nomen divinum nostris humanis labiis 432
est ineffabile,[11] sed Verbum Dei, nostram assumens humanitatem, illud
nobis tradit atque illud possumus invocare: « Iesus », « YHWH salvat ».[12] Nomen Iesu totum continet: Deum et hominem atque totam 435
creationis et salutis Oeconomiam. « Iesum » orare est Illum invocare,

[10] Cf. Concilium Vaticanum II, Const. dogm. *Dei Verbum*, 10: AAS 58 (1966) 822.
[11] Cf. *Ex* 3, 14; 33, 19-23.
[12] Cf. *Mt* 1, 21.

Illum in nobis appellare. Eius Nomen unum est quod continet praesentiam quam significat. Iesus est resuscitatus, et quicumque Eius invocat Nomen, Dei accipit Filium qui eum amavit et Se tradidit pro eo.[13]

2616 **2667** Haec fidei invocatio, prorsus simplex, in orationis traditione, pluribus formis in Oriente et in Occidente, est explicata. Formula maxime frequens, a spiritualibus montis Sinai, Syriae et montis Athi tradita, est invocatio: « Iesu, Christe, Fili Dei, Domine, miserere nobis, peccatoribus! ». Ipsa hymnum coniungit christologicum *Philp* 2, 6-11 cum appellatione publicani atque mendicantium lumen.[14] Per eamdem, cor componitur cum miseria hominum et misericordia eorum Salvatoris.

435 **2668** Sancti Nominis Iesu invocatio via est continuae orationis omnium simplicissima. Eadem, corde humiliter attento saepe iterata, « in multiloquio » (*Mt* 6, 7) non dispergitur, sed « Verbum retinet et fructum affert in constantia ».[15] Haec est « semper » possibilis, quia occupatio quaedam iuxta aliam non est, sed unica occupatio, illa nempe amandi Deum, quae omnem actionem in Christo Iesu animat et transfigurat.

478 **2669** Ecclesiae oratio *cor Iesu* veneratur et honorat, sicut Eius sanctissimum invocat Nomen. Verbum Incarnatum Eiusque adorat cor quod amore hominum
1674 ob nostra peccata transfigi permisit. Orationi christianae placet *viam crucis* post Salvatorem sequi. Stationes a Pretorio ad Golgotha atque ad Sepulcrum iter efferunt Iesu qui mundum Sua sancta redemit cruce.

« Veni, Sancte Spiritus »

683 **2670** « Nemo potest dicere: 'Dominus Iesus', nisi in Spiritu Sancto » (*1 Cor* 12, 3). Quotiescumque Iesum orare incipimus, Spiritus Sanctus,
2001 Sua praevenienti gratia, nos ad viam orationis trahit. Cum Is nos orare doceat, nobis Christum in memoriam revocans, quomodo Eum Ipsum non oremus? Hac de causa, Ecclesia nos invitat singulis diebus Spiritum
1310 Sanctum implorare, praesertim initio et fine omnis actionis magni momenti.

« Si enim Spiritus Sanctus adorandus non est, quomodo me deificat per Baptismum? Si autem adorandus, an non venerandus? ».[16]

[13] Cf. *Rom* 10, 13; *Act* 2, 21; 3, 15-16; *Gal* 2, 20.
[14] Cf. *Lc* 18, 13; *Mc* 10, 46-52.
[15] Cf. *Lc* 8, 15.
[16] Sanctus Gregorius Nazianzenus, *Oratio* 31 (theologica 5), 28: SC 250, 332 (PG 36, 165).

2671 Traditionalis forma petitionis Spiritus est Patrem per Christum Dominum nostrum invocare ut nobis Spiritum Consolatorem concedat.[17] Iesus de hac petitione in Eius nomine tunc praecise instat, cum Ipse donum promittit Spiritus veritatis.[18] Sed oratio simplicissima et directissima est etiam traditionalis: « Veni, Sancte Spiritus », et singulae traditiones liturgicae in antiphonis et hymnis eam explicaverunt:

> « Veni, Sancte Spiritus, reple Tuorum corda fidelium, et Tui amoris in eis ignem accende ».[19]

> « Rex coelestis, Consolator, Spiritus veritatis, ubique praesens et omnia replens, bonorum thesaure et vitae subministrator, veni, habita in nobis, purifica nos ab omni macula et salva animas nostras, Tu qui bonus es! ».[20]

2672 Spiritus Sanctus, cuius unctio nosmetipsos imbuit totos, interior est orationis christianae Magister. Ipse est artifex viventis traditionis orationis. Utique tot sunt in oratione viae quot orantes, sed Idem Spiritus agit in omnibus et cum omnibus. In Spiritus Sancti communione, oratio christiana est oratio in Ecclesia. 695

In communione cum sancta Dei Genetrice

2673 In oratione, Spiritus Sanctus nos cum Filii unici coniungit Persona in Eius humanitate glorificata. Per ipsam et in ipsa, nostra oratio filialis cum Matre Iesu communicat in Ecclesia.[21] 689

2674 Post consensum Annuntiationi in fide praestitum et sine haesitatione iuxta crucem sustentum, maternitas Mariae exinde extenditur ad eius Filii fratres et sorores adhuc peregrinantes necnon in periculis et angustiis versantes.[22] Iesus, unus mediator, est nostrae orationis via; Maria, Mater Eius Materque nostra, omnino translucens Eius imaginem reddit: ipsa « ostendit viam » (Ὁδηγήτρια), eius est « Signum », secundum iconographiam in Oriente et in Occidente traditionalem. 494

---

[17] Cf. *Lc* 11, 13.
[18] Cf. *Io* 14, 17; 15, 26; 16, 13.
[19] *In sollemnitate Pentecostes*, Antiphona ad « Magnificat » in I Vesperis: *Liturgia Horarum*, editio typica, v. 2 (Typis Polyglottis Vaticanis 1973) p. 798; cf. Sollemnitas Pentecostes, Ad Missam in die, Sequentia: *Lectionarium*, v. 1, editio typica (Typis Polyglottis Vaticanis 1970) p. 855-856.
[20] *Officium Horarum Byzantinum, Vespertinum in die Pentecostes*, Sticherum 4: Πεντηκοστάριον (Rome 1884) p. 394.
[21] Cf. *Act* 1, 14.
[22] Cf. Concilium Vaticanum II, Const. dogm. *Lumen gentium*, 62: AAS 57 (1965) 63.

970   2675 Inde ab hac singulari Mariae cooperatione actioni Spiritus Sanc-
      ti, Ecclesiae ad sanctam Matrem Dei excoluerunt orationem, eam ad
512   Personam Christi, in Eius mysteriis manifestatam, dirigentes quasi ad
      centrum. In innumeris hymnis et antiphonis, quibus haec exprimitur
      oratio, duo motus plerumque alternis vicibus succedunt: alter « magnifi-
2619 cat » Dominum propter « magna » quae Suae humili fecit ancillae et,
      per eam, omnibus hominibus;²³ alter Matri Iesu supplicationes concre-
      dit et laudes filiorum Dei, propterea quod illa nunc cognoscit humani-
      tatem quam in illa Filius Dei ut sponsam Sibi coniunxit.

      2676 Hic duplex motus orationis ad Mariam in oratione « Ave Maria »
      expressionem invenit singularem:

722   « *Ave, Maria (Laetare, Maria)* ». Gabrielis Angeli salutatio orationem aperit
      « Ave ». Deus Ipse, per Angelum Suum, Mariam salutat. Oratio nostra audet
      Mariae salutationem iterum sumere eo intuitu quo Deus Suam humilem respexit
      ancillam,²⁴ et laetari de gaudio quod Ipse in ea invenit.²⁵

490   « *Gratia plena, Dominus tecum* »: Duae sententiae salutationis Angeli sese mutuo
      illustrant. Maria est gratia plena quia Dominus est cum ea. Gratia, qua ipsa
      cumulatur, praesentia est Illius qui omnis gratiae est fons. « Laetare [...], filia
      Ierusalem! [...] Dominus Deus tuus in medio tui » (*Soph* 3, 14. 17). Maria, in
      quam Ipse Dominus venit ut habitet, est ipsamet filia Sion, Foederis Arca, lo-
      cus in quo Domini gloria commoratur: ipsa est « tabernaculum Dei cum homi-
      nibus » (*Apc* 21, 3). « Gratia plena », ipsa est tota donata Ei, qui venit ut in ea
      habitet, et quem ipsa mundo est datura.

435   « *Benedicta tu in mulieribus et benedictus fructus ventris tui, Iesus* ». Post saluta-
      tionem Angeli, illam Elisabeth nostram facimus. « Repleta [...] Spiritu Sancto »
      (*Lc* 1, 41), Elisabeth prima est in longa serie generationum quae Mariam bea-
      tam declarant.²⁶ « Beata, quae credidit... » (*Lc* 1, 45); Maria est « benedicta [...]
146   in mulieribus », quia in verbi Domini credidit adimpletionem. Abraham, sua fi-
      de, effectus est ille in quo « benedicentur universae cognationes terrae » (*Gn* 12,
      3). Sua fide, Maria effecta est credentium Mater propter quam omnes terrae
      nationes accipiunt Illum qui est ipsa Dei benedictio: « benedictus fructus ventris
      tui, Iesus ».

495   2677 « *Sancta Maria, Mater Dei, ora pro nobis...* ». Miramur cum Elisabeth:
      « Unde hoc mihi, ut veniat Mater Domini mei ad me? » (*Lc* 1, 43). Maria,
      propterea quod nobis Iesum Filium suum donat, Mater est Dei et Mater nos-
      tra; ei concredere possumus omnes nostras sollicitudines nostrasque petitiones;
      pro nobis orat, sicut pro se ipsa oravit: « Fiat mihi secundum verbum tuum »

      ---

      ²³ Cf. *Lc* 1, 46-55.
      ²⁴ Cf. *Lc* 1, 48.
      ²⁵ Cf. *Soph* 3, 17.
      ²⁶ Cf. *Lc* 1, 48.

(*Lc* 1, 38). Nos eius orationi concredentes, cum ea voluntati Dei nos dedimus: « Fiat voluntas Tua ».

« *Ora pro nobis, peccatoribus, nunc et in hora mortis nostrae* ». Postulantes a Maria ut pro nobis oret, nos pauperes agnoscimus peccatores et nos convertimus ad « Matrem misericordiae », ad totam Sanctam. Nos ei tradimus « nunc », in die hodierna nostrae vitae. Atque nostra fiducia extenditur ut ei dedamus iam nunc « horam mortis nostrae ». Adsit ipsa tunc, sicut morti adfuit Filii sui in cruce, et in hora nostri transitus nos accipiat sicut Mater nostra [27] ut nos ad Filium ducat suum, in paradisum.

1020

2678 Mediaevalis pietas Occidentis orationem excoluit Rosarii, tamquam popularem orationis Horarum substitutionem. In Oriente, forma litanica, sicut Ἀκάθιστος et Παράκλησις, propinquior permansit officio chorali in Ecclesiis Byzantinis, dum Armena, Copta et Syriaca traditiones, hymnos praetulerunt et cantica popularia in Matrem Dei. Sed Ave Maria, θεοτοκία, hymni sancti Ephraem vel sancti Gregorii a Narek traditionem orationis conservant fundamentaliter eamdem.

971, 1674

2679 Maria est mulier orans perfecta, figura Ecclesiae. Cum oramus eam, cum ea consilio Patris adhaeremus, qui Suum mittit Filium ad omnes salvandos homines. Sicut discipulus dilectus, eam accipimus in nostra,[28] Matrem Iesu, Matrem omnium viventium effectam. Orare cum ea eamque possumus orare. Oratio Ecclesiae quasi ab oratione fertur Mariae. Eadem est cum Ipso coniuncta in spe.[29]

967

972

Compendium

2680 *Oratio praesertim ad Patrem dirigitur; eadem etiam in Iesum fertur, speciatim per Eius sancti Nominis invocationem: « Iesu, Christe, Fili Dei, Domine, miserere nobis, peccatoribus! ».*

2681 *« Nemo potest dicere: 'Dominus Iesus', nisi in Spiritu Sancto » (1 Cor 12, 3). Ecclesia nos invitat ad Spiritum Sanctum invocandum tamquam interiorem orationis christianae Magistrum.*

2682 *Ecclesiae libet in communione cum beata Virgine orare propter eius singularem cooperationem cum actione Spiritus Sancti, ad magna magnificanda, quae Deus in ea operatus est, et ad ei supplicationes concredendas et laudes.*

---

[27] Cf. *Io* 19, 27.
[28] Cf. *Io* 19, 27.
[29] Cf. Concilium Vaticanum II, Const. dogm. *Lumen gentium*, 68-69: AAS 57 (1965) 66-67.

Articulus 3

DUCES AD ORATIONEM

Nubes testium

2683   Testes qui nos praecesserunt in Regno,[30] speciatim illi quos Ecclesia tamquam « sanctos » agnoscit, viventem orationis traditionem communicant, suae vitae exemplo, suorum scriptorum transmissione et sua hodierna oratione. Deum contemplantur, Eum laudant et curam de 956   eorum habere non desinunt quos in terra reliquerunt. Iidem, intrantes « in gaudium » Domini sui, constituti sunt « supra multa ».[31] Eorum intercessio est altissimum eorum servitium consilio Dei. Possumus et debemus orare ut pro nobis intercedant et pro toto mundo.

2684   In communione sanctorum, decursu historiae Ecclesiarum, diver 917   sae excultae sunt *spiritualitates*. Charisma personale cuiusdam testis amoris Dei erga homines transmitti potuit, sicut « spiritus » Eliae ad Elisaeum[32] et ad Ioannem Baptistam,[33] ut discipuli hunc participarent 919   spiritum.[34] Quaedam spiritualitas est etiam in confluenti aliorum mo 1202   tuum, liturgicorum et theologicorum, et fidei testatur inculturationem in ambitu quodam humano in eiusque historia. Spiritualitates christianae viventem participant traditionem orationis et duces pro fidelibus sunt necessarii. Ipsae reverberant, in sua divite diversitate, purum et unum Spiritus Sancti lumen.

> « Spiritus vere locus est sanctorum. Sanctus itidem locus est Spiritui proprius, ac praebet seipsum ut habitet cum Deo, ac templum illius vocatur ».[35]

Orationis ministri

1657   2685   *Familia christiana* primus est locus educationis ad orationem. Eadem, in Matrimonii fundata sacramento, est « Ecclesia domestica » in qua filii Dei orare discunt « ut Ecclesia » et in oratione perseverare. Pro

---

[30] Cf. *Heb* 12, 1.
[31] Cf. *Mt* 25, 21.
[32] Cf. *2 Reg* 2, 9.
[33] Cf. *Lc* 1, 17.
[34] Cf. Concilium Vaticanum II, Decr. *Perfectae caritatis*, 2: AAS 58 (1966) 703.
[35] Sanctus Basilius Magnus, *Liber de Spiritu Sancto*, 26, 62: SC 17bis, 472 (PG 32, 184).

parvulis praesertim pueris, oratio familiaris quotidiana testis est primus viventis memoriae Ecclesiae, quam patienter Spiritus Sanctus excitat.

2686 *Ministri ordinati* sunt etiam responsabiles formationis suorum fratrum et sororum in Christo ad orationem. Illi, boni Pastoris servi, ordinantur ut Dei populum ducant ad vivos orationis fontes: Verbum Dei, liturgiam, vitam theologalem, « Hodie » Dei in concretis condicionibus.[36]

1547

2687 Multi *religiosi* totam suam vitam consecraverunt orationi. Inde ab Aegypti deserto, eremitae, monachi et moniales suum tempus laudi dederunt Dei et intercessioni pro populo suo. Vita consecrata sine oratione non sustinetur neque propagatur; haec unus est ex vivis fontibus contemplationis et vitae spiritualis in Ecclesia.

916

2688 Puerorum, iuvenum et adultorum *catechesis* eo spectat ut Verbum Dei meditatione consideretur in oratione personali, ut in oratione liturgica reddatur actuale et ut semper interius fiat ad suum in vita nova ferendum fructum. Catechesis est etiam momentum in quo pietas popularis discerni potest et educari.[37] Orationes fundamentales memoria discere sustentaculum offert necessarium ad orationis vitam, sed magni momenti est efficere ut earum gustetur sensus.[38]

1674

2689 *Orationis coetus*, sive « orationis scholae », sunt hodie inter signa et inter media renovationis orationis in Ecclesia, si ad authenticos orationis christianae adaquentur fontes. Cura communionis est verae orationis signum in Ecclesia.

2690 Spiritus Sanctus quibusdam fidelibus donum praebet sapientiae, fidei et discretionis propter bonum commune quod est oratio (*directio spiritualis*). Illi et illae, qui hoc dono sunt praediti, veri sunt ministri viventis traditionis orationis:

> Hac de causa, anima, quae in perfectione progredi vult, debet, secundum sancti Ioannis a Cruce consilium, « perspicere in cuius tradatur manus; quia qualis magister erit, talis erit discipulus, et qualis pater, talis filius ». Et ulterius: opus est ut director « non solum sapiens sit et prudens, sed oportet illum esse expertum; [...] si experientia non habe-

---

[36] Cf. Concilium Vaticanum II, Decr. *Presbyterorum ordinis*, 4-6: AAS 58 (1966) 995-1001.
[37] Cf. Ioannes Paulus II, Adh. ap. *Catechesi tradendae*, 54: AAS 71 (1979) 1321-1322.
[38] Cf. Ioannes Paulus II, Adh. ap. *Catechesi tradendae*, 55: AAS 71 (1979) 1322-1323.

tur de eo quod purus et verus sit spiritus, nesciet in illo animam ducere, cum Deus huic illum dat, neque etiam illum intelliget ».[39]

Loca orationi faventia

1181
2097
1379

2691 Ecclesia, domus Dei, pro communitate paroeciali, est locus orationis liturgicae proprius. Eadem est etiam locus privilegiatus adorationis praesentiae realis Christi in Sanctissimo Sacramento. Electio loci propitii non est indifferens ad orationis veritatem:

— pro oratione personali potest esse « orationis angulus », cum sacra Scriptura et iconibus, ut « in abscondito » simus coram Patre nostro.[40] In familia christiana, hoc parvi oratorii genus orationi favet in communi;

1175
— in regionibus in quibus monasteria exsistunt, harum communitatum vocatio est participationi favere orationis Horarum cum fidelibus et permittere solitudinem necessariam ad intensiorem orationem personalem;[41]

1674
— peregrinationes nostrum in terra ad caelum iter evocant. Traditionaliter intensa sunt tempora ad orationem renovandam. Sanctuaria, pro peregrinis qui suos viventes quaerunt fontes, loca sunt singularia ut ipsi, « tamquam Ecclesia », orationis christianae formas ducant in vitam.

Compendium

2692 *Ecclesia peregrinans, in sua oratione, illi sociatur sanctorum, quorum eadem intercessionem flagitat.*

2693 *Diversae spiritualitates christianae traditionem viventem participant orationis et duces sunt magni pretii ad vitam spiritualem.*

2694 *Familia christiana primus est locus educationis ad orationem.*

2695 *Ministri ordinati, vita consecrata, catechesis, orationis coetus, « directio spiritualis » adiutorium ad orationem praestant in Ecclesia.*

2696 *Loca ad orationem maxime propitia sunt personale vel familiare oratorium, monasteria, peregrinationis sanctuaria et, praesertim, ecclesia quae pro communitate paroeciali locus orationis liturgicae est proprius et locus privilegiatus adorationis eucharisticae.*

---

[39] Sanctus Ioannes a Cruce, *Llama de amor viva*, redactio secunda, stropha 3, declaratio, 30: *Biblioteca Mística Carmelitana*, v. 13 (Burgos 1931) p. 171.

[40] Cf. *Mt* 6, 6.

[41] Cf. Concilium Vaticanum II, Decr. *Perfectae caritatis*, 7: AAS 58 (1966) 705.

CAPUT TERTIUM
ORATIONIS VITA

2697 Oratio vita est cordis novi. Eadem nos singulis momentis animare debet. Tamen Illius obliviscimur qui nostra est Vita et nostrum Totum. Hac de causa, Patres spirituales, in Deuteronomii et Prophetarum
traditione, de oratione insistunt tamquam de « recordatione Dei », frequenti excitatione « memoriae cordis ». « Dei recordandum saepius   1099
quam respirandum ».[1] Sed orare « omni tempore » possibile non est,
nisi quibusdam momentis oratio fiat, eam volendo: haec firma sunt
tempora orationis christianae in intensitate et diuturnitate.

2698 Ecclesiae Traditio fidelibus proponit rhythmos orationis destina-   1168
tos ad continuam nutriendam orationem. Quidam quotidiani sunt: oratio matutina et vespertina, ante et post prandium, liturgia Horarum.   1174
Dominica, cuius centrum est Eucharistia, praecipue oratione sanctifica-   2177
tur. Cyclus anni liturgici eiusque magnae festivitates rhythmi sunt vitae
orationis christianorum fundamentales.

2699 Dominus singulas ducit personas viis et modo quae Ei placent.
Unusquisque fidelis Eidem respondet etiam secundum cordis sui determinationem et expressiones personales orationis suae. Tamen traditio
christiana tres expressiones vitae orationis retinuit maiores: orationem
vocalem, meditationem et orationem contemplativam. Illis lineamentum
fundamentale est commune: cordis recollectio. Haec vigilantia ad Ver-   2563
bum custodiendum et ad permanendum in praesentia Dei efficit ut hae
tres expressiones fortia sint vitae orationis tempora.

---

[1] Sanctus Gregorius Nazianzenus, *Oratio* 27 (theologica 1), 4: SC 250, 78 (PG
36, 16).

Articulus 1
EXPRESSIONES ORATIONIS

I. Oratio vocalis

1176
2700   Deus homini loquitur Verbo Suo. Verbis, mentalibus vel vocalibus, nostra augetur oratio. Sed maximi momenti est cordis praesentia ad Eum cui in oratione loquimur. « Ut exaudiamur non est situm in verborum multitudine, sed in vigilantia mentis ».[2]

2603

612
2701   Vocalis oratio pernecessarium vitae christianae est elementum. Discipulos, oratione silentiosa eorum Magistri attractos, Hic quamdam vocalem docet orationem: Pater noster. Iesus non solum orationibus synagogae liturgicis oravit; Evangelia Eum nobis ostendunt attollentem vocem ad Suam orationem exprimendam personalem, ab exsultanti benedictione Patris [3] usque ad angustiam Gethsemani.[4]

1146
2702   Necessitas sociandi sensus cum oratione interiore cuidam respondet exigentiae nostrae naturae humanae. Corpus sumus et spiritus, et necessitatem externe exprimendi nostras affectiones experimur. Oportet tota nostra natura orare ad totam nostrae supplicationi tribuendam virtutem quae possibilis est.

2703   Haec necessitas cuidam exigentiae divinae etiam respondet. Deus quaerit adoratores in Spiritu et in veritate, et consequenter orationem quae viva ex profunditatibus ascendat animae. Externam etiam vult expressionem quae corpus cum oratione societ interiori, quia illa Ei hoc

2097
perfectum affert obsequium omnium ad quae Ipse habet ius.

2704   Oratio vocalis, quippe quae exterior atque adeo perfecte humana, est per excellentiam oratio turbarum. Sed neque oratio maxime interior orationem vocalem negligere potest. Oratio fit interior quatenus conscientiam adquirimus de Illo « cui loquimur ».[5] Tunc vocalis oratio quidam primus modus fit orationis contemplativae.

---

[2] Sanctus Ioannes Chrysostomus, *De Anna,* sermo 2, 2: PG 54, 646.
[3] Cf. *Mt* 11, 25-26.
[4] Cf. *Mc* 14, 36.
[5] Cf. Sancta Theresia a Iesu, *Camino de perfección,* 26: *Biblioteca Mística Carmelitana,* v. 3 (Burgos 1916) p. 122.

II. Meditatio

2705 Meditatio est praecipue inquisitio. Spiritus intelligere quaerit cur et quomodo sit vita christiana, ut adhaereat et respondeat ad id quod Dominus postulat. Attentio requiritur quae difficulter subigitur. Plerumque adiutorio est quidam liber; tales christianis non desunt: sacra Scriptura, praesertim Evangelium, sanctae icones, liturgici textus diei vel temporis, Patrum spiritualium scripta, spiritualitatis opera, magnus liber creationis et ille historiae, pagina de « Hodie » Dei.

158
127

2706 Meditari id quod legitur ducit ad id proprium sibi efficiendum, idem secum conferendo. Hic, alius liber aperitur: ille vitae. A cogitationibus ad realitatem fit transitus. In humilitatis et fidei mensura, ibi deteguntur motus, qui cor agitant, et possibile est illos discernere. Agitur de veritate facienda ut ad lumen perveniamus: « Domine, quid me vis facere? ».

2707 Meditationis methodi tot sunt diversae quot magistri spirituales. Christianus debet velle, modo regulari, meditari, ne tribus primis terrenis parabolae seminatoris sit similis.[6] Sed methodus solum dux quidam est; caput est progredi, cum Spiritu Sancto, in una orationis via: Christo Iesu.

2690
2664

2708 Meditatio cogitatione, imaginatione, animi motu et desiderio utitur. Haec convocatio necessaria est ad fidei persuasiones profundius penetrandas, ad cordis conversionem suscitandam et ad roborandam voluntatem sequendi Christum. Oratio christiana praeferenter « mysteriis Christi » meditandis incumbit, sicut in *lectione divina* et in Rosario. Haec forma considerationis orantis magni pretii est, sed oratio christiana debet ulterius tendere: in cognitionem amoris Iesu, in coniunctionem cum Eo.

516
2678

III. Oratio contemplativa

2709 Quid est oratio contemplativa? Sancta Theresia respondet: « Oratio mentalis, meo iudicio, aliud non est quam de amicitia agere, ita ut quis saepe se habeat solitarie agendo cum Eo a quo scimus amari ».[7]

2562-2564

---

[6] Cf. *Mc* 4, 4-7. 15-19.
[7] Sancta Theresia a Iesu, *Libro de la vida*, 8: *Biblioteca Mística Carmelitana*, v. 1 (Burgos 1915) p. 57.

Oratio contemplativa Eum quaerit « quem diligit anima mea » (*Ct* 1, 7).[8] Iesus, et in Eo Pater, quaeritur, quia Eum desiderare initium amoris semper est, et Ipse quaeritur fide pura, hac fide quae efficit ut ex Eo nascamur et in Eo vivamus. Etiam in oratio contemplativa potest quis meditari, intuitus tamen in Dominum fertur.

2726   2710   Electio *temporis et diuturnitatis orationis contemplativae* a firma pendet voluntate, quae cordis revelat secreta. Oratio contemplativa non fit, cum tempus habetur: tempus sumitur ut simus ad Dominum, cum firma determinatione id Ei, in itineris decursu, non iterum sumendi, quaecumque sint probationes et siccitates occursus. Meditari non semper possibile est, possibile est semper in orationem contemplativam intrare, independenter a valetudinis, laboris vel animi affectionum condicionibus. Cor locus est quaesitionis et occursus, in paupertate et in fide.

1348

2100   2711   *In orationem contemplativam ingressus* analogus est illi liturgiae eucharisticae: cor « congregare », sub Spiritus Sancti impulsu totum id recolligere, quod sumus, habitare Domini mansionem, quae sumus nos, fidem suscitare ad ingrediendum in praesentiam Illius qui nos exspectat, efficere ut nostrae cadant larvae et cor nostrum revertatur ad Dominum qui nos amat, ut Illi nos concredamus tamquam oblationem purificandam et transformandam.

2712   Oratio contemplativa est oratio filii Dei, peccatoris dimissi qui accipere consentit amorem quo amatur et eidem vult respondere magis adhuc amando.[9] Sed ipse scit amorem suum, tamquam restitutionem, illum esse quem Spiritus Sanctus in cor eius effundit, quia omnia gratia sunt ex parte Dei. Oratio contemplativa est humilis et pauper deditio

2822   amanti voluntati Patris in unione semper profundiore Eius Filio dilecto.

2559   2713   Sic oratio contemplativa est expressio simplicissima mysterii orationis. Oratio contemplativa est *donum*, gratia; accipi nequit nisi in humilitate et paupertate. Oratio contemplativa est relatio *Foederis* a Deo in imo nostro corde instituti.[10] Oratio contemplativa est *communio*: Sancta Trinitas in ea hominem, imaginem Dei, conformat « ad similitudinem Suam ».

2714   Oratio contemplativa est etiam orationis *firmum tempus* per excellentiam. In oratione contemplativa, Pater nos virtute corroborat

---

[8] Cf. *Ct* 3, 1-4.
[9] Cf. *Lc* 7, 36-50; 19, 1-10.
[10] Cf. *Ier* 31, 33.

per Spiritum Suum in interiorem hominem, ut Christus habitet per fidem in cordibus nostris et simus in caritate radicati et fundati.[11]

2715   Oratio contemplativa est *intuitus* fidei, in Iesum fixus. « Ego Eum intueor et Ipse me intuetur », tempore sui sancti Parochi aiebat rusticus pagi Ars coram Tabernaculo orans.[12] Haec attentio ad Eum est « mei » abrenuntiatio. Eius intuitus cor purificat. Lumen intuitus Iesu illuminat nostri cordis oculos; idem nos docet omnia videre sub luce veritatis Eius et compassionis Eius erga omnes homines. Oratio contemplativa intuitum suum etiam ducit in mysteria vitae Christi. Sic discit « interiorem cognitionem Domini » ad Ipsum magis amandum et sequendum.[13]

1380

521

2716   Oratio contemplativa est Verbi Dei *auditio*. Haec auditio, quin ullo modo sit passiva, oboedientia est fidei, absoluta acceptio servi et amans adhaesio filii. Ipsa illud « Amen » participat Filii effecti Servi illudque « *Fiat* » Eius humilis ancillae.

494

2717   Oratio contemplativa est *silentium*, hoc « symbolum mundi futuri »[14] vel « sermo [...] tacitus amoris ».[15] Verba in oratione contemplativa discursus non sunt, sed ramuli qui amoris alunt ignem. In hoc silentio, quod homini « exteriori » est intolerabile, Pater nobis Suum Verbum dicit incarnatum, patiens, mortuum et resuscitatum, et Spiritus filialis nos orationis Iesu efficit participes.

533

498

2718   Oratio contemplativa est cum oratione Christi coniunctio quatenus Eius mysterii facit participare. Mysterium Christi ab Ecclesia celebratur in Eucharistia atque Spiritus Sanctus in oratione contemplativa facit ut ex illo vivamus, ad illud caritate in actu manifestandum.

2719   Oratio contemplativa est communio amoris vitam multitudini ferentis quatenus est assensus ad permanendum in nocte fidei. Nox Paschalis Resurrectionis transit per illam agoniae et sepulcri. Eius Spiritus (et non « caro » quae « infirma » est) facit ut haec tria tempora fortia

165

---

[11] Cf. *Eph* 3, 16-17.
[12] Cf. F. Trochu, *Le Curé d'Ars Saint Jean-Marie Vianney* (Lyon-Paris 1927) p. 223-224.
[13] Cf. Sanctus Ignatius de Loyola, *Exercitia spiritualia*, 104: MHSI 100, 224.
[14] Sanctus Isaac Ninivensis, *Tractatus mystici*, 66: ed. A.J. Wensinck (Amsterdam 1923) p. 315; ed, P. Bedjan (Parisiis-Lipsiae 1909) p. 470.
[15] Sanctus Ioannes a Cruce, *Carta*, 6: *Biblioteca Mística Carmelitana*, v. 13 (Burgos 1931) p. 262.

Horae Iesu in oratione contemplativa ducamus in vitam. Necesse est
2730 assentire ad vigilandum una hora cum Eo.[16]

Compendium

2720 *Ecclesia fideles ad orationem invitat regularem: orationes quotidianas, liturgiam Horarum, Eucharistiam dominicalem, anni liturgici
festivitates.*

2721 *Traditio christiana tres maiores includit vitae orationis expressiones:
orationem vocalem, meditationem et orationem contemplativam.
Cordis recollectionem ut lineamentum habent commune.*

2722 *Oratio vocalis, fundata super corporis et spiritus unione in natura
humana, corpus cum interiore cordis sociat oratione, ad exemplum
Christi, Eius Patrem orantis et « Pater noster » Suos discipulos
docentis.*

2723 *Meditatio inquisitio est orans quae cogitatione, imaginatione, animi
motu, desiderio utitur. Ut scopum habet obiectum consideratum fide
proprium reddere, illud cum vitae nostrae realitate conferendo.*

2724 *Oratio contemplativa est simplex mysterii orationis expressio. Fidei
est intuitus in Iesum fixus, auditio verbi Dei, amor tacitus. Coniunctionem efficit cum oratione Christi quatenus nos Eius mysterii
reddit participes.*

Articulus 2

ORATIONIS DIMICATIO

2725 Oratio donum est gratiae et firma responsio e parte nostra. Nisum semper praesupponit. Magni orantes Veteris Foederis ante Christum, sicut etiam Mater Dei et sancti cum Eo nos docent: orationem
2612 dimicationem esse. Contra quem? Contra nosmetipsos et contra dolos
409 Tentatoris qui omnia molitur ad hominem ab oratione avertendum, ab
unione cum Deo eius. Unusquisque orat sicut vivit, quia unusquisque
vivit sicut orat. Si quis habitualiter secundum Christi Spiritum agere
non vult, neque poterit habitualiter in Eius orare nomine. « Spiritualis
2015 dimicatio » novae vitae christiani est ab orationis dimicatione inseparabilis.

---

[16] Cf. *Mt* 26, 40-41.

I. Obiectiones ad orationem

2726 In orationis dimicatione, obsistere debemus, in nobismetipsis et circa nos, *conceptionibus orationis erroneis*. Quidam in ea simplicem perspiciunt operationem psychologicam, alii recollectionis nisum ut quis ad vacuum perveniat mentalem. Alii eam in habitus et verba redigunt ritualia. In multorum christianorum inconscio animo, orare est occupatio quae componi nequit cum omnibus quae agere debent: tempore carent. Qui Deum oratione quaerunt, cito deficiunt animo, quia orationem etiam a Spiritu Sancto provenire ignorant et non ab illis solis.

2710

2727 Etiam debemus obsistere *modis cogitandi* « mundi huius »; isti nos penetrant, nisi vigilantes sumus, exempli gratia: id solum esset verum quod ratione et scientia comprobatur (sed oratio mysterium est quod nostram conscientiam nostrumque inconscium superat animum); valores productionis et proventus (oratio productiva non est, ergo est inutilis); sensualismus et commoditates tamquam criteria veri, boni et pulchri (sed oratio, « amor Pulchritudinis » [φιλοκαλία], a gloria Dei viventis et veri est capta); in reactione contra activismum, ecce oratio tamquam fuga mundi praesentata (sed oratio christiana exitus ab historia non est neque divortium cum vita).

37

2500

2728 Nostra denique dimicatio debet illis obsistere rebus quas tamquam *nostros in oratione adversos exitus* percipimus: animi defectioni coram nostris siccitatibus, tristitiae propterea quod non omnia Domino dedimus, quia « possessiones multas » habemus,[17] frustrationi quia secundum nostram propriam voluntatem non exaudimur, vulneri nostrae superbiae quae in nostra tamquam peccatores induratur indignitate, falsae perceptioni quoad gratuitatem orationis etc. Conclusio semper est eadem: ad quid orandum? Ad haec vincenda obstacula, oportet humilitate, fiducia et perseverantia dimicare.

II. Humilis vigilantia cordis

CORAM ORATIONIS DIFFICULTATIBUS

2729 Nostrae orationis difficultas habitualis est *mentis evagatio*. Respicere potest verba et eorum sensum, in oratione vocali; potest profundius respicere Eum quem oramus, in oratione vocali (liturgica vel personali), in meditatione et in oratione contemplativa. Procedere ad

---

[17] Cf. *Mc* 10, 22.

mentis evagationes persequendas in earum esset incidere insidias, cum
2711   in nostrum redire sufficiat cor: mentis evagatio nobis revelat id cui
sumus astricti et haec adquisitio conscientiae humilis coram Deo
nostrum amorem debet excitare potiorem erga Eum, Ei nostrum
resolute offerentes cor ut illud Ipse purificet. Ibi ponitur dimicatio,
electio Domini cui serviendum est.[18]

2730   Positive dimicatio contra nostrum possessivum et dominatorem
animum est *vigilantia*, cordis sobrietas. Cum Iesus vigilantiae insistit, eadem ad Eum semper refertur, ad Eius Adventum, ad ultimum diem et
2659   ad singulos dies: ad «Hodie». Sponsus venit media nocte; lux, quae
exstingui non debet, est illa fidei: «De Te dixit cor meum: 'Exquirite
faciem meam'» (*Ps* 27, 8).

2731   Alia difficultas, speciatim pro illis qui sincere volunt orare, est
siccitas. Partem constituit orationis in qua cor est exspoliatum, sine sa-
pore pro cogitationibus, recordationibus et affectibus, etiam spiritualibus. Tunc momentum est fidei purae, quae fideliter cum Iesu permanet
in agonia et sepulcro. Granum frumenti, «si [...] mortuum fuerit, multum fructum affert» (*Io* 12, 24). Si siccitas defectui debetur radicis,
1426   quia verbum super petram cecidit, dimicatio ad conversionem refertur.[19]

Coram tentationibus in oratione

2609   2732   Tentatio frequentissima, occultissima, est noster *fidei defectus*.
2089   Hic minus in incredulitate manifesta exprimitur quam in praeferentia de
facto. Cum orare incipimus, mille labores vel curae, quae urgere aesti-
mantur, sese tamquam primaria exhibent; iterum tunc est momentum
veritatis cordis et eius amoris potioris. Interdum ad Dominum vertimur
tamquam ad ultimum recursum; at numquid id vere creditur? Interdum
2092   Dominum tamquam foedere sociatum sumimus, sed cor adhuc in arrogantia permanet. In omnibus casibus, noster fidei defectus revelat, nos
illam humilis cordis nondum habere dispositionem: «Sine me nihil
2074   potestis facere» (*Io* 15, 5).

2094   2733   Alia tentatio, cui arrogantia ostium aperit, est *acedia*. Patres spirituales hoc verbo quamdam depressi spiritus intelligunt formam quae
ascesis relaxationi, vigilantiae deminutioni, cordis debetur negligentiae.
«Spiritus [...] promptus est, caro autem infirma» (*Mt* 26, 41). Quo ex

---

[18] Cf. *Mt* 6, 21. 24.
[19] Cf. *Lc* 8, 6. 13.

maiore quis decidit altitudine, eo maiore afficitur malo. Animi defectio, dolorosa, aversa est arrogantiae frons. Qui humilis est, suam non demiratur miseriam, ipsa eum ad maiorem ducit fiduciam, ad firmum in constantia manendum. 2559

III. Filialis fiducia

2734 Filialis fiducia probatur — se ipsam probat — tribulatione.[20] Praecipua difficultas refertur ad *orationem petitionis*, in intercessione pro se vel pro aliis. Quidam etiam orare desinunt, quia cogitant suam petitionem non exaudiri. Hic duae ponuntur quaestiones: Cur cogitamus nostram petitionem exauditam non esse? Quomodo nostra oratio exauditur, est « efficax »? 2629

CUR NON EXAUDIRI QUERIMUR?

2735 Quaedam nos deberet imprimis animadversio ad admirationem movere. Cum Deum laudamus vel Ei propter Eius beneficia in genere agimus gratias, vix inquieti sumus ut sciamus utrum nostra oratio Ei fuerit grata. E contra, effectum nostrae petitionis exigimus videre. Quaenam est igitur imago Dei quae nostram movet orationem: medium adhibendum an Pater Domini nostri Iesu Christi? 2779

2736 Sumusne persuasi de eo quod « quid oremus, sicut oportet nescimus » (*Rom* 8, 26)? Petimusne a Deo « bona convenientia »? Scit enim Pater noster, quibus opus sit nobis, antequam petamus ab Eo,[21] sed Ipse nostram exspectat petitionem quia Eius filiorum dignitas in eorum libertate est. Oportet igitur orare cum Eius Spiritu libertatis, ut possimus re vera cognoscere Eius desiderium.[22] 2559 1730

2737 « Non habetis, propter quod non postulatis; petitio et non accipitis, eo quod male petitis, ut in concupiscentiis vestris insumatis » (*Iac* 4, 2-3).[23] Si corde petimus diviso, « adultero »,[24] Deus nos exaudire nequit, quia Ipse nostrum vult bonum, nostram vitam. « Aut putatis quia inaniter Scriptura dicat: 'Ad invidiam concupiscit Spiritus, qui inhabitat in nobis?' » (*Iac* 4, 5). Deus noster est « zelotes » nostri, id quod signum

---

[20] Cf. *Rom* 5, 3-5.
[21] Cf. *Mt* 6, 8.
[22] Cf. *Rom* 8, 27.
[23] Cf. totus contextus *Iac* 1, 5-8; 4, 1-10; 5, 16.
[24] Cf. *Iac* 4, 4.

est veritatis amoris Eius. Ingrediamur in desiderium Spiritus Eius et exaudiemur:

> « Ne tamquam in potestate procedens petitionem confestim exquiras; vult enim tibi plurimum conferre beneficium perseveranti in oratione ».[25]

> Ipse vult « exerceri in orationibus desiderium nostrum, quo possimus capere, quod praeparat dare ».[26]

QUOMODO ORATIO NOSTRA EFFICAX SIT?

2568

307

2738 Orationis revelatio in Oeconomia salutis nos docet, fidem inniti actione Dei in historia. Fiducia filialis actione Eius per excellentiam suscitatur: passione et resurrectione Eius Filii. Oratio christiana cooperatio est cum Eius providentia, cum Eius consilio amoris erga homines.

2778

2739 Apud sanctum Paulum, haec fiducia audax est,[27] fundata super oratione Spiritus in nobis et super fideli amore Patris qui nobis Suum Filium donavit unicum.[28] Cordis orantis transformatio petitioni nostrae est prima responsio.

2740 Oratio Iesu ex oratione christiana petitionem facit efficacem. Ipse eius est exemplar. In nobis orat et nobiscum. Quia Filii cor nihil aliud quaerit nisi quod Patri placet, quomodo illud filiorum adoptionis donis

2604

adhaereat potius quam Donanti?

2741 Iesus etiam pro nobis orat, loco nostro et in nostrum profectum. Omnes petitiones nostrae semel pro semper collectae sunt in Eius cla-

2606

more a cruce et exauditae a Patre in Eius Resurrectione, et hac de causa intercedere non desinit pro nobis ad Patrem.[29] Si nostra oratio est cum illa Iesu firmiter coniuncta in fiducia et audacia filiali, totum id,

2614

quod in Eius petimus nomine, obtinemus, multo magis quam hoc vel illud: Ipsum Spiritum Sanctum, qui omnia continet dona.

IV. In amore perseverare

2098

2742 « Sine intermissione orate » (*1 Thess* 5, 17), « gratias agentes semper pro omnibus in nomine Domini nostri Iesu Christi Deo et Patri » (*Eph* 5, 20), « per omnem orationem et obsecrationem orantes

---

[25] EVAGRIUS PONTICUS, *De oratione*, 34: PG 79, 1173.
[26] SANCTUS AUGUSTINUS, *Epistula* 130, 8, 17: CSEL 44, 59 (PL 33, 500).
[27] Cf. *Rom* 10, 12-13.
[28] Cf. *Rom* 8, 26-39.
[29] Cf. *Heb* 5, 7; 7, 25; 9, 24.

omni tempore in Spiritu, et in ipso vigilantes in omni instantia et obsecratione pro omnibus sanctis » (*Eph* 6, 18). « Semper quidem operari, vigilare, ieiunare, non fuit nobis praeceptum; at sine intermissione orare Lex sanxit ».[30] Hic ardor indefessus non nisi ab amore potest provenire. Contra nostram segnitiem et nostram pigritiam, dimicatio orationis illa est *amoris* humilis, fidentis et perseverantis. Hic amor nostra aperit corda ad tres fidei evidentias, luminosas et vivificantes.

162

2743   Orare *semper possibile* est: christiani tempus est illud Christi resuscitati qui nobiscum est « omnibus diebus » (*Mt* 28, 20), quaecumque sunt procellae.[31] Nostrum tempus in manu est Dei:

> « Licet etiam viro in foro versanti aut iter facienti attente precari: alteri itidem in officina sedenti ac coria suenti animam ad Deum erigere: licet servo obsonanti, ac sursum deorsum cursitanti, vel in culina ministranti [...] precationem intentam ex imo pectore ciere ».[32]

2744   Orare *vitalis necessitas* est. Demonstratio e contrario non minus est convincibilis: nisi nos a Spiritu duci sinamus, in servitutem iterum incidimus peccati.[33] Quomodo Spiritus potest « nostra vita » esse, si cor nostrum longe est ab Eo?

> « Nihil enim precationi aequale: ea quippe est quae ex impossibilibus possibilia facit, ex difficilibus facilia [...]. Impossibile est [...] hominem [...] precantem [...] umquam in peccatum incidere ».[34]

> « Qui orat, certo salvatur; qui non orat, certo damnatur ».[35]

2745   Oratio et *vita christianae* sunt *inseparabiles* quia de eodem agitur amore et de eadem abrenuntiatione quae ex amore procedit. De eadem filiali et amanti conformitate cum Patris consilio. De eadem unione transformanti in Spiritu Sancto qui nos semper magis Christo Iesu conformat. De eodem erga omnes homines amore, de hoc amore quo Iesus nos dilexit. « Ut quodcumque petieritis Patrem in nomine meo, det vobis. Haec mando vobis, ut diligatis invicem » (*Io* 15, 16-17).

2660

> « Ille sine intermissione orat, qui debitis operibus orationem iungit, orationique convenientes actiones; istud enim, *sine intermissione orate*, hoc uno modo ut praeceptum possibile possumus accipere ».[36]

---

[30]   Evagrius Ponticus, *Capita practica ad Anatolium*, 49: SC 171, 610 (PG 40, 1245).

[31]   Cf. *Lc* 8, 24.

[32]   Sanctus Ioannes Chrysostomus, *De Anna* sermo 4, 6: PG 54, 668.

[33]   Cf. *Gal* 5, 16-25.

[34]   Sanctus Ioannes Chrysostomus, *De Anna*, sermo 4, 5: PG 54, 666.

[35]   Sanctus Alfonsus Maria de Liguori, *Del gran mezzo della preghiera*, pars 1, c. 1, ed. G. Cacciatore (Roma 1962) p. 32.

[36]   Origenes, *De oratione*, 12, 2: GCS 3, 324-325 (PG 11, 452).

ORATIO HORAE IESU

2746 Iesus, cum Eius venisset Hora, Patrem orat.[37] Eius oratio, longissima quae ab Evangelio transmittatur, totam Oeconomiam creationis et salutis complectitur, sicut etiam Eius Mortem Eiusque Resurrectionem.

1085 Oratio Horae Iesu semper permanet illa Eius, sicut etiam Eius Pascha, quod, cum « semel pro semper » evenerit, praesens permanet in Ecclesiae Eius liturgia.

2747 Traditio christiana eam merito orationem appellat « sacerdotalem » Iesu. Ipsa est illa nostri Summi Sacerdotis, inseparabilis est ab Eius sacrificio, ab Eius ad Patrem transitu (« Paschate ») in quo Ipse totus ad Patrem plene « consecratur ».[38]

518 2748 In hac oratione Paschali, sacrificiali, totum in Ipso « recapitulatur »:[39] Deus et mundus, Verbum et caro, vita aeterna et tempus, amor qui se tradit et peccatum quod eum prodit, discipuli praesentes et qui in Eum credent per verbum eorum, exinanitio et gloria. Oratio est

820 Unitatis.

2749 Iesus totum Patris adimplevit opus et Eius oratio, sicut Eius sacrificium, usque ad temporis extenditur consummationem. Oratio Horae complet ultima tempora eaque adducit in eorum consummationem. Iesus, Filius cui Pater omnia donavit, totus traditur Patri et simul cum libertate excelsa Se exprimit[40] propter potestatem quam Pater Ei dedit in omnem carnem. Filius, qui est factus Servus, est Dominus, Παντοκράτωρ. Noster Summus Sacerdos, qui pro nobis orat,

2616 est etiam Ille qui in nobis orat et Deus qui nos exaudit.

2750 Sanctum Nomen Domini Iesu ingredientes, accipere possumus,

2815 ab intus, orationem quam Ipse nos docet: « Pater noster! ». Eius oratio sacerdotalis, ab intus, magnas petitiones orationis « Pater » inspirat: curam de Nomine Patris,[41] ardorem Regni Eius (gloriae [42]), adimpletionem voluntatis Patris, Eius consilii salutis,[43] et liberationem a malo.[44]

---

[37] Cf. *Io* 17.
[38] Cf. *Io* 17, 11. 13. 19.
[39] Cf. *Eph* 1, 10.
[40] Cf. *Io* 17, 11. 13. 19. 24.
[41] Cf. *Io* 17, 6. 11. 12. 26.
[42] Cf. *Io* 17, 1. 5. 10. 22. 23-26.
[43] Cf. *Io* 17, 2. 4. 6. 9. 11. 12. 24.
[44] Cf. *Io* 17, 15.

2751 In hac denique oratione, Iesus nobis revelat nobisque praebet inseparabilem Patris et Filii « cognitionem »[45] quae ipsum mysterium est vitae orationis. 240

Compendium

2752 *Oratio nisum praesupponit et dimicationem contra nosmetipsos et contra Tentatoris dolos. Orationis dimicatio inseparabilis est a « spirituali dimicatione » quae necessaria est ad habitualiter secundum Spiritum Christi agendum: unusquisque orat sicut vivit, quia unusquisque vivit sicut orat.*

2753 *In orationis dimicatione, obsistere debemus erroneis orationis conceptionibus, diversis tendentiis in modo cogitandi, experientiae nostrorum adversorum exituum. His tentationibus, quae dubium suggerunt de orationis utilitate vel etiam possibilitate, respondere oportet humilitate, fiducia et perseverantia.*

2754 *Praecipuae in orationis exercitio difficultates sunt evagatio animi et siccitas. Remedium in fide est, conversione et vigilantia cordis.*

2755 *Duae frequentes tentationes orationi minantur: defectus fidei et acedia, quae forma quaedam est depressi spiritus, quae ascesis relaxationi debetur et ad animi ducit defectionem.*

2756 *Filialis fiducia probationi submittitur, cum sentimus, non semper nos exaudiri. Evangelium nos invitat ad nos interrogandos de nostrae orationis conformitate cum desiderio Spiritus.*

2757 *« Sine intermissione orate »* (1 Thess 5, 17). *Orare semper possibile est. Est etiam vitalis necessitas. Oratio et vita christiana sunt inseparabiles.*

2758 *Oratio Horae Iesu, recte « oratio sacerdotalis » appellata,[46] totam creationis et salutis compendiat Oeconomiam. Ipsa magnas petitiones inspirat orationis « Pater noster ».*

---

[45] Cf. *Io* 17, 3. 6-10. 25.
[46] Cf. *Io* 17.

SECTIO SECUNDA

ORATIO DOMINICA:
« PATER NOSTER »

2759 « Cum esset [Iesus] in loco quodam orans, ut cessavit, dixit unus ex discipulis Eius ad Eum: 'Domine, doce nos orare, sicut et Ioannes docuit discipulos suos » (*Lc* 11, 1). Dominus, huic petitioni respondens, orationem christianam fundamentalem Suis discipulis Suaeque concredit Ecclesiae. Illius sanctus Lucas textum praebet brevem (quinque petitionum),[1] sanctus Matthaeus versionem explicatiorem (septem petitionum).[2] Traditio liturgica Ecclesiae textum sancti Matthaei retinuit: (*Mt* 6, 9-13).

> Pater noster qui es in caelis:
> sanctificetur Nomen Tuum;
> adveniat Regnum Tuum;
> fiat voluntas Tua, sicut in caelo, et in terra.
> Panem nostrum cotidianum da nobis hodie;
> et dimitte nobis debita nostra,
> sicut et nos dimittimus debitoribus nostris;
> et ne nos inducas in tentationem;
> sed libera nos a Malo.

2760 Usus liturgicus valde cito Orationem Domini conclusit doxologia. In Didaché: « Quia Tua est potestas et gloria in saecula ».[3] Constitutiones apostolicae addunt initio: « Regnum »,[4] et haec formula in oratione oecumenica nostris diebus servata est. Traditio Byzantina post « gloria » addit « Patris et Filii et Spiritus Sancti ». Missale Romanum ultimam petitionem evolvit[5] in explicita perspectiva exspectationis beatae spei[6] et Adventus Iesu Christi Domini nostri, postea acclamatio subsequitur congregationis vel resumitur doxologia Constitutionum apostolicarum.   2855

2854

---

[1] Cf. *Lc* 11, 2-4.
[2] Cf. *Mt* 6, 9-13.
[3] *Didaché* 8, 2: SC 248, 174 (FUNK, *Patres apostolici* 1, 20).
[4] *Constitutiones apostolicae* 7, 24, 1: SC 336, 174 (FUNK, *Didascalia et Constitutiones Apostolorum* 1, 410).
[5] Cf. *Ritus Communionis*, [Embolismus]: *Missale Romanum*, editio typica (Typis Polyglottis Vaticanis 1970) p. 472.
[6] Cf. *Tit* 2, 13.

Articulus 1
« BREVIARIUM TOTIUS EVANGELII »

2761 « Revera in Oratione [Domini] breviarium totius Evangelii » comprehenditur.[7] Dominus « post traditam orandi disciplinam, *petite*, inquit, *et accipietis* (*Io* 16, 24), et sunt quae petantur pro circumstantia cuiusque, praemissa legitima et ordinaria oratione quasi fundamento accedentium desideriorum, ius est superstruendi extrinsecus petitiones ».[8]

I. In Scripturarum centro

2762 Sanctus Augustinus, postquam ostendit quomodo psalmi orationis christianae praecipuum sint nutrimentum et quomodo in petitiones orationis « Pater noster » confluant, concludit:

> « Si per omnia precationum sanctarum verba discurras, quantum existimo, nihil invenies, quod non ista dominica contineat et concludat Oratio ».[9]

102   2763 Omnes Scripturae (Lex, Prophetae et Psalmi) in Christo adimplentur.[10] Evangelium hic est « Bonus Nuntius ». Eius prima nuntiatio a sancto Matthaeo compendiatur in sermone montano.[11] Oratio igitur ad Patrem nostrum in centro est huius nuntiationis. In hoc contextu unaquaeque illustratur petitio orationis a Domino legatae:

2541
> « Oratio dominica perfectissima est [...]. In Oratione autem dominica non solum petuntur omnia quae recte desiderare possumus, sed etiam eo ordine quo desideranda sunt: ut sic haec Oratio non solum instruat postulare, sed etiam sit informativa totius nostri affectus ».[12]

1965   2764 Sermo montanus doctrina est vitae, Oratio dominica est precatio, sed in utroque Spiritus Domini novam praebet formam nostris desideriis, his interioribus motibus qui nostram animant vitam. Iesus Suis verbis nos hanc novam docet vitam et instruit ut hanc oratione petamus.
1969   A nostrae orationis rectitudine pendebit illa nostrae vitae in Ipso.

---

[7] Tertullianus, *De oratione,* 1, 6: CCL 1, 258 (PL 1, 1255).
[8] Tertullianus, *De oratione,* 10: CCL 1, 263 (PL 1, 1268-1269).
[9] Sanctus Augustinus, *Epistula* 130, 12, 22: CSEL 44, 66 (PL 33, 502).
[10] Cf. *Lc* 24, 44.
[11] Cf. *Mt* 5-7.
[12] Sanctus Thomas Aquinas, *Summa theologiae,* 2-2, q. 83, a. 9, c: Ed. Leon. 9, 201.

II. « Oratio Domini »

2765 Locutio traditionalis « Oratio dominica » (id est, « Oratio Domini ») significat orationem ad Patrem nostrum a Domino Iesu edoctam esse et datam. Haec Oratio, quae nobis a Iesu venit, est vere unica: est «Domini». Ex altera parte, Filius unicus, huius orationis verbis, revera nobis dat verba quae Pater Ei dedit:[13] Ipse est nostrae orationis magister. Ex altera parte, Verbum incarnatum, quod, in corde Suo humano, Suorum humanorum fratrum et sororum cognoscit necessitates, eas nobis revelat: Ipse exemplar est nostrae orationis. **2701**

2766 Sed Iesus nobis non relinquit formulam machinali modo repetendam.[14] Sicut in omni oratione vocali, per Verbum Dei, Spiritus Sanctus filios Dei docet eorum Patrem orare. Iesus nobis dat non solum verba nostrae orationis filialis, simul nobis praebet Spiritum ut eadem in nobis efficiantur « spiritus [...] et vita » (*Io* 6, 63). Immo, filialis nostrae orationis ratio et possibilitas in eo est quod Pater « misit [...] Spiritum Filii Sui in corda nostra clamantem: '*Abba*, Pater!' » (*Gal* 4, 6). Quia nostra oratio desideria nostra interpretatur coram Patre, etiam Ille, « qui [...] scrutatur corda », Pater, « scit quid desideret Spiritus, quia secundum Deum postulat pro sanctis » (*Rom* 8, 27). Oratio ad Patrem nostrum in arcanam missionem inseritur Filii et Spiritus. **690**

III. Oratio Ecclesiae

2767 Ecclesia donum hoc indissociabile verborum Domini et Spiritus Sancti, qui eis in fidelium cordibus dat vitam, inde ab originibus accepit et duxit in vitam. Primae communitates Orationem Domini « ter in die »[15] precantur, loco « Decem et octo benedictionum » quibus pietas utebatur Iudaica.

2768 Secundum apostolicam Traditionem, Oratio Domini essentialiter in oratione radicatur liturgica.

> Dominus « docet autem communem pro fratribus orationem emittere. Non enim dicit, Pater meus, qui es in caelis; sed, *Pater noster*, pro communi corpore supplicationes emittens ».[16]

---

[13] Cf. *Io* 17, 7.
[14] Cf. *Mt* 6, 7; *1 Reg* 18, 26-29.
[15] *Didaché* 8, 3: SC 248, 174 (Funk, *Patres apostolici*, 1, 20).
[16] Sanctus Ioannes Chrysostomus, *In Matthaeum*, homilia 19, 4: PG 57, 278.

In omnibus liturgicis traditionibus, Oratio Domini pars est integralis magnarum Officii divini Horarum. Sed eius indoles ecclesialis praecipue in tribus initiationis christianae sacramentis evidenter apparet:

1243   **2769**   In *Baptismate* et *Confirmatione*, Orationis Domini *traditio* novam ad vitam divinam significat nativitatem. Quia oratio christiana est Deo loqui Ipso Verbo Dei, illi, qui sunt « renati [...] per Verbum Dei vivum » (*1 Pe* 1, 23), Patrem suum invocare discunt solo Verbo quod Ipse semper exaudit. Atque ipsi id deinceps facere possunt, quia sigillum Unctionis Spiritus Sancti positum est indelebile super eorum cor, super eorum aures, super eorum labia, super totam eorum filialem realitatem. Hac de causa, maior commentariorum Patrum pars de oratione « Pater noster » ad catechumenos dirigitur et neophytos. Cum Ecclesia Orationem precatur Domini, semper populus « modo genitorum infantium » ille est qui orat et misericordiam obtinet.[17]

1350   **2770**   In *eucharistica liturgia*, Oratio Domini tamquam totius Ecclesiae apparet oratio. Ibi eius plenus revelatur sensus eiusque efficacitas. Inter Anaphoram (precem eucharisticam) collocata et Communionis liturgiam, ex altera parte omnes petitiones compendiat et intercessiones in Epiclesis motu expressas, et, ex altera parte, ad portam pulsat Convivii Regni, quod Communio sacramentalis anticipabit.

1403   **2771**   In Eucharistia, Oratio Domini etiam indolem manifestat *eschatologicam* petitionum suarum. Eadem est oratio propria « ultimorum temporum », salutis temporum quae Spiritus Sancti inceperunt effusione et quae Domini finientur reditu. Petitiones ad Patrem nostrum, aliter ac Veteris Foederis orationes, salutis nituntur mysterio iam, semel pro semper, impleto in Christo crucifixo et resuscitato.

1820   **2772**   Ex hac infragili fide oritur spes quae unamquamque suscitat septem petitionum. Eaedem gemitus exprimunt praesentis temporis, huius temporis patientiae atque exspectationis, quo durante « nondum manifestatum est quid erimus » (*1 Io* 3, 2).[18] Eucharistia et « Pater » ad Domini tendunt Adventum, « donec veniat » (*1 Cor* 11, 26).

Compendium

2773   *Iesus, Suorum discipulorum respondens petitioni* (« *Domine, doce nos orare* »: *Lc* 11, 1), *orationem christianam fundamentalem* « *Pater noster* » *eis concredit.*

---

[17] Cf. *1 Pe* 2, 1-10.
[18] Cf. *Col* 3, 4.

2774   « *Revera in Oratione* [*Domini*] *breviarium totius Evangelii* » comprehenditur,[19] *ipsa* « *perfectissima est* ».[20] *In centro est Scripturarum.*

2775   *Eadem* « *Oratio dominica* » *appellatur, quia nobis venit a Domino
Iesu, qui nostrae orationis magister est et exemplar.*

2776   *Oratio dominica precatio est Ecclesiae per excellentiam. Partem
constituit integralem magnarum Officii divini Horarum et initiationis christianae sacramentorum: Baptismatis, Confirmationis et Eucharistiae. In Eucharistia inserta, indolem manifestat* « *eschatologicam* » *suarum petitionum, in exspectatione Domini,* « *donec veniat* »
(*1 Cor* 11, 26).

Articulus 2

« PATER NOSTER QUI ES IN CAELIS »

I. « Audemus in omni fiducia accedere »

2777   In Romana liturgia, congregatio eucharistica invitatur ad orandum « Pater noster » cum audacia filiali; liturgiae orientales similibus
utuntur expressionibus easque evolvunt: « Audere cum omni securitate », « Fac nos dignos ad ». Ante rubum ardentem dictum est Moysi:
« Ne appropies [...] huc; solve calceamentum de pedibus tuis » (*Ex* 3, 5).
Solus Iesus sanctitatis divinae poterat transire limen, Ille qui « purgatio-
ne peccatorum facta » (*Heb* 1, 3), nos ante vultum Patris introducit:
« Ecce ego et pueri, quos mihi dedit Deus » (*Heb* 2, 13):

> « Subcumberet conscientia servilis, terrena condicio solveretur, nisi nos
> ad hunc clamorem Ipsius Patris auctoritas, Ipsius Filii Spiritus excita-
> ret. *Misit,* ait, *Deus Spiritum Filii Sui in corda nostra clamantem Abba,
> Pater!* (*Rom* 8, 15) [...] Quando ausa mortalitas Deum vocare Patrem,
> nisi modo, quando superna virtute hominis animantur interna? ».[21]   270

2778   Haec potentia Spiritus, qui nos ad Domini introducit Orationem,
in liturgiis Orientis et Occidentis exprimitur pulchra expressione charac-

---

[19] Tertullianus, *De oratione,* 1, 6: CCL 1, 258 (PL 1, 1255).
[20] Sanctus Thomas Aquinas, *Summa theologiae,* 2-2, 83, 9, c: Ed. Leon. 9, 201.
[21] Sanctus Petrus Chrysologus, *Sermo* 71, 3: CCL 24A, 425 (PL 52, 401).

2828 teristice christiana: παρρησία, simplicitate sine ambagibus, filiali fiducia, securitate gaudiosa, humili audacia, certitudine nos amari.[22]

II. « Pater! »

2779 Antequam hunc primum impulsum Orationis Domini nostrum faciamus, inutile non est, humiliter nostrum purificare cor a quibusdam falsis imaginibus « huius mundi ». *Humilitas* nos hoc agnoscere facit: « Nemo novit Filium nisi Pater, neque Patrem quis novit nisi Filius et cui voluerit Filius revelare » (*Mt* 11, 27), id est, « parvulis » (*Mt* 11, 25). Cordis *purificatio* ad imagines refertur paternas vel maternas, a nostra historia personali vel culturali ortas, et quae in nostram relationem

239 ad Deum exercent influxum. Deus Pater noster categorias transcendit mundi creati. Super Eum vel contra Eum nostras in hoc campo transferre ideas idem esset ac idola fabricare adoranda vel evertenda. Patrem orare est in Eius ingredi mysterium, prout Ipse est et qualem Filius nobis revelavit:

> « Nomen Dei Patris nemini proditum fuerat. Etiam qui de ipso interrogaverat Moyses, aliud quidem nomen audierat. Nobis revelatum est in Filio. Prius enim quam Filius non Patris nomen est ».[23]

240 2780 Deum tamquam « Patrem » possumus invocare quia *Ipse nobis est revelatus* per Filium Suum hominem effectum et quia Spiritus Eius facit ut Eum cognoscamus. Quod homo cognoscere nequit et quod angelicae potestates non possunt introspicere, personalem nempe Filii ad Patrem relationem,[24] ecce Spiritus Filii facit ut eamdem participemus, nos qui credimus Iesum esse Christum et qui ex Deo nati sumus.[25]

2665 2781 Cum Patrem oramus, *in communione cum Eo* sumus atque cum Eius Filio Iesu Christo.[26] Tunc Eum cognoscimus et agnoscimus in semper nova admiratione. Primum verbum Orationis Domini, antequam imploratio sit, benedictio est adorationis. Etenim Dei gloriam Ei, tamquam « Patri », agnoscimus Deo vero. Ei gratias agimus propterea quod nobis Nomen Suum revelaverit atque nobis dederit hoc credere nosque Eius habitari praesentia.

---

[22] *Eph* 3, 12; *Heb* 3, 6; 4, 16; 10, 19; *1 Io* 2, 28; 3, 21; 5, 14.
[23] Tertullianus, *De oratione,* 3, 1: CCL 1, 258-259 (PL 1, 1257).
[24] Cf. *Io* 1, 1.
[25] Cf. *1 Io* 5, 1.
[26] Cf. *1 Io* 1, 3.

2782 Patrem possumus adorare, quia Ipse nos ad Eius vitam effecit renasci, nos *adoptando* tamquam Suos filios in unico Filio Suo: per Baptismum, Ipse nos in corpus Christi Sui incorporat, et, per Unctionem Sui Spiritus qui a Capite ad membra Se effundit, e nobis efficit « christos »: 1267

> « Qui enim praedestinavit nos Deus in adoptionem, conformes effecit corpori glorioso Christi. Participes igitur effecti Christi, 'christi' non immerito appellamini ».[27]

> « Homo novus, renatus et Deo suo per Eius gratiam restitutus *Pater* primo in loco dicit, quia filius esse iam coepit ».[28]

2783 Sic, per Orationem Domini, *nobismetipsis revelamur* simul ac Pater nobis revelatur:[29] 1701

> « O homo, faciem tuam non audebas ad caelum adtollere, oculos tuos in terram dirigebas, et subito accepisti gratiam Christi, omnia tibi peccata dimissa sunt. Ex malo servo factus es bonus filius. [...] Ergo adtolle oculos ad Patrem, qui te per lavacrum genuit, ad Patrem, qui per Filium te redemit, et dic 'Pater noster!' [...] Sed noli tibi aliquid specialiter vindicare. Solius Christi specialis est Pater, nobis omnibus in commune est Pater, quia Illum solum genuit, nos creavit. Dic ego et tu per gratiam 'Pater noster', ut filius esse merearis ».[30]

2784 Hoc gratuitum adoptionis donum a nobis postulat conversionem continuam et *vitam novam*. Nostrum orare Patrem debet in nobis duas evolvere dispositiones fundamentales: 1428

Desiderium et voluntatem se Ei similes esse. Ad Eius imaginem creati, per gratiam nobis redditur similitudo eidemque respondere debemus: 1997

> « Quando Patrem Deum dicimus quasi filii Dei agere debemus ».[31]

> « Non potest benignum Deum Patrem appellare quisquis est feroci immitique animo; neque enim servat illas benignitatis, quae in caelesti Patre est, tesseras ».[32]

---

[27] Sanctus Cyrillus Hierosolymitanus, *Catecheses mystagogicae,* 3, 1: SC 126, 120 (PG 33, 1088).

[28] Sanctus Cyprianus Carthaginiensis, *De dominica Oratione*, 9: CCL 3A, 94 (PL 4, 541).

[29] Cf. Concilium Vaticanum II, Const. past. *Gaudium et spes*, 22: AAS 58 (1966) 1042.

[30] Sanctus Ambrosius, *De sacramentis,* 5, 19: CSEL 73, 66 (PL 16, 450).

[31] Sanctus Cyprianus Carthaginiensis, *De dominica Oratione*, 11: CCL 3A, 96 (PL 4, 543).

[32] Sanctus Ioannes Chrysostomus, *De angusta porta et in Orationem dominicam*, 3: PG 51, 44.

« Ad paternam omni tempore pulchritudinem spectandum esse, et iuxta illam, suam unumquemque animam exornare debere ».[33]

2562   2785 *Cor humile et confidens* quo convertamur et efficiamur « sicut parvuli » (*Mt* 18, 3): quoniam Pater Se revelat « parvulis » (*Mt* 11, 25):

> Est status, « qui contemplatione Dei solius et caritatis ardore formatur, per quem mens in Illius dilectionem resoluta atque reiecta familiarissime Deo velut Patri proprio peculiari pietate conloquitur ».[34]

> « Pater noster. Quo nomine et caritas excitatur — quid enim carius filiis esse debet quam pater? — et supplex affectus [...] et quaedam impetrandi praesumptio, quae petituri sumus [...]. Quid enim iam non det filiis petentibus, cum hoc ipsum ante dederit, ut filii essent? ».[35]

III. Pater « noster »

443   2786 Pater « noster » attinet ad Deum. Hoc adiectivum possessionem, e parte nostra, non exprimit, sed relationem ad Deum prorsus novam.

2787 Cum Pater « noster » dicimus, agnoscimus imprimis omnes Eius
782   promissiones amoris, per Prophetas nuntiatas, *Novo et aeterno Foedere* in Christo Eius esse impletas: effecti sumus « Eius » populus et Ipse est exinde « noster » Deus. Haec nova relatio est mutua pertinentia gratuito donata: amore et fidelitate [36] oportet ut respondeamus « gratiae et veritati », quae nobis in Iesu Christo datae sunt.[37]

2788 Quia Oratio Domini illa est populi Eius in « novissimis temporibus », hoc verbum « noster » exprimit etiam nostrae spei certitudinem in ultimam Promissionem Dei; Ipse in nova Ierusalem vincenti dicet: « Ero illi Deus, et ille erit mihi filius » (*Apc* 21, 7).

2789 Orantes Patrem « nostrum », nos personaliter vertimus ad Patrem
Domini nostri Iesu Christi. Divinitatem non dividimus, quia Pater est
245   eius « fons et origo », sed sic profitemur, aeterne ab Eo Filium generari et ex Eo Spiritum Sanctum procedere. Neque Personas confundimus, quia profitemur, nostram communionem cum Patre esse Eiusque Filio,

---

[33] Sanctus Gregorius Nyssenus, *Homiliae in Orationem dominicam*, 2: *Gregorii Nysseni opera*, ed. W. Jaeger-H. Langerbeck, v. 7/2 (Leiden 1992) p. 30 (PG 44, 1148).
[34] Sanctus Ioannes Cassianus, *Conlatio* 9, 18, 1: CSEL 13, 265-266 (PL 49, 788).
[35] Sanctus Augustinus, *De sermone Domini in monte*, 2, 4, 16: CCL 35, 106 (PL 34, 1276).
[36] Cf. *Os* 2, 21-22; 6, 1-6.
[37] Cf. *Io* 1, 17.

Iesu Christo, in Eorum unico Spiritu Sancto. *Sancta Trinitas* consub- 253
stantialis est et indivisibilis. Cum Patrem oramus, Eum cum Filio et
Spiritu Sancto adoramus et glorificamus.

2790 Grammatice « noster » realitatem afficit pluribus communem.
Unus est Deus et Ipse Pater ab illis agnoscitur, qui, per fidem in Eius
Filium unicum, ab Eo renascuntur per aquam et Spiritum Sanctum.[38]
Ecclesia est haec nova Dei et hominum communio: coniuncta Filio uni- 787
co, qui effectus est « primogenitus in multis fratribus » (*Rom* 8, 29), ipsa in communione est cum uno et Eodem Patre, in uno et Eodem Spiritu Sancto.[39] Patrem « nostrum » orans, unusquisque baptizatus in hac
orat communione: « Multitudinis [...] credentium erat cor unum et
anima una » (*Act* 4, 32).

2791 Hac de causa, non obstantibus christianorum divisionibus, oratio 821
ad Patrem « nostrum » permanet bonum commune et urgens pro omnibus baptizatis vocatio. Ipsi, in communione per fidem in Christum et
per Baptismum, orationem Iesu pro Eius discipulorum unitate debent
participare.[40]

2792 Denique, si vere orationem « Pater noster » precamur, ab indivi-
dualismo eximus, quia amor, quem accepimus, nos liberat ex eodem.
Verbum « noster », initio Orationis Domini, sicut verbum « nos »
quattuor ultimarum petitionum, neminem excludit. Ut illud dicatur in
veritate,[41] nostrae divisiones nostraeque oppositiones superandae sunt.

2793 Baptizati nequeunt orare verba Pater « noster » quin apud Eum
omnes illos afferant, pro quibus Ipse Suum dilectum tradidit Filium. 604
Amor Dei finibus caret, nostra oratio etiam eis carere debet.[42] Patrem
« nostrum » precari aperit nos ad dimensiones amoris Eius in Christo
manifestati: orare cum omnibus hominibus et pro omnibus hominibus
qui Eum adhuc ignorant, ut in unum congregentur.[43] Haec divina sollicitudo de omnibus hominibus totaque creatione omnes magnos anima-
vit orantes: eadem nostram dilatare debet orationem in latitudinem
amoris, cum audemus dicere Pater « noster ».

---

[38] Cf. *1 Io* 5, 1; *Io* 3, 5.
[39] Cf. *Eph* 4, 4-6.
[40] Cf. CONCILIUM VATICANUM II, Decr. *Unitatis redintegratio*, 8: AAS 57 (1965) 98;
    Ibid., 22: AAS 57 (1965) 105-106.
[41] Cf. *Mt* 5, 23-24; 6, 14-15.
[42] Cf. CONCILIUM VATICANUM II, Decl. *Nostra aetate*, 5: AAS 58 (1966) 743-744.
[43] Cf. *Io* 11, 52.

IV. « Qui es in caelis »

326 2794 Haec biblica locutio non significat quemdam locum («spatium»), sed modum essendi; non Dei longinquitatem, sed Eius maiestatem. Pater noster non est « alibi », Ipse est « ultra omnia » ea quae de Eius sanctitate possumus cogitare. Quia Ipse ter Sanctus est, cordi humili et contrito est prorsus proximus:

> « Recte ergo intelligitur quod dictum est, *Pater noster qui es in caelis*, in cordibus iustorum esse dictum, tamquam in templo sancto Suo. Simul etiam ut qui orat, in se quoque ipso velit habitare quem invocat ».[44]

> « Caeli autem etiam essent ii qui caelestis imaginem ferunt, in quibus est Deus inhabitans et inambulans ».[45]

2795 Caelorum symbolum nos ad mysterium remittit Foederis, in quo vivimus, cum Patrem nostrum precamur. Ipse est in caelis, haec Eius 1024 est mansio, domus Patris est igitur nostra « patria ». A Foederis terra nos peccatum effecit exsules[46] et ad Patrem, ad caelum conversio cordis nos facit redire.[47] In Christo igitur caelum et terra reconciliantur,[48] quia Filius « descendit de caelis », solus, et Idem efficit ut nos cum Ipso in eos ascendamus, per Suam crucem, Suam Resurrectionem Suamque Ascensionem.[49]

2796 Cum Ecclesia « Pater noster qui es in caelis » precatur orationem, profitetur nos esse populum Dei iam in caelestibus in Christo Iesu 1003 consedentes,[50] absconditos cum Christo in Deo,[51] et qui simul « ingemiscimus, habitationem nostram, quae de caelo est, superindui cupientes » (*2 Cor* 5, 2):[52]

> Christiani « in carne sunt, sed non secundum carnem vivunt. In terra degunt, sed in caelo civitatem suam habent ».[53]

---

[44] Sanctus Augustinus, *De sermone Domini in monte,* 2, 5, 18: CCL 35, 108-109 (PL 34, 1277).
[45] Sanctus Cyrillus Hierosolymitanus, *Catecheses mystagogicae,* 5, 11: SC 126, 160 (PG 33, 1117).
[46] Cf. *Gn* 3.
[47] Cf. *Ier* 3, 19-4, 1a; *Lc* 15, 18. 21.
[48] Cf. *Is* 45, 8; *Ps* 85, 12.
[49] Cf. *Io* 12, 32; 14, 2-3; 16, 28; 20, 17; *Eph* 4, 9-10; *Heb* 1, 3; 2, 13.
[50] Cf. *Eph* 2, 6.
[51] Cf. *Col* 3, 3.
[52] Cf. *Philp* 3, 20; *Heb* 13, 14.
[53] *Epistula ad Diognetum,* 5, 8-9: SC 33, 62-64 (Funk 1, 398).

Compendium

2797 *Fiducia simplex et fidelis, securitas humilis et gaudiosa sunt disposi-tiones quae ei conveniunt qui orationem « Pater noster » precatur.*

2798 *Deum possumus tamquam « Patrem » invocare, quia Filius Dei, cui, per Baptismum, incorporati et in quo ut filii Dei sumus adoptati, nobis Eum revelavit.*

2799 *Oratio Domini efficit ut nos cum Patre Eiusque Filio Iesu Christo communicemus. Eadem simul nos nobismetipsis revelat.*[54]

2800 *Patrem nostrum orare debet voluntatem nos Ei similes fieri in nobis excolere, sicut etiam cor humile et confidens.*

2801 *Pater « noster » dicentes, Novum invocamus in Iesu Christo Foedus, communionem cum Sancta Trinitate et caritatem divinam quae per Ecclesiam ad mundi extenditur dimensiones.*

2802 *« Qui es in caelis » quemdam locum non denotat, sed maiestatem Dei et Eius in iustorum corde praesentiam. Caelum, Patris mansio, veram constituit patriam ad quam tendimus et ad quam iam per-tinemus.*

Articulus 3

SEPTEM PETITIONES

2803 Postquam ante Deum Patrem nostrum venimus ad Eum adoran-dum, Eum amandum Eique benedicendum, Spiritus filialis efficit ut e nostris cordibus septem petitiones, septem benedictiones, ascendant. Tres primae, quae magis sunt theologales, nos in gloriam attrahunt Pa-tris, quattuor postremae, tamquam viae ad Eum, Eius gratiae nostram offerunt miseriam. « Abyssus abyssum invocat » (*Ps* 42, 8).

2627

2804 Primus motus ad Eum, pro Eo, nos fert: Nomen *Tuum*, Regnum *Tuum*, voluntas *Tua*! Proprium est amoris imprimis cogitare de Eo quem amamus. In unaquaque ex his tribus petitionibus « nos » non no-minamus, sed « desiderium ardens », « anxietas » ipsa, Filii dilecti pro

---

[54] Cf. Concilium Vaticanum II, Const. past. *Gaudium et spes*, 22: AAS 58 (1966) 1042.

Eius Patris gloria nos prehendit.[55] « Sanctificetur [...]. Adveniat [...]. Fiat... »: hae tres supplicationes in sacrificio Christi Salvatoris sunt iam exauditae, sed eadem exinde in suam finalem impletionem vertuntur in spe, dum Deus nondum est omnia in omnibus.[56]

1105 2805 Secunda petitionum congeries in motu evolvitur quarumdam Epiclesium eucharisticarum: nostrarum exspectationum est oblatio et Patris misericordiarum attrahit intuitum. A nobis ascendit et iam nunc, in hoc mundo, attinet ad nos: « Da *nobis* [...]; dimitte *nobis* [...]; ne *nos* inducas [...]; libera *nos*... ». Petitiones quarta et quinta ad nostram attinent vitam, qua talem, sive ad illam nutriendam, sive ad illam a peccato sanandam; duae postremae ad nostram attinent colluctationem pro vitae victoria, ad ipsam orationis colluctationem.

2656-2658 2806 Tribus primis petitionibus in fide confirmamur, spe implemur et caritate inflammamur. Creaturae et adhuc peccatores, petere debemus pro nobis, hoc « nobis » vocabulo ad mensuram mundi et historiae, quos immenso nostri Dei amori offerimus. Nam Pater noster, per Nomen Christi Sui et Regnum Sui Spiritus Sancti Suum salutis adimplet consilium pro nobis et pro universo mundo.

2142-2159 ## I. « Sanctificetur Nomen Tuum »

2807 Verbum « sanctificare » debet hic intelligi, non imprimis suo sensu causativo (solus Deus sanctificat, sanctum efficit), sed praecipue sensu aestimativo: tamquam sanctum agnoscere, sancte tractare. Sic in 2097 adoratione, haec invocatio quandoque tamquam laus intelligitur et gratiarum actio.[57] Sed Iesus nos hanc docuit petitionem tamquam optativam formam: petitionem, desiderium et exspectationem in qua Deus et homo innectuntur. Inde a prima petitione orationis in intimum Eius divinitatis immergimur mysterium et in drama salutis humanitatis nostrae. Petere ut Nomen Eius sanctificetur nos implicat in « beneplacitum Eius quod proposuit » (*Eph* 1, 9), « ut essemus sancti et immaculati in conspectu Eius in caritate » (*Eph* 1, 4).

203, 432 2808 Deus, in definitivis Suae Oeconomiae momentis, Nomen revelat Suum, sed id revelat Suum adimplens opus. Hoc vero opus in rem pro nobis et in nobis non efficitur, nisi Eius Nomen a nobis et in nobis sanctificetur.

---

[55] Cf. *Lc* 22, 15; 12, 50.
[56] Cf. *1 Cor* 15, 28.
[57] Cf. *Ps* 111, 9; *Lc* 1, 49.

2809 Sanctitas Dei centrum est inaccessibile Eius mysterii aeterni. Scriptura quod de Eo in creatione manifestatur et in historia, *gloriam* appellat, Eius maiestatis splendorem.[58] Deus, hominem « ad imaginem et similitudinem » (*Gn* 1, 26) faciens Suam, eum gloria coronavit,[59] sed homo peccans « eget gloria Dei ».[60] Exinde Deus Suam ostendet sanctitatem, homini Suum revelans ac donans Nomen, ut eum restauret « secundum imaginem Eius, qui creavit eum » (*Col* 3, 10).   293   705

2810 In Promissione Abrahae facta et in iureiurando, quod eam comitatur,[61] Deus Se obligat quin Nomen detegat Suum. Ipse id Moysi revelare incipit[62] idque oculis manifestat totius populi, eum ab Aegyptiis salvans: « Gloriose [...] magnificatus est » (*Ex* 15, 1). Post Sinai Foedus, hic populus est « Eius » et debet esse « gens sancta » (seu consecrata, quod Hebraice idem est verbum)[63] quia Nomen Dei in eo habitat.   63

2811 Populus tamen, non obstante Lege sancta quam Deus Sanctus[64] semel ei donat atque iterum, et licet Dominus « propter Nomen sanctum Suum » patienter agat, se avertit a Sancto Israel et « polluit Nomen sanctum Eius in gentibus ».[65] Propterea iusti Veteris Foederis, pauperes, qui redierunt ab exilio, et Prophetae Eius Nominis ardebant passione.   2143

2812 In Iesu denique Nomen Dei Sancti nobis revelatum est et datum, in carne, tamquam Salvator:[66] revelatum ab eo quod Ipse Est, ab Eius verbo ab Eiusque sacrificio:[67] Hoc Eius orationis sacerdotalis est cor: Pater Sancte, « pro eis ego sanctifico meipsum, ut sint et ipsi sanctificati in veritate » (*Io* 17, 19). Iesus, quia Nomen Suum Ipse « sanctificat »,[68] nobis Nomen Patris « manifestat ».[69] Ad Eius Paschatis finem, Pater Ei Nomen, quod est super omne nomen, tunc donat: Iesus est Dominus in gloriam Dei Patris.[70]   434

---

[58] *Ps* 8, *Is* 6, 3.
[59] Cf. *Ps* 8, 6.
[60] Cf. *Rom* 3, 23.
[61] Cf. *Heb* 6, 13.
[62] Cf. *Ex* 3, 14.
[63] Cf. *Ex* 19, 5-6.
[64] Cf. *Lv* 19, 2: « Sancti estote, quia sanctus sum ego, Dominus Deus vester ».
[65] Cf. *Ez* 20; 36.
[66] Cf. *Mt* 1, 21; *Lc* 1, 31.
[67] Cf. *Io* 8, 28; 17, 8; 17, 17-19.
[68] Cf. *Ez* 20, 39; 36, 20-21.
[69] Cf. *Io* 17, 6.
[70] Cf. *Philp* 2, 9-11.

2013

2813   In Baptismatis aqua, fuimus « abluti [...], sanctificati [...], iustificati [...] in nomine Domini Iesu Christi et in Spiritu Dei nostri » (*1 Cor* 6, 11). Per totam nostram vitam, Pater noster nos vocat « in sanctificationem » (*1 Thess* 4, 7), et quia ex Ipso sumus in Christo Iesu, « qui factus est [...] nobis [...] sanctificatio » (*1 Cor* 1, 30), de Eius gloria agitur et de nostra vita in eo quod Eius Nomen sanctificetur in nobis et a nobis. Sic urget nostra prima petitio.

> « Ceterum a quo Deus sanctificatur qui Ipse sanctificat? Sed quia Ipse dixit: 'Sancti estote, quoniam et ego sanctus sum' (*Lv* 11, 44), id petimus et rogamus, ut qui in Baptismo sanctificati sumus, in eo quod esse coepimus perseveremus. Et hoc cotidie deprecamur. Opus est enim nobis cotidiana sanctificatio, ut qui cotidie delinquimus delicta nostra sanctificatione adsidua repurgemus. [...] Haec sanctificatio ut in nobis permaneat oramus ».[71]

2045

2814   A nostra *vita* et a nostra *oratione* inseparabiliter pendet ut Eius Nomen inter nationes sanctificetur:

> « Nos petimus, ut sanctificet Nomen Suum Deus, quod sanctitate Sua totam salvat et sanctificat creaturam. [...] Hoc Nomen est quod mundo perdito dat salutem. Sed petimus ut Nomen Dei *actu nostro* sanctificetur in nobis. Nobis enim bene agentibus benedicitur Nomen Dei, male agentibus blasphematur. Audi Apostolum dicentem: 'Nomen Dei per vos blasphematur in gentibus' (*Rom* 2, 24).[72] Petimus ergo, petimus ut quantum Nomen Dei sanctum est, tantum nos Eius mereamur in nostris moribus sanctitatem ».[73]

> « Cum dicimus: 'sanctificetur Nomen Tuum', id petimus, ut sanctificetur in nobis, qui in Illo sumus, simul et in ceteris, quos adhuc gratia Dei expectat, ut et huic praecepto pareamus *orando pro omnibus*, etiam pro inimicis nostris. Ideoque suspensa enuntiatione non dicentes: sanctificetur in nobis, in omnibus dicimus ».[74]

2750

2815   Haec petitio, quae omnes continet, *Christi oratione* exauditur, sicut sex reliquae petitiones quae sequuntur. Oratio ad Patrem nostrum nostra est oratio, si *in nomine* Iesu oratur.[75] Iesus in Sua oratione sacerdotali petit: « Pater Sancte, serva eos in Nomine Tuo, quod dedisti mihi » (*Io* 17, 11).

---

[71] Sanctus Cyprianus Carthaginiensis, *De dominica Oratione*, 12: CCL 3A, 96-97 (PL 4, 544).
[72] Cf. *Ez* 36, 20-22.
[73] Sanctus Petrus Chrysologus, *Sermo* 71, 4: CCL 24A, 425 (PL 52, 402).
[74] Tertullianus, *De oratione*, 3, 4: CCL 1, 259 (PL 1, 1259).
[75] Cf. *Io* 14, 13; 15, 16; 16, 24. 26.

II. « Adveniat Regnum Tuum »

2816   In Novo Testamento, idem verbum βασιλεία verti potest ut « re-   541
galitas » (nomen abstractum), « regnum » (nomen concretum) vel « re-
gnatio » (nomen actionis). Regnum Dei nobis est prius. In Verbo incar-   2632
nato appropinquavit, per totum Evangelium est annuntiatum, in morte   560
et resurrectione Christi advenit. Regnum Dei venit inde a Sancta Coena   1107
et in Eucharistia, idem est in medio nostri. Regnum veniet in gloria,
cum Christus illud Patri reddet Suo:

> « Potest vero [...] et Ipse Christus esse Regnum Dei quem venire cotidie
> cupimus, cuius Adventus ut cito nobis repraesentetur optamus. Nam
> cum Resurrectio Ipse sit, quia in Illo resurgimus, sic et Regnum Dei
> potest Ipse intellegi, quia in Illo regnaturi sumus »,[76]

2817   Haec petitio illud est « *Marana tha* », clamor Spiritus et Sponsae: 451, 2632
« Veni, Domine Iesu »:   671

> « Etiam si praefinitum in oratione non esset de postulando Regni Ad-
> ventu, ultro eam vocem protulissemus festinantes ad spei nostrae com-
> plexum. Clamant ad Dominum invidia animae martyrum sub altari:
> 'Quonam usque non ulcisceris, Domine, sanguinem nostrum de incolis
> terrae' (*Apc* 6, 10)? Nam utique ultio illorum a saeculi fine dirigitur.
> Immo quam celeriter veniat, Domine, Regnum Tuum ».[77]

2818   In Oratione Domini praecipue agitur de finali Adventu Regni   769
Dei per Christi reditum.[78] Sed hoc desiderium Ecclesiam ab eius in hoc
mundo non avertit missione, eam potius ad illam obligat. Etenim inde a
Pentecoste, Adventus Regni est opus Spiritus Domini, « qui, opus Suum
in mundo perficiens, omnem sanctificationem » complet.[79]

2819   « Regnum Dei [...] [est] iustitia et pax et gaudium in Spiritu   2046
Sancto » (*Rom* 14, 17). Tempora novissima, in quibus sumus, illa sunt
effusionis Spiritus Sancti. Exinde dimicatio inter « carnem » et Spiritum   2516
committitur definitiva:[80]

> « Mundae animae est dicere cum fiducia: 'Veniat Regnum Tuum'. Qui   2519
> enim audiverit Paulum dicentem: 'Non igitur regnet peccatum in morta-

---

[76] Sanctus Cyprianus Carthaginiensis, *De dominica Oratione*, 13: CCL 3A, 97 (PL
4, 545).
[77] Tertullianus, *De oratione,* 5, 2-4: CCL 1, 260 (PL 1, 1261-1262).
[78] Cf. *Tit* 2, 13.
[79] Cf. *Prex Eucharistica IV*, 118: *Missale Romanum*, editio typica (Typis Polyglottis
Vaticanis 1970) p. 468.
[80] Cf. *Gal* 5, 16-25.

li vestro corpore' (*Rom* 6, 12); et seipsum opere, cogitatione ac sermone purum praestiterit; is Deo dicturus est: 'Veniat Regnum Tuum' ».[81]

1049   **2820**   In discretione secundum Spiritum, christiani distinguere debent inter Regni Dei incrementum et culturae et societatis progressum in quibus inseruntur. Haec distinctio separatio non est. Hominis ad vitam aeternam vocatio non supprimit, sed roborat eius officium suas vires in praxim ducendi atque media quae a Creatore recepit ad in mundo serviendum iustitiae et paci.[82]

2746   **2821**   Haec petitio sustinetur ab oratione Iesu et exauditur in ea,[83] quae praesens est et efficax in Eucharistia; suum fructum fert in nova vita secundum beatitudines.[84]

III. « Fiat voluntas Tua, sicut in caelo, et in terra »

851   **2822**   Patris nostri voluntas est « omnes homines [...] salvos fieri et ad agnitionem veritatis venire » (*1 Tim* 2, 4). Ipse « patienter agit [...], no-
2196   lens aliquos perire » (*2 Pe* 3, 9).[85] Eius praeceptum, quod cetera omnia compendiat, et quod nobis totam Eius exprimit voluntatem, est ut diligamus invicem, sicut Ipse dilexit nos.[86]

59   **2823**   Ipse « notum [...] [fecit] nobis mysterium voluntatis Suae, secundum beneplacitum Eius, quod proposuit in eo, [...] recapitulare omnia in Christo [...]; in quo etiam sorte vocati sumus, praedestinati secundum propositum Eius, qui omnia operatur secundum consilium voluntatis Suae » (*Eph* 1, 9-11). Instanter petimus ut hoc benevolens consilium in terra plene adimpleatur sicut iam factum est in caelo.

475   **2824**   Voluntas Patris, in Christo, et per Huius humanam voluntatem, perfecte et semel pro semper adimpleta est. Iesus, hunc ingrediens mundum, dixit: « Ecce venio, [...] ut faciam, Deus, voluntatem Tuam » (*Heb*

---

[81] Sanctus Cyrillus Hierosolymitanus, *Catecheses mystagogicae*, 5, 13: SC 126, 162 (PG 33, 1120).
[82] Cf. Concilium Vaticanum II, Const. past. *Gaudium et spes*, 22: AAS 58 (1966) 1042-1044; *Ibid.*, 32: AAS: 58 (1966) 1051; *Ibid.*, 39: AAS 58 (1966) 1057; *Ibid.*, 45: AAS 58 (1966) 1065-1066; Paulus VI, Adh. ap. *Evangelii nuntiandi*, 31: AAS 68 (1976) 26-27.
[83] Cf. *Io* 17, 17-20.
[84] Cf. *Mt* 5, 13-16; 6, 24; 7, 12-13.
[85] Cf. *Mt* 18, 14.
[86] Cf. *Io* 13, 34; *1 Io* 3; 4; *Lc* 10, 25-37.

10, 7).[87] Solus Iesus dicere potest: « Ego, quae placita sunt Ei, facio semper » (*Io* 8, 29). In Suae agoniae oratione, prorsus huic consentit voluntati: « Non mea voluntas, sed Tua fiat » (*Lc* 22, 42).[88] Ecce cur Iesus « dedit Semetipsum pro peccatis nostris [...] secundum voluntatem Dei » (*Gal* 1, 4). « In qua voluntate sanctificati sumus per oblationem corporis Christi Iesu » (*Heb* 10, 10).   612

2825 Iesus, « cum esset Filius, didicit ex his, quae passus est, oboedientiam » (*Heb* 5, 8). Quanto maiore ratione, nos, creaturae et peccatores, in Eo filii adoptionis effecti. A nostro petimus Patre, nostram voluntatem cum illa Filii Eius coniungere ad Eius adimplendam voluntatem, Eius consilium salutis pro mundi vita. Ad id radicaliter sumus impotentes, sed Iesu coniuncti et cum Eius Spiritus Sancti potentia possumus Ei nostram tradere voluntatem et statuere illud eligere quod Eius Filius semper elegit: id facere quod Patri placet: [89]   615

> « Possumus [...] Ei adhaerendo unus cum Ipso spiritus fieri, et ita Eius capere voluntatem ut, quomodo perfecta est in caelo, sic perficiatur et in terra ».[90]

> « Viden quomodo [Iesus Christus] modeste agere doceat, ostendens virtutem non ex nostro studio tantum, sed etiam ex superna gratia pendere? Itemque totius orbis sollicitudinem, nos qui oramus singulos gerere praecipit. Neque enim dixit, 'Fiat voluntas Tua' in me, aut in vobis; sed, ubique terrarum, ut error avellatur et veritas inseratur, omnisque nequitia eliminetur, virtus revertatur, atque in ea colenda nihil deinceps differat caelum a terra ».[91]

2826 In oratione discernere possumus quid sit voluntas Dei[92] et obtinere patientiam ad eam implendam.[93] Iesus nos docet in caelorum Regnum ingredi non verbis, sed faciendo « voluntatem Patris mei, qui in caelis est » (*Mt* 7, 21).

2827 « Si quis Dei [...] voluntatem [...] facit, hunc exaudit » (*Io* 9, 31).[94] Tanta est orationis Ecclesiae potentia in nomine Eius Domini, praesertim in Eucharistia; eadem est intercessionis communio cum   2611

---

[87] Cf. *Ps* 40, 8-9.
[88] Cf. *Io* 4, 34; 5, 30; 6, 38.
[89] Cf. *Io* 8, 29.
[90] Origenes, *De oratione*, 26, 3: GCS 3, 361 (PG 11, 501).
[91] Sanctus Ioannes Chrysostomus, *In Matthaeum* homilia 19, 5: PG 57, 280.
[92] Cf. *Rom* 12, 2; *Eph* 5, 17.
[93] Cf. *Heb* 10, 36.
[94] Cf. *1 Io* 5, 14.

sanctissima Matre Dei[95] et cum omnibus sanctis qui Domino fuerunt « grati » quia nihil nisi Eius voluerunt voluntatem:

> « Nec illud a veritate abhorret, ut accipiamus, 'Fiat voluntas Tua sicut in caelo et in terra', sicut in Ipso Domino nostro Iesu Christo, ita et in Ecclesia: tanquam in viro qui Patris voluntatem implevit, ita et in femina quae illi desponsata est ».[96]

796

IV. « Panem nostrum cotidianum da nobis hodie »

2778

2828 « *Da nobis* »: pulchra haec est fiducia filiorum qui omnia a suo exspectant Patre: « Solem Suum oriri facit super malos et bonos et pluit super iustos et iniustos » (*Mt* 5, 45) et omnibus viventibus dat « escam in tempore suo » (*Ps* 104, 27). Iesus nos hanc docet petitionem: eadem revera nostrum glorificat Patrem, quia agnoscit quantopere Ille, ultra omnem bonitatem, sit bonus.

2829 « Da nobis » est etiam Foederis expressio: Eius sumus et Ipse est noster, pro nobis. Sed hoc verbum « nos » Eum etiam tamquam Patrem agnoscit omnium hominum et Eum pro eis omnibus precamur, in solidarietate cum eorum necessitatibus eorumque doloribus.

1939

2633

2830 « *Panem nostrum* ». Pater, qui nobis dat vitam, nequit nobis nutrimentum ad vitam non dare necessarium, omnia bona « convenientia », materialia et spiritualia. In sermone montano, Iesus hanc filialem urget fiduciam quae Patris nostri cooperatur providentiae.[97] Ipse ad passivitatem nequaquam nos inducit,[98] sed vult nos ab omni anxia liberare inquietudine et ab omni sollicitudine. Talis est filialis deditio filiorum Dei:

> « Quaerentibus Regnum et iustitiam Dei omnia promittit apponi: nam cum Dei sint omnia, habenti Deum nihil deerit, si Deo ipse non desit ».[99]

227

2831 Sed praesentia eorum, qui panis inopia esuriunt, aliam huius petitionis revelat profunditatem. Drama famis in mundo vocat christianos, qui in veritate orant, ad efficacem responsabilitatem erga eorum fratres, tam in eorum personalibus agendi modis quam in eorum solidarietate

---

[95] Cf. *Lc* 1, 38. 49.
[96] Sanctus Augustinus, *De sermone Domini in monte,* 2, 6, 24: CCL 35, 113 (PL 34, 1279).
[97] Cf. *Mt* 6, 25-34.
[98] Cf. *2 Thess* 3, 6-13.
[99] Sanctus Cyprianus Carthaginiensis, *De dominica Oratione*, 21: CCL 3A, 103 (PL 4, 551).

cum humana familia. Haec Orationis Domini petitio separari nequit a parabolis pauperis Lazari [100] et Iudicii ultimi.[101]

1038

2832 Sicut fermentum in massa, Regni novitas terram debet Spiritu Christi perfundere.[102] Hoc manifestari debet iustitiae instauratione in relationibus personalibus et socialibus, oeconomicis et internationalibus, quin oblivioni mandetur structuram iustam non haberi sine hominibus qui iusti esse velint.

1928

2833 De pane agitur « nostro », de « uno » pro « pluribus ». Beatitudinum paupertas virtus est communicationis: eadem vocat ad bona materialia et spiritualia communicanda et dividenda, non coactione, sed amore, ut aliorum abundantia necessitatibus aliorum sit remedium.[103]

2790, 2546

2834 « Ora et labora ».[104] « Sic orate ac si totum a Deo dependeret, et sic laborate ac si totum dependeret a vobis ».[105] Post nostrum peractum laborem, nutrimentum permanet donum Patris nostri; bonum est id ab Illo postulare, Eidem de hoc gratias agere. Hic in familia christiana sensus est benedictionis ad mensam.

2428

2835 Haec petitio et responsabilitas quam eadem secumfert, etiam de alia valent fame, qua homines pereunt: « Non in pane solo vivet homo, sed in omni verbo, quod procedit de ore Dei » (*Mt* 4, 4),[106] id est, in Eius Verbo et Eius Spiritu. Christiani omnes suos conatus impellere debent ut « pauperes evangelizentur ». Sunt qui famem habent in terra, « non famem panis neque sitim aquae, sed audiendi Verbum Domini » (*Am* 8, 11). Hac de causa, sensus specifice christianus huius quartae petitionis ad Panem vitae refertur: Verbum Dei fide accipiendum, corpus Christi in Eucharistia receptum.[107]

2443

1384

2836 « *Hodie* » est etiam fiduciae locutio. Dominus eam nos docet;[108] nostra praesumptio eam invenire non poterat. Siquidem praesertim de

1165

---

[100] Cf. *Lc* 16, 19-31.
[101] Cf. *Mt* 25, 31-46.
[102] Cf. Concilium Vaticanum II, Decr. *Apostolicam actuositatem*, 5: AAS 58 (1966) 842.
[103] Cf. *2 Cor* 8, 1-15.
[104] E traditione benedictina. Cf. Sanctus Benedictus, *Regula*, 20: CSEL 75, 75-76 (PL 66, 479-480); *Ibid.*, 48: CSEL 75, 114-119 (PL 66, 703-704).
[105] Dictum sancto Ignatio de Loyola attributum; cf. Petrus de Ribadeneyra, *Tractatus de modo gubernandi sancti Ignatii*, c. 6, 14: MHSI 85, 631.
[106] Cf. *Dt* 8, 3.
[107] Cf. *Io* 6, 26-58.
[108] Cf. *Mt* 6, 34; *Ex* 16, 19.

Eius agitur Verbo et de corpore Filii Eius, hoc « hodie » non solum est illud nostri mortalis temporis: est « Hodie » Dei:

> « Cotidie si accipis, cotidie tibi hodie est. Si tibi hodie est Christus, tibi cotidie resurgit. Quomodo? 'Filius meus es tu, ego hodie genui te' (*Ps* 2, 7). Hodie ergo est, quando Christus resurgit ».[109]

2659   **2837**   « *Cotidianum* ». Novum Testamentum alias hoc verbo ἐπιούσιον non utitur. Id, sensu temporali sumptum, paedagogica est repetitio illius « hodie »[110] ad nos confirmandos in fiducia « sine exceptione ». Sensu

2633   qualitativo sumptum, significat id quod ad vitam necessarium est, et largius omne bonum sufficiens ad subsistendum.[111] Ad litteram sumptum (ἐπιούσιον: super-substantiale »), directe indicat Panem vitae, corpus

1405   Christi, « pharmacum immortalitatis »[112] sine quo vitam in nobis non habemus.[113] Tandem, si cum verbo praecedenti coniungatur, sensus caelestis

1166   est evidens: « dies », de quo ibi agitur, est ille Domini, ille Convivii Regni, anticipati in Eucharistia quae iam praegustatio est Regni venturi.

1389   Hac de causa, oportet liturgiam eucharisticam « cotidie » celebrari.

> « Ergo Eucharistia panis noster cotidianus est [...]. Virtus enim ipsa quae ibi intelligitur, unitas est, ut redacti in corpus Eius, effecti membra Eius, simus quod accipimus. [...] Et quod in Ecclesia lectiones cotidie auditis, panis cotidianus est: et quod hymnos auditis et dicitis, panis cotidianus est. Haec enim sunt necessaria peregrinationi nostrae ».[114]

> Pater de caelo nos hortatur ut, sicut filii de caelo, Panem de caelo petamus.[115] Christus « Ipse est panis qui est satus in Virgine, fermentatus in carne, in passione confectus, fornace coctus sepulcri, in ecclesiis conditus, inlatus altaribus caelestem cibum cotidie fidelibus subministrat ».[116]

V. « Dimitte nobis debita nostra, sicut et nos dimittimus debitoribus nostris »

1425   **2838**   Haec petitio admirationem movet. Si solummodo primum sententiae implicaret membrum — « Dimitte nobis debita nostra » —, in tri-

---

[109] SANCTUS AMBROSIUS, *De sacramentis,* 5, 26: CSEL 73, 70 (PL 16, 453).
[110] Cf. *Ex* 16, 19-21.
[111] Cf. *1 Tim* 6, 8.
[112] SANCTUS IGNATIUS ANTIOCHENUS, *Epistula ad Ephesios,* 20, 2: SC 10bis, 76 (FUNK 1, 230).
[113] Cf. *Io* 6, 53-56.
[114] SANCTUS AUGUSTINUS, *Sermo* 57, 7, 7: PL 38, 389-390.
[115] Cf. *Io* 6, 51.
[116] SANCTUS PETRUS CHRYSOLOGUS, *Sermo* 67, 7: CCL 24A, 404-405 (PL 52, 402).

bus primis petitionibus Orationis Domini posset implicite includi, quia
Christi sacrificium « in remissionem peccatorum » est. Attamen, iuxta   1933
secundum sententiae membrum, nostra petitio non exaudietur nisi prius
cuidam responderimus exigentiae. Nostra petitio se vertit ad futurum,   2631
nostra responsio praecessisse debet; quoddam eas coniungit verbum:
« sicut ».

« DIMITTE NOBIS DEBITA NOSTRA »...

2839   Audaci fiducia, Patrem nostrum orare incepimus. Eum supplican-
tes ut Nomen Eius sanctificetur, ab Eo petivimus ut semper magis sanc-
tificemur. Sed, licet veste baptismali superinduti, peccare nosque a Deo   1425
avertere non desinimus. Nunc in hac nova petitione, ad Eum redimus,
tamquam filius prodigus,[117] et nos coram Eo agnoscimus peccatores, si-   1439
cut publicanus.[118] Nostra petitio quadam incipit « confessione » qua simul nostram miseriam Eiusque confitemur misericordiam. Firma est nostra spes, quia, in Eius Filio, « habemus Redemptionem, remissionem
peccatorum » (*Col* 1, 14).[119] Efficax et indubium remissionis Eius signum   1422
in sacramentis invenimus Ecclesiae Eius.[120]

2840   Iam vero, et hoc quidem metuendum est, hic misericordiae fluxus
nostrum cor nequit penetrare, dum illis non pepercerimus qui nos of-
fenderunt. Amor, sicut corpus Christi, est indivisibilis: nequimus diligere Deum quem non videmus, nisi diligamus fratrem, sororem, quos videmus.[121] Nostrum cor, nostris fratribus et sororibus indulgere recusans,
occluditur, eius durities illud misericordi Patris amori impenetrabile red-   1864
dit; in nostri peccati confessione, cor nostrum aperitur gratiae Eius.

2841   Haec petitio tanti momenti est, ut ea una sit ad quam Dominus
redit quamque Ipse in sermone evolvit montano.[122] Capitalis haec mysterii Foederis exigentia homini est impossibilis. « Apud Deum autem omnia possibilia sunt » (*Mt* 19, 26).

---

[117] Cf. *Lc* 15, 11-32.
[118] Cf. *Lc* 18, 13.
[119] Cf. *Eph* 1, 7.
[120] Cf. *Mt* 26, 28; *Io* 20, 23.
[121] Cf. *1 Io* 4, 20.
[122] Cf. *Mt* 5, 23-34; 6, 14-15; *Mc* 11, 25.

...« SICUT ET NOS DIMITTIMUS DEBITORIBUS NOSTRIS »

2842   Hoc « sicut » non est unicum in Iesu doctrina: « Estote ergo vos perfecti, *sicut* Pater vester caelestis perfectus est » (*Mt* 5, 48). « Estote misericordes, *sicut* et Pater vester misericors est » (*Lc* 6, 36). « Mandatum novum do vobis, ut diligatis invicem; *sicut* dilexi vos, ut et vos diligatis invicem » (*Io* 13, 34). Observantia mandati Domini est impossibilis, si agitur de exemplari divino extrinsece imitando. Agitur de vitali atque « ex imo corde » provenienti participatione sanctitatis, misericordiae, amoris Dei nostri. Solus Spiritus, quo « vivimus » (*Gal* 5, 25), potest efficere « nostros » eosdem sensus qui in Christo Iesu fuerunt.[123] Tunc veniae unitas possibilis fit, « donantes invicem, *sicut* et Deus in Christo donavit vobis » (*Eph* 4, 32).

521

2843   Sic vitam accipiunt Domini verba de remissione, de hoc amore qui amat usque ad amoris finem.[124] Servi immisericordis parabola, quae Domini coronat doctrinam de communione ecclesiali,[125] his verbis concludit: « Sic et Pater meus caelestis faciet vobis, si non remiseritis unusquisque fratri suo de cordibus vestris ». Ibi, revera, in « imo *corde* » omnia ligantur et solvuntur. In potestate nostra non est offensam non amplius sentire eamque oblivisci; sed cor quod Spiritui Sancto se offert, vulnus in compassionem vertit atque memoriam purificat, offensam in intercessionem transformans.

368

2844   Oratio christiana usque ad *inimicorum veniam* procedit.[126] Transfigurat discipulum, eumdem Eius Magistro configurando. Venia quoddam culmen est orationis christianae; orationis donum solummodo in corde compassioni divinae conformi recipi potest. Venia etiam testatur, amorem, in nostro mundo, peccato esse fortiorem. Hesterni et hodierni martyres hoc Iesu ferunt testimonium. Venia condicio fundamentalis est Reconciliationis[127] filiorum Dei cum eorum Patre et hominum inter se.[128]

2262

2845   Haec venia essentialiter divina nullum habet limitem nullamque mensuram.[129] Si de « offensis » agitur (de « peccatis » secundum *Lc* 11, 4 vel de « debitis » secundum *Mt* 6, 12), revera omnes semper sumus debitores: « Nemini quidquam debeatis, nisi ut invicem diligatis » (*Rom*

1441

---

[123] Cf. *Philp* 2, 1. 5.
[124] Cf. *Io* 13, 1.
[125] Cf. *Mt* 18, 23-35.
[126] Cf. *Mt* 5, 43-44.
[127] Cf. *2 Cor* 5, 18-21.
[128] Cf. IOANNES PAULUS II, Litt. enc. *Dives in misericordia*, 14: AAS 72 (1980) 1221-1228.
[129] Cf. *Mt* 18, 21-22; *Lc* 17, 3-4.

13, 8). Sanctae Trinitatis communio fons est et regula veritatis cuiuslibet relationis.[130] Eadem fit vita in oratione, praesertim in Eucharistia:[131]

> « Nec sacrificium Deus recipit dissidentis et ab altari revertentem prius fratri reconciliari iubet, ut pacificis precibus et Deus possit esse pacatus. Sacrificium Deo maius est pax nostra et fraterna concordia et de unitate Patris et Filii et Spiritus Sancti plebs adunata ».[132]

VI. « Ne nos inducas in tentationem »

2846 Haec petitio radicem attingit praecedentis, quia peccata nostra fructus sunt consensus tentationi. Patrem nostrum rogamus ne nos in eam « inducat ». Difficile est vocem Graecam uno vertere verbo: haec significat « ne permittas intrare in »,[133] « ne sinas nos tentationi succumbere ». « Deus enim non tentatur malis, Ipse autem neminem tentat » (*Iac* 1, 13), vult e contra nos a tentatione liberare. Eum precamur ne nos sinat ingredi viam quae ad peccatum ducit. In colluctationem incumbimus inter « carnem et Spiritum ». Haec petitio Spiritum implorat discretionis et roboris.

164

2516

2847 Spiritus Sanctus efficit ut *discernamus* inter probationem, ad interioris hominis progressum necessariam,[134] quaeque « virtutem probatam » intendit,[135] et tentationem quae ad peccatum ducit et mortem.[136] Etiam discernere debemus inter « tentari » et tentationi « consentire ». Discretio denique mendacium aperit tentationis: specie, eius obiectum est « bonum [...], pulchrum oculis et desiderabile » (*Gn* 3, 6), dum revera eius fructus mors est.

2284

> « Neque enim cuiquam Deus bonum vult quasi necessitate fieri, sed voluntate [...]. Porro haec tentationis est utilitas. Quae in anima nostra recepta omnes praeter Deum latent, nosque etiam ipsos, ea per tentationes manifesta fiunt, ne nos amplius lateat quales simus, sed qui simus cognoscentes, scntiamus si velimus propria mala, et agamus etiam gratias pro bonis quae nobis per tentationes ostensa sunt ».[137]

---

[130] Cf. *1 Io* 3, 19-24.
[131] Cf. *Mt* 5, 23-24.
[132] Sanctus Cyprianus Carthaginiensis, *De dominica Oratione*, 23: CCL 3A, 105 (PL 4, 535-536).
[133] Cf. *Mt* 26, 41.
[134] Cf. *Lc* 8, 13-15; *Act* 14, 22; *2 Tim* 3, 12.
[135] Cf. *Rom* 5, 3-5.
[136] Cf. *Iac* 1, 14-15.
[137] Origenes, *De oratione*, 29, 15 et 17: GCS 3, 390-391 (PG 11, 541-544).

2848 « Non induci in tentationem » *decisionem cordis* implicat: « Ubi enim est thesaurus tuus, ibi erit et cor tuum. [...] Nemo potest duobus dominis servire » (*Mt* 6, 21. 24). « Si vivimus Spiritu, Spiritu et ambulemus » (*Gal* 5, 25). In hoc Spiritui Sancto « consensu », Pater nobis robur tribuit. « Tentatio vos non apprehendit nisi humana; fidelis autem Deus, qui non patietur vos tentari super id quod potestis, sed faciet cum tentatione etiam proventum, ut possitis sustinere » (*1 Cor* 10, 13).

1808

2849 Talis autem colluctatio talisque victoria possibiles non sunt nisi oratione. Per orationem, Iesus victor est Tentatoris, inde ab initio [138] et in ultima Suae agoniae colluctatione.[139] Christus Suae colluctationi Suaeque agoniae nos coniungit in hac ad Patrem nostrum petitione. Cordis *vigilantia*, in communione cum vigilantia Eius, instanter commemoratur.[140] Vigilantia est « custodia cordis » et Iesus Patrem precatur Suum ut servet nos in nomine Eius.[141] Spiritus Sanctus nos indesinenter excitare quaerit ad hanc vigilantiam.[142] Haec petitio suum sensum accipit dramaticum in relatione ad tentationem finalem nostrae colluctationis in terra; eadem *perseverantiam finalem* petit. « Ecce venio sicut fur. Beatus, qui vigilat » (*Apc* 16, 15).

540, 612
2612

162

VII. « Sed libera nos a Malo »

2850 Ultima ad Patrem nostrum petitio etiam in Iesu oratione refertur: « Non rogo, ut tollas eos de mundo, sed ut serves eos ex Malo » (*Io* 17, 15). Eadem ad nos spectat, ad unumquemque personaliter, sed semper sumus « nos » qui oramus, in communione cum tota Ecclesia et pro totius familiae humanae liberatione. Oratio Domini non desinit, nos ad dimensiones Oeconomiae salutis aperire. Nostra mutua dependentia in peccati et mortis dramate in solidarietatem intra corpus Christi mutatur, in « communionem sanctorum ».[143]

309

2851 In hac petitione, Malum abstractio quaedam non est, sed personam designat, Satan, Malignum, angelum qui Deo opponitur. « Diabolus » (διά-βολος) est ille qui « se proiicit traversum » consilio Dei atque Eius « operi salutis » adimpleto in Christo.

391

---

[138] Cf. *Mt* 4, 1-11.
[139] Cf. *Mt* 26, 36-44.
[140] Cf. *Mc* 13, 9. 23. 33-37; 14, 38; *Lc* 12, 35-40.
[141] Cf. *Io* 17, 11.
[142] Cf. *1 Cor* 16, 13; *Col* 4, 2; *1 Thess* 5, 6; *1 Pe* 5, 8.
[143] Cf. IOANNES PAULUS II, Adh. ap. *Reconciliatio et paenitentia*, 16: AAS 77 (1985) 214-215.

2852 « Homicida [...] ab initio [...], mendax [...] et pater » mendacii (*Io* 8, 44), « Satanas, qui seducit universum orbem » (*Apc* 12, 9), est ille propter quem peccatum et mors intraverunt in mundum et per cuius definitivam cladem tota creatio erit « a corruptione peccati et mortis liberata ».[144] « Scimus quoniam omnis, qui natus est ex Deo, non peccat, sed ille, qui genitus est ex Deo, conservat eum, et Malignus non tangit eum. Scimus quoniam ex Deo sumus, et mundus totus in Maligno positus est » (*1 Io* 5, 18-19):

> « Potens est autem Dominus, qui abstulit peccatum vestrum et delicta vestra donavit, tueri et custodire vos adversum Diaboli adversantis insidias, ut non vobis obrepat inimicus, qui culpam generare consuevit. Sed qui Deo se committit, Diabolum non timet. 'Si' enim 'Deus pro nobis, quis contra nos' (*Rom* 8, 31) ».[145]

2853 De « principe huius mundi »[146] victoria, semel pro semper, obtenta est illa Hora, qua Iesus Se libere tradit morti ut nobis Suam donet vitam. Tunc iudicium est huius mundi et princeps huius mundi « proiicitur ».[147] Hic « persecutus est Mulierem » (*Apc* 12, 13),[148] illam tamen non prehendit: nova Eva, Spiritus Sancti « gratia plena », a peccato et a corruptione mortis praeservatur (immaculata Conceptio et Assumptio sanctissimae Matris Dei, Mariae, semper Virginis). « Et iratus est draco in Mulierem et abiit facere proelium cum reliquis de semine eius » (*Apc* 12, 17). Hac de causa, Spiritus et Ecclesia orant: « Veni, Domine Iesu » (*Apc* 22, 17. 20), quia Eius Adventus nos a Malo liberabit.

677
490
972

2854 Petentes a Malo liberari, pariter ab omnibus malis liberari petimus, praesentibus, praeteritis et futuris, quorum ille auctor est vel instigator. In hac ultima petitione, Ecclesia omnem mundi angustiam fert coram Patre. Cum liberatione a malis quae genus opprimunt humanum, precatur donum pretiosum pacis et gratiam perseverantis exspectationis reditus Christi. Sic orans, in fidei humilitate recapitulationem anticipat omnium hominum omniumque rerum in Eo qui habet « claves mortis et inferni » (*Apc* 1, 18), « qui est et qui erat et qui venturus est, Omnipotens » (*Apc* 1, 8).[149]

2632

---

[144] *Prex eucharistica IV*, 123: *Missale Romanum*, editio typica (Typis Polyglottis Vaticanis 1970) p. 471.
[145] Sanctus Ambrosius, *De sacramentis,* 5, 30: CSEL 73, 71-72 (PL 16, 454).
[146] Cf. *Io* 14, 30.
[147] Cf. *Io* 12, 31; *Apc* 12, 10.
[148] Cf. *Apc* 12, 13-16.
[149] Cf. *Apc* 1, 4.

1041
« Libera nos, quaesumus, Domine, ab omnibus malis, da propitius pacem in diebus nostris, ut, ope misericordiae Tuae adiuti, et a peccato simus semper liberi et ab omni perturbatione securi: exspectantes beatam spem et Adventum Salvatoris nostri Iesu Christi ».[150]

DOXOLOGIA FINALIS

2760
2855 Doxologia finalis « Quia Tuum est regnum, et potestas, et gloria » tres primas petitiones ad Patrem nostrum, per inclusionem, resumit: glorificationem Eius Nominis, Adventum Eius Regni et potentiam Eius voluntatis salvificae. Haec tamen iterata sumptio in ea fit sub forma adorationis et actionis gratiarum, sicut in liturgia caelesti.[151] Princeps huius mundi sibi mendaciter hos tres titulos tribuerat regalitatis, potentiae et gloriae;[152] Christus Dominus eos Patri Suo Patrique nostro restituit, donec Ei Regnum tradat, cum mysterium salutis definitive consummabitur et Deus erit omnia in omnibus.[153]

1061-1065
2856 « Tum vero expleta oratione, dicis: 'Amen', per illud Amen, quod significat 'fiat',[154] quaecumque in hac a Deo tradita oratione continentur, obsignans ».[155]

Compendium

2857 *In oratione « Pater noster » tres primae petitiones habent, ut obiectum, gloriam Patris: sanctificationem Nominis, Adventum Regni et adimpletionem voluntatis divinae. Reliquae quattuor Ei nostra praesentant desideria: hae petitiones ad nostram referuntur vitam ad eam nutriendam vel ad eam a peccato sanandam et ad nostram attinent colluctationem pro victoria Boni super Malum.*

2858 *Petentes: « Sanctificetur Nomen Tuum » ingredimur Dei consilium, sanctificationem Eius Nominis — revelati Moysi, deinde in Iesu — a nobis et in nobis, sicut etiam in omni gente et in unoquoque homine.*

---

[150] *Ritus Communionis*, [Embolismus]: *Missale Romanum*, editio typica (Typis Polyglottis Vaticanis 1970) p. 472.
[151] Cf. *Apc* 1, 6; 4, 11; 5, 13.
[152] Cf. *Lc* 4, 5-6.
[153] Cf. *1 Cor* 15, 24-28.
[154] Cf. *Lc* 1, 38.
[155] Sanctus Cyrillus Hierosolymitanus, *Catecheses mystagogicae,* 5, 18: SC 126, 168 (PG 33, 1124).

2859   *Secunda petitione, Ecclesia reditum Christi et finalem Regni Dei Adventum praecipue intendit. Etiam orat pro Regni Dei incremento in nostrarum vitarum « hodie ».*

2860   *In tertia petitione, Patrem nostrum precamur ut nostram voluntatem cum illa coniungat Filii Sui ad Suum salutis consilium in vita mundi adimplendum.*

2861   *In quarta petitione, dicentes « Da nobis », in communione cum fratribus nostris, nostram filialem exprimimus fiduciam erga Patrem nostrum caelestem. « Panem nostrum » nutrimentum indicat terrestre ad omnium subsistentiam necessarium atque etiam vitae significat Panem: Verbum Dei et corpus Christi. Recipitur in « Hodie » Dei, tamquam nutrimentum pernecessarium, (super-)substantiale Convivii Regni, quod Eucharistia anticipat.*

2862   *Quinta petitio pro nostris offensis misericordiam postulat Dei, quae nostrum cor nequit penetrare, nisi nostris inimicis indulgere didicimus secundum Christi exemplum et cum Eius adiutorio.*

2863   *Cum dicimus « Ne nos inducas in tentationem », Deum rogamus ne permittat nos viam aggredi quae ad peccatum ducit. Haec petitio Spiritum implorat discretionis et roboris; gratiam efflagitat vigilantiae et finalem perseverantiam.*

2864   *In ultima petitione, « Sed libera nos a Malo », christianus Deum cum Ecclesia precatur, ut victoriam, iam a Christo obtentam, de « principe huius mundi », de Satana, angelo qui se personaliter Deo Eiusque salutis consilio opponit, manifestet.*

2865   *Per finale « Amen », « Fiat » nostrum ad septem attinens petitiones exprimimus: « Ita sit... ».*

INDICES

INDEX LOCORUM

SACRA SCRIPTURA

Vetus Testamentum

Genesis

1, 1	268*, 279, 280, 290
1, 1-2, 4	337*
1, 2	243*, 703*, 1218*
1, 2-3	292*
1, 3	298*
1, 4	299
1, 10	299
1, 12	299
1, 14	347*
1, 18	299
1, 21	299
1, 26	225, 299*, 343*, 2085, 2501*, 2809
1, 26-27	1602*
1, 26-28	307*
1, 26-29	2402*
1, 27	36*, 355, 383, 1604*, 2331
1, 28	372, 373*, 1604, 1607*, 1652, 2331, 2427*
1, 28-31	2415*
1, 31	299, 1604*
2, 1-3	345
2, 2	314*, 2184
2, 7	362, 369*, 703*
2, 8	378*
2, 15	378
2, 17	376*, 396, 396, 400*, 1006*, 1008*
2, 18	371*, 1605*, 1652
2, 19-20	371, 2417*
2, 22	369*, 1607*
2, 23	371, 1605*
2, 24	372, 1605, 1627*, 1644*, 2335
2, 25	376*
3	390*, 2795*
3, 1-5	391*
3, 1-11	397*
3, 3	1008*
3, 5	392, 398*, 399*, 1850
3, 6	2541, 2847
3, 7	400*
3, 8-10	29*
3, 9	410*, 2568
3, 9-10	399*
3, 11	2515*
3, 11-13	400*
3, 12	1607*
3, 13	1736, 2568
3, 14-19	2427*
3, 15	70*, 410*, 489*
3, 16	376*, 400*, 1609
3, 16b	1607*
3, 16-19	1607*
3, 17	400*
3, 17-19	378*
3, 19	376*, 400*, 400*, 1008*, 1609
3, 20	489*
3, 21	1608*
3, 24	332*
4, 1-2	2335*
4, 3-8	2538*
4, 3-15	401*
4, 4	2569*
4, 8-12	2259*
4, 10	1736*, 1867*, 2268*
4, 10-11	2259
4, 26	2569*
5, 1	2335*
5, 1-2	2331

Leviticus

Numeri

Deuteronomium

32, 8	57*, 441*
32, 34	1295*
32, 39	304*

Liber Iosue

3, 10	2112
13, 33	1539*

Liber Iudicum

6, 11-24	332*
13	332*
13, 18	206*

Liber I Samuelis

1	489*
1, 9-18	2578*
3, 9-10	2578
9, 16	436*
10, 1	436*
12, 23	2578
16, 1	436*
16, 12-13	436*
16, 13	695*
28, 19	633*

Liber II Samuelis

7	709*
7, 14	238*, 441*
7, 18-29	2579*
7, 28	215, 2465*
12, 1-4	2538*
12, 7-15	1736*

Liber I Regum

1, 39	436*
6, 23-28	2130*
7, 23-26	2130*
8, 10-12	697*
8, 10-61	2580*
17, 7-24	2583*
18, 20-39	2583*
18, 26-29	2766*
18, 38-39	696*
18, 39	2582*
19, 1-14	2583*
19, 5	332*

19, 16	436*
21, 1-29	2538*
21, 8	1295*

Liber II Regum

2, 9	2684*

Liber I Paralipomenon

17, 13	441*

Liber II Paralipomenon

36, 21	2172*

Liber Esdrae

9, 6-15	2585*

Liber Nehemiae

1, 4-11	2585*
13, 15-22	2172*

Tobias

1, 16-18	2300*
2, 12-18 vulg.	312*
3, 11-16	2585*
4, 3-4	2214*
4, 5-11	2447*
4, 15	1789*
8, 4-9	2361
8, 6	360*
12, 8	1434*
12, 12	336*
13, 2	269*

Iudith

9, 2-14	2585*

Esther

4, 17c	269*

Liber II Maccabaeorum

6, 30	363*
7, 9	992

Isaias

Novum Testamentum

Evangelium secundum Matthaeum

Evangelium secundum Marcum

Evangelium secundum Lucam

Evangelium secundum Ioannem

6, 27	698, 728*, 1296*
6, 32	1094
6, 33	423
6, 38	606*, 2824*
6, 39-40	989*, 1001
6, 40	161*, 994*
6, 44	259*, 591*, 1001, 1428*
6, 46	151
6, 51	728*, 1355, 1406, 2837*
6, 53	1384
6, 53-56	2837*
6, 54	994*, 1001, 1406, 1509*, 1524
6, 56	787, 1391, 1406
6, 57	1391
6, 58	1509*
6, 60	1336
6, 61	473*
6, 62	440*
6, 62-63	728*
6, 63	2766
6, 67	1336
6, 68	1336
6, 69	438
7, 1	583*
7, 10	583*
7, 12	574*
7, 13	575*
7, 14	583*
7, 16	427
7, 19	578*
7, 22-23	581*
7, 22-24	582*
7, 23	2173*
7, 37-39	728*, 1287*, 2561*
7, 38	694*
7, 38-39	1999*
7, 39	244*, 690*
7, 45	574*
7, 48-49	575*
7, 49	588*
7, 50	595*
8, 2	583*
8, 12	2466
8, 28	211, 653, 2812*
8, 29	603*, 1693*, 2824, 2825*
8, 31-32	89*, 2466*
8, 32	1741*
8, 33-36	588*
8, 34-36	549*, 601*, 613*
8, 44	391*, 392, 394, 2482, 2852
8, 46	578*, 592*, 603*
8, 48	574*
8, 55	473*
8, 58	590
8, 59	574*
9, 6	1151*, 1564*
9, 6-15	1504*
9, 7	1504*
9, 16	596*, 2173*
9, 16-17	595*
9, 22	575*, 596*
9, 31	2827
9, 34	588*
9, 40-41	588*
10, 1-21	764*
10, 1-10	754*
10, 3	2158*
10, 11	553, 754*
10, 11-15	754*
10, 16	60*
10, 17	606
10, 17-18	614*, 649
10, 18	609
10, 19	596*
10, 19-21	595*
10, 20	574*
10, 22-23	583*
10, 25	548*, 582*
10, 30	590
10, 31	574*
10, 31-38	548*
10, 33	574*, 589*, 594*
10, 36	437, 444*
10, 36-38	591*
10, 37-38	582*
10, 38	548*
11	994*
11, 24	993*, 1001
11, 25	994
11, 27	439*
11, 28	581*
11, 34	472*
11, 39	627*
11, 41-42	2604*
11, 44	640*
11, 47-48	548*
11, 48	596
11, 50	596
11, 52	58, 60*, 706*, 2793*

17, 18	858*
17, 19	611, 2747*, 2749*, 2812
17, 21	820
17, 21-23	260*, 877*
17, 22	690*, 2750*
17, 23-26	2750*
17, 24	2749*, 2750*
17, 25	2751*
17, 26	589*, 729*, 2750*
18, 4-6	609*
18, 11	607
18, 12	575*
18, 20	586*
18, 31	596*
18, 36	549*, 600*
18, 37	217, 559*, 2471*
19, 11	600*
19, 12	596*
19, 15	596*
19, 19-22	440*
19, 21	596*
19, 25	495
19, 25-27	726*, 2618*
19, 26-27	501*, 964, 2605
19, 27	2677*, 2679*
19, 28	544*, 607, 2561*, 2605
19, 30	607, 624*, 730*, 2605, 2605*
19, 31	641*
19, 34	478*, 694*, 1225*
19, 36	608*
19, 37	1432*
19, 38	575*
19, 38-39	595*
19, 42	624*, 641*
20, 1	2174
20, 2	640
20, 5-7	640*
20, 6	640
20, 7	515*
20, 8	640*
20, 11-18	641*
20, 13	640*
20, 14	645*, 645*
20, 14-15	645*, 659*
20, 16	645*
20, 17	443, 645*, 654*, 660, 2795*
20, 19	575*, 643*, 645*, 659*
20, 20	645*
20, 21	730, 858

20, 21-23	1087*, 1120*, 1441*
20, 22	730*, 788*, 1287*
20, 22-23	976, 1485
20, 23	1461*, 2839*
20, 24-27	644*
20, 26	645*, 659*
20, 27	645*, 645*
20, 28	448
20, 30	514*
20, 31	442*, 514
21, 4	645*, 645*, 659*
21, 7	448, 645*
21, 9	645*
21, 12	1166*
21, 13-15	645*
21, 15-17	553, 881*, 1429*, 1551*
21, 18-19	618*
21, 22	878
21, 24	515*

Actus Apostolorum

1, 1-2	512
1, 3	659*
1, 6-7	672*
1, 7	474*, 673
1, 8	672*, 730*, 735, 857*, 1287*
1, 9	659*, 697*
1, 10-11	333*
1, 11	665*
1, 14	726, 1310*, 2617*, 2623, 2673*
1, 22	523*, 535*, 642*, 995
2, 1	2623
2, 1-4	1287*
2, 3-4	696*
2, 11	1287
2, 17-18	1287*
2, 17-21	715*
2, 21	432*, 2666*
2, 22	547
2, 23	597*, 599
2, 24	627, 633*, 648*
2, 26-27	627
2, 33	659*, 788*
2, 33-36	731
2, 34-36	447*, 449*
2, 36	440, 597*, 695*, 731*, 746
2, 36-38	1433*

Epistula ad Romanos

4, 11	2427*
4, 13-14	1012*
4, 14	649, 989*
4, 16	1001
4, 17	1025*
4, 18	1687*
5, 2	673*
5, 2-3	675*
5, 5	1216*
5, 6	2849*
5, 8	1820
5, 12-13	1269*
5, 15	1174*
5, 17	2742, 2757
5, 17-18	2633*
5, 18	2638, 2648
5, 19	696
5, 23	367
5, 25	2636*

Epistula ad Thessalonicenses II

1, 10	1041
1, 11	2636*
2, 3-12	673*
2, 4-12	675*
2, 7	385, 671*
3, 6-13	2830*
3, 10	2427

Epistula ad Timotheum I

1, 3-4	2518*
1, 5	1794
1, 9-10	1852*
1, 10	2357*
1, 15	545*
1, 18-19	162
2, 1	2636
2, 1-2	1349, 1900*
2, 2	2240
2, 3-4	2822
2, 4	74, 851, 1058, 1256*, 1261, 1821
2, 5	618*, 1544, 2574
2, 5-8	2634*
3, 1	1590
3, 1-13	1577*
3, 9	1794*

3, 15	171 756*, 2032
3, 16	385*, 463, 2641*
4, 1	672*
5, 17-18	2122*
6, 8	2837*
6, 12	2145*
6, 15-16	2641*
6, 16	52
6, 20	84*

Epistula ad Timotheum II

1, 3	1794*
1, 5	2220
1, 6	1577*, 1590
1, 8	2471, 2506
1, 9	257
1, 9-10	1021*
1, 12	149
1, 12-14	84*
1, 13-14	857*
1, 14	1202*
2, 5	1264
2, 8	437*
2, 11-13	2641*
2, 11	1010
2, 22	2518*
2, 23-26	2518*
3, 2-5	1852*
3, 12	2847*
4	2015*
4, 1	679*

Epistula ad Titum

1, 5	1590
1, 5-9	1577*
1, 15	2518*
2, 1-6	2342*
2, 12	1809
2, 13	449*, 1041, 1130, 1404*, 2760*, 2818*
2, 14	802
3, 5	1215
3, 6-7	1817

Epistula ad Philemonem

16	2414

20, 7-10	677*
20, 12	677*
21, 1	1043*
21, 1-2	756*
21, 1-22, 5	117*
21, 2	757*, 1045, 2016
21, 2-4	677*
21, 3	756*, 2676
21, 4	1044, 1186
21, 5	1044*
21, 6	694*, 1137*
21, 7	2788
21, 9	757*, 865*, 1045, 1138*
21, 10-11	865*
21, 12-14	765*
21, 14	857, 865, 869*
21, 22	586*
21, 27	1044*, 1045*
22, 1	1137
22, 4	1023*
22, 5	1029
22, 15	1470*
22, 16	437*, 528*
22, 17	524*, 671*, 694*, 757*, 796*, 1130, 2550*, 2853
22, 20	451, 673*, 1130, 1403, 2853
22, 21	1061*

Symbola fidei
(allata secundum DS)

1-64	192*
10-64	496*
71	254
71-72	192*
75	266
75-76	192*
76	1035*
Symbolum Apostolorum	167, post 184, 194*, 196*, 279, 325, 750, 946, 1331
1862-70	192*

Concilii Oecumenici
(allati secundum DS, praeter Concilium Vaticanum II)

Concilium Nicaenum I

126	465
130	465
Symbolum	465

Concilium Constantinopolitanum I
Symbolum Nicaenum-Constantinopolitanum

125	242, 465
150	post 184, 195*, 196*, 242, 243, 245, 245, 263, 279, 291, 325, 456, 519, 652, 664, 685, 687, 702, 750, 1680
in textu originali graeco	167

Concilium Ephesinum

250	466
251	466, 495*
255	468*

Concilium Chalcedonense

301-302	467

Concilium Constantinopolitanum II

421	253, 258, 258*
423	468*
424	468
427	499*
432	468

Concilium Constantinopolitanum III

556	475
556-559	475*

Concilium Nicaenum II

600	1161
600-603	476
601	477, 1674*, 2132
603	1674*
COD 135	1160

Concilium Constantinopolitanum IV

657	367

Concilium Lateranense IV

800	202, 296, 299*, 327, 391
800-802	192*
801	999, 1035*
802	1576*
804	253, 254
806	43

Concilium Lugdunense II

850	248
851-861	192*
854	1017
856	1022, 1032*
857	1022
858	1022, 1035*
859	1059
860	1113*

Concilium Viennense

902	365*

Concilium Constantiense

1154	1584*

Concilium Florentinum

1300-1301	246
1302	248
1304	1022*, 1031*
1305	1022
1306	1022
1310	1113*
1314	1213*
1315	1256*

1316	1263*
1319	1303*
1324-1325	1510*
1325	1520*
1330	255
1331	248, 255, 258
1333	299*
1334-1336	120*
1351	1035*

Concilium Lateranense V

1440	366*

Concilium Tridentinum

1501-1504	120*
1510-1516	406*
1511	375, 407, 1008*
1511-1512	404*
1512	403*
1513	390*, 405*
1514	403*, 1250*
1515	1264, 1426*, 2515*
1525	1993
1528	1989
1529	615*, 617, 1992*
1532	161*
1533-1534	2005*
1541	1821*
1542	1446*
1544	1815*
1545	1426*
1546	2009
1548	2009*
1549	1059*
1567	1037[1]
1569-1570	2068*
1573	411*
1575	1035*
1576	2016*
1580	1031*
1600	1114
1601	1113*, 1114
1604	1129*
1605	1127*
1606	1127*
1608	1128*
1609	1121, 1272*, 1280*, 1304*

Concilia et Synodi

(allata secundum DS)

Concilium Romanum
Decretum Damasi

179-180	120*

Concilium Carthaginiense
Statuta Ecclesiae Antiqua

325	650*

Concilium Arausicanum II

371-372	406*
397	1037*

Synodus Constantinopolitana

409	1035*
411	1035*

Concilium Bracarense I

455-463	299*

Concilium Toletanum IV

485	633*

Concilium Toletanum VI

490	245

Concilium Lateranense

503	196, 199*
504	476*

Concilium Toletanum XI

525-541	192*
527	245
528	255
530	253, 254
539	650*

Concilium Toletanum XVI

571	499*

Concilium Romanum

587	633*

Concilium Foroiuliense

619	503

Concilium Carisiacum

624	605

Documenta Pontificalia

Damasus I (sanctus)
Epistula ad Episcopos orientales

149	471*

Innocentius I (sanctus)
Epistula « Si instituta ecclesiastica »,
(19 Martii 416)

216	1510*

Leo Magnus (sanctus)
Epistula « Quam laudabiliter »,
(21 Iulii 447)

284	247*
286	299*

Epistula « Lectis dilectionis tuae »,
(13 Iunii 449)

291	499*
294	499*

Anastasius II
Epistula « In prolixitate epistulae », (497)

359	650*

Hormisdas (sanctus)
Epistula « Inter ea quae »,
(26 Martii 521)

369	650*

Documenta Ecclesiae

Catechismus Romanus

Congregationes

Congregatio pro Doctrina fidei (S. Officium)

Liturgia

RITUS LATINUS

Missale Romanum

Institutio generalis

Offertorium

Praefatio

« Sanctus »

Prex eucharistica I seu Canon Romanus

Prex eucharistica

Oratio ante Communionem

Doxologia (post precem eucharisticam)

Embolismus

Collecta

Feria VI in passione Domini

Vigilia Paschalis

Sequentia

Liturgiae orientales

**Liturgia Byzantina
sancti Ioannis Chrysostomi**

Hymnus cherubinorum	335*
Anaphora	42, 1137
Prex ante Communionem	1386

Liturgia Byzantina

	1166

Troparium

« Ὁ μονογενής »	469
In die Dormitionis (15 Aug.)	966
In die Paschatis	638
Matutinum pro die Dominica modi secundi	703
Vespertium in die Pentecostes	291, 732, 2671

Kontakia

in die Transfigurationis	555
Romani Melodi	525

Εὐχολόγιον

formula absolutionis	1481
prex ordinationis	1587
Rituale	1300

Liturgia Syriaca

Antiochiae, Epiclesis consecrationis sancti chrismatis	1297

Fanqîth

Breviarium iuxta ritum Ecclesiae Antiochenae Syrorum, Vol. 6, p. 193 b	1167
Breviarium iuxta ritum Ecclesiae Antiochenae Syrorum, Vol. 1, 237a-b	1391

Scriptores ecclesiastici

A.A.

Antiqua homilia in sancto et magno Sabbato

PG 43, 440. 452. 461.	635

Constitutiones apostolicae

7, 24, 1: SC 336, 174	2760
8, 13, 12: SC 336, 208	1331

De imitatione Christi

11, 23, 5-8	1014

Didaché

1, 1: SC 248, 140	1696
2, 2: SC 248, 148	2271
8, 2: SC 248, 174	2760
8, 3: SC 248, 174	2767
9, 5: SC 248, 178	1331*
10, 6: SC 248, 180	1331*, 1403

Epistula ad Diognetum

5, 5: SC 33, 62-66	2240
5, 6: SC 33, 62	2271*
5, 8-9: SC 33, 62-64	2796
5, 10: SC 33, 62-66	2240
6, 10: SC 33, 62-66	2240

Sermo de die Dominica

PG 86/1, 416 et 421	2178

Alfonsus Maria de Liguori (sanctus)

Del gran mezzo della preghiera

pars 1, c. 1	2744

Ambrosius (sanctus)

De mysteriis

7, 42: CSEL 73, 106 (PL 16, 402-403)	1303
9, 50: CSEL 73, 110 (PL 16, 405)	1375

De officiis ministrorum

1, 88	2653

INDEX ANALYTICUS

A

Abba

Spiritus Filii Dei in corda nostra clamans: « Abba Pater », 683, 742, 1303, 2766, 2777.

Abel

Abel ut iustus veneratus, 58;
Fratricidium in Abelem, 401, 2559.

Abortus

Adiutorium ad abortum, 2272;
Cultus vitae et abortus, 2770;
Praecepta morum et abortus, 2271, 2274.

Abraham

Abrahae oratio, 2569, 2570, 2592;
Abrahae vocatio, 59, 72, 762;
Abraham, exemplar oboedientiae in Dei fide, 144-46, 165, 2570, 2572, 2676;
Abraham, spei exemplar, 165, 1819;
Benedictio divina et Abraham, 59, 1080;
Foedus Dei cum Abraham, 72, 992, 2571;
Iesus, Abrahae stirps, 527;
Musulmani et Abrahae fides, 841;
Populus ortus a patre Abraham, 63, 709, 762, 1541;
Promissiones ab Abraham factae, 422, 705, 706, 1222, 1716, 1725, 2571, 2619.

Absolutio, cf. Poenitentia et Reconciliatio.

Abstinentia in festis liturgicis praeparandis, 2043.

Acceptatio / accipere

Acceptatio Dei misericordiae, 1847, 1991;
Acceptatio Evangelii et christiana initiatio, 1229, 1247;
Acceptatio gratiae, 678, 682;
Acceptatio Mariae, 148, 502, 2617;
Acceptatio vitae divinae ex parte hominis, 505;
Accipere advenas, 2241;
Accipere Dei amorem, 2712, 2792;
Accipere Dei gratiam, 2001;
Accipere filiorum vocationem, 2233;
Accipere homosexuales, 2358;
Accipere pauperes, 2449;
Accipere proximum, 2519;
Accipere remissionem, 1989;
Accipere Revelationem per fidem, 35, 99,
Accipere Verbum Dei, 839, 1719, 2030, 2086, 2835;
Accipere verbum Iesu, 528, 543, 764, 1967, 2835;
« Qui recipit vos, me recipit », 858.

Acclamatio Iesu Ierusalem ingredientis, 559.

Accusatio, cf. Poenitentia et Reconciliatio: Confessio.

Acedia, 1866, 2733, 2755, cf. Pigritia.

ACTIO / AGERE

Actio ethica, cf. *Conscientia;*
Actio evangelizationis, 900, 905;
Actio humana, 236, 307, 1146, 1148, 1724, 1806, 2306, 2668, 2670;
Actio liturgica, 15, 1070, 1074, 1088, 1097, 1108, 1111, 1136, 1140, 1153, 1155;
Actio moralis ex Foedere sensum hauriens, 2061;
Actio pastoralis, 2352, 2423;
Actio socialis, 407, 1883, 2442;
Actionis meritum, 2006, 2008;
Agere in virtute amoris, 1972;
Agere secundum Deum, 798, 1695, 2000, 2752;
Agere ut christianus, 3, 16, 1813, 2031, 2047, 2181;
Agere ut testes Evangelii, 2472;
Christi actio, cf. *Christus;*
Dei actio, 260, 292, 301, 308, 988, 1148, 1164, 1325, 1448, 2008, 2084, 2171, 2258, 2564, 2738;
Ecclesiae actio, 771, 1072, 1074, 1083;
Gratiae actio, 644, 1453, 1742;
Iesus agens, 576, 1575, 2076;
Intentio in actione, 1752;
Libertas et actio, 302, 323, 1731, 1744, 1745;
Ministri in Christi persona agentes, 875, 935, 1548, 1563, 1581, 1584;
Oratio et actio, 2157, 2166, 2570, 2670;
Propositum actionis, 1752;
Spiritus Sancti actio in Maria, 2675, 2682;
Trinitatis actio, 648;
Veritas in actione, 2468.

ACTIVITAS, cf. *Actio* et *Labor;*

Activitas missionalis, 856;
Activitas oeconomica, 2426, 2431, 2424;
Activitates humanae a Deo directae, 912, 1818, 2172, 2185;
Apostolatus ut corporis mystici activitas, 863;

Christianus crucem in activitate cottidiana ferens, 2427;
Dei activitas, 2500, 2501;
Ecclesiae activitas, 824, 828, 1442;
Familia christiana et eius activitas, 2205;
Iustum salarium et activitas lavorativa, 2434.

ACTUS HUMANUS, cf. *Agere, Homo* et *Passio/nes;*

Actus humanus moraliter bonus, 1755, 1760;
Actus humanus moraliter inordinatus, 1761;
Circumstantiae et consequentiae actus humani, 1754;
Consensus matrimonialis ut actus humanus, 1625-32;
Fides ut actus humanus, 154, 155, 180;
Intentio actus humani, 1752-53, 1756;
Libertas actus humani, 1731, 1744, 1745, 1782, 2008, 2106;
Moralitas actus humani, 1709, 1749-56, 1757-61, 1805, 1813, 1853, 1954, 2085, 2157;
Obiectum actus humani, 1751.

ADAM

Gratia sanctitatis originalis et Adam, 375, 399;
Iesus Christus et Adam, 359, 388, 402, 504, 505, 518, 532, 538, 539, 635;
Peccatum Adami et consequentiae, 402-05, 416-17, 1736.

ADHAESIO

Adhaesio fidei ad Deum, 150, 176, 1098, 1102, 2609, 1730, 2716;
Adhaesio fidei ad dogmata Ecclesiae, 88;
Adhaesio Iesu ad consilium Patris, 566, 2600, 2603, 2620;
Adhaesio Mariae ad voluntatem Patris, 967.

Aegritudo Iesu, 572;
Aegritudo ut consequentia peccati, 1264;
Aegritudo ut signum originalis condicionis infirmitatis humanae, 2448;
Consequentiae et effectus aegritudinis, 1500-01;
Experientia humana aegritudinis, 1500;
Significatio aegritudinis, 1502, 1505.

AEGROTI, cf. *Unctio infirmorum;*

Aegroti in Vetere Testamento, 1502;
Aegroti ut signum praesentiae Iesu, 1373;
Cura et observantia aegrotorum, 2405, 2186;
Iesus et sanatio aegrotorum, 699, 1503-06;
« Infirmos curate » ut praeceptum Iesu, 1506-10;
Unctio sacra infirmorum, 1511, 1516, 1519.

AEQUALITAS

Aequalitas et diversitas inter virum et mulierem, 369;
Aequalitas inter christifideles, 872;
Aequalitas inter homines, 1934-35.

AESTIMATIO de bono et malo, 1865.

AETAS

Aetas ad Confirmationem celebrandam, 1318-19;
Aetas adulta fidei ab aetate naturalis incrementi distincta, 1307-08;
Aetas discretionis ad Confessionem accedendam, 1457.

AETERNITAS, 33, 488, 679.

AGENDI MODUS

Agendi modus christianus et scandalum, 2284, 2286;
Agendi modus religiosus hominum, 28, 844;
Habitus egoismi et caritas, 1931, 2831;

Lex ut regula modi agendi, 1951, 1958;
Moralitas modi agendi, 1753.

AGNOSTICISMUS, 2127, 2128.

AGNUS

Abraham et Agnus ad holocaustum, 2572;
Apocalypsis et Agnus, 1137, 2159;
Christus Agnus, 523, 536, 602, 608, 613, 719, 1364;
Ecclesia, sponsa Agni, 757, 796;
« Nuptiae Agni », 1329, 1602, 1612, 1642, 2618;
Testes et gloria Agni, 2642.

ALIENIGENA, 2241.

ALTARE

Altare caeli, 1383, 1589;
Altare Domini ab Abraham constructum, 2570;
Benedictio altaris, 1672;
Celebratio Eucharistiae et significationes altaris, 1383;
Cor ut altare, 786, 2655;
Eucharistia, Sacramentum altaris, 1372;
Novum Foedus et altare, 1182;
Sacrificium crucis et altare, 1182, 1364, 1366-68, 1939.

AMBITUS, cf. *Natura* et *Creatio.*

AMBO, 1184.

AMEN

« Amen » in liturgia eucharistica, 1345;
« Amen », ultimum verbum « Credo » et sacrae Scripturae, 1061;
Christus, « amen » definitivum amoris Patris, 1065;
Significatio verbi quod est amen, 1062-64, 1348, 1396, 2856, 2865.

AMICITIA

Amicitia inter Christum et hominem, 1395, 2665;

Amicitia inter Deum et hominem, 55, 277, 355, 374, 384, 396, 1023, 1030, 1468, 1863, 2709;
Amicitia contumelias contra veritatem non excusans, 2480;
Amicitia ut homosexuali auxilium, 2359;
Caritas, consensio et amicitia, 1829, 1939;
Castitas in amicitia explicata et expressa, 2347.

Amicus

Animam pro amicis ponere, 609;
Christus, amicus hominis, 1972;
Deus, amicus hominis, 142, 2063, 2576.

Amor, cf. *Caritas;*

Amor erga Deum

Amare Deum ut Dominum, 2086;
Caelibatum per amorem Dei amplectentes, 1599;
Christianus moriens ut cum Deo sit, 1011;
« Diliges Dominum Deum tuum in toto corde tuo... », 2055, 2063, 2083, 2093;
Fides tamquam credere Dei amori, 278, 1064, 2087, 2614;
Liturgia, responsio fidei et amoris erga Deum, 1083;
Mandata servare et in amore manere, 1824;
Orare de Regno et Dei amorem salvificum participare, 2633, 2738;
Oratio et amor, 2709, 2792;
Oratio omnia in amore quo in Christo diligimur hauriens, 2658;
Oratio sine intermissione et ardor ab amore procedens, 2742;
Oratio, communio amoris in Spiritu Sancto, 2615, 2712.

Amor erga proximum

Amare ut Christus pauperes et inimicos, 1825, 2443;
Amor erga inimicos, 2608, 2844;
Amor erga pauperes cum divitiarum amore non componendus, 2445;
Amor proximi erga versantem in errore circa fidem , 2104;
Amor proximi inseparabilis ab amore Dei, 1878;
Amor proximi tamquam orare pro omnibus Patrem communem, 2793;
Amor proximi tamquam remittere fratri ab imo corde, 2843;
« Diligatis invicem, sicut dilexi vos... », 459, 1337, 1823;
Diligere Deum et proximum ut Decalogi synthesis, 1822, 2055, 2067, 2069;
« Diliges proximum tuum... », 1844, 2055, 2196;
Familia Nazarena, amoris proximi exemplum, 533.

Amor praeferentialis, 2729, 2732.

Christi amor

Caritas, mandatum novum, 1823;
Cor Christi, index Eius amoris erga nos, 478, 2669;
Oratio, adhaesio voluntati Patris amoris, 2600;
Passio, amor omnibus apertus, 605, 616;
Passio, Christi sacrificium in remissionem peccatorum, 545;
Passio, Christus amore erga nos mortuus, 1825;
Sanationes, signa amoris, 1503;
Vita Iesu mysterium Patris amoris revelans, 516, 701.

Dei amor, cf. *Deus;*

Creatio ut primum testimonium Dei amoris, 315;
Dei amor creaturas ad ultimum finem disponens, 321;

Christus, animarum medicus, 658, 1421, 1509;
Corpus et anima, 362-64;
Creatio animae, 33, 366, 382;
Eucharistia animam gratia implens, 1323, 1402;
Eucharistia et Christi praesentia in corpore et sanguine, 1374;
Eucharistia et divinitas, 1374;
Glorificatio corporis et animae, 1042, 1052;
Homo anima praeditus, 1934;
Lex naturalis animis insculpta, 37, 1954;
Mandatum « Diliges Dominum... in tota anima tua », 2055, 2083;
Maria, corpore et anima in caelum assumpta, 966, 972, 974;
Oratio et anima, 2559, 2562, 2590, 2700, 2703, 2709;
Oratio et animae purgatorii, 1498;
Peccatum et eius in animam influxus, 400, 403, 1035, 1456, 1863;
Resurrectio, coniunctio animae corpori, 990, 997, 1005, 1016;
Sacramenta et remissio, animae sanatio, 978, 981, 1520;
Salus animae, 95, 1023, 1053, 2032, 2264, 2280, 2420, 2458;
Signa animae spiritualis, 33;
Spiritus Sanctus, corporis mystici anima, 809;
Spiritus, anima et corpus, 367;
Ultima animae sors, 1021, 1051;
Unitas animae et corporis in homine, 327, 362, 364-65, 382, 992, 1004, 1060, 1503, 2332;
Verbum Dei, cibus animae, 127, 131;
Virtutes theologales animis infusae, 1813.

ANIMALIA

Differentia inter hominem et animalia, 371;
Observantia animalium, 2415, 2416, 2418;
Relatio inter hominem et animalia, 2417, 2456-57.

ANNUNTIATIO, cf. *Maria* et *Angelus;*

Consensus Mariae in Annuntiatione, 973;
Dies festus Annuntiationis, 1171;
« Gratia plenam » in Annuntiatione Angelus salutat, 490;
Iesus, nomen a Deo in Annuntiatione datum, 430;
Maternitas Mariae et Annuntiatio, 969, 2674;
Oratio Mariae et Annuntiatio, 2617;
Plenitudo temporis ab Annuntiatione initium sumens, 484.

ANNUS LITURGICUS, cf. *Adventus, Nativitas, Quadragesima, Pascha, Pentecoste;*

Anni liturgici descriptio, 1168-71;
Dies Dominica, fundamentum et nucleum anni liturgici, 1193;
Oratio et annus liturgicus, 2698;
Poenitentiae tempora, 1438.

APOSTASIA

Moyses et populi eius apostasia, 2577;
Probatio finalis Ecclesiae et apostasia, 675;
Significatio apostasiae, 2089;
Vulnera unitati Ecclesiae et apostasia, 817.

APOSTOLATUS

Apostolatus Ecclesiae, 863-64;
Apostolatus et Eucharistia, 864, 1324;
Apostolatus laicorum, 900, 905, 940.

APOSTOLICA, cf. *Ecclesia.*

APOSTOLUS

Acceptio doctrinae Apostolorum, 87, 949, 2624;
Apostolorum potestas peccata remittendi, 981, 983, 984, 1442, 1444, 1485, 1586;

Apostolorum praedicatio, 76;
Baptismus et Apostoli, 1226;
Catechesis Apostolorum, 1094;
Collegium Apostolorum, 880;
Ecclesia et Apostoli, 688, 756, 857, 865, 869, 1342, 2032;
Electio et vocatio Apostolorum, 2, 75, 96, 858-60, 873, 935, 1086, 1120, 1122, 1575, 2600;
Fidei transmissio et Apostoli, 171, 173, 605, 815, 816, 889, 1124;
Impositio manuum et Apostoli, 699, 1288, 1299, 1315;
Institutio Eucharistiae et Apostoli, 610-11, 1337, 1339-41;
Ministerium reconciliationis et Apostoli, 981, 1442, 1461;
Resuscitati apparitiones et Apostoli, 641-42, 644-45, 647;
Sacramentum Ordinis et Apostoli, 1087, 1536, 1565, 1576, 1577, 1594;
Significatio vocis quae est Apostolus, 858;
Spiritus Sanctus et Apostoli, 244, 746, 798, 1287, 1288, 1299, 1302, 1315, 1485, 1556;
Successores Apostolorum, 77, 861-63, 892, 938, 1313, 1560, 1562, 2068;
Testimonium Apostolorum, 664, 1518;
Transmissio Dei Verbi et Apostoli, 3, 81, 84, 96, 126, 571.

APPELLATIO, cf. *Vocatio;*

Appellatio ad castitatem, 2349, 2359;
Appellatio ad familiam christianam, 2205-06;
Appellatio ad Ordinem, 1578;
Appellatio ad sanctitatem et laici, 941;
Appellatio ad unitatem corporis mystici et Eucharistia, 1396;
Appellatio Dei et Decalogus, 1962;
Appellatio Dei et gratia, 2000;
Appellatio Dei et homo, 29, 160, 545, 2461, 2566-67;
Appellatio Dei et populus Hebraicus, 839;

Appellatio Dei atque virgines et viduae consecratae, 922;
Dei appellatio filiorum, 2232-33.

ARBOR boni et mali, 396.

ARCA FOEDERIS

Oratio populi Dei et Arca Foederis, 2578, 2594;
Symbolum salutis et Arca Foederis, 2130;
Tabulae testimonii et Arca Foederis, 2058.

ARCA NOE, 845, 1094, 1219.

ARMA

Arma paci minantia, 2317;
Armorum congeries, 2315;
Armorum productio et commercium, 2316;
Condiciones ad arma recurrendi, 2243, 2309;
Cursus ad arma, 2315, 2329, 2438;
Recusatio armorum usus, 2311;
Usus indiscriminatus armorum, 2314.

ARS, cf. *Icon/es* et *Imagines sanctae;*

Ars sacra, 2500, 2502-03, 2513;
Similitudo artis cum activitate Dei in creatione, 2501.

ASCENSIO Christi, cf. *Christus;*

Celebratio diei Ascensionis, 2177.

ASCESIS

Baptismi promissionibus fidelitas et ascesis, 2340;
Dominium voluntatis et ascesis, 1734;
Spiritualis progressus et ascesis, 2015.

ASSISTENTIA / ASSISTERE

Angelorum assistentia homini, 332, 335;
Assistentia divina Summo Pontifici et Episcopis, 892;
Assistentia Domini apud aegrotos, 1520;

Assistentia valetudinaria et socialis, 2288;
Diaconorum assistentia, 1369, 1570;
Familiae assistere, 2211;
Liturgiae assistere, 2178, 2180;
Spiritus Sancti assistentia, 86, 94, 688, 2182, 2422.

ASSUMPTIO Mariae, 966, cf. *Maria.*

ATHEISMUS

Agnosticismus et atheismus, 2128;
Causae atheismi, 2126, 2424;
Formae et significationes atheismi, 2123-24;
Peccatum atheismi, 2125, 2140.

AUCTORITAS

Apostolorum auctoritas, 551, 873, 1444, 1575;
Auctoritas civilis et humana, 1900, 1901, 2234;
Auctoritas pro societate humana necessaria, 1897-98, 1919;
Auctoritates civiles illegitimae, 2155;
Auctoritates religiosae Hierosolymorum et Iesus, 575, 587, 589, 591, 595-96;
Auctoritatum civilium abusus, 2155, 2242, 2298;
Auctoritatum officia, 1917, 1923, 2235-36, 2241, 2272, 2316, 2354, 2498;
Bellum et auctoritas internationalis, 2308;
Bonum commune et auctoritas, 1903, 1906, 1909, 1928, 2239, 2266, 2406, 2429, 2498;
Christi auctoritas, 581-82, 651, 668-69, 1063, 1441, 1673, 2173;
Dei auctoritas, 156, 239, 668, 1295, 1381, 2086, 2777;
Ecclesiae auctoritas, 85, 119, 553, 874, 895, 918, 1023, 1125, 1399, 1578, 1635, 1673, 1792, 2037, 2420;
Episcoporum auctoritas, 883, 888, 894, 1596, 2034, 2179;

Exercitium legitimum auctoritatis, 1897, 1921;
Familia et auctoritas, 2202, 2207, 2234;
Fundamentum auctoritatis humanae, 1897-1904;
Fundamentum auctoritatis, 1899, 1918, 1920, 1930;
Lex ut auctoritatis emanatio, 1951;
Limites auctoritatis, 2267;
Magisterii Ecclesiae auctoritas, 88, 2036;
Ministrorum Ecclesiae auctoritas, 875, 1551, 1563;
Observantia auctoritatis, 1880;
Observantia ceterorum et auctoritas, 1902, 1930, 2199, 2254;
Recusatio oboedientiae auctoritati, 2256;
Servitium auctoritatis, 2235;
Summi Pontificis auctoritas, 1594, 2034;
Symboli auctoritas, 194-95;
Veritatis auctoritas, 1777.

AUGMENTUM, cf. *Incrementum, Progressio, Progressus;*

Augmentum Ecclesiae, 7, 766, 798, 874, 910, 1134;
Augmentum hominis, 1936;
Augmentum humanitatis, 1049;
Augmentum in intelligentia fidei, 94-95;
Augmentum Regni Dei et progressus terrenus, 1049;
Augmentum Regni Dei, 2820, 2839;
Auxilia ad augmentum spirituale et religiosum hominis, 794, 798, 874, 1210, 1303, 1392, 1731, 2010, 2041, 2186, 2227, 2847;
Ecclesia et augmentum bonorum temporalium, 1942;
Integrale augmentum hominis, scientiae et technicae artis, 2293.

AUSCULTARE

Auscultare Iesum nos orare docentem, 2598;

Dei Verbum auscultare, 709, 900, 1651, 2578, 2584, 2656, 2716, 2724, 2835;
Deus clamorem hominis audiens, 2657;
Deus Pater Iesum semper audiens, 2604.

AUTONOMIA

Autonomia filiorum, 2232;
Conscientia et eius autonomia male intellecta, 1792.

AUTOPSIA, 2301.

AVARITIA, peccatum capitale, 1866.

AZYMI, 1334, 1339.

B

BABEL, 57.

BAPTISMUS, cf. *Sacramentum/a;*

Apostoli et missio baptizandi, 1223, 1276;
Appellationes Baptismi, 1214-16;
Baptismi significatio, 628, 950, 1213-14, 1220, 1227-28, 1234-45, 1262, 1617;
Baptismus adultorum, 1247-49;
Baptismus Iesu, 535-37, 556, 565, 608, 701, 1223-25, 1286;
Baptismus infantium, 403, 1231, 1233, 1250-52, 1282, 1290;
Baptismus Ioannis Baptistae, 523, 720;
Baptismus sanguinis, 1258;
Baptismus ut sacramentum fidei, 1236, 1253;
Castitas et Baptismus, 2345, 2348, 2355;
Catechumeni mortui sine Baptismo et salute, 1259, 1281;
Catechumeni, eorum instructio et Baptismus, 281;
Consecratio religiosa et Baptismus, 916, 931, 945;
Conversio et Baptismus, 1427-29;

Desiderium Baptismi, 1258-60, 1280;
Ecclesia et Baptismus, 846, 866, 1226-28, 1267;
Fides et Baptismus, 172, 1226, 1236, 1253-55;
Gratia Baptismi, 1262-66, 1308;
Gratia Christi et Baptismus, 1255, 1262-74, 1279, 1997, 1999;
Infantes mortui sine Baptismo, 1261, 1283;
Necessitas Baptismi, 846, 1257-61, 1277;
Nomen christianum et Baptismus, 2156, 2165;
Passio Christi et Baptismus, 565, 1225;
Passio et crux Christi ut fons Baptismi, 1225;
Praefigurationes Baptismi, 117, 527, 1094, 1217-22;
Professio fidei et Baptismus, 14, 167, 189, 1064;
Promissiones Baptismi, 1185, 1254, 2101, 2340;
Spiritus Sanctus et Baptismus, 691, 694, 698, 701, 798, 1274, 2017, 2670;
Subiectum Baptismi, 1246-47;
Unitas christianorum et Baptismus, 855, 1271;
Vita christiana in Baptismo radicata, 1266.

Administratio et ritus Baptismi

Aqua et eius vis symbolica in Baptismo, 694, 1214, 1217;
Exorcismus in Baptismi celebratione, 1673;
Laicorum facultas conferendi Baptismum, 903;
Ministri Baptismi, 1256, 1284;
Patrinus, matrina, parentes et Baptismus, 1255, 1311;
Ritus Baptismi, 1185, 1278, 1229-45, 2769;
Traditio orationis « Pater noster » in Baptismo, 2769;
Unctio olei et Baptismus, 1294.

Baptismus et sacramenta, 1113, 1210, 1535;

Confirmatio et Baptismus, 1288-91, 1298, 1304-06, 1312-13;

Eucharistia et Baptismus, 1244, 1392, 1396;

Initiatio christiana et Baptismus, 1212, 1229-33, 1275, 1285, 1306, 1318, 1321, 1525, 1533;

Poenitentia et Baptismus, 980, 1425, 1446-47, 2042;

Unctio infirmorum et Baptismus, 1523.

Effectus Baptismi, 1262;

Apostolatus, munus ex Baptismo proveniens, 871, 900, 1268;

Baptismus e nobis membra corporis Christi faciens, 537, 818, 871, 950, 985, 1003, 1267-70, 1279, 1694, 2565, 2782, 2791, 2798;

Character, sigillum spirituale indelebile, 1272-74, 1280;

Communio cum Ecclesia, 838, 846, 1267-70, 1273, 1277, 1279;

Consecratio ad sacerdotium sanctum, 119, 1141, 1305, 1546, 1591;

Donum fidei et vitae novae, 168, 1236, 1253-55;

Donum virtutum theologalium et dona Spiritus Sancti, atque virtus meriti, 1266;

Ingressus in Ecclesiam, in populum Dei, 782, 784, 804, 846, 950, 1185, 1277;

Iura et officia a Baptismo provenientia, 1269-70;

Iustificatio et Baptismus, 1987, 1992, 2020, 2813;

Nova creatura in Spiritu nascens, 168, 507, 683, 1010, 1227, 1262, 1265-66, 1277, 1279;

Participatio vitae Trinitatis, 265;

Remissio peccatorum, 403, 405, 628, 977-80, 981, 985, 1213, 1216, 1262-66, 1279, 1434, 1694, 2520;

Salus finalis et Baptismus, 1023, 2068;

Sanctificatio et Baptismus, 2813;

Unio cum Christo mortuo in Baptismo, 790, 1002, 1010, 1227;

Verbi Dei effectus vivificans, 1228.

BAPTISTERIUM, 1185.

BEATITUDO

Beatitudinem divinam per Baptismum adipisci, 1257;

Beatitudinis effectus, 1721;

Beatitudo, donum Dei gratuitum, 1720-22, 1727;

Desiderium felicitatis et beatitudo, 1718, 2548;

Deus ut beatitudo nostra, 257, 1731, 1855;

Peccatum hominem a Deo et ab Eius beatitudine avertens, 1855, 1863, 1874, 1949;

Persona humana ad aeternam beatitudinem destinata, 1700, 1703, 1711, 1769, 1818, 1934, 2548;

Spes et aeterna beatitudo, 1818;

Vocatio hominis ad beatitudinem, 1700, 1934.

BEATITUDINES EVANGELICAE, 1716;

« Beati pauperes... », 2546-47, 2603, 2660, 2833;

Beatitudines evangelicae naturali felicitatis humano desiderio respondentes, 1718, 1725, 2548;

Beatitudines evangelicae promissiones Dei perficientes, 1725;

Beatitudines evangelicae scopum exsistentiae humanae detegentes, 1719;

Beatitudines evangelicae vultum Iesu delineantes, 1717;

Beatitudines evangelicae ut centrum praedicationis Iesu, 1716;

Caritas Ecclesiae a beatitudinibus evangelicis inspirata, 2444;

Catechesis beatitudinum evangelicarum, 1697;

Christus, beatitudinum evangelicarum exemplum, 459, 1697;

Doctrina a beatitudinibus evangelicis proveniens, 1726, 1728, 1820, 2546;

Lex et beatitudines evangelicae, 581, 1967, 1984;

Significatio et effectus beatitudinum evangelicarum, 1717;

Spiritus beatitudinum evangelicarum, 1658, 2603;

Vita consecrata et spiritus beatitudinum evangelicarum, 932.

BELLUM

Absentia belli et pax, 2304;

Arma, 2314, 2316;

Bellum iustum, 2309;

Certatio ad congerenda arma, 2315;

Iniustitiae atque inaequalitates oeconomicae et sociales ut causae belli, 2317;

Lex moralis permanens bello perdurante, 2312-13;

Obligatio iussionibus iniustis resistendi, 2313;

Officium belli vitandi, 2307-08.

BENEDICTIO

Baptizati tamquam ad benedictionem vocati, 1669;

Benedictio ad mensam, 2834;

Benedictio panis et vini, 1000, 1334-35, 1347, 1353, 1412;

Dei benedictio, 1077-82, 1110, 2627, 2644;

Ecclesiae benedictio, 1082, 1217, 1245, 1624, 1630, 1671-72;

Eucharistia et benedictio, 1328, 1360, 1402;

Familiae numerosae et benedictio divina, 2373;

Formae benedictionis, 2627;

Mors ut benedictio, 1009;

Oratio et benedictio, 2589, 2767, 2781, 2803;

Pater singulariter Mariam benedicens, 492, 2676;

Significatio benedictionis, 1078, 2626, 2645.

BENEVOLENTIA

Benevolentia Dei propria, 214;

Benevolentia hominum erga animalia, 2416;

Benevolum Dei consilium, 50-51, 257, 315, 2807, 2823;

Caritas et benevolentia, 1829;

Communitates humanae et benevolentia, 2213, 2540, 2554;

Spiritus Sanctus benevolentiam donans, 736, 1832.

BIBLIA, cf. *Sacra Scriptura.*

BLASPHEMIA

Gravitas blasphemiae, 1031, 1756, 1856;

Iesus accusatus de blasphemia, 574;

Iusiuranda et blasphemia, 2149;

Significatio blasphemiae, 2148, 2162.

BONA MORALIA ET SPIRITUALIA

Bona et oratio, 2010, 2559, 2590, 2736, 2830;

Bona futura, 662, 2549;

Bona spiritualia, 293, 1050, 1948, 2121, 2548;

Bona, conscientia moralis et discretio, 1780;

Bonum Matrimonii et amoris coniugalis, 1643, 2333, 2363;

Christus et Eius bona hominibus data, 412, 420, 819;

Communio bonorum, 947, 949-53, 955;

Commutatio bonorum spiritualium, 1475-76, 1697;

Sacramentum Reconciliationis et vitae divinae bona, 1468-69;

Vitae consecratae status et bona caelestia, 933.

BONA TERRESTRIA

Abundantia bonorum terrestrium et pericula spiritualia, 2547, 2728;

Beatitudines et bona terrestria, 1728-29;

Bona spiritualia et bona terrestria, 1942, 2027;

Bonis terrestribus renuntiare, 2544;

Concupiscentia bonorum terrestrium, 377, 2514, 2534, 2536, 2539, 2553;

Cura et observantia bonorum terrestrium, 2288, 2407-08;

Destinatio universalis et proprietas bonorum terrestrium, 2402-03, 2452, 2459;

Dilapidatio bonorum terrestrium, 1439;

Distributio bonorum terrestrium, 1940, 1948, 2444, 2446, 2833;

Ecclesia et eius usus bonorum terrestrium, 2420, 2444;

Perversa ad bona terrestria affectio, 1849, 1863, 2548;

Surreptio bonorum aliorum, 2412;

Usus et administratio bonorum terrestrium, 360, 1740, 1809, 1838, 2198, 2401, 2404-05, 2409;

Vita oeconomica et productio bonorum terrestrium, 2421, 2426.

BONITAS

Bonitas actuum humanorum, 1754-55, 1760;

Bonitas Christi et lex sabbati, 2173;

Bonitas creationis, 299, 302, 339, 353, 1333, 1359;

Bonitas Matrimonii, 1613;

Bonitas ut fructus Spiritus Sancti, 1695;

Libertas et maturatio in bonitate, 1721;

Spiritus Sanctus bonitatem donans, 736, 1832.

BONITAS DEI, cf. *Deus;*

Bonitas Dei erga homines, 41, 294, 396, 842, 1050, 1722, 2009, 2784;

Bonitas Dei et Eius dona Ecclesiae, 750;

Bonitas Dei in omnibus operibus Eius, 214, 284, 299;

Creaturae, creatio et bonitas Dei, 1, 214, 284, 293, 295, 299, 308, 759, 970;

Creaturarum participatio bonitatis Dei, 306, 319, 1954, 1978;

Deus ut sapientia et bonitas, 239, 308, 310, 311, 759, 1951, 2086, 2500, 2828;

Peccatum hominis et bonitas Dei, 215, 397, 1869, 2091, 2094, 2119, 2307;

Revelatio et bonitas Dei, 51, 101.

BONUM

« Arbor scientiae boni et mali », 396;

Bonum communionis sanctorum, 947;

Bonum quaerere, 1811, 1828, 2727, 2857;

Bonum spirituale poenitentis quaerere, 1460;

Christus ut bonum hominis, 457, 519;

Conscientia moralis et bonum, 1776-77, 1780-81, 1783, 1791, 1798;

Creatio: « Et vidit Deus quod esset... valde bona », 299;

Criterium boni et mali obiectivum, 2244;

Deus ut auctor et fons totius boni, 14, 1723, 2052;

Deus ut bonum aeternum et supremum, 356, 2052;

Dies Dominica et opera bona, 2186;

Episcopi ad bonum omnium Ecclesiarum conferentes, 886;

Exigentia conversionis ad bonum in societate, 1886;

Filii et bonum familiae, 1652, 2217;

Hominis inter bonum et malum luctatio, 1707;

Homo ad bonum peragendum vocatus, 307, 409, 1706, 1713, 2002, 2541;

Laici et bonum Ecclesiae, 907;

Lex moralis et bonum, 33, 1713, 1954-55;

Malum physicum usque ad finem cum bono physico exsistens, 310;

Malum ut instrumentum ad bonum obtinendum non iustificandum, 1756, 1761, 1789;

Matrimonium et bonum coniugum, 1601, 1660, 2201, 2203, 2363;

Ministeria ecclesialia ad bonum vergentia, 874, 937, 1539;

Omnes creaturae ad bonum generis humani destinatae, 353;

Parentes, eorum auctoritas et bonum filiorum, 2234, 2248;

Passiones et bonum, 1751, 1768, 1770-71, 1773, 1775;

Peccatum et bonum, 398, 1707, 1855, 1863, 1865, 2094;

Perfectio in bono quaerendo et agendo, 1711, 1775, 2500;

Potestas Dei faciendi de malo bonum, 311-12, 324, 412;

Sacramenta ut bonum Ecclesiae homini datum, 1116, 1129, 1499, 1522, 1532;

Scientia et technica ars atque bonum personae, 2294;

Spiritus Sanctus et bonum hominis, 291, 798-99;

Triumphus boni de malo, 681;

Virtus et bonum, 1266, 1803-04, 1806-10, 1833, 1835, 1837;

Vita consecrata et bonum Ecclesiae, 917, 931, 945;

Vita et salus physica ut bonum a Deo donatum, 2288.

BONUM COMMUNE

Ab opere cessatio et bonum commune, 2435;

Actio, iustitia socialis et bonum commune, 1807, 1928, 2239, 2442;

Auctoritas civilis legitima et bonum commune, 1888, 1897-98, 1901-03, 1921-22, 2238, 2309, 2406, 2498;

Bonum proprium et bonum commune, 801, 951, 1905, 2039;

Communicatio, informatio et bonum commune, 2489, 2492, 2494, 2498;

Communitas politica, Status et bonum commune, 1910, 1927, 2239;

Condiciones boni communis, 1907-09, 1924-25;

Defensio legitima boni communis, 2238, 2242, 2265-67, 2310, 2321;

Ecclesia et bonum commune, 2246, 2420, 2458;

Immigratio et bonum commune, 2241;

Iura politica secundum boni communis exigentias tributa, 2237;

Lex et bonum commune, 1951, 1976;

Libertas religiosa et bonum commune, 2109;

Obligatio boni communis promovendi, 1913-14, 1916, 1926;

Observantia mundi et bonum commune, 2415;

Oeconomia et bonum commune, 2425, 2429, 2432;

Officia hominis et bonum commune, 1880, 2237-41, 2288;

Proprietas privata et bonum commune, 2401, 2403;

Significatio et finis boni, 1906, 1912, 1925;

Societas internationalis et bonum commune, 1911, 1927.

BONUS, cf. *Bonum;*

Mundus bonus et ordinatus a Deo creatus, 299.

BONUS NUNTIUS, cf. *Evangelium* et *Novum Testamentum;*

Apostolorum Bonus Nuntius, 638, 977, 1427, 2443;

Boni Nuntii effectus, 2527;

Christi Bonus Nuntius, 422, 632, 634, 714, 763, 852, 2763;

Mysterium Paschale et Bonum Nuntium, 571.

Breviarium, cf. *Liturgia: Liturgia Horarum.*

C

Caeci

Oratio caecorum ab Iesu exaudita, 2616.

Caecitas

Caecitas Herodis et Pilati atque consilium salutis, 600;
Dubitatio fidei et caecitas spiritus, 2088.

Caelibatus

Castitas et caelibatus, 2349;
Ecclesia latina et caelibatus presbyterorum, 1579, 1599;
Ecclesiae orientales et caelibatus, 1580;
Personae caelibes et cura pastoralis, 1658;
Vita consecrata et caelibatus, 915.

Caelum

Beatitudo caeli, 1729;
Christiani ut cives caeli, 2796;
Christus et Eius Ascensio in caela, 659-64, 665-67;
Christus et Eius descensio de caelis, 440, 1001;
Communio inter Ecclesiam caelestem et terrestrem, 954-59, 962,
Creatio caeli et terrae in Symbolo, 198, 279, 325;
Deus, Creator caeli et terrae, 212, 216, 269, 287, 290;
Ecclesia et gloria caeli, 769, 778, 1042, 1053;
Eucharistia ut panis caeli, 1331, 1355, 1419, 2837;
Nova caela et nova terra, 1042-50;
Oratio « Pater noster » et caela, 2794-96, 2802;
Pulchritudo caeli et cognitio Dei, 32;

Regnum caelorum et beatitudines, 1716, 1724-25;
Regnum caelorum et Christus, 541, 567, 763;
Regnum caelorum et claves, 553;
Regnum caelorum atque caelibatus et virginitas, 1579, 1618-19;
Regnum caelorum et Dei voluntas, 2826;
Regnum caelorum et Ecclesia, 865;
Regnum caelorum et Lex, 577, 1964;
Regnum caelorum et Pascha Christi, 541, 567, 763;
Regnum caelorum et paupertas, 544, 2544, 2547, 2556;
Regnum caelorum et spes, 1817-18;
Significatio caeli, 326, 1024-26, 2794-95, 2802;
Spes et gloria caelorum, 1821;
Thesaurus in caelis, 2053.

Calix

Calix Novi Foederis et Eucharistiae, 612, 1334-35, 1339, 1365, 1396, 1412;
Iesus et calix Ei a Patre datus, 607;
Significatio religiosa calicis distribuendi, 1148.

Calumnia, 2477, 2479, 2507.

Canonicus, cf. nomina substantiva, ad quae pertinet.

Canonizatio, cf. *Sanctus/i.*

Canticum

Angelorum canticum laudis in Christi Nativitate, 333;
Canticum sacrum et musica, 1156-58, 1162, 1191;
Canticum Servi, 713.

Canticum Mariae, 722, 2629.

Capitalismus, cf. *Doctrina socialis Ecclesiae* et *Iustitia;*
Ecclesiae iudicium de quibusdam capitalismi partibus, 2425.

CAPUT, cf. *Christus* et *Petrus.*

CARDINALES VIRTUTES, cf. *Virtus.*

CARITAS, cf. *Amor;*

Caritas « numquam excidit », 25;
Caritas a peccato mortali destructa, 1855-56, 1861, 1874;
Caritas a peccato veniali laesa, 1855, 1863, 1875;
Caritas peccata venialia delens, 1394, 1472;
Caritas ut proximum diligere, 1822-29;
Catechesis et caritas, 25, 1967, 1971;
Communio caritatis, 953, 1475;
Cor ut caritatis sedes, 1853;
Desidia et indifferentia caritati contrariae, 2094;
Indulgentia et caritas, 1478;
Informatio et caritas, 2489, 2494-95, 2497;
Vocatio ad caritatem, 1694, 2013.

Caritas et sacramenta

Baptismus et caritas, 1269, 1273, 1997, 2156, 2165;
Catechumeni et caritas, 1248-49;
Eucharistia ut caritatis sacramentum, 1323, 1394-95, 1416;
Matrimonium et caritas, 1570, 1654;
Sacramenta initiationis et progressus in caritate, 1212;
Sacramentum Reconciliationis et caritas, 1434, 1466;
Vita sacramentalis et maturatio in caritate, 1134.

Caritas ut testimonium et servitium

Actioni violentae renuntiatio et testimonium caritatis, 2306;
Amor patriae ut caritatis ordo, 2239;
Bona materialia et caritatis ordo, 2401, 2439, 2451, 2459, 2545;
Caritas erga proximum, 1789, 1878, 1931-32, 2447, 2462;

Caritas inter membra corporis mystici, 791;
Caritas ut anima apostolatus, 864;
Caritas ut praeceptum sociale, 1889;
Diaconi et servitium caritatis, 1570, 1588, 1596;
Ecclesia ut communitas caritatis, 771, 815, 834;
Familia ut schola caritatis christianae, 1657, 1666, 2204-05;
Instituta saecularia et caritas, 928;
Maria ut exemplum caritatis, 967-68;
Paroecia ut locus caritatis, 2179;
Sancti ut exemplum caritatis, 2156, 2165;
Societas vitae apostolicae et caritas, 930;
Solidarietas et caritas, 1939, 1942;
Vita religiosa et caritas, 915-16, 926.

Caritas ut vita moralis christiana

Caritas ut finis actionum nostrarum, 1829;
Caritas ut forma virtutis, 826, 1827, 1841, 1844;
Caritas ut perfectio vitae christianae, 1844, 1973;
Castitas et caritas, 2346;
Charismata et caritas, 800, 2003;
Fructus caritatis, 1825, 1829;
Libertas et caritas, 1740;
Oratio et caritas, 2098, 2662, 2806;
Pax ut fructus caritatis, 2304;
Virtus religionis et caritas, 2095.

Virtutes theologales caritatis, 1813, 1822, 1826, 1841, 1844;

Caritas ut amare secundum Christi amorem, 1823, 1825;
Caritas ut amor erga Deum et proximum, 1822, 1840, 1844, 2055, 2086, 2093;
Caritas ut anima sanctitatis, 826;
Caritas ut fons meritorum, 2011, 2026;
Fides et caritas, 162, 1794, 1814, 2093;
Gratia Christi ut fons caritatis, 2011;

Lex nova et caritas, 1965-66, 1968, 1972-74;

Libertas filialis et caritas, 1828;

Perseverantia in caritate, 1824;

Spes et caritas, 1818, 2090.

CARO

Caro infirma, 2733;

Christi caro tamquam cibus vitae, 728, 787, 1384, 1391, 1406, 1524;

Christus, Verbum in carne manifestatum, 51, 423, 461, 476-77;

Concupiscentia carnis, 2514, 2520;

Contentio inter carnem et spiritum, 1819, 1846, 2116;

Opera carnis, 1852;

Resurrectio carnis, 988, 990, 996, 1017;

Vir et mulier, una caro, 372, 1605, 1616, 1627, 1642, 2364.

CASTITAS

Amicitia et castitas, 2347;

Appellatio ad castitatem, 2337, 2348, 2394;

Castitas coniugalis et Matrimonium, 2365, 2368;

Castitas et Baptismus, 2345, 2348, 2355;

Castitas et caritas, 2346;

Castitas et homosexualitas, 2357-59;

Castitas et vitae status, 2348-50;

Incrementum castitatis, 2343;

Munda corda et castitas, 2518, 2520, 2532;

Nupturientium castitas, 1632, 2350;

Offensae contra castitatem, 2351-56, 2396;

Ordines castitatis, 2339, 2341, 2344, 2346, 2395;

Sequela Christi et castitas, 2053;

Significatio castitatis, 2395;

Spiritus Sanctus in origine virtutis castitatis, 1832, 2345;

Temperantia, virtus castitatem administrans, 2341;

Vita consecrata et castitas, 915, 944.

CATECHESIS, cf. *Doctrina christiana;*

Catechesis et religiositas popularis, 1674;

Catechesis et creatio, 282;

Catechesis et initiatio christiana, 1233, 1248;

Catechesis et liturgia, 1074-75, 1095, 1135;

Catechesis et Magisterium Ecclesiae, 2033, 2049;

Catechesis et oratio, 2688, 2695;

Catechesis et praecepta, 2065;

Catechesis et sacra Scriptura, 132;

Catechesis et Symbolum fidei, 188;

Catechesis moralis doctrinarum apostolicarum, 1971;

Christus ut centrum vivum catechesis, 426-27, 1697-98, 2145;

Natura et finis catechesis, 4-7, 426, 983, 1095, 2688.

CATECHISMUS ECCLESIAE CATHOLICAE

Accommodationes catechismi ad diversas culturas, 24;

Apparatio catechismi, 10;

Catechismus ut totius fidei organica expositio, 18;

Cui catechismus dirigatur, 12;

Finis catechismi, 11;

Fontes praecipui catechismi, 11;

Pastorale principium catechismi, 25;

Structura catechismi, 13-17.

CATECHISTA

Catechismus catechistis directus, 12;

Catechistae, orationis magistri, 2663;

Proprietates catechistae, 428.

CATECHUMENATUS

Adulti et catechumenatus, 1247;

Formae catechumenatus, 1230-33;

Significatio et finis catechumenatus, 1248.

Christus et Ecclesia

Ecclesia, sacramentum actionis Christi, 1118;
Ecclesia, Sponsa Christi, 757, 772-73, 796, 808, 823, 867, 926, 1617;
Liturgia et mysteria Christi, 1164-65, 1201, 1204, cf. *Liturgia;*
Praesentia Christi in Ecclesia, 775, 779, 1119;
Sacerdotium Christi, 941, 1544-45;
Sacrificium memoriale Christi, 1341, 1358, 1362-72, 1409, cf. *Sacrificium.*

Corpus Christi

Communio christifidelium et corpus Christi, 948, 960;
Communio et corpus Christi, 1385;
Conversio panis in corpus Christi, 1106, 1333, 1353, 1376, 1411, 1413;
Eucharistia et corpus Christi, 1323, 1331, 1339, 1374-75, 1382, 1391, 1393, 1416;
Glorificatio corporis Christi, 659;
Maria et corpus Christi, 466, 488, 973;
Mors Christi et Eius corporis, 627, 630;
Oblatio, Sacrificium corporis Christi, 606, 610, 621;
Panis cottidianus et corpus Christi, 2835, 2837, 2861;
Resurrectio corporis Christi, 640, 645-46, 648, 657;
Spiritus Sanctus et corpus Christi, 797-98, 1084, 1108;
Veneratio corporis Christi, 103, 141;
Vera humanitas corporis Christi, 476.

Mysteria vitae Christi, 512-18;

INCARNATIO CHRISTI, cf. *Verbum* et *Trinitas;*

Christus, 436-40, 453;
Christus, imago visibilis Dei, 241, 477, 1559;
Christus, Persona Trinitatis, 249, 258-59;
De Spiritu Sancto conceptus, 437, 484-86, 490-93, 496, 498-99, 502, 504-05;

Dominus, 446-51, 455;
Filius unigenitus, 441-45, 454;
Iesus, 430-35, 452;
Incarnatio Verbi, 456, 461-63;
« Misit Deus Filium Suum », 422;
Natus ex Maria Virgine, 487-507;
Praeparatio ad Adventum Christi, 522-24.

INFANTIA

Annuntiatio pastoribus, 437;
Circumcisio, 527;
Epiphania, 528;
Fuga in Aegyptum et eius significatio, 530;
Nativitas, 525-26;
Pueritia, 527-30;
Praesentatio in Templo et eius significatio, 529;
Vita Nazarena, 531-534.

VITA PUBLICA

Accusationes contra Iesum, 574-76;
Adimpletio Legis et Christus, 577-82, 592;
Annuntiatio Regni, 543-46;
Ascensio in Ierusalem, 557-58, 569;
Baptismus, 535-37, 1223-25;
Missio Apostolorum, 553, 858-60, 862, 873, 877, 935, 981, 1122, 1536,1575;
Exorcismi, 550, 1673;
Fratres et sorores Iesu, 500;
Ingressus in Ierusalem, 559-60, 570;
Initium vitae publicae, 535;
Sanationes, 517, 582, 695, 1151, 1503-05, 2616;
Tentationes, 538-40, 566;
Transfiguratio, 554-56, 568;
Ultima Cena, 610-11, 1339-40.

CHRISTI SUBMISSIO

Christi submissio Legi, 527;
Christi submissio parentibus, 532, 564;
Christi submissio Patri, 1009, 1019;
Effectus submissionis Christi, 517.

Cogitandi modus christianus, 2105;
Cogitandi modus et confessionis diversitas in matrimonio, 1634.

COGITATIO/NES

Cogitatio pura et impura, 2520;
Cogitationes proximi recte interpretari, 2478;
Rectitudo cogitationum hominis iusti, 1807.

COGNITIO

Cognitio boni et mali, 396, 1734;
Cognitio creationis ut Dei donum, 216, 283, 287;
Cognitio et conscientia peccati, 708, 1859;
Cognitio fidei et catechismi, 23, 186;
Cognitio realitatis creatae et increatae, 2500;
Cognitio veritatis, cf. *Prooemium ad Catechismum Ecclesiae Catholicae,* 74, 94, 851, 2822;
Hominis cognitio Christi, 428-29, 471-74, 1792, 2708, 2715;
Hominis cognitio Dei, 31-38, 40, 50, 158, 261, 286, 356, 2197, 2614.

COLLABORATIO

Auctoritates civiles et collaboratio, 2236;
Collaboratio inter Deum et hominem ac iustificatio, 1993, 2001;
Collaboratio civium et bonum commune, 2238;
Collaboratio humana et labor, 378;
Collaboratio inter Deum et hominem ac meritum, 1008, 2025;
Collaboratio inter parentes, 2206;
Collaboratio laicorum in Ecclesia, 906, 911;
Collaboratio Mariae in consilio Dei, 488.

COLLECTA et eius significatio, 1351.

COLLEGIUM APOSTOLICUM

Collegium apostolicum Duodecim et Petri, 552;

Collegium episcopale et collegium apostolicum, 880;
Electio collegii apostolici, 1577;
Munus ligandi et solvendi, 881, 1444;
Novum Foedus et collegium apostolicum, 816.

COLLEGIUM EPISCOPALE (vel Corpus episcopale)

Auctoritas et collegium episcopale, 883-84;
Consecratio Episcopi et collegium episcopale, 1559;
Ecclesia et collegium episcopale, 857, 869;
Ecclesiae particulares et spiritus collegialis, 886-87;
Episcopi et collegium episcopale, 877;
Episcopus Romae et collegium episcopale, 936;
Expressio collegii episcopalis, 885;
Infallibilitas collegii episcopalis, 891.

COLUMBA

Sensus columbae, 701;
Spiritus Sanctus, baptismus Iesu et columba, 535.

COMMERCIUM

Commercium armorum, 2316;
Fraudes et commercium, 2269, 2409.

COMMODUM/A

Bonum commune et commodum particulare, 1908, 2236;
Caritas sine observantia commodi personalis, 953, 1825;
Commodum personale seu particulare, 1740, 2278, 2316;
Vita oeconomica diversa commoda movens, 2430.

COMMUNICATIO

Communicatio bonitatis Dei, 294, 947;
Communicatio bonorum spiritualium, 955;

Communicatio inter Ecclesiam catholicam et Ecclesias orientales, 1399;

Communicatio sacramentalis mysterii Christi, 947, 1076, 1092;

Communicatio salutis, 1088;

Media communicationis socialis, 906, 2492-96, cf. *Media pro massa;*

Pax et communicatio inter homines, 2304;

Veritas et communicatio, 1886, 2488-89, 2495, 2512.

COMMUNIO

Amicitia ut communio spiritualis, 2347;

Catechesis et communio cum Christo, 426;

Communio bonorum spiritualium, 949, 952;

Communio caritatis, 953;

Communio charismatum, 951;

Communio cum mortuis, 958, 1684, 1689, 1690;

Communio Ecclesiae caeli et terrae, 954-59;

Communio ecclesialis et familia, 2204-05;

Communio ecclesialis et peccatum, 1440, 1446, 1448, 1455;

Communio ecclesialis et schisma, 2089;

Communio Episcopi cum christifidelibus, 84, 1301;

Communio eucharistica, cf. *Eucharistia;*

Communio hominis cum Christo, 533, 725, 787, 790, 1331;

Communio hominis cum Deo, 27, 45, 54, 154, 613, 780, 1489, 1804;

Communio hominis cum mysteriis Iesu, 519-21;

Communio hominis cum Personis divinis, 259, 732, 737, 850, 1107;

Communio in fide, 154, 185, 188, 949, 1102, 1209;

Communio inter homines, 357, 775, 1445, 1702, 2419;

Communio inter Personas divinas, 267, 738, 1693;

Communio inter virum et mulierem, 371-72, 383, 2331-32;

Communio Pontificis cum Episcopis, 85, 100, 816, 892, 895;

Communio sacramentorum, 950;

Communio Spiritus Sancti, 734, 1108-09, 1097;

Ecclesia et communio, cf. *Ecclesia.*

Liturgia et communio, 1071, 1136;

Oratio ut communio, 2565, 2655, 2682, 2689, 2713, 2799, 2801;

Sacramenta in servitio communionis, 790, 1126, 1533-35.

COMMUNIO SANCTORUM, 946-62;

Diversae spiritualitates et communio sanctorum, 2684;

Intercessio ut communionis sanctorum expressio, 1055, 2635;

Significatio communionis sanctorum, 1331.

COMMUNITAS

Activitas oeconomica, iustitia socialis et communitas humana, 2411, 2426, 2428;

Baptismus et communitas, 1253, 1255;

Bonum commune et communitas, 1910-11, 1922;

Communitas coniugalis et familiaris, 1644, 1666, 2201, 2204, 2206-07, 2249-50, 2364;

Communitas credentium, 1045;

Communitas ecclesialis et apostolatus laicorum, 900, 910;

Communitas ecclesialis et oratio, 2632, 2691, 2696;

Communitas politica ac iura et officia civium, 2239, 2242;

Communitas politica et Ecclesia, 2244-46;

Communitas politica et familia, 2209, 2211;

Communitas universalis, 842;

Confirmatio et responsabilitates in communitate ecclesiali, 1309, 1319;

CONSECRATIO, cf. _Transsubstantiatio;_

Consecratio Episcoporum, 1556-59, 1562;
Consecratio et anaphora, 1352;
Consecratio et benedictio, 1672;
Consecratio et Christi sacerdotium, 1548;
Consecratio et missio, 931-33;
Consecratio et Ordo, 1538;
Consecratio et sacramenta, 1535;
Consecratio et vitae consecratae status, 916, 931;
Consecratio et unctio, 1294;
Consecratio Iesu, 438, 534;
Consecratio laicorum, 901;
Consecratio sancti chrismatis, 1297;
Consecratio virginum (ritus liturgicus), 923.

CONSILIA EVANGELICA

Ecclesia et consilia evangelica, 2103;
Instituta saecularia et consilia evangelica, 929;
Lex nova et consilia evangelica, 1973-74, 1986;
Missio et consilia evangelica, 931;
Praecepta et consilia evangelica, 2053;
Societas vitae apostolicae et consilia evangelica, 930;
Vita consecrata et consilia evangelica, 914-16, 918, 944;
Vita eremitarum et consilia evangelica, 920;
Vita religiosa et consilia evangelica, 925.

CONSILIUM ut Spiritus Sancti donum, 1303, 1831.

CONSOCIATIONES OPERARIORUM, 2430.

CONSUBSTANTIALIS, cf. _Trinitas;_

Filius Patri consubstantialis, 242, 262, 467, 663;
Spiritus Sanctus, Patri et Filio consubstantialis, 685, 703;
Trinitas et communio consubstantialis, 248, 253, 689, 2789.

CONSUMMATIO, cf. _Adimpletio;_

Consummatio caelorum novorum et terrae novae, 1045;
Consummatio consensus matrimonialis, 1627, 2366;
Consummatio consilii divini, 686;
Consummatio creationis in resurrectione, 1015;
Consummatio creationis septimo die, 345;
Consummatio Dei operis in Christo, 2749;
Consummatio Dei verbi in Maria, 484, 497, 2676;
Consummatio dignitatis humanae in vocatione beatitudinis, 1700;
Consummatio Ecclesiae, 759, 769, 778, 1042;
Consummatio figurarum Veteris Foederis, 1093, 1152, 1544;
Consummatio historiae et creationis in Christo, 668;
Consummatio Legis in amore, 1706, 1829, 2055, 2196;
Consummatio Legis in Christo, 577, 580-82, 592;
Consummatio Revelationis in Christo, 67, 75, 134, 561, 652, 729;
Consummatio spei Messiae adveniendi, 676;
Consummatio veteris Legis, 1967-68, 1984, 2053;
Consummatio voluntatis Dei et oratio, 2750, 2857;
Dies Dominica ut consummatio sabbati, 2175-76;
Eucharistia ut consummatio sacrificiorum Veteris Foederis, 1330;
Mysterium salutis et eius consummatio, 1107;
Oratio Christi et temporum consummatio, 2749;
Plena consummatio boni in fine mundi, 681.

CONTEMPLATIO

Contemplatio sanctarum imaginum, 1162;
Ecclesia et contemplatio, 771;
Eucharistia et contemplatio, 1380;
Hominis contemplatio Dei, 1028;
Hominis contemplatio Iesu, 2715;
Oratio et contemplatio, 2651, 2687.

CONTINENTIA

Continentia et castitas, 2349;
Continentia et divortium, 1650;
Continentia et fructus Spiritus, 1832;
Effectus continentiae, 2340;
Fecunditas et continentia, 2370;
Nupturientium continentia, 2350;
Oratio et continentia, 2520.

CONTRACONCEPTIO

Amor coniugum, mens ad vitam aperta et conceptuum impeditio, 2370;
Nativitatum regulatio et contraconceptio, 2399.

CONTRACTUS

Contractus matrimonialis, cf. *Matrimonium* et *Adulterium;*
Gubernatio humanarum communitatum et fidelitas ad pacta, 2213;
Res oeconomica, contractus et bona fides, 2410.

CONTRITIO, 1451-54, cf. *Poenitentia et Reconciliatio: Actus poenitentis.*

CONVERSIO

Catechumenatus conversionem ad maturitatem ducens, 1248;
Conscientia et conversio, 1797;
Conversio interior ad mutationes sociales necessaria, 1886-89, 1896;
Conversio, Spiritus Sancti donum, 1098, 1433;
Conversionis peractio, 1435;
Cordis conversio et Prophetae, 2581-84, 2595;
Cordis conversio et sermo montanus, 2608;

Effectus visibiles conversionis, 1430, 1440;
Fontes conversionis, 1436-37;
Fragilitas humana et conversio, 1426;
Gratia et conversio, 1991, 2000, 2010, 2027;
Initiatio christiana et conversio, 1229;
Iohannis conversio in baptismo, 720, 523, 535;
Iudicium erroneum et defectus conversionis, 1792;
Iustificatio et conversio, 1989, 1993;
Malum ut conversionis via, 385, 1502;
Motus conversionis et Poenitentiae, 1439;
Necessaria ad conversionem, 1490, 1848;
Necessitas conversionis cordis, 821, 1430-33, 1856, 1888, 2608-09, 2708;
Oratio et conversio, 2708, 2731, 2754, 2784;
Peccatum, conversio et purificatio, 1472, 1486, 1856;
Poenitentia et conversio, 1422-23, 2042;
Praesumptio humana et conversio, 2092;
Recusatio conversionis, 591;
Regnum et conversio, 1470, 2612;
Sancti Pauli conversio, 442;
Sancti Petri conversio, 1429;
Variae formae Poenitentiae et conversio, 1430-32, 1434;
Vetus Lex et conversio, 1963;
Vocatio ad conversionem, 160, 545, 981, 1036, 1428.

CONVIVIUM

Communio cum Deo et imago convivii nuptiarum, 1027;
Conversio et epulae festivae, 1439;
Convivium caeleste, 1036, 1344;
Convivium eucharisticum, 1390, 1391, 1397, 1408, 1617;
Convivium nuptiarum Agni, 546, 1244, 1335;

Convivium Paschale, 1340, 1382-1401;
Convivium Regni, 1642, 1682, 2618, 2770, 2837, 2861;
Dies Domini et invitatio ad Eius convivium, 1166;
Peccatores et convivium messianicum, 589.

CONVIVIUM PASCHALE, 1323.

COOPERATIO

Christianorum cooperatio ad unitatem Ecclesiae, 821;
Cooperatio ad abortum, 2272;
Cooperatio ad nocivorum pharmacorum usum, 2291;
Cooperatio ad suicidium, 2282;
Hominis cooperatio ad Christi operam, 970, 2632;
Hominis cooperatio ad Dei gratiam, 1993;
Hominis cooperatio ad propositum divinum, 306, 2062, 2738;
Hominis cooperatio ad Spiritus operam, 1091, 1108;
Mariae cooperatio cum Deo, 488, 501, 968, 2675, 2682;
Parentum cooperatio in familia, 2206.

COR

Adoratio cordis Christi, 2669;
Amor Dei et cor hominis, 733, 2658;
Cognitio divina cordis humani, 473, 1586;
Consequentiae ex duritia cordis, 643, 1610, 1614, 1859, 2840;
Consequentiae ex humilitate cordis, 544, 570;
Cor ad fidem apertum, 89;
Cor Christi et sacra Scriptura, 112, 2599, 2603;
Cor Christi omnes et singulos amans, 478;
Cor Christi, Verbum incarnatum, 478, 766, 1419, 1439;
Cor Ecclesiae, 1407;

Cor ut locus veritatis, foederis, occursus, 2563, 2710;
Cordis humani propria, 1432, 1697, 1725, 1809, 1818, 2551;
Deus cor hominis directe tangens et movens, 1742, 2002, 2070, 2072;
Deus corda secundum suam voluntatem regens, 269;
Educatio conscientiae pacem cordis gignens, 1784, 2302;
Exigentiae et consequentiae ex puritate cordis, 298, 1720, 1728, 1990, 2517-19, 2530-33, 2621;
Ex toto corde Dominum diligere, 201-02, 1809, 2055, 2083;
Humilis vigilantia cordis, 2729-33, 2849;
Inclinatio cordis humani, 401, 582;
Lex evangelica et cor hominis, 1776, 1965, 1968, 1984;
Lex naturalis et cor hominis, 1955-56, 1958, 2070;
Oratio et cor, 2562, 2588, 2655, 2700, 2710, 2721, 2800;
Passiones et earum origo in corde, 1764;
Paupertas cordis ut obstaculum ad intrandum in Regnum, 2544-47;
Peccatum et cor hominis, 1850, 1853, 1855, 1873, 1963, 2336, 2528;
Permutatio cordis orantis, 2739;
Significatio cordis, 368, 2563, 2710;
Spiritus Sanctus cor humanum renovans, 715;
Spiritus Sanctus in corde habitans, 683, 689, 742, 782, 1082, 1296, 1303, 2671;
Spiritus Sanctus ut auxilium cordi humano, 2712, 2767;
Voluntas Dei et conformatio cordis, 2611.

CORPUS (humanum)

Amor coniugalis et corpus humanum, 1643;
Caritas et corpus humanum, 2447;

Christus ut medicus corporis, 1421, 1503, 1509;

Contumeliae proprio corpori illatae, 2355;

Cura corporis et animi, 2289;

Gehenna et corpus, 1034;

Gubernatio proprii corporis, 908;

Iudicium finale et corpus, 1059;

Mors et corpus, 1011, 1016, 1681;

Natura corporis incorruptibilis, 997, 999, 1016-17;

Observantia corporis, 1004, 2301;

Oratio et corpus, 2702-03, 2722;

Peccatum et corpus, 1863, 2516;

Pudor et corpus, 2523;

Redemptio corporis, 1046;

Regnum Dei et corpus, 1042, 1060;

Requies corporis et dies Dominica, 2185, 2193;

Resurrectio et corpus, 298, 990, 992, 997, 999, 1000, 1016-17;

Sexualitas et corpus, 2332, 2362, 2370;

Templum Spiritus Sancti, 364;

Unitas animae et corporis, 327, 360, 362-68, 382.

CORPUS EPISCOPALE, cf. *Collegium episcopale.*

CORRECTIO FRATERNA

Caritas et correctio fraterna, 1829;

Conversio et correctio fraterna, 1435.

CORRESPONSABILITAS et bonum commune, 2240.

COTTIDIANUS

Significatio verbi quod est cottidianus, 2837.

CREATIO / CREATUM

Actiones gratiarum Deo de creatione, 1352, 1359-60;

Adimpletio creationis, 668, 1015;

Bona creationis universaliter destinata, 299, 2402, 2452;

Catechesis de creatione, 282-89;

Christi relatio cum creatione, 792, 2105, 2637;

Creatio nova in Christo, 315, 374;

Creatio tamquam hereditas homini tradita, 299;

Dei propositum et creatio, 257, 280, 315, 759, 1066;

Dei providentia et creatio, 216, 301, 314;

Dei Revelatio et creatio, 287-89, 337;

Deus creationem in exsistentia conservans, 421;

Deus ut artifex creationis, 317, 337;

Dignitas humana et creatio, 1700;

Fines et rationes creationis, 293-94, 314, 319, 353, 358;

Hominis relatio cum creatione, 343, 355, 396, 1469;

Imperfectio creationis, 302, 307, 310, 378;

Labor humanus ut hominis cooperatio in creatione, 2427, 2460;

Matrimonium in ordine creationis, 1603-05;

Observantia integritatis creationis, 354, 2415-18;

Oratio et creatio, 2569, 2793;

Partes Verbi Dei in creatione, 291, 320;

Peccatum originale et creatio, 400, 1608;

Per creationem Deum cognoscere, 31, 32, 1147, 2500;

Pulchritudo et bonitas creationis, 299, 341, 353, 1333;

Septimus dies et creatio, 2169, 2190;

Significatio creationis, 326;

Spiritus Sanctus et creatio, 243, 291, 703;

Symbolum Apostolorum et fides in Deo Creatore, 325-27;

Trinitas et creatio, 258, 290-92, 316.

CREATOR, cf. *Deus.*

CREATURA/AE

Amor Dei et amor creaturarum, 2069, 2093, 2095, 2113;

Angeli et creaturae, 350;

Animi adiunctio ad creaturas, 1394, 1472;

Baptismus creaturam novam reddens, 1214, 1265-66, 1999;

Creaturae et earum cum Deo similitudo, 41, 2500;

Creaturarum nuntium exsistentiam Dei ostendens, 46, 48;

Creaturarum participatio Dei bonitatis, 295, 319;

Destinatio creaturarum, 260, 353;

Deus ut origo creaturarum, 293, 327;

Interdependentia creaturarum aliarum ab aliis, 340, 344;

Limites creaturarum, 311, 385, 396, 1998;

Observantia creaturarum, 1930, 2416;

Praesentia Dei in creaturis, 300, 308;

Providentia et creaturarum collaboratio, 301, 306, 312, 321, 323, 342, 373, 1884;

Pulchritudo, bonitas et perfectio creaturarum, 32, 339, 2500;

Relatio inter creaturas et hominem, 343;

Relatio inter Deum et creaturas, 42-43, 239, 295, 356, 441, 1703;

Subiectio creaturarum Deo, 49, 213, 396, 2097, 2628.

CREDENS/NTES

Abraham, « pater omnium credentium », 145-47, 1080;

Atheismus et credentes, 2125;

Augmentum in fide credentium, 94, 166, 1102;

Ecclesia et credentes, 181, 752, 759, 836;

Maria, Mater credentium, 2676;

Munera credentium, 904-05;

Sacerdotium credentium, 1546;

Testimonium credentium, 2471;

Unitas credentium in Christo, 790, 805, 813, 817, 947.

CREDERE, cf. *Fides;*

Actus ecclesialis credendi, 181;

Actus humanus credendi, 154-55, 166, 180;

Consequentiae credendi in Deum, 222-27;

Credenda in Symbolo significata, 184, 190-01;

Credo, cf. *Symbolum;*

Donum credendi, 153, 179, 1266;

Dubia fidei, 2088;

Firma omnipotentiae divinae notitia, 274;

Motivum credendi, 156;

Necessitas credendi ad salutem obtinendam, 161;

Recusatio credendi, 1034;

Referentiae credendi, 177.

Significatio credendi, 26, 155, 1064.

CREMATIO, 2301.

CRUCIATUS, 2297-98.

CRUX

Crux ut Novi Foederis altare, 1182;

Crux ut via ad sanctitatem, 2015;

Crux ut via ad sequendum Christum, 555, 1816;

Effectus Sacrificii crucis, 617, 813, 1505, 1741, 1992, 2305;

Eucharistia tamquam Sacrificium crucis semper actuale, 1323, 1364-66, 1382;

Propriam crucem sumere et ferre, 1435, 1460, 1615, 1642, 2029, 2427;

Regalitas Christi et crux, 440;

Regnum Dei per crucem Christi stabilitum, 550;

Regnum per viam crucis extentum, 853;

Responsabilitas poenae crucis, 598;

Sacrificium crucis et eius susceptio, 561;

Sacrificium crucis ut exemplum solidarietatis et caritatis, 1939.

D

DAEMONIUM

Angeli lapsi, 391, 392, 414;

Apostoli et eorum facultas eiciendi Diabolum, 1506;

Baptismus ut renuntiatio Diabolo, 1237;

Dimicatio hominis contra potentiam tenebrarum, 407, 409;

Exorcismi ad daemonia eicienda, 517, 550, 1237, 1673;

Idolatria et recursus ad daemonia, 2113, 2116-17;

Iesus et Eius dominium supra daemonia, 421, 447, 539, 550, 566, 635-36, 1086, 1708;

Iesus et tentationes Diaboli, 538-40, 566, 2119;

Liberatio a Diabolo, 2850, 2853-54;

Opera Diaboli, 394-95, 398, 2851-52;

Origo mali, 397, 413, 1707, 2583, 2851;

Significatio et etymon verbi quod est Diabolus, 2851.

DAMNATIO

Auctoritates et damnatio resistentium, 1899;

Causa damnationis, 1037;

Damnatio abortionis, 2322;

Damnatio adulterii, 2380;

Damnatio irreligionis in primo praecepto, 2118;

Damnatio peccati, 1458;

Damnatio peccatorum, 1034;

Damnatio polytheismi, 2112;

Damnatio scissurarum in Ecclesia, 817;

Falsum testimonium et damnatio innocentis, 2476;

« Iudicium sibi manducare et bibere », 1385;

Peccatum originale et damnatio hominum, 402;

Ultimum iudicium et damnatio, 1039.

DECALOGUS, cf. *Praecepta.*

DEFENSIO

Defensio dignitatis humanae, 1929;

Defensio familiae, 2209, 2211;

Defensio pacis, 2302-17;

Defensio patriae, 2240.

DEFENSIO LEGITIMA, 2263-67;

Defensio legitima ut grave officium pro responsabili de alius vita, 2265;

Effectus defensionis legitimae, 2263;

Fines defensionis legitimae, 2266;

Ius defensionis legitimae, 1909, 2308;

Rationes defensionis legitimae, 2264, 2309.

DEFUNCTI, cf. *Exsequiae;*

Celebratio exsequiarum, 1689;

Communio cum defunctis, 958;

Eucharistia et orationes suffragii pro defunctis, 1032, 1056, 1371, 1414;

Indulgentiae pro defunctis, 1471, 1479;

Observantia corporum defunctorum, 2300.

DELECTATIO/NES

Delectatio sexualis: temperata, 2362; intemperans, 2351-56;

Delectatio spiritualis, 2500;

Temperantia, virtus attractionem delectationis moderans, 1809.

DEMOGRAPHIA, 2372.

DESERTUM

Desertum interius et vita eremitica, 921;

Iesus in deserto, 538-40, 566.

DESIDERIUM, cf. *Concupiscentia, Cupido;*

Damnatio desiderii tumultuosi, 1871, 2336, 2380, 2480, 2535-40;

Desiderium orationis, 2601;

Desiderium reditus Christi, 524;

Desiderium Regni Dei, 2632, 2818;

Desiderium Iesu, 607, 1130;

Desiderium annuntiationis Christi, 425, 429;

Desiderium boni, 1707, 1765;

Desiderium conversionis, 1431;

Desiderium Dei, 27-30, 2736;

Desiderium felicitatis, 1718-19, 1725, 2548;

Desiderium pecuniae, 2424;

Desiderium Spiritus Sancti, 2541-43, 2737, 2764;

Desiderium ut passio, 1772;

Dimicatio contra desideria tumultuosa, 2520;

Homo et eius desiderium Dei, 2548-50, 2557, 2566, 2589, 2709, 2784;

Invidia ut desiderium bonorum alterius, 2539, 2553;

Ira ut desiderium vindicationis, 2302;

Temperatio et moderatio desiderii, 1809.

DESPERATIO

Causae spei abiectionis, 844, 1501;

Consequentiae ex desperatione, 2091.

DESTINATIO

Destinatio hominis, 30, 311, 1008, 1031, 1036, 1703, 1995, 2371;

Destinatio mundi, creationis, 295, 302, 1046-47;

Instituta et destinatio hominis, 2244, 2257.

DETRACTIO

Detractio ut moraliter inacceptabilis, 2477;

Consequentiae ex detractione, 2479.

DEUS, cf. *Trinitas;*

Caelum ut locus proprius Dei, 326;

Exsistentia Dei, 31, 33-35, 46, 48, 286, 2127;

Filius Dei, cf. *Filius Dei;*

Imago Dei, 370, 399, 844, 1549, 1702, 1705, 2129-32;

Magnitudo Dei, 41, 223, 272, 283, 300, 306, 1147;

Populus Dei, cf. *Populus;*

Providentia Dei, cf. *Providentia;*

Regnum Dei, cf. *Regnum;*

Spiritus Dei, cf. *Spiritus Sanctus;*

Verbum Dei, cf. *Verbum.*

Actiones Dei erga homines

Apostolatum laicis commendare, 900;

Bonitas Dei, cf. *Bonitas;*

Coepta in homine perficere, 2001;

Creare, cf. *Deus: Creator universi et hominis;*

Cum Israel Foedus pangere, 2060;

Decalogum revelare, 2058-59;

Descendentiam Abrahae promittere, 706;

Desiderium felicitatis cordi humano inserere, 1718, 1721, 1725, 1818;

Gratiam concedere, 1996, 2008, 2021, 2023-24;

Hominem salvare, 15, 74, 169, 430-31, 1949;

Hominem cum Deo coniungere, 950, 1027, 1033, 2305;

Homini loqui, 715, 1777, 1795, 2700;

Iesum mittere, 422, 457-58;

Iustificationem concedere, 1994, 2020;

Lege morali ducere, 708, 1776, 1950-51, 1961, 1975, 1981, 2063;

Ministerium servandi vitam committere, 2271;

Misericordiam donare, 1422, 1846, 1870;

Omnibus viventibus benedicere, 1080-81;

Opera sublimia Eucharistiae perficere, 1325;

Peccata remittere, 208, 1440-42;

Populum Suum constituere, 781;

Spiritum Sanctum donare, 741, 1993;

Virtutes theologales animae fidelium infundere, 1812-13, 1840;

Vocare ad amorem, 1604, 2331;

Vocare ad orationem, 2567, 2591;

Vocare ad reconciliationem, 1442;

Vocare ad Regnum, 1726;

Vocare ad sanctitatem, 2012-14;

Vocare ad veritatem, 160, 410;

Vocare ad vitam aeternam, 1011, 1998;

Voluntatem hominis in bonum movere, 27, 51-52, 152-154, 162, 179,
1724, 1742, 1811-1813, 1817, 1821,
1830-31, 1848, 1949, 1989, 1994,
1999, 2001-2, 2008, 2021-22.

Actiones hominum erga Deum

Ad Deum converti, 1428, 1431-32;
Consecratione servitio Dei dedicari,
931, 934-44, 1579;
Cum Deo reconciliari, 980, 1445,
1462, 1468, 1484, 1493, 1496;
Deo fidere, 227;
Deo filialiter adhaerere, 2609;
Deo oboedire, 143-44, 154, 2242, 2256;
Deo servire, 1273, 2424;
Deum amare ut primum et maximum
praeceptum, 2055, 2083;
Deum contemplari, 97, 1028;
Deum inquirere, 28, 1281, 1501, 2566;
Deum videre, 163, 1716, 1722, 2518-
19, 1531, 1547-50, 2557;
In communionem cum Deo ingredi,
197, 367, 518, 613, 737, 1071, 1472,
1540, 2565;
In Deum credere, 150-51, 199, 222-27,
1266, 1842;
Paternitatem Dei participare, 2367,
2398;
Posse de Deo loqui, 39-43, 48;
Vitam Dei participare, 1988, 1997;
Voluntati Dei consonare, 348, 847,
1026, 2103, 2233, 2822-27.

Actiones negativae hominum erga Deum

Iniuria Deum afficere, 398, 1440,
1487, 1850, 1871, 2277, 2281, 2314,
2324, 2464;
Peccare, i.e. Deo non oboedire, 397;
Seiungi a Deo, 1033, 1035, 1057,
1263, 1607;
Tentare Deum, 2139.

Adoratio, oratio et cultus Dei

Adoratio in liturgia, 1110;
Creatio in intuitu adorationis, 347;

Deum orare, 2664, 2800;
Deviatio de cultu Dei, 2138;
Dies Dominica ut dies Domini, 2174-
88, 2190-95;
Eucharistia ut gratiarum actio et laus
Deo, 1359-61, 1408;
Familia ut prima communitas hono-
rando Deo, 2207;
Glorificatio Dei, 824;
Modi et instrumenta ad gloriam et
laudem Deo reddendam, 1123,
1162, 1670-71, 1678, 1698, 2062,
2641;
Occasiones gratias agendi, laudandi,
adorandi Deum, 1164, 1167, 1174,
2502, 2513;
Oratio « Pater noster », cf. « *Pater
noster* »;
Oratio laudis Deo effundenda, 2589,
2639, 2649;
Praeceptum Dei adorandi et Illi ser-
viendi, 2083-94, 2095-2109, 2133-36;
Sabbatum ut dies Domini, 2168-2173,
2189;
Sacrificia Deo offerre, 2099;
Significatio adorationis Dei, 2097, 2628;
Tabernaculum et ecclesia tamquam loca ad Deum adorandum praestantia, 1183, 2691.

Appellationes et attributa Dei

Amor, 214, 218-221, 257, 342;
Bonus, 339, 385, 2052;
Deus vivorum, 993;
Fons omnis boni et omnis amoris,
1723, 1955, 2465;
Fons orationis, 2639;
Iustus, 62, 215, 271, 2577;
Misericors, 210-11;
Mysterium ineffabile, 230;
Omnipotens, cf. *Deus Omnipotens;*
Pater, 233, 238-40, 2779-85, 2794-96,
2802, cf. *Pater;*
Sanctus, 208, 1352;
Spiritus purus, 370;

Unus Deus, 200-202, 212, 222-228, 254, 258, 2110-2128;
Veritas, 214-217;
Vivens, 205, 2112, 2575.

Consilium Dei

Actiones et facta consilio Dei contraria, 1665, 1935, 2387;
Activitas oeconomica iuxta consilium Dei, 2426;
Adhaesio Iesu consilio Dei, 566, 606-07;
Adimpletio et effectio consilii Dei, 332, 571, 670, 686, 1043, 1138, 2683;
Angeli ut consilii Dei nuntii, 331;
Christus ut cor et centrum consilii Dei, 112;
Consilium Dei ab Ipso revelatum et annuntiatum, 50-64, 474, 1066, 1079;
Consilium Dei omnes amplectens, 841-42;
Cooperatio hominis in consilio Dei, 2062, 2611, 2738;
Creatio ut consilii Dei fundamentum, 280, 315;
Desiderium consilii Dei efficiendi, 2823, 2860, 2825;
Diversitas inter personas in consilio Dei, 1937, 1946;
Ecclesia in consilio Dei, 7, 751-80, 851;
Familia in consilio Dei, 2201-06;
Fines consilii Dei, 257, 294, 772;
Intelligentia consilii Dei, 158, 426;
Matrimonium in consilio Dei, 1602-20, 1665;
Mors Iesu in consilio Dei, 599-605, 624;
Providentia consilium Dei perficiens, 302-14;
Reiectio humana consilii Dei et eius consequentiae, 1739;
Relictio, adhaesio et conformatio hominis iuxta Dei consilium, 716, 2745;
Satanas « se proiicit traversum » consilio Dei, 2851, 2864;
Virginalis maternitas Mariae in consilio Dei, 502-07, 723, 2617.

Creator universi et hominis, 279, 324;

Ad imaginem Suam hominem creavisse, 355-61, 1701-09;
Causa prima, 308;
Causa, ratio et finis creationis, 293-94, 319, 760;
Conservans et sustinens creationem, 301;
Consilium Suum in rem ducens, 302-14, 320-24;
Creationem transcendens eique praesens, 300;
Dominus vitae, 2280, 2318;
Ex nihilo creans, 296-98;
Gubernationem mundi homini tradens, 1884;
Hominem efformare, 362, 371, 704;
Omnia visibilia et invisibilia creans, 325, 327, 337-38;
Ordinatum et bonum mundum creans, 299;
Possibilitas cognoscendi exsistentiam Creatoris, 286;
Progressive mysterium creationis revelans, 287-88;
Quaestio de originibus mundi, 285;
Sapientia et amore creans, 295;
Solus Creator, 290, 317.

Deus Omnipotens

Deus, Pater et Omnipotens, 268-78;
« Fecit mihi magna, qui potens est », 279;
Iusta nec arbitraria omnipotentia divina, 271;
Manifestationes omnipotentiae divinae, 277, 312, 315;
Momentum notitiae Dei omnipotentis, 274, 278;
Mysterium apparentis impotentiae Dei, 272-74;
Opera omnipotentiae divinae, 311, 997, 1004;
Propria omnipotentiae divinae, 268;
Universalis omnipotentia, 269;

Dona Dei

Amor Dei erga hominem, 516, 604, 776, 2658;
Auctoritas, 1899, 1918;
Beatitudo, 1722, 1727;
Castitas, 2345;
Communio, 1489;
Compendium donorum in Symbolo fidei, 14, 1692;
Contritio, 1452-53;
Conversio, 1432;
Cooperatio humana ad impletionem consilii Dei, 306-07, 323, 378;
Dignitas personalis, 2334, 2393;
Fides, 153, 155, 162, 848, 1381;
Gratia, 1608, 1999, 2000, 2005, 2712;
Iesus, 603, 614;
Intelligentia, 1955;
Lex, 1955, cf. *Lex;*
Libertas, 1730;
Magnitudo donorum, 1692;
Oratio, 2559-61, 2564, 2713;
Puritas, 2520;
Sacerdotium, 983;
Salus, 169, 620;
Spiritus Sanctus, 683, 733-36, 742;
Terra et eius subsidia, 2402;
Vita aeterna, 1016, 1722;
Vita et physica valetudo, 2288.

Nomen Dei

Nomina Dei: Adonai, 209; YHWH, Kyrios, 206, 210-11, 213-14, 231, 446;
Observantia Nominis Dei, 2150-55, 2162-63;
Revelatio Nominis Dei, 203-04, 207;
« Sanctificetur Nomen Tuum », 2807-15, 2858;
Sanctitas Nominis Dei, 2142-49.

Voluntas Dei, 2822-27;

Voluntatem Dei adimplere, 1260, 1332;
Voluntatem Dei discernere, 1787;
Voluntati Dei consonare, 348.

DEVOTIO

Formatio verae devotionis, 24;
Populi devotionis ut liturgiae Horarum complementum, 1178;
Promissiones et vota ut formae devotionis, 2101-02;
Religiositas popularis et devotio, 1676.

DIABOLUS, cf. *Daemonium.*

DIACONIA, 1569, 1588.

DIACONUS

Character impressus diacono in ordinatione, 1570;
Diaconatus ut gradus ad sacramentum Ordinis, 1554;
Diaconus « ad ministerium » ordinatus, 1538, 1569-71;
Diaconatus permanens, 1571;
Diaconus ut auxilium Episcopi et presbyterorum, 886, 1554, 1569, 1596;
Facultates diaconi, 1256, 1570, 1588, 1596;
Observantia diaconorum, 896, 1554;
Sollemnitas in ordinando diacono, 1572-74.

DIALOGUS

Dialogus cum ceteris religionibus, cum philosophia et scientia, 39;
Dialogus cum Evangelium non accipientibus, 856;
Dialogus hominis cum Deo, 27, 1153, 2063, 2575, 2653;
Dialogus inter Ecclesias ad unitatem christianorum obtinendam, 821, 1126;
Dialogus inter homines ut necessitas humana, 1879.

DIES

Dies creationis, 337, 2169;
Dies de praecepto et dies festivi, 1389, 2177, 2181, 2185, 2187-88;
Dies Domini, 1166-67, 2170, 2174-88;

Communio inter Iesum et discipulos, 787-88;
Confirmatio ut assumptio muneris discipuli, 1319;
Discipulus ut frater Christi, 654;
Dona a Christo discipulis tradita, 908;
Exigentiae et officia discipulis necessaria, 562, 915, 1693, 1816, 1823, 1986, 2262, 2347, 2427, 2466, 2612;
Formatio discipulorum, 1248;
Invitatio Iesu ut Eius discipuli fiamus, 520;
Oratio discipulorum, 2612, 2621;
Potestates discipulorum, 983;
Quid significet discipulum fieri, 546, 2475, 2614;
Unitas discipulorum, 820, 2791;
Vocatio communis discipulorum, 1533;
Vocatio discipulorum, 618, 767.

DISCRETIO

Discretio bonorum terrestrium et eorum usus, 1729;
Discretio charismatum, 800;
Discretio religiositatis popularis et sensus religiosi, 1676;
Discretio status hominis et eius actionis, 407, 1780;
Discretio tentationis, 2847;
Spiritus Sanctus discretionem donans, 2690.

DISCRIMINATIO

Accessus ad laborem sine discriminatione iniusta, 2433;
Actio proposito divino contraria, 1935;
Discriminatio iniusta contra homosexuales, 2358.

DISSUASIO a bello, 2315.

DIVERSITAS creaturarum, 339, 353, 1936-38.

DIVINATIO ut actio Deo contraria, 2115-17, 2138.

DIVINITAS

Deus Pater ut fons et origo totius divinitatis, 245;
Divinitas Iesu, 209, 455, 464-69, 484, 515, 653, 663, 1374, 1413;
Divinitas Spiritus Sancti, 245, 684;
Divinitas Trinitatis, 253-54, 266;
Falsae divinitates, 1723, 2112;
Participatio hominis in divinitate Dei, 460.

DIVISIONES

Causa divisionum christianorum, 821;
Consequentiae divisionum christianorum, 855;
Divisiones auctoritatum Hierosolymorum relate ad Iesum, 595-96;
Divisiones discipulorum, 1336;
Divisiones humanae unitate corporis mystici victae, 791, 866;
Oratio « Pater noster » ut bonum commune non obstantibus divisionibus, 2791-92.

DIVITIAE

Amor pauperum et amor divitiarum, 2445;
Felicitas et divitiae, 1723;
Immoderata passio divitiarum, 2536;
Libertas cordis coram divitiis ad intrandum in Regnum necessaria, 2544, 2556.

DIVORTIUM

Admissio divortii civilis, 2383;
Consequentiae ex divortio inter coniuges catholicos, 1650, 1664, 2384-85, 2400;
Definitio divortii, 2384;
Indissolubilitas Matrimonii et divortium, 2382;
Innocentia coniugis iniuste derelicti, 2386;
Opera caritatis pro divortium passis, 1651.

DOCTRINA CHRISTIANA, cf. *Catechesis;*

Obligatio liturgiam dominicalem parti-
cipandi, 1389, 2042, 2180-83;
Requies dominicalis, 2185-86, 2193;
Sanctificatio diei Dominicae in oratio-
ne, 2698;
Significatio diei Dominicae, 1163, 2190.

DOMINIUM SUI ut longae constantiae
opera, 2342.

DOMINUS, 446-51, cf. *Christus* et *Deus*.

DONA, cf. *Deus* et *Spiritus Sanctus*.

DOXOLOGIA

Doxologia finalis, 2855-56;
Doxologia ut actio gratiarum et lau-
dis, 1003;
Origo doxologiae, 2641.

DUALISMUS, 285.

DUBIUM

Dubium circa Dei amorem, 2119;
Dubium circa fidem voluntarium et
involuntarium, 2088;
Dubium discipulorum de resurrectione
Iesu, 644;
Prudentia, virtus ad dubium circa bo-
num et malum superandum, 1806.

DUX

Christus ducens, 551, 1547;
Conscientia et prudentia ut duces,
1778, 1806;
Directio spiritualis, 2690;
Episcopi et Pastores ut duces, 939,
1140, 1575, 2033, 2594;
Magisterium Ecclesiae ducentis, 93;
Status ut dux in oeconomica actione,
2431;
Summus Pontifex ut dux, 816, 895, 899.

E

ECCLESIA

Angeli ut Ecclesiae auxilium, 334-36;

Ecclesia ad Ordines recipiendos vo-
cans, 1578;
Ecclesia in gloria consummata, 769,
1042;
Ecclesia missionalis, 849-56;
Ecclesia ut aedificium visibile, 1180,
1185-86, 2691;
Ecclesia ut germen et initium Regni,
541, 669, 764, 768;
Ecclesia ut via ad indulgentiam Dei
obtinendam, 1478-79;
« Extra Ecclesiam nulla salus », 846-48;
Familia ut « Ecclesia domestica »,
1655-58, 2204, 2685;
Maria et eius munus in mysterio Ec-
clesiae, 963-72, 973;
Maria, Mater Ecclesiae, 963;
Praecepta Ecclesiae, 2041-43;
Sancta et immaculata Ecclesia, 1426;
Spiritus filialis christianorum erga Ec-
clesiam, 2040.

Attributa Ecclesiae, 750, 811, 865;

UNA, 813-22;

Diversitas in unitate, 814, 818-19;
Ecclesia, una ratione sui fontis, sui
Fundatoris, animae suae, 813;
Ecclesiae missio unitatem postulans,
855;
Eucharistia ut sacramentum unitatem
Ecclesiae roborans, 1416;
Unitate donati eandem petentes, 820-22;
Unitatis vincula, 815-16;
Unitatis vulnera, 817.

SANCTA, 823-29;

Anima sanctitatis et caritatis, 826;
Consilia evangelica ut auxilium ad
sanctitatem, 1986;
Ecclesia a Christo sanctificata, 823-24;
Ecclesia sancta cum Maria collata, 829;
Ecclesia sancta et in proprio sinu pec-
catores complectens, 825, 827, 1428;
Spiritus Sanctus ut fons sanctitatis, 749.

CATHOLICA, 830-56;

Communio ut intima vocatio Ecclesiae, 959;
Communitas sacerdotalis, 1119;
Communio fidei, 949;
Sacramentum Communionis in liturgia, 1108;
Sanctorum communio, 946-48, 953.

Ecclesia ut corpus mysticum Christi

Aedificatio Ecclesiae, 872, 1123, 2003;
Aegritudines humanae et Ecclesia, 1508;
Catechesis et Ecclesia, 4;
Charismata et Ecclesia, 800;
Christiani ut membra Ecclesiae, 521, 790, 953, 960, 1267, 1396, 1988, 2045;
Christus ut Caput Ecclesiae, 1548;
Consecrati et Ecclesia, 917;
Defuncti et Ecclesia, 958;
Ecclesia ut corpus mysticum Christi, 774, 776-77, 779, 787-96, 805-07, 1396;
Liturgia et Ecclesia, 1070, 1140, 1187-88;
Sacramenta et Ecclesia, 774, 1116, 1123, 1267, 1279, 1621, 2040, 2782;
Spiritus Sanctus et Ecclesia, 1105-06, 1111, 1353;
Unitas, diversitas et missio membrorum Ecclesiae, 873-74, 947.

Ministerium gubernandi

Auctoritas gubernandi Ecclesiam, 553;
Cooperatio christifidelium, 911;
Indoles collegialis et personalis ministerii ecclesiastici, 877-78;
Ministerium gubernandi ut ministerium servitii, 876, 894-95;
Munus collegii episcopalis, 883, 885;
Munus Concilii Oecumenici, 884;
Munus pastoralis Petri, Apostolorum et Episcoporum ut Ecclesiae fundamentum, 881;
Munus Summi Pontificis, 882;
Munus singulorum Episcoporum, 886.

Ministerium sanctificandi

Deus in Christo sanctificans, 790, 805, 947, 1076, 1082, 1084, 1110-12;
Episcopi et sacerdotes ut oeconomi, 893, 118-20;
Ministerium verbi, 2031, 2038;
Oratio, 2558, 2655;
Rationes sanctificandi, 893.

Munera Ecclesiae

Boni communis aspectus temporales curare, 2420;
Conversio ut munus non interruptum, 1428;
Deo servire, 783-86;
Depositum fidei servare, 84, 97, 175;
Evangelizationem et catechesim perficere, 7;
Exemplum sanctitatis christianae esse, 2030;
Fidem confiteri, 172-75;
Fidem conservare, 168, 171, 173;
Fidem in regalitatem Christi confiteri, 2105;
Fidem in unum Deum, Patrem, Filium et Spiritum Sanctum confiteri, 152, 258, 738;
Homines sanctificare, 824;
Missionem in mundo perficere, 767, 2044-45;
Mysterium Paschale annuntiare, 571;
Peccata remittere, 827, 979-83, 1442, 1478;
Populum Dei esse, 781-86;
Praedicationem apostolicam continua successione conservare, 77;
Verbum Dei servare et interpretari, 119.

Munus docendi

Auctoritas ad legem naturalem extenta, 2036;
Auctoritas collegii episcopalis et Summi Pontificis, 891, 2035;
Auctoritas Concilii Oecumenici, 891;
Catechesis et praedicatio, 2033;

Efformatio religiosa, cf. *Efformatio;*
Impedimenta ad educationem filiorum, 1634;
Ius educationem accessibilem reddendi, 1908, 1911;
Ius et officium parentum filios educandi, 1653, 2221, 2223, 2372;
Ius rectae educationis sexualis, 2344;
Libertas educandi filios in fide et communitate politica, 2211;
Matrimonium et educatio filiorum, 1601, 1652, 2201;
Parentes ut primi et principales educatores filiorum, 1653, 2206, 2372.

Efformatio

Efformatio ad orationem, 2686;
Efformatio catechetica, 906;
Efformatio catechumenorum, 1248;
Efformatio conscientiae, 1783-85;
Efformatio evangelizantium, 428;
Efformatio spiritualis filiorum, 2221;
Media communicationis socialis et efformatio, 2493.

Effusio Spiritus Sancti

Celebrationes christianae et effusio Spiritus Sancti, 1104;
Effectus effusionis Spiritus Sancti, 686, 706, 759, 1076, 1229;
Effusio Spiritus Sancti hodiernis temporibus, 2819;
Effusio Spiritus Sancti in sacramento Ordinis, 1573;
Effusio Spiritus Sancti in sacramento Confirmationis, 1299, 1302;
Effusio Spiritus Sancti super Apostolos ad eorum missionem, 1287, 1556;
Effusio Spiritus Sancti ut adimpletio Paschatis Christi, 667, 731;
Impositio manuum ad effusionem Spiritus Sancti, 699.

Egeni, cf. *Pauperes.*

Caritas erga egenos, 1586, 1932, 2449.

Egestas, cf. *Necessitas.*

Egoismus

Caritas ut via ad egoismum superandum, 1931;
Educatio contra egoismum, 1784;
Matrimonium ut auxilium ad egoismum vincendum, 1609;
Procreatio regulanda et egoismus, 2368;
Spes ab egoismo praeservata, 1818.

Electio/nes

Beatitudines et electiones morales decisivae, 1723;
Electio radicalis uniuscuiusque ab Iesu exacta, 546;
Eligere secundum conscientiam, 1777, 1786-89, 1799;
Gratia Baptismi ut gratia electionis, 1308;
Hominis libertas eligendi, 311, 1470;
Infernus ut electio libera, 1033;
Israel, populus electionis, 60, 762;
Obiectum electionis et moralitas actuum, 1755.

Eleemosyna

Eleemosyna in Lege nova, 1969;
Eleemosyna ut forma poenitentiae, 1434, 1438;
Eleemosyna ut opera caritatis et misericordiae, 2447, 2462.

Elevatio

Elevatio animae ad Deum, 2098, 2559;
Elevatio crucis, 662.

Embryon humanus

Defensio embryonis humani, 2270-71, 2273-74, 2323, 2377-78;
Liceitas interventuum in humano embryone, 2275;

Epiclesis

Effectus orationis Epiclesis, 1238, 1297;
Epiclesis in celebratione Matrimonii, 1624;

Mysterium communionis trinitariae communicare, 950, 2845;

Per Christum hominem transformare, 1074;

Purgare et a peccato separare, 1393-95, 1436, 1846;

Sacrificium Christi participare, 1322.

Historia Eucharistiae

Missa omnium saeculorum, 1345;

Origines celebrationis eucharisticae, 2176;

Praefigurationes Eucharistiae, 1094, 1335;

Prisca celebratio dominicalis, 1342-43, 2178;

Structura celebrationis eucharisticae per saecula conservata, 1346.

Identitas Eucharistiae

Christi praesentia, 1357-58;

Communio corporis et sanguinis Domini, 1097, 1382;

Fons caritatis, 864, 1395;

Fons et culmen vitae christianae, 1324-27;

Gratiarum actio et laus Patri, 1358-61;

Memoriale Novi Foederis, 1621;

Memoriale sacrificii Christi, 611, 1337, 1357-58, 1362-72, 1382;

Mysterium actionis Christi, 2718;

Praesentia Regni futuri, 1405, 2861;

Sacramentum Communionis, 1382, 1395;

Sacramentum initiationis christianae, 1212, 1533;

Sacramentum Redemptionis, 1846;

Sacramentum sacramentorum, 1169, 1211.

Institutio Eucharistiae

Fines institutionis Eucharistiae, 610, 1341;

« Hoc facite in meam commemorationem », 1341-44;

Iesus et institutio Eucharistiae, 1337-40.

Minister celebrationis Eucharistiae, cf. *Presbyter* et *Episcopus.*

Praesentia Christi in Eucharistia

Christus in coetu eucharistico praesens, 1348;

Christus in liturgia verbi praesens, 1088, 1349;

Christus in sacerdote praesens, 1348;

Cultus latriae et adoratio Christi in Eucharistia praesentis, 1378-79;

Fides in Christo in Eucharistia praesenti, 1381;

Praesentia eucharistica Christi perdurans, 1377;

Praesentia sub speciebus eucharisticis, 1373;

Praesentia vera et mysteriosa Christi in Eucharistia, 1357, 1373-77;

Praesentia vera, realis et substantialis Christi integri, 1374;

Significatio praesentiae Christi in Eucharistia, 1380;

Transsubstantiatio Christi a Concilio Tridentino declarata, 1376;

Velata praesentia Christi in Eucharistia, 1404.

EUTHANASIA, cf. *Dolor.*

Distinctio inter euthanasiam et recusationem « saevitiae therapeuticae », 2278;

Euthanasia ut moraliter inacceptabilis, 2277;

Gravitas euthanasiae voluntariae, 2324;

Significatio euthanasiae, 2277.

EVA

Consequentiae ex inoboedientia Adami et Evae, 399, 404, 417;

Maria ut « nova Eva », 411, 489, 726, 2618, 2853;

Promissio Evae a Deo facta, 489;

Reparatio inoboedientiae Evae, 494;

Status originalis Adami et Evae, 375.

EVANGELIUM/A, cf. *Bonus Nuntius, Novum Testamentum, Sacra Scriptura;*

Acceptio Evangelii, 1229;
Annuntiatio Evangelii, 2, 75, 860, 875, 888, 1565, 2044, 2419;
Argumenta Evangelii, 514;
Auctores Evangelii, 515;
Catechesis et annuntiatio Evangelii, 6, 854;
Compositio Evangelii, 126;
Diaconorum munus proclamandi Evangelium, 1570;
Evangelium et doctrina socialis Ecclesiae, 2419, 2421;
Evangelium ut adimpletio veteris Legis, 1968;
Evangelium ut Revelatio misericordiae Dei, 1846;
Momentum et significatio Evangelii, 125-27, 139;
Oratio « Pater noster » ut breviarium totius Evangelii, 2761, 2763, 2774;
Transmissio Evangelii, 76-79;
Vetus Lex tamquam praeparatio ad Evangelium, 1964.

EVANGELIZATIO

Cooperatores in evangelizatione, 927-933;
Ecclesia et missionale mandatum, 849;
Evangelizatio et liturgia, 1072;
Evangelizatio et sacramenta, 1122;
Evangelizatio et testimonium baptizatorum, 2044, 2472;
Evangelizatio ut ius et officium Ecclesiae, 848;
Fons desiderii evangelizationis, 429;
Missio laicorum in evangelizatione, 905;
Motivum evangelizationis, 851;
Origo et fines evangelizationis, 850;
Parentes et evangelizatio filiorum, 2225;
Viae evangelizationis, 852-56.

EVENTUS, cf. *Historia;*

Celebratio liturgiae Adventus, 524;
Christi Adventus, 122, cf. *Adventus, Exspectatio, Consummatio;*
Historia salutis et eventus iterum lecta, 1095;
Regni Adventus, 560, 570, 1720, 2632, 2660, 2817, 2857;
Secundus reditus, 2612.

EVENTUS SALVIFICI

Benedictiones divinae in mirabilibus et salvificis eventibus manifestatae, 1081;
Liturgia, memoriale eventuum salvificorum, 1093, 1095, 1217;
Eventus gloriosi Christi et eorum effectus, 126;
Eventus salvifici in liturgia actuales redditi, 1104;
Psalmi et memoria eventuum salvificorum, 2586;
Revelatio in eventibus salvificis et in verbis, 53, 1103, 2651.

EXAMEN CONSCIENTIAE, cf. *Poenitentia et Reconciliatio;*

Examen conscientiae ad sacramenta recipienda, 1385, 1454, 1456, 1482, 1779;
Examen conscientiae ut via ad conversionem, 1427-29, 1435.

EXCLUSIO

Amor Dei neminem excludens, 605;
Exclusio a communione cum Deo, 1445;
Infernus ut « auto-exclusio » hominis, 1033;
Peccatum et exclusio a Regno Dei, 1861.

EXCOMMUNICATIO

Excommunicatio ut poena receptionem sacramentorum impediens, 1463.

EXEGESIS

Exegesis et recta interpretatio Scripturae, 116;
Munus exegetarum, 119.

EXEMPLAR VITAE PRO FIDELIBUS

Abraham, 144, 1819;
Christus, 459, 520, 896, 1618, 2348, 2620, 2740;
Deus, 813, 2172;
Episcopi, 893;
Sancti, 828;
Virgo Maria, 273, 967, 2030.

EXEMPLUM

Apostolorum exemplum, 76;
Bonum exemplum ut officium christianorum, 2188, 2472;
Episcoporum exemplum ad Ecclesiam sanctificandam, 893-94;
Exemplum Iesu imitandum, 83, 520, 564, 618, 1011, 1351, 1694, 2470, 2722, 2862;
Malum exemplum christifidelium et eius consequentiae, 29, 1792;
Parentes et eorum exemplum filiis, 1632, 1656, 2223;
Sanctorum exemplum, 1173, 1195, 1697, 2683.

EXERCITIA SPIRITUALIA, ad animi poenitentiam apta, 1438.

EXILIUM

Ecclesia sui exilii conscia, 769;
Israel et exilium, 710, 1081, 1093, 2795;
Mors ut corporis exilium, 1005, 1681;
Vita terrestris ut exilium, 1012.

EXODUS

Decalogus in contextu Exodi, 2057;
Liturgia et memoria Exodi, 1093, 1363;
Significatio panis in contextu Exodi, 1334;
Valor Exodi numquam amissus, 130.

EXORCISMUS

Exorcismus in celebratione Baptismi, 1237;
Significatio et fines exorcismi eiusque modi peragendi, 1673;
Significatio exorcismorum Iesu, 517, 550.

EXPERIENTIA

Confessarii experientia rerum humanarum, 1466;
Directoris spiritualis experientia, 2690;
Experientia debilitatis humanae, 1550;
Experientia mali, 272, 1606;
Experientia vitae christianae, 6, 2038;
Interpretatio donorum et signorum experientiae, 1788.

EXPIATIO

Expiatio peccatorum in Israel, 433, 578;
Iesus ut victima expiationis peccatorum humanorum, 457, 604, 615-16, 1476, 1992;
Valor expiationis poenae, 2266.

EXPRESSIO externa orantis, 2702-03.

EXSEQUIAE, cf. *Defuncti;*

Exsequiae christianae, 1680-90;
Exsequiae infantium sine Baptismo mortuorum, 1261.

EXSISTENTIA, cf. *Vita.*

EXSISTENTIA DEI, cf. *Deus.*

EXSPECTATIO, cf. *Adventus* et *Consummatio;*

Adventus et exspectatio Messiae, 524;
Anima in exspectatione resurrectionis corporis, 997;
Exspectatio reditus Christi, 1619, 2817;
Incarnatio ut adimpletio exspectationis, 422, 489;
Israel et eius exspectatio Messiae, 62, 522, 529, 706, 711-716, 840, 1334;
Liturgia et exspectatio, 1096, 2760;

Maria et exspectatio promissionum, 489;
Mortui in exspectatione Redemptoris, 633;
Oratio et exspectatio, 2772, 2854;
Spes et exspectatio, 2090;
Tempus praesens ut tempus exspectationis, 672;
Terra nova et exspectatio, 1049.

F

FAMA, cf. *Rumor.*

FAMES

Drama famis in mundo et solidarietas, 2831;
Esurientes nutrire ut opera misericordiae, 1039, 2447;
Fames audiendi Verbum Domini, 2835;
Gravitas provocandi famem, 2269;
Iesus a fame liberans, 549;
Iesus famem expertus, 544, 556;
« Panem nostrum cottidianum da nobis hodie », 2828, 2830.

FAMILIA, cf. *Matrimonium;*

Apertio familiae ad fecunditatem, 1652-54;
Constitutio, natura et fines familiae, 2201-03, 2249, 2363;
Dedicatio dominicalis familiae propriae, 2186;
Defensio socialis familiae, 2209-11;
Ecclesia ut familia Dei, familia Christi, 1, 759, 764, 959, 1655, 2233;
Educatio et observantia filiorum, 2221-24, 2228-30;
Educatio propriae familiae, 1914;
Evangelizatio filiorum, 2225-26;
Familia christiana, 2204-06;
Familia Dei, 2232;
Familia et quartum praeceptum, 2197-2200;
Familia et Regnum Dei, 2232;

Familia Iesu, 533, 564;
Familia in consilio Dei, 2201-03;
Familia ut cellula originaria vitae socialis, 1882, 2207;
Familia ut communitas praestans, 2206;
Familia ut Ecclesia domestica, 1655-58, 1666, 2204-05, 2685;
Familia ut imago Trinitatis, 2205;
Familia ut repercussio operis creativi Patris, 2205;
Familiae numerosae ut signum benedictionis divinae, 2373;
Filiorum observantia erga parentes, 2214-20;
Iura parentum in familia, 2229-30;
Ius ad familiam condendam, 1908;
Observantia vocationis filiorum, 2232-33;
Offensae familiae, 2390;
Officia familiae erga iuvenes et senes, 2208;
Officia filiorum in familia, 2214-20;
Officia parentum in familia, 2221-26;
Oratio in familia, 2183, 2685, 2691, 2834;
Pericula familiae minantia, 2436;
Personae sine familia, 1658;
Praeparatio ad familiam condendam, 1632;
Sacerdotium baptismale, 1657.

FECUNDATIO ARTIFICIALIS

Fecundatio artificialis ut moraliter inacceptabilis, 2377;
Inseminatio vel fecundatio artificiales heterologae ut graviter damnosae, 2376.

FECUNDITAS

Apertio ad fecunditatem coniugalem, 372, 1604, 1642-43, 1652-54, 1662, 1664;
Christus, vitis fecunditatem spiritualem donans, 755, 864, 2074;
Extensio fecunditatis amoris coniugalis, 2221, 2363;

Perseverantia in fide, 162;
Plena adhaesio Deo, 143, 155, 176, 2609;
Responsio hominis dono Dei, 142;
Una fides, 172-75, 866.

FIDUCIA

Fiducia hominis in Deo, 301, 304, 2086, 2115, 2119, 2828, 2836, 2861;
Fiducia in providentia, 2115, 2547;
Fiducia in Verbo Dei, 215;
Mendacium fiduciam inter homines suffodiens, 2486.

FIDUCIA FILIALIS

Fiducia filialis Iesu Patrem orantis, 2610, 2778;
Oratio « Pater noster » et fiducia filialis, 2777-78, 2797, 2830;
Oratio et fiducia filialis, 2734, 2741;
Oratio probationi submissa, 2756.

FILII DEI

Actiones Dei erga filios Suos, 104, 239, 305;
Adiumenta ad vitam filiorum Dei vivendam, 736, 1568, 1813, 1831, 1996, 2157, 2650, 2766;
Audacia filialis in oratione, 2610, 2777;
Coniunctio et unitas filiorum Dei, 706, 831, 845, 855, 959, 1097, 1108;
Conversio filialis ad Patrem, 2608;
Dignitas filiorum Dei, 2736;
Ecclesia, Mater et domus filiorum Dei, 808, 1186;
Filialis derelictio filiorum Dei, 305, 2830;
Filii Dei adoptivi, 1, 52, 270, 294, 422, 654, 1709, 2009;
Filii Dei in sacramentis regenerati, 1213, 1243, 1250, 1692;
Oratio filiorum Dei, 2565, 2673, 2712, 2766;
Sacramenta ut occursus filiorum Dei cum Patre, 1153;

Spiritus Sancti praesentia in filiis Dei, 742, 2639.

FILIUS/II, cf. *Educatio, Familia, Parentes, Matrimonium.*

Adoptatio filiorum relictorum, 2379;
Divortium parentum et damna pro filiis, 2385;
Educatio filiorum, cf. *Educatio;*
Exigentiae pro bono filiorum, 1646, 2381;
Filii ut donum praestantissimum amoris coniugalis, 1664, 2373-79;
Filii ut finis Matrimonii et vitae coniugalis, 1652, 2201;
Filii ut fructus amoris coniugalis, 2366;
Libertas procreandi filios, 2211;
Moderatio procreationis, 2368;
Observantia vocationis filiorum, 2232-33;
Officia filiorum, 2197, 2199, 2200, 2214-20;
Officia parentum erga filios, 2221-31;
Origo iurium et officiorum erga filios, 1631;
Vita filiis transmittenda, 372.

FILIUS DEI, cf. *Christus.*

FINIS, cf. *Adimpletio, Consummatio;*

Deus, principium et finis omnium, 198;
Finis temporum, 682, 686, 865, 1042, 1048, 1059;
Mors ut vitae terrestris finis, 1013, 1021.

FLATUS

Flatus ut Spiritus Sancti imago, 691, cf. *Spiritus Sanctus.*

FOEDUS NOVUM, cf. *Novum Testamentum;*

Altare et Foedus, 1182;
Apostoli ut Foederis sacerdotes, 611, 859, 1337;
Calix Foederis, 612;
Christus ut Foedus definitivum Dei, 73;

Christus ut unicus Foederis Sacerdos, 662, 1348, 1365, 1410;
Circumcisio Iesu ut signum Foederis, 527;
Cultus dominicalis et Foedus, 2176;
Ecclesia et Foedus, 759, 778, 796, 839, 840;
Eucharistia et Foedus, 610, 611, 1339, 1365, 1410, 1846;
Lex antiqua et Foedus, 577, 1964, 2056;
Locus cultus et Foedus, 1179;
Mors Christi ut sacrificium Paschale Foederis, 613;
Oratio in Foedere, 2565, 2607, 2614, 2771, 2787, 2801;
Prophetae et exspectatio Foederis, 64;
Sacramenta et Foedus, 1091, 1116, 1129, 1222, 1541.

Foedus Vetus, cf. *Vetus Testamentum;*

Abraham et Foedus, 72, 992, 2571;
Cor ut Foederis locus, 2563;
Decalogus et Foedus, 2057, 2077;
Deus et Foedus cum Eius populo, 238, 781, 1102, 1612, 2058;
Foedus Sinai, 62, 204, 2810;
Homo ad Foedus cum Creatore suo vocatus, 357;
Lex et Foedus, 346, 709, 2060-63, 2070;
Liturgia et Foedus, 1093, 1156;
Oblatio panis et vini atque Foedus, 1334;
Oratio et Foedus inter Deum et hominem, 2564, 2567, 2569, 2713, 2795, 2829, 2841;
Praecepta et sensus Foederis, 2061-63;
Praefigurationes et Foedus, 1217, 1223, 1544;
Praeparationes ad Christum in Foedere, 522, 762;
Sabbatum ut signum Foederis, 2171;
Sacerdotium et Foedus, 1539, 1542, 1544;
Signa et symbola Foederis, 1145, 1150-52, 1334;
Valor permanens Foederis, 121.

Formula/ae

Formula absolutionis, 1449, 1481;
Formula catechetica praeceptorum, post 2051;
Formula Professionis fidei, 170;
Formulae Decalogi, 2065;
Origo formularum orationum christianarum, 1096.

Fornicatio

Definitio fornicationis, 2353;
Immoralitas fornicationis, 1755, 1852, 2353.

Fortitudo

Fortitudo ut Spiritus Sancti donum, 712, 1303, 1831;
Fortitudo ut virtus cardinalis, 1805, 1808;
Imploratio Spiritus fortitudinis, 2846.

Fortunae ludi, 2413.

Fractio panis

Fractio panis et Christi integritas, 1377;
Fractio panis ut denominatio Eucharistiae, 1329;
Perseverantia in frangendo pane, 84, 949, 1342, 2624.

Frater/res

Caritas erga « fratres minimos », 678, 952, 1033, 1397, 1932, 2447, 2449;
Christus, primogenitus multitudinis fratrum, 381, 501, 2012, 2448;
Ecclesia ut unio fratrum Christi, 788;
Fratres et sorores Iesu, 500;
Fratres in Domino, 818, 1271, 2074, 2790;
Iesus ut frater noster, 469;
Israel, populus « fratrum maiorum », 63;
Observantia fratrum humanorum, 1789, 2054, 2269, 2302;
Observantia propriorum fratrum et sororum, 2212, 2219, 2231;

Omnes homines fratres, 361, 1931;
Oratio pro fratribus, 2768;
Quid significet Christi fratrem esse, 2233;
Reconciliatio cum fratribus, 1424, 1469, 2608, 2840, 2843, 2845;
Responsabilitas erga fratres, 2831;
Scandalum fratri facere, 2284;
Testimonium fratribus reddendum, 932.

FRATERNITAS

Educare in fraternitate, 2207;
Fraternitas a religiositate populari constituta, 1676;
Fraternitas inter presbyteros, 1568;
Pericula fraternitati minantia, 1740;
Solidarietas ut fraternitatis humanae et christianae exigentia, 1939;
Vita consecrata et fraternitas, 925, 929.

FRAUS

Damnatio fraudis, 1916, 2409;
Radix fraudis, 2534;
Scandalum in incitanda fraude, 2286.

FRUITIO

Fruitio bonorum terrestrium, 1716, 1740;
Fruitio inordinata, 2351-53;
Fruitio vitae trinitariae, 1721-22.

FURTUM

Definitio furti, 2408;
Radix furti, 2534;
Reparatio furti, 2412.

FUTURUM

Cognitio futuri, 2115;
Futurum humanitatis, 1917.

G

GAUDIUM

Dies Dominica ut dies gaudii, 1193;

Fontes gaudii, 30, 163, 301, 1804, 1829, 2015, 2362;
Gaudium caeli, 1029-30;
Gaudium pauperum, 2546;
Gaudium ut fructus Spiritus, 736, 1832;
Impedimenta ad gaudium, 2094.

GENERA LITTERARIA in sacra Scriptura, 110.

GENS

Gens sancta, 782, 1268, 2810;
Omnes gentes docere, 849.

GENUS HUMANUM, cf. *Homo* et *Humanitas;*

Bona creationis generi humano destinata, 2402;
Dei cura generis humani, 55-56, 353;
Deus genus humanum salvare volens, 56;
Desiderium felicitatis generis humani, 1718;
Generis humani inquisitio Dei, 28;
Generis humani vocatio, 1877;
Origo et finis generis humani, 297, 842;
Unitas generis humani, 360, 775-76, 1045.

GESTUS

Gestus ad conversionem necessarii, 1430, 1435;
Gestus liturgici, 1149-50, 1234, 1341.

GLORIA

Angeli Deum glorificantes, 350;
Apostoli et Dei gloria, 241;
Consummatio gloriae Ecclesiae in caelo, 769, 1042, 1821, 2550;
Deus gloriam Suam revelans, 2059;
Ecclesia Deum glorificans, 434, 824, 1204, 2639;
Gloria Dei et Eius vitae beatae, 257;
Gloria humana veram felicitatem non constituens, 1723;
Glorificatio Christi, 124, 312, 429, 663, 1335;

Homo gloria Dei egens, 705;
Moyses et gloria Dei, 210;
Mundus ad gloriam Dei creatus, 293-94;
Natura et ars Deum glorificantes, 1162, 2416, 2502.

GNOSIS, 285.

GRATIA, cf. *Vita divina;*
Charismata ut gratia, 799, 951, 2003, 2024;
Definitio et significatio gratiae, 1996-2000, 2003, 2005, 2017;
Gratia actualis, 2000, 2024;
Gratia Baptismi, 1262-74, 1308;
Gratia habitualis, 2000;
Gratia Ordinis, 1585-89;
Gratia originalis, 375-76, 399;
Gratia perseverantiae finalis, 2016;
Gratia sacramenti Matrimonii, 1615, 1641-42;
Gratia sanctificans, 824, 1266, 1999, 2000, 2023-24;
Gratia ut donum Christi, 388, 957;
Gratia ut donum Dei, 35, 54, 1999, 2008;
Gratiae speciales, 1527, 2014;
Gratiae status, 2004;
In gratia Dei mori, 1023, 1030;
Lex nova lex gratiae appellata, 1972;
Libertas et gratia, 1742, 2022;
Maria « Gratia plena », 411, 490-91, 493, 722;
Meritum et gratia, 1708, 2008-09, 2011, 2025-27;
Mors Christi ut fons gratiae, 1407;
Oratio ut donum gratiae, 2713, 2725;
Reiectio et privatio gratiae, 412, 679, 1861;
Status gratiae, 1310, 1319, 1415, 1861;
Virtus et gratia, 1810-11, 2825.

Effectus gratiae
Adoptio filialis, 654, 1212, 2009;
Aedificatio Ecclesiae, 798;
Castitas, 2345;

Cognitio veritatis, 1960;
Contritio, 1453;
Conversio, 1432, 1989;
Donum virtutum theologalium et dona Spiritus Sancti, atque virtus meriti, 1266;
Fides, 153-55, 158, 424, 684, 1098, 1102;
Iustificatio, 1987, 1989, 1992, 2018-20;
Nova dignitas, 1701;
Remissio peccatorum, 277, 1263, 1708, 1987, 1989, 2023;
Salus et vita aeterna, 265, 836, 1697;
Sanctitas, 824, 2023;
Unio cum Christo, 737;
Vita bona et sancta, 409, 1889, 2082, 2541.

Gratiam recipere
Dispositio ad gratiam recipiendam, 1446, 1848;
Praeparatio ad gratiam recipiendam, 2001, 2022;
Sacramenta et gratia, cf. *Sacramentum/a.*

GRATIARUM ACTIO
Eucharistia ut actio gratiarum, 1328, 1358, 1360;
Iesu actio gratiarum Patri, 2603-04;
Necessitas agendi gratias Deo, 224, 795, 983, 1167, 1333, 2781;
Nomen Dei sanctificare, id est ut sanctum illud agnoscere, 2807;
Occasiones agendi gratias, 2638;
Oratio agendi gratias, 1352, 1359-60, 2637-38;
Spiritus Sanctus actionem gratiarum suscitans, 1103;
Vita ut actio gratiarum, 2062.

GRATIARUM ACTIO, cf. *Gratia: gratiarum actio.*

GRATITUDO
Gratitudo hominis erga Christum, 1418;
Gratitudo hominis erga Deum, 1148, 1334, 1360, 1418, 2062, 2097, 2099;

Homicidium ut grave peccatum, 1447;
Homicidium, peccatum ad caelum clamans, 1867;
Odientes ut homicidae, 1033;
Origo homicidii, 2517;
Solus Deus Dominus vitae, 2258;
Venia pro peccato homicidii, 1447.

HOMILIA

Homilia in exsequiis, 1688;
Homilia in liturgia verbi, 1346;
Momentum homiliae, 132, 1154.

HOMO

Finis ultimus hominis, 260, 356, 1024;
Homo a Creatore pendens, 396;
Homo in paradiso terrestri, 374-79;
Homo post lapsum a Deo non derelictus, 410;
Homo solummodo in Deo felix, 1057;
Homo ut auctor, centrum et scopus vitae oeconomicae et socialis, 2459;
Homo ut subiectum morale, 1749;
Mysterium hominis in mysterio Verbi clarescens, 359;
« Novus homo », 1473, 2475;
Peccatum ut offensa contra naturam humanam, 1849;
Vir et mulier, 369, 371-72, 383, 400, 1605-06.

Aequalitas et diversitas hominum

Dignitas humana ut fundamentum aequalitatis, 1935, 1945;
Diversitas capacitatis, 1936-37;
Inaequalitates iniustae, 1938;
Omnes homines eandem naturam eandemque originem et finem habentes, 1934.

Consequentiae ex peccato hominis, 399-400;

Communitas destinationis mundi materialis et hominis, 1046;
Condicio infirmitatis et parvitatis, 208, 396, 1500, 2448;

Harmonia creationis destructa, 400;
Homo errori subiectus et ad malum inclinatus, 1714;
Homo libertate abusus et peccatum originale, 396-401;
Homo opera Satanae damnatus, 395;
Homo similitudine Dei privatus, 705;
Invasio peccati in mundum, 401;
Mors in mundum ingressa, 1008;
Natura humana vulnerata, 405;
Omnes peccato Adami implicati, 402-03;
Praesentia peccati iam in nascentibus, 403;
Pugna inter spiritum et carnem, 2516;
Ruptura originalis communionis, 1607.

Dignitas humana

Communio cum Deo ut ratio dignitatis, 27, 357, 1700;
Dignitas a peccato vulnerata, 1487;
Dignitas cooperationis creaturarum cum Deo, 306-08;
Dignitas in vita morali manifestata, 1706;
Dignitas secundum consciam et liberam electionem agere requirens, 2339;
Dignitas ut fons iurium humanorum, 1930;
Ius ad exercitium libertatis ut exigentia a dignitate inseparabilis, 1738;
Par dignitas viri et mulieris, 2393.

Homo ad imaginem et similitudinem Dei

Homo ad imaginem Dei creatus, 225, 356-61, 1702, 2713;
Homo ad imaginem et similitudinem Dei ante et post Redemptionem Christi, 1701;
Restitutio similitudinis cum Deo, 705, 2809.

Homo Deum quaerens

Deus hominem vocare non desinens, 30;
Deus verbis humanis loquens, 101, 109;
Difficultas Deum solo rationis lumine cognoscendi, 37;

Homines decursu historiae multiplici modo Deum quaerentes, 28, 31, 34, 285;

Hominis propria investigatio Dei, 285;

Homo Deum Eiusque voluntatem semper quaerens, 2566, 2826;

Homo in Revelatione Deum quaerens, 35, 50, 52;

Homo ratione Deum quaerens, 36, 50;

Prior Deus hominem vocans, 2567;

Viae quaerendi Deum, 31, 34.

Homo et humanitas

Mutua necessitudo omnium hominum, 361, 1947-48;

Origo et finis communis humanitatis, 842;

Unitas generis humani, 360.

Homo et vocatio, cf. *Vocatio;*

Vocatio ad amorem, 1604;

Vocatio ad Deum ut vocatio communis omnium hominum, 1878;

Vocatio ad Matrimonium, 1603;

Vocatio ad novum populum Dei efformandum, 804, 831;

Vocatio ad Regnum ingrediendum, 543;

Vocatio ad unionem cum Christo, 521, 542;

Vocatio ad vitam aeternam, 1998;

Vocatio ad vitam in Spiritu Sancto, 1699;

Vocatio divina ut vocatio ultima, 1260.

Homo in creatione

Deus omnia pro homine creans, 358;

Harmonia originalis, 374-79, 384;

Hierarchia creaturarum, 342;

Hominis observantia creaturarum, 339;

Hominis responsabilitas pro mundo, 373;

Homo sola creatura sumendo legem a Deo digna, 1951;

Interdependentia creaturarum a Deo volita, 340;

Leges creationis ab homine observandae, 346;

Momentum hominis in creatione, 343, 355.

Homo ut creatura

Homo ad cognoscendum et amandum Deum Eique serviendum creatus, 358;

Homo de anima et corpore constitutus, 327, 355, 362-65, 383;

Homo Dei amore creatus, 1, 315, 1604;

Homo intelligentia et libera voluntate donatus, 311, 396;

Homo masculus et femina creatus, 1605, 2203, 2331, 2334;

Homo ratione donatus, 1704;

Homo bonus creatus, 374.

Iura hominis

Ius bonae existimationis, 2479, 2507;

Ius eligendi scholam, 2229 ;

Ius libertatis religionis, 2106;

Ius secundum conscientiam et libere agendi, 1782.

Peculiaria hominis eiusque modi agendi

Homo ad bonum faciendum motus, 1706-07;

Homo ad Deum cognoscendo naturam perveniens, 32, 46;

Homo anima spirituali et immortali dotatus, 1703;

Homo auxilio et salute divina egens, 1949, 2090;

Homo cum malo semper pugnans, 409;

Homo felicitatem desiderans, 1718;

Homo libertate ut signo divinae imaginis dotatus, 1705, 1730;

Homo naturaliter ad veritatem ductus, 2467;

Homo naturaliter ad virtutes vergens, 1803-04;

Homo ratione et voluntate dotatus ad vera et bona inquirenda et diligenda, 1704;

Homo ut ens religiosum, 28, 44-45;
Homo vita sociali egens, 1879-80;
Homo vocem conscientiae auscultans, 1706, 1713;
Perfectiones hominis aliquid infinitae perfectionis Dei reverberantes, 370;
Sexualitas hominis, cf. *Sexualitas.*

Relationes inter Deum et hominem

Communio hominum cum Deo in Ecclesia, 773;
Deus in Professione fidei primum locum habens, 199;
Fides ut libera responsio hominis, 160, 307;
Fides ut totius hominis ad Deum adhaesio, 176;
Homo Deum reiciens, 29, 398, 1739;
Iesus unus intercessor apud Deum pro omnibus hominibus, 2634;
Inaequalitas inter Deum et homines mensura carens, 2007;
Oratio ut relatio inter Deum et hominem, 2564;
Submissio hominis Deo, 143, 154, 341, 2712.

Sexualitas, cf. *Matrimonium* et *Sexualitas.*

HOMOSEXUALITAS, 2357-59, cf. *Sexualitas.*

HONOR

Corpus humanum honore dignum, 364, 2300;
Honor auctoritatibus tribuendus, 1900;
Honor Deo tribuendus, 449, 2116;
Honor parentibus tribuendus, 2197-2200, 2214;
Honor sanctis imaginibus tribuendus, 2132;
Ius hominis ad honorem, 2479.

HORA IESU, 729-30, 1165, 2719, 2746.

HORAE ET LITURGIA, cf. *Liturgia Horarum.*

HOSPITALITAS, 1971.

HOSTIA

Christus ut Hostia viva, 1992;
Veneratio Hostiarum consecratarum etiam extra Missarum sollemnia, 1378.

HUMANISMUS CHRISTIANUS, 1676.

HUMANITAS, cf. *Genus humanum;*

Consequentiae ex peccato Adami pro humanitate, 400, 402-06;
Futura humanitatis sors, 1917;
Populus Dei et humanitas, 782;
Unitas et salus pro humanitate in Ecclesia, 776, 845.

HUMILIATIO Iesu, 272, 472, 520, 537, 2748.

HUMILITAS

Humilitas ad orationem necessaria, 2713;
Humilitas ut orationis fundamentum, 2559, 2631;
« Paupertas spiritus » ut humilitas, 2546.

HYMNUS

Hymni in traditione, 1156;
Hymni liturgici, 1100;
Hymnus laudis, 32, 2589.

HYPOSTASIS

Christus, una hypostasis, 466, 468;
Significatio vocis quae est hypostasis, 252.

I

ICON/ES, cf. *Imagines sanctae;*

Contemplatio iconis, 1162;
Cultus iconum, 1159, 1192, 2131;
Significatio iconis, 1161;
Utilitas iconum, 2705.

Inaequalitates oeconomicae et sociales et rationes easdem reducendi, 1947.

INCAPACITATE LABORANTES (handicap), cf. *Aegroti;*

Euthanasia et personae incapacitate laborantes, 2277;

Solidarietas, cura et observatio erga incapacitate laborantes, 2208, 2276.

INCARNATIO, 461-63;

Anima humana a Filio Dei assumpta, 472;

Concilia Incarnationem Christi affirmantia, 465-68;

Effectus Incarnationis Filii Dei, 432, 521;

Fides in Incarnationem Christi, 463, 465;

Filius Dei cognitionem humanam et divinam habens, 474;

Filius Dei humana opera agens, 470;

Haereses humanitatem Christi negantes, 465-68;

Iesus Christus vere Deus et vere Homo nec commixtio confusa, 464, 499;

Incarnatio Christi ratione historica considerata, 423;

Incarnatio et Ascensio, 661;

Mysterium Incarnationis, 359;

Natura humana in Filio Dei assumpta nec perempta, 470;

Praeparatio ad Incarnationem, 522-23;

Significatio Incarnationis, 461, 464, 479, 483;

Unitas Verbi secundum hypostasim, 466, 468, 483;

Verbum in corpore Christi visibiliter apparens, 477;

Voluntas humana Christi voluntatem divinam sequens, 475;

Vultus humanus Christi « depingendus », 476.

Rationes Incarnationis

Cognitio amoris Dei, 458;

Homo divinae naturae consors faciendus, 460;

Inauguratio novae creationis, 504;

Peccata tollenda necnon salus obtinenda, 456-57;

Sanctitatis exemplar pro hominibus, 459.

INCENSUM, 1154.

INCESTUM

Gravitas incesti, 2356;

Significatio et consequentiae ex incesto, 2388.

INCORPORATIO

Incorporatio ad Christum, 1010;

Incorporatio ad Ecclesiam, 837, 1396.

INCREDULITAS

Definitio et significatio incredulitatis, 2089;

Incredulitas ut peccatum, 678, 1851.

INCREMENTUM, cf. *Augmentum, Progressus* et *Progressio;*

Incrementum et bonum commune, 1908;

Incrementum morale, 1784;

Incrementum populorum, 2315.

INCULTURATIO

Ecclesia et inculturatio, 854;

Elementa culturalia uniuscuiusque populi propria in initiatione christiana accommodare, 1232;

Spiritualitates ut fidei testimonium, 2684.

INDAGATIO DEI, 28, 30, 285, 843, 1501, 2566.

INDIFFERENTIA religiosa, 1634, 2094, 2128.

INDISSOLUBILITAS Matrimonii, 1610-11, 1615, 1643-45, 1647, 2364.

INDIVIDUALISMUS, 2425, 2792.

INDOLES HOMINIS, 1264, 1810.

INDULGENTIAE, 1471-79;
Definitio et significatio indulgentiarum, 1471;
Effectus indulgentiarum, 1498;
Indulgentiae pro defunctis, 1032, 1479;
Indulgentiam Dei per Ecclesiam obtinere, 1478-79.

INDURATIO CORDIS, 591, 674, 1859.

INFALLIBILITAS

Charisma infallibilitatis extendendum, 2035;
Infallibilitas Ecclesiae, 889-91;
Infallibilitas Magisterii Pastorum, 2051;
Infallibilitas Summi Pontificis, 891.

INFANTES

Adoptio infantium, 2379;
Aetas ad Confirmationem recipiendam, 1307;
Communio eucharistica infantium, 1244;
Educatio conscientiae, 1784;
Iesus et parvuli, 699, 1244, 1261;
Ius vitae, 2322, cf. *Abortus;*
Prostitutio etiam pueros afficiens, 2355;
Puerum fieri, 526, 2517, 2785, 2837.

INFANTIA

Cura et observantia parentum infantia filiorum perdurante, 2228;
Infantia Iesu, 527-30.

INFERI

Christi descensus ad inferos, 624, 631, 632-35;
Hominis descensus ad inferos, 1035;
Portae ad inferos et Ecclesia, 552, 834.

INFERNUS

Aeterna separatio a Deo ut praecipua poena inferni, 1035;

Definitio inferni, 1033-34;
Doctrina Ecclesiae relate ad infernum, 1036;
Infernus ut consequentia recusationis sempiternae Dei, 1034;
Infernus ut libera et voluntaria aversio a Deo,1037;
Peccatum mortale ut causa mortis aeternae, 1861.

INFIDELITAS

Infidelitas coniugalis, 2380-81;
Infidelitas relate ad Deum et eius consequentiae, 710, 821;
Offensae contra veritatem ut infidelitates Deo, 2464;
Peccatum ut infidelitas Deo, 401;
Purificatio ab infidelitatibus populi Dei, 64, 218.

INFIRMITAS

Infirmitas humana et manifestatio potentiae divinae, 268, 1508;
Infirmitas humana et sacramenta initiationis christianae, 978, 1264, 1426;
Infirmitas humana etiam in ministris ordinatis, 1550;
Infirmitates humanae et Iesus, 517, 540, 1505, 2602;
Intercessio sanctorum ut adiutorium pro infirmitate humana, 956, 1053;
Mysterium apparentis impotentiae Dei, 272;
Spiritus Sanctus ut adiutorium pro infirmitate humana, 741, 2630.

INFORMATIO

Informatio et vita privata, 2489, 2491-92;
Ius ad informationem, 2494;
Libertas informationis, 2498;
Media informationis, 2493;
Veritas informationis observanda, 2497-98, 2525.

INGRATITUDO erga Deum, 2094.

INIMICUS

Diligere inimicos et illis veniam dare, 1825, 1933, 1968, 2262, 2303, 2647, 2844;
Homo proximi sui inimicus, 2259;
Mors corporalis ut « novissima inimica » hominis, 1008;
Odium inimici, 1933.

INIQUITAS

Mysterium iniquitatis, 385.

INITIATIO CHRISTIANA, 1229-33;

Adimpletio initiationis christianae, 1289, 1306, 1322;
Elementa essentialia initiationis christianae, 1229;
Initiatio christiana adultorum, 1233, 1247;
Initiatio christiana infantium, 1231;
Modi initiationis christianae perficiendae, 1230, 1233, 1244;
Ritus latini et orientales initiationis christianae, 1233;
Sacramenta initiationis christianae, 1212-1419 , 1420, 1533;
Unitas initiationis christianae, 1285, 1292, 1318, 1321.

INIUSTITIA, cf. *Ius, Iustitia;*

Causae iniustitiae, 1869, 2534;
Consequentiae ex iniustitia, 2317;
Iniustitia socialis, 1867;
Iustitia divina et iniustitiae humanae, 1040;
Reparatio iniustitiae, 2412.

INOPIA et auxilium inopibus praebendum, 1351, 2218, 2315, 2833, cf. *Necessitas.*

INSEMINATIO ARTIFICIALIS

Inseminatio artificialis ut moraliter inacceptabilis, 2376-77.

INSPIRATIO

Inspiratio Dei, 105, 136, 2008;

Inspiratio in sacra Scriptura, 76, 81, 105-08, 135;
Inspiratio Spiritus Sancti, 105, 107, 111.

INSTINCTUS EVANGELICUS, 1676, 1679.

INSTITUTA SAECULARIA, 928-29, cf. *Vita consecrata.*

INSTITUTIONES

Institutiones humanae et sociales, 909, 1869, 1881-82, 1888, 1897, 1916, 2211, 2238, 2244, 2286;
Institutiones in Vetere Testamento, 576, 709.

INTEGRITAS personae, 2273-75, 2295, 2297-98, 2338-45, 2356, 2389.

INTELLECTUS

Intellectus ut Spiritus Sancti donum, 1303, 1831.

INTELLIGENTIA

Expressiones intelligentiae humanae, 2501;
Intelligentia et fides, 89, 143, 154, 156-59, 299;
Intelligentia et lex naturalis, 1955;
Intelligentia et virtutes humanae, 1804;
Intelligentia humana ut donum Dei, 283;
Intelligentia spiritualis, 1095, 1101.

INTENTIO

Definitio intentionis, 1752;
Finis media non iustificans, 1753, 1759, 2399;
Intentio cordis et desideria, 582, 2534;
Intentio ut elementum essentiale in morali qualificatione actionis, 1750-51;
Intentiones damnabiles, 2117, 2282;
Mala intentio actum in se bonum malum reddens, 1753;
Mendacium et intentio decipiendi, 2152;
Moralitas actionum independenter ab intentione iudicanda, 1756;

Israel et fides in Deum, 212, 587-591, 594;
Israel et observantia sabbati, 348, 2170-71;
Israel, Dei filius, 238, 441;
Israel, Dei populus, 62-64, 762;
Israel, populus « fratrum maiorum », 63;
Israel, populus electionis, 60, 762;
Israel, populus sacerdotalis, 63;
Iudaei collective mortis Iesu non obnoxii, 597-99;
Iudaei et observantia Legis, 578-79;
Iudaeorum oratio salutis, 2591-97;
Lex Dei et populus Iudaeorum, 708-10, 1965;
Liturgia Hebraica et liturgia Christiana, 1096;
Pascha in Israel, 1363;
Peccatum in historia Israel, 401;
Populus Israel a Deo electus, 781, 1539;
Relatio Ecclesiae cum populo Iudaico, 839;
Relatio inter Iudaeos et Iesum, 581;
Revelatio Nominis Dei Iudaeis, 203-04, 209, 214;
Ritus expiationis peccatorum in Israel, 433;
Spes Israel, 64, 436, 453.

IUDICIUM

Anticipatio iudicii in Poenitentia, 1470;
Dies iudicii, 681;
Iudicium Christi, 679;
Iudicium conscientiae, 1777-82, 1783, 1786-87, 1806, 1848, 2039;
Iudicium Ecclesiae, 119, 553, 2032, 2246, 2420, 2423;
Iudicium falsum, 1790-94, 2409, 2477;
Iudicium finale, eschatologicum, 677-78, 1023, 1038-41;
Iudicium particulare, 1021-22;
Iudicium temerarium, 2477-78;
Limites iudicii critici, 1861, 2497.

IUNCTIONES ante Matrimonium, 2391.

IUS/RA

Actio resistendi potestati iura violanti, 2243;
Actiones contrariae iuribus fundamentalibus, 2242, 2414, 2424;
Actiones contrariae iuribus gentium, 2313, 2328;
Aequalitas inter homines et eorum iura, 1935, 1944-45;
Agnitio iurium, 2270, 2273;
« Civitas iuris », 1904, 2273;
Divortium civile et iura legitima praestanda, 2383;
Ecclesia et eius iurium fundamentalium defensio, 2420, 2458;
Informatio per mediam et observantia iurium, 2492, 2494, 2498;
Iura politica, 2237;
Ius a mediis medicinalibus cessandi, 2278;
Ius ad inceptum oeconomicum, 2429;
Ius baptizatorum, 1269;
Ius conscientia et libertate agendi, 1782, 1907;
Ius defensionis legitimae, 1909, 2265-66, 2308, 2310, 2321;
Ius educandi filios, 2221;
Ius eligendi professionem vitaeque statum, 2230;
Ius eligendi scholam pro filiis, 2229;
Ius emigrandi, 2241;
Ius evangelizandi homines, 848, 900;
Ius exprobationis erga auctoritates, 2238;
Ius fruendi bonis terrae, 360;
Ius hominis ut praeceptis divinis instruatur, 2037;
Ius iustitiae socialis, 1943;
Ius filiorum, 2378;
Ius libertatis religiosae, 2104-09;
Ius libertatis, 1738, 1747;
Ius observantiae, 2479;
Ius privatae proprietatis, 2211, 2401, 2403, 2406, 2452;

Ius productionem et commercium armorum ordinandi, 2316;

Ius veritatis cognoscendae et revelandae, 2488-89, 2494, 2508, 2512;

Ius vitae, 2264, 2270, 2273, 2322;

Ius voti, 2240;

Lex naturalis ut basis iurium fundamentalium, 1956, 1978, 2070, 2273;

Ministrorum Ecclesiae ius sustentationis, 2122;

Observantia iurium humanorum, 1807, 1882, 1889, 2237, 2306, 2407;

Politicorum regimina iuribus humanis contraria, 1901;

Publicae potestates et iura personae, 1907, 2254, 2273;

Scientia et technica ars in servitium iurium fundamentalium, 2294, 2375;

Vita oeconomica et defensio iuris, 2430-31.

IUSIURANDUM

Iusiurandum falsum, 2150-51;

Iusiurandum iuxta traditionem Ecclesiae, 2154;

Periurium, 2152, 2476;

Recusatio iusiurandi pro rebus futilibus, 2155;

Verba Iesu: « Non iurate omnino », 2153.

IUSTIFICATIO

Conversio iustificationem praecedens, 1909,

Definitio et significatio iustificationis, 1987, 1989, 1991-92;

Effectus iustificationis, 1266, 1990;

Iustificatio ut Dei amoris excellentissimum opus, 1994;

Ratio iustificandi homines, 402, 617, 654, 1987, 1992;

Venia et iustitia ex alto ut aspectus iustificationis, 2018;

Viae ad iustificationem recipiendam, 1446, 1996, 2001.

IUSTITIA

Actiones iustitiae contrariae, 1916, 2297, 2325, 2356, 2413, 2476, 2485;

« Beati qui esuriunt et sitiunt iustitiam », 1716;

Definitio iustitiae, 1807;

Effectus iustitiae, 2304;

Exigentiae iustitiae, 1459, 2494-95;

Inquisitio iustitiae, 1888, 2820;

Iustitia Dei, 271, 1040, 1861, 1953, 1987, 1991-92, 2017, 2543;

Iustitia distributiva, 2236, 2411;

Iustitia inter nationes, 2437-42;

Iustitia socialis, 1928-42, 2425-26, 2832;

Laicorum munus omnia ad iustitiae normas conformandi, 909;

Officia iustitiae, 1459, 1787, 2401, 2446-47, 2487;

Persecutio iustitiae causa, 1716;

Politicae potestates et iustitia, 2237;

Sanctitas et iustitia originalis, 375-76, 379, 400, 404;

Secundum iustitiam agere, 1697, 1754, 1778, 1787;

Virtus iustitiae, 1805, 1807, 2479, 2484.

IUSTUS/I

Aeterna vita iustorum post mortem, 769, 989, 1038;

Iesus et iusti, 545, 588, 633;

Iusti sacrae Scripturae (Abel, Noe, Danel, Job), 58;

Qualitas orationis iusti, 2569, 2582;

Regnum iustorum cum Christo, 1042.

IUVENES

Educatio et efformatio iuvenum, 5, 1632, 2688, 2526, 2685;

Pericula iuvenibus, 2282, 2353, 2389.

K

KERYGMA, cf. *Nuntius.*

KOINONIA, 948.

Kyrie eleison, 2613.

Kyrios, 209, 446.

L

Labor

Ab opere cessatio ut moraliter legitima, 2435;
Dimicationes in labore, 2430;
Iesu labor manuum, 531, 533, 564;
Ius accedendi ad laborem, 2211, 2433, 2436;
Iustum salarium, 2434;
Labor pastoralis seu apostolicus, 893, 924;
Remuneratio laboris ut solidarietas, 1940;
Requies a labore, 1193, 2172, 2184-88;
Responsabilitas Status in oeconomica actione, 2431;
Significatio laboris humani, 378, 901, 1609, 1914, 2427;
Valor laboris humani, 1368, 2428.

Laicus

Apostolatus laicorum, 864, 900, 2442;
Laici et liturgia Horarum, 1174-75;
Laicorum praesidentia benedictionum, 1669;
Participatio laicorum in munere prophetico Christi, 785, 904-07, 942;
Participatio laicorum in munere regali Christi, 908-13, 943;
Participatio laicorum in munere sacerdotali Christi, 901-03, 941;
Significatio verbi quod est laicus, 897;
Vocatio laicorum, 898-900, 2442.

Lapsus, cf. *Peccatum originale;*

Causa et origo lapsus angelorum, 391-93, 760;
Causa lapsus hominis, 215, 385;
Deus hominem post lapsum non derelinquens, 55, 70, 410;

Enarratio in Genesi de lapsu hominis, 289, 390.

Laus/des, cf. *Liturgia;*

Benedictiones laudis, 1081, 1671;
Eucharistia ut laus et gratiae Patri, 1358-61;
Laus Deo, 1138, 2171, 2513;
Oratio laudis, 2098, 2639-43;
Psalmi ut laus, 2585, 2589;
Pulchritudo creationis ut hymnus laudis, 32;
Res temporales et laus Creatoris, 898, 1670;
Significatio laudis, 2639;
Vita laudibus Dei consecrata, 920, 2687.

Lectio divina

Liturgia et lectio divina, 1177;
Meditatio et lectio divina, 2708.

Lectio sacrae Scripturae

Lectio sacrae Scripturae in catechesi, 129;
Lectio sacrae Scripturae in familia, 2205;
Lectio sacrae Scripturae in liturgia, 1093, 1177;
Lectio sacrae Scripturae in sacramentis, 1154, 1480, 1482;
Necessitas lectionis sacrae Scripturae, 133, 2653;
Sensus litteralis, spiritualis, allegoricus, moralis, anagogicus lectionis sacrae Scripturae, 115-19.

Lectionarium, 1154.

Lex

Definitio legis, 1952;
Diversae expressiones legis (aeterna, naturalis, revelata etc.), 1952;
Lex humana a lege aeterna derivata, 1904;
Lex mercatus, 2425;

Educatio ad libertatem, 2207, 2223, 2228, 2526;

Educatio conscientiae libertatem praestans, 1748;

Libertas familiae, 2211;

Libertas hominis, 33, 387, 1700, 1730-48;

Libertas humana agendi, 1738, 1782, 2008;

Libertas informationis et communicationis, 2304, 2498;

Libertas Matrimonium ineundi, 1625;

Libertas politica, 2245;

Libertas religiosa, 1907, 2107-09, 2211;

Pericula libertati minantia, 1740, 1883;

Potestas terrestris et libertas personalis, 450;

Praxis vitae moralis libertatem praebens, 1828;

Significatio libertatis humanae, 1705;

Veritas ut donum libertatis, 1741.

Libertas et responsabilitas, 1731-38;

Consequentiae ex usu libertatis, 1733-34;

Ius ad exercitium libertatis, 1738, 1907, 2254;

Libertas et possibilitas inter bonum et malum eligendi, 1732;

Violatio libertatis personalis, 2356, 2492;

Voluntas et libertas, 1734-35.

Libertas in Oeconomia salutis

Dei observantia libertatis humanae, 311, 1884;

Deus libere « ex nihilo » creans, 296;

Gratia libertatem humanam non aemulans, 1742, 1993, 2008;

Libertas a Christo nobis donata, 908, 1741;

Libertas et peccatum originale, 397, 407, 415, 1707, 1714, 1739;

Libertas et peccatum, 387, 601, 654, 1739, 1741, 1853, 1859;

Libertas fidei, 154, 160, 180;

Libertas Iesu in oboediendo Patri, 609-10, 1009, 2749;

Libertas Virginis Mariae, 488, 511;

Limites libertatis, 396, 450.

LIMBUS, 1261, cf. *Baptismus, Exsequiae.*

LINGUA

Lingua creationis, 2500;

Lingua fidei, 170-71, 185;

Lingua humana relate ad Deum, 40-43;

Lingua orationis, 2663;

Lingua signorum et symbolorum in vita humana, 1146;

Sermo duplex, 2338, 2480;

Verba Dei lingua humana expressa, 101.

LITANIAE, 1154, 1177.

LITURGIA

Angeli in liturgia, 335;

Ecclesia ut locus proprius orationis liturgicae, 2691, 2695;

Fines liturgiae, 1068;

Liturgia caelestis, 1090, 1137-39, 1326;

Liturgia Hebraica et Christiana, 1096;

Liturgia Paschalis, 1217;

Liturgia terrestris, 1088-89;

Liturgia verbi, 1103, 1154, 1346, 1349, 2183;

Liturgiae orientales et earum propria, 948, 1182, 1240, 1623;

Maria in liturgia, 721;

Participatio liturgiae Ecclesiae, 1273, 1389;

Religiositas popularis et liturgia, 1674-75;

Significatio verbi quod est liturgia, 1069-70.

Celebratio liturgica

Celebratio liturgica Baptismi, 1234-45, 1278;

Celebratio liturgica Confirmationis, 1297-1301, 1321;

Lux

Baptismus ut lux, 1216;
Christus ut lux, 280, 529, 748, 1202, 2715, 2466, 2665;
Decalogus ut lux, 1962;
Deus ut lux, 157, 214, 234, 242, 257;
« Filii lucis », 736, 1216, 1695;
Lux et tenebrae, 285, 1707;
Lux fidei, 26, 89, 286, 298, 2730;
Lux mundi, 1243, 2105, 2466;
Lux rationis, 37, 47, 156-57, 1955;
Lux ut symbolum, 697, 1027, 1147, 1189;
Verbum Dei ut lux, 141, 1785.

Luxuria

Luxuria ut vitium capitale, 1866;
Significatio luxuriae, 2351.

M

Magia, 2115-17.

Magister/ri

Episcopi ut magistri fidei, 1558, 2050.

Magisterium Ecclesiae et Pastorum, 85-87, 888-92;

Auctoritas et continua successio Magisterii, 77, 88;
Conexio inter sacram Traditionem, sacram Scripturam et Magisterium, 95;
Infallibilitas Magisterii, 2035;
Magisterium ordinarium et universale Summi Pontificis et Episcoporum, 2034;
Magisterium Pastorum Ecclesiae, 2033;
Missio et munus Magisterii, 890;
Vita moralis et Magisterium, 2032, 2036.

Malignus

Exorcismi ut protectio contra influxum Maligni, 1673;
Maligni dominatio hominis, 409, 1707.

Malum, cf. *Bonum;*

Adiumenta ad malum vitandum, 1806, 1889, 1950, 1962, 2527;
Aversio a malo, 1427, 1431, 1706, 1776;
Christus hominem a malo liberans, 549, 1505;
Electio inter bonum et malum, 1732-33;
Fides christiana ut responsum malo, 309, 385;
Ignorantia et imputabilitas mali facti, 1791, 1793, 1860;
Immoralitas faciendi malum boni obtinendi causa, 1789;
Inductio ad malum, 1869, 2284;
Invasio mali post primum peccatum, 401, 1707;
Iudicium finale pro illis qui malum commiserunt, 1039;
Malum et moralitas actionum humanarum, 1749-56;
Malum in doctrinis dualismi et manicheismi, 285;
Malum in modo religiose procedendi hominum, 844;
Malum morale, 311-12;
Malum physicum, 310;
Malum proximi non desiderare, 2303, 2539;
Oratio de liberatione ex malo, 2846, 2850-54, cf. « *Pater noster* »;
Peccatum originale ut origo mali, 403, 407, 1607, 1707;
Peccatum ut malum gravissimum, 1488;
Potestas Dei adducendi bonum ex consequentiis mali, 312-13, 412;
Providentia et scandalum mali, 309-14;
Quaestio de origine mali, 385;
Ratio et discretio boni et mali, 1954;
Regnum Dei adhuc a malo oppugnatum, 671;
Repetitio mali et eius consequentiae, 1865;
Resurrectio iudicii, 998;
Universalitas mali in historia hominis, 401;

Victoria Dei supra malum, 272, 410, 677.

MANIFESTATIO

Manifestatio Adventus Regni Dei, 570;
Manifestatio Dei et Eius bonitatis, potentiae et pulchritudinis, 294, 707, 2519;
Manifestatio Iesu Christi, 486, 528, 535, 639, 660, 1224;
Manifestatio Spiritus Sancti, 697, 951.

MANNA, 1094, 1334.

MANSUETUDO/MITES, 716, 736, 1716, 1832.

MARANA THA, 451.

MARIA

Maria, Mater Christi de Spiritu Sancto, 437, 456, 484-86, 723-26.

Cultus Mariae

Cultus Mariae in anno liturgico, 1172, 1370;
Festivitates liturgicae Mariae, 2043, 2177;
Fides circa Mariam super fidem circa Christum fundata, 487;
Observantia nominis Mariae, 2146;
Oratio ad Mariam, 2675-79;
Veneratio nec adoratio, 971.

Denominationes Mariae

Advocata, Auxiliatrix, Adiutrix, Mediatrix, 969;
Ancilla Domini, 510;
Assumpta, 966;
Gratia plena, 722, 2676;
Icon eschatologica Ecclesiae, 967, 972;
Immaculata, 491-92;
Mater Christi, 411;
Mater Dei, 466, 495, 509;
Mater Ecclesiae, 963-70;
Mater viventium, 494, 511;
Nova Eva, 411;

« Odigitria » seu viam ostendens, 2674;
« Panagia » seu Tota Sancta, 493;
Sedes Sapientiae, 721;
Semper Virgo, 499-501.

Ecclesia et Maria

Ecclesia in Maria ad perfectionem pertingens, 829;
Locus Mariae in mysterio Ecclesiae, 773, 963-72;
Maria, exemplaris effectio et typus Ecclesiae, 967;
Maternitas spiritualis Mariae, 501.

Maria in Oeconomia Salutis

Annuntiatio, 484, 490;
Assensus Mariae, 148, 490, 494;
Assumptio Mariae, 966;
Conceptio de Spiritu Sancto, 437, 456, 484-86, 495, 723;
Conceptio Immaculata, 490-93;
Maria a peccato immunis, 411;
Maria mediatrix gratiae, 969;
Opera Spiritus Sancti, 721-26;
Praedestinatio Mariae, 488-89, 508;
Virginitas Mariae, 496-98, 502-07;
Visitatio Mariae ad Elisabeth ut visitatio Dei ad Eius populum, 717.

Maria ut exemplar

Maria ut exemplar et testimonium fidei, 165, 273;
Maria ut exemplar oboedientiae fidei, 144, 148-49, 494;
Maria ut exemplar orationis in « Fiat » et « Magnificat », 2617, 2619;
Maria ut exemplar sanctitatis, 2030;
Maria ut exemplar spei, 64;
Maria ut exemplar unionis cum Filio, 964.

MARITUS, cf. *Matrimonium.*

MARTYRES

Acta martyrum, 2474;
Cultus martyrum, 957, 1173;
Modus agendi martyrum, 2113;

Effectus praecipui Matrimonii, 1638-40, 2365;

Forma ecclesiastica Matrimonii celebrandi, 1630-31;

Gratia sacramenti Matrimonii, 1641-42;

Matrimonia mixta et disparitas cultus, 1633-37;

Matrimonium ad sacramenti dignitatem evectum, 1601;

Matrimonium ut consecratio, 1535;

Praeparatio ad Matrimonium, 1632.

Offensae contra Matrimonii dignitatem, 2380-91;

Adulterium, 2380-81;

Divortium, 2382-86;

Incestum, 2388;

Libera iunctio et concubinatus, 2390;

Polygamia, 1645, 2387;

Relationes sexuales ante Matrimonium contractum, 2391.

MATURITAS christiana fidei, 1248, 1308.

MEDIA PRO MASSA

Leges contra pravum usum mediorum pro massa, 2498;

Pravus usus mediorum pro massa, 2523;

Rectus usus mediorum pro massa, 2496.

MEDIATOR, cf. *Christus;*

Maria mediatrix, 969.

MEDICUS

Actiones immorales medicorum, 2377, 2537;

Cura corporis humani et valetudinis, 2288-89;

Iesus Christus ut medicus animarum et corporum, 1421, 1484, 1503-1505;

Secreta in munere medici, 2491.

MEDITATIO, 2705-08;

Fines meditationis, 2723;

Fructus meditationis, 2706, 2708;

Meditatio et augmentum in intelligentia fidei, 94-95;

Meditatio ut una trium maiorum expressionum orationis, 2699;

Methodi meditationis, 2707;

Significatio meditationis, 2705;

Tempora ad meditationem apta, 2186.

MEMBRA CORPORIS CHRISTI

Christiani ut membra corporis Christi, 521, 738-39, 793, 795-96, 1988;

Diversitas inter membra corporis Christi, 791, 873;

Divisiones inter membra corporis Christi, 821;

Membra corporis Christi fieri, 1213, 1267;

Spiritus Sanctus ut principium vitale membris corporis Christi, 798;

Unitas et communio membrorum corporis Christi, 790-91, 797, 947, 953, 1368, 1396, 1469.

MEMORIA

Memoria angelorum, 335;

Memoria creationis, 2169;

Memoria defunctorum, 958, 1032;

Memoria Iesu Christi et Eius sacrificii, 1333, 1341-44, 1394;

Memoria mirabilium Dei, 1103;

Memoria passionis et resurrectionis Christi, 1163, 1167, 1354;

Memoria sanctorum, 957, 1173, 1195;

Spiritus Sanctus ut viva memoria Ecclesiae, 1099.

MEMORIALE

Eucharistia ut memoriale mortis et resurrectionis Iesu, 611, 1167, 1330, 1358, 1362-72, 1382;

Iesus memoriale Suae liberae oblationis instituens, 610, 1323, 1337;

Liturgia ut memoriale mysterii salutis, 1099;

Memoriale eventuum salutarium Veteris Foederis, 1093, 2170.

Miracula discipulorum Christi, 434;
Significatio miraculorum Christi, 156, 547, 1335.

Misericordia

Acceptatio misericordiae Dei, 1847, 2840;
Christus misericordiam volens, 2100;
Ecclesia misericordiam Dei homini tribuens, 2040;
Ecclesia misericordiam Dei implorans, 1037;
Iesus misericordiam Patris manifestans, 545, 589, 1439, 1846;
Iustificatio ut summum signum misericordiae Dei, 1994;
Maria, « Mater misericordiae », 2677;
Misericordia Dei, 210-11, 270;
Misericordia ut fructus caritatis, 1829;
Opera misericordiae peragenda, 1473;
Peccatores misericordiam Dei respuentes, 1864, 2091;
Significatio et genera operum misericordiae, 2447.

Missa, cf. *Eucharistia*.

Missio/nes

Coniuncta Filii et Spiritus Sancti missio, 689-90, 702, 727, 737, 743, 2655;
Missio Christi, 430, 436, 438, 440, 534, 536, 606, 608;
Missio coniugum, 2367;
Missio consecratorum, 931-33,
Missio diaconorum, 1570;
Missio Ecclesiae, 6, 730, 738, 768, 782, 811, 831, 849-56, 873;
Missio Episcoporum, 2068;
Missio laicorum, 897-913;
Missio Magisterii, 890;
Missio parentum, 2226;
Missio Petri, 552;
Missio Spiritus Sancti, 244, 485, 716, 1108;
Missio Virginis Mariae, 489, 969;

Missiones Apostolorum, 2, 551, 858-60, 1122, 1223;
Missio in omnes gentes, 1122, 1533, 1565, 2044, 2419.

Missionalis seu missionarius

Fontes impetus missionarii, 828, 851;
Mandatum missionale, 849-50;
Nisus missionalis, 854.

Moralis, cf. *Lex moralis*.

Moralitas

Amor erga se ipsum ut principium fundamentale moralitatis, 2264;
Circumstantiae, intentio et moralitas actionum, 1756;
Conscientia moralis et dignitas personae, 1780, 1794;
Ecclesia et moralitas, 2420;
Fontes moralitatis, 1750-54;
Iudicium de moralitate actuum humanorum, 1756, 1768;
Moralitas observanda et protegenda, 2210, 2294, 2498;
Moralitas passionum, 1762-70.

Moribundi, 2279, 2299.

Mors

« Ad vesperum te de amore examinabunt », 1022;
Christiani in periculo mortis, 1307, 1314, 1463, 1483, 1512;
Condicio transeundi a morte ad vitam, 1470;
« Cum signo fidei » mori, 1274;
In Christo Iesu mori, 1005-14;
In peccato mortali mori, 1033;
Mors a Christo transformata, 1009;
Mors aeterna in inferno, 1861;
Mors christiana, 1010-14, 2299;
Mors et resurrectio, 992, 996;
Mors ut causa meditationis, 1687;
Mors ut consequentia peccati, 1008;
Mors ut terminus vitae, 1007;

Mortem aliorum provocare, 2261, 2269, 2277, 2296;
Observantia corporum defunctorum, 2300;
Poena mortis, 2267;
Praeparatio ad mortem, 1014;
Propter fidem mortem patientes, 1258;
Visio christiana mortis in liturgia expressa, 1012.

Interpretationes christianae mortis

Adimpletio novae nativitatis, 1682;
Consequentia peccati, 400-03, 1008;
Ingressus in vitam aeternam, 1020;
Participatio in morte Domini, 1006;
Sensus positivus mortis, 1010-14;
Signum infirmitatis humanae, 2448;
Terminus vitae terrestris, 1007.

Mors Iesu, cf. *Christus: Mors;*

Christi descensus ad inferos, 632-35;
Effectus mortis Iesu, 1019;
Iesus mortem acceptans, 609, 612;
Propria mortis Iesu, 627;
Responsabilitas de morte Iesu, 597;
Significatio mortis Iesu, 571, 599, 601, 605, 613-14, 624.

Post mortem

Anima et corpus, 1005;
Carnis resurrectio, 990, 996-97;
Destinatio animae, 366;
Destinatio iustorum, 989, 1027-29;
Finalis purificatio seu purgatorium, 1030-32, 1472;
In caelo vivere est « cum Christo esse », 1023-26;
Infernus, 1033-37, cf. *Infernus;*
Iudicium particulare, 1021-22;
Nulla poenitentia post mortem, 393;
« Reincarnatio » post mortem non habetur, 1013;
Ultimum iudicium, 1038-41;
Vocatio ad vitam Trinitatis participandam, 265.

MORTIFICATIO, 2015.

MULIER

Adulterium mulieris, 2384;
Complementarietas, coniunctio et cooperatio viri et mulieris, 378, 1605, 1614, 1616, 2333;
Creatio mulieris ad imaginem Dei, 355, 369-70, 2335;
Defensio mulieris, 1610;
Dignitas mulieris, 1645, 2334, 2393;
Exigentiae amoris viri et mulieris, 2363;
Harmonia inter virum et mulierem in paradiso terrestri, 376, 384;
Mulier consecrata, 918, 924;
Mulier ut imago Ecclesiae, 1368, 2853;
Polygamia et mulier, 2387;
Relationes inter virum et mulierem, 400, 1606-07;
Sententia Ecclesiae catholicae de mulieribus ordinandis, 1577-78;
Sexualitas ad coniugalem amorem viri et mulieris ordinata, 2337, 2353, 2360-61, 2522;
Unio viri et mulieris haud legitima, 2353, 2390-91;
Videre mulierem ad concupiscendum eam, 2336;
Vir et mulier, 369, 371-72, 383, 400;
Vocatio viri et mulieris, 373, 1603, 2207, 2331.

MULTI, 605, cf. *Redemptio.*

MUNDUS

Adiumenta ad bonum et ad salutem mundi, 799, 909, 928, 1941, 2044, 2438;
Christus mundi Salvator, 457-58, 608, 728, 1355;
Destinatio mundi, 314, 769, 1001, 1046, 1680;
Ecclesia in mundum universum « missa », 782, 863, 2105;
Finis mundi, 681, 1001, 1243;
Moderatio affectionis ad bona huius mundi, 2545, 2548;

Mundus et creatio, 216, 295, 325, 327, 337-49, 760, cf. *Creatio/creatum* et *Deus: Creator universi et hominis;*

Mundus et peccatum, 310, 402, 408, 2844, 2852-54;

Mundus novus et renovatus, 655, 670, 916, 1042-50;

Mundus reconciliatus et recapitulatus, 620, 2748;

Mundus « vias » ad cognitionem Dei detegens, 31-34;

Origo mundi, 284-85;

Providentia in mundo operans, 303, 395;

Relatio inter Deum et mundum, 212, 300;

Relatio inter hominem et mundum, 373, 377;

Tertius mundus, 2440.

Musica liturgica, 1156-58.

Musulmani, 841.

Myron, cf. *Chrisma.*

Mystagogia, 1075.

Mysterium

Mysterium Christi, 280, 512-60, 639, 654, 1067;

Mysterium creationis, 287, 295-301;

Mysterium Dei, 42, 206, 234, 1028, 2779;

Mysterium Ecclesiae, 770-76;

Mysterium exsistentiae mali, 309, 385, 395;

Mysterium fidei, 2558;

Mysterium hominis, 359;

Mysterium salutis hominis, 122;

Mysterium unitatis Ecclesiae, 813-16.

Mysticus, cf. *Ecclesia: corpus mysticum Christi;*

Vita mystica, 2014.

Mythologia/mythus, 285, 498.

N

Natio

Bonum commune et organizatio nationum, 1911;

Bonum commune nationis ut finis, 2237, 2310;

Exterminium nationis damnandum, 2313;

Iustitia et solidarietas inter nationes, 1941, 2241, 2437-42;

Oeconomia divina erga nationes, 56-57;

Res paci inter nationes minantes, 2316-17;

Salus divina omnes nationes complectens, 64, 543.

Nativitas nova

Aqua baptismalis ut signum novae nativitatis, 694;

Baptismus gratiam nativitatis praebens, 683, 720, 1215, 1262;

Ecclesia ut mater nostrae nativitatis, 169;

Effectus nativitatis novae, 526, 1279;

Iesus novam nativitatem inaugurans, 505;

Mors ut novae nativitatis adimpletio, 1682;

Nativitatis mysterium, 525-26;

Necessitas novae nativitatis, 1250;

Oratio Domini novam ad vitam divinam nativitatem significans, 2769;

Per novam nativitatem populum Dei fieri, 782;

Virgo Maria in nova nativitate christifidelium cooperans, 963.

Natura

Natura creata

In harmonia cum natura esse, 1676;

Leges naturae, 341;

Natura in consilio Dei, 310;

Origo naturae, 338.

Natura divina

Deus natura unus, 200, 202, 253;
Homo naturae divinae particeps, 460, 1212, 1265, 1692, 1721, 1812, 1988, 1996;
Natura divina Iesu, 449, 465, 503;
Tres Personae unius naturae, 245;
Unitas naturae divinae, 252, 650.

Natura humana

Christus naturam humanam assumens, 461;
Constitutio naturae humanae, 365;
Destinatio naturae humanae, 412;
Exigentiae naturae humanae, 1879, 1891;
Iura et officia ad naturam humanam pertinentia, 2104, 2106, 2273, 2467;
Lex naturalis et natura humana, 1955-56;
Natura humana Iesu, 467-68, 470, 473, 503, 612;
Natura humana mortalis, 1008;
Natura humana ut fundamentum auctoritatis, 1898;
Peccatum et natura humana ad malum proclivis, 404-05, 407, 419, 978, 1250, 1426, 1707;
Societates naturae humanae correspondentes, 1882;
Una eademque natura omnium hominum, 1934;
Vocatio ad Matrimonium in ipsa natura humana inscripta, 1603;
Vulnera naturae humanae, 1849.

Necessitas, cf. *Inopia;*

Auxilium praebendum in necessitate versantibus, 1351, 1883, 2440, 2444, 2447, 2829;
Fideles materialibus Ecclesiae necessitatibus subvenientes, 2043;
Necesitas Baptismi, 1256-61;
Necessitas Ecclesiae, 846;
Necessitas fidei, 161;
Necessitas orationis, 2638, 2744.

Nisus

Castitas ut nisus personalis, 2344;
Dominium sui ut nisus continuus, 2342;
Nisus christianorum, 1319, 2046;
Nisus familiae relate ad proximum, 2208;
Nisus in Matrimonio, 2381, 2390;
Nisus in sociali commercio, 1913, 1940, 1947;
Nisus missionalis, 854;
Responsum fidei ut nisus, 1102, 1428.

Noe

Foedus Dei cum Noe, 56, 58, 71.

Nomen

Nomen christianum Baptismi, 2156-59, 2165;
Nomen Dei, cf. *Deus;*
Nomen Iesu, 432.

Norma, cf. *Regula* et *Lex moralis;*

Christus ut norma Legis novae, 459;
Deus ut norma omnis veritatis, 2151;
Normae morales a Deo constitutae, 396;
Normae morales validitatem semper conservantes, 1789, 1958;
Normae vitae familiaris, 2223;
Normis moralibus conformari, 1794;
Origo normarum agendi, 1950, 1955, 1959;
Prudentia ut recta norma agendi, 1806;
Sermo montanus ut normarum moralium compendium, 1966.

Novitas

Novitas Regni Dei, 2832;
Novitas mortis christianae, 1010;
Novitas orationis, 2599, 2614-15.

Novum Testamentum, cf. *Sacra Scriptura;*

Evangelia ut cor Novi Testamenti, 125-27;
Libri Novi Testamenti, 120;

Obiectum Novi Testamenti, 124, 684;
Origo Novi Testamenti, 83, 105;
Unitas Veteris et Novi Testamenti, 128-30.

NUBES

Significatio nubis in Transfiguratione Iesu, 555;
Significatio nubis in ultima apparitione Iesu, 659;
Significatio nubis in Vetere et Novo Testamento, 697, 1094.

NUNTIUS, cf. *Evangelizatio;*

Diffusio nuntii salutis, 900, 2044;
Familia ut locus primi fidei nuntii, 1666;
Nuntius Ecclesiae, 2126;
Nuntius Evangelii et catechesis, 6;
Nuntius Evangelii et oratio « Pater noster », 2763;
Nuntius Evangelii in imagine iconum, 1160;
Nuntius Regni et vocatio ad conversionem, 1427, 1989;
Unus nuntius salutis in universo mundo, 174.

NUPTIAE

Nuptiae Agni, 1244, 1329, 1602, 1612, 1642, 2618;
Nuptiae Canae, 1613, 2618;
Nuptiae mysticae, 923,
Nuptiale convivium in Regno, 1027, 1335.

NUPTURIENTES

Castitas, continentia et fidelitas nupturientium, 2350;
Sponsalia ut praeparatio ad Matrimonium, 1632.

NUTRIMENTUM

Eucharistia ut nutrimentum, 141, 728, 1020, 1244, 1335, 1392, 1394, 1426, 1436, 2861;
Nutrimentum materiale, 2288, 2417, 2447, 2805, 2830, 2861;
Sacra Scriptura ut nutrimentum, 104, 131-32, 141, 2861.

O

OBIECTIO CONSCIENTIAE, cf. *Recusatio oboedientiae.*

OBLATIO

Oblatio Ecclesiae, 1368, 1553;
Oblatio Eucharistiae, 1362, 1414, 2643;
Oblatio Iesu, 529, 606-07, 610-11, 614, 616, 2824;
Oblatio sui ipsius, 459, 2031, 2711;
Oblatio Virginis Mariae, 494, 2617, 2622.

OBLIGATIO, cf. *Officium;*

Exoneratio ab obligationibus ordinationi coniunctis, 1583;
Obligatio caritati divinae respondendi, 2093;
Obligatio confitendi peccata, 1457;
Obligatio consecratorum, 931;
Obligatio consilia evangelica observandi, 915;
Obligatio defendendi nationem, 2310;
Obligatio die Dominica et diebus festivis liturgiam participandi, 1389, 2180-83;
Obligatio Dominicas diesque festivos sanctificandi, 2187;
Obligatio fidei oboediendi, 2086-87;
Obligatio institutis et vitae sanationem afferendi, 1888;
Obligatio iustitiae, 2412, 2439, 2446;
Obligatio laicis faciendi apostolatum, 900;
Obligatio necessitatibus materialibus Ecclesiae subveniendi, 2043;

Obligatio quaerendi veritatem eique adhaerendi, 2467, 2497;
Obligatio unitatem et indissolubilitatem Matrimonii servandi, 2364;
Obligationes ex praeceptis provenientes, 2072;
Observantia mundi creati et obligationes erga generationes futuras, 2456.

Oboedientia

Baptizatorum oboedientia vocationi, 1269;
Oboedientia Christi, 411, 475, 532, 539, 612, 615, 908, 1009;
Oboedientia conscientiae, 1790;
Oboedientia et libertas, 1733;
Oboedientia et peccatum, 1850, 1862, 2515;
Oboedientia fidei, 143, 144-149, 1831, 2087, 2098, 2135, 2340, 2716, 2825;
Oboedientia legibus constitutis, 2240;
Oboedientia presbyterorum, 1567;
Oboedientia ut consilium evangelicum, 915, 2053;
Oboedientia ut observantia filialis, 2216-17, 2251;
Oboedientia Virginis Mariae, 148, 494, 511;
Officium oboedientiae, 1900.

Obsequium

Obsequium erga definitiones Magisterii fidei, 891;
Religiosum obsequium animi erga doctrinam ordinariam Magisterii, 892.

Observantia, cf. *Dignitas;*

Caritas ut observantia proximi, 1789, 1825;
Observantia auctoritatis politicae, 1880, 1900;
Observantia bonorum alius, 2408-14;
Observantia christianorum non catholicorum, 818;
Observantia Dei, 209, 2101, 2148;

Observantia familiae, 2206, 2214-17, 2219, 2228, 2251;
Observantia integritatis creationis, 2415-18;
Observantia legis naturalis, 2036;
Observantia libertatis humanae, 1738, 1884;
Observantia libertatis religiosae, 2188;
Observantia Nominis Dei, 2144, 2148, 2149;
Observantia peccatorum, 1466, 1467;
Observantia praeceptorum, Legis, consiliorum evangelicorum, 532, 579, 1986, 2053, 2200;
Observantia praepositorum Ecclesiae, 1269;
Observantia proprietatis privatae, 2403;
Observantia proprii corporis, 1004;
Observantia Templi, 583-84;
Observantia veritatis, 2488-92;
Observantia vitae humanae, 2259-83.

Observantia dignitatis personae, 2284-2301;

Observantia animae alius, 2284-87;
Observantia existimationis personae, 2477, 2507;
Observantia integritatis corporis, 2297-98;
Observantia mortuorum, 2299-2301;
Observantia personae et eius iurium, 1907, 1929-33, 1944;
Observantia personae et investigatio scientifica, 2292-96;
Observantia valetudinis, 2288-91.

Occidere, 2258;

Abortus, 2270-75;
Euthanasia, 2276-79;
Homicidium voluntarium, 2268-69;
Ira et desiderium occidendi, 2302;
Legitima defensio, 2263-67;
Prohibitio occidendi in sacra Scriptura, 2259-62;
Suicidium, 2280-83.

Officium defensionis legitimae, 2265-66, 2321;

Officium exercendi exprobationem circa res dignitati personae et bono communi nocentes, 2238;

Officium in informatione veritati serviendi, 2497;

Officium vitam socialem participandi, 1913, 1916;

Officium libertatem alius observandi, 1738;

Officium meliores condiciones vitae humanae efficiendi, 1926;

Officium moderandi ius ad proprietatem, 2406;

Officium nationis defendendae, 2310;

Officium operandi, 2427;

Officium ordinandi productionem et commercium armorum, 2316;

Officium permittendi civibus eorum vocationem in rem ducere, 1907;

Officium personae observandae, 1907, 2432;

Officium solidarietatis nationum, 2439.

OFFICIA RELIGIOSA

Officium Adventum Regni petendi, 2817;

Officium clementia et misericordia fruendi, 2298;

Officium conscientiam propriam audiendi, 1778;

Officium Deum colendi, 2083, 2104-05, 2136;

Officium donis Dei recte fruendi, 2820;

Officium erga parentes et superiores, 2199, 2234;

Officium Evangelium annuntiandi, 848, 888;

Officium familiam adiuvandi et defendendi, 2209-10, 2211;

Officium filios educandi et adiuvandi, 2221-31, 2252;

Officium illustratam et rectam conscientiam efformandi, 2496;

Officium in Deum credendi et veritatis testimonium reddendi, 2087, 2471-72;

Officium iniustitias et falsitates reparandi, 2487;

Officium iusiurandum falsum cavendi, 2151;

Officium liturgiam ad diversas culturas accommodandi, 1205;

Officium liturgiam participandi, 1141;

Officium opus salvificum Christi celebrandi, 1163;

Officium parentes honorandi, 2214-20;

Officium praecepta Ecclesiae observandi, 578, 2037;

Officium proximum adiuvandi, 1932-33, 2198, 2444, 2446;

Officium scandala evitandi, 2489;

Officium sententiam propriam de bono Ecclesiae manifestandi, 907;

Officium tamquam filii Dei agendi, 2784;

Officium testimonium veritatis reddendi, 2467, 2472.

OLEUM, cf. *Chrisma, Sacramentum/a* et *Unctio;*

Consecratio olei, 1297;

Significatio et usus unctionis olei, 695, 1183, 1237, 1241, 1289, 1293-94.

OMISSIO

Omissio curandi aegrotos, 2277;

Omissio ut peccatum, 1853.

OPINIO PUBLICA, 2286, 2493, 2498, 2499, cf. *Rumor.*

OPPRESSIO, 1739, 2243, 2448.

OPTIO PRAEFERENTIALIS, cf. *Amor: Amor praeferentialis.*

OPUS/ERA

Opera caritatis et misericordiae, 1473, 1458, 1815, 1829, 1853, 2044, 2447;

Opera carnis, 1852;

Opera Christi « Sanctum Dei » Eum praebentia, 438;

Pro defunctis, 958, 1032;
Pro liberatione a malo, 2850-54;
Pro oecumenismo, 821;
Pro pane cottidiano, 2828-37;
Pro remissione, 2631, 2838-41.

Oratio Ecclesiae

In nomine Iesu orare, 2664, 2668, 2671, 2815;
Omnes perseverantes unanimiter in oratione Pentecostes die, 2623;
Oratio ad Iesum directa, 2665-69, 2680;
Oratio lectionem sacrae Scripturae concomitans, 2653-54;
Oratio liturgica, 1073, 2655;
« Per Dominum nostrum Iesum Christum », 435;
Prima Hierosolymitana communitas, 2424-25.

Oratio et vita christiana, 2564-65;

Nomen Iesu in corde orationis christianae, 435, 2664;
Oratio christiana titulo « Dominus » signata, 451;
Oratio in vita consecrata, 2687;
Oratio in vita cottidiana, 2659-60;
Relatio filialis cum Deo in oratione christiana, 2525, 2786-88;
Significatio verbi quod est Amen, 1061-65;
Traditio orationis christianae, 2650-51.

Oratio Iesu

Actio Spiritus Sancti in oratione Iesu, 2600;
Iesus a Maria orare discens, 2599;
Iesus Patrem orans, 2599;
Oratio Horae Iesu, 2746-51, 2758;
Oratio Iesu in vita, 2598-2606, 2620.

Oratio in Spiritu Sancto, 2615;

Spiritus Sanctus pro nobis intercedens, 688, 741;
Spiritus Sanctus ut fons orationis, 2652;

Spiritus Sanctus ut orationis Magister, 2670, 2672.

Oratio in Vetere Foedere, 2568;

Creatio ut fons orationis, 2569;
Oratio Abrahae, 2570;
Oratio Moysis, 2574-77, 2593;
Oratio Prophetarum, 2581-84, 2595;
Oratio Psalmorum, 2585-89, 2596;
Oratio regis David, 2578-80, 2594.

Proprietates animi orantis

Fiducia, 2734;
Humilitas ut fundamentum orationis, 2559;
Spes, 1820;
Vigilantia, 2730.

ORATIONIS COETUS, 2689, 2695.

ORDO

Ordo creationis, 299, 341, 1608;
Ordo internationalis, 1885;
Ordo politicus, 2246;
Ordo socialis vel publicus, 1909, 1940, 2032, 2266-67, 2298, 2304, 2424.

ORDO, 1536, cf. *Sacramentum/a, Ministerium;*

Christus ut Minister Ordinis, 1575;
Dei vocatio ad Ordinem, 1578;
Fines et significatio Ordinis, 1120, 1534, 2686;
Gradus Ordinis, 1593;
Manifestatio Ordinis, 1142;
Ordo et consecratio, 1538;
Ordo ut via transmissionis successionis apostolicae, 1087;
Ordo, unum septem sacramentorum, 1113, 1210;
Praefiguratio Ordinis, 1541;
Praesentia Christi in Ordine, 1548-50;
Significatio verbi quod est Ordo, 1537-38.

Manna deserti ut panis de caelo ve-
rus, 1094;
Multiplicatio panum, 1335, 2828-37;
Panes azymi, 1334;
Panis cottidianus, 1334, 2828-37, 2861;
Panis vitae, 103, 1338, 1405, 2835;
Signa panis et vini in Eucharistia,
1333-36.

Papa, cf. *Summus Pontifex.*

Par

Fidelitas et par, 2364;
Harmonia paris et complementarieta-
tes physicae, 2333;
Matrimonium et par, 1603, 1624,
1636, 1642, 2363;
Sterilitas humana et par, 2377, 2374.

Parabola/ae

Significatio et fines parabolarum, 546,
2607.

Variae parabolae

Parabola amici importuni, 2613;
Parabola boni pastoris, 1465;
Parabola boni Samaritani, 1465;
Parabola duplicis viae, 1696;
Parabola fermenti, 2660, 2832;
Parabola filii prodigi, 1439, 1465;
Parabola iusti iudicis, 1465;
Parabola ovis amissae, 605;
Parabola pauperis Lazari, 633, 1021,
2463, 2831;
Parabola Pharisaei et publicani, 2613,
2839;
Parabola seminatoris, 2707;
Parabola seminis, 543;
Parabola servi immisericordis, 2843;
Parabola talentum, 1880, 1937;
Parabola ultimi iudicii, 1038;
Parabola viduae importunae, 2613;
Parabola zizaniae, 681, 827.

Paracletus, cf. *Spiritus Sanctus.*

Paradisus, cf. *Caelum;*

Paradisus in consilio Dei, 1721;
Primus homo in paradiso, 374-79, 1023;
Restitutio hominis in paradisum, 736;
Significatio paradisi, 1027.

Parentes, cf. *Filius/ii* et *Familia;*

Cooperatio et dialogus inter parentes
et filios, 2230;
Educatio filiorum in fide, 1656, 2206,
2222, 2225-26;
Familia ut ambitus naturalis educatio-
nis filiorum, 2224;
Filii ut signum benedictionis divinae,
1652, 2373;
Filius non debitum, sed donum paren-
tibus habendus, 2378;
« Honora patrem tuum et matrem
tuam », 2196;
Iesus parentibus Suis subditus, 531,
583;
Ius parentum scholam pro filiis eli-
gendi, 2229;
Observantia vocationis filiorum, 2232-
33;
Officia et iura parentum, 1250, 2221-31;
Officia filiorum erga parentes, 2214-20;
Officia parentum et adulterium, 2381;
Paternitas Dei et paternitas humana,
239, 2214;
Praeceptum amoris erga parentes,
2197, 2199, 2200;
Responsabilitas parentum in educatio-
ne filiorum, 1653, 2221, 2223;
Sanctificatio parentum, 902;
Technicae artes inhonestae fecundatio-
nis artificialis, 2376.

Paroecia, 2179, 2226.

Participatio

Participatio fidelium in celebrationibus liturgicis, 1141, 1273;
Participatio Iesu in potentia et auctoritate Dei, 668;
Participatio in Eucharistia, 1000,
1388, 2182;

Participatio in morte et resurrectione Christi, 1002, 1006;

Participatio in oratione Christi, 1073;

Participatio in sacrificio Christi, 618, 1372;

Participatio in vita divina, 375, 505, 541, 654, 759, 1212, 1726, 1997;

Participatio laicorum in munere regali Christi, 908-13;

Participatio laicorum in munere prophetico Christi, 904-07;

Participatio laicorum in munere sacerdotali Christi, 901-03, 1546, 1591;

Participatio ministerialis in sacerdotio Christi, 1554.

PARTICIPATIO IN VITA SOCIALI, 1882, 1897-1917.

PARUSIA, 1001, cf. *Plenitudo temporum.*

PASCHA

Adimpletio Paschatis Christi, 731;

Adimpletio Paschatis Regni Dei, 1403;

Appellationes Paschatis, 1169;

Celebratio Paschatis apud christianos et apud Iudaeos, 1096;

Consequentiae ex Paschate Christi, 1225, 1449;

Consummatio Paschatis, 1096, 1164;

Dies celebrandi Pascha, 1170;

Eucharistia ut memoriale Paschatis Christi, 1340, 1362-66;

Eventus Paschatis, 640;

Significatio Paschatis Iudaici, 1363;

Ultimum Pascha christiani, 1680-83;

Ultimum Pascha Ecclesiae, 677;

Unio christifidelium in Paschate Christi, 793.

PASSIO/NES

Amor ut passio fundamentalis, 1765;

Consummatio passionum, 1769;

Definitio, opera et origo passionum, 1763-64;

Dominium passionum, 908, 1804, 1809, 2339, 2341;

Moralitas passionum, 1762-70;

Passio culpam minuens, 1860;

Passiones nec bonae nec malae in se ipsis iudicandae, 1767;

Passionum servitus, 1792;

Prohibitio passionum immoderatarum, 2536;

Ratio moralitatem passionum discernendi, 1768.

PASSIO CHRISTI, cf. *Christus.*

PASTORALIS

Actio pastoralis communis pro matrimoniis mixtis, 1636;

Cura pastoralis paroeciae, 2179;

Fines missionis pastoralis, 857;

Pastorale munus Magisterii, 890;

Pastoralis discretio, necessaria ad religiositatem popularem sustinendam et fulciendam, 1676;

Regimen et munus pastorale Episcoporum, 886, 896, 927, 1560;

Verbum Dei pastoralem praedicationem nutriens, 132.

PASTORES ECCLESIAE

Episcopi ut Pastores Ecclesiae, 862, 939, 1558;

Laici Pastoribus Ecclesiae auxilium praebentes, 900-01;

Munera Pastorum Ecclesiae, 801, 857, 1551, 1632, 2033, 2038, 2663;

Parochus ut propriae paroeciae Pastor, 2179;

Pastorale munus Petri et Apostolorum, 881;

Pastores Ecclesiae a Christo electi et missi, 816, 1575.

PATER, cf. *Paternitas* et *Parentes.*

PATER, DEUS, 232-60;

Pater, Prima Persona Trinitatis, 198;

Significatio invocationis Dei ut Patris, 238-39.

Actiones Dei Patris

Actiones Dei Patris erga Filium Iesum, 648;
Actiones Dei Patris erga homines, 219, 443, 845, 1050, 1153, 2466, 2714;
Christus, Verbum Dei, 65;
Clamor « Abba, Pater », 742, 2777;
Consilium Dei Patris, 759;
Deus Pater misericors, 1439, 1449;
Deus Pater ut fons et finis liturgiae, 1077-83;
Deus, unus Pater omnium hominum, 172, 239-40;
Dialogus inter Deum Patrem et homines, 104;
Fons et origo totius divinitatis, 245-46, 248;
Providentia et Dei Patris amor erga omnes homines, 17, 305;
Relatio inter Deum Patrem et Iesum Christum, 151, 242, 454, 465, 467, 473, 482, 503, 532, 536, 590, 859, 1224;
Relatio inter Spiritum Sanctum et Deum Patrem, 689, 703, 729;
Revelatio Dei Patris, 79, 516;
Trinitas et Deus Pater, 253-55, 258;
Voluntas Dei Patris, 541.

Actiones hominis erga Deum Patrem

Accessus hominum ad Deum Patrem, 51, 683, 1204;
Actio gratiarum et laus Deo Patri, 1359-61;
Deum Patrem orare, 1695, 2564, 2601, 2610, 2613, 2664, 2735-36, 2742, cf. *« Pater noster »*;
Preces Deo Patri effundendae, 434, 1109, 1352-53, 2605;
Voluntatem Dei Patris facere, 2603, 2611.

PATERNITAS

Coniuges paternitatem Dei participantes, 2367;

Paternitas Dei, 239, 270, cf. *Deus;*
Paternitas divina ut fons paternitatis humanae, 2214;
Paternitas responsabilis, 2368.

« PATER NOSTER » (oratio)

Oratio « Pater noster » in centro Scripturarum, 2762-64;
Oratio « Pater noster » ut oratio Domini, 2765-66;
Oratio « Pater noster » ut oratio Ecclesiae, 2767-72.

Singulae partes orationis

« Pater », 2779-85, 2798;
Pater « noster », 2786-93, 2801;
« Qui es in caelis », 2794-96, 2802;
« Sanctificetur Nomen Tuum », 2807-15, 2858;
« Adveniat Regnum Tuum », 2816-21, 2859;
« Fiat voluntas Tua... », 2822-27, 2860;
« Panem nostrum cottidianum da nobis hodie », 2828-37, 2861;
« Dimitte nobis debita nostra », 2838-45, 2862;
« Ne nos inducas in tentationem », 2846-49, 2863;
« Sed libera nos a Malo », 2850-54, 2864.

PATIENTIA

« Caritas patiens est », 1825;
Patientia Dei, 2822;
Patientia fidei et oratio, 2613;
Patientia in familia, 2219;
Patientia tolerare ut opus misericordiae spiritualis, 2447;
Patientia ut fructus Spiritus, 736, 1832.

PATRES ECCLESIAE, 11, 688.

PATRIA

Patria caelestis, 117, 1525, 2795;
Patria terrena et officia relate ad illam, 2199, 2239-40, 2310.

Tempora ad peregrinationem apta, 1438.

PERFECTIO

Caritas ut « vinculum perfectionis », 1827;
Christus ut via perfectionis, 1953;
Deus ut plenitudo omnis perfectionis, 41, 213, 370;
Motus voluntatis et cordis in perfectione morali, 1770, 1775;
Perfectio christifidelibus acquirenda, 825, 1709, 2013, 2028;
Perfectio creationis, 302, 310;
Perfectio creaturarum, 41, 330, 339;
Perfectio in vero et bono inquirendo invenienda, 1704;
Perfectio Mariae et Ecclesiae, 829;
Perfectio ut fructus Spiritus Sancti, 1832;
Perfectionis iter, 2015;
Vir et mulier perfectionem Dei reverberantes, 370;
Virtutes humanae et perfectio, 1804.

PERIURIUM

Consequentiae ex periurio, 2476;
Gravitas periurii, 1756, 2153, 2163;
Significatio verbi quod est periurium, 2152.

PERMISSIVUS ANIMUS MORUM, 2526.

PERSECUTIO

Persecutio Christi, 530;
Persecutio Ecclesiae, 675, 769, 1816.

PERSEVERANTIA

Perseverantia finalis et retributio, 2016;
Perseverantia in fide, 162;
Perseverantia in oratione, 2728, 2742-43.

PERSONA, cf. *Homo* et *Societas;*

Communicatio per media et persona, 2492, 2494;

Constitutio personae, 362;
Differentiae inter personas, 1946;
Identitas personae, 203, 2158;
Indoles transcendens personae humanae, 1295, 2245;
Integritas personae, 2338-45;
Iura et officia personarum, 1738, 2070, 2108, 2270, 2273;
Labor et persona, 2428;
Observantia personae et scientifica investigatio, 2292-96;
Observantia personae, 1907, 1929-33, 2212, 2297-98, 2477, 2479, 2524;
Observantia personarum et earum bonorum, 2407-18;
Persona et bonum commune, 1738, 1905, 1912-13;
Persona et societas, 1878-89, 1929;
Persona humana ad aeternam beatitudinem destinata, 1703;
Persona capax, 1704;
Persona ut imago Dei, 1730;
Persona ut templum Spiritus Sancti, 364;
Sexualitas et persona, 2332, 2337;
Status et persona, 2237.

Dignitas personae

Dignitas personae et iustitia socialis, 1911, 1913, 1926, 1929, 1938, 2213, 2238, 2402;
Dignitas personae et libertas religiosa, 1738, 1747, 2106;
Dignitas personae humanae, 1700-1876;
Euthanasia et dignitas personae humanae, 2277, 2324;
Exigentiae dignitatis personae humanae, 1780, 1930, 1938, 1944, 2339, 2467;
Experimenta in creatura humana et dignitas personae, 2295;
Fundamentum dignitatis personae, 225, 357, 1700, 1730, 1934, 2126;
Inseminatio artificialis et dignitas personae, 2377;

Interventus in patrimonio generativo et dignitas personae, 2275;
Observantia dignitatis personae, 1935, 2158, 2235, 2267, 2297, 2304;
Peccatum et dignitas personae, 1487, 2261, 2320, 2353, 2414;
Pornographia, prostitutio, violatio et dignitas personae, 2354-56.

PERSONAE DIVINAE, cf. *Trinitas;*

Actiones Personarum Earum proprietates manifestantes, 258, 267;
Christus, Secunda Persona Trinitatis, 466, 468, 470, 473, 477, 481, 483, 626;
Deus Pater, Prima Persona Trinitatis, 198;
Distinctio Personarum, 254, 266, 689;
Relationes inter Personas, 255;
Significatio verbi Personae in Trinitate, 252;
Spiritus Sanctus, Tertia Persona Trinitatis, 245, 684-86, 731;
Unitas naturae Personarum, 202, 253.

PERTINENTIA

Pertinentia ad Christum, 1272, 1296, 2182;
Sensus pertinentiae ad Ecclesiam, 1309.

PETITIO, 2734, cf. *Oratio.*

PETRUS (apostolus)

Episcopus Romanus, cf. *Episcopus Romanus;*
Fides Petri in Christo, 153, 424, 440, 442;
Munera Petri, 552, 642, 881;
Negatio et conversio Petri, 1429, 1851;
Petrus ut caput Apostolorum, 552, 765, 880-81;
Petrus ut testis resurrectionis Christi, 641-42.

PHARISAEI

Discrepantia inter Christum et Pharisaeos, 574, 581, 588, 596, 2285;

Modus agendi Pharisaeorum, 576, 579, 595, 993, 2054;
Relationes Iesu cum Pharisaeis, 575.

PHARMACA NOCIVA

Productio, commercium et usus nocivorum pharmacorum ut gravis culpa, 2291;
Protectio familiae relate ad nociva pharmaca, 2211.

PIETAS

Pietas erga Virginem Mariam, 971;
Pietas filialis, 2215;
Pietas popularis et catechesis, 1674, 2688;
Pietas ut donum Spiritus Sancti, 1303, 1831.

PIGRITIA, cf. *Acedia;*

Pigritia spiritualis, 2094;
Pigritia ut vitium capitale, 1866.

PLENITUDO

Caritas ut plenitudo Legis, 2055;
Christus ut mediator et plenitudo totius Revelationis, 65-67;
Christus ut plenitudo legis moralis, 1953;
Consilia evangelica ut plenitudo caritatis, 1974;
Oratio in plenitudine temporis, 2598-2619;
Plenitudo Christi, 423, 515;
Plenitudo Regni Dei, 1042;
Plenitudo temporum, 422, 484, 717-30, 744, 2598-2619;
Plenitudo vitae christianae, 5, 2013;
Salutarium mediorum plenitudo, 824.

POENA

Diversitas poenarum in purgatorio et in inferno, 1031;
Peccatum et eius poena, 2061;
Poena gravitati delicti proportionata, 2266;

Poena mortis, 2267;
Vita moralis et timor Dei poenae, 1828, 1964, 2090.

POENITENTIA

Fines poenitentiae, 2043;
Formae poenitentiae in vita christiana, 1434-39;
Opera poenitentiae pro defunctis, 1032;
Poenitentia interior, 1430-33.

POENITENTIA ET RECONCILIATIO,
cf. *Sacramentum/a;*

Absolutionem in sacramento Poenitentiae accipere ante Communionem eucharisticam recipiendam, 1415;
Aetas ad peccata remittenda, 1457;
Baptismus et remissio peccatorum, 535, 977-78;
Eucharistia et remissio peccatorum, 1393, 1395, 1436, 1846;
Fines sacramenti Poenitentiae et Reconciliationis, 1421, 1468;
Indulgentia, 1471;
Poenitentia et Reconciliatio atque Baptismus, 1425-26;
Poenitentia et Reconciliatio ut sacramentum, 1210;
Potestas conferendi sacramentum Poenitentiae et Reconciliationis christianis non catholicis, 1401;
Praeceptum recipiendi sacramentum Poenitentiae et Reconciliationis, 1457, 2042;
Sacramentum Poenitentiae et Reconciliationis a Christo institutum, 1446;
Sacramentum Poenitentiae et Reconciliationis in casibus gravissimis, 1463;
Sacramentum Poenitentiae et Reconciliationis omnibus hominibus institutum, 827, 1446;
Sacramentum Poenitentiae recipere ante celebrationem Matrimonii, 1622;
Sacrificium Christi ut fons remissionis peccatorum hominis, 1851;

Sigillum sacramentale Confessionis, 1467, 2490;
Significatio eschatologica sacramenti Poenitentiae et Reconciliationis, 1470;
Unctio infirmorum et remissio peccatorum, 1532.

Actus poenitentis, 1491;

Examen conscientiae, 1454, 1456;

CONTRITIO, 1451-54;

Contritio et Confessio sacramentalis, 1452;
Contritio perfecta et contritio imperfecta, 1492;
Contritio ut dolor animi, 1451;
Contritio ut necessaria ad veniam obtinendam, 982, 1259, 1861, 1864;
Nulla poenitentia post mortem, 393;
Spiritus Sanctus gratiam contritionis praebens, 1433.

CONFESSIO, 1455-58;

Confessio individualis et celebratio communitaria, 1482;
Confessio peccatorum et conversio, 1435;
Confessio peccatorum gravium necessaria ad reconciliationem obtinendam, 1493;
Confessio personalis, forma reconciliationis maxime significativa, 1484;
Defectuum venialium Confessio, 1493, 1863;
Necessitas confitendi peccata, 1448.

ABSOLUTIO, 1480-84;

Absolutio generalis, 1483;
Absolutio super morientem, 1020;
Celebratio communitaria et absolutio individualis, 1482;
Excommunicatio et absolutio, 1463;
Formulae absolutionis, 1449, 1481;
Liturgia Byzantina et formulae absolutionis, 1481;

POLYGAMIA

Polygamia in vetere Lege, 1610;
Polygamia aequali dignitati personali viri et mulieris contraria, 1645;
Polygamia ut offensa dignitati Matrimonii illata, 2387.

POLYTHEISMUS, 2112.

POPULARIS, cf. nomina substantiva ad quae respicit.

POPULUS DEI, 781-86;

Ad populum Dei pertinentes, 836, 871;
Congregatio populi Dei, 761-62, 776, 865;
Diversitas populorum et culturarum in populo Dei, 814;
Ecclesia ut populus Dei, 781-86;
Electio Israel tamque populi Dei, 762;
Fides populi Dei, 93, 99;
Iudaei, non christiani et populus Dei, 839;
Ministeria ut adiutorium populo Dei, 874;
Peculiaritates populi Dei, 782;
Populus Dei propheticus, 785;
Populus Dei regalis, 786;
Populus Dei sacerdotalis, 784;
Populus Dei Veteris Foederis et novus populus Dei, 840;
Universalitas populi Dei, 831, 885.

PORNOGRAPHIA, 2211, 2354, 2396.

POTENTIA DEI

Apparens impotentia Dei, 272;
Fides in omnipotentia Dei, 273-74;
Manifestationes potentiae Dei, 277, 296, 648, 1508, 2500;
Omnipotentia divina nequaquam arbitraria, 271;
Potentia Christi, 449, 649;
Potentia Dei in sacramentis, 1128;
Potentia Spiritus Sancti, 496, 1127, 1238, 2778;
Proprietates potentiae Dei, 268, 270;

Sacra Scriptura potentiam Dei confitens, 269;
Verbum Dei ut potentia, 124, 131.

POTENTIAE seu POTESTATES

Potentiae occultae, 2116-17;
Potentiae Regnum Christi oppugnantes, 671;
Potentiae tenebrarum, 409, 680;
Victoria Ecclesiae de potentiis mortis, 552.

POTESTAS

« Potestas clavium », 553, 981-83;
Potestas hominis, 943, 1731, 1861, 1884, 2002;
Potestas Iesu Christi, 635, 649, 664, 668, 1441, 1503;
Potestas Spiritus Sancti, 703, 798;
Potestas Status, 1904, 2237, 2239, 2241, 2244;
Potestas Summi Pontificis et collegii episcopalis, 882-83;
Potestas tenebrarum et liberatio ab illa in Baptismo, 1250.

PRAECEPTUM

Annuntiatio salutis ut praeceptum Ecclesiae datum, 849, 2032;
Conscientia et praeceptum, 1777;
Fides et praecepta, 2614;
Fines praeceptorum Legis, 578;
Inoboedientia praeceptis et peccatum, 397;
Ius ut salutaribus divinis praeceptis instruamur, 2037;
Lex evangelica et praeceptum amoris, 1974;
Liturgia et praeceptum Christi, 1341;
Magisterium ecclesiale et praeceptum, 2033;
Magisterium et eius auctoritas relate ad praecepta, 2036;
Observantia dierum festorum de praecepto, 2180-81, 2185;
Observantia praeceptorum, 348, 1050;

Praecepta Legis divinae agnoscere, 1778, 1960;
Quinque praecepta Ecclesiae, 2041-43;
Revelatio praeceptorum Decalogi, 2071;
Transgressio praeceptorum Legis, 577;
Voluntas Dei ut praeceptum nostrum, 2822.

Decalogus
« Credo » et praecepta Decalogi, 1064;
Confessio et praecepta Decalogi, 1456;
Conscientia et praecepta Decalogi, 1962;
Divisio et enumeratio praeceptorum Decalogi, 2066;
Exigentiae et obligationes praeceptorum Decalogi, 2054, 2067, 2072-73, 2081;
Felicitas tamquam finis ultimus praeceptorum Decalogi, 16;
Fines praeceptorum Decalogi, 2063;
Foedus Vetus et praecepta Decalogi, 2057, 2060-62, 2077;
Inoboedientia praeceptis Decalogi et peccatum, 1853, 1858;
Interpretatio et intelligentia praeceptorum Decalogi, 2055-56, 2061, 2077;
Lex evangelica et praecepta Decalogi, 1968, 2053, 2074;
Lex naturalis et praecepta Decalogi, 1955, 2049, 2070-71, 2080;
Lex vetus et praecepta Decalogi, 1980;
Momentum praeceptorum Decalogi, 2065, 2076, 2078;
Necessitas praeceptorum Decalogi, 2071;
Observantia praeceptorum Decalogi, 2052-53;
Praecepta Decalogi ut donum Dei, 2060;
Sacra Scriptura et praecepta Decalogi, 2056-63, 2078;
Significatio praeceptorum Decalogi, 1724, 1962, 2033, 2057;
Significatio verbi quod est Decalogus, 2056, 2058;

Synopsis decem praeceptorum, 2051-52;
Tabulae Decalogi, 2058;
Traditio Ecclesiae et praecepta Decalogi, 2064-68, 2078;
Unitas Decalogi, 2069, 2079;
Vita aeterna et praecepta Decalogi, 2052, 2075;
Voluntas Dei in Decalogo expressa, 2059, 2063.

Decem praecepta Decalogi
Primum praeceptum, 2084-2141;
Secundum praeceptum, 2142-67;
Tertium praeceptum, 2168-95;
Quartum praeceptum, 2197-2257;
Quintum praeceptum, 2258-2330;
Sextum praeceptum, 2331-2400;
Septimum praeceptum, 2401-63;
Octavum praeceptum, 2464-2513;
Nonum praeceptum, 2514-33;
Decimum praeceptum, 2534-57.

Praeceptum amoris
Amare Deum, 2083-2195;
Amare proximum, 2196-2557;
Caritas, 1822, 1889;
Caritas ut novum praeceptum Christi, 782, 1823, 1970, 2074;
Consilia evangelica et praeceptum amoris, 1973-74, 1986;
Decalogus ut explicatio praeceptorum, 16, 1697, 2067;
Lex vetus et praecepta amoris, 1968, 1984-85;
Observare praecepta Christi, 1824;
Praeceptum amoris ut primum praeceptum, 575, 1337, 2055.

PRAEDESTINATIO, 257, 600, 1007, 2012, 2782, 2823.

PRAEDICATIO
Effectus praedicationis, 94;
Momentum praedicationis, 875, 1122;
Praedicatio apostolica, 76-77;
Praedicatio Iesu, 1151, 1716;

Resurrectio Christi ut ratio nostrae praedicationis, 651;
Verbum Dei ut nutrimentum praedicationis, 132;

Praefiguratio/nes

Praefiguratio Baptismi in Vetere Foedere, 1217-22;
Praefiguratio Eucharistiae, 1335;
Praefiguratio sacerdotii in Vetere Foedere, 1544;
Praefigurationes Veteris Foederis, 1223.

Praeparatio ad sacramenta recipienda, cf. singula sacramenta.

Praesentatio Iesu in Templo, 529.

Praesentia Christi

Praesentia Christi in Eucharistia, 1374, 1378-79, 2691;
Praesentia Christi in terrestri liturgia, 1088.

Praesentia Dei

Homo praesentiae Dei conscius huiusque conscientiae effectus, 208, 2144;
In praesentia Dei esse, 2565;
Signa praesentiae Dei, 1148.

Praesidere

Christus omni celebrationi liturgicae praesidens, 1348;
Diaconi exsequiis praesidentes, 1570;
Episcopi et sacerdotum Ministerium praesidendi Eucharistiae, 1142, 1411;
Episcopus Ecclesiae particulari praesidens, 1369;
Laicorum facultas praesidendi benedictionibus, 1669;
Laicorum facultas precibus liturgicis praesidendi, 903;
Sedes praesidendi coetui, 1184.

Praesumptio

Praesumptio ut peccatum contra spem, 2091-92.

Presbyter, cf. *Sacerdos;*

Caelibatus presbyterorum, 1580;
Ordinatio presbyterorum, 1562-68, 1572;
Presbyter ut cooperator Episcopi, 1595;
Presbyter ut icon Christi, 1142;
Presbyter ut minister sacramentorum, 1257, 1312, 1411, 1461-62, 1530, 1623;
Presbyter, solus vir baptizatus, 1577;
Presbyteri potestas exorcizandi, 1673.

Presbyterium, 1595;

Ministerium sacerdotum et presbyterium, 877;
Unitas presbyterii, 1567-68.

Primatus

Primatus Christi, 792;
Primatus Dei, 304;
Primatus Ecclesiae Romanae, 834;
Primatus Summi Pontificis, 882.

Primitiae

Christus ut primitiae mortuorum, 655;
Fructus Spiritus Sancti ut primitiae gloriae aeternae, 1832;
Magi ut primitiae nationum, 528;
Maria ut primitiae Ecclesiae, 972.

Probatio/nes

Distinctio inter probationem et tentationem, 2847;
Fides probationi submissa, 164, 272;
Fortitudo probationem aggrediendi, 1808;
Iesus a Satana probatus, 538, 2119;
Consummatio Ecclesiae magnis probationibus perfecta, 769;
Probationes tolerare, 901, 1508;
Spes ut fons gaudii in probatione, 1820;
Ultima probatio Ecclesiae, 675-77.

Processio (actio cultus)

Processio cum Hostiis consecratis, 1378;

PROPHETIA

Prophetia ruinae Templi, 585;
Prophetia Servi patientis, 601;
Prophetia ut donatio, 2004.

PROPITIATIO, 1992, cf. *Expiatio.*

PROPITIATORIUS, 433.

PROPOSITUM

Propositum non peccandi de cetero ut actus poenitentis, 1451, 1490;
Propositum reparationem et opera reparationis adimplendi, 1491.

PROPRIETAS PRIVATA

Destinatio universalis et proprietas privata bonorum, 2402-06, 2452;
Ius ad proprietatem privatam, 2211, 2401, 2403, 2406, 2411;
Observantia proprietatis privatae, 2409.

PROSTITUTIO, 2355.

PROVECTIO humana, 1929.

PROVIDENTIA, cf. *Deus;*

Definitio providentiae, 302, 321;
Derelictio filialis in providentiam, 305, 322, 2215, 2547, 2830;
Oratio christiana ut cooperatio providentiae, 2738;
Providentia divina ut consilium Dei in rem ductum, 302-05;
Providentia ducens, 1040;
Providentia et causae secundae, 306-308;
Providentia et cooperatio creaturarum, 306-307, 323;
Providentia et malum, 309-14, 324, 395;
Testimonium providentiae in sacra Scriptura, 303.

PROXIMUS

Amor Dei et proximi ut adimpletio Legis Dei, 1706;

Amor proximi ab amore in Deum inseparabilis, 1033, 1878;
Causa amandi et observandi proximum, 678, 2212;
« Diliges proximum tuum tamquam teipsum », 2055, 2196;
Formae poenitentiae et amor proximi, 1434;
Iustitia erga proximum, 1807, 1836;
Observantia creationis et amor proximi, 2415;
Observantia et amor proximi ut exigentia caritatis, 1789, 1822, 1844;
Offensae et peccata contra amorem proximi, 1459, 1849, 2302-03, 2409, 2477, 2485, 2539;
Opera misericordiae erga proximum, 2447;
Praecepta et amor proximi, 1962, 2052, 2067, 2401, 2464;
Proximum ceteris fieri, 1825, 1932;
Proximum tamquam alterum seipsum considerare, 1931;
Puritas cordis ut exigentia alium tamquam proximum accipiendi, 2519.

PRUDENTIA

Bonum commune prudentiam exigens, 1906;
Definitio prudentiae, 1806, 1835;
Prudentia in iudicio morali et consiliis, 1788;
Prudentia ut virtus cardinalis, 1805-06.

PSALMI

Collectio quinque librorum Psalmorum, 2585;
Definitio psalmorum, 2596;
Diversae formae et expressiones psalmorum, 2588;
Institutio psalmorum, 1176;
Lineamenta praecipua psalmorum, 2589;
Momentum psalmorum, 2597;
Oratio psalmorum spem et fidem in Deum docens, 2657;

Psalmi cor « pauperum » exprimentes, 716;
Psalmi et liturgia, 1156, 1177;
Psalmi ut oratio coetus, 2585-89;
Significatio psalmorum, 2586-88.

PUBLICANUS/I

Iesus et publicani, 588;
Parabola Pharisaei et publicani, 2613.

PUDOR

Definitio pudoris, 2521-22;
Pudor corporis, 2523;
Pudor ut exigentia puritatis, 2521, 2533;
Pudor ut signum dignitatis humanae, 2524.

PUERI

Abusus sexuales in pueros patrati, 2389;
Confessio puerorum, 1457;
Educatio puerorum in fide, 5, 2688;
Educatio puerorum in pudore, 2524;
Prima Communio puerorum, 1244;
Pueri subditi Regni Dei, 559.

PULCHRITUDO, 2500;

Ars et pulchritudo, 2501-03, 2513;
Contemplatio Dei pulchritudinis, 319, 2784;
Corpus humanum ut manifestatio divinae pulchritudinis, 2519;
Deus ut pulchritudinis auctor, 2129, 2500;
Oratio et eius pulchritudo expressiva, 1157, 1191;
Oratio ut amor Dei pulchritudinis, 2727;
Perfectio Dei et pulchritudo creaturarum, 41, 341;
Pulchritudo mundi ut via ad Deum perveniendi, 32, 33;
Pulchritudo sanctarum iconum in fidelium vita impressa, 1162.

PURGATORIUM, 1030-32, 1472, cf. *Communio sanctorum.*

PURIFICARE

Baptismus ut purificatio omnium peccatorum, 2520;
Ecclesia semper purificanda, 827, 1428;
Eucharistia et eius potestas purificandi, 1393;
Evangelium et eius potestas purificandi, 856, 2527;
Finalis purificatio seu purgatorium, 1030-32, 1054;
Propria peccata confiteri ut condicio purificationis, 1847;
Purificare cor, 1723, 2517-19, 2532;
Purificatio perpetua, 2813;
Purificatio socialis atmospherae, 2525.

PURITAS

Dimicatio pro puritate, 2520-27;
Exigentiae et condiciones obtinendi puritatem, 2521, 2525, 2532-33;
Puritas cordis ut condicio videndi Deum, 2519, 2531;
Puritas intentionis et intuitus, 2520;
Puritas ut donum Spiritus Sancti, 2345;
Vinculum inter puritatem cordis, corporis et fidei, 2518.

Q

QUADRAGESIMA, 540, 1095, 1438.

QUAESTIONES

Responsum quaestionibus principalibus hominum, 68, 282, 1676.

R

RATIO

Peccatum rationi contrarium, 1872;
Ratio et cognitio Dei, 35-39, 47, 237, 286;
Ratio et leges promulgandae, 1902, 1976;
Ratio et lex moralis naturalis, 1954;

Ratio et passiones, 1767;
Ratio et virtutes, 1804, 1806, 2341;
Ratio hominem Deo similem faciens, 1730;
Ratio humana et fides, 50, 156-59, 274, 1706;
Ratio, conscientia moralis et iudicium, 1778, 1783, 1796, 1798.

REALITATES

Christifideles laici et eorum actio in rebus temporalibus, 898-99, 2442;
Realitates spirituales et modus easdem percipiendi, 1146;
Realitates ut via ad Deum cognoscendum, 32, 159, 1148;
Saeculares consecrati et eorum actio in rebus temporalibus, 929;
Simonia ut rerum spiritualium emptio vel venditio, 2121.

RECAPITULATIO, 518, 668, 2854.

RECOMMENDATIO ANIMAE, 690, 1020.

RECONCILIATIO, cf. *Poenitentia et Reconciliatio.*

RECTUS, cf. *Iustus.*

RECUSATIO OBOEDIENTIAE, cf. *Oboedientia;*

Peccatum ut recusatio oboedientiae Deo, 397, 1850, 1871;
Recusatio oboedientiae Adami a Christo reparata, 411, 532, 614-15;
Recusatio oboedientiae Adami et hominis atque eius consequentiae, 399, 400-02, 1733, 2515;
Recusatio oboedientiae auctoritati, 2256, 2242, 2313;
Recusatio oboedientiae moralis, 1733, 1862, 2515.

REDEMPTIO

Annuntiatio et promissio Redemptionis, 55, 64, 601;

Ecclesia ut instrumentum Redemptionis omnium, 776;
Extensio operis redemptivi, 634;
Maria mysterio Redemptionis serviens, 494, 508;
Mors Christi ut sacrificium Redemptionis, 613, 616;
Redemptio in centro Nuntii christiani, 571, 601;
Redemptio pro multis, 605 ;
Sensus Redemptionis tantum fide intelligendus, 573;
Vita Christi ut mysterium Redemptionis, 517, 635, 1067.

REDEMPTOR, cf. *Christus.*

REDITUS, cf. *Adventus, Exspectatio* et *Consummatio.*

REFLEXIO, cf. *Meditatio;*

Momentum reflexionis personalis, 1779;
Reflexio orans, 2708.

REFORMATIO, 406, 1400.

REGALITAS (populus regalis), 786, 2105.

REGENERATIO (christiana)

Baptismus, sacramentum et lavacrum regenerationis, 1213, 1215;
Effectus regenerationis, 784, 872, 1262.

REGNUM DEI, 1720, 2819;

Ad Regnum vocati, 526, 543-44, 2603;
Adimpletio Regni Dei, 677, 1042, 1060;
« Adveniat Regnum Tuum », 2804, 2816-21, 2859;
Adventus Regni Dei et vita christianorum, 2046;
Aedificatio Regni Dei, 395;
Annuntiatio Regni Dei, 543-46, 768;
« Appropinquavit Regnum Dei », 541-42, 1503, 2612;
Beatitudines et Regnum caelorum, 1716, 1726, 2546;
« Claves Regni », 551-53;

Condiciones ad Regnum ingrediendum, 526, 543-44, 556, 577, 1215, 1427, 1470, 1716, 2544, 2556, 2826;

Ecclesia ut Regnum Christi iam praesens in mysterio, 763;

Ecclesia ut semen et initium Regni Dei, 567, 669, 764, 768;

Exclusio a Regno Dei et eius causae, 1852, 1861, 2450;

Familia et Regnum Dei, 2232-33;

Imprimis Regnum Dei quaerere, 305, 1942, 2632;

Lex et Regnum Dei, 1963;

Oratio et Regnum Dei, 2632, 2646, 2660;

Progressus et Regnum Dei, 2820;

Regnum Christi nondum absolutum, 671;

Regnum Dei aeternum, 664;

Regnum Dei suscipere, 764;

Regnum Dei ut opus Spiritus Sancti, 709;

Signa Adventum Regni Dei manifestantia, 560;

Signa Regni Dei, 547-50, 670, 1505;

Spes Regni Dei, 1817;

Transfiguratio Christi ut praegustatio Regni, 554;

Triumphus Regni Christi, 680;

Via ad Regnum Dei dilatandum, 853, 863;

Virginitas propter Regnum Dei, 1579, 1599, 1618-19.

REGNUM SATANAE, 550, cf. *Daemonium.*

REGULA moralis, cf. *Lex* et *Norma;*

Christus ut regula moralis modi agendi, 2074;

Lex moralis tamquam regula agendi, 1951;

Lex naturalis tamquam regula, 1957, 1959;

« Regula aurea », 1789, 1970, 2510;

Sacrae Scripturae ut fons omnis regulae moralis, 75, 141.

REGULATIO procreationis, 2368, 2370, 2372, 2399.

REINCARNATIO, 1013.

RELATIONES, cf. *Homo* et *Societas.*

RELICTIO

Deus populum Suum numquam relinquens, 2577;

Relictio discipulorum, 1851;

Relictio Mariae in Deo, 506;

Relictio providentiae, 305, 322, 2115.

Relictio voluntati Dei, 2677.

RELIGIO/NES

Actus religionis, 1969;

Ecclesia et religiones non christianae, 842-43;

Indagatio Dei in omnibus religionibus, 2566;

Invocatio Dei ut Patris multis in religionibus, 238;

Libertas profitendi religionem, 2137;

Religio et communitas politica, 2244;

Sociale religionis officium, 2104-05, 2467;

Virtutes religionis, 1807, 2095-96, 2117, 2125, 2135, 2144.

RELIGIOSITAS POPULARIS, 1674-75.

RELIGIOSUS/A, cf. *Vita consecrata et religiosa;*

Familiae religiosae, 917-18, 927;

Status vitae religiosae, 916, 925-27;

Testimonium religiosorum, 933.

REMISSIO PECCATORUM, cf. *Poenitentia et Reconciliatio;*

Baptismus et remissio peccatorum, 403, 977-80, 1226, 1263;

Christus homines iustificans, 615, 1708;

Christus remissionem peccatorum efficiens, 987, 1741;

Christus, « Agnus Dei, qui tollit peccatum mundi », 523, 536, 608;

Eucharistia ut virtus resurrectionis, 1524;

Fides in resurrectionem mortuorum ut elementum essentiale fidei christianae, 991;

Modi resurrectionis mortuorum, 999, 1000;

Oppositiones et incomprehensiones relate ad fidem in resurrectionem mortuorum, 996;

Quid significet carnis resurrectio, 990;

Quid sit resurgere, 997;

Rationes et fundamenta fidei in resurrectionem mortuorum, 993-95;

Resurrectio mortuorum ut opus Sanctissimae Trinitatis, 989;

Resurrectio omnium mortuorum, 998;

Revelatio progressiva resurrectionis mortuorum, 992;

Tempus resurrectionis mortuorum, 1001, 1038;

Transfiguratio Christi ut signum resurrectionis hominis, 556.

RETRIBUTIO divina (aeterna), 1021-22, 2016.

REVELATIO

Alia Revelatio ulterius non habebitur, 66-67;

Capacitas hominis Revelationem accipiendi, 35, 36;

Causa et fines Revelationis, 52, 68;

Externa argumenta fidei in Revelationem, 156;

Fides ut Revelationi responsio, 142-43, 150, 176, 1814;

Intelligentia humana Revelationis, 157-58;

Necessitas Revelationis, 74, 1960;

Revelatio « parvulis » facta, 544;

Revelatio ad altiorem legum vitae socialis intelligentiam perducens, 2419;

Revelatio Dei humanis linguis expressa, 101;

Revelatio gradatim facta, 53, 69;

Revelatio tamquam illuminatio de rebus religionis et morum, 38;

Revelatio ut fructus inspirationis Spiritus Sancti, 105;

Revelatio ut via praestantissima ad cognoscendum Deum, 50;

Revelationes « privatae », 67;

Sacra Scriptura et Traditio e Revelatione promanantes, 80-83, 124;

Vetus et Novum Testamentum ut vera Revelatio, 129.

Argumenta Revelationis

Revelatio caeli novi et terrae novae, 1048;

Revelatio consilii divini salutis, 50-51;

Revelatio creationis, 287, 337;

Revelatio Decalogi, 2060, 2071;

Revelatio Dei misericordiae erga peccatores, 1846;

Revelatio hominis ut imaginis Dei, 1701, 2419;

Revelatio realitatis peccati, 386-90;

Revelatio resurrectionis mortuorum, 992;

Revelatio veritatis definitivae, id est Iesu Christi, 124;

Revelatio virginitatis Mariae, 502.

Revelatio Dei, 51-67;

Dei Revelatio Israel, 2085;

Revelatio Dei in Decalogo, 2059, 2070-71;

Revelatio Dei tamquam unius Dei, 201-02;

Revelatio Filii, 152, 438, 647-48, 651;

Revelatio Nominis Dei, 203-14, 2143;

Revelatio omnipotentiae Dei, 272;

Revelatio Patris, 151, 238-42, 2779;

Revelatio Spiritus Sancti, 243-48, 687-88;

Revelatio Trinitatis, 237, 732;

Vita Christi ut consummatio Revelationis Dei, 561;

Vita Christi ut Revelatio Patris, 516.

Revelatio in historia salutis

Revelatio ab ipsa origine, 54, 70;

Sacramenta Spiritum Sanctum membris corporis Christi communicantia, 739;

Sacramenta unitatem christianorum constituentia, 1126.

Sanctissimum Sacramentum

Adoratio et cultus Sanctissimi Sacramenti, 1178, 1183, 1418, 2691;

Praesentia realis Christi in Sanctissimo Sacramento, 1374.

SACRIFICIUM/A

Sacrificia Deo offerre, 901, 2099-2100;

Sacrificia in Vetere Testamento: panis et vinum in sacrificium oblata, 1334.

Sacrificia Christi

Sacrificium Christi et Sacrificium Eucharistiae ut unum sacrificium, 1367;

Sacrificium Christi et Virgo Maria, 964;

Sacrificium Christi in cruce pro omnibus, 616-17;

Sacrificium Christi sacrificia Veteris Testamenti adimplens et superans, 1330;

Sacrificium Christi unicum et definitivum, 613-14, 1545;

Sacrificium Christi ut fons veniae de peccatis, 1851;

Significatio sacrificii Christi, 545, 606;

Totum sacerdotale ministerium ex sacrificio Christi vim hauriens, 1566;

Unum sacrificium perfectum Christi, 2100.

Sacrificium eucharisticum, cf. *Eucharistia;*

Christus Sacrificium eucharisticum offerens, 1410;

Eucharistia ut sacrificium Christi praesens redditum, 1330;

Fines celebrationis Sacrificii eucharistici, 1382, 1414;

Institutio Sacrificii eucharistici, 1323;

Momentum Sacrificii eucharistici, 1113;

Participatio hominis in Sacrificio eucharistico Christi, 618, 1419;

Praesentia Christi in Sacrificio eucharistico, 1088;

Sacrificium eucharisticum ut fons et culmen vitae moralis, 2031;

Sacrificium eucharisticum ut memoriale sacrificii Christi, 611, 1358, 1362-72.

SACRILEGIUM, 2118, 2120, 2139.

SACRUM

Sensus sacri, 2144.

SACRUM COR, 478.

SAEVITIA THERAPEUTICA, 2278.

SALARIUM

Salarium iustum, 2434.

SALUS

Adiutoria ad salutem animae, 95;

Adventus Christi propter salutem hominum, 456-57, 519,1019;

Angeli ut nuntii consilii divini salutis, 331-32;

Baptismus ad salutem necessarius, 1256-57, 1277;

Deus salutem hominis expediens, 54, 56, 218, 431, 781, 1058, 2575;

Deus salutem omnium in veritate volens, 851;

Donum salutis per Christum traditum, 1811;

Ecclesia ut instrumentum et sacramentum universale salutis, 776, 780, 816;

Exstetne salus sine Baptismo, 1259, 1261;

Homo salute indigens, 1949, 2448;

Libertas humana et salus, 1739-42;

Media salutis, 830, 980;

Ministerium ecclesiale ad salutem hominis, 874;

Missio salutis in operibus sacerdotum, 1565;

Momentum decisionum moralium pro
salute, 1696;
Observantia legis naturalis ad salutem
necessaria, 2036;
« Oeconomia salutis », 1066;
Omnes salute indigentes, 588;
Omnia ad salutem hominis ordinata,
313;
Opera salutis a Maligno impedita, 2851;
Oratio pro salute, 2744;
Propriam animam salvam facere, 1889;
Sacra Scriptura ad salutem hominis,
107, 122;
Sacramenta ad salutem necessaria,
1129;
Sacrificium crucis ad salutem hominis,
600-02, 617;
Salus a solo Deo veniens, 169, 620;
Salus et communio sanctorum, 1477;
Salus personae et societatis cum felici-
tate coniugali conexa, 1603, 2250;
Servitium et testimonium fidei ad
salutem necessaria, 1816;
Spes salutis in Israel, 64;
Spes salutis, 2091;
Universalitati peccati universalitatem
salutis Paulus contraponens, 402;
Virgo Maria humanae saluti coopera-
ta, 511, 969.

SALUS PHYSICA

De salute physica orare, 1512;
Defensio salutis physicae, 2211;
« Infirmos curate » ut munus Eccle-
siae, 1509;
Observantia salutis physicae, 2288-91;
Restitutio valetudinis ut effectus sa-
cramenti Unctionis infirmorum, 1532;
Status salutis physicae in melius mu-
tandus et interventus in embryone,
2275.

SALVATOR, cf. *Christus : Appellationes;*

Iesus ut Salvator hominum, 389, 457,
594, 2812.

SANATIO

Charisma sanationis, 1508;
Deus sanationem spiritualem operans,
739, 798, 1210, 1484, 1502;
Interventus medicinales et scientifici
ad sanandum hominem, 2274-75,
2292;
Oleum consecratum ut signum sanationis, 1293;
Sacramenta sanationis, cf. *Poenitentia
et Reconciliatio* et *Unctio infirmorum.*

SANCTIFICATIO

Ad sanctificationem vocati, 2813;
Ecclesia ad sanctificationem hominum,
824, 827;
Elementa sanctificationis extra Eccle-
siam catholicam, 819;
Episcoporum munus sanctificandi, 893;
Gratia ut fons operis sanctificationis
hominis, 1999, 2001;
Iustificatio ut sanctificatio, 1989, 1995;
Labor humanus ut instrumentum
sanctificationis, 2427;
Liturgia ad sanctificationem hominis,
1070;
Parentes et eorum participatio in mu-
nere sanctificationis, 902;
Sacramenta ad sanctificationem homi-
nis, 1123, 1152, 1668, 1677;
Sanctificatio consecratorum saecula-
rium, 928;
Sanctificatio definitiva hominis solum
per sacrificium Christi effecta, 1540;
Sanctificatio diei et noctis in liturgia
Horarum, 1174;
Sanctificatio Ecclesiae ut missio Spiri-
tus Sancti, 767;
Sanctificatio festivitatum, 2187;
Sanctificatio in Matrimonio, 1637;
Sanctificatio rerum materialium, 1670;
Sanctificatio ut opus proprium Spiri-
tus Sancti, 703;
« Sanctificetur Nomen Tuum », 2807-
15, 2858;

Spiritus Sanctus ad omnem sanctificationem complendam missus, 2818.

Sanctitas

Caritas ut anima sanctitatis, 826;
Crux ut via ad sanctitatem, 2015;
Fides ut adiutorium ad sanctitatem obtinendam, 1709;
Nulla sanctitas sine ascesi, 2015;
Purificatio in purgatorio ad sanctitatem obtinendam, 1030;
Sanctitas Christi, 459, 564, 2030;
Sanctitas christifidelium, 2045;
Sanctitas Dei, 2809, cf. *Deus;*
Sanctitas Ecclesiae, 670, 824-25, 867, 1986;
Sanctitas in communione sanctorum, 1475;
Sanctitas Mariae, 492;
Sanctitas ut mensura in Ecclesia, 828;
Status sanctitatis originalis et peccatum, 375, 405;
Vocatio ad sanctitatem, 2013-14, 2028.

Sanctuarium

Sanctuaria ut loca praestantia orationi, 2691;
Visitationes sanctuariorum ut forma religiositatis popularis, 1674.

Sanctus/i

Communio cum sanctis, 957;
Ecclesia ut communio sanctorum, 946-59, 960-62, 1331;
Imagines sacrae sanctorum, 1161;
Intercessio sanctorum, 956, 2683;
Memoria sanctorum, 1173, 1195;
Nomen sancti ut nomen Baptismi, 2156;
Pretium bonorum operum sanctorum, 1477;
Proprium sanctorum in anno liturgico, 1172;
Sancti ut exemplar sanctitatis, 2030;
Sancti ut fons et origo renovationis in Ecclesia, 828;

Sanctitas Ecclesiae in sanctis elucens, 867;
Significatio canonizandi sanctos, 828;
Veneratio sanctorum, 61.

Sanguis, cf. *Eucharistia* et *Transsubstantiatio;*

Baptismus sanguinis, 1258;
« Hic est sanguis meus », 610, 1365;
Sanguis et aqua ut symbola Ecclesiae Christi, 766, 1225;
Sanguis martyrum ut semen christianorum, 852.

Sapientia Dei

Christus crucifixus ut Dei sapientia, 272;
Creaturae radium sapientiae Dei reverberantes, 339, 369;
Deus sapientia creans, 295, 299;
Homo sapientiam Dei participans, 1954;
Lex moralis ut opera sapientiae Dei, 1950;
Veritas Dei ut sapientia Dei, 216.

Sapientia hominis

Sapientia hominis ut donum Dei, 283, 1303, 1831;
Sapientia hominis ut emanatio potentiae Dei, 2500.

Satanas, cf. *Daemonium.*

Scandalum

Definitio scandali, 2284;
Fornicatio, pornographia et prostitutio ut scandalum, 2353-55;
Gravitas scandali, 2284-85, 2326;
Inaequalitates sociales et oeconomicae scandalum moventes, 1938;
Officium vitandi scandalum, 2489;
Scandalis faventes, 2287;
Scandalum Iesu, 589;
Scandalum lege vel institutionibus provocatum, 2286;
Suicidium ut scandalum, 2282.

SCHISMA, 817-19, 2089, cf. *Haeresis* et *Apostasia*.

SCHOLA

Ius eligendi scholam pro filiis, 2229.

SCIENTIA

Scientia et fides, 159;
Scientia et servitium homini, 2293-94;
Scientia ut donum Spiritus, 1831.

SCIENTIFICA EXPERIMENTA

Scientifica experimenta et observantia personae, 2292, 2295;
Scientifica experimenta in animalibus, 2417.

SECRETA IN MUNERE CONSTITUTORUM, 2491.

SECRETUM SACRAMENTI RECONCILIATIONIS, 1467, 2490.

SENECTUS, cf. *Senes*.

SENES

Familia et cura relate ad senes, 2208;
Servitium senibus, 2186.

SENSUS

Sensus bonus popularis, 1676;
Sensus fidei, 91-93, 785, 889;
Sensus moralis, 1954;
Sensus orationi interiori sociare, 2702;
Sensus religiosus, 1676;
Sensus sacri, 2144;
Sensus Scripturae, 115-19;
Sensus vitae, 282.

SENTENTIA

Libera sententia civium, 1901.

SEPARATIO CONIUGUM, 2383, cf. *Divortium*.

SEPULCRUM

Altare ut symbolum sepulcri Christi, 1182;

Sepulcrum vacuum Christi, 640, 657.

SEPULTURA, 1690, 2300.

SEQUELA CHRISTI, 520, 618;

Effectus sequelae Christi, 1694;
Sequela Christi in spiritu veritatis, 2466;
Sequela Christi in vita consecrata, 916, 918, 923, 932, 1618;
Sequela Christi ut forma poenitentiae, 1435;
Sequela Christi ut prima vocatio christiani, 2232, 2253.

SERMO MONTANUS

Doctrina et praecepta in sermone montano, 2153, 2262, 2336, 2608, 2830;
Lex divina in sermone montano, 577, 1965-66, 1968;
Sermo montanus ut dux spiritualis et textus meditationis, 1454, 1724, 1966.

SERVITIUM

Auctoritas tamquam servitium, 2235;
Diaconi ut ministri ad servitium ordinati, 1569-70, 1596;
Interdependentia creaturarum et servitium, 340;
Liturgia ut servitium Deo, 1069-70;
Servitium angelorum, 333;
Servitium auctoritatibus civilibus et Deo, 2242;
Servitium civile, 2311;
Servitium familiae ut vitae ministerium, 1653;
Servitium laicorum in communitate ecclesiali, 910;
Servitium patriae, 2239, 2310;
Servitium ut via sequendi Christum, 852.

SERVITUS

Deus Israel ex Aegypti servitute salvans, 62, 2061;
Iesus homines a peccati servitute liberans, 549, 601, 635, 1741;

Liberatio a servitute peccati, 2057, 2097, 2744;
Prohibitio subiiciendi servituti creaturas humanas, 2414;
Servitus peccati, 407, 421, 1733.

SERVUS

Diaconus ut omnium servus, 1570;
Ministri Ecclesiae ut servi Dei, 876;
Parabola servi immisericordis, 2843.

SERVUS (CHRISTUS)

Christus Servus Dei plene Ei oboediens, 539, 615;
Christus omnium Servus, 786;
Missio redemptrix Servi patientis, 440, 601.

SEXUALITAS, cf. *Matrimonium;*

Castitas et sexualitas, 2337, 2395;
Dignitas sexualitatis, 2362;
Diversitas et complementarietas sexuum, 369-73, 1605, 2333;
Fecunditas et sexualitas, 2370;
Homo masculus et femina creatus, 355, 383;
Integratio sexualitatis in persona humana et castitas, 2337;
Momentum unionis coniugalis, 2335;
Par dignitas viri et mulieris, 369, 2334, 2393;
Praeceptum ad sexualitatem pertinens, 2336;
Pudor et castitas, 2522;
Sexualitas ad capacitatem amandi spectans, 2332;
Sexualitas inordinata, 2351-57, 2380, 2388-90;
Sexualitas omnes personae humanae aspectus afficiens, 2332, 2362;
Significatio sexualitatis in Matrimonio, 2360-63.

SHEOL, 633.

SIGILLUM, 698, cf. *Character sacramentalis;*

Sigillum baptismale, 1216, 1272-74, 2769;
Sigillum Domini opera Spiritus nos in Redemptionem signans, 1274;
Sigillum in Confirmatione, 1293, 1295-96, 1304;
Sigillum in Ordine, 1121, 1582;
Sigillum sacramentale Confessionis, 1467, 2490.

SIGNA (in sacramentis)

Sacramenta ut signa, 1084, 1123, 1130-31, 1152;
Signa Baptismi, 628, 694, 1235, 1238, 1241, 1243;
Signa Confirmationis, 695, 1293-1301;
Signa Ordinis, 1574.

SIGNUM/A, cf. *Symbola;*

Aqua ut signum, 694;
Cantus et musica ut signa in liturgia, 1157-58;
Columba ut signum, 701;
Ecclesia ut signum, 775;
Impositio manuum ut signum, 699, 1507;
Panis et vinum ut signa, 1333-36, 1412;
Sanguis ut signum, 2260;
Signa a Christo assumpta, 1151;
Signa ad realitates spirituales percipiendas et exprimendas, 1146-48;
Signa contradictionis Iesu, 575;
Signa in sacramentalibus, 1667-68;
Signa liturgica, 1149, 1161, 1189;
Signa temporum interpretari, 1788;
Signa Veteris Foederis, 1150;
Signum crucis, 2157;
Unctio ut signum, 695, 1293-94.

SILENTIUM

Adoratio et silentium obsequiosum coram Deo, 2628;
Oratio ut « symbolum mundi futuri », 2717.

SIMILITUDO

Baptismus, sacramentum similitudinem cum Deo conferens, 1682;
Similitudo creaturarum cum Deo, 41;
Similitudo hominis cum Deo, 225, 705, 1604, 1701-09, 2319, 2331, 2784;
Similitudo inter Personarum divinarum unitatem et fraternitatem hominum, 1878;
Viae ad similitudinem restituendam, 734, 2572.

SIMONIA, 2118, 2121.

SIMPLICITAS

Simplicitas Dei, 202;
Simplicitas orationis, 2589, 2713, 2778.

SOBRIETAS, 1809, 2730.

SOCIALIZATIO, 1882-83.

SOCIETAS, cf. *Vita socialis;*

Bonum commune et societas, 1905-12, 1924, 1927;
Caritas tamquam maximum praeceptum sociale, 1889, 1939;
« Civitas iuris », 1904;
Communitas politica et Ecclesia, 2244-46, 2257;
Condiciones progressionis societatis, 2441;
Decalogus vitam socialem et theologalem adunans, 2069;
Definitio notionis quae est societas, 1880;
Divortium ut plaga socialis, 2385;
Doctrina socialis Ecclesiae, 2198, 2419-25;
Ecclesia ut fermentum societatis, 854;
Familia ut vitae socialis cellula originalis, 2207;
Humana persona ut principium, subiectum et finis societatis, 1881, 1892, 1929, 2459;
Ius ad informationem veram in societate, 2494, 2512;

Iusta hierarchia valorum in societate, 1886-87, 1895;
Iustitia socialis et bonum commune, 1928, 1943;
Legitima defensio societatis, 2266;
Media communicationis et societas, 2493-99;
Mendacium pro omni societate funestum, 2486;
Mutationes sociales et conversio interior, 1888;
Necessitas vitae socialis, 1879, 1886, 1891;
Ordo socialis, 2032;
Participatio in vita sociali, 1882, 1893;
« Peccatum sociale », 1869;
Persona humana et societas ab invicem pendentes, 2344;
Progressus societatis et augmentum Regni Dei, 2820;
Puritas christiana et socialis atmosphera, 2525;
Quaestio socialis, 1896, 2438, 2459;
Quartum praeceptum relationes in societate illustrans, 2212;
Relationes inter societatem et Statum, 1883, 1885;
Salus societatis, 1603, 2250;
Visio hominis in societate, 2244, 2257;
Vita socialis organizanda, 2442.

Auctoritates, 1897-1904, 1918-23;

Deus unicuique creaturae munera pro capacitate eius remittens, 1884;
Diversae et liberae formae regiminum, 1884, 1901;
Legitimum exercitium auctoritatis, 1921;
Necessitas et munus auctoritatis in societate, 1897-98;
Obligatio defendendi et tutandi libertatem informationis, 2498;
Oboedientia auctoritati et eius observantia, 1899, 2234.

Officia civium, 2238-43, 2255-56;

Activam in vita publica sumere partem, 1915;

Alienigenam accipere, 2241;

Auctoritati honores debitas tribuere, 1900;

Cum potestatibus civilibus ad bonum societatis collaborare, 2239;

Informationes veras communicare, 2495;

Oboedientiam praescriptionibus auctoritatum conscientiae contrariis recusare, 2242;

Oppressioni potestatis politicae resistere, 2243;

Societatem aedificare, 2255;

Tributa solvere, ius suffragii exercere, nationem defendere, 2240.

Officia societatis

Accessum ad laborem adiuvare, 2433;

Familiis laborantibus adiutorium praestare, 2208-10;

Ius ad vitam observare, 2273;

Officium religionis et ius ad religiosam libertatem, 2104-05;

Unicuique vocationem in rem ducere permittere, 1907;

Valetudinem civium curare, 2288.

SOCIETATES

Condiciones societatibus praestare, 1928, 1943, 2211;

Ius societatis, 900;

Oeconomia et societates, 2431;

Societatibus favere, 1882, 1893.

SOCIETATES VITAE APOSTOLICAE, 930.

SOLIDARIETAS

Appropriatio bonorum et solidarietas inter homines, 2402;

Communio sanctorum et mutua necessitudo hominum, 953;

Definitio solidarietatis, 1948;

Formae solidarietatis, 1940-41;

Inter omnes creaturas mutua necessitudo, 344;

Momentum solidarietatis in Ecclesia, 1942;

Mutua necessitudo hominum, 361;

Oratio et solidarietas, 2831;

Peccatum solidarietatem humanam attentans, 1849;

Solidarietas christiana, 1942, 2850;

Solidarietas ut consequentia verae et iustae communicationis, 2495;

Solidarietas ut exigentia fraternitatis, 1939;

Solidarietas ut observantia dignitatis humanae, 2407.

SOLIDARIETAS INTER POPULOS, 2437-42;

Laicorum munus interveniendi in vita sociali organizanda, 2442;

Solidarietas inter populos ut necessitas, 2438;

Solidarietas inter populos ut officium, 2439.

SPES

Adiutorium pro spe, 274, 1717, 1820, 2657;

Definitio spei, 1817, 2090;

Oratio ut fons spei, 2657;

Peccata contra spem, 2091-92;

Primum praeceptum ut fons spei, 2086;

Ratio spei christianae, 1681, 2785;

Spes Abrahae ut spei christianae exemplum, 1819;

Spes aspirationi humanae ad felicitatem respondens, 1818;

Spes caelorum novorum et terrae novae, 1042-50, 1405;

Spes fidem sustinens et adiuvans, 162;

Spes Israel, 64, 673-74;

Spes ut virtus theologalis, 1813, 1817-21;

Vita aeterna ut spes christiana, 1843.

SPIRITUALITAS / VITA SPIRITUALIS / NOVA VITA IN SPIRITU

Defensio libertatis religiosae ad vitam spiritualem, 2188;

Diversitas spiritualitatum, 2684;
Eucharistia et vita spiritualis, 1374, 1392;
Nova vita in Spiritu, 1698, 1708, 1715;
Spiritualitates christianae, 2693;
Unio cum Christo in vita spirituali, 2014;
Verbum Dei et oratio ut fontes vitae spiritualis, 131, 2687, 2697;
Vinculum inter vitam spiritualem et dogmata, 89;
Vivere secundum Spiritum, 1533, 2848.

SPIRITUS

Angeli ut spiritus, 329;
Deus ut spiritus purus, 370;
Elevatio spiritus ad Deum, 2098;
Homo ut corpus et spiritus, 327, 365, 367, 2515-16, 2702, 2846;
« Pauperes spiritu », 2546;
Satanas ut creatura ex puro spiritu, 395;
Spiritus humanus in meditatione, 2705.

SPIRITUS SANCTUS

Blasphemia in Spiritum Sanctum, 1864;
Christianus a Spiritu Sancto unctus, 1241;
Christianus ut templum Spiritus Sancti, 1197, 1265;
Desideria Spiritus Sancti cor satiantia desideriis carnis contraria, 2541-43;
Fines missionis Spiritus Sancti, 1108;
Gratia Spiritus Sancti et iustificatio, 1987-95, 2003;
Homo lucem et robur Spiritus Sancti participans, 1704;
Homo ut templum Spiritus Sancti , 364, 782, 2519;
Initium vitae in Spiritu Sancto, 1231;
Invocatio effusionis Spiritus Sancti, 1083, 1196, 1299, 1353, 2670-72;
Lex nova Spiritus Sancti, 782;
Orare cum Spiritu Sancto et in conformitate cum Spiritu Sancto, 2736, 2756;

Potentia Spiritus sanctitatis in canonizatis agnita, 828;
Praesentia et actio Spiritus Sancti in hominis facultatibus, 1813;
Renovatio Spiritus Sancti, 1215;
Revelatio Spiritus Sancti, 243-45, 683, 686-87;
Significatio notionis Spiritus, 691;
Spiritus Sanctus in Symbolo fidei, 190;
Spiritus Sanctus Patri et Filio consubstantialis, 685, 689;
Trinitas et Spiritus Sanctus, 253-55, 263.

Appellationes Spiritus Sancti

Appellationes apud sanctum Paulum, 693;
Bonitatis fons, 291;
Consolator, 1433;
Paracletus, 692;
Spiritus creator, 291;
Spiritus Sanctus ut nomen proprium, 691;
Spiritus veritatis, 692, 1848, 2466;
Vivificans, 291.

Dona Spiritus Sancti, 1830-32;

Amor, 733, 735, 2712;
Caritas ut fructus Spiritus Sancti et plenitudinis Legis, 1824;
Castitas, 2345;
Charisma sanationis, 1508;
Charismata, 799, 951;
Dona in Confirmatione, 1289, 1303;
Dona in consecratione episcopali, 1556, 1558;
Dona in potestate remittendi peccata, 976;
Dona in sacramento Matrimonii, 1624;
Dona in sacramento Ordinis, 1538, 1585-89;
Dona in Unctione infirmorum, 1520;
Fructus Spiritus Sancti, 736, 1832;
Gratia Poenitentiae et conversionis, 1433;
Gratia, 2003;

Submissio hominis Deo, 154, 341, 396, 1955.

SUBSIDIARITAS, 1883, 1885, 1894, 2209.

SUBSTANTIA

Deus, Tres Personae, una substantia, 200, 202, 255;

Filius, una substantia cum Patre, 465;

Significatio notionis substantiae, 252;

Substantia (seu natura, seu essentia) Esse divinum designans, 252.

SUCCESSIO APOSTOLICA, 861, 1087;

Ratio successionis apostolicae, 77;

Successio apostolica communionem fidei in tuto ponens, 1209;

Successio apostolica ut vinculum unitatis Ecclesiae, 815.

SUFFRAGIUM, 958, 1032, 1055, 1684-90.

SUICIDIUM, 2280-83, 2325.

SUMMUS PONTIFEX, 882;

Assistentia divina Summo Pontifici, 892;

Collegium episcopale et Summus Pontifex, 880-87, 895, 1559;

Infallibilitas Summi Pontificis, 891;

Munera, potestas et auctoritas Summi Pontificis, 100, 882, 892, 937, 1463, 2034;

Summus Pontifex omni Eucharistiae celebrationi associatus, 1369.

SUPERBIA, 1866, 2514;

Consequentiae ex superbia, 2094, 2317, 2540, 2728;

Dimicatio contra superbiam, 1784.

SUPERNATURALIS

Beatitudo supernaturalis, 1722, 1727;

Communio supernaturalis, 950;

Fides ut virtus supernaturalis, 153, 179;

Finis supernaturalis hominis, 367;

Sensus supernaturalis fidei, 91-93;

Virtutes theologales et actus supernaturales, 1812-13, 1840-41;

Vocatio supernaturalis ad vitam aeternam, 1998.

SUPERSTITIO, 2110-11, 2138.

SUPPLICATIO

Diversae formae supplicationum, 2629;

Supplicatio ut forma orationis, 2588;

Supplicationes exaudiri, 2614.

SYMBOLA, cf. *Signa;*

Gestus symbolici Iesu, 1151;

Homo signis et symbolis egens, 1146, 1148, 1152;

Symbola liturgica, 1145, 1150, 1189;

Symbola Veteris Testamenti, 522, 697.

SYMBOLUM Apostolorum, fidei, 14, 184, 187-88, 197;

Compositio Symboli, 186;

Decursu saeculorum Symbolum mutatum, 192-93;

Deus in Symbolo, 199;

Partes Symbolum componentes, 190-91;

Significatio verbi quod est Symbolum, 188;

Symbolum Apostolorum, 194, 196, 2558;

Symbolum baptismale, 189;

Symbolum Nicaenum-Constantinopolitanum, 195;

Symbolum Professionis fidei, 187, 192,

Symbolum recitare, 197.

SYNEDRIUM, 591, 596.

SYNODUS, 887.

T

TABERNACULUM, 1183, 1379.

TABULAE DECEM PRAECEPTORUM, 2058, 2067.

TALENTA, 1880, 1936-37, 2429.

TEMPERANTIA

Castitas et puritas a temperantia pendentes, 2341, 2517, 2521;
Definitio temperantiae, 1809;
Fructus temperantiae, 1838, 2290;
Studium bonorum temporalium et temperantia, 2407;
Temperantia ut virtus cardinalis, 1805.

TEMPLUM

Christus ut verum templum Dei, 1197;
Ecclesia ut templum sanctum, 756;
Ecclesia ut templum Spiritus Sancti, 797-98, 809;
Homo ut templum Spiritus Sancti, 364, 1197, 1265, 1695, 2684;
Iesus et Templum, 576, 583-86, 593;
Templum Ierusalem, 2580;
Templum ut praesentia Dei in hominibus, 593.

TEMPUS

Creatio et initium temporis, 338;
Deus et tempus, 205, 600;
Finis temporum, 1042;
Plenitudo temporum, 484;
Tempora novissima, 715, 2819;
Tempus Ecclesiae, 1076;
Tempus liturgicum, 1163-65;
Tempus otii, 2184, 2186-87, 2194;
Tempus praesens, 672;
Vita humana et tempus, 1007.

TENEBRAE

Colluctatio hominis contra potestates tenebrarum, 409;
Fides e tenebris educens, 2466;
Lux et tenebrae in dualismo et manicheismo, 285.

TENERITUDO

Teneritudo coniugum, 1611, 2350;
Teneritudo Dei, 239, 295, 2335.

TENTATIO

Actio tentandi Deum, 2119;
Adiutoria pro resistendo tentationibus, 1808, 2157, 2340;
Idolatria ut constans tentatio fidei, 2113;
« Ne nos inducas in tentationem », 2846-49, 2863;
Oratio ad tentationem vitandam, 2612;
Tentationes Iesu, 538-40, 566; .
Tentationes in oratione, 2732-33, 2753, 2755.

TERRA, 326, cf. *Mundus;*

Creatio terrae, 198, 290, cf. *Creatio;*
Terra gerenda, 307, 373, 2402-03;
Terra nova, 1042-50;
Terra promissa, 1222.

TERRORISMUS, 2297.

TESTAMENTUM, cf. *Vetus Testamentum* et *Novum Testamentum.*

TESTES

Apostoli tamquam testes, 857;
Confirmatio, sacramentum testes Christi reddens, 1285, 1303;
Coniuges ut testes Dei amoris, 1647-48;
Intercessio testium qui nos praecesserunt in Regnum, 2683;
Laici ut testes Christi, 904-05, 913, 942, 2242;
Quid significet Christi esse testem, 995;
Testes fidei, 165;
Testes in Matrimonio, 1631;
Testes resurrectionis Iesu, 642.

TESTIMONIUM

Effectus testimonii, 30;
Martyrium ut testimonium supremum, 2473;
Momentum testimonii, 2044;
Falsum testimonium, 2464, 2476;
Officium reddendi testimonium, 1816, 2087, 2471;
Testimonium christianorum, 2506;

In enuntiatione dogmatis, 251;
In liturgia, 249, 1066.

Personae divinae, 252;

In unitate, 255, 689;
Personae consubstantiales, 242, 253;
Personae inter Se distinctae, 254, 267.

Revelatio Dei ut Trinitatis

Revelatio Dei Filii, 240, 242;
Revelatio Dei Patris, 238, 240;
Revelatio Dei Spiritus Sancti, 243-48;
Revelatio Trinitatis, 244, 684, 732.

TRISTITIA

Tristitia in invidia, 2539-40, 2553;
Tristitia ut impedimentum in orando, 2728;
Tristitia ut passio praecipua, 1772;
Tristitia ut salutaris in conversione cordis, 1431.

TYPOLOGIA, 128, 130.

U

UNA, cf. *Ecclesia: Una.*

UNUS, cf. *Deus: appellationes et attributa Dei.*

UNCTIO

Christus in Spiritu Sancto unctus, 438, 690;
Effectus unctionis Spiritus Sancti pro christifidelibus, 91, 698, 786, 2769;
Significatio unctionis, 1293-94;
Symbolum unctionis olei, 695;
Unctio in Baptismo, 1241, 1291;
Unctio in Confirmatione, 1242, 1289, 1291, 1295, 1300;
Unctio in Ordine, 1574.

UNCTIO INFIRMORUM, 1499-1525, cf. *Sacramentum/a;*

Celebratio sacramenti Unctionis in ritu Romano, 1513, 1517-19, 1531;

Cui sacramentum Unctionis destinetur, 1514-15, 1528-29;
Effectus sacramenti Unctionis, 1520-23, 1532;
Fines sacramenti Unctionis, 1511, 1527;
Minister sacramenti Unctionis, 1530;
Praeparatio fidelium ad sacramentum Unctionis accipiendum, 1516;
Sacramentum Unctionis saeculorum decursu, 1512.

UNIO

Unio christianorum, 822;
Unio hominum cum Christo et cum Deo, 542, 772-73, 775, 864, 950, 1391, 2014, 2074;
Unio hypostatica in Christo, 470, 483;
Unio matrimonialis, 1603, 1614, cf. *Matrimonium;*
Unio spiritus et materiae in homine, 365, 650;
Unio Virginis Mariae cum Christo, 964;
Unio viri et mulieris, 383, 400, 1606, 1608, 1646, 2335, 2353, 2390-91.

UNITAS

Unitas animae et corporis, 362-68, 382;
Unitas coniugum, 1641, 1643;
Unitas divina ut trina, 254-55, 1702, 1878, 1890;
Unitas Ecclesiae et Christi, 795;
Unitas Ecclesiae, 791, 813-19, 820-22, 1396, 1416;
Unitas generis humani, 360, 775, 1045;
Unitas interior hominis, 409, 2338;
Unitas Veteris et Novi Testamenti, 128-30, 140;
Vir et mulier ut unitas duorum, 371-73, 1605.

UNIVERSALIS, cf. substantiva ad quae pertinet.

UNIVERSUM, cf. *Mundus;*

Deus ut origo et finis universi, 32, 269, 279, 317, 325;

Mysterium Ecclesiae in Vetere Testamento praefiguratum, 753;
Mysterium Trinitatis et Vetus Testamentum, 237;
Oratio et Vetus Testamentum, 2568, 2569, 2585, 2596, 2630;
Ordinationes iuridicae in Vetere Testamento, 2449;
Relatio inter Vetus et Novum Testamentum, 128, 129, 140;
Spiritus Sanctus et Vetus Testamentum, 702;
Theophaniae Veteris Testamenti, 697;
Titulus « Filius Dei » et Vetus Testamentum, 441;
Trinitas, Eius actio creatrix et Vetus Testamentum, 292;
Valor Veteris Testamenti, 121;
Veneratio Veteris Testamenti et eius imaginum, 61, 123, 138;
Vita sacra in Vetere Testamento, 2260.

VIA/AE

Iesus ut Via, 459, 846, 2664, 2674;
Parabola evangelica duplicis viae, 1696;
Via Christi, 1696-97;
Via consilii Dei, 778;
Via crucis, 1674, 2669;
Viae missionis, 852;
Viae providentiae, 314;
Viae Regni, 1967.

VIATICUM

Eucharistia ut viaticum, 1331, 1392, 1517, 1524-25.

VICARIUS

Conscientia, « omnium Christi vicariorum primus », 1778;
Episcopus ut vicarius Christi, 894, 1560;
Summus Pontifex ut vicarius Christi, 882.

VICTIMA (Christus), 457, 604, 1367, 1566.

VICTORIA

Victoria Christi de peccato et de morte, 411, 420, 654, 1505;
Victoria Dei de malo in fine mundi, 677;
Victoria Ecclesiae de potentiis mortis, 552;
Victoria Iesu de Satana, 539, 2853.

VIDERE Deum, 707, cf. *Theophania;*

Homines mundo corde Deum visuri, 1722, 2519, 2531;
Hominis desiderium videndi Deum, 2548-50, 2557.

VIDUA, 922, 1537, 1672, 2349.

VIGILANTIA

Christus ad vigilantiam invitans, 672;
Necessitas vigilantiae, 1036;
Tempus praesens ut tempus vigiliae, 672;
Vigilantia in custodienda fide, 2088;
Vigilantia in mediis communicationis adhibendis, 2496;
Vigilantia in orando, 2612, 2699, 2799, 2849, 2863;
Vigilantia quod ad modos cogitandi, 2727.

VIGILIA PASCHALIS, 281, 1217, 1254, 2719.

VINUM / VINEA / VITIS

Christus ut vera vitis, 755;
Conversio sanguinis Christi in vinum, 1375-76, 1413, cf. *Transsubstantiatio;*
« Ego sum vitis, vos palmites », 787, 1988, 2074;
Signum panis et vini in Eucharistia, 1333-35.

VIOLATIO, 2356.

VIOLENTIA

Commoda violentiam excitantia, 2316;
Gravitas violentiae, 1858;

In defensione pacis violentiae renun-
tiare, 2306;
Mendacium ut forma violentiae, 2486;
Observantia vitae humanae et violen-
tia, 2260, 2297;
Violentia in passione Christi, 1851;
Violentia sexualis, 2356;
Violentia ut consequentia ex peccato,
1869, 2534.

VIR, cf. *Homo.*

VIRGINITAS

Virginitas et castitas, 2349;
Virginitas Mariae, 496-99, 502-03,
506, 510, 723;
Virginitas propter Regnum caelorum,
922, 1618-20.

VIRGO MARIA, cf. *Maria.*

VIRTUS, cf. singulas virtutes.

Caritas ut origo et forma omnium vir-
tutum, 25, 2346;
Castitas ut virtus, 2337, 2341, 2345,
2347, 2349;
Catechesis virtutum humanarum et
christianarum, 1697;
Definitio virtutis, 1803-04, 1833;
Educatio in virtutibus, 1784, 2223;
Obstacula in exercendis virtutibus,
1863, 2284;
Solidarietas ut virtus, 1942, 1948;
Spiritus Sanctus per virtutes operans,
798;
Veritas ut virtus, 2468-69;
Virtutes et dona Spiritus Sancti, 1831;
Virtutes humanae gratia elevatae,
1810-11;
Virtutes ut donum Baptismi, 1266.

Dona Spiritus Sancti

Definitio donorum Spiritus Sancti,
1830;
Fructus Spiritus Sancti, 1832;
Septem dona Spiritus Sancti, 1831.

Virtutes humanae

Definitio virtutum humanarum, 1804,
1834;
Fortitudo, 1808, 1837;
Iustitia, 1807, 1836;
Prudentia, 1806, 1835;
Temperantia, 1809, 1838, 2290;
Virtutes humanae gratia purificatae et
elevatae, 1810-11;
Virtutes humanae munere « cardinis »
fungentes, 1805;
Virtutes morales, 1266, 1804, 1839.

Virtutes theologales

Caritas, 1822-29, 1844;
Definitio et munus virtutum theologa-
lium, 1812-13, 1840-41;
Fides, 153, 1814-16, 1842;
Spes, 1817-21, 1843, 2090.

VIS

Christus vires donans, 1504, 1566,
1615, 1642;
Deus vires donans, 1432, 2584, 2848;
Omnibus viribus suis Deum amare, 1,
201;
Orationis vis, 2610;
Providentiae vis, 302;
Sacramenta vires donantia, 1116,
1496, 1521, 1588;
Spiritus Sancti vis, 735, 1107, 1285,
1520, 1550, 1624, 1704, 2472;
Verbi Dei vis, 124, 131, 2057;
Vires humanae, 60, 405, 661, 822,
2090, 2520;
Vis militaris, 2309.

VISIO Dei

Defuncti et visio Dei, 1032;
Deus homines ad visionem Sui tam-
quam ad beatitudinem vocans, 1720;
Infernus ut privatio visionis Dei, 633;
Visio beatifica Dei, 1028, 1045;
Visio Dei « mundis cordibus » data,
2519;

Visio Dei tamquam extrema beatitudo, 2548.

VITA

Aegritudo et dolor vitam humanam afficientes, 1500;
Animam pro amicis ponere, 609;
Aqua ut fons vitae et fecunditatis, 1218;
Christus ut confinium mortis et vitae, 625;
Conversione vitam mutare, 1431;
Dignitas vitae corporis humani, 364;
« Ego sum Resurrectio et Vita », 994;
Iesus, « Dux vitae », 635;
Ministerium vitae ut fundamentale officium Matrimonii et familiae, 1653;
Mors ut finis vitae terrestris, 1013;
Natura sacra vitae humanae, 2258, 2319;
Solus Deus vitae Dominus, 2258;
Verbum Dei et Eius afflatus in origine omnis vitae, 703;
Vita Christi, cf. *Christus;*
Vita cum morte collata, 1007, 1012;
Vita Dei, cf. *Deus;*
Vita Ecclesiae, cf. *Ecclesia;*
Vita hominis in paradiso terrestri, 376;
Vita hominis ut dimicatio contra malum, 386, 409, 1707.

Insidiae vitae humanae

Abortus, 2271, 2322;
Euthanasia, 2276-79;
Homicidium voluntarium, 2268-69;
Infanticidium, 2271;
Interventus in embryone, 2275;
Suicidium, 2280-83.

Transmissio vitae

Procreatio regulanda, 2368, 2370;
Transmissio vitae a Deo ordinata, 372;
Transmissio vitae ut cooperatio in opere Creatoris, 372, 2367, 2398;
Transmissio vitae ut finis amoris coniugalis, 2363, 2366.

Vita aeterna

Arrabo vitae aeternae in sacramentis, 1130;
Baptismus, « sigillum vitae aeternae », 1274;
Christus, Dominus vitae aeternae, 679;
Credo vitam aeternam, 1020;
Deus « omnia in omnibus » in vita aeterna futurus, 1050, 1060;
Deus homini vitam aeternam dare volens, 55;
Peccatum grave ut impedimentum ad vitam aeternam adipiscendam, 1472;
« Qui manducat meam carnem..., habet vitam aeternam », 1406, 1524;
« Quid boni faciam, ut habeam vitam aeternam ? », 2052, 2075;
Resurrectio mortuorum et vita aeterna, 989-90, 994, 997-98, 1016;
Solummodo Deus « verba vitae aeternae » habens, 1336;
Vita aeterna beatorum tamquam plena possessio fructuum Redemptionis, 1026;
Vita aeterna tamquam praemium iustorum, 1038, 2002;
Vocatio ad vitam aeternam ut donum gratuitum Dei, 1998.

Vita christiana

Angeli ut adiutorium ad vitam christianam, 336;
Catechumenatus ut formatio vitae christianae, 1248;
Eucharistia, « totius vitae christianae fons et culmen », 1324, 1391-92;
Familia ut prima schola vitae christianae, 1657;
Oratio, vitae christianae elementum pernecessarium, 2701, 2745, 2764, cf. *Oratio;*
Praecepta vitae christianae in sermone montano, 1966;
Religiositas popularis vitam christianam ditans, 1679;

Sacra Scriptura ut nutrimentum et regula vitae christianae, 141;
Sacramenta ut fundamentum et adiutorium vitae christianae, 1210, 1212-13;
Sanctissima Trinitas ut mysterium centrale vitae christianae, 234;
Vita christiana et communio cum Personis divinis, 259;
Vita christiana et iter perfectionis, 2015;
Vita christiana et participatio in morte et resurrectione Christi, 1002.

Vita coniugalis, cf. *Matrimonium;*

Vita coniugalis a Creatore fundata Eiusque legibus praedita, 1660;
Vita coniugalis et fecunditas, 1654, 1664;
Vita coniugalis et praesentia Christi in ea, 1642;

Vita consecrata, cf. *Par,* 916;

Consecratio et missio, 931-33;
Consilia evangelica et professio, 914-16, 944;
Definitio vitae consecratae, 916;
Ecclesiae agnitio vitae consecratae, 915;
Formae diversae vitae consecratae, 917-19;
Instituta saecularia, 928-29;
Significatio vitae consecratae in Ecclesia, 932;
Societas vitae apostolicae, 930;
Virgines et viduae consecratae, 922-24, 1537, 1672;
Vita eremitica, 920-21;
Vita religiosa, 925-27.

Vita humana

Fines vitae : Deum cognoscere et amare Eique servire, 1, 68;
Ius ad vitam, 2264, 2273;
Observantia vitae humanae et legitima defensio, 2263-67, 2321;
Observantia vitae humanae et poena mortis, 2266-67;

Observantia vitae humanae usque a momento conceptionis, 2270-75, 2322;
Observantia vitae humanae, 2559-83;
Pax et observantia vitae, 2304.

Vita moralis

Definitio vitae moralis, 2047;
Fides ut fons vitae moralis, 2087;
Impedimenta pro vita morali, 1740;
Lex naturalis vitam moralem moderans, 1955;
Passiones et vita moralis, 1767-70;
Virtutes et dona Spiritus Sancti ut adiutorium pro vita morali, 1804, 1808, 1830;
Vita moralis et dignitas personae, 1706;
Vita moralis et Magisterium Ecclesiae, 2032-40, 2049-51;
Vita moralis adimplenda in vita aeterna, 1715;
Vita moralis libertatem spiritualem donans, 1828;
Vita moralis ut condicio primaria pro Evangelii annuntiatione, 2044;
Vita moralis ut condicio pro augmento Ecclesiae et Regni, 2045-46;
Vita moralis ut cultus spiritualis, 2031, 2047.

Vita nova, vita divina, cf. *Gratia,* 684;

Baptismus ut fons vitae novae, 1254, 1279;
Catechesis vitae novae, 1697;
Communio cum vita divina ut finis creationis, 760;
Deus vitam Suam divinam hominibus communicare volens, 52, 541;
Fructus in vita nova in Christo secundum Spiritum, 740;
Gratia ut participatio in vita Dei, 375, 1997;
Liturgia ut fons vitae novae, 1071-72;
Vita divina hominibus in sacramentis praebita, 694, 1131;

Vita nova a Christo nobis promerita, 1708;

Vita nova ab Ecclesia in Baptismo accepta, 168, 628, 683;

Vita nova et peccatum, 1420;

Vita nova in resurrectione Christi aperta, 654;

Vita nova superveniente Spiritu Sancto possibilis effecta, 735;

Vitae divinae participatio non ex voluntate carnis, sed ex Deo procedens, 505.

Vita socialis

Bonum commune et vita socialis, 1906, 1911, 1924;

Caritas in vita sociali, 1889;

Dei modus gubernationis in vita sociali imitandus, 1884;

Familia et vita socialis, 2207, 2210;

Participatio in vita sociali, 1882, 1897-1917;

Revelatio christiana et vita socialis, 2419;

Vita socialis et protectio vitae privatae, 1907;

Vita socialis homini necessaria, 1879, 1891;

Vita socialis organizanda, 2442.

Vita spiritualis, Vita in Spiritu, 1699, cf. *Spiritualitas.*

Vitis, cf. *Vinum.*

Vitium/a, cf. *Superbia, Avaritia, Invidia, Ira, Luxuria, Gula, Pigritia* seu *Acedia;*

Emendatio vitiorum, 2302;

Origo vitiorum, 1865, 1876;

Vitia et virtutes, 1768, 1774, 2516;

Vitia seu peccata capitalia, 1866.

Vivens, Deus vivens, 205, 2112, 2575.

Vocatio hominis

Consilia evangelica et vocatio personalis, 1974;

Facultas a societate praebenda ducendi in rem vocationem propriam, 1907, 2461;

Indoles communitaria vocationis humanae, 1878-85;

Sanctitas et Evangelium ut vocatio omnium discipulorum Christi, 1533, 1962;

Ultima vocatio hominis, 1260;

Vocatio Abrahae, 762;

Vocatio ad amorem, 1604, 2331, 2392;

Vocatio ad apostolatum christianum, 863;

Vocatio ad beatitudinem divinam, 1700, 1703, 1716-24;

Vocatio ad castitatem, 2337-59;

Vocatio ad communionem cum Deo, 27, 44;

Vocatio ad cooperationem cum Deo in creatione, 307;

Vocatio ad cultum divinum et servitium Ecclesiae, 1121;

Vocatio ad Matrimonium, 1603-04, 1607, 2331;

Vocatio ad novum populum Dei constituendum, 804, 831;

Vocatio ad paternitatem, 2369;

Vocatio ad unionem cum Christo, 521, 542;

Vocatio ad vitam aeternam, 1998, 2820;

Vocatio ad vitam in Spiritu Sancto, 1699;

Vocatio christianorum in Ecclesia adimpleta, 2030;

Vocatio filiorum observanda et adiuvanda, 1656, 2226, 2232;

Vocatio hominis a Christo revelata, 1701;

Vocatio hominis auxilio societatis in rem ducta, 1886;

Vocatio hominis vita in Spiritu Sancto adimpleta, 1699;

Vocatio hominum ad similitudinem unitatis et fraternitatis Personarum divinarum, 1878;

Vocatio hominum ut Dei filii adoptivi fiant, 1;

Vocatio humanitatis, 1877;

Vocatio ingrediendi in Regnum, 543;

Vocatio Israel ab Iesu perfecte adimpleta, 539;

Vocatio laicorum, 898-900, 2442;

Vocatio manifestandi Deum, 2085;

Vocatio Mariae, 490;

Vocatio quaerendi Deum, 30;

Vocatio sacerdotalis populi Dei, 784;

Vocatio sacerdotalis, 1583;

Vocatio viri et mulieris in consilio Dei, 373.

VOLUNTAS DEI, 51, 294-95, 541, 2059, 2822, cf *Deus: Christus.*

VOLUNTAS HOMINIS

Hominis dominium propriae voluntatis, 1734, 1809;

Moralitas actuum humanorum et voluntas, 1755;

Passiones et voluntas, 1767-68;

Peccatum et libera voluntas, 1853;

Virtus et voluntas, 1834.

VOTUM (religiosum)

A votis dispensare, 2103;

Definitio voti religiosi, 2102;

Valor exemplaris voti religiosi, 2103.

VOX

Vox conscientiae, cf. *Conscientia;*

Vox Dei Patris, cf. *Deus.*

Y

YHWH,

Nomen Dei revelatum, 206, 210-13, 446;

Nomen Iesu, 211, 446-447, 2666.

Z

ZELOTYPIA

Zelotypia Dei, 399, 584;

Zelotypia in matrimonio, 1606;

Zelotypia ut opus carnis, 1852.

ZELUS religiosus, 579, 2442.

INDEX GENERALIS

PARS PRIMA
PROFESSIO FIDEI

SECTIO PRIMA
« CREDO » – « CREDIMUS »

SECTIO SECUNDA
FIDEI CHRISTIANAE PROFESSIO

PARS SECUNDA
MYSTERII CHRISTIANI CELEBRATIO

SECTIO PRIMA
OECONOMIA SACRAMENTALIS

SECTIO SECUNDA
DECEM PRAECEPTA

PARS QUARTA
ORATIO CHRISTIANA

SECTIO PRIMA
ORATIO IN VITA CHRISTIANA

HOC VOLUMEN
TYPIS VATICANIS ABSOLVITUR
DIE XV AUGUSTI MCMXCVII
IN SOLLEMNITATE ASSUMPTIONIS
B. V. MARIAE